資治通鑒

柏杨 著

人民东方出版传媒
東方出版社

第十五部

元和中兴

牛李党争

甘露事变

大中之治

元和中兴

导读

唐王朝猪皇帝李适（音kuò〔阔〕）终于逝世。无论政府官员和全国人民，都像松了绑似的松了口气。他的儿子十三任帝（顺宗）李诵登极了八个月后短命而死，孙儿十四任帝（宪宗）李纯坐上宝座，自八〇五年至八二〇年，共在位十六年，用元和作为年号，十六年中，有八件大事：一、八〇六年，击斩西川战区叛将刘辟；二、同年，击斩夏绥战区叛将杨惠琳；三、八〇七年，击斩镇海战区叛将李锜；四、八一〇年，逮捕昭义战区司令官卢从史；五、八一二年，收复魏博战区；六、八一七年，击斩淮西战区叛将吴元济；七、八一八年，成德战区呈献德棣二州；八、八一九年，击斩平卢战区叛将李师道。

一连串获胜的军事行动，使中央的权威重振，史称“元和中兴”。虽然只是昙花一现，但也激起当时人们的兴奋之情。

柏杨　一九九〇·四·一五

目录

九世纪

九世纪（八〇〇年至八九九年）是中国历史上最黑暗、最痛苦和最使人绝望的世纪之一，唐王朝政府正加速崩溃，第二个宦官时代日臻巅峰，地方政府割据一方，互相征伐，杀人如麻，千里不见炊烟，人性堕落，全国糜烂，没有一个地方没有哀号悲哭！

唐王朝

- 盐州兵变，杀州长崔文先。
- 猪皇帝李适逝世。
- 西川代理司令官刘辟、镇海司令官李锜先后叛变，先后斩首。
- 沙陀部落投奔唐王朝。
- 讨伐成德司令官王承宗。

- 查理曼帝国建立，东正教与天主教永分，不能复合。
- 查理曼大帝禁止强迫农民无偿差役，以免逃亡，使土地荒芜。
- 伊斯兰教卡拉查派（主张自由选举或罢免哈里发）起兵，历数年才平定。

唐　贞元　十六年

1 春季，正月六日，唐王朝（首都长安〔陕西省西安市〕）成德战区（总部设恒州〔河北省正定县〕）、义武战区（总部设定州〔河北省定州市〕）、陈许战区（总部设许州〔河南省许昌市〕）、河阳战区（总部设河阳县〔河南省孟州市〕）四特遣兵团，讨伐彰义（淮西）战区（总部设蔡州〔河南省汝南县〕）变军首领吴少诚，都不能取得胜利，纷纷向后撤退。夏绥战区（总部设夏州〔陕西省靖边县北白城则村〕）司令官（节度使）韩全义，本是神策军出身（参考七九八年闰五月），左神策军总指挥官（中尉）宦官窦文场对他爱护备至，推荐给唐帝（十二任德宗）李适（本年五十九岁。适，音kuò〔阔〕）说："如果能让韩全义担任统帅，当可扑灭吴少诚。"

二月十七日，李适命韩全义当蔡州（河南省汝南县）地区中央特遣兵团征剿司令（蔡州四面行营招讨使），十七个战区野战军，都受他指挥。

2 宣武战区（总部设汴州〔河南省开封市〕）自刘玄佐（刘洽）逝世（参考七九二年三月十六日），迄今八年，发生过五次兵变（七九三年十二月拒绝刘士宁，拥护李万荣；七九四年四月韩惟清兵变失败；七九六年六月李迺擅自主管军政失败；七九六年十一月邓惟恭兵变失败；去年〔七九九〕二月杀陆长源），官兵越发骄傲蛮横，从内心里看不起统帅。现任战区司令官（节度使）韩弘，接事几个月（参考去年〔七九九〕九月），把每次兵变的主谋，都查得清清楚楚，有一位中级将领（郎将）刘锷，经常是他领头发难。

三月，韩弘在营门布置重兵，召唤刘锷跟他的同党三百人，斥责说："你们屡次参加兵变，反而自以为有功！"全体诛杀，鲜血横流，道路都染成朱红。从此，直到韩弘调到中央（参考八一九年八月三日），二十一年之久，士卒们没有一个敢在城区大呼小叫。

3 义成战区（总部设滑州〔河南省滑县〕）监军宦官薛盈珍，深受李适宠信，打算夺取司令官（节度使）姚南仲的大权，由自己独揽，姚南仲不买他的账，二人遂有隔阂。薛盈珍向皇帝打小报告陷害姚南仲的幕僚马总，中央贬马总当泉州（福建省泉州市）总秘书长（别驾）。福建道（首府设福州〔福建省福州市〕）行政长官（观察使）柳冕，打算害死马总，用以谄媚薛盈珍（泉州属福建道），于是派幕僚宝鼎（山西省万荣县西南荣河镇）人薛戎，摄理泉州（福建省泉州市）州长，要他随便找一个罪名扣到马总头上。薛戎反而替马总辩护，申诉马总无辜。柳冕大怒，召回薛戎囚禁，命监狱看守对他殴打凌辱，任意折磨，这样过了一个多月，慢慢诱导他，仍使他诬陷马总，薛戎始终拒绝；马总因此得免一死。柳冕，是柳芳的儿子（柳芳是八世纪五〇年代史学家，《资治通鉴》也有采录他的文章，参考六四八年七月）。

薛盈珍仍不断向李适指控姚南仲，李适开始对姚南仲怀疑；

薛盈珍于是派低级职员程务盈乘政府驿马车前往京师（首都长安）诬告，正巧营门官（牙将）曹文洽也奉派前往京师（首都长安）奏事，得到消息，日夜不停追赶，追到长乐驿（西安市东浐坡）才追上，跟程务盈同住一起，半夜时分，诛杀程务盈，把薛盈珍的诬告奏章，丢到茅厕里，自己另写一份奏章，为姚南仲申冤，对诛杀程务盈一事，一力承担；同时也给姚南仲一信，报告事情经过，然后自杀。第二天一早，屋门紧闭，驿站管理员破门而入，在曹文洽尸体旁边发现奏章及信件。

李适听到消息，十分惊异，征召薛盈珍到中央，姚南仲恐惧薛盈珍的陷害成为事实，难以挽回，也请求前往中央。

夏季，四月八日，姚南仲抵达京师（首都长安），囚禁金吾（卫军第十一、十二军）监狱，李适下诏释放召见，李适问道："薛盈珍是不是干扰了你？"姚南仲回报道："薛盈珍没有干扰我，而是他破坏了陛下的国法！不过，全国像薛盈珍这种人，数都数不完，即令羊祜、杜预复生（羊祜，参考二七八年十一月，杜预，参考二八〇年三月），也不能推行善政，建立大功。"李适沉默不说话，不但不处罚薛盈珍，反而仍让薛盈珍处理机密大事。

薛盈珍又报告李适说："姚南仲的罪恶，都是幕僚马少微出的主意。"李适命将马少微流放江南（长江以南），指派宦官押送，把马少微推落长江淹死。

4 黔中道（首府设黔州〔重庆市彭水县〕）行政长官（观察使）韦士宗政令苛刻。

四月十九日，营门官（牙将）傅近等把他赶走，韦士宗逃到施州（湖北省恩施市。施州属黔中道）。

5 新罗王国（首都金城〔朝鲜半岛庆州市〕）国王（三十八任元圣王）金信则逝世。

四月二十二日，中国册封他的嫡孙金俊邕继位（三十九任昭圣王）。

6 蔡州（河南省汝南县）地区中央特遣兵团征剿司令（蔡州四面行营招讨使）韩全义既没有勇气，更没有谋略，全靠灵巧的谄媚和大量贿赂，结交宦官，才得到这项统帅高位，每次举行军事会议，数十名监军宦官坐在营帐里，高谈阔论，始终找不到一个答案就散会。而天气渐热，士卒们长期驻扎在潮湿地带，很多人患病，韩全义对他们又毫不怜惜，军心瓦解。

五月十三日，在溵水（沙河，于河南省项城市西北注入颍水）南方广利原（项城市南），韩全义跟彰义（淮西）变军将领吴秀、吴少阳等会战，刚刚接触，中央军就被击溃，四散逃命，吴秀等乘势追击，韩全义撤退到五楼（河南省上蔡县东北）。吴少阳，是沧州（河北省沧州市东南）清池县（沧州州政府所在县）人。

7 山南东道战区（总部设襄州〔湖北省襄阳市〕）司令官（节度使）于頔（音dí〔笛〕），利用讨伐吴少诚机会，大肆招兵买马，修理铠甲，磨利武器，搜刮民间财富，随心所欲的杀人，有割据汉南（汉水以南）的野心，为了展示威力，专门以对上傲慢，对下骄横为能事。李适对手握军权的官员，都心怀畏惧，所以一切姑息迁就，眼看于頔如此凶悍，却无可奈何。

于頔诬告邓州（河南省邓州市）州长元洪贪赃枉法（邓州属山南东道战区），李适不得已，把元洪流放端州（广东省肇庆市），并派宦官押送，走到枣阳（湖北省枣阳市），于頔派军把元洪劫回襄州（湖北省襄阳市），宦官逃回京师（首都长安）。于頔再上疏指责中央对元洪的处罚太重，李适于是改命元洪当吉州（江西省吉安市）政务秘书长（长史），于頔才送元洪上路。

于頔又对他的执行官（判官）薛正伦大发雷霆，上疏要求贬他当峡州（湖北省宜昌市）政务秘书长（长史），等到中央人事命令下达，于頔的怒气已消，再上疏要求仍留任执行官（判官），李适一一听从。

8 徐泗濠战区（总部设徐州〔江苏省徐州市〕）司令官（节度使）张建封，镇守彭城（徐州州政府所在县）十余年（七八八年迄今十二年），治理军政，有条不紊，现在病重，连续上疏请中央派人接替。

五月十四日，李适命苏州（江苏省苏州市）州长韦夏卿当徐泗濠战区（总部徐州）作战参谋长（行军司马），诏书下达时，张建封已死（年六十六岁）。韦夏卿，是韦执谊的堂兄（韦执谊权倾宰相，参考七九六年十一月）。战区执行官（判官）郑通诚代理候补司令官（知留后），唯恐发生兵变，正巧，浙西道（首府设润州〔江苏省镇江市〕）特遣兵团经过彭城（徐州州政府所在县），郑通诚打算邀请他们进城阻吓，士卒们听到消息，如同火上加油，更加愤怒。

五月十五日，兵变，数千人砍开库门，拿出铠甲武器，立刻全副武装，包围内城，劫持张建封的儿子、前虢州（河南省灵宝市）参谋官（参军）张愔，拥护他主持军政大事，格杀郑通诚跟大将段伯熊等数人，逮捕监军宦官，加上脚镣手铐囚禁。李适得到报告，命国务院文官部考选司副司长（吏部员外郎）李鄘（音yōng〔庸〕），当徐州慰劳安抚特使（宣慰使）。李鄘到徐州（江苏省徐州市）后，直接进入军营，召集全体将领，宣读诏书，向大家分析祸福利害，解除监军宦官身上的械具，恢复原职，变军不敢反抗。张愔上疏自称候补作战司令（兵马留后），李鄘因这项官衔不是中央任命，不肯接受，命他删除，然后把奏章带回。

9 朔方战区（总部设灵州〔宁夏灵武市〕）奏报说：在乌兰桥（甘肃省靖远县西南五十公里）击破吐蕃军（西藏）。

10 五月二十九日，被驱逐的黔中道（首府设黔州〔重庆市彭水县〕）行政长官（观察使）韦士宗（参考本年〔八〇〇〕四月），返回道政府。

11 湖南道（首府设潭州〔湖南省长沙市〕）行政长官（观察使）、河中（山西省永济市）人吕渭，上疏检举永州（湖南省永州市）州长阳履受贿贪赃（永州属湖南道）；阳履上疏辩护说：他所搜刮的财货，自己并没有下腰包，而是准备呈献给皇帝。李适召他前去京师（首都长安）。

六月十日（原文置于五月，应误），李适命三司法单位调查审问（三司法单位：国务院司法部〔刑部〕、总监察署〔御史台〕、最高法院〔大理寺〕），追究那些财货变卖的钱哪里去了，阳履说："已经买马呈献。"法官追问道："卖马的人是谁？马的年龄多大？"阳履说："卖马的人东西南北都有，不知道他们在哪里，至于马的年龄，《礼记》说的明白：'调查君王御马的年龄，应该诛杀。'（《礼记·曲礼》："齿路马有诛！"）所以我不知道马的年龄！"他所作的回答，都类似这种情形。李适对阳履"呈献"的话，十分高兴，下令把他释放，只免除官职而已。

以李适的猜忌，连杨炎、窦参，虽位至宰相，都因"归过于君"，不使他们活在世上（参考七八〇年二月、七九二年十一月）。阳履贪污案发，竟公开上疏，说他是用来呈献皇帝，这如果不是"归过于君"，什么才是"归过于君"！李适却欣赏他呈献的言语，而赦免他的罪。即令是皇帝，贪赃枉法也绝不是一个美名。有人固然诈骗敛财，但是假如公开指出他诈骗敛财，他一定大不高兴，绝对拒绝接受。李适为什么甘愿接受这项恶名？我认为阳履在贪污案发之后，一定再一次向皇帝贿赂，才换取无罪的判决，李适不仅仅喜欢他的几句好听的话而已。

12 六月十九日，李适命平卢战区（总部设郓州〔山东省东平县〕）司令官（节度使）李师古，遥兼二级宰相（同平章事，使相）。

13 徐泗濠战区（总部设徐州〔江苏省徐州市〕）变军，向中央要求任命张愔当本战区司令官（节度使），中央拒绝。并命淮南战区（总部设扬州〔江苏省扬州市〕）司令官（节度使）杜佑，遥兼二级宰相（同平章事，使相），充任徐泗濠战区司令官，出军讨伐。杜佑集结大量船舰，派营门官（牙将）孟准当前锋；孟准北上，刚渡过淮河，就被徐州变军击败，杜佑恐惧，不敢前进。泗州（江苏省盱眙县淮河北岸）州长张伾率军攻击埇桥（安徽省宿州市），大败而回。中央政府无可奈何，只好任命张愔当徐州（江苏省徐州市）民兵司令（团练使），但同时也任命张伾当泗州（江苏省盱眙县淮河北岸）候补司令官（留后），濠州（安徽省凤阳县东北临淮关镇）州长杜兼当濠州候补司令官（留后）；仍命杜佑兼任濠泗道行政长官（观察使。中央委曲求全，但只给张愔自己所控制的一州）。

杜兼，是杜正伦的五世孙儿（杜正伦曾任三任帝李治的宰相，参考六五八年十一月六日），性情狡猾阴险，可以忍别人所不能忍。张建封患病时，他阴谋取代张建封的位置，从濠州（安徽省凤阳县东北临淮关镇）急急赶到总部。总部幕僚李藩跟杜兼的官阶相同，到卧室探望张建封，出门后看见杜兼，流泪哭泣说："大帅病情沉重到这种地步，你应该留在本州，防范变乱，而今放弃职守，来到这里，想干什么？请马上回去，如果不回去，我就奏报中央！”杜兼一时间手足失措，只好直接回任。张建封逝世，李藩回到扬州（他怎么会“回”扬州，原因不明），杜兼向中央诬告说，张建封死时，李藩煽动军队叛乱；李适大怒，下秘密诏书给杜佑，命杜佑诛杀李藩。杜佑对李藩一向敬重，把密诏积压十天，不忍下手，最后，他引导李藩讨论佛经，说：“佛教强调因果报应，不知有没有？”李藩说：“有。”杜佑说：“假定是这样，你遇到灾难一定不会恐惧！”遂把密诏拿出来让李藩过目，李藩神色不变，说：“这真是报应！”杜佑说：“你千万不要泄漏，我已呈递机密奏章，用我全家百口生命，保证你对皇家的忠贞。”但李适仍然怀疑，命李藩前去长安（陕西省西安市），亲自召见，看到李藩神情安闲，仪态文雅，说：“这哪里是作奸犯科的人！”立即命他当皇家图书院图书管理官（秘书郎，从六品上）。

14 新罗王国（首都金城〔朝鲜半岛庆州市〕）国王（三十九任昭圣王）金俊邕逝世，贵族拥护他的儿子金重熙继位（四十任哀庄王）。

15 秋季，七月，彰义（淮西）战区（总部设蔡州〔河南省汝南县〕）变军首领吴少诚，攻击退守五楼（河南省上蔡县东北）的韩全义，中央军再度大败，韩全义于夜晚逃走，暂保溵水县（河南省商水县）。

16 卢龙战区（总部设幽州〔北京市〕）司令官（节度使）刘济的老弟刘源，当涿州（河北省涿州市）州长，不接受刘济的命令。刘济率军攻击，把刘源生擒而回。

17 九月八日，义成战区（总部设滑州〔河南省滑县〕）司令官（节度使）卢群逝世（年五十九岁）。

九月甲戌日（九月丙申朔，没有甲戌），李适（音kuò〔阔〕）命国务院左秘书长（尚书左丞）李元素接任卢群遗缺。宰相贾耽说：“在本战区中遴选司令官（节度使），固然有人拥护，但也有人憎恶，固然有人喜欢，但也有人恐惧，所以军心不安。从今以后，中央发布人事命令时，希望由陛下自己决定，才有可能防止其他变化。”李适认为确是如此。

18 副立法长（中书侍郎）、二级实质宰相（同平章事）郑余庆，跟国务院财政部副部长（户部侍郎）、全国财政总监（判度支）于颋（音pī〔批〕）一向友善，于颋所奏报的事，郑余庆都建议李适批准，李适认为他们结党营私。

九月十五日，贬郑余庆当郴州（湖南省郴州市）军务秘书长（司马），于颋当泉州（福建省泉州市）户籍官（司户）。于颋，是于頔的老哥（于頔，参考七八三年六月）。

19 九月十八日，吴少诚（彰义〔总部蔡州〕首领）进逼溵水（沙河），在距离溵水数华里的地方扎营，韩全义再率各军向北退守陈州（河南省周口市淮阳区）。宣武战区（总部设汴州〔河南省开封市〕）及河阳战区（总部设河阳县〔河南省孟州市〕）特遣兵团私自退回本镇，只陈许战区（总部设许州〔河南省许昌市〕）将领孟元阳、神策军将领苏光荣率部众留在溵水（沙河）。

韩全义决定用别人的生命建立自己的威风，于是用诈术诱捕昭义战区（总部设潞州〔山西省长治市〕）将领夏侯仲宣、义成战区（总部设滑州〔河南省滑县〕）将领时昂、河阳战区（总部设河阳县〔河南省孟州市〕）将领权文度、河中战区（总部设河中府〔山西省永济市〕）将领郭湘等，一律斩首，制造恐怖气氛，镇压不满情绪。韩全义将抵达陈州（河南省周口市淮阳区），州长刘昌裔下令紧闭城门，自己登上城墙，对韩全义说："天子命你攻击蔡州（河南省汝南县），你怎么来到陈州（河南省周口市淮阳区）！我不敢让你进城，请在城外安营。"不久，刘昌裔携带牛肉、美酒之类，到韩全义大营犒劳，韩全义惊喜，对刘昌裔暗自佩服。

九月二十四日，孟元阳等跟吴少诚军会战，杀二千余人。

20 九月二十五日，命祭祀部长（太常卿）齐抗，当立法官（中书舍人）、二级实质宰相（同平章事）。

21 九月二十八日，命张愔当徐州战区（总部设徐州〔江苏省徐州市〕）候补司令官（留后）。

22 冬季，十月，吴少诚率变军返回蔡州（河南省汝南县）。

之前，西川战区（总部设成都府〔四川省成都市〕）司令官（节度使）韦皋，听到各军讨伐吴少诚，全都不能取胜的消息，上疏说："我建议命浑瑊、贾耽当元帅，统领各军（浑瑊于去年〔七九九〕十二月逝世，韦皋此疏，当在浑瑊逝世前呈递）。如果陛下不愿劳驾元老前辈，则我愿率本战区精锐士兵一万人，东下巴峡（指巴蜀〔四川省〕三峡），从荆楚（湖北省）发动攻击，翦除叛逆凶徒。不然的话，就应利用吴少诚请求赦免的机会，予以赦免，撤回两河（黄河南北）的讨伐大军，使公私都获得休息，也是次等策略。如果吴少诚有一天恶贯满盈，被他的部下诛杀，则又要把吴少诚的官职授给凶手，那可是好不容易铲除一个吴少诚，而又生一个吴少诚，后患就无穷无尽。"宰相贾耽对李适说："盗贼的本意也希望蒙受皇恩，宽恕他们的罪恶，中央要给他们一条生路！”李适接受。正巧，吴少诚送信及金银珍宝给中央军的一名监军宦官，请求昭雪冤枉，监军宦官奏报李适。

十月二十三日，李适下诏赦免吴少诚及彰义战区（总部设蔡州〔河南省汝南县〕）变军将士，一律恢复官职爵位。

23 十月二十四日，河东战区（总部设太原府〔山西省太原市〕）司令官（节度使）李说逝世（年六十一岁）。

十月二十九日，命本战区作战参谋长（行军司马）郑儋当司令官（节度使）。

李适遴选可以接替郑儋的人，想起国务院司法部法务司副司长（刑部员外郎）严绶，在当幕僚的时候，就懂得向皇帝呈献贿赂（参考七九六年六月），因之印象深刻，于是命严绶当作战参谋长（行军司马）。

李适身为圣明天子，对于向自己行贿的官员，竟如此欣赏，不次擢升，使人张口结舌！中国五千年来一直无法建立一个廉洁的政府，我们终于找出缘故：原来，国家的最高统治者，他自己就是贪污大王！

24 吐蕃王国（首都逻些城〔西藏拉萨市〕）不断被西川战区（总部成都府）司令官（节度使）韦皋击败。本年（八〇〇），吐蕃所属曩贡战区（今地不详）、腊城战区（总部设青海湖以南）等九名战区司令官（节度使）婴（姓不详），以及总参谋长（笼官）马定德，率领他们的部众，投降唐王朝。

马定德有智慧谋略，吐蕃军各将领作战，都遵照他的指示，他还经常乘坐政府驿马车到各地视察，而今，因不断战败，恐怕国王对他处罚，遂决定来降。

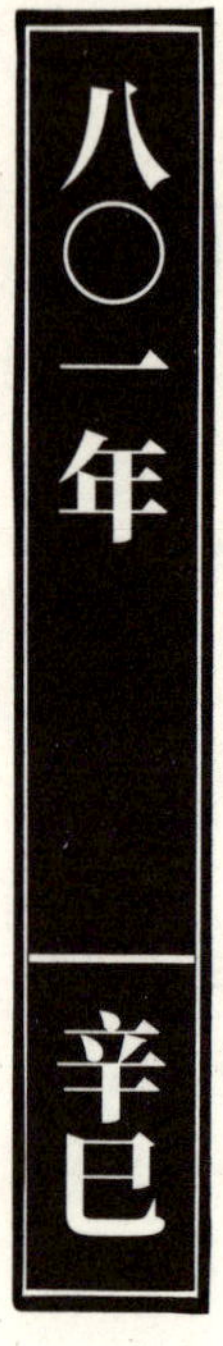

1 春季，正月二十一日，唐王朝（首都长安〔陕西省西安市〕）蔡州（河南省汝南县）地区中央特遣兵团征剿司令（蔡州四面行营招讨使）韩全义返抵首都长安（陕西省西安市），左神策军总指挥官（中尉）宦官窦文场，竭力掩盖他被打败的事实，所以，唐帝（十二任德宗）李适（本年六十岁。适，音kuò〔阔〕）对韩全义仍十分礼遇，赏赐丰厚。韩全义声称他的脚有病，不能到金銮宝殿上叩头晋见，只派作战参谋长（司马）崔放进宫奏报，崔放替韩全义引咎自责，对讨伐大军没有建立大功，请求处罚。李适安慰说：“韩全义身为征剿司令（招讨使），能使吴少诚投降，功劳就很大了，何必一定要杀人才算大功！”

闰正月十一日，韩全义返回夏州（夏绥战区总部，陕西省靖边县北白城则村）。

2 黔中道（首府设黔州〔重庆市彭水县〕）行政长官（观察使）韦士宗重回黔州（重庆市彭水县）后（参考去年〔八〇〇〕四月十九日及五月二十九日），大肆报复，无缘无故诛杀州长，人心大乱，民怨沸腾，韦士宗恐惧。

三月，韦士宗逃走。

夏季，四月二十日，李适命立法院高级顾问官（右谏议大夫，正四品下）裴佶，当黔中道（首府黔州）行政长官（观察使）。

3 五月一日，日蚀。

4 邠宁战区（总部设邠州〔陕西省彬州市〕）司令官（节度使）杨朝晟，率军到京师（首都长安）以西参加秋季边防，驻扎宁州（甘肃省宁县）。

五月二十四日，杨朝晟逝世。

最初，河中战区（总部设河中府〔山西省永济市〕）司令官（节度使）浑瑊，派作战司令（兵马使）李朝寀，率军驻防定平（甘肃省宁县东南）。浑瑊逝世，李朝寀请求改隶神策军，李适批准。

杨朝晟病重的时候，召集幕僚们说：“我的病不可能好转，依照过去惯例，朔方兵团的将领，都由自己人担任（邠宁战区部队，乃朔方兵团的一支），虽然顺应军心，但并不是帝国的正规体制。宁州（甘肃省宁县）州长刘南金，对军事十分熟悉，最好由他摄理作战参谋长（摄行军），暂时主持总部军务，等候中央派遣新司令官（节度使），一定可以平安。”把亲笔写的遗嘱交给监军宦官刘英倩，刘英倩奏报中央，将士们私下议论说：“中央派遣统帅，我们欢迎；即令任命刘州长，我们也愿接受。可是如果别的军系将领来当我们的统帅，他会率他的嫡系部队同来，我们一定受到排斥，那就绝对要拒抗到底。”

五月二十八日，李适派宦官到邠州（陕西省彬州市）察看军情，军中多半拥护刘南金。

五月三十日，李适再派高级宦官（高品）薛盈珍（《唐会要·内侍省》：八二〇年，皇宫宦官总管府〔内侍省〕有高级宦官〔高品〕一千六百九十六人）携带诏书前往宁州（甘肃省宁县）。

六月三日，薛盈珍抵达大营，宣读诏书说：“李朝寀率领的本也是朔方战士，能够合并为一，声势当更雄壮，可对蛮夷展示威力。现在中央命李朝寀当司令官（节度使），刘南金当副司令官（节度副使），各位将领认为如何？”各将领都愿接受。

六月五日，总纠察官（都虞候）史经，向士卒们透露说：“李大帅（李朝寀）下令收缴我们的弓箭刀枪，又教我们送去铠甲两千副！”士卒说：“李大帅（李朝寀）打算派心腹部队两千人到这里，我们的妻子儿女，还能保得住？”当天夜晚，一起晋见刘南金，打算拥护刘南金当司令官（节度使），刘南金说：“我当然愿意当司令官（节度使），但必须天子任命才行，军中难道没有别的将领？”大家说：“军中的弓箭刀枪都被收去保管，只有你这里还有武器，我们想用它行动。”刘南金说：“各位如果不愿意李朝寀当统帅，最好是告诉钦差宦官，如果动刀动枪，那可是拒抗诏书！”命紧闭家门，不让大家进去。大家遂找到作战司令（兵马使）高固，高固逃走躲藏，被搜出来。高固说："你们如果能接受我的要求，我才答应。"大家说："听你的命令。"高固说："不杀人，不抢劫！"大家说："绝对遵守！"于是一同晋见监军宦官，请奏报皇帝。然后，士卒们忽然一惊，说："刘州长已接到中央命令担任副司令官（节度副使），一定会破坏我们的计划！"遂假传监军宦官的命令，要刘南金前来讨论大事，刘南金到后，大家把他格杀。

六月七日，李适下诏命李朝寀当邠宁战区（总部设邠州〔陕西省彬州市〕）司令官（节度使）。当天（六月七日），宁州（甘肃省宁县）兵变的消息传到中央，李适急命收回诏书，再派薛盈珍前去调查军情。

六月十一日，薛盈珍抵达宁州大营，各将领坚持拥护高固，薛盈珍立即以皇帝名义，宣布任命高固代理军务。而这时已有人把六月七日的诏书内容，传到邠州（陕西省彬州市），留守在邠州（陕西省彬州市）的军队，大为困惑，不知道应该怎么办，野心分子遂利用军心不稳的机会，准备发动变乱。候补司令官（留后）孟子周把精锐部队全部调到总部内院，每天用丰富的酒肉宴请将士，对内博得士卒的喜悦，对外阻吓野心分子煽动。邠州（陕西省彬州市）没有发生变乱，都是孟子周的谋略。

5 浙西道（首府设润州〔江苏省镇江市〕）行政长官（观察使）兼各战区道盐铁专卖暨运输总监（诸道盐铁转运使）李锜，既掌握全国重要据点的财富跟军力（李锜出任要职，参考前年〔七九九〕二月），用呈献贿赂的手段巩固皇帝对他的恩宠，用馈赠礼物的手段结交权贵；然后再仗恃皇帝及权贵的宠爱，骄傲蛮横，没有任何顾忌；一方面大量盗取国家财产，随意杀人，他部下的官员，没有罪而被处死的，前后相继。浙西（江苏省南部）一位名叫崔善贞的平民知识分子，前往京师（首都长安）皇宫呈递“亲启密奏”，分析宫廷直接购买（宫市）、地方官员呈献贿赂（进奉）以及盐铁专卖的弊端，同时也指摘李锜种种违法行为。李适读后，大不高兴，下令把崔善贞戴上刑具，送给李锜。李锜接到报告，在崔善贞将要抵达润州（江苏省镇江市）时，先在路边挖掘一个土坑。

六月八日，崔善贞走到那里，李锜下令把他连同枷锁铁链一起推进土坑，生生活埋而死。无论远近的人，听到这个消息，都浑身发抖。李锜为了保护自己，更招兵买马，扩充军队，挑选身体强壮的射手，组成“强弓特种部队”（挽强），并征召集结发配到江南（长江以南）的胡部落（北方蛮夷总称）、奚部落（滦河上游）的俘虏，组成“外籍特种部队”（蕃落），给他们的薪俸和赏赐，超过普通正规军十倍。运输总监署执行官（转运判官）卢坦，屡次规劝，李锜都不接受，卢坦遂跟另一名幕僚李约等，辞职而去。李约，是李勉的儿子（此李勉是皇族李勉，参考七八六年正月十一日）。

6 六月十八日，李适下诏命高固当邠宁战区（总部设邠州〔陕西省彬州市〕）司令官（节度使）。

高固，是一位老将，心胸宽大，感情敦厚，过去的司令官（节度使）对他都很猜忌，一直让他当个没有实权的闲官；很多同事都瞧他不起，对他时常凌辱。但高固当统帅后，对谁都不报复，因此军心安定。

7 六月二十六日，成德战区（总部设恒州〔河北省正定县〕）司令官（节度使）王武俊逝世（年六十七岁）。

8 秋季，七月十八日，吐蕃军（西藏）攻击盐州（陕西省定边县）。

9 七月二十一日，李适（音kuò〔阔〕）命成德战区（总部设恒州〔河北省正定县〕）副司令官（节度副使）王士真（王武俊的儿子）当司令官（节度使）。

10 七月二十九日，吐蕃军（西藏）攻陷麟州（陕西省神木市），格杀州长郭锋，铲平内外城墙，掳掠居民及党项部落而去。郭锋，是郭曜的儿子（郭曜，是郭子仪的儿子，参考七八一年六月十四日）。

佛教和尚延素，也是被吐蕃俘虏的居民之一，一位名叫徐舍人的吐蕃将领告诉延素说："我是徐勣（徐世勣〔李世勣〕）第五代的孙儿，武曌当权时代，我的高祖父徐敬业起义失败（参考六八四年十一月十八日），子孙流亡异域外邦，虽然每一代都掌握军权，接受薪俸，然而，饮水思源，永不忘本，只因家族人数太多，不能离开，现在放你回去！"遂送他上路。

李适派使节通知西川战区（总部设成都府〔四川省成都市〕）司令官（节度使）韦皋，派军深入吐蕃（西藏）国土，用以牵制吐蕃（西藏）一部分兵力，舒解北方所受的压迫。韦皋命将领率军二万人，九路前进，分别攻击维州（四川省理县）、保州（理县西北）、松州（四川省松潘县）以及栖鸡（四川省茂县西北）、老翁城（四川省茂县西北）。

11 河东战区（总部设太原府〔山西省太原市〕）司令官（节度使）郑儋，突然死亡，来不及交代后事，军队喧哗吵闹，眼看就要兵变。午夜时分，十余名骑兵全副武装，召唤机要秘书（掌书记）令狐楚（令狐，复姓）到大营，各将领团团围住他，命他撰写郑儋的遗疏。令狐楚在刀口枪尖之下，提起笔来，立即写成。令狐楚，是令狐德棻的族孙（令狐德棻事，参考六四三年四月六日）。

八月二十八日，李适命本战区作战参谋长（行军司马）严绶，当司令官（严绶以战区幕僚身份直接行贿皇帝而不断升官；参考七九六年六月）。

12 九月，韦皋奏报：在雅州（四川省雅安市）大破吐蕃军（西藏）。

13 左神策军总指挥官（中尉）宦官窦文场退休，副指挥官杨志廉接替。

14 西川战区（总部成都府）司令官（节度使）韦皋不断击破吐蕃军（西藏），转战一千余华里，攻陷城池七座，军事基地及关镇五处，焚烧堡垒一百五十个，杀一万余人，俘虏六千人，受降三千户；继续向前推进，于北方包围维州（四川省理县），南方包围昆明城（四川省盐源县）。

冬季，十月十一日，李适加授韦皋中央官衔：摄理司徒（检校司徒，三公之二）兼最高立法长（兼中书令，使相），封南康郡王。南诏王国（首都苴咩城〔云南省大理市〕）国王（三任云南王）异牟寻，掳获吐蕃军（西藏）的辎重尤其多，李适派宦官前往慰劳。

15 十月二十九日，盐州（陕西省定边县）州长杜彦先不能抵抗吐蕃军（西藏）的压力，放弃城池（盐州筑城，迄今才八年。参考七九三年二月），逃奔庆州（甘肃省庆阳市）。

1 春季，正月，骠国（缅甸）国王摩罗思那，派王子悉利移，前来中国进贡。

骠国在南诏王国（首都苴咩城〔云南省大理市〕）西南六千八百华里（山路虽千盘万旋，也不可能有六千余华里），听说南诏（云南省）归降唐王朝，十分羡慕，遂透过南诏介绍，得以到唐王朝朝见，进贡他们本国音乐。

2 吐蕃王国（首都逻些城〔西藏拉萨市〕）派大宰相，兼东方五战区司令官（东鄙五道节度使）论莽热，率十万人大兵团，增援维州（四川省理县）。唐王朝（首都长安〔陕西省西安市〕）西川战区（总部设成都府〔四川省成都市〕）特遣兵团据守险要，设下埋伏，严阵以待。吐蕃军抵达时，西川兵团派一千人挑战诱敌，吐蕃军大举追击，进入伏兵口袋阵地，吐蕃军大败，西川兵团生擒论莽热，但士卒也死亡大半，始终无法攻陷维州（四川省理县）、昆明（四川省盐源县），只好撤退。

正月十八日，韦皋派使节把论莽热送到京师（首都长安），唐帝（十二任德宗）李适（本年六十一岁）对他赦免。

3 浙东道（首府设越州〔浙江省绍兴市〕）行政长官（观察使）裴肃，因向皇帝呈献贿赂，得以升官（参考七六九年六月）。裴肃死后，执行官（判官）齐总代理主持善后事务，对下比裴肃更苛刻，对上比裴肃更谄媚。

三月十七日，李适下诏擢升齐总当衢州（浙江省衢州市）州长（衢州属浙东道）。御前监督官（给事中）长安（首都长安西半城）人许孟容把诏书退回，抗议说："衢州（浙江省衢州市）没有发生事变，齐总没有特别功勋，忽然破格奖励，文武官员都感震骇。如果齐总真有什么功勋，应该登记在政府考绩簿上，然后超越资格，改调官职，用以解除大家心中疑虑。"人事命令遂留在宫中，中止发布。

三月己亥日（三月丁巳朔，没有己亥），李适召见许孟容，慰问嘉勉（许孟容曾当曹王李皋幕僚，参考七八二年十月）。

4 秋季，七月十七日，嘉王府的首席军事参议官（咨议，正五品上）高弘本（嘉王李运，是李适的老弟），在金銮宝殿向皇帝作口头报告

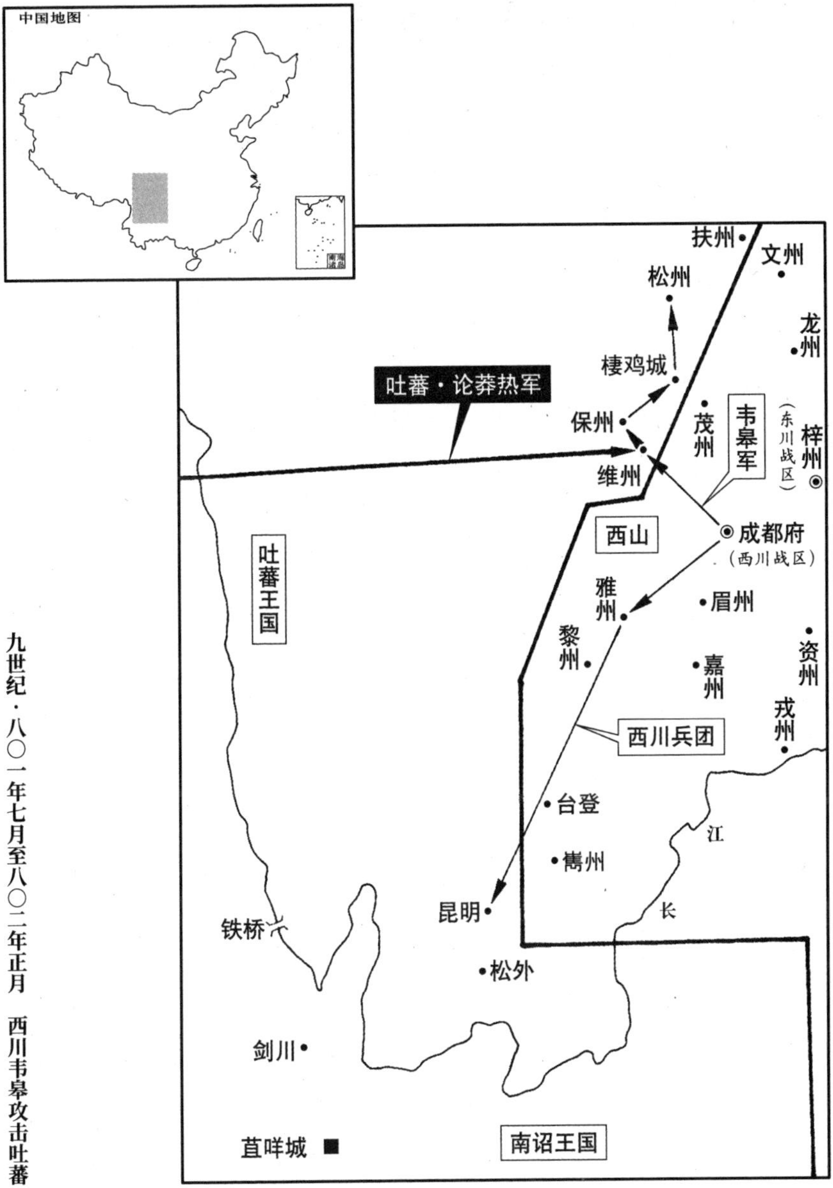

九世纪·八〇一年七月至八〇二年正月　西川韦皋攻击吐蕃

中国地图

扶州
文州
松州
龙州
栖鸡城
吐蕃·论莽热军
保州
茂州
韦皋军
（东川战区）
梓州
维州
西山
成都府
（西川战区）
吐蕃王国
雅州
眉州
黎州
资州
嘉州
戎州
西川兵团
台登
江
巂州
长
昆明
铁桥
松外
剑川
苴咩城
南诏王国

时，忽然表示，他的负债一定会自己处理。

七月二十一日，李适下诏说：“公爵以上以及部长级的属官，今后不可到金銮宝殿报告事务，如有什么重要事务必须当面奏报，应到延英殿大门登记，请求召见。”关心国事的人认为：“金銮宝殿奏报事务，自六一八年唐王朝建立以来，一直奉行，从没有改变，目的就是要听到低阶层官员的心声，使行政措施，更合民意。高弘本愚昧无知，把他免职赶走，也就了事，不应该因一个人一时犯错，而废除制度。”（结果如何，没有交代清楚。）

5 淮南战区（总部设扬州〔江苏省扬州市〕）司令官（节度使）杜佑，不断上疏请求中央派人接替。

冬季，十月四日，李适命国务院司法部长（刑部尚书）王锷，当淮南战区（总部扬州）副司令官（节度副使）兼作战参谋长（兼行军司马）。

6 十月二十六日，鄜坊战区（总部设鄜州〔陕西省富县〕）司令官（节度使）王栖曜逝世。中军将领何朝宗阴谋兵变。当天（十月二十六日）夜晚，纵火烧营。总纠察官（都虞候）裴玢（音bīn〔彬〕）立即躲藏起来，不出面救火。第二天（十月二十七日）一早，裴玢逮捕何朝宗，斩首。

李适命同州（陕西省大荔县）州长刘公济，当鄜坊战区（鄜，音fū〔夫〕）司令官（节度使），裴玢当作战参谋长（行军司马）。

1 春季，二月六日，唐王朝（首都长安〔陕西省西安市〕）皇帝（十二任德宗）李适（本年六十二岁。适，音kuò〔阔〕）把安黄战区（总部设安州〔湖北省安陆市〕）改称奉义战区。

2 二月十八日，安南道（首府设安南府〔越南河内市〕）营门官（牙将）王季元，驱逐行政长官（观察使）裴泰，裴泰逃到朱鸢（音yuān〔渊〕。朱鸢，位河内市东南）。明天（二月十九日），左翼作战司令（左兵马使）赵匀击斩王季元跟他的同党，迎接裴泰回城，复行视事。

3 二月二十三日，淮南战区（总部设扬州〔江苏省扬州市〕）司令官（节度使）杜佑，到中央朝见。

三月一日，命杜佑摄理司空（检校司空，三公之三）、二级实质宰相（同平章事）；擢升副司令官（节度副使）王锷当淮南战区（总部扬州）司令官（节度使）。

4 藩属事务部长（鸿胪卿）王权建议：把李熙（唐王朝一任帝李渊的高祖父）、李天赐（李渊的曾祖父）的牌位，迁移到皋陶、李暠的祭庙里（皋陶，音gāo yáo〔高姚〕；是黄帝王朝七任帝〔舜帝〕姚重华在位时的法官，唐王朝李姓皇族把他当作祖先之一，追封“德明皇帝”；西凉王国一任王李暠，是一任帝李渊的七世祖，追封“兴圣皇帝”；皆参考七四三年三月）；每到皇家三年大祭（祫）或五年总祭（禘）时，李虎（李渊的老爹）的牌位恢复面向东方的位置（七八一年，李熙牌位取代李虎牌位，面向东方，参考该年〔七八一〕十月）。李适批准。

5 三月二十四日，命农林部长（司农卿）李实当首都长安市长（京兆尹）。李实凶暴乖张，但李适对他却十分宠爱信任。李实仗恃皇帝的支持，更加骄横傲慢，他如果应允推荐某人，某人一定破格升官；他如果诬告陷害某人，某人一定贬窜，说什么时候办到，什么时候就一定办到，官员或知识分子都对他畏惧，见到他时都不敢抬头。

6 夏季，四月，泾原战区（总部设泾州〔甘肃省泾川县〕）司令官（节度使）刘昌上疏，请求把原州（侨州）州政府迁回平凉（甘肃省平凉市），李适批准（刘昌筑平凉城，参考七九一年二月七日）。

7 五月二十六日（原文误置于四月，据《旧唐书》改），吐蕃王国（首都逻些城〔西藏拉萨市〕）派官员论颊热，前来唐王朝进贡。

8 六月十二日，擢升右神策军副总指挥官（中尉副使）宦官孙荣义，当总指挥官（中尉）。孙荣义跟左神策军总指挥官（中尉）宦官杨志廉，双双骄傲放纵，招权收贿，不可一世；投靠攀附他们的人众多，宦官的势力更大。

9 六月十三日，派右龙武（禁军第四军）大将军（正二品）薛伾（音pī〔劈〕），前往吐蕃王国（首都逻些城）报聘。

10 陈许战区（总部设许州〔河南省许昌市〕）司令官（节度使）上官涚（音shuì〔睡〕）逝世，他的女婿田偁，打算胁持他的儿子继承官位。营门官（牙将）王沛，也是上官涚的女婿，知道田偁的阴谋，告诉监军宦官范日用，出动军队把田偁生擒。

六月十六日，擢升陈许战区（总部许州）作战参谋长（行军司马）刘昌裔当司令官（节度使）。王沛，是许州（河南省许昌市）人。

11 本年（八〇三），从正月直到秋季七月，天不降雨。

12 七月十一日，副立法长（中书侍郎）、二级实质宰相（同平章事）齐抗，因患病在身，免除职务，改任太子宾客（正三品）。

13 最初，皇家文学研究院待诏官（等待皇帝随时差遣）王伾（音pī〔劈〕），写一手好书法，山阴（越州州政府所在县，浙江省绍兴市）人王叔文下一手好围棋，都常出入东宫，侍候太子李诵玩乐。王伾，是杭州（浙江省杭州市）人。

王叔文诡计多端，自称读过很多书，知道怎么治理国家，总是利用机会向李诵陈述民间疾苦。有一次，李诵跟几位皇家教师（太子侍读），以及王叔文等在一起，谈到宫廷直接采购（宫市）的害处（参考七九七年十二月），李诵说：“我正打算竭力反对！”大家一致赞扬，只王叔文不说一句话。等大家告辞，李诵命王叔文独自留下，问他道：“刚才，只你不说一句话，是不是有别的意见？”王叔文说：“我有幸蒙太子看重，发现什么，不敢不说出来。太子主要的工作是照顾皇上的饮食和健康，不应该参与政治。皇上在位已久，如果怀疑你收买人心，你怎么为自己解释？”李诵大为震惊，流泪哭泣，说：“不是你，我想不到这些！”对王叔文更宠爱信任，王叔文跟王伾互相依附。

王叔文遂建议李诵在心中组织影子政府，因而推荐：“某人可以当宰相，某人可以当大将，希望有一天重用他们。”秘密结交皇家文学研究官（翰林学士）韦执谊，及当时政府官员中有名望而急于升官掌权的一些人：陆淳、吕温、李景俭、韩晔、韩泰、陈谏、柳宗元、刘禹锡等，定为生死之交。凌准、程异等也通过这些同党的推荐，而受到李诵赏识，每天聚在一起，行为诡秘，没有人知道他们忙些什么，有的战区甚至还暗中致送贿赂，跟他们交结。陆淳，是吴县（苏州州政府所在县，江苏省苏州市）人，曾当过国务院左主任秘书（左司郎中）。吕温，是吕渭的儿子（吕渭事，参考八〇〇年五月），当时任职见习监督官（左拾遗）。李景俭，是李瑀的孙儿（李瑀是皇族，参考七五八年七月），进士及第（“进士”和“进士及第”不同，“进士”是“地方政府进贡到中央参加考试的人士”，只是考生，“进士及第”则是“考试及格”，已具备当官资格。但日子一久，“进士及第”遂简称“进士”，只在比较正式的文件上，才称全衔“进士及第”）。韩晔，是韩滉的侄儿（韩滉，参考七八七年二月）。陈谏，曾当过中央监察官（侍御史），柳宗元、刘禹锡，当时是行政监察官（监察御史）。

监督院初级监督官（左补阙）张正一上疏皇帝，李适特别召见。张正一跟国务院文官部考选司副司长（吏部员外郎）王仲舒、教育部礼宾司副司长（主客员外郎）刘伯刍等，感情亲密，王叔文的党羽怀疑张正一向皇帝打小报告泄漏王叔文的秘密，于是，命韦执谊在李适面前陷害张正一等，指控张正一等结党营私，疯狂游宴，毫无节制。

九月六日，张正一等被贬窜远方，但人们并不知道原因。刘伯刍，是刘迺的儿子（刘迺，参考七八四年二月二十六日）。

14 夏绥战区（总部设夏州〔陕西省靖边县北白城则村〕）军事执行官（节度判官）崔文先，暂代盐州（陕西省定边县）州长，为政苛刻凶暴。

冬季，闰十月三日，部将李庭俊反抗，格杀崔文先，剁成肉酱，吞吃下肚。左神策军作战司令（左神策兵马使）李兴干，正驻防盐州（陕西省定边县），斩李庭俊，奏报中央。

15 闰十月十日，副监督长（门下侍郎）、二级实质宰相（同平章事）崔损逝世。

16 十一月一日，命李兴干接任盐州（陕西省定边县）州长，可以直接上疏皇帝；从此，盐州（陕西省定边县）脱离夏绥战区（总部设夏州〔陕西省靖边县北白城则村〕）。

17 十二月十三日，命祭祀部长（太常卿）高郢当副立法长（中书侍郎），国务院文官部副部长（吏部侍郎）郑珣瑜当副监督长（门下侍郎），二人同时兼二级实质宰相（同平章事）。郑珣瑜，是郑余庆的堂兄弟（郑余庆曾当宰相，参考八〇〇年九月十五日）。

18 八世纪八〇年代稍早，十二任帝李适曾下诏给京师（首都长安）各司法有关单位，以及各州县政府，对于所监禁的囚犯，中央每三个月派监察官（御史）前往巡视调查一次，发现冤狱或苦刑拷打情事，就奏报皇帝纠正。可是，近年以来，宦官势力烜赫，没有人敢去禁军执行职务，每次都由总监察署（御史台）去一公函给禁军，禁军则送来一份囚犯名册，并用公函告知：所有囚犯没有一个冤枉，也没有一个遭受刑求，就算完成。

行政监察官（监察御史）崔薳（音wěi〔韦〕），对部属要求严格，部属打算陷害他，于是把他带领到右神策军。右神策军基地司令（军使）以下官兵，大为恐惧，把情形奏报皇帝，李适大怒，打崔薳四十大棍，流放崖州（海南省海口市琼山区）。

19 首都长安特别市长（京兆尹）、嗣道王李实，专门横征暴敛，把财富呈献唐帝李适，并告诉李适说："今年虽有旱灾，可是庄稼长得又肥又大！"因此，农民无法减免租税，穷苦大众甚至拆毁自己的房屋，贩卖砖瓦木材，以及抵押刚长出的麦苗，缴给政府。戏剧演员成辅端编撰歌谣嘲弄讽刺，李实上疏指控成辅端诽谤官员，挑拨政府与人民之间感情；李适下令把成辅端乱棒打死（李实苛暴成性，参考七九二年三月）。

行政监察官（监察御史）韩愈上疏，说："京畿（陕西省中部）农民穷困悲苦，今年（八〇三）应缴捐税及草料粮食而无力缴纳的，请准予延长到明年（八〇四）蚕事完毕后或小麦收割时补缴。"李适立即把韩愈贬为阳山（广东省阳山县）县长。

八〇四年 甲申

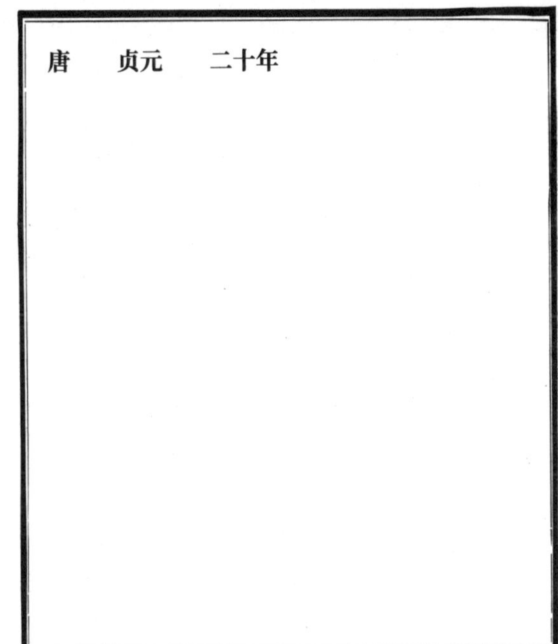
唐　贞元　二十年

1 春季，正月十日，唐王朝（首都长安〔陕西省西安市〕）天德警备区（总部设天德军城〔内蒙古乌拉特前旗东北〕）总司令官暨民兵总司令官（都防御团练使），兼丰州（内蒙古五原县）州长李景略逝世（年五十五岁）。

最初，李景略设宴招待幕僚官员，斟酒的人错斟了醋。执行官（判官）京兆（首都长安）人任迪简，因李景略性情严厉，恐怕斟酒的人受罚，只好勉强把醋饮下，结果回家后不断吐血，士卒们听到这件事，感动得流泪。现在，李景略逝世，士卒们认为执行官（判官）是位仁爱长者，打算拥护他当统帅。监军宦官把任迪简送到另一个房间安置，士卒们撬开门户，接他出来。监军宦官无可奈何，奏报皇帝，李适下诏命任迪简接替李景略的官职。

2 吐蕃王国（首都逻些城〔西藏拉萨市〕）国王逝世，老弟嗣位（吐蕃王位次序，《资治通鉴》《旧唐书》《新唐书》《顺宗实录》，各书记载不同，参考《中国帝王皇后亲王公主世系录》）。

3 夏季，四月二十二日，把陈许战区（总部设许州〔河南省许昌市〕）改名忠武战区。

4 左金吾（卫军第十一军）大将军（正三品）李升云，率禁军镇守咸阳（陕西省咸阳市），患病卧床，他的儿子李政谭（音yīn〔阴〕）跟纠察官（虞候）上官望等，阴谋效法山东（太行山以东）军阀割据，命将领上疏请求由李政摄理老爹的官职。六月九日，李升云逝世。

六月十一日，李适下诏撤销李升云的官爵，没收他的全部家产，全家男女，一律发配当奴。

5 昭义战区（总部设潞州〔山西省长治市〕）司令官（节度使）李长荣

逝世，李适派宦官携带亲笔书写的诏书前往，指示说：只要是大家所拥护的将领，就任命他当司令官（节度使）。当时，大将来希皓（来，姓）深受部众爱戴，钦差宦官就要把皇帝手写的诏书交给他。来希皓告诉大家说：“从本战区选拔统帅，按理应该是我，可是当司令官（节度使）却不行！不要认为我会反对别人当司令官（节度使），即令中央摆一把草在司令官（节度使）座位上，我也毕恭毕敬，听候命令。”钦差宦官说：“皇上当面指示，吩咐在本战区将领中选拔统帅，立即交给他皇家任命诏书，中央不会交给别人。”来希皓坚决辞让。

这时，作战司令（兵马使）卢从史，在候选人名单上，排列第四，他暗中跟监军宦官勾结，站起来说：“如果来公不肯接受这项任命，我请求准许我照顾本战区。”监军宦官说：“卢公如果愿意，这也合圣旨要求！”钦差宦官就从怀里拿出诏书，交给卢从史；卢从史双手捧过诏书，行三跪九叩大礼。来希皓迅速回到部属行列，面向北方，向卢从史道贺，然后召集全军士卒，大家也没有异议。

秋季，八月十七日，李适下诏命卢从史当昭义战区（总部潞州）司令官（节度使）。

6 九月，太子李诵突然中风，半身不遂，完全丧失语言能力。

唐　　贞元　　二十一年

永贞　　元年

1 春季，正月一日，唐王朝（首都长安〔陕西省西安市〕）各亲王、各皇亲国戚，在金銮宝殿晋见皇帝（十二任德宗）李适（音kuò〔阔〕）；只皇太子李诵重病，不能前来，李适涕泪交流、悲哀叹息。于是卧床不起，一天比一天严重，一连二十余日，宫内外音信断绝，政府官员及民间不知道皇帝跟太子是否平安。

正月二十三日，李适逝世（年六十四岁）。

柏杨曰

李适并不是一个特殊人物，他不比其他君王更差，也不比其他君王更坏，而且他应该是最幸运的一位，司马徽有言："卧龙、凤雏，两人得一，可安天下！"（参考二〇七年十一月。）李适文有李泌、陆贽，武有李怀光、李晟、马燧，都是王猛、诸葛亮、韩信、李靖一类高层面人物。李适如果能做到刘阿斗所做到的十分之一，唐王朝可能重振，人民也可能免除以后长达两百年之久的大黑暗时代，可是，李适亲手摧毁了他的福气。

李适以神经质的猜忌，闻名于世。但是，他只是对不应猜忌的人猜忌，对那些伤害他最严重的邪恶之辈，却信任得如醉如痴，即令把真凭实据拿到他鼻子上，他的信任也毫不动摇。唯上智与下愚不移！上智对正确的判断不移，下愚对错误的信心不移！杨广是一个典型的真小人，明目张胆的宣称他不喜欢听逆耳之言（参考六一三年八月）。李适则是一个典型的伪君子，只在暗中憎恨正直和智慧，卢杞、裴延龄等并没有特制的政治迷幻药，唯一的妙法是拍马屁拍得李适好不舒服，只有在马屁精面前，李适才觉得自己有尊严，不会自惭自己的无知和无耻。只有智者才有能力接受批评，顽劣的分子一定闻过则怒。

皇宫仓猝间召唤皇家文学研究官（翰林学士）郑絪、卫次公等到金銮宝殿，撰写遗诏。有一个宦官忽然插嘴说："到底指定谁继任，宫中还没有决定！"大家不敢说话。卫次公立刻反驳说："太子（李诵）虽然有病，但他是嫡长子，中外一致拥护。万不得已，也应拥护嫡皇孙广陵王（李诵的长子李淳），不然的话，定会大乱！"郑絪等随声附和，议论才定。卫次公，是河东（山西省永济市）人。李诵知道人心忧虑惊疑，匆忙间来不及改换丧服，仍穿平常穿的紫袍，脚蹬麻鞋，抱病出九仙门，召见禁卫各军将领，人心才略为安定。

正月二十四日，在宣政殿宣读李适的遗诏，太子李诵身穿丧服，接见文武百官。

正月二十六日，李诵（本年四十五岁）在太极殿登极称帝（十三任顺宗）。卫士们还有点疑惑，提起脚跟，伸长脖子窥探，说：“真是太子！”高兴得哭泣！

当时，李诵已不能说话，对请示的文件，无法裁决。一直住在宫里，床前悬挂帐幕，只剩下宦官李忠言、昭容（小老婆群第六级）牛女士，在左右侍候，文武百官奏报国事，由李诵在帐幕中批示。自从前任帝李适病重，皇家文学研究院待诏官（翰林待诏）王伾（音pī〔劈〕）先行入宫，宣布说：奉皇帝指示，命王叔文留守皇家文学研究院（翰林院），裁决国事。然后，王伾把王叔文的意见带进皇宫告诉李忠言，再由李忠言以皇帝名义下诏，最初外面没有人知道这种情形。不久，命宰相杜佑当帝国最高摄政（摄冢宰）。

二月三日，李诵才在紫宸门接受文武百官朝见。

2 二月九日，命义武战区（总部设定州〔河北省定州市〕）司令官（节度使）张茂昭（张升云）遥兼二级宰相（同平章事，使相）。

3 二月十一日，擢升国务院文官部考选司司长（吏部郎中）韦执谊当国务院左秘书长（尚书左丞）、二级实质宰相（同平章事）。王叔文打算控制政府，所以首先引荐韦执谊当宰相，而自己在幕后掌权，互相配合。

4 二月十二日，平卢战区（总部设郓州〔山东省东平县〕）司令官（节度使）李师古出动大军，进驻西部边界，威胁滑州（河南省滑县）。当时，中央派往全国各地的告哀特使，还没有抵达各战区道，而义成战区（总部设滑州〔河南省滑县〕）营门官（牙将）有从京师（首都长安）回来的，曾经拿到一份遗诏的复写本，司令官（节度使）李元素认为李师古是邻道，为了表示并不把李师古当作外人，遂派遣使节秘密携带遗诏，前去通知李师古。想不到李师古另有打算，他准备利用国有大丧、中央不稳的机会，扩张他的领土，于是召集将士说："领袖万寿无疆，仍在人世，李元素却忽然送来遗诏，这是明显的谋反行为，应该对他痛击。"遂用棍刑责打那位送达遗诏的使节，派军进驻曹州（山东省菏泽市定陶区），向宣武战区（总部设汴州〔河南省开封市〕）借路。宣武战区司令官（节度使）韩弘派人告诉李师古说："你想越过我的疆界干强盗是不是？我等着你，你只管来，不要只说空话！"李元素紧急请求韩弘援助，韩弘派人告诉他说："我在这里，你只管安心，不要担忧！"有人警告韩弘说："对方正在砍除荆棘，铲平道路，大军就要突击，请加强戒备！"韩弘说："他们如果就要突击，决不会先砍除荆棘、铲平道路，闹得天下皆知。"不作任何反应。李师古耍不出新花样，同时又得到新皇帝登极消息，遂把军队撤回。李元素上疏请求贬谪。中央对双方都疏导劝解。李元素，是李泌的族弟（李泌，参考七八九年三月）。

彰义（淮西）战区（总部设蔡州〔河南省汝南县〕）司令官（节度使）吴少诚送给李师古制造皮靴的物资，李师古则送给吴少诚食盐，两方使节暗中通过宣武战区（总部设汴州〔河南省开封市〕），被军警查获，韩弘把它们全部扣留没收，送缴国库，说："政府法律规定，战区之间不准私自互相馈赠。"李师古等都对他畏惧。

5 二月二十一日，李诵下诏，条条列举首都长安特别市长

（京兆尹）、道王李实残忍凶恶、横征暴敛的罪状，贬李实当通州（四川省达州市达川区）政务秘书长（长史）。消息传出后，长安（陕西省西安市）市民跳跃欢呼，大家在袖子里装满瓦片石子（中国人服装有三变，十七世纪五〇年代之前，传统服装是宽衣大袖；十七世纪六〇年代之后，清王朝建立，改穿长袍短袄；二十世纪〇〇年代之后，西风大盛，再改穿西装皮鞋。古人因袖大之故，可当口袋用，装很多东西），在他出京（首都长安）前往贬所必经的道路上等候；李实改走小路，才躲开一劫。

6 二月二十二日，命宫廷总管府主任秘书（殿中丞，从五品上）王伾当监督院最高顾问官（左散骑常侍，正三品）仍兼皇家文学研究院待诏官（翰林待诏）；命苏州（江苏省苏州市）人事官（司功，上州从七品下）王叔文当皇家言行记录官（起居舍人，从六品上）兼皇家文学研究官（翰林学士）。

王伾面貌丑陋，一口苏州（江苏省苏州市）土话，不会说普通话（唐王朝时代，不知全国一致通行的是什么语言，王伾如果不会普通话，大家怎么听得懂），是李诵所最喜欢的嬉戏弄臣。王叔文则有使命感，而且略微知道一点文章道理，喜爱对国家大事提出意见，李诵对他稍为敬重，但王叔文也因此之故，不像王伾那样，能够随时出入皇宫。王叔文前往皇家文学研究院（翰林院）拟订计划，由王伾拿到柿林院（皇帝卧室庭院）和李忠言、牛昭容讨论如何实施。权力运转的粗略轨道，大抵是：王叔文依靠王伾、王伾依靠李忠言、李忠言依靠牛昭容，辗转结交。对外面呈递给皇帝的奏章，一律先交皇家文学研究院（翰林院），由王叔文决定批准或批驳，然后以皇帝名义送到立法院（中书省），由宰相韦执谊执行。王叔文宫外的党羽则有韩泰、柳宗元、刘禹锡等，负责调查舆论反应。这一群刚尝到权力滋味的新贵，唱和呼应，日夜不停，好像疯狂了一般，互相拍马屁、灌迷汤。你说我是伊尹，我说你是姬旦，我说他是管仲，他说我是诸葛亮，得意非凡，认为除了他们几个人之外，天下没有人才。给别人荣耀，或使别人受辱，擢升别人官职，或免除别人官职，都在仓猝之间决定，只要他们喜欢，根本不管什么国家法律和政府规章。官员和知识分子对他们都很畏惧，在路上相遇时，连话都不敢说，只敢互相张望一眼。平常跟他们有来往的人，一个接一个擢升，甚至一天之内，发布好几道人事命令。党羽中只要有人说："某人，可以当某官！"一两天内，果然就会被任命当某官。于是王叔文跟他的党羽十余人的家门，日夜喧哗，好像街市。等候王叔文、王伾接见的客人，有时一连几天都等不到，晚上只好寄住邻街糕饼店或酒店的炉灶间，每人出一千钱，老板才肯收留一宿。王伾尤其猥亵卑贱，专门索取贿赂，把金银绸缎放到一个特制的大柜子里，夜晚，夫妻二人就睡在那个大柜子上。

7 二月二十四日，李诵登丹凤门，赦免天下。人民所欠政府的各种捐税，一律取消。全国各地除了正规的进贡外，其他所有别立名目的进贡，一律停止。上世纪（八）九〇年代为害人民的恶政，诸如："宫市"（宫廷直接向人民强行搜刮。参考七九七年十二月）、皇家五坊差夫（皇家五坊：雕坊、鹘坊、鹰坊、鹞坊、狗坊。五坊差夫，当时称"五坊小儿"，隶属宫廷事务总监署〔宣徽院〕），全部撤除。

原来，五坊差夫一向凶恶横暴，往往在大街小巷设下罗网，捕捉小鸟麻雀，用来勒索民间金钱珍宝，对拒绝行贿的人，甚至把罗网张设到他家门口，不准他家人出入；更甚至把罗网张设到井口，不准人们汲水，稍为靠近一点，五坊差夫就警告说："你吓了进贡的鸟！"立刻围上来痛打，直到被打的人拿出钱财赎罪，他们才扬长而去。五坊差夫有时候在饭馆里大吃大喝，酒醉饭饱之后，起身就走，没有人敢阻拦；有时饭馆里的人不知道他们的身份，要他们付钱，多半被打被骂，甚至竟然会留一袋蛇作为抵押，说：“这是皇家捉鸟的饵，暂且留给你，拜托好好喂它，莫让它饿着渴着！”饭馆里的人这才后悔自己有眼无珠，百般哀求，他们才肯把蛇带走。

李诵当太子时，深知道这些弊端，所以，登极之后，第一件事就是下诏禁止。

8 二月二十五日，取消全国盐铁专卖暨运输总监署（盐铁使）每月进贡“盈余经费”。

以前，全国盐铁专卖暨运输总监署（盐铁使）每月都要呈献“盈余经费”给皇宫（参考七九六年六月），可是供应正常开支的经费，却越来越少。现在，下诏停止进贡盈余。

9 三月二日，命王伾当皇家文学研究官（翰林学士）。

10 十二任帝（德宗）李适在位末年（八世纪九〇年代），一连十年没有大赦（上一次赦免天下，是在七九三年十一月十日。迄今十二年），文武官员因小小过失而被贬窜的，再没有机会获得任用，直到现在，才开始酌量迁往生活条件较好地区。

三月三日，李诵下诏命忠州（重庆市忠县）总秘书长（别驾）陆贽（参考七九五年四月二十五日）、郴州（湖南省郴州市）总秘书长（别驾）郑余庆（参考八〇〇年九月十五日）、杭州（浙江省杭州市）州长韩皋（原任首都长安特别市长〔京兆尹〕，七九八年贬）、道州（湖南省道县）州长阳城（参考七九八年九月二十三日）返回京师（首都长安）。

陆贽当宰相时，把国务院国防部畜牧司副司长（驾部员外郎）李吉甫，贬作明州（浙江省宁波市）政务秘书长（长史），不久再调忠州（重庆市忠县）州长。而陆贽却贬作忠州总秘书长，恰是李吉甫的部属。陆贽的弟兄和朋友，考虑到李吉甫会对他报复，都深为忧虑。但陆贽到差后，李吉甫坦然的仍把陆贽当作宰相一样尊敬。陆贽最初还有点惭愧疑惧，不知道下一步是什么，但后来二人竟成为至交。李吉甫，是李栖筠的儿子（李栖筠，参考七七一年八月二十三日）。西川战区（总部设成都府〔四川省成都市〕）司令官（节度使）韦皋镇守成都（四川省成都市），屡次上疏请派陆贽接替自己的职务。但陆贽和阳城都在诏书到达之前逝世（陆贽年五十二岁，阳城年七十岁）。

柏杨曰

我们现在看二十世纪初叶一些抨击女人缠脚的文章，心情已没有什么激动，因为现代妇女早已不再缠脚。然而，陆贽所写的奏章，时代背景是八世纪的中国，而在二十世纪的今天再读，竟觉得场景仍在眼前，感慨于酱缸文化的既深且浓，依然如昔，千年之久，都没有稍稍稀释。在某一个角度来看，陆贽还算是幸运的，对猪弹琴的结果，不过贬官，若遇到统治者凶悍如狼，知识分子升级到对狼弹琴，后患越来越不可测。必须有一天，知识分子不管对什么东西弹琴，都平安无事时，中国才是法治国家，中国人才能算是文明民族。

11 三月十七日，加授宰相杜佑（杜佑自淮南战区入朝，参考前年〔八〇三〕三月）：全国财政总监（度支）兼全国盐铁专卖暨运输总监（盐铁转运使）；命浙西道（首府设润州〔江苏省镇江市〕）行政长官（观察使）李锜，当镇海战区（以浙西道升格，总部仍设润州）司令官（节度使），免除所兼的浙西道盐铁专卖暨运输总监职务（参考七九九年二月），李锜虽然失去控制财务的大权，却掌握了军队，所以没有公开反抗。

12 三月十九日，把徐州战区（总部设徐州〔江苏省徐州市〕）改称武宁战区，命张愔当司令官（节度使）。

13 命彰义（淮西）战区（总部设蔡州〔河南省汝南县〕）司令官（节度使）吴少诚，遥兼二级宰相（同平章事，使相）。

14 命王叔文当全国财政、盐铁专卖暨运输副总监（度支、盐铁转运副使）。以前，王叔文跟他的同党，认为只要控制帝国的田赋捐税，就可以结交权贵，收买军心，使自己的权力更加稳固；同时也想到一旦掌握如此重要权力，人心不服，可能引起反弹，而宰相杜佑一向被认为是财经专家（杜佑是财经专家刘晏的接班人，参考七八〇年三月），声望崇高，而做官心切，只求保住官位，比较容易控制，所以先命杜佑担任名义主管；王叔文自愿当他的副手，掌握实权。王叔文虽然身兼二职，却从来不查看公文账目，只日夜不停的跟他的朋友关在屋子里秘密会商，外人想不出他们要做什么。

李诵命副总监察官（御史中丞）武元衡当太子宫政务署长（左庶子）。李适在位末期，王叔文的朋友多半担任监察官（御史），武元衡瞧不起这批人，对他们不太礼貌。武元衡担任皇帝坟墓兴建管理及礼宾总监（山陵仪仗使），行政监察官（监察御史）刘禹锡请求担任执行官（判官），武元衡拒绝。王叔文因武元衡手握监察大权，打算使他加入自己的小组织，派人向武元衡传话，承诺给他更大的权力，武元衡拒绝，于是有这项贬窜。武元衡，是武平一的孙儿（武平一是武载德的儿子，参考七〇八年十月二十一日）。

中央监察官（侍御史）窦群，弹劾国务院工程部屯垦司副司长（屯田员外郎）刘禹锡：施展邪恶手段，破坏政府威信，不适合留在中央。有一次窦群晋见王叔文，作揖行礼，警告说："事情有很多难以预料！"王叔文说："你的意思是什么？"窦群说："去年（八〇四），李实仗恃皇上的支持信任，以及他自己的尊贵地位，气焰之高，举世无双；那时候，你侧着身子，犹豫不安的走在路旁，不过江南（长江以南）一个芝麻绿豆小官（指苏州州政府人事官〔司功〕，从七品下）而已，今天，你平地一声雷，竟坐上李实的位置，怎么知道没有人像你一样，也走在路旁！"王叔文的党羽打算把窦群贬窜边疆，宰相韦执谊因为窦群倔强正直，有相当声望，阻止他们行动。

15 李诵患病一直不能痊愈，不过有时被扶到金銮宝殿上，文武百官向他叩头如仪而已，没有人出班奏报，也听不到皇帝亲口回答，政府内外人士，都感到震惊恐惧，希望早一天确定太子。可是王叔文的同党为了掌握大权，对这项意见却十分憎恶。宦官俱文珍、刘光琦、薛盈珍，都是李适在位时宠信的旧人，一旦失势，对王叔文、李忠言等的结党营私，十分痛恨，于是请求李诵召唤皇家文学研究官（翰林学士）郑絪、卫次公、李程、王涯，到金銮宝殿撰写册封太子的诏书。当时，牛昭容那些人，因广陵王李淳英明睿智，从心底排拒。郑絪不再请示，在纸上写"太子应立嫡长子"，拿给李诵看，李诵点点头。

三月二十四日，下诏封广陵王李淳当太子，改名李纯。李程，是李神符的五世孙（李神符，是一任帝李渊的堂弟，参考六一八年六月七日）。

16 宰相贾耽，因王叔文的党羽掌握权柄，心里厌恶，于是声称有病，不出来办公，屡次请求退休。

三月二十八日，各宰相在立法院（中书省）宰相联合办公厅（政事堂）共进午餐，依照惯例，文武百官没有人敢在宰相共进午餐时，前去晋见。王叔文不管这些，他到立法院（中书省），打算和韦执谊商议事情，命值日官（直省）通报，值日官（直省）告诉他这项惯例，王叔文大为震怒，厉声叱责，值日官（直省）畏惧，只好进去禀报，韦执谊面红耳赤，犹豫了一会，但仍起身出去迎接王叔文，到自己办公室谈话，谈了很久。另三位宰相杜佑、高郢、郑珣瑜等，都放下筷子，等候韦执谊回座，有人来报告说："王叔文教我们送去菜饭，韦宰相跟他已在办公室进食！"杜佑、高郢明知道不可以这么做，但畏惧王叔文、韦执谊，不敢发言。只郑珣瑜独自叹息说："我怎么可以再坐在这个座位上！"回头吩咐左右侍从：扶他上马，直接回家，遂不再上班。贾耽、郑珣瑜都有很崇高的声望，先后退休，王叔文、韦执谊越发没有顾忌，远近官员，都大为恐惧。

17 夏季，四月三日，李诵封皇弟李谔当钦王、李诚当珍王；皇子李经当郯王、李纬当均王、李纵当溆王、李纾当莒王、李纲当密王、李总当郇王、李约当邵王、李结当宋王、李缃（音xiāng〔湘〕）当集王、李绿（音qiú〔求〕）当冀王，李绮当和王、李绚当衡王、李纁当会王、李绾当福王、李纮当抚王、李绲当岳王、李绅当袁王、李纶当桂王、李绯当翼王。

18 四月六日，李诵登宣政殿，册封太子李纯（李淳）。文武百官看见李纯仪表堂皇，退出后互相道贺，有的甚至感动得流泪哭泣，无论宫内或宫外，一片欢欣。只王叔文神色忧虑，虽然不敢说出口，但却吟咏杜甫所作《诸葛亮祠堂诗》(《蜀相》)："出师未捷身先死，长使英雄泪满襟。"听到的人忍不住失笑。

从前，祭祀部长(太常卿)杜黄裳，深受裴延龄的迫害，困处在中央监察官(侍御史)那个位置上，十年之久，没有升迁(杜黄裳自朔方战区〔总部灵州〕调任中央监察官〔侍御史〕)，直到他的女婿韦执谊当宰相，才升任祭祀部长(太常卿)。杜黄裳建议韦执谊率领文武百官上疏皇帝，请求由太子李纯(李淳)监督国政，韦执谊大吃一惊，说："你老人家刚得了一个官位，怎么竟开口议论皇宫里的事！"杜黄裳大怒，说："我受三代皇帝的大恩(三代：十一任帝李豫〔李俶〕、十二任帝李适、十三任帝李诵。杜黄裳原是郭子仪旧人，参考七七八年十二月)，怎么用一个官位收买我不说话！"袍袖一拂，站起来就走。

四月九日，命御前监督官(给事中)陆淳当皇家教师(太子侍读)，陆淳改名陆质(李纯原名李淳，为了避讳)。韦执谊因自己专权，恐怕太子李纯(李淳)不高兴，所以由陆质(陆淳)当皇家教师(太子侍读)，观察李纯(李淳)的意向，随时化解。可是，有一次陆质(陆淳)刚刚发言，李纯(李淳)生气说："皇上请先生给我讲解经书，你说别的事干什么？"陆质(陆淳)惶恐而出。

19 五月三日，命右金吾(卫军第十二军)大将军范希朝，当左右神策军京西(首都长安以西)特遣兵团司令官(左右神策京西诸城镇行营节度使)。

五月六日，命国务院财政部会计司长(度支郎中)韩泰，当范希朝的作战参谋长(行军司马)。王叔文知道无论宫内宫外，对自己无不妒忌憎恨，所以打算夺取宦官的军权保护自己，因范希朝是一员老将，所以在名义上使他当统帅，而由韩泰负实际责任。文武百官猜不出他的用意何在，越发怀疑恐惧。

20 五月二十三日，命王叔文当国务院财政部副部长（户部侍郎），仍兼全国财政、盐铁专卖暨运输副总监（度支、盐铁转运副使）。宦官俱文珍等对王叔文的专横，深为痛恨。于是明升暗降，免除王叔文的皇家文学研究官（翰林学士）职务。王叔文看到人事命令，大为震骇，告诉别人说："我每天都要去皇家文学研究院（翰林院）会商公事，如果没有该院职务，怎么能够进去！"王伾立刻帮他上疏请求，李诵不准（事实上是俱文珍等不准）。王伾再上疏，才准王叔文每隔三天或五天，可去皇家文学研究院（翰林院）一次，但没有研究官（学士）的名义。直到此时，王叔文才感到恐惧。

21 六月二日，贬宣歙道（首府设宣州〔安徽省宣城市宣州区〕）巡察官（巡官）羊士谔当汀州（福建省长汀县）宁化县（福建省宁化县）防卫员（尉）。

原来，羊士谔因公前往京师（首都长安），正逢王叔文当权，羊士谔公开抨击王叔文的错误。王叔文听到，大怒，打算下诏把羊士谔斩首，韦执谊反对；王叔文又准备把羊士谔乱棍打死，韦执谊也反对；最后，决定贬窜。王叔文因此痛恨韦执谊，二人的摇尾系统，分别感到惊惧。

稍早，西川战区（总部设成都府〔四川省成都市〕）后勤补给副总监（支度副使）刘辟，声称奉战区司令官（节度使）韦皋之命，报告王叔文，要求统辖剑南三川（三川：西川战区〔总部成都府〕、东川战区〔总部设梓州，四川省三台县〕、山南西道战区〔总部设兴元府，陕西省汉中市〕），强调说："太尉（韦皋）教我向你推诚相待，如果给他三川，他当一死相报；如果不给，他也一定用别的方法相报！”王叔文大怒，打算把他斩首，韦执谊坚决反对。刘辟这时还在首都长安（陕西省西安市）大摇大摆，东游西逛，不肯离开，听到羊士谔贬窜消息，马上逃回成都（四川省成都市）。韦执谊最初因王叔文竭力推荐，才进入政府，所以对王叔文唯命是从。可是既攀升到权力高位，打算泯灭过去跟王叔文的关系，一方面也受舆论的压力，所以时时表示不同的意见，常派人去向王叔文道歉说：“决不敢辜负我们当年的盟约，我只是曲线效忠！”王叔文破口诟骂，拒不相信；两人遂化友成仇。

22 六月十六日，西川战区（总部成都府）司令官（节度使）韦皋上疏，认为：“陛下悲哀过度，以致患病，而又日理万种机要事务，所以日期虽长，仍不能康复。请求暂时命皇太子（李纯）监督国家大政，恭候陛下御体痊愈，然后再回东宫（太子宫）。我身兼宰相及大将，现在所作建议，是我的职责。”又直接上书给太子李纯（李淳），认为：“皇上（李诵）效法子武丁（商王朝二十三任帝高宗），在守丧期间，拒不讲话（《礼记·丧服四制》：“高宗〔子武丁〕谅暗，三年不言。”谅暗，也作谅阴，守丧的地方），把国家大政，委任给臣属，可是所委任的不是恰当人才。王叔文、王伾、李忠言之徒，都负重责大任，随意奖赏和随意处罚，破坏国家法纪，使用国库财富，贿赂权贵。栽培心腹，全部安排在显要的位置上，而且暗中结交皇上左右侍从，使我担心灾祸可能就在房门之内爆发。我深恐太宗（二任帝李世民）的大业在他们手中瓦解，危害到殿下的家庭和帝国，盼望殿下立刻奏报，逐走那群卑劣的小人，使国家大事，由领袖做主，四海之内，才能平安。”

韦皋仗恃自己是重要高官，而又身在遥远的南方西蜀（四川省），认为王叔文对他无可奈何，遂竭力揭发王叔文的奸邪阴谋。不久荆南战区（总部设江陵府〔湖北省江陵县〕）司令官（节度使）裴均、河东战区（总部设太原府〔山西省太原市〕）司令官（节度使）严绶的奏章，也前后呈递，意见跟韦皋的相同。宫内宫外，都依靠他们作精神支持，王叔文党羽震动恐惧。裴均，是裴光庭的曾孙（裴光庭当过李隆基的宰相，参考七三三年三月）。

23 王叔文任命范希朝、韩泰接管神策军京西（首都长安以西）特遣兵团，宦官们还没有醒悟。但不久就接到边区各将领分别呈递给总指挥官（中尉）的辞别函，函中说明将隶属范希朝，宦官们这才发现事态严重，原来王叔文等打算从宦官手中夺取军权，不禁暴跳如雷，说："如果接受，我们一定死在他手里。"秘密吩咐将领们派来的使节回去报告说："不要把军权交给别人。"范希朝抵达奉天（陕西省乾县），没有一个将领前来迎接。韩泰骑马奔回京师（首都长安）报告王叔文，王叔文无计可施，只有嗫嚅着说："怎么办？怎么办？"过不了几天，王叔文的娘亲病重。

六月十九日，王叔文在皇家文学研究院（翰林院）摆设酒席，宴请各位皇家文学研究官（学士）和宦官李忠言、俱文珍、刘光琦等。王叔文说："我的娘亲患病，我因身负国家重任的缘故，不能在病床前亲自看护，现在我打算请假回家侍候，近来竭尽全力，不避危险艰难，只是为了报答皇上的恩德。一旦离职，各种诽谤都会到来，不知道哪一位肯明察我的内心，为我说一句公道话？"俱文珍听一句、驳一句，王叔文不能回答，只有斟酒劝对方干杯，几杯之后而散。

六月二十日，王叔文因娘亲逝世，辞职守丧。

24 秋季，七月九日，加授平卢战区（总部设郓州〔山东省东平县〕）司令官（节度使）李师古中央官衔：摄理最高监督长（检校侍中，使相）。

25 王叔文既回家给娘亲守丧，宰相韦执谊更不听他的话。王叔文大怒，跟他的党羽日夜讨论如何再回政府任职，并誓言一旦当权，定要先铲除韦执谊和一些不肯归附自己的官员；听到这项信息的人都心情不安，十分恐惧。

王叔文守丧后，王伾失去依靠，每天去见宦官跟宰相杜佑，请求征召王叔文当宰相，并统御禁军，都没有下文。再请求征召王叔文当威远军基地司令（威远军初称威远营，隶藩属事务部〔鸿胪寺〕。《唐会要》：七八〇年七月，左右威远营改隶金吾〔卫军第十一、十二军〕；直到后年〔八〇七〕四月，才并入英武军，开始由宦官担任统帅），兼二级实质宰相（同平章事），又没有下文；同党们开始感觉到气氛不对劲，惊悸忧愁，不知道如何保护自己。当天，王伾在皇家文学研究院（翰林院）上班，一连呈递三份奏章，不见批示，发现大势已去，无可挽救，坐立不安，到了夜晚，忽然号叫一声："我中风了！"明天，遂被担架抬回私宅，不再出来。

七月二十二日，命国务院财政部粮秣司司长（仓部郎中）、主管全国财政总监署业务（判度支案）陈谏，当河中（山西省永济市）特别市副市长（河中少尹）。这时候才开始排除王伾、王叔文的党羽。

26 七月二十六日，横海战区（总部设沧州〔河北省沧州市东南〕）司令官（节度使）程怀信逝世，命他的儿子，副司令官（副使）程执恭当候补司令官（留后）。

27 七月二十八日，李诵下诏，说："我长期患病，不能马上康复，以后军国大事，暂命皇太子（李纯）全权处理。”当时，无论中央或地方，全都讨厌王叔文党羽们的专权横暴，连李诵心里也不高兴。宦官俱文珍屡次报告李诵，命皇太子李纯监督国政，李诵对每天处理国事也感到厌倦，于是批准。又命祭祀部长（太常卿）杜黄裳当副监督长（门下侍郎），左金吾（卫军第十一军）大将军袁滋当副立法长（中书侍郎），二人同时兼二级实质宰相（同平章事）。俱文珍等认为他们是前朝老干部，所以推荐。又命郑珣瑜当国务院文官部长（吏部尚书），高郢当国务院司法部长（刑部尚书），一律解除宰相职务。太子李纯在含元殿东朝堂接见文武百官，文武百官向他叩头道贺，李纯流泪哭泣，不回答大家的敬礼。

八月四日，李诵下诏：“命皇太子（李纯）登极称帝，我称‘太上皇’，诏书改称诰书。”

八月五日，李诵迁住兴庆宫，下令改年号永贞（之前是贞元二十一年，之后是永贞元年），封良娣王女士当太上皇后。王女士，是李纯的娘亲。

八月六日，贬王伾当开州（重庆市开州区）军务秘书长（司马），王叔文当渝州（重庆市）户籍官（司户）。王伾不久在贬所病死。

明年（八〇六），李纯下诏命王叔文自杀。

王叔文为人轻率浮躁，而又亲近王伾、韦执谊，信任不应受信任的人，结果失败。但王叔文对帝国却是忠心耿耿，因后世太讨厌他，往往不详细考察，只跟着大家人云亦云。事实上，根据《旧唐书·顺宗本纪》记载，短短时间，他的善政却非常之多。李诵（十三任帝顺宗）当太子时，王叔文蒙受赏识，受到信任。李诵登极后，王叔文遂得进入政府，掌握权柄。然而李诵的老爹李适（十二任帝德宗）于八〇五年正月逝世，二月李诵才登丹凤楼，颁布大赦令。王叔文以曾任苏州（江苏省苏州市）州政府人事官（司功参军）、皇家文学研究院待诏官（翰林待诏）资格，升任立法院（中书省）皇家言行记录官（起居舍人，从六品上），充当皇家文学研究官（翰林学士），不久就当全国财政、盐铁专卖暨运输副总监（度支、盐铁转运副使）。五月，升国务院财政部副部长（户部侍郎）。到了七月，就发生舆论沸腾，各地军阀上疏皇太子李纯（李淳），抨击王叔文制造混乱之事，李诵遂即下诏，命皇太子李纯处理国事。八月，李纯即位，尊奉老爹李诵当太上皇，王叔文立刻被贬到渝州（重庆市）当户籍官。可看出王叔文当权时间，前后不过五六个月。而史书记载李诵在位时期的善政，几乎全发生在这五、六个月之内。像二月二十一日，贬首都长安特别市长（京兆尹）李实当通州（四川省达州市达川区）政务秘书长（长史）。二月二十四日，下诏免除人民欠税，其他苛捐杂税也全部取消。除了进贡外，不准再有任何呈献。三月一日，皇宫释放宫女三百人，送安国寺。又释放宫廷皇家剧团歌女六百人，送九仙门外，由她们的亲族领回。五月三日，命右金吾（卫军第十二军）大将军范希朝当右神策军“统军”，兼京西（首都长安以西）特遣兵团司令官。六月九日，凡该年（八〇五）十月以前，人民积欠政府税款、粮食、绸缎，共五十二万六千八百四十一串、石、匹，全部豁免。七月九日，追赠已逝世的忠州（四川省忠县）总秘书长（别驾）陆贽官位：“国务院国防部长（兵部尚书）”，绰号宣公；又追赠已逝世的道州（湖南省道县）州长阳城官位：“监督院最高顾问官（左散骑常侍）”。上述事件，罢黜横征暴敛的小人，褒扬忠良贤能的君子，改革根深蒂固的弊端，用实惠照顾穷苦民众，从九任帝李隆基，直到十二任帝李适，很少能赶得上。而其中最重要的是，命范希朝统御神策军，影响巨大。

王叔文的作为，上利于国，下利于民，独不利于弄权的宦官，跟强梁跋扈的割据军阀，试看《顺宗实录》，可发现事实上因为王叔文打算剥夺宦官的军权，才被深恶痛绝，虽受李诵信任，但宦官却能假传圣旨，罢黜王叔文的皇家文学研究官（翰林学士），而王叔文竟然想靠着一席宴会，在杯酒应酬之中，化解宦官的怨恨，而俱文珍随着他的话，当面拆穿，王叔文也够可怜。孔丘说："三年之内，不更改老爹的决定，才是孝顺。"曾参也说："不撤换老爹任用的干部、不更改老爹行政的措施，实在难能。"李纯（李淳）乘着老爹患病，刚刚监督国政，立即排斥王叔文，老爹刚刚死亡，尸骨还没有变凉，就把王叔文处决，这是最严重的不忠不孝。我不知道王叔文被执行极刑，究竟犯了什么罪？试看李纯自己，以及李纯的孙儿（指十六任帝李湛），全死在宦官之手（参考八二〇年正月、八二六年十二月）；而且从此之后，皇帝的罢黜或登极，全由宦官做主，唐王朝已无药可救。宦官跟军阀，一向互相牵制猜忌。王叔文既跟宦官结仇，割据军阀又对他入骨怨恨，原因何在？原因在于王叔文的本意是：内制宦官，外制军阀，集中天下财富兵力，尽归中央。刘辟本是韦皋所派，王叔文却打算把他杀掉，如果能够办到，以后何致麻烦高崇文前往讨伐，劳民费财（参考八〇六年正月至九月）？仅这一件事，韦皋对他已够痛恨，所以立即奏请驱逐王叔文，当日情形，可以想见。总之，王叔文的错误，不过急于成事。《战国策·卫策》：卫国有人娶亲，新娘刚进大门，就提醒婆母厨房减火；刚进二门，就教把挡道的石臼搬到窗下，才不会妨碍别人走路。这些话都非常重要，但是糟在她说得太早。王叔文正是如此，如果要扣定他犯了什么罪，他本来没有罪。

《资治通鉴》（九〇三年），崔胤奏报当时皇帝（二十四任昭宗）李晔（李敏）

说:“唐王朝建立之初,宦官不领军、不干政。七五五年以后,宦官力量逐渐膨胀。七九六年,更命宦官当禁军统帅,从此之后,宦官参与机密,驱使政府,横行不法,大则煽动割据军阀,危害帝国;小则卖官鬻爵,制造冤狱,腐蚀政府。”崔胤的话全对。但是,崔胤本是奸邪之辈,竟然征召朱全忠把宦官屠杀罄尽,宦官死光,领袖孤立,朱全忠遂篡夺唐王朝政权。譬如人的肚子生长毒疮,只要割去毒疮,病即痊愈。假如王叔文的计划得以实行,左右神策军驻守内外八镇的特遣兵团,归属中央,皇帝可以任命统帅,宰相可以调度派遣,怎么会发生叛乱?好像毒疮还没有入骨,割除容易。王叔文之忠于帝国,又是如何!万料不到,韩愈《永贞行传》竟说:“北军(禁军)百万虎与貔 / 天子自将非他师 / 一朝夺印阿私党 / 凛凛朝士何能为。”把宦官掌握军权,当作皇帝自己掌握军权,为什么荒谬到这种地步!

28 八月九日,李纯(本年二十八岁)在宣政殿登极(十四任帝宪宗)。

29 八月十日,升平公主呈献美女五十人(升平公主是十一任帝李豫〔李俶〕的女儿,嫁郭暧。她的女儿嫁李纯〔李淳〕,参考七九三年十二月。李纯事实上是娶了他的表姑妈)。李纯说:“太上皇(李诵)都不接受礼物,我怎么敢违背!”把她们送回。

八月十四日,荆南战区(总部设江陵府〔湖北省江陵县〕)呈献两只长毛乌龟,李纯说:“我所喜爱的只有贤能人才;华丽的禾苗、神奇的灵芝,只不过虚有美名,所以《春秋》对这些东西出现时,不认为那是祥瑞。从今之后,凡是所谓祥瑞,只要报告给有关单位就行,不必再奏报给我。至于珍贵的飞禽、奇异的走兽,一律不准呈献。”

30 八月十七日，西川战区（总部成都府）司令官（节度使）南康王（忠武王）韦皋逝世（年六十一岁）。

韦皋在蜀地（四川省）二十一年（七八五年六月韦皋接替张延赏职位），加重人民赋税，搜刮聚敛，用厚重的礼物贿赂皇帝，加强皇帝对他的赏识；用大量的财物赏赐士卒，加强士卒对他的感恩；士卒们婚丧死伤，韦皋都负责供给费用，因此得以长期的保持他的官位，而士卒也乐于为他效力。在任期间，韦皋说服南诏王国（首都苴咩城〔云南省大理市〕），摧挫吐蕃王国（首都逻些城〔西藏拉萨市〕）。幕僚中有工作时间很久、职位已高的人，都外放去当州长，州长卸任后，再回幕府，但始终不让他们回京（首都长安），防备他们泄漏他的所作所为。财库充实之后，韦皋时常宽大的对待他辖区里的人民，每隔三年，都会免征田赋捐税一年。巴蜀（四川省）人民佩服他的智谋，畏惧他的威严，直到今天（十一世纪），人民仍把他的画像当作“土地神”供奉，家家户户祭祀。

后勤补给副总监（支度副使）刘辟，自称战区候补司令官（留后）。

31 朗州（湖南省常德市）武陵县（州政府所在县）、龙阳县（湖南省汉寿县），因江水溃决，冲走一万余家（可悲）。

32 八月壬午日（八月丁酉朔，没有壬午），奉义战区（总部设安州〔湖北省安陆市〕）司令官（节度使）伊慎，前往中央朝见。

33 八月辛卯日（八月没有辛卯），夏绥战区（总部设夏州〔陕西省靖边县北白城则村〕）司令官（节度使）韩全义前往中央朝见。

韩全义溵水（沙河）之役战败，回到京师（首都长安），没有晋见皇帝，就回本战区（参考八〇〇年五月）。李纯当太子时，就曾经听说，对他十分厌恶。韩全义大为恐惧，乃请求进京（首都长安）。

34 刘辟命战区各将领上疏替他请求颁发符信，中央不允许。

八月二十三日，中央命袁滋当剑南东川（总部梓州）、剑南西川（总部成都府）、山南西道（总部兴元府）三战区（三川）慰劳安抚特使。

35 全国财政总监署（度支）奏报说：裴延龄所设立的新库（参考七九四年九月），储藏的都是从国库中搬出的财物，请归并国库。李纯批准。

36 八月二十五日，派全国财政、盐铁专卖暨运输副总监（度支、盐铁转运副使）潘孟阳，前往江淮（华东地区）慰劳安抚，并视察田赋捐税跟专卖业务的利弊，同时也考察当地官员好坏和人民痛苦。

37 八月二十七日，命国务院左秘书长（尚书左丞）郑余庆兼二级实质宰相（同平章事）。

38 九月二日，皇家大典礼仪总监（礼仪使）上疏奏称："曾太皇太后沈女士（十二任帝李适的娘亲），失踪时间已久，能够奉迎她的可能已经绝望（寻找沈女士事，参考七六五年七月）。依照晋帝国庾蔚之的意见，寻找三年之后，仍找不到，则应在失踪者'中寿'之日，穿上丧服（庾蔚之说："父母被蛮夷俘虏，生死存亡无法知道，应竭力寻找，确实寻找不到，三年之后，便可以结婚和出任官职，因后嗣不可灭绝，国家事务不可废除。但平日仍应该悲哀自处，不参加别人的丧事喜事，直到'中寿'之日，才改穿丧服。"《庄子》：上寿一百岁，中寿八十岁，下寿六十岁）。我建议，在大行皇帝（李适。刚死未葬的皇帝，称“大行皇帝”）移灵时，陛下率领文武百官举哀哭祭，就把当天作为沈女士的逝世之日。”李纯同意。

39 九月六日，撰修国史总监（监修国史）韦执谊建议，命国史馆官员，每天都作记录，称“日历”。

40 九月十三日，贬神策军作战参谋长（行军司马）韩泰，当抚州（江西省抚州市临川区）州长；国务院文官部爵位司司长（司封郎中）韩晔（音yè〔叶〕）当池州（安徽省池州市贵池区）州长；国务院教育部祭祀司副司长（礼部员外郎）柳宗元，当邵州（湖南省邵阳市）州长；国务院工程部屯垦司副司长（屯田员外郎）刘禹锡，当连州（广东省连州市）州长（他们都被认为是王叔文一党）。

41 冬季，十月二日，国务院右最高执行长（右仆射）、二级实质宰相（同平章事）贾耽逝世（年七十六岁）。

42 十月三日，命副立法长（中书侍郎）、二级实质宰相（同平章事）袁滋，遥兼二级宰相（同平章事，使相），充当西川战区（总部成都府）司令官（节度使）。征召刘辟回京（首都长安）当御前监督官（给事中）。

43 舒王李谊（李谟）逝世（他几乎夺取李诵的太子宝座，参考七八七年八月）。

44 祭祀部（太常寺）议定曾太皇太后沈女士绰号称睿真皇后。

45 隐士罗令则从首都长安（陕西省西安市）前往普润（陕西省宝鸡市凤翔区北。陇右战区总部及秦州州政府所在），假传太上皇李诵的圣旨，向秦州州长刘澭征兵，要求刘澭罢黜新皇帝，另行拥护新皇帝。刘澭把他逮捕，解送长安，中央把他连同他的党羽，一起乱棍打死。

46 十月十四日，把十二任帝李适安葬崇陵（陕西省泾阳县北），绰号称神武孝文皇帝，祭庙称德宗。

47 十一月四日，把睿真皇后沈女士（李适的娘亲），以及李适的牌位，送进皇家祖庙。皇家大典礼仪总监（礼仪使）杜黄裳等商议，认为："唐王朝模仿周王朝制度，太祖（一任帝李渊的祖父李虎）好比姬弃，高祖（一任帝李渊）好比姬昌，太宗（二任帝李世民）好比姬发（周王朝一任王），牌位永不迁出。而高宗（三任帝李治）则在'三昭三穆'之外（昭穆，参考四〇四年正月），应该把他的牌位迁出，安置在西厢房（原先牌位顺位，参考前年〔八〇三〕三月）。"李纯同意。

48 十一月七日，贬副立法长（中书侍郎）、二级实质宰相（同平章事）韦执谊当崖州（海南省海口市琼山区）军务秘书长（司马）。

韦执谊曾经反对过王叔文，而且又是杜黄裳的女婿，所以到了最后才被贬逐。自王叔文失败，韦执谊也失去后台，知道祸事就要发生，虽然仍是宰相，但已魂不守舍，奄奄一息；听见别人走路声音，都会心跳恐慌，面无人色，直到贬谪令下。

49 十一月十三日，命韩全义以太子少保（太子三少之三）名义退休。

50 刘辟拒绝中央任命的新职，调动军队作防守部署。新任战区司令官（节度使）袁滋畏惧他的强悍，不敢前进。李纯大怒，贬袁滋当吉州（江西省吉安市）州长。

51 命太子宫事务署长（右庶子）武元衡回任副总监察官（御史中丞。参考本年〔八〇五〕三月）。

52 政府官员议论纷纷，认为王叔文的党羽从国务院副司长（员外郎），贬出当州长，所受的处罚太轻。

十一月十四日，再贬韩泰当虔州（江西省赣州市）军务秘书长（司马）、韩晔当饶州（江西省鄱阳县）军务秘书长、柳宗元当永州（湖南省永州市）军务秘书长、刘禹锡当朗州（湖南省常德市）军务秘书长。

又贬河中（山西省永济市）特别市副市长（河中少尹）陈谏当台州（浙江省临海市）军务秘书长（司马）、和州（安徽省和县）州长凌准当连州（广东省连州市）军务秘书长（司马）、岳州（湖南省岳阳市）州长程异当郴州（湖南省郴州市）军务秘书长（司马）。

53 回鹘汗国（瀚海沙漠群）怀信可汗（八任大可汗）跌跌骨咄禄逝世。中国派藩属事务部副部长（鸿胪少卿）孙杲，前去祭悼。册封他的儿子（名不详）当腾里野合俱录毗伽可汗（九任大可汗）。

54 十二月九日，命山南东道战区（总部设襄州〔湖北省襄阳市〕）司令官（节度使）于頔（音dí〔笛〕），遥兼二级宰相（同平章事，使相）。

55 命奉义战区（总部设安州〔湖北省安陆市〕）司令官（节度使）伊慎当国务院右最高执行长（右仆射）。

56 十二月十四日，命御前监督官（给事中）刘辟，当西川战区（总部成都府）副司令官（节度副使）代理司令官（知节度事）。

李纯因刚刚继承宝座，没有力量讨伐，只好委曲求全。但立法院高级顾问官（右谏议大夫）韦丹上疏指出："现在放宽对刘辟的处分，中央政府所能指挥的，恐怕只剩下东西两京（首都长安、东都洛阳），除此之外，谁不背叛？"李纯认为他说得很对。

十二月十七日，命韦丹当东川战区（总部设梓州〔四川省三台县〕）司令官（节度使）。韦丹，是韦津的五世孙（韦津，是韦孝宽的儿子，参考六一八年正月）。

57 十二月二十六日，文武百官请求呈献太上皇李诵绰号应乾圣寿太上皇，呈献皇帝李纯绰号文武大圣孝德皇帝。李纯允许呈献老爹李诵的绰号，但拒绝呈献给自己的绰号。

58 十二月二十七日，命皇家文学研究官（翰林学士）郑絪，当副立法长（中书侍郎）、二级实质宰相（同平章事）。

59 命国务院司法部法务司司长（刑部郎中）杜兼，当苏州（江苏省苏州市）州长，杜兼辞让，上疏说："镇海战区（总部设润州〔江苏省镇江市〕）司令官（节度使）李锜，势将叛变，届时他一定会先上疏屠杀我家族（苏州属镇海战区）。"李纯认为有这个可能，于是留下他当国务院文官部考选司司长（吏部郎中）。

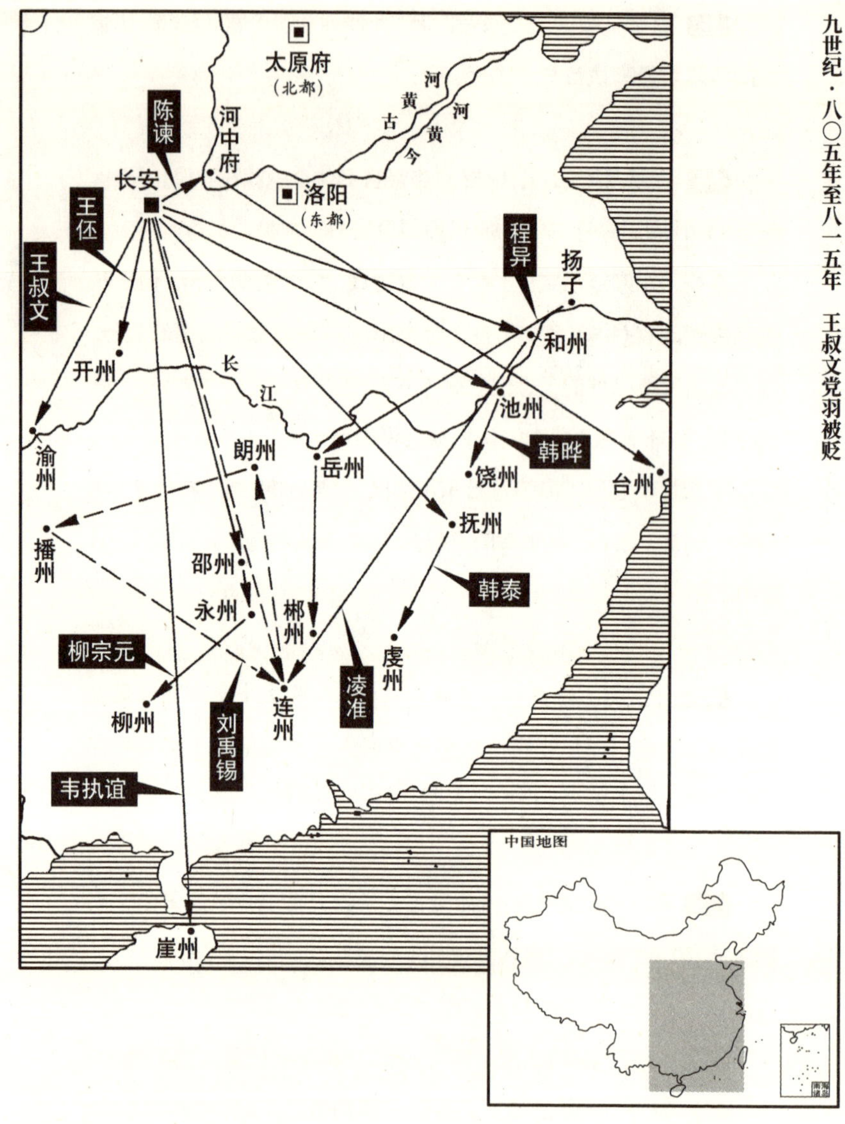
太原府
（北都）
河中府
古黄河
今黄河
洛阳
（东都）
长安
陈谏
王伾
王叔文
程异
扬子
和州
开州
长江
池州
韩晔
渝州
朗州
岳州
饶州
台州
播州
抚州
邵州
韩泰
永州
郴州
柳宗元
凌准
虔州
柳州
刘禹锡
连州
韦执谊
崖州
中国地图

八〇六年 丙戌

唐　永贞　二年
　　元和　元年

1 春季，正月一日，唐王朝（首都长安〔陕西省西安市〕）皇帝（十四任宪宗）李纯（李淳。本年二十九岁）率领文武官员前往兴庆宫，呈献太上皇（十三任顺宗）李诵（本年四十六岁）绰号应乾圣寿太上皇。

2 正月二日，李纯下诏赦免天下，改年号元和（之前是永贞二年，之后是元和元年）。

3 正月六日，命鄂岳道（首府设鄂州〔湖北省武汉市〕）行政长官（观察使）韩皋，当奉义战区（总部设安州〔湖北省安陆市〕）司令官（节度使）。

正月八日，命奉义战区候补司令官（留后）伊宥，当安州（湖北省安陆市）州长，仍兼奉义战区候补司令官（留后）。伊宥，是伊慎的儿子（伊慎调职，参考去年〔八〇五〕十二月）。

正月十七日，命成德战区（总部设恒州〔河北省正定县〕）司令官（节度使）王士真，遥兼二级宰相（同平章事，使相）。

4 正月十九日，太上皇李诵（十三任帝顺宗），在兴庆宫逝世（本年四十六岁）。

5 西川战区（总部设成都府〔四川省成都市〕）代理司令官（知节度事）刘辟，既得到中央的任命，越发骄傲，于是更进一步要求兼管三川（西川战区、东川战区、山南西道战区），李纯拒绝。刘辟遂出动大军包围东川战区司令官（节度使）李康所在的梓州（四川省三台县），打算任命幕僚卢文若当东川战区司令官（节度使）。战区司法官（推官）莆田（福建省莆田市）人林蕴，竭力劝阻，刘辟勃然大怒，把林蕴戴上脚镣手铐，投入监狱，然后把他押出来，下令斩首，但暗中却吩咐刽子手不要当真。刽子手举起钢刀要砍下去时并不砍下，而只停留在林蕴的脖子上磨来磨去，这样有好几次，打算使他屈服后赦免，林蕴大声斥责说："小瘪三！要砍头就砍头，我的脖子难道是你的磨刀石？"刘辟回头告诉他的左右说："这可是真正烈士！"把林蕴贬作唐昌县（四川省成都市郫都区西北唐昌镇）当防卫员（尉，望县从九品上）。

李纯打算讨伐刘辟，但又不敢轻易发动战争，三公及部长级官员，也都认为蜀（四川省）山川险恶，道路艰困，难以取胜。只宰相杜黄裳坚持，说："刘辟不过是一个发狂的文人，制服他如同捡起一根稻草，容易之极。我知道神策军基地司令（军使）高崇文，勇敢而有谋略，可以任用，希望陛下交给他这项任务，但不要派监军宦官，一定可以手到擒来（高崇文，参考七九八年五月）。”李纯批准。皇家文学研究官（翰林学士）李吉甫也建议讨伐，李纯因此对李吉甫非常器重。

正月二十三日，命左神策军特遣兵团司令官（行营节度使）高崇文，率步骑兵五千人，作第一梯队，神策军京西（首都长安以西）特遣兵团作战司令（行营兵马使）李元奕，率步骑兵二千人，作第二梯队，会同山南西道战区（总部设兴元府〔陕西省汉中市〕）司令官（节度使）严砺，联合讨伐刘辟。当时，威名及地位均高的老将，为数很多，都认为自己是讨伐军统帅的恰当人选。所以，诏书发表高崇文时，大家震惊。

李纯跟杜黄裳讨论军阀割据，杜黄裳说：“德宗（十二任帝李适）经过两次兵变（泾原兵变及朔方兵团叛变）之后，一切都姑息求全，战区司令官（节度使）几乎都是终身职，活着的时候，中央从不派人接替（参考七九三年十二月）。有人死亡，则先派宦官前去调查将领们的愿望，大家拥护谁，就派谁接任。钦差宦官往往接受将领们的贿赂，回宫后对他大加赞扬，中央就根据这项赞扬，发布人事命令，从没有一个人出于中央的决定。陛下如要建立中央威信，应用国法稍稍制裁，国家才可以恢复正常秩序。”李纯深表同意，于是才决定对蜀（四川省）采取军事行动，中央威信最后终于伸展到两河（黄河南北），都由于杜黄裳的引导。

高崇文驻守长武城（陕西省长武县西北），训练士卒五千人，虽平常日子，基地照样戒备森严，好像敌人随时都会发动攻击。六时接到诏书，大军于八时即行开拔，武器、粮秣，一样不缺。

正月二十九日，高崇文穿过斜谷（陕西省太白县境），李元奕穿过骆谷（陕西省周至县西南），同向梓州（四川省三台县）增援。高崇文抵达兴元（陕西省汉中市），官兵有人在饭店吃饭时，大发雷霆，折断筷子，高崇文立刻把他斩首示众。刘辟攻陷梓州，俘虏东川战区（总部梓州）司令官李康。

二月，严砺攻克剑州（四川省剑阁县），斩刘辟任命的州长文德昭。

6 奚王（奚部落酋长，滦河上游）诲落可前来长安朝见。

二月三日，李纯封诲落可当饶乐郡王，送他回国。

7 二月十九日，命魏博战区（总部设魏州〔河北省大名县〕）司令官（节度使）田季安，遥兼二级宰相（同平章事，使相）。

8 二月二十四日，李纯跟宰相们讨论："自古以来的帝王，有的辛苦勤劳、有的无为而治，互相有得有失，到底哪一种较好？"杜黄裳回答说："帝王对上事奉天地神灵和皇家祖庙，对下安抚全国人民及四方蛮夷，夜以继日，忧虑勤劳，当然不可以贪图安逸。可是，上下各有分际，法令规章条理分明，假定能够物色天下贤能人才，委托他们，对有功的人奖赏、对有罪的人处罚；遴选官员，一律大公无私，无论是赏是罚，都严格公平，那么，哪个人不尽力？什么事办不到？英明的领袖最辛苦的事，是物色贤能人才；最安逸愉快的时候，是在物色到贤能人才之后。这就是姚重华（黄帝王朝七任帝虞舜帝）无为而治的原因。刑事罪犯，以及生意买卖等一些细琐烦杂的小事，各有主管单位和主管官员，领袖以不过问为宜。从前，嬴政（秦王朝一任帝）用'秤'来计算公文重量，用'斗'来计算公文体积（嬴政每天批阅的公文，重达一百二十斤，参考前二一二年注）。曹叡（曹魏帝国二任帝明帝）亲自到政务署（尚书）查看公文（参考二三二年十二月)；杨坚(隋王朝一任帝文帝)在金銮宝殿上讨论国事，中午不肯休息，连卫士都得站在那里吃饭(参考六三〇年七月)。对当时的国家和社会，都没有裨益，反而受后世的讥笑。领袖的耳朵、眼睛，以及精力，并不是不勤劳，只不过勤劳的不是正当地方。领袖只怕不能诚恳待下，部属只怕不能竭尽忠心。如果在上位的人疑心他的部属，部属欺骗他的上司，要想把事情办妥，岂不是十分困难！”

李纯深表同意。

9 三月二日，命神策军京西(首都长安以西)特遣兵团司令官(京西节度使)范希朝，回任右金吾(卫军第十二军)大将军(参考去年〔八〇五〕五月三日)。

10 高崇文率军从阆州(四川省阆中市)直向梓州(东川战区总部，四川省三台县)，刘辟的将领邢泚，率军逃走，高崇文遂进入梓州(四川省三台县)。刘辟把生擒的李康送给高崇文，请求中央洗雪自己的罪过。高崇文认为李康败军失城，把他斩首。

三月十二日，严砺奏报攻克梓州(四川省三台县)。

三月十三日，李纯下诏剥夺刘辟所有官职爵位。

11 最初，夏绥战区(总部设夏州〔陕西省靖边县北白城则村〕)司令官(节度使)韩全义，到中央朝见，命他的外甥杨惠琳代理候补司令官(知留后)。宰相杜黄裳因韩全义出征无功，而又骄傲狂妄，直接命他辞职退休(参考去年〔八〇五〕十一月)，而派右骁卫(卫军第六军)将军李演，继任司令官(节度使)。杨惠琳下令备战，拒绝李演到差，上疏说：“将士们逼我当司令官(节度使)！”河东战区(总部设太原府〔山西省太原市〕)

司令官（节度使）严绶，上疏请求出军讨伐。李纯下诏命河东战区及天德警备区（总部设天德军城〔内蒙古乌拉特前旗东北〕）联合行动。严绶派营门官（牙将）阿跌光进（阿跌，复姓），跟老弟阿跌光颜，率军前进。阿跌光进本是河曲（内蒙古黄河弯曲地带）鲜卑部落出身，兄弟二人勇猛善战，威名远播，河东（山西省）家喻户晓。

三月十七日，夏绥战区（总部夏州）作战司令（兵马使）张承金斩杨惠琳，把人头呈献京师（首都长安），悬挂高竿，由人民观看。

12 东川战区（总部设梓州〔四川省三台县〕）司令官（节度使）韦丹，走到汉中（陕西省南部），上疏说："高崇文率军深入异乡作战，没有固定支援，如果把梓州（四川省三台县）给他，维持军心，一定可以立功。"

夏季，四月四日，李纯命高崇文当东川战区（总部梓州）副司令官（节度副使），代理司令官（知节度事）。

13 前往江淮（华东地区）慰劳安抚的全国财政、盐铁专卖暨运输副总监潘孟阳（派遣事，参考去年〔八〇五〕八月二十五日），所到的地方，专门从事游戏和欢宴取乐，仅仆从就有三百人，大量收受贿赂；李纯接到报告。

四月十一日，命潘孟阳当最高法院院长（大理卿），免除他全国财政、盐铁专卖暨运输副总监（度支、盐铁转运副使）官职。

中国始终不能建立廉能政府，原因何在？李适和潘孟阳二位先生，再一次现身说法。国家最高领袖，就是贪污狂，而查办赃官的人，他自己就是赃官。这种情形，即令上帝亲自出面，也无法拯救。

中国地图

秦州
渭州
泾州
(泾原战区)
宁州
长武
邠州
(邠宁战区)
凤翔府
(凤翔战区)
高崇文军
岷州
秦
岭
长安
吐蕃王国
凤州
斜谷
骆谷
李元奕军
宕州
兴州
武州
扶州
文州
严砺军
兴元府
(山南西道战区)
利州
金州
(金商警备区)
龙州
剑州
集州
壁州
绵州
蓬州
阆州
通州
开州
汉州
成都府
梓州
(东川战区)
果州
渠州
万州
遂州
邛州
江
忠州
简州
普州
合州
长
陵州
资州
岷
渝州
涪州
昌州
荣州
西川战区
黔州
(黔中道)
江
戎州
泸州
南州

九世纪·八〇六年正月至三月　高崇文收复东川

国法的制裁力量，必须使李适和潘孟阳之流，也乖乖就范，法治才能建立。改任潘孟阳当最高法院院长，等于把猛虎赶进羊群，司法黑暗的原因，在此也找到答案。

14 四月十三日，李纯亲自出题考试选拔人才；皇家图书院校勘官（校书郎，正九品上）元稹（音zhěn〔诊〕）、行政监察官（监察御史，正八品下）独孤郁（独孤，复姓）、皇家图书院校勘官（校书郎，正九品上）下邽（陕西省渭南市北）人白居易、前进士萧俛（音fǔ〔府〕）、沈传师，都脱颖而出。独孤郁，是独孤及的儿子（独孤及，参考七六五年三月）。萧俛，是萧华的孙儿（萧华，参考七六二年三月）。沈传师，是沈既济的儿子（沈既济，参考七七九年八月）。

15 宰相兼全国财政暨盐铁专卖及运输总监杜佑，请解除财赋职务，另推荐国务院国防部副部长（兵部侍郎）、全国财政及盐铁专卖暨运输副总监（度支使、盐铁转运副使）李巽（音xùn〔训〕），接替自己。

四月十四日，加授杜佑：司徒（三公之二），免除全国财政及盐铁专卖暨运输总监（盐铁转运使），另命李巽当全国财政及盐铁专卖暨运输总监（度支、盐铁转运使）。自刘晏之后（刘晏被诬杀，参考七八〇年七月），主持财政的官员，没有人能跟他相比。李巽到差一年，田赋捐税的收入，跟刘晏时一样多，到差两年，超过刘晏；到差三年，增加到一百八十万串。

16 四月十五日，擢升陇右军事区（总部设普润〔陕西省宝鸡市凤翔区北〕）指挥官（经略使）兼秦州（普润）州长刘澭，当新设置的保义战区（总部普润）司令官（节度使）。

17 四月二十八日，擢升元稹及独孤郁当监督院见习监督官（分任右拾遗、左拾遗，从八品上），白居易当盩厔县（陕西省周至县）防卫员（县尉，畿县正九品下）兼皇家编译院校对官（集贤殿校理，正九品下），萧俛当立法院见习立法官（右拾遗，从八品上），沈传师当皇家图书院校勘官（校书郎，正九品上）。

元稹上疏讨论谏官的职责，认为：

“从前，太宗（二任帝李世民）用王珪、魏徵当谏官，皇上无论做什么事，像聚会、游戏、睡觉、吃饭，谏官都一直留在左右。而且特别规定：三品以上高官入宫讨论帝国大事时，必须派谏官一名陪同，对高官们提出的国事建议，作一评估（参考六二七年正月），所以政治清明。现在的谏官，大的方面，从没有被陛下召见的机会，小的方面，则对政府行政，一无所知，不过排班论辈，到金銮宝殿上朝见如仪而已。最近这些年，更不准在金銮宝殿上当面奏报（参考八〇二年七月），又废止初级官员轮流参见制度（去年〔八〇五〕废止），谏官要想尽到职责，在发现政令扰民时，也只能呈递‘亲启密奏’。臣属在君王面前，错误还没有发生，就进言阻止，理由又十分周密，还不能使君王回心转意。何况诏书已经颁发，人事命令已经发布，而竟希望用一纸奏章，收回尊贵的皇命，当然困难。希望陛下时常莅临延英殿，召见官员面谈，请他们知无不言，言无不尽，为什么把他们安置在谏官的地位，却又排斥他、疏远他、轻视他！”

不久，元稹再上疏，说：

“国家无论是治理或是动乱，都先有预兆。领袖鼓励部属批评，多听多看，是治理的前奏；领袖喜欢听阿谀的马屁话，受亲近的人蒙蔽，是动乱的前奏。自古以来，领袖刚刚接管国家权力时，一定有敢于发言的知识分子，领袖接受他、奖赏他，则正人君子欣喜的去做这种事，争先恐后，尽忠回报，而卑劣的小人也会贪图利益，起而追随，不会再回头去干邪恶勾当。这样的话，上下情意畅通，隐秘的冤枉上达，天下要想不治，怎么能够！如果拒绝规劝，加以惩罚，则正人君子势将闭口无言，只求明哲保身；而卑劣小人势将摇尾奉迎，窃取官位。这样的话，领袖的身边小事，都可能被扭曲蒙蔽，天下要想不乱，也怎么能够？

“从前，太宗（二任帝李世民）刚登极，孙伏伽为了一件小事规劝，太宗（二任帝李世民）大为高兴，立刻重赏（参考六三六年三月），所以当时的谏官，对政府批评，唯恐不够深刻，并没有忌讳什么而担心后患。太宗（二任帝李世民）难道真的喜爱别人冒犯，而讨厌别人听话顺从？只因别人顺从的快乐小，而帝国危亡的灾祸大。陛下登极，迄今一年，还没有听说有孙伏伽模式的奖赏！我们在监察单位供职，苦候一年，始终没有召见，每次站在朝会的行列里，谨慎行礼，不敢抬头，又怎么能从容不迫的谈论国事，贡献意见？有资格参加朝会的官员，还是这个样子，何况疏远的官员，这些都是臣属们因循敷衍的过失！”

于是条条列出，建议皇帝依照次序，召见文武百官，恢复金銮宝殿上奏报制度，以及禁止违背时令的进贡等十件事。

元稹因十二任帝李适期间，王伾、王叔文用偏才得到太子李诵的宠信，而于去年（八〇五）几乎使天下大乱；因之建议皇帝早日遴选端正的知识分子去辅佐各皇子。他说：

“太宗（二任帝李世民）当亲王的时候，就跟十八位文学造诣很高的文化人交往（参考六二一年十月），后代的太子和亲王，虽然也有同僚和部属，但关系日益疏远，感情也日益淡薄，至于‘师’‘傅’——教师官职，除了任用老昏、患病、残废，已没有能力做事的人担任外，就是任用从军中辞职退休、从来没有读过书的将领。至于宾客（太子宾客，正三品）、顾问（谕德，正四品下）、参议（赞善，正五品上）等官，尤其滥竽充数，高门世家的子弟，都认为当那种官是一种耻辱。即令能物色一位落寞年老的知识分子去做，有时一两个月，皇子们才召见一次，哪有工夫辅导德义和培养守法观念？一介小民爱护自己的儿子，还知道寻找明智的师资教导，何况至为尊贵的皇家子弟，身系四海苍生身家性命的安危，怎么能够疏忽！”（太子宫官员素质低劣，大约开始于三任帝李治在位、皇后武曌夺权时，参考六八〇年八月。到了六任帝李显复辟，政治黑暗，太子宫官员横行霸道，参考七〇六年七月。李隆基在位时，虽云盛世，但晚年对太子李亨猜忌，而李亨登位后，复对太子李俶〔李豫〕猜忌，太子宫官员素质，可以想象。）

李纯对元稹的话十分嘉勉，经常召见。

18 四月二十九日，邵王李约逝世（李约，是李纯的老弟）。

19 五月十三日，擢升横海战区（总部设沧州〔河北省沧州市东南〕）候补司令官（留后）程执恭实任司令官（节度使）。

20 五月十七日，免除国务院左秘书长（尚书左丞）兼二级实质宰相（同平章事）郑余庆官职，改任太子宾客（正三品）。

21 五月二十八日，李纯尊太上皇后王女士（李纯的娘亲）当皇太后。

22 西川战区（总部成都府）变军首领刘辟，修筑鹿头关（四川省德阳市北黄许镇），一连八个营栅，驻军一万余人，抵抗高崇文（东川〔总部梓州〕司令官）。

六月五日，高崇文进攻，击败刘辟军。刘辟在鹿头关东万胜堆（德阳市东北）再筑栅布阵。

六月六日，高崇文派勇将范阳（河北省涿州市）人高霞寓攻克万胜堆（德阳市东北），鹿头关（四川省德阳市北黄许镇）全收眼底，于是继续进攻，八战八胜。

23 命卢龙战区（总部设幽州〔北京市〕）司令官（节度使）刘济，兼最高监督长（兼侍中，使相）。

六月七日，命平卢战区（总部设郓州〔山东省东平县〕）司令官（节度使）李师古兼最高监督长（兼侍中，使相）。

24 六月八日，高崇文在德阳县（四川省德阳市）击破刘辟军。

六月十一日，高崇文在汉州（四川省广汉市）再击破刘辟军。山南西道战区（总部设兴元府〔陕西省汉中市〕）司令官（节度使）严砺，派他的将领严秦，在绵州（四川省绵阳市）石碑谷（四川省绵竹市北）击破刘辟军一万余人。

25 最初，李师古有一位同父异母的弟弟李师道，一直被排斥在外，有时难免贫困。李师古曾经私下告诉他的亲信说："我并不是对师道没有兄弟之情，我十五岁就手握军政大权，自恨不知道人生艰难，何况师道又比我年轻几岁！为了使他了解衣服和粮食从哪里来的，所以要他主持一个县或一个州，想你们不会体会到我这份苦心！"现在，李师古病重，李师道正代理密州（山东省诸城市）州长，喜爱绘画和吹觱篥（觱篥，音bì lì〔毕利〕。龟兹王国〔新疆库车市〕的一种乐器）。李师古对执行官（判官）高沐、李公度说：“在我神智还清醒的时候，想问一个问题：我死之后，你们打算拥护谁当统帅？”二人互相看了看，没有立刻回答。李师古说：“岂不是李师道？人情之常，谁肯薄待自己的骨肉，厚待别人？然而，统帅人选如果不当，不但摧毁军政大业，还会覆灭我们家族。李师道是富贵人家的子弟，不知道带兵，不知道政务，只知道学习小人物那些卑贱事情，自以为能干，难道真可以担任统帅？请各位仔细研究决定。”

闰六月一日，李师古逝世。高沐、李公度封锁消息，不对外发布，暗中派人到密州（山东省诸城市）迎接李师道，拥护他继任战区副司令官（节度副使）。

26 秋季，七月三日，李纯下诏：“所有增援西川战区（总部成都府）的各路军队，全部交由高崇文指挥。”

27 七月十一日，把十三任帝李诵，安葬丰陵（陕西省富平县东十五公里瓮金山），绰号称至德大圣大安孝皇帝，祭庙称顺宗。

28 七月二十二日，高崇文（东川〔总部梓州〕司令官）在玄武（四川省中江县）击败刘辟军一万人。

29 八月二日，李纯封他当太子时的正妃郭女士当贵妃（小老婆群第一级）。

八月七日，封皇子李宁当邓王、李宽当澧王（澧，音lǐ〔里〕）、李宥当遂王、李察当深王、李寰当洋王、李寮当绛王、李审当建王。

30 李师道总揽军政大权，可是过了很久，中央人事任命状仍没有发布。李师道跟将领和辅佐人员磋商，有人建议派军队到邻近的战区抢掠，对中央施加压力；高沐坚决阻止，建议采取柔性攻势，把“两税”（参考七八〇年正月）呈缴中央，对战区官员们的缺额，请求中央派人接替，依照规定实行盐专卖制度，把专款缴回中央，不断派遣使节携带奏章前往京师（首都长安）。宰相杜黄裳认为可以利用局势不稳，分割平卢（总部郓州），但李纯认为刘辟还没有平定，不应在东方再制造敌人。

八月九日，命李师道当平卢战区（总部设郓州〔山东省东平县〕）候补司令官（留后），兼代理郓州（山东省东平县）州长。

31 宰相联合办公厅主任文书官（堂后主书）滑涣（滑，姓），在立法院（中书省）时间很久，跟宫廷机要室代理主任宦官（知枢密）刘光琦勾结，宰相们讨论帝国大事时，只要有跟刘光琦意见不一样，就命滑涣出面沟通，往往能达到目的。杜佑、郑细等对滑涣都用低姿态相待。郑余庆当宰相时，有一次，跟其他宰相讨论事情，滑涣在旁指出他们的错误，郑余庆震怒，大声喝止。没有几天，郑余庆就被免除宰相职务。四面八方送给滑涣的贿赂，没有一天中断。立法官（中书舍人）李吉甫上疏指控他专权横暴，请求解除他的职务。李纯下令各宰相关闭立法院（中书省）大门，突击检查，把滑涣作奸犯科的证据，全部收集到手。

九月十一日，把滑涣贬作雷州（广东省雷州市）户籍官（司户），不久，李纯下令命他自杀，家产没收入宫，妻子儿女家人没收当奴，家产有数千万钱。

32 九月十二日，高崇文在鹿头关（四川省德阳市北黄许镇），严秦在神泉（四川省绵阳市安州区南塔水镇），分别击败刘辟军，河东战区（总部设太原府〔山西省太原市〕）将领阿跌光颜率军南下，跟高崇文在行营会师，误期一天，害怕军法制裁，打算深入敌人心脏，立功赎罪，于是挺进到鹿头关（四川省德阳市北黄许镇）西，切断刘辟运粮道路，据守关城的刘辟军大为恐惧。刘辟军将领绵江（沱江支流）沿江阵地指挥官李文悦、鹿头关（四川省德阳市北黄许镇）指挥官仇良辅，纷纷献出城堡，向高崇文投降。中央军生擒刘辟的女婿苏强，刘辟军投降的以万为单位计算。高崇文遂长驱直入，直向成都（四川省成都市），刘辟军崩溃，中央军如入无人之境，马不停蹄。

九月二十一日，攻克成都。刘辟和智囊卢文若，率数十名骑兵，向西逃走，打算投奔吐蕃王国（首都逻些城〔西藏拉萨市〕）。高崇文派将领高霞寓等追捕，追到羊灌田（四川省彭州市西北丹景山镇），刘辟投江自杀，被中央军捞出来逮捕。卢文若先格杀妻子儿女，把石头绑到自己身上，投江而死。高崇文进入成都，军队驻扎大街小巷，士卒就在露天休息，商民照常做生意买卖，商店市场，丝毫没有惊扰，珍贵的货物堆积如山，也没有任何损失。高崇文用囚车把刘辟押解京师（首都长安）。斩刘辟部将邢泚及驿马车巡查官（馆驿巡官）沈衍；其他官员，全不追究。一切军政措施，高崇文命一律遵照韦皋（前西川〔总部成都府〕司令官）在世时的规则办理；全境秩序，在从容不迫中恢复。

最初，韦皋命西山（成都以西群山）粮食运输总监（西山运粮使）崔从代理邛州（四川省邛崃市）州长，刘辟背叛中央，崔从写信给刘辟劝阻，刘辟派军攻击，崔从登城固守。直到刘辟失败，才免于灾难。崔从，是崔融的曾孙（崔融是南周王朝官员，参考七〇〇年十二月十日）。

韦皋的幕僚房式、韦乾度、独孤密、符载、郗士美、段文昌等，都身穿白色衣服，脚登麻布鞋子，口衔土块，向高崇文请求宽恕。高崇文一律释放赦免，以礼相待，并且上疏推荐房式等，馈赠很重的礼物，送他们上路回京（首都长安）。高崇文对段文昌说："你将来一定高升到宰相、大将之职，我不敢推荐（段文昌终于升任宰相，参考八二〇年正月）！"房式，是房琯的侄儿（房琯是十任帝李亨的宰相，参考七五八年六月）。符载，是庐山（江西省九江市南）人。段文昌，是段志玄的玄孙（段志玄是唐王朝开国功臣，参考六一七年八月三日）。

刘辟有两位小老婆，都绝顶美艳，监军宦官建议呈献给皇帝。高崇文说："皇帝命我讨伐叛逆，平定变乱，应该以安抚人民为第一优先，我却马上呈献美女，希望借此受到宠爱，这岂是皇上的原意？站在正义立场，不能做这种事。"于是把她们配给将领中没有妻子的人。

整个讨伐的军事行动，以及高崇文的作战方略，都由宰相杜黄裳发动及指挥，跟千里外的前方战场，遥遥相合。高崇文对保义战区（总部设普润〔陕西省宝鸡市凤翔区北〕）司令官（节度使）刘澭，一向心存畏惧（刘澭军令严整，参考七九四年二月），杜黄裳曾经派人警告高崇文说："你如果不能立功，中央就派刘澭接替！"所以高崇文拼死力战。巴蜀（四川省）平定后，宰相们进宫祝贺，李纯看着杜黄裳说："这是你的功劳！"

33 九月二十三日（原文"辛巳"，据《旧唐书》改），下诏征召少室山（河南省登封市西）隐士李渤当监督院见习监督官（左拾遗，从八品上）。李

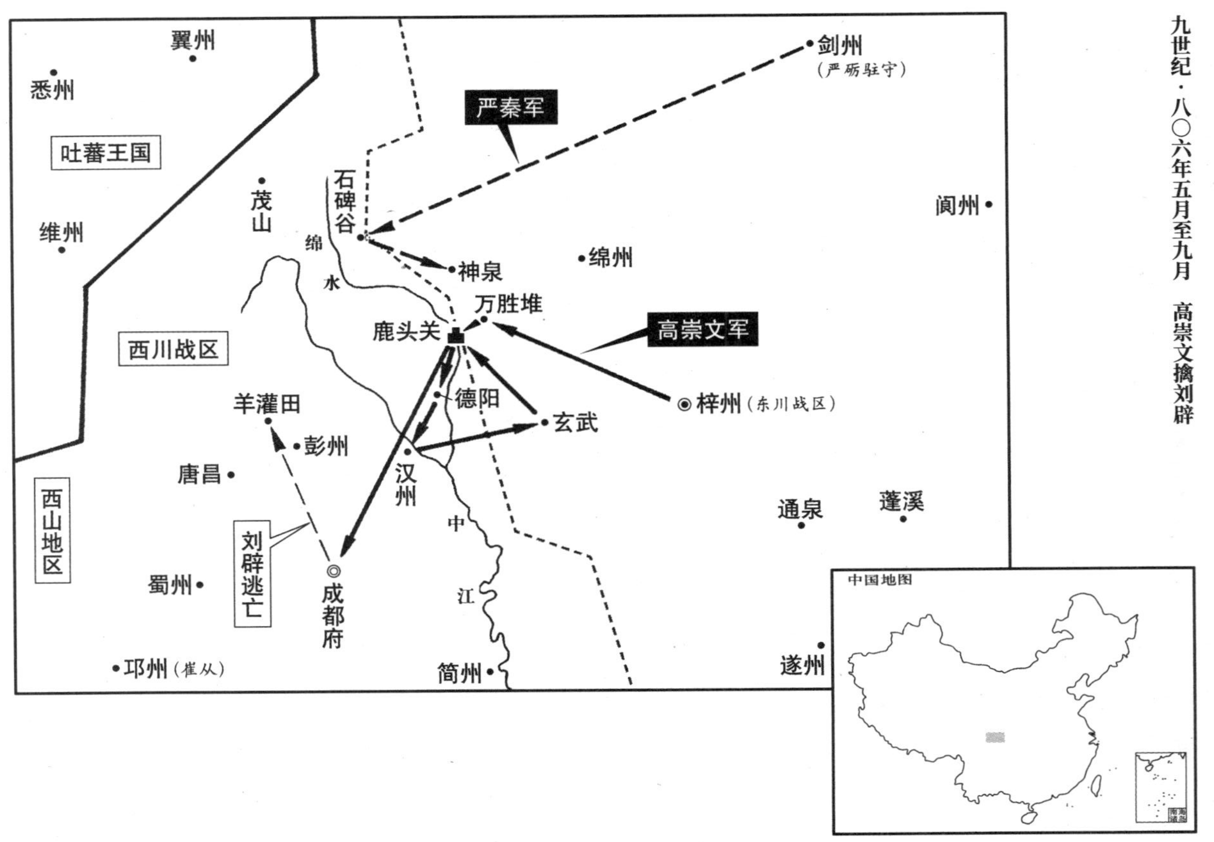
九世纪·八〇六年五月至九月　高崇文擒刘辟
剑州
（严砺驻守）
严秦军
阆州
翼州
悉州
吐蕃王国
维州
茂山
石碑谷
绵
水
神泉
绵州
万胜堆
鹿头关
高崇文军
梓州（东川战区）
德阳
玄武
西川战区
羊灌田
彭州
汉州
唐昌
西山地区
刘辟逃亡
成都府
蜀州
中
江
邛州（崔从）
简州
通泉
蓬溪
遂州
中国地图
南海诸岛

渤声称有病，拒绝到差；但对政治上的得失，李渤一定上疏表达自己的意见。

34 冬季，十月五日，义武战区（总部设定州〔河北省定州市〕）司令官（节度使）张茂昭（张升云），前往中央朝见。

35 李纯下诏：西川战区（总部成都府）管辖的资州（四川省资中县）、简州（四川省简阳市）、陵州（四川省仁寿县）、荣州（四川省荣县）、昌州（重庆市荣昌区）、泸州（四川省泸州市）六州，改隶东川战区（总部设梓州〔四川省三台县〕）。

房式等还没有到京师（首都长安），中央已发表他们在各院部担任新职（李纯急于安抚人心，治疗创伤）。

十月七日，命高崇文当西川战区（总部成都府）司令官（节度使）。

十月九日，命严砺当东川战区（总部梓州）司令官（节度使）。

十月十一日，命建筑部长（将作监）柳晟当山南西道战区（总部设兴元府〔陕西省汉中市〕）司令官（节度使）。柳晟到达汉中（兴元府所在城），派出讨伐刘辟的特遣兵团正巧回来，还没有进城，皇帝诏书又下，调他们镇守梓州（四川省三台县）。士卒们大为愤怒，胁迫监军宦官，眼看就要兵变。柳晟得到消息，迅速入城慰劳安抚，停了一会，询问说："你们立了什么功？"大家回答说："诛杀叛徒刘辟！"柳晟说："刘辟因反抗中央，所以你们才立功，怎么让别人再诛杀你们，也去立功！"大家都叩头请求原谅，愿意接受诏书，前往防地，战区因此获得平安。

36 十月十三日，命平卢战区（总部设郓州〔山东省东平县〕）候补司令官（留后）李师道实任司令官（节度使）。

37 十月二十九日，刘辟被押解到首都长安（陕西省长安市），李纯下令把刘辟，以及刘辟的家族及党羽，全部斩首。

38 武宁战区（总部设徐州〔江苏省徐州市〕）司令官（节度使）张愔（音yīn〔因〕）患病，上疏请求派人接替。

十一月十九日，命张愔回中央当国务院工程部长（工部尚书）；命东都洛阳（河南省洛阳市）留守长官王绍继任，把濠州（安徽省凤阳县东北临淮关镇）、泗州（江苏省盱眙县淮河北岸）归还武宁战区（二州被划出事，参考八〇〇年六月）。

武宁战区（总部徐州）高兴两州回归，所以没有发生变乱。

39 十一月二十七日，命宦官总管府秘书长（内常侍）宦官吐突承璀（吐突，姓。璀，音cuǐ）当左神策军总指挥官（中尉）。

李纯当太子时，吐突承璀就侍奉李纯，做事干练，反应敏捷，李纯对他十分欣赏。

40 本年（八〇六），回鹘汗国（瀚海沙漠群）向唐王朝进贡，第一次偕同摩尼教僧侣入境，在唐王朝设立寺庙布道。他们的教规是：傍晚才吃饭，吃肉而不饮牛奶及酪浆。回鹘汗国信奉虔诚，大可汗有时还跟僧侣讨论国家大事。（摩尼教，就是祆火教。祆，音xiān〔仙〕，也译"琐罗亚斯教"，又译"明教""明尊教""拜火教"，是古波斯〔伊朗〕所创的一种宗教，认为有光明〔阳〕跟黑暗〔阴〕二神，光明是善、黑暗是恶，用火表示光明，供信徒膜拜。南北朝时传到葱岭以西，逐渐进入中国，六九四年，波斯人传入《二宗经》〔《明与暗经》〕。七六八年，在长安建"摩尼寺"，称"大云光明寺"，直到八四五年，中央下令禁绝，寺庙没收。）

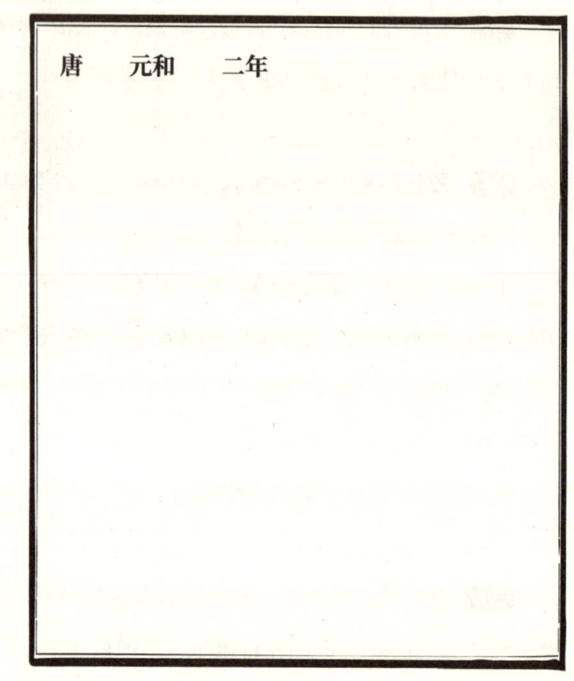

1 春季，正月三日，唐王朝（首都长安〔陕西省西安市〕）皇帝（十四任宪宗）李纯（本年三十岁），到圆形祭坛祭祀天神，赦免天下。

2 李纯因司徒（三公之二）杜佑年纪老迈、道德高尚，对他十分敬重，平常只称呼他“司徒”而不提他的名字。

杜佑因年老多病，请求退休，李纯命杜佑每月进宫朝见两三次，顺路到立法院（中书省）讨论帝国大政。过了一段日子，才准许杜佑返回樊川（杜家故里，陕西省西安市南）。

3 监督院副监督长（门下侍郎）兼二级实质宰相（同平章事）杜黄裳，雄才大略，但不拘小节，所以宰相位置不能长久保持。

正月十七日，命杜黄裳遥兼二级宰相（同平章事，使相），充当河中战区（总部设河中府〔山西省永济市〕）司令官（节度使）。

正月二十一日，命国务院财政部副部长（户部侍郎）武元衡当副监督长（门下侍郎），皇家文学研究官（翰林学士）李吉甫当副立法长（中书侍郎），同兼二级实质宰相（同平章事）。李吉甫听到消息，感动得哭泣流泪，告诉立法官（中书舍人）裴垍（音‖〔季〕）说："我流落江淮（华东地区）超过十五年，而今蒙受如此大恩，只有竭力报答；最重要的是向皇上推荐贤能人才，可是年轻官员我认识的很少，你对鉴别人才很有眼光，请毫不保留的告诉我。"裴垍列出三十余人，几个月之内，李吉甫几乎把他们全部任用，当时一致认为李吉甫有知人之明。

4 二月十五日，邕州（邕州管区首府，广西南宁市）奏报说：击破黄贼（黄贼就是西原蛮的一支黄洞蛮，广西西南部蛮夷，参考七六〇年六月），生擒他们的酋长黄承庆。

5 夏季，四月七日，命右金吾（卫军第十二军）大将军范希朝当朔方战区（总部设灵州〔宁夏灵武市〕）司令官（节度使）；把右神策军、盐州军（陕西省定边县）、定远军（宁夏平罗县），都改隶朔方战区，以改革过去中央直接指挥的弊端，而倚重边防将领（盐州改为直隶中央事，参考八〇三年十一月；如今划归朔方）。

6 秋季，八月，卢龙战区（总部设幽州〔北京市〕）司令官（节度使）刘济、成德战区（总部设恒州〔河北省正定县〕）司令官（节度使）王士真、义武战区（总部设定州〔河北省定州市〕）司令官（节度使）张茂昭（张升云），因私人怨恨，互相控告，不断请中央处罚对方。

八月二十三日，李纯派御前监督官（给事中）房式，当卢龙、成德、义武三战区慰劳特使（宣慰使），前往调停。

7 九月一日，密王李绸逝世（李绸，是李纯的老弟）。

8 夏绥战区（总部设夏州〔陕西省靖边县北白城则村〕）及西川战区（总部设成都府〔四川省成都市〕）反抗中央的行动被削平之后，割地称雄的军阀们（藩镇）都感到危惧，很多人请求到中央朝见。镇海战区（总部设润州〔江苏省镇江市〕）司令官（节度使）李锜内心不安，也请求到中央朝见，李纯批准，派宦官前往京口（润州州政府所在城）慰问安抚，犒劳三军将士。李锜虽然命执行官（判官）王澹当候补司令官（留后），但事实上他并没有动身的意思，所以不断延缓行期，王澹和钦差宦官屡次提出劝告，李锜大不高兴，上疏声称患病，请允许迟到年底启程。李纯询问宰相们的意见。武元衡说："陛下刚刚登极，李锜说朝见就朝见，说不朝见就不朝见，一切由他决定，中央将来怎么号令全国？"李纯认为有理，于是下诏征召李锜。李锜无计可施，遂决定反抗。

王澹担任候补司令官（留后），对总部军政体制有些改变，李锜更加气愤，秘密下令亲信卫士谋杀王澹。正逢颁发冬装，李锜命亲信卫士备战，自己坐大帐之中。王澹跟钦差宦官入帐进谒，忽然间数百名官兵在庭院里哗变，咆哮说："王澹是什么东西，怎么可以擅自做主？”把王澹拖下台阶，剁成肉酱吞吃。大将赵琦急出面安慰，阻止残杀，士卒把赵琦也剁成肉酱吞吃。钢刀架到钦差宦官的脖子上，大声诟骂，也打算格杀；李锜假装吓了一跳，把钦差宦官救出来。

冬季，十月五日，中央命李锜当国务院左最高执行长（左仆射），派总监察官（御史大夫）李元素当镇海战区（总部设润州〔江苏省镇江市〕）司令官（节度使）。

十月六日，李锜上疏说：“变兵格杀候补司令官（留后王澹）及大将！”先前，李锜遴选最亲信的五位将领，分别担任所管辖的五个州的防卫指挥官（镇将）：姚志安驻苏州（江苏省苏州市），李深驻常州（江苏省常州市）、赵惟忠驻湖州（浙江省湖州市）、丘自昌驻杭州（浙江省杭州市）、高肃驻睦州（浙江省建德市），各有士卒数千人，监视州长的行动。现在，李锜命他们诛杀所在地州长，派营门官（牙将）庾伯良率军三千人整修石头城（江苏省南京市西北）。常州州长颜防接受宾客李云的设计，假传圣旨，自称征剿副司令（招讨副使），斩李深；公文传到苏州、杭州、湖州、睦州，训令各州长讨伐叛徒。湖州州长辛秘，暗中募集乡里子弟数百名，于夜晚突袭赵惟忠军营，斩赵惟忠。苏州州长李素，被姚志安击败生擒，戴上脚镣手铐，钉在船舷上，押送给李锜，还没有到京口（润州州政府所在城，江苏省镇江市），正巧李锜失败，免掉一死。

十月十一日，李纯下诏剥夺李锜官爵，剔出皇族家谱（李锜是淮安王李神通的后裔）。命淮南战区（总部设扬州〔江苏省扬州市〕）司令官（节度使）王锷，当中央各路讨伐军征剿绥靖司令（统诸道兵为招讨处置使）；征调宣武战区（总部设汴州〔河南省开封市〕）、武宁战区（总部设徐州〔江苏省徐州市〕）、鄂岳道（首府设鄂州〔湖北省武汉市〕）武装部队，会同淮南战区

（总部设扬州〔江苏省扬州市〕）、宣歙道（首府设宣州〔安徽省宣城市宣州区〕）各武装部队，从宣州（安徽省宣城市宣州区）出击；另征调江西道（首府设洪州〔江西省南昌市〕）武装部队，从信州（江西省上饶市）出击；浙东道（首府设越州〔浙江省绍兴市〕）武装部队，从杭州（浙江省杭州市）出击。三路大军，讨伐李锜。

9 西川战区（总部设成都府〔四川省成都市〕）司令官（节度使）高崇文，在巴蜀（四川省）一年，有一天，告诉监军宦官说："我不过河朔（河北平原）一个士兵（高崇文是幽州〔北京市〕人），侥幸建立功劳，得居这么高的官位。西川战区（四川省中部）一向是宰相暂时休息的地方，我在这里的时间太久，心里不安！"屡次上疏说："巴蜀（四川省）中生活安逸享受，使我不能有所贡献，我愿在边陲疆场，为国效死。"李纯遴选可以接替高崇文的人选，一时难以找到。

十月十三日，命副监督长（门下侍郎）二级实质宰相（同平章事）武元衡，遥兼二级宰相（同平章事，使相），充任西川战区（总部成都府）司令官（节度使）。

10 李锜因宣州（宣歙道首府，安徽省宣城市宣州区）物产丰盛，人民富足，打算先夺取到手，于是派作战司令（兵马使）张子良、李奉仙、田少卿，率军三千人前往突袭。三位将领知道李锜一定失败，遂跟营门官（牙将）裴行立，一同秘密计划生擒李锜反正。裴行立，是李锜的外甥，对李锜的阴谋了如指掌。三位将领驻扎扬州（淮南战区总部，江苏省扬州市）城外，将要发动的时候，召集士卒宣布说："大帅（李锜）反抗中央，中央各路大军已从四面八方把我们包围，常州（江苏省常州市）、湖州（浙江省湖州市）两位指挥官（镇将）先后被杀，形势无可挽回。如今又派我们遥远的出征宣城（宣州州政府所在县），我们为什么随着他连家族都被一起屠灭！不如脱离叛党，效忠中央，转祸为福！”士卒大为高兴，一致拥护，当天夜晚，拔营回城。裴行立在城里燃起火炬，擂鼓呐喊呼应，引导大军直向总部军门。李锜接到张子良等兵变消息，暴跳如雷，但接着听说裴行立也参加兵变，不禁捶胸说：“我还有什么指望！”来不及穿鞋，光脚逃到楼下躲藏。强弓特种部队将领李钧率战士三百人，直向山亭，打算战斗，裴行立伏兵把他斩首。李锜全家悲哭。李锜左右侍从把李锜从楼下找出来，拿帐幕把他层层裹住，用绳子从城上缒下，戴上脚镣手铐、铁链枷锁，押解京师（首都长安）。强弓特种部队（挽强）及外籍特种部队（蕃落）士卒（参考八〇一年六月），纷纷自杀，尸首互相压叠在一起。

十月十九日，镇海战区（总部设润州〔江苏省镇江市〕）总部把生擒李锜，敉平叛乱事报告中央。

十月二十一日，文武百官在紫宸殿向李纯祝贺，李纯伤感的说：“我自己的恩德不够，以致国内不断有人违法乱纪，我应该惭愧，有什么值得祝贺！”

宰相们讨论诛杀李锜“大功”以上家族（三级丧服称“大功”，指堂兄弟等；二级丧服称“齐衰”，指祖父等；一级丧服称“斩衰”，指父母夫妻子女等。参考五七四年附表）。国务院国防部军政司长（兵部郎中）蒋乂说：“李锜的堂兄弟，都是淮安（靖）王（李神通）的后裔，淮安（靖）王（李神通）是开国功臣，陪葬献陵（一任帝李渊墓），配享皇家祭庙（配一任帝李渊牌位），怎么可以因末代子孙作恶犯罪，而受到这么严重牵累！”宰相们又打算诛杀李锜的亲兄弟，蒋乂说：“李锜的亲兄弟，都是已过世的总指战官（都统）李国贞的儿子，李国贞为国捐躯（参考七六二年二月十五日），怎么可以让他断子绝孙，无人祭祀？”宰相们同意。

十月二十七日，李锜的堂弟、宋州（河南省商丘市）州长李铦（音xiān〔仙〕）等，撤职流放。

十一月一日，李锜被押解到首都长安（陕西省西安市），李纯登宫城兴安门，当面盘问，李锜回答说：“我最初并不打算谋反，是张子良等教唆我谋反！”李纯说：“你身为大军统帅，张子良等谋反，为什么不先把他们斩首，然后来中央朝见？”李锜张口结舌，答不出话。于是连同李锜的儿子李师回，一起腰斩（李锜本年六十七岁）。

柏杨曰

大丈夫敢作敢当，李锜在失败后把责任全部推到别人头上，只不过一个老脓包而已。强弓特种部队和外籍特种部队士卒，为他争相自杀，除了证明再愚恶的人都有人效忠之外，别无其他意义。但李锜也被误导的认为天下所有的人都愿为他战死，以六十七岁的高龄，去做只有两营人马才赞成的大事，则不仅是老脓包，而且是老混蛋。

有关单位请求拆毁李锜父亲的家庙，副总监察官（御史中丞）卢坦说：“李锜父子伏法，已够抵偿他的罪行。从前，西汉王朝诛杀霍禹，不追溯霍光（参考前六六年七月）；高宗（三任帝李治）诛杀房遗爱，不追溯房玄龄（参考六五三年二月）。《康诰》说：‘父子兄弟，犯罪互不相干。’（《左传》引《康诰》语。现在流行市面的《尚书·康诰》，没有这句话。）何况，怎么可以因李锜一个人作恶，而追溯到五代以上的祖先！”才保住不拆。

主管单位没收李锜的家产，运往京师（首都长安）。皇家文学研究官（翰林学士）裴垍（音jì 季）、李绛（音jiàng〔匠〕）上疏认为：“李锜逾越他的本分，奢侈豪华，剥削六州人民，奉养自己一家，甚至无辜杀

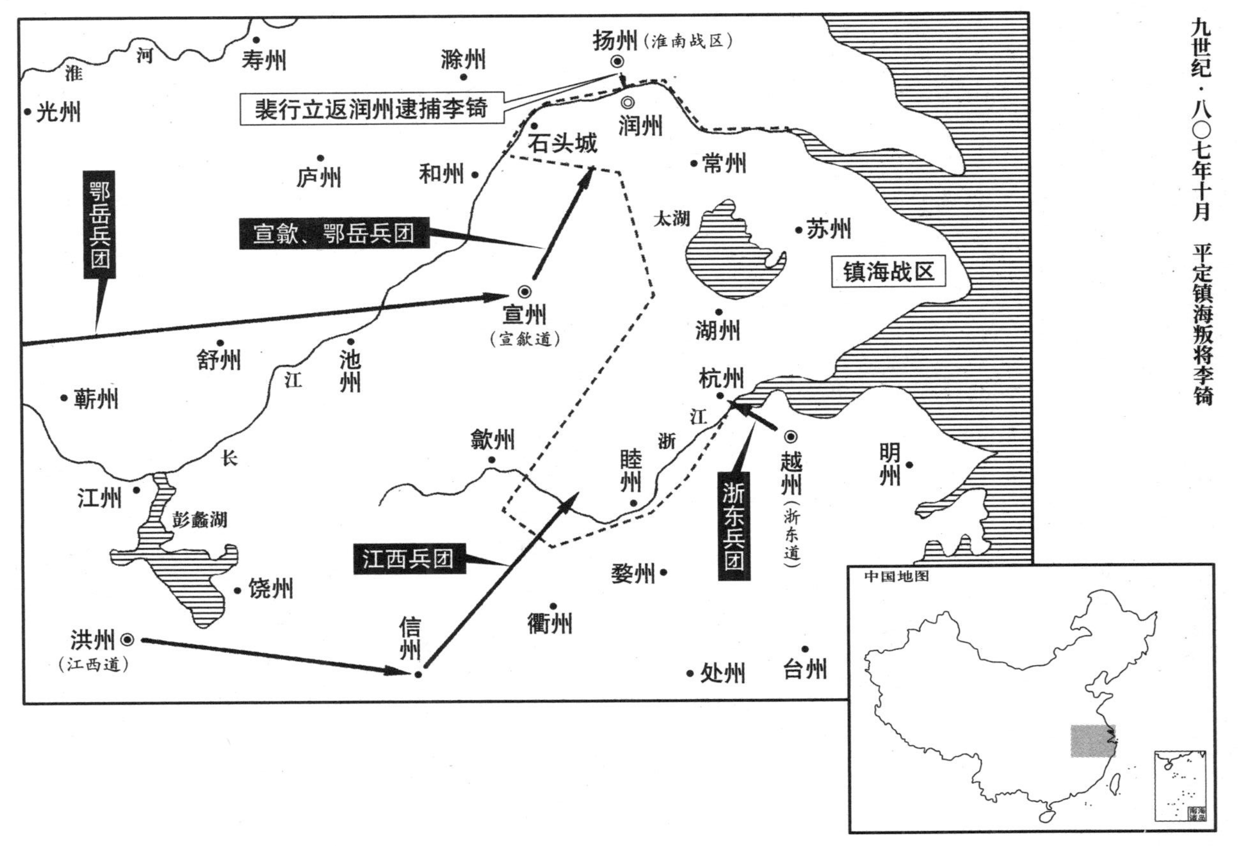

九世纪·八〇七年十月　平定镇海叛将李锜

人，只为了贪图对方的财富。陛下怜悯小民困苦贫穷、哀哀无告，所以出军讨伐，现在却用车辆把金银珍宝，运到京师（首都长安），恐怕远近都会失望，我建议：叛徒们的家产，都应发还给镇海战区（总部润州）人民，代替今年（八〇七）的赋税。”李纯嘉许这番话，感叹很久，批准。

11 昭义战区（总部设潞州〔山西省长治市〕）司令官（节度使）卢从史，跟成德战区（总部设恒州〔河北省正定县〕）司令官（节度使）王士真、卢龙战区（总部设幽州〔北京市〕）司令官（节度使）刘济，暗中来往密切，但在外表上，卢从史怂恿中央削平山东各割据军阀（山东，太行山以东，即河北平原），而且擅自率军东进。李纯下诏命他撤回，但卢从史声称他需要邢州（河北省邢台市）、洺州（河北省邯郸市永年区东南广府镇）的粮食，必须就地供应，并不立即退军。过了很久，才返。

有一天，李纯在浴堂殿召见皇家文学研究官（翰林学士）李绛，告诉他说：“天下竟然有这种奇怪的事，本来不打算告诉你，我跟宰相郑絪商议，准备先下令卢从史撤回上党（潞州州政府所在县），第二步再征召卢从史来中央朝见。郑絪却把这话泄漏给卢从史，教导卢从史声称上党粮食短缺，不得不前往山东（太行山以东）就地征粮。一个国家重要的高级官员，竟然辜负我到这种地步，我要怎么处置他？”李绛回答说：“如果真是这样，即令全族屠灭仍不能赎他的罪。然而，郑絪、卢从史不可能自己报告陛下，不知道陛下听谁说的？”李纯说：“李吉甫密报。”李绛说：“我私下听到政府其他官员们谈论，推许郑絪行为端正。这件事恐怕另有内幕，或许有些宰相打算独揽大权，妒忌郑絪受到宠爱、占据优势，因而下手陷害。希望陛下更进一步查考，不要被人认为陛下听信谗言！”李纯沉默了很久，说：“果然有理，郑细绝不可能做出这种事，如果不是你的分析，几乎使我做出错误的处分。”

李纯也曾经从容问李绛说：“最近，负责建言的官员，都在诽谤政府，挑拨政府与人民之间的感情，所作的抨击，没有一件有事实根据。我打算找出言论最激烈的一两个人，给他惩罚，用以吓阻其余的人，你认为怎么样？”李绛回答说：“这恐怕不是陛下的意思，一定有奸邪之辈用这个方式蒙蔽陛下的耳目。臣属是生是死，全看君王是喜是怒，有胆量敢发言的人，能有几个？就是有胆量、敢发言的人，也都日夜构思草稿，早上删一句，晚上减一字，好不容易誊清呈递，不过只有原稿的十分之二三。所以在上位的领袖，殷勤辛苦的征求批评，仍恐怕没有人批评，何况反而定罪！如果这样做，封闭全国人民的口，恐怕不是国家之福。”李纯嘉许他的话，停止行动。

12 文武百官请求呈献李纯绰号：睿圣文武皇帝。

十一月十三日，李纯同意。

13 盩厔县（陕西省周至县）防卫员（县尉）兼皇家编译院校对官（集贤校理）白居易作《乐府》长诗一百余篇，对时事有很多规劝讥讽，流传到皇宫之中。李纯看到后，十分喜爱，擢升他当皇家文学研究官（翰林学士）。

14 十二月三日，李纯告诉宰相们说：“太宗（二任帝李世民）以神明圣洁的天才，文武百官进言规劝，还要再三再四的反复说明，何况我孤陋愚昧，自今以后，事情有不对时，你们应该向我十次进言，不要只劝一两次就停止。”

15 十二月十三日，命高崇文遥兼二级宰相（同平章事，使相），充当邠宁战区（总部设邠州〔陕西省彬州市〕）司令官（节度使）、京西（首都长安以西）各军总指战官（京西诸军都统）。

16 山南东道战区（总部设襄州〔湖北省襄阳市〕）司令官（节度使）于頔（音dí〔笛〕）畏惧李纯的英明威武，替自己的儿子于季友请求婚配公主；李纯允许皇女普宁公主下嫁。皇家文学研究官（翰林学士）李绛反对，说：“于頔，是一个蛮虏（于頔，是于谨的后裔，于谨的祖先本姓勿忸于，北魏帝国八大鲜卑部落之一，参考四九六年正月），而于季友，又是小老婆所生的庶子，不配娶皇帝的女儿，陛下应该在高门第中遴选美才。”李纯说：“这件事你就不懂了！”

十二月二十六日，普宁公主下嫁于季友，恩宠及礼仪，非常厚重盛大，于頔出乎意外，大喜。不久，李纯命人暗示于頔应到中央朝见谢恩，于頔遵命行事（于頔跋扈，参考八〇〇年五月）。

17 本年（八〇七），宰相李吉甫编撰《元和国计簿》（即八〇七年《中国年鉴》）呈递皇帝（“元和”是李纯的年号），总计：全国四十八个战区和道、二百九十五个州和市（府）、一千四百五十三个县。其中除了凤翔战区（总部设凤翔府〔陕西省宝鸡市凤翔区〕）、鄜坊战区（总部设鄜州〔陕西省富县〕）、邠宁战区（总部设邠州〔陕西省彬州市〕）、振武战区（总部设单于府〔内蒙古和林格尔县〕）、泾原战区（总部设泾州〔甘肃省泾川县〕）、夏绥战区（总部设夏州〔陕西省靖边县北白城则村〕）、朔方战区（总部设灵州〔宁夏灵武市〕）、河东战区（总部设太原府〔山西省太原市〕）、义武战区（总部设定州〔河北省定州市〕）、魏博战区（总部设魏州〔河北省大名县〕）、成德战区（总部设恒州〔河北省正定县〕）、卢龙战区（总部设幽州〔北京市〕）、横海战区（总部设沧州〔河北省沧州市东南〕）、彰义战区（总部设蔡州〔河南省汝南县〕）、平卢战区（总部设郓州〔山东省东平县〕）等十五战区七十一州，不向中央申报户口及呈缴赋税，每年一定向中央呈缴赋税的，只有浙东道（首府设越州〔浙江省绍兴市〕）、镇海战区（总部设润州〔江苏省镇江市〕）、宣歙道（首府设宣州〔安徽省宣城市宣州区〕）、淮南战区（总部设扬州〔江苏省扬州市〕）、江西道（首府设洪州〔江西省南昌市〕）、鄂岳道（首府设鄂州〔湖北省武汉市〕）、福建道（首府设福州〔福建省福州市〕）、湖南道（首府设潭州〔湖南省长沙市〕）八战区道四十九州，一百四十四万户，比起七四二年所缴税户，减少四分之三。本年（八〇七），全国军队由政府供应的有八十三万余人，比七四二年增加三分之一，大约平均两户人家供养一名士卒（七四二年时，全国设九战区及一指战区，军力合共四十九万士卒，八万余匹马，参考该年〔七四二〕正月）。其中遇到旱灾、水灾所受的伤害，以及法定赋税外的非法征收，还不包含在内。

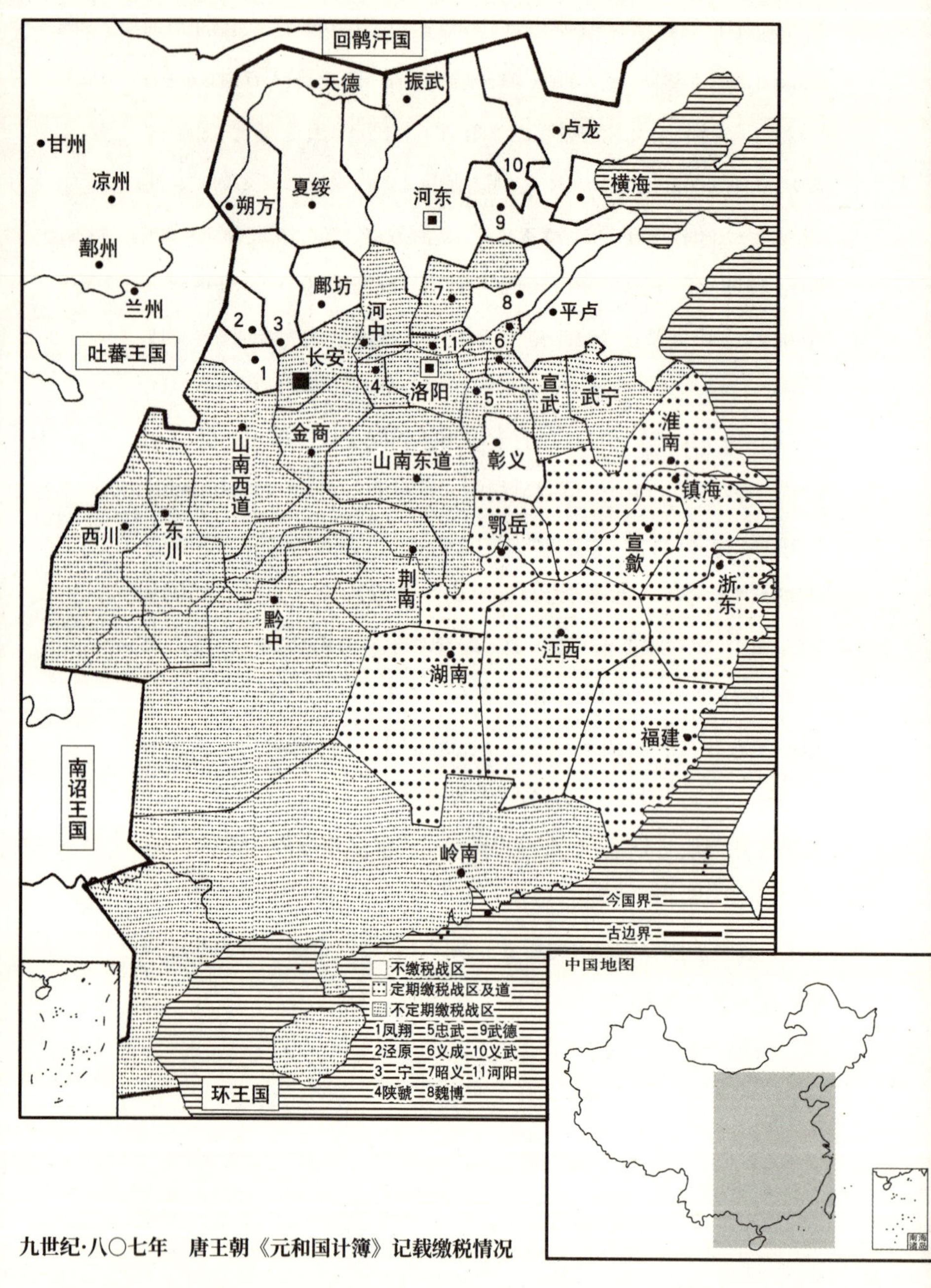

九世纪·八〇七年　唐王朝《元和国计簿》记载缴税情况

八〇八年 戊子

唐 元和 三年

1 春季，正月十一日，唐王朝政府（首都长安〔陕西省西安市〕）文武百官呈献皇帝（十四任宪宗）李纯（本年三十一岁）尊贵绰号睿圣文武皇帝（参考去年〔八〇七〕十一月）。李纯下诏赦免天下，又下诏："从今以后，各地方政府首长前来中央朝见，不准呈献贡品。"宫廷机要室主任宦官（知枢密）刘光琦（《旧五代史·职官志》引述项安世《家说》："唐王朝时，宰相联合办公厅〔政事堂〕之后，并列五房，其中之一为'枢密房'，主持各单位〔曹〕事务。枢密房的任务，由宰相主持，开始时并未委任他人；后来，宠信宦官，才命枢密房之职务，改归宦官总管署〔内侍〕兼管。”胡三省注：“七六五年，十一任帝李豫〔李俶〕在宫内设‘内枢密使’，由宦官充当，不过三间房子，贮放文件，负责接受政府官员呈递的奏章，皇帝裁决后，由‘枢密使’转交立法院〔中书〕及监督院〔门下〕实行，位低权轻。本世纪〔九〕八〇年代，二十一任帝李俨、二十二任帝李晔〔李敏〕时，宦官杨复恭、西门季玄当权，逐渐成为国家重要机关，搬出宫廷，性质全变，直接指挥军政。”）建议分别派宦官携带大赦令到各道宣布，打算乘机勒索贿赂。皇家文学研究官（翰林学士）裴垍（音jì〔季〕）、李绛（音jiàng〔匠〕）反对，上疏说：“钦差宦官所到之处，只会制造纷争烦扰，不如交给驿马车依照常规发布，只要加急传递就好！”李纯批准。刘光琦抗辩说：“这是惯例，大赦令都由中央派专人传达。”李纯说：“惯例是对的，遵守惯例，惯例如果不好，为什么不改！”

2 临泾（甘肃省镇原县）防卫指挥官（镇将）郝玼，认为临泾地势险要，水源丰富，牧草茂丰，吐蕃王国（首都逻些城〔西藏拉萨市〕）如果派军侵扰，势必在那里筑营；因而报告泾原战区（总部设泾州〔甘肃省泾川县〕）司令官（节度使）段祐。段祐奏报李纯，李纯命兴筑城池，自此，泾原战区获得平安。

3 二月二十六日，咸安大长公主在回鹘汗国（瀚海沙漠群）逝世（嫁回鹘当皇后事，参考七八八年十一月）。

三月，回鹘腾里可汗（九任大可汗）逝世（名不详）。

4 三月十一日，郇王李总逝世（李总，是李纯的老弟）。

5 三月二十九日，副总监察官（御史中丞）卢坦，弹劾前山南西道战区（总部设兴元府〔陕西省汉中市〕）司令官（节度使）柳晟、前浙东道（首府设越州〔浙江省绍兴市〕）行政长官（观察使）阎济美，违抗皇帝诏书（参考本年〔八〇八〕正月十一日），擅自进贡，要求惩罚。李纯召见卢坦褒扬安慰，说：“我已赦免二人的罪了，不可以失信。”卢坦说：“陛下诏书向全国公布，天下皆知，是陛下的大信。柳晟不畏惧陛下的国法，陛下为什么保存小信而摧毁大信？”李纯下令把进贡到皇宫的物品，分别送交政府有关单位。

6 夏季，四月，李纯亲自主持“选拔贤良公正，直言极谏人才”考试，伊阙（河南省伊川县）防卫员（尉）牛僧孺、陆浑（河南省嵩县）防卫员（尉）皇甫湜、前进士李宗闵（李宗闵时任华州〔陕西省渭南市华州区〕州政府参谋官〔参军〕，所以称“前”进士），批评政治上的缺失，不畏权势，不避强梁。国务院文官部副部长（吏部侍郎）杨于陵、文官部考选司副司长（吏部员外郎）韦贯之当考试官。韦贯之把他们列入甲等，李纯也很嘉许。

四月十三日，李纯下诏命立法院（中书省）擢升他们较高职位。然而宰相李吉甫对他们直率的抨击，十分憎恨，向李纯声泪俱下地指控说：“皇家文学研究官（翰林学士）裴垍、王涯，主持复试。而皇甫湜，是王涯的外甥，王涯不声明回避，裴垍更模棱两可！”李纯不得已，免除裴垍、王涯皇家文学研究官（翰林学士）职务；调裴垍当国务院财政部副部长（户部侍郎）、王涯当司法部狱政司副司长（都官员外郎）、韦贯之远贬果州（四川省南充市）州长。几天之后，再贬韦贯之当巴州（四川省巴中市）州长、王涯当虢州（河南省灵宝市）军务秘书长（司马）。

四月二十三日，再贬杨于陵当岭南战区（总部设广州〔广东省广州市〕）司令官（节度使），罪名是：在决定录取高才生时，没有表示反对意见。牛僧孺等虽没有被贬谪，却被长期冻结迁，各人只好自找出路，投奔其他单位。牛僧孺，是牛弘的七世孙（牛弘，是隋王朝宰相，参考六一〇年十二月三日）。李宗闵，是李元懿的玄孙（李元懿，参考六七三年正月）。韦贯之，是韦福嗣的六世孙（韦福嗣，参考六一三年六月十四日）。皇甫湜，是睦州（浙江省建德市）新安（浙江省淳安县）人。

7 四月二十五日，停止每年五月一日在宣政殿举行的朝贺会报（唐王朝制度：每年元旦、冬至，在乾元殿接受朝贺，参考七一七年七月。《唐会要·受朝贺》：七九一年，十二任帝李适增加五月一日，在宣政殿跟文武百官见面，中央九品以上官员，以及前来京师〔首都长安〕办事的地方政府官员，都可以参加）。

8 李纯命荆南战区（总部设江陵府〔湖北省江陵县〕）司令官（节度使）裴均，当国务院右最高执行长（右仆射）。

裴均一向谄媚宦官，所以官位显赫，擢升到国务院右最高执行长（右仆射）后，自认为不同凡品。曾经有一次，在进宫朝见时，站在更高官阶才可以站的位置；副总监察官（御史中丞）卢坦向他作了一个揖，请他后退到他应该站的地方；裴均拒绝。卢坦说："从前姚南仲当右最高执行长（右仆射），就站在那个地方（姚南仲因监军宦官薛盈珍谗言，到京师面见十二任帝李适，参考八〇〇年四月；之后改调国务院右最高执行长〔右仆射〕）。"裴均说："姚南仲是什么人？"卢坦说："是一位立身严正、不拍权贵马屁的正人君子。"卢坦不久就被调太子宫事务署长（右庶子）。

9 五月，皇家文学研究官（翰林学士）、监督院见习监督官（左拾遗）白居易上疏，认为：

“牛僧孺等人，直率的检讨当前政治，蒙陛下厚恩，擢升甲等，想不到反而受到排斥，一律逐出政府，去当‘关外官’（指亲王府官员）。杨于陵等主持考试，因有勇气录取公正的言论；裴垍等在主持复试时，因尊重初试评选的结果，竟全部都被责罚贬窜。卢坦因始终尽忠职守，而被贬作太子宫事务署长（右庶子）。他们都是人民最尊敬的人，大家都从他们是在朝或是在野，来判断帝国是兴隆或是衰败！一旦没有罪而加以驱逐，全国上下，都被封口，人心汹涌不安，陛下是不是知道？何况，是陛下下诏命人直言无隐的，牛僧孺等遵命直言无隐，即令不能付诸实施，又怎么能忍心把他们当作罪犯，而排斥在外？从前，德宗（十二任帝李适）登极时，也曾经征求过直言无隐之士，题目是讨论如何因应旱灾（旱灾事，参考七八〇年五月二十二日）。穆质回答说：‘依照东西汉王朝传统，三公级高官应该免职。依照卜式发表的意见，桑弘羊应该烹杀（参考前一一〇年五月）。’德宗（十二任帝李适）十分嘉许，把穆质从京畿县政府保卫员（尉，畿县正九品下），擢升当监督院初级监督官（左补阙，从七品上）。现在，牛僧孺说的话，没有穆质那么尖锐，却立刻排除，这种做法，恐怕不是保护祖宗基业的正当方法！”

穆质，是穆宁的儿子（穆宁跟颜真卿一同讨伐安禄山；参考七五五年十二月十七日）。

10 五月二十五日，封回鹘汗国（瀚海沙漠群）新任可汗（名不详）当爱登里啰汨密施合毗伽保义可汗（十任大可汗）。

11 西原蛮（广西西南部部落）酋长黄少卿投降（黄少卿聚众起兵时称

"钦州蛮",参考七九四年五月)。

六月十二日,李纯命黄少卿当归顺州(羁縻州,广西靖西市)州长。

12 沙陀部落(初在新疆西北部)勇敢强悍(参考七八九年十二月),超过所有蛮夷部落,吐蕃王国把他们安置在甘州(甘肃省张掖市),每次作战,都用沙陀军充当前锋。

回鹘汗国(瀚海沙漠群)攻击吐蕃(西藏),克复凉州(甘肃省武威市);吐蕃当权高官怀疑沙陀部落(甘肃省张掖市)可能重新回归回鹘(瀚海沙漠群),打算把沙陀迁到河外(这"河"不知道是什么河,可能指青海湖一带)。沙陀部落大为恐惧,酋长朱邪尽忠(朱邪,复姓)跟他的儿子朱邪执宜,决定投奔唐王朝,于是率全体部落三万(是三万人或是三万篷帐,说不清楚),沿着乌德鞬山(内蒙古阿拉善右旗南龙首山)向东进发,三天之后,吐蕃(西藏)追兵大量赶到,两军缠斗,自洮水(黄河支流)辗转血战到石门(宁夏固原市北),数百次会战,沙陀军惨败,朱邪尽忠阵亡,士卒死亡大半。朱邪执宜率残余部众仍近一万人、骑兵三千人,投奔灵州(宁夏灵武市)归降。

朔方战区(总部设灵州〔宁夏灵武市〕)司令官(节度使)范希朝得到消息,亲自率军到边塞迎接,把他们安置在盐州(陕西省定边县),替他们购买牛羊,加强推广畜牧,尽心优待安抚。

李纯下诏在盐州(陕西省定边县)设阴山府,命朱邪执宜当作战司令(兵马使)。

不久,朱邪尽忠的老弟朱邪葛勒阿波又率部众七百(仍不知是人或是篷帐),投奔范希朝投降。李纯命他当阴山军区(羁縻军区,总部设盐州〔陕西省定边县〕)总司令(都督)。

从此,朔方战区(总部设灵州〔宁夏灵武市〕)每逢出征作战,都命沙陀参加，军锋所指，所向无不传出捷报，朔方战区的军事力量，越发强大。

13 秋季，七月一日，日蚀。

14 命太子宫事务署长（右庶子）卢坦当宣歙道（首府设宣州〔安徽省宣城市宣州区〕）行政长官（观察使）。

苏强被诛杀后（苏强是刘辟的女婿，参考前年〔八〇六〕九月），他的老哥苏弘当时在晋州（山西省临汾市）当幕僚，立即辞职回家，没有人敢请他辅佐。卢坦上疏说："苏弘的品德和才干俱备，不应该因老弟的缘故，永远废弃，请求准我聘请他当我的执行官（判官）。"李纯说："当初，苏强如果没有死，而且真的品德和才干俱备，照样可以任用，何况他的老哥！"卢坦到差，正逢大旱，饥馑严重，粮价飞涨；有人请求压低粮价，卢坦说："宣歙道（首府宣州）可耕地太少，粮食出产不多，平常全靠四方供应，如果压低粮价，商船就不会来这里，人民更陷入困境。"不久，米价高达每斗二百钱，粮商云集。

15 九月十一日，命于頔（音dí〔笛〕）当司空（三公之三），依旧兼二级实质宰相（同平章事）。命国务院右最高执行长（右仆射）裴均，遥兼二级宰相（同平章事，使相），充当山南东道战区（总部设襄州〔湖北省襄阳市〕）司令官（节度使）。

淮南战区（总部设扬州〔江苏省扬州市〕）司令官（节度使）王锷，到中央朝见。王锷家财万贯，异常富有，对进贡皇帝和馈赠宦官的贿赂，十分厚重，希望能遥兼二级宰相（同平章事，使相）。皇家文学研究官（翰林学士）白居易上疏说："宰相，是臣属们最高的官位，除非有清廉的人品，或立过大功，不能担任。昨天任命裴均，外面的议论已经沸腾，而今再任命王锷，则跟王锷情形相同的人，都会野心勃勃，生出奢望。如果全国战区司令官（节度使）都遥兼二级宰相（同平章事，使相），帝国的法令规章，势将破坏。而且，人人有奖，就再没有人感谢陛下皇恩。如果不能使他们全兼，则待遇明显的有厚有薄，有些人或许心怀怨恨。侥幸之门一开，以后的情势谁都不能控制。而且，王锷在扬州（江苏省扬州市）五年，千方百计搜刮勒索，等金银珍宝够多，就亲自运到中央进贡打点，如果这样就任命他当宰相，全国所有地方政府首长，都会看出王锷的宰相是靠贿赂买到手的，势将互相比赛贪污，人民将如何承受？”事情遂被搁置。

16 九月十三日，命宣武战区（总部设汴州〔河南省开封市〕）司令官（节度使）韩弘，遥兼二级宰相（同平章事，使相）。

17 九月十七日，擢升国务院财政部副部长（户部侍郎）裴垍（音il〔季〕）当立法院副立法长（中书侍郎），兼二级实质宰相（同平章事）。李纯虽然因李吉甫的压力，免除裴垍皇家文学研究官（学士）的职务（参考本年〔八〇八〕四月），然而宠信更专，所以不久就擢升他当宰相。

最初，十二任帝李适从不信任宰相，政府细小琐碎的事务，都亲自裁决，因此裴延龄之流，利用这个机会，得以掌握权柄（参考七九四年九月）。李纯当亲王的时候，就发现这种弊端。登极之后，对于遴选出来的宰相，总是推心置腹相待。曾经告诉裴垍等说：“以太宗（二任帝李世民）、玄宗（九任帝李隆基）的英明（李世民固英明，李隆基距英明太远），还要依靠左右辅佐的人，才能治理国家，何况我又不如祖先万倍！”裴垍也专心一意，竭尽所能。李纯曾经问裴垍说：“治理国家，先要做什么？”裴垍回答说：“先要正心诚意！”旧有制度，人民缴纳的捐税，有三项用处，一是付给国库，二是付给一级地方政府首长（战区司令官〔节度使〕和道政府行政长官〔观察使〕），三是留在本州州库。八世纪八〇年代，制定“两税制度”（参考七八〇年正月），规定用物资缴纳，于是东西值钱，钱不值钱；后来改征现款，钱虽值钱，东西又不值钱；人民的负担，超过最初征收时的两倍（两税制之流弊，参考七九四年五月）。留在州库跟付给一级地方政府首长部分，都废除国务院规定的价格，而依照实际市价，强制人民缴纳（好比：国务院规定一百钱折合十尺布，实际市价二百钱才可购买十尺布，依国务院规定缴十尺布的，改缴一百钱便可，现在非改缴二百钱不可），人民负担沉重。

裴垍当宰相后，奏报说：“全国留在州库和付给一级地方政府首长（送使）的税款，一律遵照国务院规定价格。道政府行政长官（观察使）所需经费，以征收道政府所在州为主，实在不够，才可以向所属的其他州征收。”自此，江淮（华东地区）人民才开始有一线生机。最初，掌握权柄的官员都很憎恨谏官批评时政得失，只裴垍欣赏谏官批评。裴垍心胸宽大，立身严肃，人们不敢因私心打扰他。曾经有位老朋友从很远的地方，前来投奔，裴垍给他的馈赠十分优厚，像过去一样不拘形迹的说说笑笑，那人乘机要求到首都长安特别市政府（京兆府）当一名单位主管。裴垍说：“老哥不配当这种官，不能因为我们是老朋友的缘故，伤害政府正大光明的形象。将来一天，如果有个瞎宰相怜悯你，可能给你这个位置，我可是绝对不可以。”

18 九月十九日，命副立法长（中书侍郎）、二级实质宰相（同平章事）李吉甫，遥兼二级宰相（同平章事，使相），充当淮南战区（总部设扬州〔江苏省扬州市〕）司令官（节度使）。

19 河中战区（总部设河中府〔山西省永济市〕）司令官（节度使）郃国公（宣公）杜黄裳逝世（年七十岁）。

20 冬季，十二月三日，把原州流亡州政府迁到临泾（甘肃省镇原县），命临泾防卫指挥官（镇将）郝玼当州长（原州原设宁夏固原市，七六三年陷于吐蕃，州政府流亡百里城〔甘肃省灵台县西〕，八〇三年迁平凉〔甘肃省平凉市〕，本年〔八〇八〕再迁临泾〔甘肃省镇原县〕）。

21 南诏王国（首都苴咩城〔云南省大理市〕）国王（三任）异牟寻逝世，太子寻阁劝嗣位（四任王）。

唐　元和　四年

1 春季，正月十一日，唐王朝（首都长安〔陕西省西安市〕）简王李遘逝世（李遘，是十一任帝李豫〔李俶〕的儿子）。

2 渤海王国（首都龙泉府〔黑龙江省宁安市西南东京城镇〕）国王（六任康王）大嵩璘逝世，太子大元瑜继位（七任定王），改年号永德。

3 唐王朝南方大旱成灾，人民饥馑。

正月十三日，唐帝（十四任宪宗）李纯（本年三十二岁），命国务院左主任秘书（左司郎中，从五品上）郑敬等，分别担任江西道（首府设洪州〔江西省南昌市〕）、淮南战区（总部设扬州〔江苏省扬州市〕）、镇海战区（总部设润州〔江苏省镇江市〕）、浙东道（首府设越州〔浙江省绍兴市〕）、荆南战区（总部设江陵府〔湖北省江陵县〕）、湖南道（首府设潭州〔湖南省长沙市〕）、山南东道战区（总部设襄州〔湖北省襄阳市〕）、鄂岳道（首府设鄂州〔湖北省武汉市〕）等，道慰劳安抚特使（宣慰使），赈济灾民。临出发时，李纯警告说：“我在皇宫里用一匹绸缎，都要登记在账簿上，只有救济灾民，花多少钱都可以，你们要了解我的用心，不要效法潘孟阳，只会饮酒游山！”（潘孟阳事，参考八〇六年四月。潘孟阳的罪不在饮酒游山，而且贪污勒索。皇帝对潘孟阳的恶行印象既如此深刻，不过改调最高法院院长〔大理卿〕，使他更有机会贪污而已，这算什么处罚？李纯在帝王中头脑尚称明白，竟然如此。）

4 御前监督官（给事中）李藩，在监督院（门下省）供职，他认为诏书不妥当时，往往就在诏书所用的黄纸末端，写下他反对的意见；承办人员请他另外使用白纸连接，李藩说：“那样做就是‘写状’，怎么能叫‘批诏’！”裴垍向皇帝推荐李藩有宰相的器度。李纯认为副监督长（门下侍郎）、二级实质宰相（同平章事）郑絪因循敷衍，不多说话，只求明哲保身。二月二十一日，免除郑絪宰相职务，调任太子宾客（正三品）。擢升李藩当副监督长（门下侍郎）、二级实质宰相（同平章事）。李藩知无不言，言无不尽，李纯对他十分器重。

5 河东战区（总部设太原府〔山西省太原市〕）司令官（节度使）严绶，在职九年（参考八〇一年八月二十八日），但所有军政人事大权：全在监军宦官李辅光之手，严绶只是呆坐在那里而已。裴垍把真实情形报告皇帝，请派李鄘接替。

三月九日，命严绶回京（首都长安）当国务院左最高执行长（左仆射），命凤翔战区（总部设凤翔府〔陕西省宝鸡市凤翔区〕）司令官（节度使）李鄘，当河东战区（总部太原府）司令官（节度使）。

6 成德战区（总部设恒州〔河北省正定县〕）司令官（节度使）王士真逝世，他的儿子副司令长官（副大使）王承宗，自称候补司令官（留后）。

河北（黄河以北）三镇（成德〔总部恒州〕、卢龙〔总部幽州〕、魏博〔总部魏州〕），多少年来都特设副司令长官（副大使），由战区司令官（节度使）的嫡长子充当，老爹逝世后，即行接任。

7 李纯因大旱太久，李纯打算颁布一道慰问诏书，皇家文学研究官（翰林学士）李绛（音jiàng〔匠〕）、白居易，上疏说："让人民实际上受到陛下恩惠，没有比减收田租赋税更为重要。"又说："宫女们除了供差遣驱使之外，无事可做的人仍然很多，似应释放她们出宫，既节省费用，又顺应人性。"又说："请禁止各战区道用横征暴敛的钱，向陛下进贡。"又说："岭南（广东、广西、海南及越南北部）、黔中（贵州省）、福建（福建省）地方风俗恶劣，常掠夺良家儿女，卖给富贵人家当奴隶、婢女，请严厉禁止。"

闰三月三日，李纯下诏，命全国减刑，免除租税，释放宫女、禁止进贡、禁止人口买卖；都反应二人的请求。

闰三月十三日，降雨。李绛上疏祝贺说："在事情发生前，如能考虑周详，就可以没有忧虑。等事情已经发生，再去忧虑，已难以补救。"

8 最初，王叔文的党羽受到贬窜（参考八〇五年七月），李纯颁发特别诏书，规定："即令遇到赦免，也不可以酌量调向内地。"

国务院文官部长（吏部尚书）兼全国盐铁专卖暨运输总监（盐铁转运使）李巽奏报说："郴州（湖南省郴州市）军务秘书长（司马）程异，有丰富的行政经验，头脑清晰，明辨是非，请任命当扬子（江苏省扬州市南长江渡口）运输分监署候补管理官（扬子留后）。"李纯批准。

李巽督察严明，千里之外的属官，都兢兢业业，好像李巽就在面前。而程异检查文书账簿，比李巽还要精明能干，终于发挥他的才干。

9 唐王朝开国重要人物魏徵（参考六四三年正月）的玄孙魏稠，生活贫苦，把旧宅（魏徵住首都长安东城万年县永兴坊〔宫城东〕）抵押给别人。平卢战区（总部设郓州〔山东省东平县〕）司令官（节度使）李师道，请求自己出钱把它赎回。李纯同意，命皇家文学研究官白居易（翰林学士）撰写诏书。白居易奏报说："这种事关系对后人的激励，应由中央来做，李师道是什么东西，竟敢掠夺美名！希望命有关单位出钱把它赎回，还给魏徵的后裔。"李纯采纳，由宫库拿出钱二千串赎回，交给魏稠，禁止再行押卖。

10 成德战区（总部设恒州〔河北省正定县〕）首领王承宗的叔父王士则，因王承宗自称候补司令官（留后），恐怕一旦失败，全族屠灭，于是偕同幕僚刘栖楚，一起回归京师（首都长安）。

李纯命王士则当神策（禁军第七、八军）大将军。

11 皇家文学研究官（翰林学士）李绛等奏报说："陛下登上

宝座，已有四年，可是太子还没有确定，册封太子的大典还没有举行，鼓动跃跃欲试的野心，违背严谨慎重的原则，不是尊重祖先，爱护国家的做法，希望压制谦逊的小节，早日举行大公的仪式。”

闰三月二十一日，李纯下诏封长子邓王李宁当太子。李宁，是纪美人（小老婆群第十级）生的儿子。

12 闰三月二十五日，朔方战区（总部设〔宁夏灵武市〕）司令官（节度使）范希朝奏报，建议把河东战区（总部设太原府〔山西省太原市〕）驻扎京西（首都长安以西）秋防部队六百人的军服及粮食，转发给沙陀部落（居住盐州〔陕西省定边县〕），李纯批准。

13 夏季，四月，山南东道战区（总部设襄州〔湖北省襄阳市〕）司令官（节度使）裴均，仗恃宦官的撑腰，在皇帝下诏禁止进贡（参考本年〔八〇九〕正月）之后，仍进贡银器一千五百余两。皇家文学研究官（翰林学士）李绛、白居易等上疏说：“裴均显然用这批银器来刺探陛下是否真心，希望陛下拒绝。”李纯立刻下令把银器拿出交给全国财政总监署（度支）。不久，李纯下诏给各战区、各道驻京（首都长安）办事处（进奏院）说：“从今以后，各单位向中央进贡，不必通报总监察署（御史台）；如果有人查问，把查问者的名字奏报！”白居易再上疏劝阻，李纯不接受。

14 李纯打算革除河北（黄河以北）各战区军阀割据世袭的弊端，利用王士真之死，准备由中央直接派遣战区司令官（节度使），如果拒绝，就出军讨伐。宰相（同平章事）裴垍说：“平卢（总部设郓州〔山东省东平县〕）李纳，嚣张跋扈（李纳称王，参考七八二年十一月）；而成德（总部设恒州〔河北省正定县〕）王武俊，对帝国有功（王武俊破朱滔，参考七八四年五月六日）。陛下前些时允许李师道继承（参考八〇六年十月），今天却拒绝王承宗的请求，处理事情，没有一定标准，违情悖理，他们一定不服。”因此议论久不能决定。李纯征求各皇家文学研究官（翰林院）的意见，李绛等回答说：“河北（黄河以北）不遵奉教化，人人愤怒叹息，但今天突然改革，恐怕也有困难。成德战区（总部恒州）自王武俊当司令官（节度使）以来（王武俊斩李惟岳，参考七八二年闰正月），父子继承，为时四十余年（王武俊七八二年夺权，迄今〔八〇九年〕只二十八年。但追溯成德第一任司令官李宝臣〔参考七六二年十一月〕，迄今四十八年），民心军情，看惯这种父子相继的割据，不认为违法乱纪。何况王承宗实际上已经接管军权，一旦改派别人，恐怕他拒抗命令。而且，卢龙（总部设幽州〔北京市〕）、魏博（总部设魏州〔河北省大名县〕）、义武（总部设定州〔河北省定州市〕）、平卢（总部郓州）四个战区，一向传位给子弟（四战区之外，还有横海〔总部沧州〕也是世袭，李绛遗漏），跟成德（总部恒州）有共同命运，他们听到成德（总部恒州）司令官（节度使）改派别人，内心一定惶恐不安，暗中结成党羽，互相协助。虽然义武（总部定州）张茂昭（张升云）表示愿率军讨伐，恐怕也不见得出自诚心。现在，中央派人接替王承宗，相邻战区表面上一致赞成，对他们而言，这样做有万利而无一弊。如果中央所派的人选恰当，他们会认为这是他们的功劳；如果中央的命令不能执行，他们也正好利用这个机会，暗中勾结。站在中央立场，自不能不继续坚持，势必动员大军，四方围攻。于是，他们的将领加官晋爵，士卒则发给衣服粮饷，然后按兵不动，把跟敌人作战当作表演给中央欣赏的游戏，坐在一旁观看胜负成败；而劳师动众、庞大开支的困难，全由中央承担。现在，江淮（华东地区）大水成灾，政府与民间，全都穷困枯竭，军事行动，恐怕不应该轻率的讨论。”

左神策军总指挥官（左军中尉）宦官吐突承璀（吐突，复姓），迎合皇帝的心意，阴谋夺取宰相裴垍的权力，向李纯奏报说：他愿亲自率军讨伐王承宗！李纯犹豫不能决定。皇族事务部副部长（宗正少卿）李拭上疏，说：“王承宗不可以不讨伐，吐突承璀是陛下最亲近最信任的干部，最好把禁军交给他，命他统率各路大军，谁敢不对他服从！”李纯把奏章拿给各皇家文学研究官（翰学士）传阅，说：“李拭这个人就是奸邪，知道我打算命吐突承璀当统帅，所以呈递这份奏章。你们切记在心，以后不要让这个人升迁掌权！”（李拭是李鄘的儿子。李鄘，参考本年〔八〇九〕三月。）

昭义战区（总部设潞州〔山西省长治市〕）司令官（节度使）卢从史，因老爹逝世，在家守丧，过了很久，中央并没有征召他出来再任官职，心里惶恐，遂透过吐突承璀报告皇帝李纯：愿意出动昭义兵团讨伐王承宗。

四月十七日，李纯下诏征召卢从史复职，当左金吾（卫军第十一军）大将军，其他官职仍然保持。

15 最初，吐蕃王国（首都逻些城〔西藏拉萨市〕）发动平凉劫盟（参考七八七年闰五月十九日），野战军副元帅府执行官（副元帅判官）路泌、会盟执行官（会盟判官）郑叔矩，都被吐蕃军（西藏）俘虏。后来，吐蕃（西藏）不断请求和解，路泌的儿子路随，也三次前往皇宫前门哭泣悲号，呈递奏章，请求接受吐蕃（西藏）的请求，十二任帝李适（音kuò〔阔〕）认为吐蕃（西藏）诡计多端，坚持不许（李适拒绝和解，参考七九七年正月）。

至今，吐蕃（西藏）再请和解，路随更一连五次上疏，又晋见宰相哭泣哀求。宰相裴垍、李藩，也建议皇帝，请接受和解；李纯同意。

五月，李纯命国务院教育部祭祀司司长（祠部郎中）徐复，出使吐蕃（西藏）。

16 六月，命朔方战区（总部设灵州〔宁夏灵武市〕）司令官（节度使）范希朝当河东战区（总部设太原府〔山西省太原市〕）司令官（节度使）。中央认为把沙陀部落安置在朔方战区，距吐蕃（西藏）太近，恐怕沙陀反复无常，再跟吐蕃（西藏）合作；同时沙陀部落的部众又多，中央恐怕引起粮食价格上涨，于是命沙陀部落全部跟随范希朝，迁到河东（山西省）。范希朝挑选沙陀骁勇骑兵一千二百名，称“沙陀军”，设置基地司令（使）率领，而把整个部众安置在定襄川（山西省定襄县境）。酋长朱邪执宜自此据有神武川（山西省山阴县东）的黄花堆（山阴县东北，山阴县在定襄县北航空距离一百一十公里）。

17 左神策军总指挥官（左军中尉）宦官吐突承璀，兼全国宗教管理总监（领功德使），大肆翻修安国寺（在首都长安长乐坊，八任帝李旦当亲王时旧宅），奏请竖立“圣德碑”，高度及面积，完全比照九任帝李隆基时所立的“华岳碑”（参考七四六年正月注），碑楼已经落成，于是请李纯命皇家文学研究官（翰林学士）撰写碑文，强调说：“我们已贮存一万串钱，作为酬劳。”李纯命李绛执笔，李绛上疏说：“伊祁放勋（尧）、姚重华（舜）、姒文命（禹）、子天乙（汤），从来没有自己立碑歌颂自己，只有嬴政（秦王朝一任帝）在他所巡视过的地方，把一些自高自大的话刻到石头上（参考前二一九年），不知道陛下想效法哪一位？而且赞美修建工程，不过赞美它如何壮观、如何美好，值得一游而已，又如何能发扬陛下的神圣品德！”李纯看这份奏章时，吐突承璀正巧站在一旁，李纯命他立刻把碑楼拖倒，吐突承璀说：“碑楼太大拖不动，请慢慢拆除。”希望拖延时间，再找机会回转，李纯厉声说：“多用几头牛，自然拖得动！”吐突承璀不敢再说话。于是，动用一百头牛，才把碑楼拖倒。

18 秋季，七月十八日，副总监察官（御史中丞）李夷简，弹劾现任首都长安特别市长（京兆尹）杨凭，任江西道（首府设洪州〔江西省南昌市〕）行政长官（观察使）时，贪赃枉法，奢侈豪华，超越体制。

七月二十三日，李纯贬杨凭当临贺（贺州州政府所在县，广西贺州市）县政府防卫员（尉，下县从九品下）。李夷简，是李元懿的玄孙（郑王李元懿，一任帝李渊的儿子；参考六七三年正月）。李纯命没收杨凭的家产及人口，李绛劝阻说：“依照惯例，除非谋反叛乱，不没收家人当奴。”李纯才停止。

杨凭的亲友没有人敢送他启程，只有栎阳（陕西省西安市临潼区北栎阳街道）县政府防卫员（尉）徐晦，独自前往蓝田（陕西省蓝田县）送别。祭祀部长（太常卿）权德舆一向跟徐晦友善，警告他说：“你去送杨凭，诚然是你的厚道，可是反而因此连累你。”徐晦回答说：“我在当一介平民时，就受杨先生欣赏提拔，今天杨先生贬窜遥远的蛮荒地区，怎么可以不送他一程？假如有一天，你受人陷害，也被贬窜，我怎么敢认为我是路人！”权德舆叹息，在政府中向其他官员传述称赞。几天之后，李夷简上疏推荐徐晦当行政监察官（监察御史），徐晦向他致谢时，问说：“我从来没有看见过你，为什么推荐我？”李夷简说：“你不辜负杨凭，怎么会辜负国家！”

19 李纯秘密征求各皇家文学研究官（翰林学士）的意见，说：

"我准备命王承宗当成德战区（总部设恒州〔河北省正定县〕）候补司令官（留后），但把德州（山东省德州市陵城区）、棣州（山东省惠民县）分割出来，另行成立一个战区，削弱王承宗的势力；同时命王承宗不再扣缴'两税'，地方官员出缺时，由中央派人递补，跟李师道（平卢〔总部郓州〕司令官）的情形一样（李师道事，参考八〇六年八月），你们有什么看法？"李绛等回答说："德州（山东省德州市陵城区）、棣州（山东省惠民县）隶属成德战区（总部恒州），为时已经很久（七八四年，王武俊击败朱滔，夺取德棣二州，参考该年〔七八四〕五月六日，迄今二十六年），一旦分割，恐怕王承宗和他的将士忧虑惊疑，怨恨愤怒，甚至可能拿来当作借口。何况，其他相邻的战区情况，跟成德（总部恒州）完全一样，势必担心有一天也分割他们的疆土，或许暗中串联、互相鼓励，万一联合行动拒抗，中央处理起来，将加倍困难，希望再三再四考虑。至于向中央呈缴'两税'以及由中央任用官员等事，最好是由吊丧使节到他那里的时候，以私人的意思暗示王承宗，请王承宗上疏表示他愿意效法李师道的前例；绝不可以让他知道这是陛下的意思。如果这样，幸而听从，固然很好，不幸拒绝，陛下的威严也没有损失。"

李纯又问："现在，刘济（卢龙〔总部幽州〕司令官）、田季安（魏博〔总部魏州〕司令官）都患病卧床，如果死亡，怎么可以容许他们跟成德战区（总部恒州）一样，也把官职传给儿子！如果这样，天下什么时候太平！现在，议论纷纷，一致认为：'最好是趁这个关键时刻，收回中央；如果他们拒绝，就出大军讨伐，机会只叩门一次，不可丧失！'你们认为如何？"李绛等回答说："那是因为有些人眼见陛下西南收复巴蜀（西川〔总部成都府〕刘辟），东南削平吴苏（镇海〔总部润州〕李锜），探囊取物，易如反掌，所以马屁精或一些急于升官晋爵的人，争先恐后向陛下呈递条陈，贡献谋略，引导陛下开创黄河以北新局。他们既不肯对帝国全盘局势深谋远虑，陛下也会因前日成功太过容易，产生过度自信，从而相信他们的判断。我们日夜研究，了解到河北（黄河以北）的形势，跟前两个战区的形势，差异巨大。为什么？西川、浙西（镇海战区）都不是长期割据的地方，四周邻道，又都服从中央指挥。刘辟（参考前年八〇六年正月）、李锜（参考前年〔八〇七〕十月），孤零零一个人忽然发疯，部下并不顺服，刘辟、李锜只好用财货引诱他们跟自己走。中央大军一到，他们立刻瓦解离散。所以我们当时也主张陛下讨伐诛杀，因为中央处于万无一失之境。成德战区（总部恒州）则完全不同，内部根深蒂固，外面像瓜蔓一样，牵连广阔，将士小民怀念军阀几代照顾的恩惠，不知道君主和臣属之间，什么是叛逆，什么是忠心的道理。用好话劝解，他们不听；用武力威胁，他们不服；中央如果强制执行，一定蒙羞。而且，相邻的战区，在平常的日子里，可能互相猜忌憎恨，可是一旦发现中央将派人接任司令官（节度使），势必同心合力，因为各替子孙打算，不希望这种事以后发生在自己身上。万一其他战区出面相助，一定兵连祸结，财源枯竭。北方回鹘（瀚海沙漠群）、西方吐蕃（西藏），再趁火打劫，引起的灾难，恐怕难以预测。刘济、田季安跟王承宗并没有什么不同，等到他们死亡，如果有隙可乘，到那时候中央再动手不迟；但就在今天出动大军，恐怕并不恰当。太平盛世的伟大事业，不是马上就可完成，请陛下细思裁定。”

这时，彰义（淮西）战区（总部设蔡州〔河南省汝南县〕）司令官（节度使）吴少诚，患病沉重，李绛等再上疏，说：“吴少诚的病绝对不会痊愈，彰义（淮西）情况跟河北（黄河以北）不同，四周都是效忠中央的州县，没有其他割据军阀，所以绝得不到外来的援助；中央直接派遣战区司令官（节度使），正是恰当时机，万一拒不接受，中央应该考虑出军讨伐。我们希望放弃很难成功的对成德（总部恒州〔河北省正定县〕）的军事行动，而坚持容易成功的对彰义（总部蔡州）的用兵。万一事情发生变化，成德（总部恒州）战争爆发，彰义（总部蔡州）又有机可乘，也需要动用军队；中央同时南征北讨，财力一定无法支持；到那时候，势必'赦免'王承宗不可，则所谓'赦免'的德意，还有什么价值！政府威信，恐怕霎时跌落谷底。与其如此，为什么不早作决定，今天就赦免王承宗，收揽成德（总部恒州）人心，然后等候适当时机，一定可以收复彰义（总部蔡州）。"

过了一段时间，王承宗（成德〔总部恒州首领〕）仍没有得到中央任命，心里开始恐惧，不断上疏解释。

八月九日，李纯才派首都长安特别市副市长（京兆少尹）裴武，前去真定（恒州州政府所在县，河北省正定县）慰劳安抚。王承宗接受诏书，态度十分恭敬，说："三军将士胁迫之下，没有时间等候中央命令。我愿献出德州（山东省德州市陵城区）、棣州（山东省惠民县），表示我的诚心！"

20 八月二十三日，安南总督（总督府设越南河内市）张舟，上疏奏报说：击破环王（原林邑王国〔首都占城，越南茶荞城〕）三万人。

21 九月一日，裴武回到京师（首都长安）复命。

九月七日，李纯下诏命王承宗当成德战区（总部设恒州〔河北省正定县〕）司令官（节度使），兼恒冀深赵道（首府同设恒州）行政长官（观察使）；擢升德州（山东省德州市陵城区）州长薛昌朝当保信战区（总部设德州〔山东省德州市陵城区〕）司令官（节度使），兼德棣道（首府同设德州）行政长官（观察使）。薛昌朝是薛嵩的儿子（薛嵩是史思明的将领，投降后当昭义战区〔总部设相州，河南省安阳市〕第一任司令官〔节度使〕；参考七六三年闰正月十九日），也是王家女婿，所以特别对他任用。魏博战区（总部设魏州〔河北省大名县〕）司令官（节度使）田季安从秘密管道先得到情报，立即派人警告王承宗说：“薛昌朝私通中央，所以得到重用。”王承宗马上派数百名骑兵，飞奔到德州（山东省德州市陵城区），生擒薛昌朝，押回真定（恒州州政府所在县，河北省正定县）囚禁。中央对此巨变，还不知道，钦差宦官携带送给薛昌朝的任命状，经过魏州（河北省大名县），田季安假装盛大欢迎，把钦差宦官留下，一连欢宴数天，等他抵达德州（山东省德州市陵城区）时，已来不及。

李纯认为裴武谎报军情，恰巧又有人陷害他，打小报告说：“裴武出使回京（首都长安），当天就住在裴垍家，第二天早上才进宫叩见！”李纯怒火上冲，告诉李绛，坚持把裴武贬窜到岭南（南岭以南）。李绛说：“裴武从前身陷李怀光大营数年之久（李怀光逼走十二任帝李适，参考七八四年二月二十五日），坚守节操，不肯屈服，今天怎么可能做出奸诈的事？问题在于那些蟊贼，变诈多端，外人无法调查。王承宗最初恐惧中央讨伐，所以表示献出二州，中央既对他宽大处理，邻近各战区又不愿成德开分割的先例，我推测一定有人从中挑拨游说，威迫利诱，使王承宗无法遵守他最初所作的承诺，不是裴武的错。陛下选派裴武前往叛徒盘踞的凶险之地，回来之后，一句话跟以后发生的事情不能符合，就把他贬窜边荒，我恐怕以后的钦差大臣，都会把裴武作为榜样，为了明哲保身，说话一定模棱两可，再不敢知无不言、言无不尽的分析利害得失。这样的话，对国家不利。而且，裴垍、裴武在政府中供职已久，对法令规章都十分熟悉，怎么可能身为钦差大臣，回来还没有晋见天子，就先到宰相家住宿？我敢向陛下保证，绝对没有这回事，这一定是奸邪之辈打算把裴垍、裴武一网打尽，请求陛下明察。”李纯沉思很久，说：“你可能对。”遂不再追问。

22 九月十三日，振武战区（总部设单于府〔内蒙古和林格尔县〕）奏报说：吐蕃军（西藏）五万余名骑兵，进抵拂梯泉（内蒙古乌拉特后旗西北）。

九月二十八日，丰州（内蒙古五原县）奏报说：吐蕃军（西藏）一万余名骑兵，追抵大石谷（山西省应县南），掳掠回鹘汗国（瀚海沙漠群）返国途中的向唐王朝进贡的使节。

23 左神策军军官李昱，向长安（陕西省西安市）富人借钱八千串，三年期满，仍不偿还。首都长安特别市长（京兆尹）许孟容逮捕李昱，投入监狱，命他指定偿还日期，警告说：“到期不还，斩首！”全军惊骇，总指挥官（中尉）报告皇帝求救，李纯派宦官前去宣读圣旨，命许孟容把李昱交回左神策军，由左神策军自己处理，许孟容拒绝。李纯再派宦官催促，许孟容说：“我拒绝诏书，理应处死，然而，我当陛下的京畿首长，如果不能压制恶霸土豪，怎么能使京师（首都长安）祥和清净，李昱在偿还欠债之前，我决不交出。”

李纯嘉许许孟容的刚强正直，京师（首都长安）震动。

24 李纯派宦官前往恒州（河北省正定县）训诫王承宗（成德〔总部恒州〕司令官），命送薛昌朝回任，王承宗不理。

冬季，十月十一日，李纯下诏削夺王承宗所有官职及爵位，命左神策军总指挥官（中尉）宦官吐突承璀，当左神策军、右神策军、河中（总部河中府）、河阳（总部河阳县）、浙西（首府润州）、宣歙（首府宣州）四战区道特遣兵团作战司令（四道行营兵马使）兼征剿绥靖等司令（招讨处置等使）。

皇家文学研究官（翰林学士）白居易上疏说：“中央军队出征，应该交给正规将领统御，只最近才常派宦官充当监军。但自从开天辟地，还没有见过现在这种集结全国野战部队，却委任一个宦官率领的奇事。如今，神策军本身不设特遣兵团司令官（行营节度使），那么，吐突承璀乃是统帅；他又兼四战区道征剿绥靖司令（招讨处置使），则吐突承璀又是总指战官（都统）。我恐怕四方豪杰听到，一定轻视中央，四方蛮夷听到，一定讥笑大唐，陛下难道忍心使后人代代相传说：从陛下开始，命宦官当统帅和总指战官（都统）？我又担心刘济（卢龙〔总部幽州〕司令官）、张茂昭（张升云，义武〔总部定州〕司令官）、范希朝（河东〔总部太原府〕司令官）、卢从史（昭义〔总部潞州〕司令官），乃至各战区将领，他们可能会认为受宦官指挥是一种羞耻，军心都不能齐，功劳从哪里建立？这是帮助王承宗打击中央的措施！陛下如果回报吐突承璀的勤劳，不妨升他当大官；如果回报他的忠心，不妨赏给他财富。至于军事政治大权，每一个小节都影响帝国的治理或混乱。政府的制度，乃皇家祖先所定，陛下难道宁愿忍受宦官的要求，而破坏祖先制定的法令规章、满足一个人的私欲，自己摧毁自己圣明的形象，为什么因不肯作短暂的思虑，而让万世后代取笑？”当时，谏官、监察官（御史），抨击吐突承璀的官职及权力太大的，前后相继，李纯一概不理。

十月十六日，李纯登延英殿，全国财政总监（度支使）李元素、盐铁专卖暨运输总监（盐铁使）李鄘，首都长安特别市市长（京兆尹）许孟容，副总监察官（御史中丞）李夷简，御前监督官（给事中）吕元膺、穆质、立法院初级立法官（右补阙）独孤郁等，一致坚持决不可以用宦官当统帅，李纯不得已。

明天（十月十七日），解除吐突承璀四战区道特遣兵团作战司令（四道行营兵马使）职务，把征剿绥靖司令（招讨处置使）改称慰劳特使（宣慰使），如此而已。

李绛不断指控、揭发宦官的骄傲、放纵，干扰政府，破坏政治和谗言陷害忠良，李纯说："他们怎么敢说别人坏话，即令说别人坏话，我也不听。"李绛说："这些人大多数都不知道什么是仁义，从不分辨是非，而只认识钱财，唯利是图。收到贿赂，则柳跖、庄跻，都是最廉洁的善人（柳跖〔盗跖〕，是柳下惠的老弟，战国时代秦王国的大盗；庄跻，是楚王国的大盗）；如果不能使他称心满意，则即令是龚遂、黄霸，也都成了贪官污吏（龚遂，参考前六六年；黄霸，参考前五八年），他们有极高的奸诈智谋，构成重重疑云，早晚不停的在陛下左右，乘机而入，天长日久，陛下势必有时候也觉得他们说的话有凭有据。自古以来，宦官败坏国家的事迹，桩桩件件，详细的记载在史书之上，陛下怎么能不防范他们的感染！"

十月二十七日，吐突承璀率神策军从长安（陕西省西安市）出发，李纯下诏命成德（总部设恒州〔河北省正定县〕）四邻所有战区，出军讨伐王承宗。

25 最初，吴少诚（彰义〔总部蔡州〕司令官）宠爱他的大将吴少阳，认作自己的堂弟，派他到军中任职（吴少阳，参考八〇〇年五月）。吴少阳随意出入吴少诚家，好像真是至亲，累积功劳，升到申州（河南省信阳市）州长。吴少诚患病，昏迷不知人事，家僮鲜于熊儿，假传吴少诚的命令，召回吴少阳摄理副司令官（摄副使），暂管战区军政大事。吴少诚有一个儿子吴元庆，吴少阳把他处死。

十一月二十七日，吴少诚逝世（年六十岁），吴少阳自称候补司令官（留后）。

26 本年（八〇九），南诏王国（首都苴咩城〔云南省大理市〕）国王（四任）寻阁劝逝世。太子劝龙晟继位（五任）。

27 魏博战区（总部设魏州〔河北省大名县〕）司令官（节度使）田季安，听到宦官吐突承璀率军讨伐王承宗消息，召集军事会议，对他的将领说："中央军不北渡黄河，已二十五年（十二任帝李适讨伐田悦失败迄今，参考七八三年十二月），而今，越过魏博（总部魏州），讨伐成德（总部设恒州〔河北省正定县〕），成德灭亡，魏博也跟着灭亡，我们应该怎么办？"一位将领从行列中走出来说："只要给我五千人骑兵，就解除大帅的忧虑！"田季安兴奋的大叫说："真是勇士！大军决定出动，反对的人，立即斩首！"

卢龙战区（总部设幽州〔北京市〕）营门官（牙将）绛州（山西省新绛县）人谭忠，代表司令官（节度使）刘济，出使魏博（总部魏州），知道田季安的阴谋，于是要求晋见田季安，说："照你的方法，如果直接攻击中央军，势将把全国四面八方的军队，都吸引到魏州（河北省大名县）！为什么？现在，中央军越过魏博（总部魏州）攻击成德（总部恒州），不派老臣旧将，却派一个宦官，不动员全国各道武装部队，而只派中央直属的神策军为主；你知道是谁的主意？事实上这是皇上自己决定，不过是为了夸耀自己天纵英明，使臣属们五体投地的佩服自己而已。如果大军还没有碰到成德（总部恒州）的边界，就在魏博（总部魏州）境内粉碎，那将显示皇上的智略不如臣属，他怎么能忍受这种被天下讥笑的耻辱！老羞一定成怒，势必采取聪明才智之士贡献的计谋，派猛将、练精兵，集结军力，再一次北渡黄河。检讨上次失败原因，绝对不会再打算越过魏博，去攻击成德；比较罪状的轻重，也绝不会先攻成德，再攻魏博；不上不下、不南不北，兵锋必然对准魏博。”田季安说：“那该怎么办？”谭忠说：“中央军进入魏博辖境，你应该大肆犒劳，然后动员所有兵力，紧压成德边境，宣称讨伐。但是却在暗中派人告诉成德方面的人说：‘魏博如果攻击成德，黄河以北道义人士，一定认为我出卖朋友；但我如果站在成德这一边，黄河以南忠贞人士，一定认为我背叛君王。无论“卖友”“叛君”，魏博都不愿接受。你们如果愿意暗中解除我的困难，请送给我一个县城，魏博就可以用这个奏报皇上，作为我们效忠中央的凭据。这是使魏博北面可以结交成德，西面可以继续隶属中央的最好方法。就成德而言，只有一点点损失，但在魏博方面，却可获得本世纪（九）以来最大的利益，阁下难道不在意魏博！’成德如果不拒绝你，魏博就安如泰山。”田季安大喜，说：“好极，先生来我这里，是上天怜悯魏博！”遂采取谭忠的策略，跟成德（总部恒州）秘密定计，于是在一场伪装的攻击行动中，攻取成德的堂阳县（河北省新河县）。

谭忠北返幽州（卢龙战区总部，北京市），计划用激将的方法使战区司令官（节度使）刘济出军讨伐成德（总部恒州）变军首领王承宗；正巧，刘济召集军事会议，说：“皇上知道我们跟成德世仇，一定命我们讨伐，成德也一定对我们严密戒备！讨伐不讨伐，哪一个有利？”谭忠抢先回答，说：“皇上绝不会叫我们讨伐成德，成德也不会对我们戒备！”刘济跳起来咆哮道：“你为什么不直截了当的说我刘济跟王承宗一起谋反？”逮捕谭忠下狱，然后派人前去成德战区边境侦察，发现成德方面果然毫无戒备；第二天，皇帝诏书果然到达，命刘济："专心保护北边疆域，不要使我再担心蛮夷有什么行动，得以专心对付王承宗！"刘济乃命释放谭忠，召见他说："你的判断果然正确，但是你是怎么知道的？"谭忠说："昭义（总部设潞州〔山西省长治市〕）卢从史表面上跟我们卢龙（总部幽州）亲善，实际上对我们非常妒忌；表面上跟成德（总部恒州）决裂，实际上跟成德勾结。他替成德设计说：'卢龙（总部幽州）把成德当作屏障，所以虽然对成德怨恨，但决不会摧残屏障，不必对他防备！'一则使成德采取低姿态，表示不敢抗衡卢龙（总部幽州），二则使中央怀疑卢龙（总部幽州）的忠心。成德（总部恒州）既然不防备卢龙（总部幽州），昭义（总部潞州）官员就利用机会，报告皇上说：'卢龙（总部幽州）一向痛恨成德（总部恒州），可是成德（总部恒州）却不防备卢龙（总部幽州），足以证明卢龙（总部幽州）也已背叛，跟成德（总部恒州）联手。'根据这项判断，所以才知道天子最后绝对不会派你讨伐成德（总部恒州），成德也不会戒备。"刘济说："现在怎么办？"谭忠说："卢龙（总部幽州）跟成德（总部恒州）结仇，天下没有人不知道（王武俊攻击朱滔事，参考七八四年五月六日），而今，天子讨伐成德（总部恒州），你手握卢龙（总部幽州）武装部队，却没有一个人南渡易水（泛指挥军越过战区南界），这就足够让昭义（总部潞州）一口咬定卢龙（总部幽州）向成德（总部恒州）施恩，对皇上背叛，两大目标，一次完成。卢龙（总部幽州）枉有忠义之心，却终于染上包庇成德（总部恒州）的恶名，成德（总部恒州）既不感激，卢龙（总部幽州）反而落得恶名远播，请你仔细思考！"刘济说："我知道怎么办了！"乃下令三军："五天之内，全军出发讨贼，落后的人一律剁成肉酱示众！"

唐王朝

- 振武战区兵变。
- 宰相武元衡被刺身亡。

- 日本禁农民吃鱼饮酒。
- 查理曼大帝逝世，其子路易继位。

八一〇年
庚寅

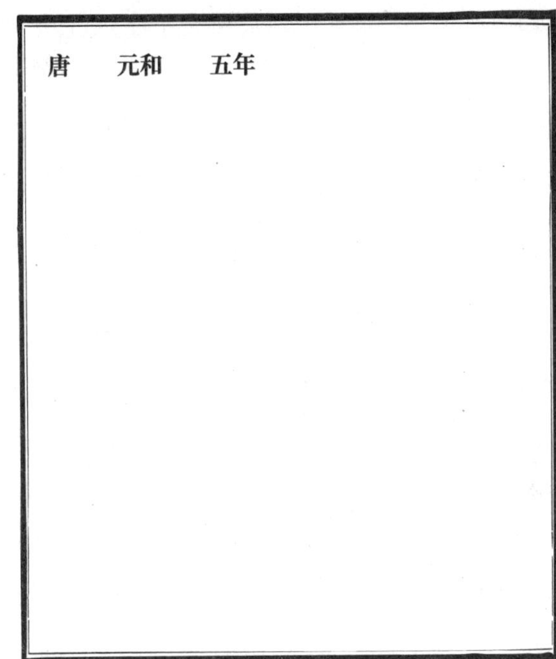
唐　元和　五年

1 春季，正月，唐王朝（首都长安〔陕西省西安市〕）卢龙战区（总部设幽州〔北京市〕）司令官（节度使）刘济，亲自率军七万人，攻击成德战区（总部设恒州〔河北省正定县〕）变军首领王承宗。当时，各路人马都没有向前推进，刘济单独奋勇攻击，攻陷饶阳（河北省饶阳县）、束鹿（河北省辛集市）。

河东（总部太原府）、河中（总部河中府）、振武（总部单于府）、义武（总部定州）四战区特遣兵团，负责成德（总部恒州）北面征剿行动，在定州

（义武战区总部，河北省定州市）会师。正逢正月十五日元宵节，义武战区（总部设定州〔河北省定州市〕）治安官员因外军进驻之故，建议取消花灯夜市，战区司令官（节度使）张茂昭（张升云）说："三战区特遣兵团，都是中央部队，怎么能称作外军？"命依照民间习俗，仍燃花灯，不禁止人民游览观赏，也不关闭街巷的栅门。一连三天夜晚都跟平常一样，没有人敢喧哗闹事。

正月二十六日，河东特遣兵团将领王荣，攻陷成德洄湟镇（河北省新乐市）。左神策军总指挥官（中尉）宦官吐突承璀抵达前方，各军对他毫不敬重，他的威信因之不能建立；既而向成德（总部设恒州〔河北省正定县〕）发动攻击，又屡战屡败；左神策大将军郦定进阵亡（神策军统帅本是"大将军"，为了安置退职的战区司令官，在"大将军"之上，增设"统军"；后来在"统军"之上，再增设由宦官充当的"总指挥官"〔中尉〕）。郦定进，是一员骁将（曾生擒刘辟），士气受到顿挫。

2 东都洛阳（河南省洛阳市）特别市长（河南尹）房式，被指控有违法失职情事，东都行政监察官（东台监察御史）元稹，上疏请求逮捕审讯，在没有接到诏书批示前，元稹擅自做主，命房式先行停职。中央认为元稹处理错误，罚他三个月的薪俸，调回京师（首都长安）。

元稹走到敷水驿（陕西省华阴市西十二公里），刚住进驿站，有宦官从后赶到（《旧唐书·元稹传》说该宦官是刘士元，《宪宗实录》说该宦官是仇士良），气势汹汹，打破驿站大门，高声诟骂，一拥而入，用马鞭抽打元稹，脸部都被打伤。然而唐帝（十四任宪宗）李纯（本年三十三岁）却强调元稹处理房式案的过失，把元稹贬到江陵（湖北省江陵县）特别市政府当工务官（士曹）。

皇家文学研究官（翰林学士）李绛、崔群奏报说，元稹没有犯罪。

白居易上疏指出："宦官凌辱政府官员，陛下对宦官一声不问，却先把政府官员贬窜，恐怕从今以后，宦官在外将更为凶暴，没有人再敢反映给陛下。而且，元稹身是监察官（御史），不畏惧权势，被他弹劾的人很多，无不对他咬牙切齿，如此下场，恐怕自今以后再没有人肯替陛下做事执法、惩治罪犯。如果出现大奸巨猾，陛下也无法知道。"李纯不理。

3 李纯因河朔（河北平原）战事正在进行，不能同时再讨伐彰义（淮西）战区（总部设蔡州〔河南省汝南县〕）变军首领吴少阳（参考去年〔八〇九〕十一月二十七日）。

三月十九日，下诏命吴少阳当彰义（淮西）战区候补司令官（留后）。

4 各路兵马讨伐王承宗，为时已久，没有战果，白居易上疏，认为：

"对黄河以北地区，本来就不应发动战争，中央既然出军，吐突承璀还没有苦战，就损失一员大将（指郦定进）。神策军及昭义特遣兵团（总部潞州）进入盗贼边境之后，不肯再进，不仅存心拖延逗留，也是力量太弱，难以发动攻势。河东（总部太原府）、义武（总部定州）两军，推进到新市镇（河北省正定县东北新城铺镇），竟无法通过。卢龙（总部幽州）一军，围攻乐寿（河北省献县），一直不能攻克。李师道（平卢〔总部郓州〕司令官）、田季安（魏博〔总部魏州〕司令官）原来就不能保证支持中央，现在看情形似乎互相订过密约，各于占领一个县城之后，就算向中央交差了事，不再向前挺进。陛下观察这样情势，成功还有什么希望！以我愚昧的见解，认为必须迅速结束这场战争！如果迟疑不决，弊害有四：痛惜有二，值得深刻忧虑的有二，为什么会这样?

“讨伐战争，如果保证可以成功，则不论开支多少，都应接受。既然明显的知道绝不可能成功，就不应该空费钱财粮秣。醒悟之后，立即改正，对什么事都不嫌晚。迟一天则多一天的费用，如果迟延到十天半月以后，费用将更加多，而结果还是撤退，为什么不早日撤退？为什么用政府的金钱绸缎、人民的血汗资财，去救济黄河以北割据的军阀？使他们得以茁壮强大！这是我替陛下感到痛惜的事之一。

“我也恐惧，黄河以北的割据军阀，看到吴少阳（彰义〔总部蔡州〕候补司令官）已被中央任官，一定拿它作为例证，用跟吴少阳同样的言语，请求昭雪自己的罪名。王承宗如果这样请求，在法理上中央不能拒绝。等他提出要求，中央不得不勉强同意，心理上已居于劣势，反而使王承宗和他同一性质的人，团结得更为坚固。如果这样，中央授予或罢黜的权力，都由地方政府做主，中央将再也没有恩信。最后，中央的权威在黄河以北全部消失，这是我替陛下感到痛惜的事之二。

“而今，天气开始变热，跟战场上的杀气，互相激荡，士卒们饥渴难忍、身心俱疲，疾病瘟疫交加，暴露在毫无遮风蔽雨的荒郊野外！驱赶这种人冲锋厮杀，于心何忍！他们纵然不惜牺牲生命，也难承当沙场悲苦。何况，神策军士卒，都是城市小民，像乌鸦一样集结一起，根本不能适应，每天所想的是如何找到一条生路，甚至乘机逃亡，只要一个人逃亡成功，就会有一百个人受到鼓励，一支军队如果溃散，其他军队必定动摇，事情一旦坏到这种地步，后悔已来不及，这是我替陛下感到深刻忧虑的事之一。

“我曾经听说，回鹘（瀚海沙漠群）、吐蕃（首都逻些城〔西藏拉萨市〕）都派有间谍，大唐的大事小事，他们都有充分资讯。现在，集结全国的兵力，只不过为了讨伐王承宗一个盗贼，从去年（八〇九）冬季，到本年（八一〇）夏天，都没有传出捷报。我们战斗力量的强弱，费用的多少，怎么可以使蛮夷全部知道！如果他们忽然见利忘义，生出野心，利用我们边境防务空虚，挥军进击，以大唐现在的军事力量，是能救头？还是能救尾？战争一旦胶着，什么变化不会发生？万一如此，势将影响帝国的安定，这是我替陛下感到深刻忧虑的事之二。”

5 昭义战区（总部设潞州〔山西省长治市〕）司令官（节度使）卢从史，是第一个煽动中央讨伐王承宗的人（参考去年〔八〇九〕四月），但等到中央出动大军，卢从史却拖延逗留，不肯前进，并且跟王承宗秘密交结，命士卒暗藏王承宗的旗号，又故意提高粮食草料的价格，以增加中央财政支出，一面暗示中央任命他当宰相，一面指控其他各战区都跟变军（王承宗）勾结，劝中央不可以再向前推进。李纯深感厌恶。

正巧，卢从史派营门官（牙将）王翊元到中央奏报事务，宰相裴垍接见他谈话，向他讲解臣属的本分，稍稍打动他的心意。王翊元遂愿效忠中央，说出卢从史的阴谋和如何制服卢从史的策略，裴垍命王翊元回去秘密进行。王翊元第二次前来京师（首都长安）时，就得到卢从史的总作战司令（都知兵马使）乌重胤等合作的承诺。裴垍报告李纯说：“卢从史狡猾骄傲、性情狠毒，势将作乱。现在，他跟吐突承璀的大营，面面相对，把吐突承璀当作三岁娃娃，来往出入，都不戒备。今天如果不制服他，以后即令动员大军，也未必能在一年半载内把他削平。”李纯一下子呆在那里，考虑了很久，终于批准这个计划。

卢从史贪得无厌，吐突承璀拿出盖世奇异珍宝，试探他的口味，偶尔也送他几件。卢从史大为高兴，越发和吐突承璀亲近，不拘形迹。

夏季，四月十五日（原文误置于三月，据《旧唐书》改），吐突承璀跟特遣兵团作战司令（行营兵马使）李听，秘密定计，邀请卢从史来大营赌博，在帐幕中埋伏勇士，发动突袭，制服卢从史，拖到帐后绳捆索绑，放到早已准备妥当的囚车上，飞奔押送京师（首都长安）。卢从史随从侍卫惊起反抗，吐突承璀斩十余人，告诉他们是皇帝诏书指示。卢从史大营士卒听到消息，霎时换上盔甲，一拥而出，手拿武器，奔走喊叫。乌重胤站在营门那里，厉声喝斥说："天子命令，服从的有赏，反抗的斩首！"士卒们只好收回武器，回到原来岗位。正逢夜晚，囚车奔驰如风，天还没有亮，已奔出昭义战区（总部设潞州〔山西省长治市〕）辖境。乌重胤，是乌承玼的儿子（乌承玼事，参考七五八年六月）。李听，是李晟的儿子（李晟，参考七六八年九月）。

6 四月十八日，范希朝（河东〔太原府〕司令官）、张茂昭（张升云，义武〔定州〕司令官），在木刀沟（河北省新乐市西闵镇村）大破王承宗军。

7 李纯嘉许乌重胤的功劳，打算立即命他当昭义（总部设潞州〔山西省长治市〕）战区司令官（节度使）。李绛认为不可以，建议命乌重胤当河阳战区（总部设河阳县〔河南省孟州市〕）司令官（节度使），而命河阳战区司令官孟元阳当昭义战区司令官。正在此时，吐突承璀奏报说，他已用公文正式告知乌重胤，命他暂时负责候补司令官事务（句当留后）。李绛坚决反对，上疏说：

"昭义战区（总部潞州）共辖五州（潞州、泽州〔山西省晋城市〕、邢州〔河北省邢台市〕、洺州〔河北省邯郸市永年区东南广府镇〕、磁州〔河北省磁县〕），据有山东（太行山以东）要害之地。魏博（总部设魏州〔河北省大名县〕）、成德（总部设恒州〔河北省正定县〕）、卢龙（总部设幽州〔北京市〕）各战区，盘根错节，互相支援（当时称"河朔三镇"），中央政府只靠昭义（总部潞州）的力量，对他们牵制。所属的邢州（河北省邢台市）、磁州（河北省磁县）、洺州（河北省邯郸市永年区东南广府镇），楔入河朔三镇腹地，正是中央的至宝，关系帝国的安危（泽潞〔昭义〕战区军队是天下最强悍的军队，参考七六五年正月）。从前卢从史盘踞，使中央忧虑不安，今天幸而收回，吐突承璀却转交给乌重胤，听到这个消息，惊骇悲叹，实在痛心！这次中央诱捕卢从史，虽然有长远利益，但已失去体面。吐突承璀竟用公文派乌重胤当重要战略城镇的候补司令官，并替他请求中央发布人事命令。心目中早已没有君王，还有什么事比这更为严重？陛下昨天收回昭义（总部潞州），天上神灵和全国人民，同声庆贺，中央权威，再度振作。今天却忽然把它交给本战区的部将，人心突然沮丧，帝国的法令和制度，从此混乱。仅从利害的观点分析，还不如仍由卢从史担任。为什么？卢从史虽然心怀奸谋，但他总算是中央任命的地方长官。乌重胤不过一个部将，而吐突承璀竟可以用一张文书，就让他得以取代。我深怕黄河南北各战区司令官（节度使）听到消息，都会怒不可遏，认为跟乌重胤这种宦官任用的司令官在一起，是一种羞辱。一定会指控吐突承璀引诱乌重胤驱逐卢从史，才让乌重胤接替卢从史的位置。他们每人都有部将，岂不感到面对的危险？万一刘济（卢龙〔幽州〕司令官）、张茂昭（张升云，义武〔定州〕司令官）、田季安（魏博〔魏州〕司令官）、程执恭（横海〔沧州〕司令官）、韩弘（宣武〔汴州〕司令官）、李师道（平卢〔郓州〕司令官），紧接着上疏作如此抗议，指控吐突承璀滥用权力，不知道陛下怎么处置？如果不理，大家的愤怒将更激烈，如果因此而调动乌重胤的职务，中央的威信势将消失。”

李纯派宫廷机要室主任宦官（枢密使）梁守谦，跟李绛秘密研究，说：“而今，乌重胤已经主持战区军事，实在不得已，必须颁发符节。”李绛回答说：“卢从史当战区司令官（节度使），原不是中央本意（参考八〇四年六月），所以他终于产生邪念，背叛中央。而今乌重胤掌握军队，就命他当战区司令官（节度使），赏罚权柄就不在中央，跟当初卢从史有什么分别？乌重胤能当河阳战区（总部设河阳县〔河南省孟州市〕）司令官（节度使），在他而言，已喜出望外，怎么敢挟持众人反抗？何况，乌重胤之所以能够制服卢从史，全仗中央权威，才可以成功，一旦自己犯法抗诏，怎么知道他的同僚不效法他也发动兵变？乌重胤的平辈同级军官很多，他们不会喜欢乌重胤爬到他们头上，调往别的战区，会使大家满意，用不着担心他们作乱！”李纯大为高兴，批准他的全部计划。

四月二十三日，命乌重胤当河阳战区（总部设河阳县〔河南省孟州市〕）司令官（节度使）；孟元阳当昭义战区（总部设河阳县〔河南省孟州市〕）司令官（节度使）。

四月二十九日，贬卢从史当驩州（越南荣市）军务秘书长（司马）。

五月六日，昭义军三千余人，于夜间溃散，逃奔魏博战区（总部设魏州，〔河北省大名县〕）。

刘济（卢龙〔总部幽州〕司令官）奏报攻克安平（河北省安平县）。

8 五月二十一日，吐蕃王国（首都逻些城〔西藏拉萨市〕）派官员论思邪热，来唐王朝晋见皇帝，并送回路泌、郑叔矩的棺柩（二人于平凉劫盟时被俘，平凉劫盟发生于七八七年，迄今二十四年)。

9 五月二十五日，奚部落(滦河上游)攻击灵州(宁夏灵武市)。

10 六月十五日，皇家文学研究官(翰林学士)白居易再上疏说："我最近曾请求中止黄河以北的军事行动，而今天的情势，比从前更坏，不知道陛下还要等待什么？"当时，每逢军国大事，李纯一定跟皇家文学研究官(翰林学士)共同讨论。曾经有过一个多月没有召见，李绛等上疏说："我们每天吃得饱饱的，坐在这里不说一句话，对自己真是好事，可是把陛下置于何地？陛下向臣属访问探询治理国家的要道，公开接受直率的批评，实在是全国人民的福气，岂止是我们几个人的福气！"李纯立刻下令："明天，三殿召见！"(三殿就是麟德殿，殿三面开门，所以有此绰号。三殿西侧，就是皇家文学研究院〔翰林院〕。)

白居易在有一次面对时，脱口而出说："陛下错了！"李纯脸色大变，拂袖回宫，秘密召见皇家文学研究院院长(承旨)李绛(皇家文学研究官〔翰林学士〕初设时只是独立的个体。八〇五年，李纯刚登帝位，加设院长〔承旨〕，命郑絪担任，帝国重要文诰和重要人事变动，以及宰相们的机密计划，中央及地方的亲启密奏，跟皇帝指定事项，都交给皇家文学研究官〔翰林学士〕提出意见)，说："白居易不过一个小官，说话粗鲁，教他离开皇家文学研究院(翰林院)！"李绛说："陛下容纳臣属率直的批评，所以臣属才敢竭尽忠诚，丝毫没有隐瞒，白居易说话虽然有欠考虑，但他却是一片赤心。陛下今天给他惩罚，我恐怕天下所有的人都会封口，这不是使君王耳聪目明，荣耀神圣品德的方法。"李纯大为高兴，待白居易跟当初一样。

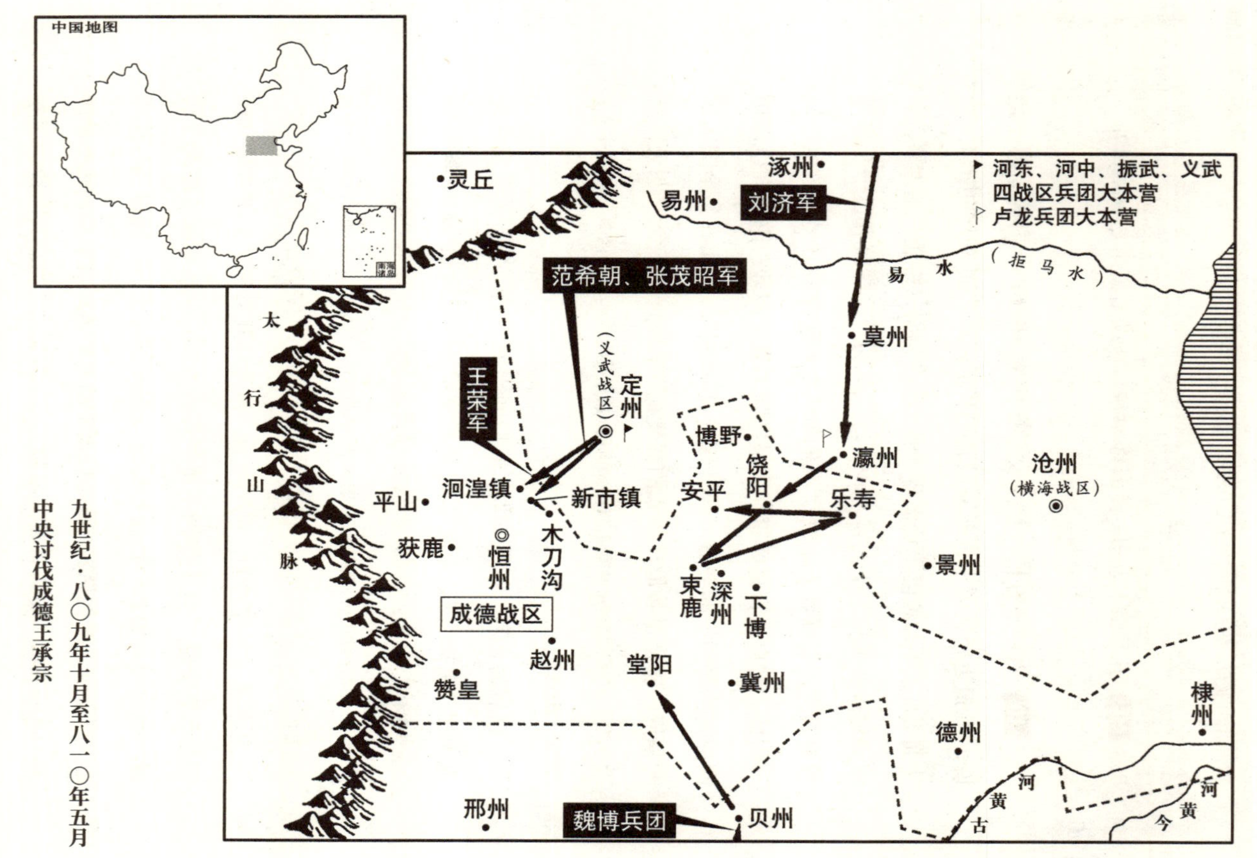

九世纪·八〇九年十月至八一〇年五月
中央讨伐成德王承宗

李纯打算就近到皇家林苑打猎，可是走到蓬莱池西（蓬莱池又名太液池，池中有蓬莱山；再西就是玄武门，向北正对林苑南门重元门，进重元门，就是皇家林苑），对左右说：“李绛一定会有意见，不如不去。”

11 秋季，七月二日，王承宗（成德〔总部恒州〕首领）派使节前往京师（首都长安）为自己辩护，说是被卢从史挑拨离间，现在愿意呈缴赋税，官职出缺，也愿意中央派人递补，请求准许改过自新。平卢战区（总部设郓州〔山东省东平县〕）司令官（节度使）李师道等，屡次上疏请求中央昭雪王承宗，中央也因讨伐没有成效，正在找下台阶梯。

七月九日，李纯下诏昭雪王承宗（赦免是赦免有罪的人不再受罚，昭雪是昭雪无罪的人不再被冤枉，二者意义不同。过去，叛徒固是叛徒，不过中央赦免不罚；以后，叛徒原来不是叛徒，而是清白无辜，中央昭雪还他清白。时转势移，唐政府在文字上已不能站稳立场），命他当成德战区（总部设恒州〔河北省正定县〕）司令官（节度使），再把德州（山东省德州市陵城区）、棣州（山东省惠民县）交还王承宗（二州建保信战区，参考去年九月七日）。下令各战区特遣兵团复员，共赏赐布匹绸缎二十八万端匹（唐王朝制度：六丈是一端，四丈是一匹。此处是二十八万端？或是二十八万匹？说不清楚）。另加授刘济（卢龙〔总部幽州〕）中央官衔：最高立法长（中书令，使相）。

12 卢龙战区（总部设幽州〔北京市〕）司令官（节度使）刘济，南下讨伐王承宗时，命长子刘绲（音gǔn〔滚〕），当副司令长官（副大使），管理幽州（北京市）留守业务。刘济率军驻扎瀛州（河北省河间市），而次子刘总当瀛州州长，刘济命他当特遣兵团总作战司令（行营都知兵马使），驻扎饶阳（河北省饶阳县）。刘济患病，刘总跟执行官（判官）张玘（音qǐ〔起〕）、文书员（孔目官）成国宝进行阴谋，派人假装从长安（陕西省西安市）来，说："中央认为大帅逗留不进，没有立功，已擢升副司令长官（副大使）当司令官（节度使）！"明天又派人来报告说："副司令长官（副大使）的旌旗符节，已到太原（山西省太原市）！"又派人在街上一面跑、一面呼喊说："旌旗符节已过了代州（山西省代县）！"全军震骇。刘济大怒若狂，不知道怎么办才好，诛杀平时跟刘绲感情很好的大将数十人，派人召唤刘绲前来瀛州（河北省河间市），命张玘的老哥张皋代替主管留守业务。刘济从早上到下午，不吃东西，口渴，索取饮料，刘总把毒药羼在水里送上去。

七月十七日，刘济中毒身死（年五十四岁）。刘绲走到涿州（河北省涿州市），刘总假传已被毒死的老爹的命令，把刘绲乱棍打死，遂接管战区军政（刘总弑父杀兄，禽兽行径跟杨广像是一个窑烧出来的，但什么事刺激刘总下此毒手，史书不载）。

13 岭南战区（总部设广州〔广东省广州市〕）监军宦官许遂振，在李纯面前造谣陷害战区司令官（节度使）杨于陵，李纯把杨于陵免职，召回京师（首都长安）当一个散官。宰相裴垍说："杨于陵廉洁正直，陛下却因许遂振的缘故，把他罢黜，绝不恰当。"

七月十九日，命杨于陵当国务院文官部副部长（吏部侍郎）。许遂振不久自己承认犯罪。

14 八月七日，李纯跟各宰相谈话时，谈到神仙，问道："是不是真的有神仙？"皇家图书院图书管理官（秘书郎）李藩回答说："嬴政（秦王朝一任帝）、刘彻（西汉王朝七任帝）求神学仙的效果如何，史书上记载得至为明白（嬴政事，参考前二一九年；刘彻事，参考前一三三年十月）；太宗（二任帝李世民）长期服用天竺（印度）佛教和尚的长生不老药，引起疾病缠身（天竺和尚那罗迩娑婆寐于六四〇年随王玄策来中国，而于六五七年在长安逝世〔参考六五七年七月〕。李世民死于服药事，参考六六八年十月），这是自古迄今明显的鉴戒。陛下年富力强（本年，李纯三十三岁），正应竭尽全力治理帝国，最好是拒绝巫师术士们的游说。假如行事合乎正道，品德高于世人，人民平安，社会和谐，何必担心没有伊祁放勋（黄帝王朝六任帝尧帝）、姚重华（黄帝王朝七任帝舜帝）的寿命！”（伊祁放勋享年一百一十九岁，姚重华享年一百岁。）

15 九月二日，吐突承璀从前方返京（首都长安）。

九月十四日，李纯命吐突承璀再当左卫（卫军第一军）上将军（从二品）兼左神策军总指挥官（左军中尉）。宰相裴垍抗议，说：“吐突承璀首先提倡讨伐王承宗，使全国陷于民穷财困，没有建立一点功劳，陛下纵然因顾念他从前的贡献（吐突承璀在李纯当太子时，是太子宫宦官），不公开诛杀，也应有所贬黜，向全国人民认罪！”御前监督官（给事中）段平仲、吕元膺上疏，认为吐突承璀应该处死。宰相李绛上疏强调说：“陛下拒绝惩罚吐突承璀，将来如果再有作战失败的将领，中央应怎么对待？如果诛杀，则罪状相同，惩罚不同，他一定不服。如果也不闻不问，那么，为了保全自己性命，谁还肯跟敌人拼死？希望陛下割舍不忍心割舍的爱心，执行永不改变的国家法典，使将领们有所警惕，得到勉励。”

两天后（九月十六日），李纯免除吐突承璀左神策军总指挥官（左军中尉）职务，改当兵工厂长（军器使）。中央及地方，一致庆贺。

16 宰相裴垍中风，李纯非常惋惜，问安的宦官在路上一个接连一个。

17 九月二十九日，擢升祭祀部长（太常卿）权德舆当国务院教育部长（礼部尚书）、二级实质宰相（同平章事）。

18 义武战区（总部定州〔河北省定州市〕）司令官（节度使）张茂昭（张升云），请求中央派人接替他的官职，打算全家定居京师（首都长安）。黄河以北各割据军阀纷纷派人前往游说阻止，张茂昭（张升云）不接受，共呈递四次奏章，李纯才批准，命太子宫政务署长（左庶子）任迪简当义武战区（总部定州）作战参谋长（行军司马）。张茂昭（张升云）把易州（河北省易县）、定州（河北省定州）二州档案、簿册和库房钥匙，全部移交给任迪简，先行送走自己的妻子儿女，说："我不要我的子孙受恶劣风俗污染。"张茂昭（张升云）随后离开（张孝忠于七八二年二月上任易定战区司令官，传子张茂昭〔张升云〕，盘踞义武共二十九年）。

冬季，十月十一日，纠察官（虞候）杨伯玉发动兵变，囚禁任迪简。

十月十四日，义武战区（总部定州）将士反兵变，斩杨伯玉，请任迪简复位。作战司令（兵马使）张佐元又发动兵变，再囚禁任迪简；任迪简向变军要求准许他辞职回京（首都长安）。隔了几天，战区将士再发动兵变，斩张佐元，拥护任迪简主持军政大事。这时易定两州的公库枯竭，民间财富早被搜刮一空，任迪简没有一点东西可以犒劳将士，只好煮糙米饭跟士卒一同进餐，在总部住了一个月，将士们内心感动，一致请他回家睡觉，这样，任迪简才保住他的官位。李纯发绸缎十万匹犒劳义武战区（总部定州）将士（任迪简仁慈，参考八〇四年正月）。

十月二十五日，命任迪简当义武战区（总部定州）司令官（节度使）。

十月二十七日，命张茂昭（张升云）当河中战区（总部设河中府〔山西省永济市〕）司令官（节度使），随从他的军官，都有新的任命。

19 右金吾（卫军第十二军）大将军伊慎，用钱三万串贿赂右神策军总指挥官（右军中尉）宦官第五从直（第五，复姓），希望被任命当河中战区（总部设河中府〔山西省永济市〕）司令官（节度使）。第五从直恐怕事情泄漏，先行报告皇帝。

十一月三日，贬伊慎当右卫（卫军第二军）将军，因此案被处死的共有三人。

最初，伊慎自奉义战区（总部设安州〔湖北省安陆市〕）司令官（节度使）任上来京师（首都长安）朝见（参考八〇五年十二月），命他的儿子伊宥主持留守军务，中央遂命伊宥当安州（湖北省安陆市）州长（参考八〇六年正月八日），仍不能清除伊家班势力。正巧，伊宥的娘亲在长安（陕西省西安市）逝世，伊宥贪图手握军权，不立刻发布丧事消息。鄂岳道（首府设鄂州〔湖北省武汉市〕）行政长官（观察使）郗士美，派使节办事，路过安州（湖北省安陆市），伊宥出来迎接，使节告诉伊宥娘亲逝世消息，事先已准备好轿子，当天送伊宥起程。

20 十一月七日，会王李缥逝世（李缥，是李纯的老弟）。

21 十一月十三日，命前河中战区（总部设河中府〔山西省永济市〕）司令官（节度使）王锷，当河东战区（总部设太原府〔山西省太原市〕）司令官（节度使）。

李纯左右收受王锷大量贿赂，所以异口同声对王锷称赞。李纯命王锷遥兼二级宰相（同平章事，使相），宰相李藩坚决反对，权德舆奏报说：“宰相并不是依照年资铨叙，就可以升迁的事务官。唐王朝创业以来，各地军事将领，除非有大功大勋，或者一些凶恶跋扈的人，中央万不得已，有时候也使他遥兼宰相。现今，王锷既没有大功勋，中央又没有万不得已，为什么迫不及待加授给他！”李纯才中止。

王锷有公务才能，做官干练，增加生产、集结军民，都有显著成绩。范希朝当战区司令官（节度使）时，率领全部河东兵团，进驻山东（太行山以东），库存辎重大量消耗，王锷初到差时，军队不到三万人，战马不过六百匹，一年之后，军队增加到五万人，战马增加到五千匹，武器精良，仓库充实。又向皇帝进贡家财三十万串。李纯又想命王锷遥兼二级宰相（同平章事，使相），李绛劝阻说：“王锷在太原，虽然绩效显著，但是如果因他呈献家财而教他当宰相，后世将有什么批评？”李纯才停止（王锷是个贼官，一年多而能把辖区治理得欣欣向荣，毛病可能出在奏章上，王锷如此上疏，史学家照录而已）。

22 副立法长（中书侍郎）、二级实质宰相（同平章事）裴垍因病，不断请求辞职。

十一月二十三日，免除裴垍官职，调任国务院国防部长（兵部尚书）。

23 十二月十二日，张茂昭（张升云）抵达京师（首都长安），请求把埋葬在定州（河北省定州市）的祖父（张谧）、老爹（张孝忠）的骨骸，迁葬首都长安（不知道李纯批准了没有，说不清楚）。

24 十二月十六日，命副总监察官（御史中丞）吕元膺，当鄂岳道（首府设鄂州〔湖北省武汉市〕）行政长官（观察使）。

吕元膺曾经打算夜间登上城墙，门已上锁，守门人拒不开门，左右侍从告诉说："是大帅亲临！"守门人说："三更半夜，分不出真假，就是大帅也不行。"吕元膺只好回去。明天，擢升守门人担任重要职务。

25 皇家文学研究官（翰林学士）、国务院文官部勋赏司司长（司勋郎中）李绛，在面见李纯时，揭发宦官吐突承璀专权横暴，言语非常恳切。李纯拉下脸来，说："你的话太过夸张！"李绛哭泣流泪，说："陛下把我当作心腹耳目，我如果畏惧陛下左右，爱惜自己性命，不敢直言，是我辜负陛下。我说出来，陛下却不愿意听，是陛下辜负我！"李纯怒气稍稍化解，说："你说的是别人所不敢说的话，使我听到从没有听到的消息，真是国家忠良。以后有话只管说出来，就跟今天一样。"

十二月二十三日，命李绛当立法官（中书舍人），仍然保持皇家文学研究官（翰林学士）。

李绛曾经在轻松的气氛中，规劝李纯不要聚敛那么多钱。李纯说："两河（黄河南北）数十个州，中央政令都不能到达，河湟（甘肃省及青海省东部）数千华里广大土地，仍沦陷在蛮夷（吐蕃王国）之手，我日夜都在想洗雪祖宗的耻辱，而财力不足，不得不开始储备。否则，宫中的开支非常节俭，存那么多钱干什么！"

唐　元和　六年

1 春季，正月九日，唐王朝（首都长安〔陕西省西安市〕）皇帝（十四任宪宗）李纯（本年三十四岁）擢升彰义（淮西）战区（总部设蔡州〔河南省汝南县〕）候补司令官（留后）吴少阳，实任司令官（节度使）。

2 正月二十五日，擢升前淮南战区（总部设扬州〔江苏省扬州市〕）司令官（节度使）李吉甫，当副立法长（中书侍郎）、二级实质宰相（同平章事）。

二月七日，宰相李藩免职，调任太子宫总管（太子詹事）。

3 二月二十四日，忻王李造逝世（李造，是十一任帝李豫〔李俶〕的儿子，李纯的叔祖父）。

4 宦官群对李绛恨入骨髓，决定把他逐出皇家文学研究院（翰林院）。于是，李纯果然改命李绛当国务院财政部副部长（户部侍郎），主管财政部业务（判本司）。

李纯问李绛说："依照惯例，财政部副部长（户部侍郎）都进贡'盈余'，你却什么都没有进贡，为什么？"李绛回答说："负责地方行政的官员，向人民苛征暴敛，呈献皇上，换取对自己的恩宠，天下人还认为他不对；何况，财政部所掌管的，都是陛下库房里的东西，无论支出或收入，都要在账簿上登记，怎么可能有盈余？如果只是把国库（左藏）里的东西，移送到宫库（内藏），就算是'盈余'，特别呈献，不过是从东库搬到西库，我不敢继续做这种诈欺的事。"李纯欣赏他的正直，更是器重。

5 二月乙巳日（二月丙寅朔，没有乙巳），李纯问宰相说："治理人民，应该宽大，还是应该严厉？"权德舆回答说："秦王朝因惨毒苛刻覆亡，西汉王朝因宽容厚道兴起。太宗（二任帝李世民）看了《明堂图》，禁止鞭打人背（参考六三〇年十一月）。所以，自从安禄山、史思明以来，虽然不断出现叛徒，都马上消灭，因为祖宗施行的仁政，深入人心，永难忘记之故。应宽应严，一目了然。"李纯认为他说得很对。

6 夏季，四月四日，命国务院国防部长（兵部尚书）裴垍，当太子宾客（正三品）。宰相李吉甫厌恶他，才有这项变动。

7 四月六日，命国务院司法部副部长（刑部侍郎）、盐铁专卖暨运输总监（盐铁转运使）卢坦，转任国务院财政部副部长（户部侍郎）兼全国财政总监（判度支）。

有人报告李纯说，泗州（江苏省盱眙县淮河北岸）州长薛謇，兼任代北（山西省北部）水运总监（水运使）时，曾得到一匹奇马，竟没有呈献皇帝。李纯批交全国财政总监署（度支）处理，总监署派巡察官前往实际了解。巡察官还没有回来，李纯不能等待，再派高级宦官（品官）刘泰昕前去查办（高级宦官，参考八〇一年五月注）。卢坦说："陛下既派政府官员前去，接着又派高级宦官（品官）再去，岂不是陛下不信任政府官员，而只信任宫廷宦官？我请求先受罢黜！"李纯遂召回刘泰昕（主题奇马没有下落，史书只是突出卢坦的谏诤，而不管事件的完整）。

8 五月，前中央讨伐军大营粮秣供应总监（行营粮料使）于皋谟、董溪，被查出贪污数千串钱；李纯下诏赦免二人不死。

于皋谟流放春州（广东省阳春市）、董溪流放封州（广东省封开县），走到潭州（湖南道首府，湖南省长沙市），李纯派宦官追上，命二人自杀。权德舆上疏说："于皋谟等的罪行，如果应该处死，就应把他们绑到刑场，陈尸示众，谁不畏惧国法！决不可以在已赦免他们不死之后，再把他们诛杀！"董溪，是董晋的儿子（董晋，参考七六九年五月）。

9 五月七日，命金吾（卫军第十一、十二军）大将军（正三品）李惟简（李惟岳的老弟，参考七八二年正月），当凤翔战区（总部设凤翔府〔陕西省宝鸡市凤翔区〕）司令官（节度使）。

陇州（陕西省陇县）跟吐蕃王国（首都逻些城〔西藏拉萨市〕）疆界相接，双方互相监视，有时还深入吐蕃国境烧杀抢掠，使得人困马疲，不能休息（陇州属凤翔战区）。李惟简认为边防军将领应当谨慎小心的防守边疆、积蓄财富和粮秣，来应对敌人的攻击，不可以为了一点眼前的小利，挑衅敌人，惹是生非，然后向中央报功；于是禁止官兵进入吐蕃（西藏）边界。一面大量购买耕牛，铸造农业器具，发给没有农具耕田的农民，这样增加耕田数十万亩，又遇上连年丰收，政府与民间的粮食，都有剩余，商人纷纷前来购买，运到别的地方出售。

10 李纯命振武战区（总部设单于府〔内蒙古和林格尔县〕）司令官（节度使）阿跌光进，改姓皇家李姓（遂成了李光进）。

11 六月四日，宰相李吉甫上疏说："自秦王朝到隋王朝，共十三个王朝（李吉甫指秦、西汉、东汉、曹魏、晋、南宋、南齐、南梁、陈、北魏、北齐、北周、隋。这是儒家学派所谓的"正统"，故意抹杀西楚、新、玄汉、东吴、蜀汉和五胡乱华时代林立的小国），而国家官员的数目，没有一个超过我们唐政府。八世纪五〇年代之后，中国（华北地区）现有的军队，可以计算出来的，有八十余万，其他像商人、和尚、道士，不能从事农耕的，占全国人口的十分之五六，正是用十分之三劳动农民的辛苦汗珠，来养活十分之七不事生产的人穿衣吃饭。现在中央和地方官员，靠着政府税收而生活的，不下一万人。全国三百余县，很多只有一个县的土地就设一个州，只有一个乡的人口就设一个县，荒芜凋零的情形，举目皆是，请求陛下命有关单位详细拟定清查条例，官员可以裁撤的裁撤，州县可以合并的合并，做官的渠道可以减少的减少。帝国初建时的传统制度，官员一律依照品级领取薪俸，一品官员每月薪俸仅三十串钱，职田供应的粮食也不过一千斛（职分田，参考七二二年正月注)。八世纪五〇年代以来，增加很多特设机构首长(使)，俸禄优厚(参考七二九年十月)。八世纪七〇年代时，手握特权的官员每月薪俸高达九千串钱，不管大州小州，州长都是一千串钱。常衮当宰相，才定下最高限额(参考七七七年四月)，李泌当宰相，又根据官员工作的繁重或清闲，分别增加(参考七八八年正月)，当时认为切合实际，现在自然难以删除。然而有的官位虽存，职务却废；有的官位已经撤销，薪俸却仍照发；繁重和清闲之间，待遇的差异至大。请陛下命有关单位，详细考察薪俸及津贴(包括食料、差役、杂用)发放情形，深入研究，定出一个合理数目，奏报陛下。”李纯于是指定御前监督官(给事中)段平仲、立法官(中书舍人)韦贯之、国务院国防部副部长(兵部侍郎)许孟容、国务院财政部副部长(户部侍郎)李绛，共同商议决定。

12 秋季，九月，富平(陕西省富平县)人梁悦，为父报仇，诛杀仇人秦杲，前往县政府自首。李纯下诏说：“杀父之仇，根据《礼记》，不共戴天；但依照国家法令，杀人的人，必须处死。‘礼’‘法’二事，是君王教化全国人民两大纲领，却有如此重大的差异，应该广泛讨论，国务院(都省)负责集结专家学者商议，并将商议结果奏报。”国务院国防部图籍司副司长(职方员外郎)韩愈提出意见，认为：“法律缺少有关为父报仇的条文，并不是漏掉，因为这是一个最大的困扰。如果不许报仇，则伤害子女的孝心，违背古帝王的教训；如果准许报仇，则有些人仗恃法律保护，会专断独行，肆意诛杀，没有办法禁止。所以圣人在经典上再三强调，但又透过法律，特别加以限制，用意就是要法官完全依法判决，而学者专家则可以根据经典，提出补救。我建议应该在刑法上增加一条：‘凡是为父报仇，事情发生，应呈报国务院（尚书省）讨论奏报，依照实际情形，斟酌处理。’就能兼顾经典和法律的精神。”李纯下令：“打梁悦一百棍，流放循州（广东省惠州市）。”

13 九月二十二日，国务院文官部（吏部）上疏奏报说：中央地方官员共裁减八百零八人，各单位九品以下雇员共裁减一千七百六十九人。

14 黔州（重庆市彭水县）山洪暴发，大水成灾，黔中道（首府黔州）行政长官（观察使）窦群，征发溪洞蛮抢救（溪洞蛮散布黔中道所辖十四实质州及五十羁縻州），要求苛刻惨急，于是辰州（湖南省沅陵县）、溆州（湖南省洪江市西北黔城镇）两州州境内蛮夷，聚众起兵，窦群出军讨伐，不能平定。

九月二十六日，贬窦群为开州（重庆市开州区）州长。

15 冬季，十一月，宫廷军械库弓箭分库长（弓箭库使）宦官刘希光，接受羽林（禁军第一、二军）大将军孙𪩘贿赂两万串钱，企图推荐孙𪩘当战区司令官（节度使）或道政府行政长官（观察使）。消息泄漏，李纯命刘希光自杀。事情牵连左卫（卫军第一军）上将军代理宦官总监（知内侍省事）吐突承璀。

十一月五日，李纯贬吐突承璀当淮南战区（总部设扬州〔江苏省扬州市〕）监军宦官。李纯问李绛说：“我把吐突承璀赶出去，你看怎么样？”李绛说：“人们想不到陛下立刻就能这样果断！”李纯说：“他不过一个家奴罢了，以前因他当差的时间很久，所以对他特别包容，如果犯法，去掉他容易得就像丢掉一根羽毛！”

16 十六宅里的亲王，既然全不出宫（初名十王宅、百孙院，九任帝李隆基预防亲王政变，集中居住，直到老死，不出宫担任政府官职，参考七二七年五月），他们的女儿也不能在适婚的年龄出嫁，即令出嫁，也都由宦官做主，很多人只好用贵重财物贿赂宦官，早日许配（皇族女儿不婚或晚婚，在安史之乱后便一直维持。参考七八〇年十一月）。李吉甫上疏说："自古以来，公主下嫁，一定门当户对，只有近世不同！"

十二月十一日，李纯下诏封恩王（李连）等人的六个女儿当县主，命立法院（中书）、监督院（门下）、皇族事务部（宗正）、国务院文官部（吏部），遴选门第、家世、人品、学识都能相配的青年，给她们完婚。

17 十二月二十八日，命国务院财政部副部长（户部侍郎）李绛，当副立法长（中书侍郎）、二级实质宰相（同平章事）。

李吉甫当宰相，对曾经结过怨的人，多作报复，李纯也多少得到报告，所以擢升李绛当宰相，对他制衡。李吉甫精于迎合皇帝的意思，而李绛耿直，在皇帝面前，发生过很多次争论，李纯多半认为李绛有理，接受他的意见，因此，李吉甫、李绛之间，结下怨恨。

18 闰十二月一日，黔中道（首府设黔州〔四川省彭州市〕）上疏奏报说：辰州（湖南省沅陵县）、溆州（湖南省洪江西北黔城镇）二州变民首领张伯靖，进攻播州（贵州省遵义市）、费州（贵州省思南县）。

19 太子宫事务署试用礼宾官（试太子通事舍人，正七品下）李涉，知道李纯对吐突承璀的恩宠并没有衰退，于是撰写奏章，投入"铜柜"（武曌创立，参考六八六年三月），奏章上说："吐突承璀对国家有功，刘希光并没有犯罪。吐突承璀长久以来，是陛下最信任的心腹，不应

九世纪·八一一年闰十二月 黔中张伯靖民变

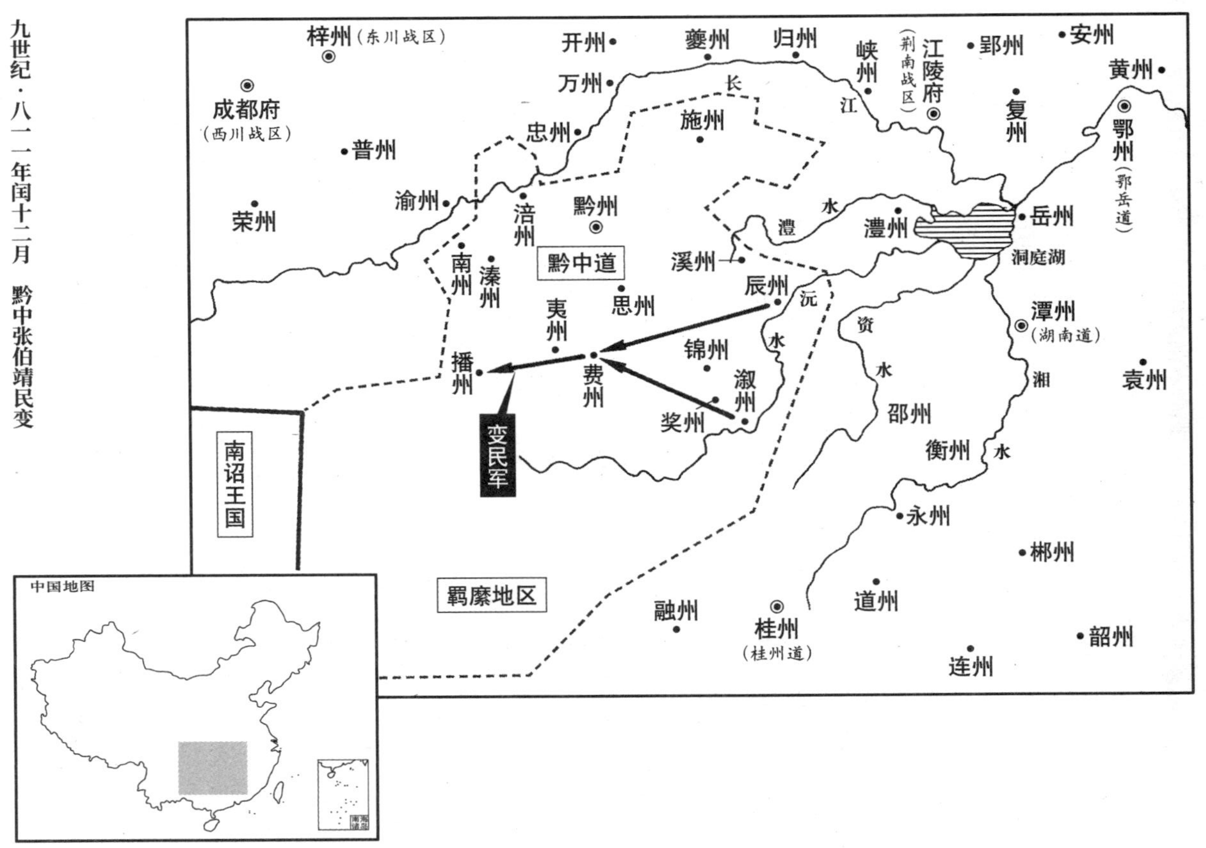

该遗弃。”铜柜管理官(知匭使)、监督院高级顾问官(谏议大夫)孔戣(音kuí〔魁〕),看到奏章的副本,询问他什么意思,拒绝接受。李涉于是贿赂有关人员,前去宫城光顺门呈递。孔戣得到消息,上疏强烈抨击说:“李涉奸邪险恶,企图欺骗天子,请把他押到街市斩首示众。”

闰十二月十八日,李纯贬李涉当峡州(湖北省宜昌市)州政府仓库管理官(司仓)。李涉,是李渤的老哥(李渤,少室山隐士;参考八〇六年九月)。孔戣,是孔巢父的儿子(孔巢父死于李怀光之难,参考七八四年七月十八日)。

20 闰十二月二十一日,太子李宁逝世(绰号惠昭太子,年十九岁。封太子事,参考前年〔八〇九〕闰三月)。

21 本年(八一一),全国粮食丰收,有些地方,每斗米只值二文钱。

八一二年 壬辰

唐　元和　七年

1 春季，正月十一日，唐王朝（首都长安〔陕西省西安市〕）皇帝（十四任宪宗）李纯（本年三十五岁），命首都长安特别市长（京兆尹）元义方当鄜坊道（首府设鄜州〔陕西省富县〕）行政长官（观察使）。

最初，元义方谄媚宦官吐突承璀，宰相李吉甫为了钻进攀附吐突承璀的摇尾系统，特别擢升元义方当首都长安特别市长（京兆尹）。另一宰相李绛憎恶元义方邪恶，遂把他赶出京师（首都长安）。元义方进宫向皇帝谢恩，乘势打小报告说：“李绛结党营私，偏袒他的‘同年’许季同（进士科考试及格〔及第〕时，同榜的人称“同年”），命他当首都长安特别市副市长（京兆少尹），把我驱逐到鄜坊（首府鄜州）；李绛专门作威作福，欺骗陛下。”李纯说：“我了解李绛，他不是这样的人。明天，我会亲自问他。”元义方惊惶羞愧，狼狈出宫。明天，李纯问李绛说：“人对于他的‘同年’，会不会先天就有交情？”李绛回答说：“‘同年’，不过是来自东南西北的人，偶尔一起考中进士，写在一个榜上，然后互相认识，如此而已，怎么会先天就有交情！陛下不认为我愚昧，命我担任宰相，宰相的职责就是要评估才能，任命官员。如果他真有才干，即令是兄弟子侄，还要任命，何况‘同年’！为了避嫌而舍弃人才，乃是明哲保身，不是大公无私。”李纯说：“好极，我就知道你绝不会像元义方说的那样。”于是催促元义方马上赴任。

2 振武战区（总部设单于府〔内蒙古和林格尔县〕）黄河决堤，大水泛滥，东受降城（内蒙古托克托县南）全被淹毁。

3 三月二十八日，李纯登延英殿，宰相李吉甫奏报说：“天下已经太平，陛下应该及时行乐！”李绛说：“刘恒（西汉王朝五任帝文帝）在位期间（前一八〇年至前一五七年），刀剑都是木头做的，没有锋刃，社会富有、家给人足，可是贾谊却认为犹如在堆积的木材下放置火种，不可当作平安（参考前一七四年）！而今，中央政令不能执行的地方，黄河南北，还有五十余州（计平卢〔总部郓州〕十二州、魏博〔总部魏州〕六州、成德〔总部恒州〕六州、卢龙〔总部幽州〕九州、彰义〔总部蔡州〕三州，合计三十六州。李绛之数有误）。蛮夷（指吐蕃王国）腥膻的难堪气味，紧逼泾州（甘肃省泾川县）、陇州（陕西省陇县），烽火不断传来，边城一夕数惊。加上水灾旱灾，不时发生，国库仓廪，都告枯竭。这正是陛下夜以继日，辛苦勤劳的时候，怎么能说天下太平，可以及时行乐？”李纯快慰的说：“你的话正合我意！”退朝后，对左右说：“李吉甫只知道拍马屁，讨我的欢心。像李绛，才是真正宰相。”

李纯曾经询问宰相说：“八世纪九〇年代，政治败坏，国家大事混乱，为什么成了那个样子？”李吉甫说：“德宗（十二任帝李适）自以为盖世英明，不相信宰相，却相信宰相以外的人，奸邪之辈就利用这个机会作威作福。政治败坏，国家大事混乱，原因在此。”李纯说：“可是，也不见得全是德宗（十二任帝李适）的过错。我小时候在他老人家左右，看到政治发生重大缺失时，当时宰相从来没有人再三再四，锲而不舍的坚持立场！大家都贪恋官位薪俸，苟且敷衍，今天怎么能把过失全部都推到他老人家头上？你们应用此当作鉴戒，遇到事情有误，就应当坚持你的正确意见，不断向我警告，不要恐惧把我触怒，而不敢说话。”

李吉甫有一次说：“臣属不可以勉强君王接受自己的意见，最好是君王喜悦，臣属平安，岂不两全其美！”李绛说：“臣属应该不畏惧君王的愤怒，而苦口婆心，指出错误。如果闭嘴不言，使君王蒙上恶名，怎么能算忠心！”李纯说：“李绛的话对了！”李吉甫到立法院（中书省），每天睡觉不办事，只是长吁短叹。有时，李绛很久没有规劝，李纯就质问他说：“是我不能包容？还是没有什么可以批评？”

李吉甫又一次奏报皇帝，说：“赏和罚，是领袖手中的两大权柄，一个也不可以废除。陛下登极以来，对人民的恩德，十分深厚，只是缺少严刑峻法，所以中外官员全都懈怠，陛下应该采取凌厉的措施，使他们振作！”李纯看着李绛说：“你认为怎么样？”

李绛说:“圣哲君王的仁政,崇尚道德教育,不崇尚严刑峻法,为什么不效法姬诵(周王朝二任王成王)、姬钊(周王朝三任王康王)、刘恒(西汉王朝五任帝文帝)、刘启(西汉王朝六任帝景帝),而去效法嬴政(秦王朝一任帝始皇帝)父子?”李纯说:“是的!”十几天后,司空(三公之三)于頔(音dí〔笛〕)进宫面见皇帝,也建议李纯严刑峻法。过了数日,李纯告诉宰相们说:“于頔真是个大奸邪,劝我严刑峻法,你们可知道他什么用意?”大家回答说:“不知道!”李纯说:“他是要我失去民心!”李吉甫霎时面无人色,退朝后整天低着头,不言不笑。

4 夏季,四月二十九日,命国务院国防部军械司长(库部郎中)、皇家文学研究官(翰林学士)崔群,当立法院立法官(中书舍人),仍兼皇家文学研究官(翰林学士)。李纯嘉许崔群忠贞耿直,命所有皇家文学研究官(翰林学士):“从今以后,凡是奏报皇帝的文件,都要崔群连署签名,才可以呈递。”崔群说:“皇家文学研究官(翰林学士)的一举一动,都将成为惯例。如果照陛下所指示的实行,后来万一有马屁精当皇家文学研究院(翰林院)首长,则属下的正直言论,恐怕永不能到达君王面前。”坚决辞让。奏章呈递三次,李纯才收回成命。

5 五月三日,李纯对各宰相说:“你们屡次报告说:淮河、浙江(钱塘江)流域,去年(八一一)不是水灾,就是旱灾。可是,近来监察官(御史)从那里回来,坚称并没有灾害,到底怎么回事?”李绛回答说:“我考察淮南战区(总部设扬州〔江苏省扬州市〕)、浙西道(首府设润州〔江苏省镇江市〕)、浙东道(首府设越州〔浙江省绍兴市〕)所上的奏章,都说境内水旱成灾,人民纷纷逃亡,请求中央定出办法劝阻、安抚，可看出他们唯恐受到责备的心情，怎么肯没有灾害而异想天开的硬说有灾害？这些监察官（御史）打算作奸犯科，所以先说些悦耳的话给陛下听。请告诉我这些监察官（御史）的名字，应该移交法办！”李纯说：“你说得很好，政府全靠人民拥护，听说人民受苦，自当极力拯救，怎么可以再去怀疑？我刚才没有详细考虑，说出不应该说出的话。”命迅速免除灾区人民的田赋捐税。

李纯曾经跟各宰相在延英殿讨论如何治理国家，天色已晚，炎热更甚，李纯大汗淋漓，连衣服都湿透，各宰相恐怕他疲惫，请求退朝。李纯留下他们继续讨论，说：“我回到后宫，只能和宫女、宦官在一起，所以很高兴跟你们谈谈治国纲要，并不觉得疲倦。”

6 六月七日，司徒（三公之二）、二级实质宰相（同平章事）杜佑以太保（三师之三）名义退休。

7 秋季，七月十九日，李纯封遂王李宥（本年十八岁）为太子，改名李恒。

李恒，是郭贵妃生的儿子（贵妃，小老婆群第一级）。小老婆生的儿子澧王李宽，年龄比李恒大；李纯将封李恒的时候，命皇家文学研究官（翰林学士）崔群，替李宽撰写让位奏章，崔群说：“把自己的东西交给别人，才叫‘让’，遂王（李恒）是嫡子，李宽有什么可让的！”李纯才停止（郭贵妃也是小老婆，李恒怎么能叫嫡子？跟李宽一样，都是庶子）。

8 八月十二日，魏博战区（总部设魏州〔河北省大名县〕）司令官（节度使）田季安逝世（年三十二岁）。

最初，田季安娶洺州（河北省邯郸市永年区东南广府镇）州长元谊的女儿（元谊投奔魏博，参考七九六年正月），生下儿子田怀谏，依惯例充当副司令长官（节度副使）。大营作战司令（牙内兵马使）田兴，是田庭玠的儿子（田庭玠是田承嗣的堂弟、田季安的堂叔祖；参考七八一年正月），勇敢健壮，又相当喜爱读书，性情谦恭。田季安荒淫暴虐，田兴屡次规劝，将领们对田兴都很依靠。田季安认为田兴收买军心，把他贬出当临清要塞（河北省临西县）指挥官（镇将），打算把他处决，田兴假装得了手足麻木疼痛的病，燃烧着的艾草，布满全身，才逃出一死。田季安却真的中风，随意诛杀，军政陷于混乱。正妻元女士召集各将领会议，拥护田怀谏当副司令长官（副大使），主持军事，田怀谏时年十一岁。把田季安抬到别的房间安置，一个多月后逝世。召回田兴当步骑兵总作战司令（步射都知兵马使）。 156

八月二十五日，中央命左龙武（禁军第三军）大将军（正二品）薛平，当义成战区（总部设滑州〔河南省滑县〕）司令官（节度使），想要借此控制魏博（薛平是昭义战区〔总部相州〕第一任司令官薛嵩的儿子，参考七七三年正月）。

李纯跟各宰相讨论魏博战区（总部设魏州〔河北省大名县〕）变局，李吉甫建议出军讨伐，李绛则认为用不着出军，魏博一定会回归中央。李吉甫竭力说明非出军不可的理由，李纯说：“我的意思也是如此。”李绛说：“我仔细观察两河（黄河南北）割据局面，最跋扈的军阀，一定把军队分别交给几个将领，不让大权集中一个人手里，恐怕权力集中之后，乘机背叛自己。各将领的官职相同、力量相等，谁也不能强过对方，即令想结成一体，因大家不能同心合力，阴谋一定泄漏。如果单独兵变，所掌握的军队太少，力量太小，势必失败。再加上悬赏既重，刑罚又十分残忍，所以各将领互相顾忌，谁都不敢先行发动，大头目军阀自认为这是保持荣华富贵的永久策略。我暗中考虑，如果有一个严厉而又英明的统帅，能控制各将领，大体上当然可以巩固自己的地位。然而，现在田怀谏不过一个乳臭未干的小娃，一切都不能自己做主，军政大权一定会落到某一个人之手，各将领之间失去平衡，就会生出怨恨，互相不服，以前分而统之的办法，恰恰成为今天发生灾祸的原因。田姓家族即令不被屠杀，也会全部成为俘虏，为什么非要中央派兵出征不可！新崛起的首领，本是部将，却突然夺取主帅权柄，邻近所有其他的军阀，最禁忌、最厌恶的，没有比这更为严重。夺权成功的新首领不倚靠中央的支援，怎么能单独生存？恐怕立刻就会被相邻战区攻击粉碎。所以我认为不必出军，就可以坐等魏博（总部魏州）顺服。只希望陛下按兵不动，培养声威，严格命令各战区加强操练人马，等候下一步指示，并且故意让魏博（总部魏州）知道中央的措施。用不了几个月，魏博（总部魏州）一定发生变化，将有新人出头。到那个时候，中央必须迅速反应，抓住机会，不吝啬爵位俸禄，奖励新人。两河（黄河南北）割据军阀得到消息后，恐怕他们的部将贪图赏赐，起而效法，一定大为恐惧，会争着听命中央；这是不必战斗，就使人屈服的谋略。”李纯说：“好极！”

有一天，在延英殿上，李吉甫再一次提出很多理由，说明出军的利益，强调粮食、草料、金银、绸缎布匹，都已准备齐全；李纯回头征求李绛的意见。李绛回答说：“任何战事，都不可以轻率的发动，前年（八一〇）讨伐成德战区（总部设恒州〔河北省正定县〕），中央由各地征调大军二十万人，四面攻击，又派左右两神策军，从京师（首都长安）直接增援，全国骚动不安，共开支七百余万串，结果一事无成，引起天下讥笑。现在创伤还没有痊愈，人心害怕再开战端，如果用诏书把他们强行驱逐到沙场之上，我想不但不会建立功业，恐怕还会激起其他变化。何况，魏博（总部魏州）根本用不着中央出军，就可收复，事态至为明显，希望陛下不要怀疑。”李纯兴奋得身子一挺，抚拍桌子，说：“我决心不用战争手段。”李绛说：“陛下虽然这么说，只怕退朝之后，可能有别的人提出使陛下心动的意见。”李纯严肃的厉声宣布，说：“我已经下定决心，谁能把我迷惑！”李绛叩头祝贺说：“这是国家之福！”

不久，魏博（总部魏州）果然发生变化，田怀谏年纪太小，能力薄弱，军政大事，都由家奴蒋士则决定，屡次因他自己的情绪，调换各将领的职务，军心愤怒。而中央的人事任命状一直没有颁下，众人不安。步骑兵总作战司令（步射都知兵马使）田兴早上前往总部，士卒数千人突然大声喧哗喊叫，围绕着田兴叩头，请田兴当候补司令官（留后）。田兴惊骇的栽倒地上，可是包围他的变兵不肯解散，继续坚持，过了很久，田兴知道无法摆脱，于是告诉大家说：“你们肯不肯听我一句话？”大家说：“唯命是从！”田兴说：“不要冒犯副司令长官（副大使田怀谏），遵守中央法令，申报军民户口，请中央任命官吏，各位同意我这样做，我才答应。”大家说：“完全同意。”田兴遂斩蒋士则等十余人，把田怀谏全家迁出官邸（七六三年闰正月，田承嗣割据魏博〔总部魏州〕，传田悦、田绪、田季安、田怀谏，历时五十年而灭）。

冬季，十月十日，魏博（总部魏州）监军宦官急行奏报中央，李纯立即召集各宰相，告诉李绛说：“你判断魏博的发展，丝毫不差！”李吉甫请派宦官前去慰劳安抚，观察事情变化。李绛说：“不可。现在田兴呈献他的土地和军队，坐在那里等候中央指示，不乘这个机会诚心相待，用非常的大恩大德相结，必须等钦差宦官到那里，带回将士们拥护他当战区司令官（节度使）的奏章，然后再行任命（这是李适吓破了胆之后的做法），则恩德来自部将，而不来自中央，将领们才重要，中央不过一个图章罢了，田兴对中央的感激之情，恐怕不能跟今天相比。机会一旦失去，后悔已来不及。”李吉甫一向跟宫廷机要室主任宦官（枢密使）梁守谦结交，梁守谦也支持李吉甫，提醒李纯说：“依照惯例，战区发生变化，都要派宦官前去慰劳。今天，对魏博（总部魏州）却没有，恐怕产生隔阂。”李纯最后仍是派宦官张忠顺前去魏博（总部魏州），打算等他回来再作讨论。

十月十八日，李绛再奏报说：“中央的恩德威信，是丧失或是重建，在此一举。时机千载难逢，为什么把它糟蹋！利害十分明显，希望陛下不要迟疑。估计张忠顺的行程，应该刚过陕州（河南省三门峡市），请陛下明天一早就下诏书，命田兴当战区司令官（节度使），仍然来得及。”李纯打算依照惯例，先命田兴当候补司令官（留后）。李绛说：“田兴恭敬顺服到这种地步，除非有非常的大恩，否则无法使他产生非常的感激。”李纯接受。

十月十九日，李纯下诏命田兴当魏博（总部魏州）战区司令官（节度使）。张忠顺还没有回来，诏书已到魏州（河北省大名县）。田兴感谢皇帝恩典，呜咽流泪，士卒民众无不欢欣鼓舞。

9 十月二十五日，李纯给皇子们改名：澧王李宽改李恽、深王李察改李悰、洋王李寰改李忻、绛王李寮改李悟、建王李审改李恪（改儿子们的名字，是唐王朝皇帝的娱乐之一，所以改个没完）。

10 李绛又奏报说：“魏博战区（总部设魏州〔河北省大名县〕）五十余年以来（七六三年至本年〔八一二〕，恰五十年），没有接受中央教化，却于一天之间，呈献所辖的六州土地（六州：魏州、博州〔山东省聊城市〕、贝州〔河北省清河县〕、卫州〔河南省卫辉市〕、澶州〔河南省内黄县东南〕、相州〔河南省安阳市〕），回归中央，挖掘河朔（河北平原）的心脏，倾覆叛乱的巢穴；没有超过他们所盼望的重赏，就不能安抚动荡的军心，也不能使四邻那些军阀的士卒们震撼，我建议由宫库拿出一百五十万串，赏赐魏博。”李纯左右的宦官们认为：“赏赐太多，以后再有这种情形，拿什么给他们？”李纯告诉李绛，李绛说：“田兴不贪图割地自雄的利益，不考虑四周割据军阀们的压力，回归中央，陛下为什么爱惜一点小费而破坏大计方针，不去收回一道人心？钱，用完了还会回来，机会一去则永不复返。假使中央派十五万大军攻击六州，一年攻克，费用岂止一百五十万串而已！”李纯大喜，说：“我所以穿粗布衣裳，吃简单饮食，积蓄钱财，就是为了平定天下，不然的话，放到库房里干什么！”

十一月六日，派诏书撰写官（知制诰）裴度前往魏博（总部魏州）慰劳，携带巨款一百五十万串犒劳官兵，六州人民免除捐税劳役一年。魏博（总部魏州）官兵接受赏赐，欢声雷动。成德战区（总部设恒州〔河北省正定县〕）、平卢战区（总部设郓州〔山东省东平县〕）好几名使节正在魏州，你看我，我看你，面色激动，叹息说：“反抗中央，有什么好处？”

裴度跟田兴谈论君王跟臣属之间的正义道理，田兴倾耳恭听，整夜都不疲倦，接待裴度十分优厚，请裴度视察辖区里的州县，宣布中央政令，奏请中央派遣副司令官（节度副使），李纯命国务院财政部税务司长（户部郎中）河东（山西省永济市）人胡证担任。田兴又奏报属下出缺九十人，请有关单位列出有资格可以任用的人选；接受中央法令规章，向中央缴纳赋税。田承嗣以来凡超过身份的房舍，田兴都不居住。

平卢（总部郓州）、彰义（总部蔡州）、成德（总部恒州）不断派游说的客人前来魏州（河北省大名县），用尽千方百计，挑拨离间，田兴始终拒绝。平卢战区（总部郓州）司令官（节度使）李师道，派人告诉宣武战区（总部设汴州〔河南省开封市〕）司令官（节度使）韩弘说："我们李家跟魏博战区（总部魏州）田家，世世代代相约，互相支援。现在的田兴，不是田家正统嫡系，又破坏两河（黄河南北）的割据传统，应该也让你憎恶，我打算会同成德（总部恒州），联合出军讨伐！"韩弘说："我不知道利害，只知道遵照中央命令行事。你如果派军渡黄河北上，我就派军东下攻取曹州（山东省菏泽市定陶区）。"李师道畏惧，不敢行动。

田兴安葬田季安，把田怀谏送到京师（首都长安）。

十一月二十六日，李纯命田怀谏当右监门卫（卫军第十四军）将军（从三品）。

11 李绛奏报说："振武战区（总部设单于府〔内蒙古和林格尔县〕）及天德警备区（总部设天德军城〔内蒙古乌拉特前旗东北〕）附近的良田，大约在一万顷以上，请求遴选能干的官员主持开荒屯垦，可以节省经费，使粮食充足。"李纯接受。

李绛命全国财政总监（度支使）卢坦编列预算。四年之间，共开垦农田四千八百顷（四十八万亩），收获米谷四千余万斛，每年节省国家财产二十余万串，边防军的供应，对这项收入十分依赖。

12 李纯曾经在延英殿对各宰相说："你们要替我爱惜官爵，不要用来酬谢自己的亲戚朋友。"李吉甫、权德舆都表示不敢违背。李绛说:“崔祐甫有句话:‘既不是亲戚,又不是朋友,我怎么知道他有没有才干?’(参考七七九年闰五月)。知道有才干的还不敢任命他当官,不知道有才干的更怎么敢交给他工作!问题在于他的才干能不能跟他的官职配合。如果只是为了避亲戚朋友之嫌,而使政府的人才发生恐慌,苟且偷安的臣属才这样做,不是正大至公。假定任用的人没有才干,政府自有法令规章,谁能逃避?”李纯说:“果然像你所说。”

13 本年(八一二),吐蕃王国(首都逻些城〔西藏拉萨市〕)派军攻击泾州(甘肃省泾川县),直抵西城门外,掳掠居民、家畜而去。李纯非常忧虑。李绛上疏说:“京师(首都长安)以西及以北,都有神策军驻防。最初,神策军主要目的是防备吐蕃(西藏),跟各战区的常备边防军配合。时至今日,神策军战斗力已经衰退,官兵们身穿华丽的衣服,口吃美好的食物,空自消耗政府的钱粮(神策军自边疆入卫京畿之后,地位居各禁卫军之首,参考七六五年十月)。每逢敌人出现,战区司令官(节度使)邀请他们共同出击,他们都说只听候总指挥官(中尉)指挥,等得到命令,蛮虏已饱掠而归。即令有果断勇敢的将领,得到战区通报后,立即率军会合,而司令官(节度使)没有诛杀惩罚的权力,跟神策军将领互相处于平等地位,命他向左向右,或前进或后退,神策军都不肯接受命令,这种情况,对战事并没有益处。我建议神策军防地人马粮秣,以及辎重武器,都应隶属所在地战区司令官(节度使),使军令统一,然后才能像手臂支使手指一样,军队声威才能振作,蛮虏才不敢入侵。”李纯说:“我不知道竟是这种情形,要赶快纠正!”可是,神策军骄傲横暴已经很久,不高兴隶属战区司令官(节度使)。李绛的建议,终被宦官阻止。

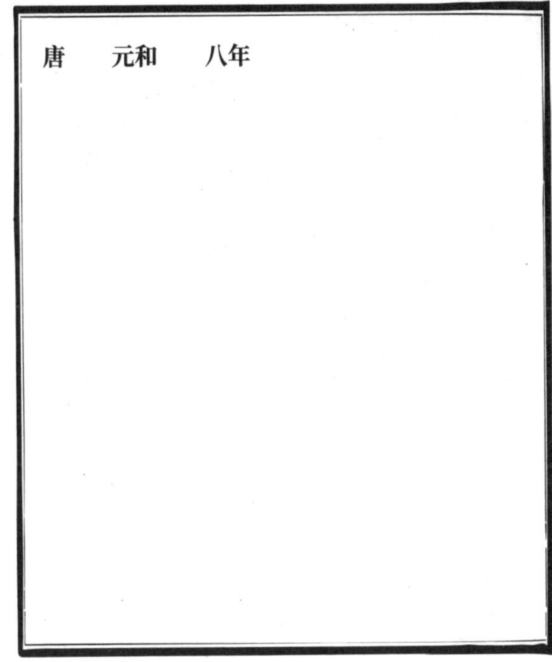

1 春季，正月九日，唐王朝（首都长安〔陕西省西安市〕）皇帝（十四任宪宗）李纯（本年三十六岁），命博州（山东省聊城市）州长田融，当相州（河南省安阳市）州长。

田融，是田兴的老兄。田融、田兴从小就是孤儿，田融年纪较大，负起抚养及教育幼弟田兴的责任。有一次田兴参加军中射击比赛，取得冠军。比赛结束后，田融揍了田兴一顿，说：“如果你不能掩盖自己的锋芒，大祸就要到你头上！”所以田兴在那个猜疑、残暴的环境中能够保全。

2 渤海王国（首都龙泉府〔黑龙江省宁安市西南东京城镇〕）国王（七任定王）大元瑜逝世。老弟大言义暂时摄政。

正月十六日，唐政府封大言义当渤海王（八任僖王）。

3 宰相李吉甫、李绛，很多次在皇帝面前发生争论，国务院教育部长（礼部尚书）、二级实质宰相（同平章事）权德舆，始终保持中立，不作任何判断，李纯看他不起。

正月十七日，免除权德舆宰相职务，仍保留国务院教育部长（礼部尚书）本职。

4 二月七日（原文误置于正月，据《旧唐书》改），李纯命魏博战区（总部设魏州〔河北省大名县〕）司令官（节度使）田兴改名田弘正。

5 司空（三公之三）、二级实质宰相（同平章事）于頔回长安（陕西省西安市）后，一直闲散无事（于頔入朝事，参考八〇七年十二月），忧郁寡欢。有一个名叫梁正言的人，自称跟宫廷机要室主任宦官（枢密使）梁守谦，都是梁姓一家，可以替人关说。于頔命儿子、祭祀部主任秘书（太常丞）于敏，用重金贿赂梁正言，请求出任战区司令官（节度使）或道政府行政长官（观察使）。很久之后，梁正言的骗术败露，于敏希望索回贿款，却索不回，就诱捕梁正言的奴仆，把他诛杀分尸，抛弃在粪坑里。事情被发觉，于頔率领儿子、宫廷副总监（殿中少监）于季友等，改穿素色衣服，前往建福门请求处罚。守门人不准他们进去，退下后，背靠南墙站着，派人呈递奏章，收发处因奏章上没有印信，又没有内线关照，拒绝接受，直到天晚才回家。明天，再去站立。

二月十三日，贬于頔当恩王（李连，是十一任帝李豫〔李俶〕的儿子）辅佐官（傅），仍不准朝见。于敏流放雷州（广东省雷州市）；于季友等被贬谪，奴仆被处死的有数人。于敏至秦岭逝世。

贿赂案牵连到佛教和尚鉴虚。鉴虚自八世纪八〇年代后期，用丰富的财力，结交权势人物以及君王宠爱的人物，接受一级地方政府首长的馈赠，生活奢侈豪华，官员们从不敢过问他的事。自从涉及梁正言贿赂巨案，权势人物以及君王宠爱的人物，争着为他说话，李纯打算把他释放，副总监察官（中丞）薛存诚认为不可以。李纯派宦官到总监察署（御史台）宣读诏书说："我只不过想当面查问这个和尚，并不是要释放他。"薛存诚回答说："陛下如果一定要当面释放这个和尚，请先把我诛杀，然后再带他走。不然，我不接受诏书。"李纯嘉许他的严正，不再坚持。

三月三日，把鉴虚乱棍打死，财产全部没收。

6 三月十一日，征召前西川战区（总部设成都府〔四川省成都市〕）司令官（节度使）、二级实质宰相（同平章事）武元衡，到中央处理军政大事。

7 夏季，六月，大水成灾（《新唐书·五行志》记载，京师〔首都长安〕大水成灾）。李纯认为是阴气太重的反应。

六月二十日，释放二百车宫女出宫（不知一车装载几人）。

8 秋季，七月十一日，振武战区（总部设单于府〔内蒙古和林格尔县〕）司令官（节度使）李光进（阿跌光进），请求修建东受降城（内蒙古托克托县南），并整顿黄河堤防工程。东受降城被泛滥的河水冲毁（参考去年〔八一二〕正月），宰相李吉甫建议把驻防东受降城的边防军，迁移到天德故城（内蒙古乌拉特前旗东北。东距东受降城直线二百六十公里）。李绛跟国务院财政部副部长（户部侍郎）卢坦认为："三座受降城，是当年张仁愿兴建（参考七〇八年三月，迄今一百零五年），正当沙漠出口（沙漠跟海洋一样，也有港口），扼住敌人险要，水源充足，牧草茂盛，是边防最有利的地方。而今为了逃避黄河水患，向后撤退二三华里还可以，为什么舍弃万世平安的长程策略，只不过贪图节省眼前一点费用！何况，天德故城（内蒙古乌拉特前旗东北）地方偏僻，穷苦贫困，距黄河遥远，一旦边界告警，烽火兴起，跟内地不能呼应，蛮虏横冲直撞，唐政府根本无法知道，是无缘无故丧失国土二百华里！"

东受降城带兵官（城使）周怀义分析利害，跟李绛、卢坦说法相同。但李纯最后仍采李吉甫的主张，把东受降城的边防军，拨付天德警备区（总部设天德军城〔内蒙古乌拉特前旗东北〕）。

李绛奏报说："边防军只有纸面上的数目，事实上严重短缺，中央空自浪费衣服粮食，将领则把士卒调作私人的仆役，或克扣粮饷，拿来结交权贵，从来不训练士卒战斗技能，以备突然发生的袭击。不可以不在太平无事的时候，要特别留意！"当时东受降城军籍记载驻军四百人，可是前往天德故城（内蒙古乌拉特前旗东北）交兵时只有五十人，武器只有一张弓，其他辎重都跟这一样，所以李绛特别提及。李纯大吃一惊，说："边防军竟只成了空架子，你们要调查整顿！"但不久李绛被免除宰相（参考明年〔八一四〕二月），事情也就中止。

9 八月二十五日（原文误置于七月，据《旧唐书》改），撤销天威军（原左、右殿前射生军，七八七年改称左、右神威军；八〇六年合并称天威军），官兵拨归神策军。

10 八月二十七日，辰州（湖南省沅陵县）、溆州（湖南省洪江市西北黔城镇）变民首领张伯靖投降（张伯靖事，参考前年〔八一一〕闰十二月）。

九月二日，中央命张伯靖当归州（湖北省秭归县）军务秘书长（司马），交付荆南战区（总部设江陵府〔湖北省江陵县〕）安排工作（归州属荆南战区）。

11 最初，吐蕃军（西藏）打算重建乌兰桥（甘肃省靖远县西南五十公里，参考八〇〇年五月），先把建筑材料贮放在河边。朔方战区（总部设灵州〔宁夏灵武市〕）时常派人暗中出动把它们都投到河里，始终不能完成。吐蕃军（西藏）知道战区司令官（节度使）王佖（音bì〔必〕）是个赃官，先行用重金贿赂，然后集中力量修桥完成，并兴筑月城驻守。

从此，朔方战区每天抵抗敌人攻击，再没有闲暇休息。

12 冬季，十月，回鹘汗国（瀚海沙漠群）出动大军，渡瀚海沙漠西征，渡过柳谷水（新疆哈密市东），攻击吐蕃王国（首都逻些城〔西藏拉萨市〕）北疆。

十月二十三日，振武战区（总部设单于府〔内蒙古和林格尔县〕）、天德警备区（总部设天德军城〔内蒙古乌拉特前旗东北〕）上疏奏报说："回鹘军（瀚海沙漠群）骑兵数千人到䴙鹈泉（内蒙古乌拉特后旗西北。䴙鹈，音pì tí〔僻啼〕）。"边防军戒严备战。

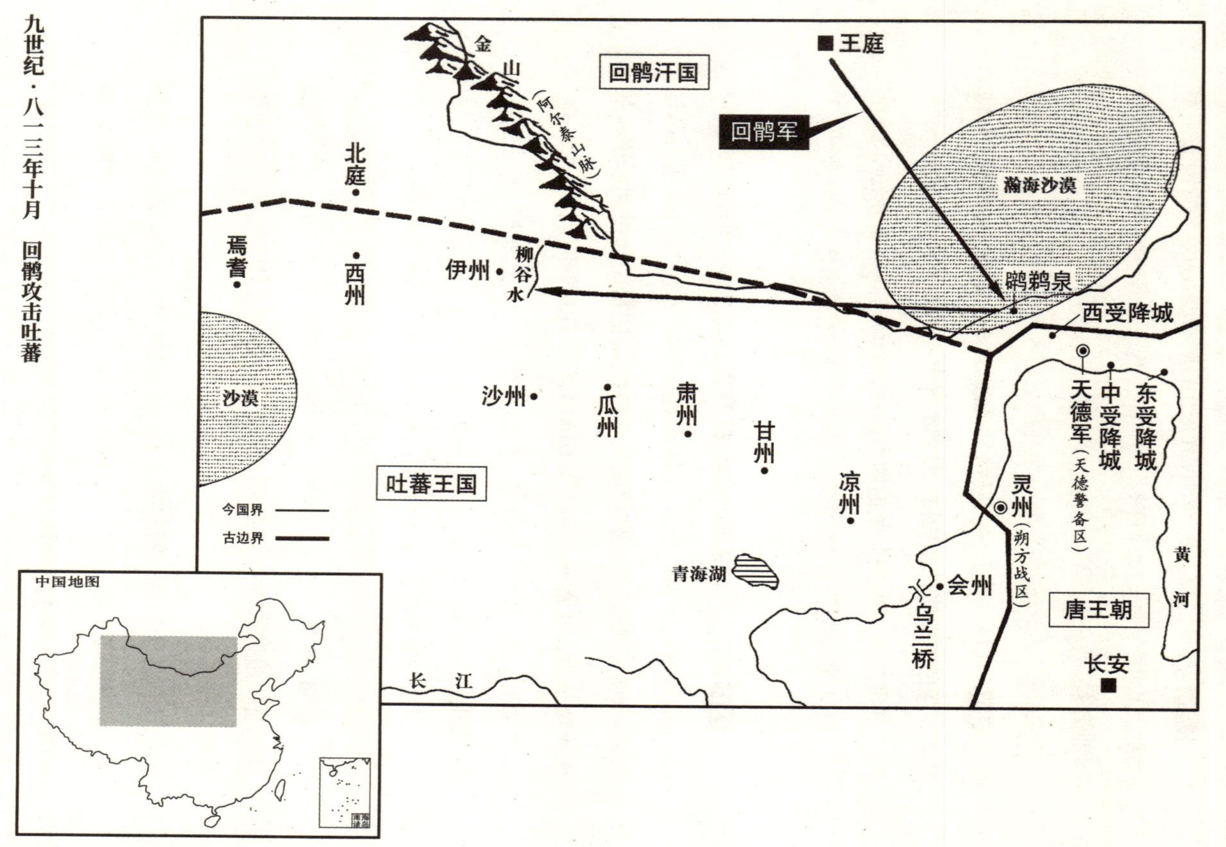

九世纪·八二三年十月　回鹘攻击吐蕃

13 振武战区（总部设单于府〔内蒙古和林格尔县〕）司令官（节度使）李进贤，不爱护士卒；执行官（判官）严澈，是国务院左最高执行长（左仆射）严绶的儿子（严绶以贿赂皇帝李适而不断擢升。参考七九六年六月），刻薄严厉，不近人情，却很受李进贤的赏识。李进贤派营门官（牙将）杨遵宪率骑兵五百人增援东受降城（内蒙古克托克县南），防备回鹘军南下，发给的装备和粮食草料，都有克扣，走到鸣沙（今地不详〔非鸣沙县〕），杨遵宪自己找一个房屋住进去，而让士卒暴露在风沙旷野之中。士卒们怒不可遏，夜晚，把木柴堆在房屋四周，纵火焚烧，把杨遵宪活活烧死，然后携带盔甲返回。

十二月十一日（原文误置于十月，据两《唐书》改），变军抵达单于府（内蒙古和林格尔县），再纵火烧毁城门，攻击李进贤，李进贤翻城逃走，士卒把他家男女老幼，全部屠杀；同时诛杀严澈。李进贤投奔静边军（山西省右玉县。属河东战区〔总部太原府〕）。

14 文武百官不断上疏，请封德妃郭女士当皇后。但李纯因郭女士门户强盛（郭女士是郭暧的女儿、郭子仪的孙女），恐怕一旦当了皇后，后宫其他美女就难以亲近，所以找个托辞，说时令禁忌，不肯答应。

15 十二月十八日，振武战区（总部设单于府〔内蒙古和林格尔县〕）监军宦官骆朝宽奏报说，兵变已经平定，请发给官兵冬装。李纯大怒，命夏绥战区（总部设夏州〔陕西省靖边县北白城则村〕）司令官（节度使）张煦，任振武战区司令官，率夏绥兵团二千人到差。又命河东战区（总部设太原府〔山西省太原市〕）司令官（节度使）王锷，派军二千人护送张煦，授权给张煦相机行事。

骆朝宽把罪状推到部将苏若方头上，斩首。

16 唐政府征调义成战区（总部设滑州〔河南省滑县〕）、魏博战区（总部设魏州〔河北省大名县〕）士卒，挖掘黎阳（河南省浚县）早已淤塞了的黄河古道十四华里，用以解除滑州（河南省滑县）水患。

17 李纯问各宰相说："有人说外面结党的风气非常流行，怎么回事？"李绛回答说："自古以来，帝王最痛恨的事，没有一件超过臣属'结党'。所以，卑劣的小人物陷害正人君子，总是咬定他'结党'，为什么？'结党'听起来使人厌恶，可是真正追究起来却又没有一点痕迹。东汉王朝末年，全国正人君子都被宦官指为'结党'，剥夺他们政治权利，王朝终于灭亡（"朋党"之名，事实上早在诛杀窦宪时，就已出现。参考九二年六月）。这都是恶棍陷害善良人士的武器，请陛下深入了解。正人君子当然跟正人君子合作，难道要他们跟卑劣小人合作，然后才可以称为'没有结党'！"

1 春季，正月二十六日，唐王朝（首都长安〔陕西省西安市〕）河东战区（总部设太原府〔山西省太原市〕）派军五千人，在善羊栅（山西省朔州市境）跟振武战区（总部设单于府〔内蒙古和林格尔县〕）新任司令官（节度使）张煦会师。

正月二十七日，张煦进入单于总督府（内蒙古和林格尔县），诛杀变军首领苏国珍等二百五十三人。

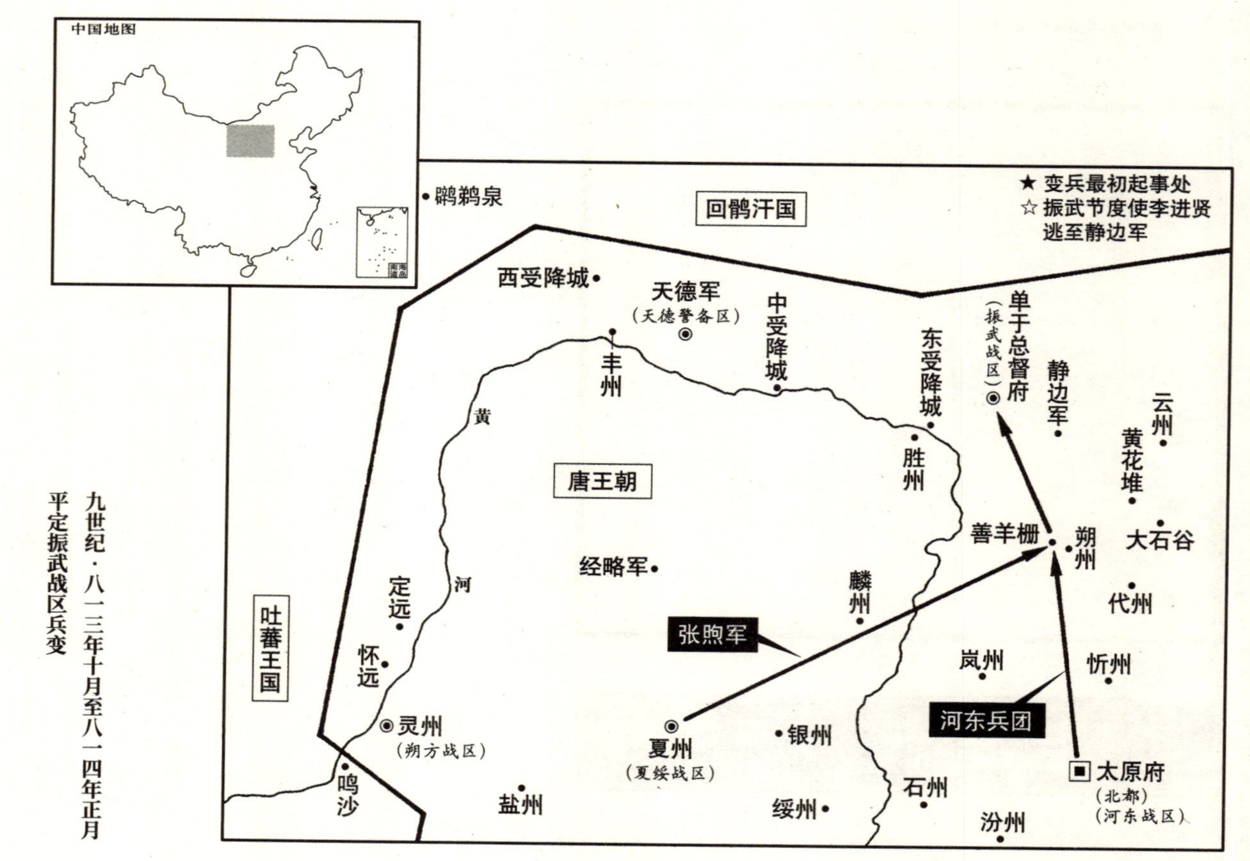

九世纪·八一三年十月至八一四年正月
平定振武战区兵变

二月丁丑日（二月己卯朔，没有丁丑），贬前战区司令官（节度使）李进贤当通州（四川省达州市达川区）州长。

二月十六日，监军宦官骆朝宽，被指控纵容变军犯罪，打八十棍，摘除官阶，发配定陵（六任帝李显墓，陕西省富平县西北龙泉山）做工。

2 宰相李绛屡次因脚痛辞职。

二月二十五日，免除李绛职务，调任国务院教育部长（礼部尚书）。

最初，唐帝（十四任宪宗）李纯准备命李绛当宰相，先把宦官吐突承璀贬出当淮南战区（总部设扬州〔江苏省扬州市〕）监军（参考八一一年十一月）。现在，李纯（本年三十七岁）打算召回吐突承璀，所以也先罢黜李绛。

二月二十六日，吐突承璀返抵京师（首都长安），再当宫廷军械库弓箭分库管理官（弓箭库使），仍当左神策军总指挥官（左神策中尉）。

3 宰相李吉甫奏报说："中央过去把'六胡州'迁置到灵州（宁夏灵武市）及盐州（陕西省定边县）境内（六胡州，参考七八六年十二月）。八世纪二〇年代，玄宗（九任帝李隆基）撤销六胡州，另设宥州统辖降户（六胡州人民内迁，参考七二二年九月）。八世纪四〇年代，宥州州政府迁到经略军基地（内蒙古鄂托克旗东。七〇四年，六胡州并为匡州、长州。七三八年，撤销匡州，在宥州州政府所在设延恩县〔内蒙古鄂托克旗南〕）。七六二年以来，在无人过问情形下，宥州州政府瓦解流失。我建议恢复，用以防备回鹘汗国（瀚海沙漠群），并慰劳安抚党项部落（陕西省北部）。"李纯接受。

夏季，五月十四日，恢复宥州，州政府设经略军基地（内蒙古鄂托克旗东），命鄜城（陕西省洛川县东南）神策军屯垦兵团九千人，进入驻防。

从前，回鹘汗国（瀚海沙漠群）屡次请求唐回两国皇族联婚，唐政府因公主出嫁，费用太高，一直没有允许。国务院教育部长（礼部尚书）李绛上疏说："回鹘凶悍强盛，不可以不严加防备；淮西（彰义战区，总部设蔡州〔河南省汝南县〕）贫苦穷迫，需要中央处处用心。而今，江淮（华东地区）一个大县，每年田赋收入，就有二十万串，足够采办公主的嫁妆，陛下为什么要爱惜一个县的田赋，而不笼络一个强悍的汗国？回鹘如果得到大唐许嫁公主的承诺，必然大喜过望，不再猜忌，我们就可以修筑城池，贮备武器，在边防工事全部完成后，专心对付淮西（彰义，总部蔡州），才有希望大获全胜。而今，公主既没有下嫁，西受降城（内蒙古五原县西北）的防务又十分空虚，沙漠口岸毫无准备，却突然修筑天德故城（内蒙古乌拉特前旗东北），刺激邻国生出疑心！万一北方传出警报，而淮西（彰义）遗留下的丑类，又要再苟延残喘几个月。如果蛮虏骑兵南下牧马，大唐除非有步兵三万人、骑兵五千人，便不足以抵抗阻挡。即令一年之内，把他们击败，所消耗的费用开支，恐怕公主的嫁妆无法相比！"李纯不接受。

4 五月十九日，桂王李纶逝世（李纶，是李纯的老弟）。

5 六月二十七日，擢升河中战区（总部设河中府〔山西省永济市〕）司令官（节度使）张弘靖，当国务院司法部长（刑部尚书）、二级实质宰相（同平章事）。张弘靖，是张延赏的儿子（张延赏以陷害李晟闻名，参考七八六年十二月）。

6 皇家文学研究官（翰林学士）独孤郁，是前宰相权德舆的女婿。李纯欣赏独孤郁的才华，叹息说："权德舆能找到独孤郁这样的女婿，我怎么找不到！"从前，公主只嫁皇亲国戚和高官贵爵家，李纯开始命各宰相在三公、部长，以及中级官员的弟子中，遴选优美文雅，将来可以担任重要官职的青年，征求他们的意见。很多家都不愿意，只有退休太保（三师之三）杜佑（参考前年〔八一二〕六月七日）的孙儿、太子宫政务管理官（司议郎，正六品上）杜悰愿意接受。

秋季，七月二十三日，李纯擢升杜悰当宫廷副总管（殿中少监）、驸马都尉，娶岐阳公主。岐阳公主，是李纯的长女，德妃郭女士（郭子仪孙女）所生。

八月十九日，成婚。岐阳公主品行贤德，杜家是一个庞大的家族，长辈不下数十人，岐阳公主态度谦卑，言语委婉，像一个普通平民出身的媳妇一样，遵守礼法。以后二十年之久，连最挑毛病的人，也挑不出，岐阳公主有一点骄傲。岐阳公主刚结婚，就跟杜悰商量说："皇上赏赐给我们的奴仆婢女，绝不可能向杜家的人低头听命，最好把他们送回皇宫，由我们自己到外面另买贫贱出身的男女，容易控制。"从此，家门之内一片寂静，听不到争吵的声音。

7 闰八月十二日，彰义（淮西）战区（总部设蔡州〔河南省汝南县〕）司令官（节度使）吴少阳逝世。

吴少阳在世时，暗中招揽亡命之徒，集结骡马，不断抄掠抢劫寿州（安徽省寿县）境里的茶山，用以充实军备（寿州属淮南战区〔总部扬州〕）。他的儿子吴元济摄理蔡州（河南省汝南县）州长，封锁老爹逝世消息，上疏皇帝，说老爹患病，自己主持军政（本年，吴元济三十二岁）。

李纯自从削平刘辟兵变（参考八〇六年九月），就打算消灭彰义（淮西）战区（总部设蔡州〔河南省汝南县〕）吴家班的割据。淮南战区（总部设扬州〔江苏省扬州市〕）司令官（节度使）李吉甫上疏说："吴少阳军队上下离心离德，我建议把本战区总部迁到寿州（安徽省寿县），加强准备。"但当时中央正在讨伐王承宗（参考八〇九年十月），没有工夫顾及。后来，李吉甫擢升宰相，魏博战区（总部设魏州〔河北省大名县〕）司令官（节度使）田弘正（田兴）归降中央（参考前年〔八一二〕十月）。李吉甫认为汝州（河南省汝州市）保卫东都洛阳（河南省洛阳市），而驻防河阳（河南省孟州市）的军队，本来是为了对付魏博（参考七八一年正月十七日），而今因田弘正（田兴）归降中央之故，河阳（河南省孟州市）已成为内地，不应再驻扎重兵，使人误会仍对魏博（总部魏州）猜忌。

闰八月十七日，李纯命河阳战区（总部设河阳县〔河南省孟州市〕）司令官（节度使）乌重胤，当汝州（河南省汝州市）州长兼河阳怀汝战区司令官（节度使），总部迁往汝州（河南省汝州市）。

闰八月二十五日，加授田弘正（田兴）中央官衔：国务院摄理右最高执行长（检校右仆射，使相）；犒劳官兵二十万串。田弘正说："没有比调走河阳（河南省孟州市）驻军，更使我欣喜。"

九月七日，命洺州（河北省邯郸市永年区东南广府镇）州长李光颜（阿跌光颜），当陈州（河南省周口市淮阳区）州长兼忠武战区（总部设许州〔河南省许昌市〕）总作战司令（都知兵马使）。命泗州（江苏省盱眙县淮河北岸）州长令狐通，当寿州（安徽省寿县）警备区司令（防御使。虽然军事上设警备区，但寿州的行政，仍隶属淮南战区〔总部扬州〕）。令狐通，是令狐彰的儿子（令狐彰，参考七七三年二月）。

九月十三日，命山南东道战区（总部设襄州〔湖北省襄阳市〕）司令官（节度使）袁滋，当荆南战区（总部设江陵府〔湖北省江陵县〕）司令官（节度使），命荆南战区司令官严绶，当山南东道战区司令官。

彰义（淮西）战区（总部设蔡州〔河南省汝南县〕）执行官（判官）苏兆、杨元卿、大将侯惟清，都劝过吴少阳放弃跟中央对抗，只身前去京师（首都长安）朝见；吴元济对他们痛恨入骨，于是，诛杀苏兆，囚禁侯惟清。杨元卿先前派到长安（陕西省西安市）奏事，把彰义（淮西）战区的虚实和如何克制吴元济的策略，都告诉宰相李吉甫，请求中央讨伐。当时，吴元济仍封锁老爹死讯，杨元卿建议李吉甫，凡从蔡州（河南省汝南县）派到长安（陕西省西安市）奏事的官员，抵达什么地方，就在什么地方扣留。吴少阳已死四十日，皇帝仍没有依照惯例，停止朝见一天，表示哀悼，却不断调动彰义（淮西）战区周围各军统帅，增援人马武器。吴元济诛杀杨元卿的妻子及四个儿子，用他们的血涂抹靶场墙壁。

彰义（淮西）战区旧将董重质，是吴少诚的女婿，吴元济用他当自己的智囊。

8 九月二十五日，命河东战区（总部设太原府〔山西省太原市〕）司令官（节度使）王锷，遥兼二级宰相（同平章事，使相）。

9 宰相李吉甫奏报李纯说：“淮西（彰义战区，总部蔡州）不同于黄河以北各战区，四周没有同党救援。可是政府却集结数十万大军长期戒备，劳力和经费，都不能支持。今天政府再不收回主权，以后就更难着手。”李纯将下讨伐令。宰相张弘靖建议：“先依照惯例为吴少阳的逝世停止朝会一天，追赠吴少阳高官，派使节前去吊丧。等吴元济有叛乱的行为时，然后出军。”李纯同意。派国务院工程部工程司副司长（工部员外郎）李君何前去祭悼。

吴元济拒绝钦差大臣入境，并且派兵四出，攻陷舞阳（河南省舞阳县），屠杀全城男女居民，一人不留；焚烧叶县（河南省叶县西南）；掳掠鲁山（河南省鲁山县）、襄城（河南省襄城县）；关东（潼关以东）震动惊骇。李君何不得其门而入，只好返回。

10 冬季，十月三日，副立法长（中书侍郎）、二级实质宰相（同平章事）赵公爵李吉甫逝世（年五十七岁）。

11 十月十九日，擢升忠武战区（总部设许州〔河南省许昌市〕）副司令官（节度副使）李光颜（阿跌光颜）当战区司令官（节度使）。

十月二十一日，命严绶当申光蔡三州慰劳安抚特使（招抚使），率领各战区道军队，讨伐吴元济。

十月二十二日，命宦官总管府秘书长（内常侍）代理宦官总管府总管（知省事）崔潭峻，当严绶大营的监军宦官。

十月二十五日，命国务院左秘书长（尚书左丞）吕元膺，当东都洛阳（河南省洛阳市）留守长官。

12 党项部落（陕西省北部）攻击振武战区（总部设单于府〔内蒙古和林格尔县〕）。

13 十二月二十五日，命国务院右秘书长（尚书右丞）韦贯之，兼二级实质宰相（同平章事）。

八一五年 乙未

唐　元和　十年

1 春季，正月十三日，唐王朝（首都长安〔陕西省西安市〕）皇帝（十四任宪宗）李纯（本年三十八岁），加授宣武战区（总部设汴州〔河南省开封市〕）司令官（节度使）韩弘中央官衔：暂任司徒（守司徒，三公之二）。韩弘镇守汴州（河南省开封市）十余年（七九九年迄今十七年），不曾去过京师（首都长安）朝见，因自己手握重兵，十分自负，中央也不把他当嫡系部队看待。河东战区（总部设太原府〔山西省太原市〕）司令官（节度使）王锷遥兼二级宰相（同平章事，使相）之后，韩弘认为地位比王锷低是一种耻辱，写信给宰相武元衡，强烈表示不满。中央正倚靠他的军队给吴元济压力，所以特别加高韩弘的官衔，位在王锷之上（宰相正三品，三公正一品），作为荣耀，表示皇家的特别恩典和宠爱。 180

2 彰义（淮西）战区（总部设蔡州〔河南省汝南县〕）变军首领吴元济指挥他的军队四出掳掠抢劫，逼近东都洛阳（河南省洛阳市）近郊。

正月二十七日，李纯下诏免除吴元济所有官爵，命宣武（总部汴州）等十六个战区道出军讨伐（韩愈《平淮西碑》记载：忠武〔总部许州〕司令官李光颜，率河东〔总部太原府〕、魏博〔总部魏州〕、郃阳〔陕西省合阳县，神策军基地〕三特遣兵团，河阳〔总部汝州〕司令官乌重胤，率朔方〔总部灵州〕、义成〔总部滑州〕、陕虢〔首府陕州〕、西川〔总部成都府〕、凤翔〔总部凤翔府〕、鄜坊〔总部鄜州〕、邠宁〔总部邠州〕七特遣兵团，宣武〔总部汴州〕司令官韩弘子韩公武，率宣武兵团，寿州州长李文通，率宣武〔总部汴州〕、淮南〔总部扬州〕、宣歙〔首府宣州〕、浙西〔首府润州〕、武宁〔总部徐州〕五特遣兵团，加上鄂岳〔首府鄂州〕、唐州〔总部唐州〕兵团；合共十八战区道，以及神策军，诸道攻击淮西变军）。山南东道战区（总部设襄州〔湖北省襄阳市〕）司令官（节度使）严绶发动攻击，获得小胜，就不再防备，淮西变军（蔡州）于夜晚反攻。

二月二日，严绶在磁丘（河南省泌阳县东北）大败，后退五十余华里，逃到唐州（河南省泌阳县）拒守。寿州（安徽省寿县）民兵司令（团练使）令狐通也被淮西变军击败，退回州城拒守，州境上各营寨守军，全数被淮西兵团摧毁屠杀（《新唐书·藩镇传》：淮西兵团攻陷霍丘〔安徽省霍邱县〕，在马塘〔今地不详〕屠城。令狐通据城〔应是寿州城〕守卫，不敢出击）。

二月十一日，中央命左金吾（卫军第十一军）大将军李文通接替令狐通，贬令狐通当昭州（广西平乐县）户籍官（司户）。

李纯下诏命鄂岳道（首府设鄂州〔湖北省武汉市〕）行政长官（观察使）

柳公绰，拨付五千人的军队给安州（湖北省安陆市）州长李听（李晟的儿子）讨伐吴元济（安州属鄂岳道）。柳公绰说："中央认为我是一个文弱书生，不懂军事！"立刻上疏，请求亲自率军出征；李纯批准。柳公绰到达安州（湖北省安陆市），李听全副武装，佩戴弓箭袋，以部属礼节参见。柳公绰把鄂岳道（首府鄂州）总作战司令（都知兵马使）以及先锋特遣兵团总纠察官（先锋行营兵马都虞候）两份人事任命状，再遴选士卒六千人，一并交给李听，告诫各部将说："军事行动，由统帅全权决定。"李听感激恩德，畏惧威严，就好像是柳公绰的部属一样。

柳公绰军令严明，军事上各项决定，各将领没有人不佩服。特遣兵团士卒，家属有病或有死亡，道政府都优厚看顾抚恤，有些人的妻子跟人通奸，柳公绰就把她丢到江里淹死。士卒大喜说："大帅为我治理家门，我怎能不前进拼死？"所以鄂岳兵团每次攻击，都传出捷报。柳公绰的坐骑，踢死马夫，柳公绰命把马杀掉，以祭祀马夫，有人说："是马夫自己不小心，这是一匹良马，可惜！"柳公绰说："它固是一匹良马，但它的性情恶劣，没有什么可惜的！"仍是把它杀掉。

3 河东战区（总部太原府）将领刘辅，格杀丰州（内蒙古五原县）州长燕重旰（丰州属天德警备区〔总部天德军城〕）。战区司令官（节度使）王锷，诛杀刘辅以及刘辅的同党。

4 王叔文（参考八〇五年八月）的同党被贬窜到外地的，十年之久，都没有酌量移向内地。宰相中有人怜惜人才，打算逐渐任用，于是把他们都召回京师（首都长安）。但谏官坚决反对，争着抨击，李

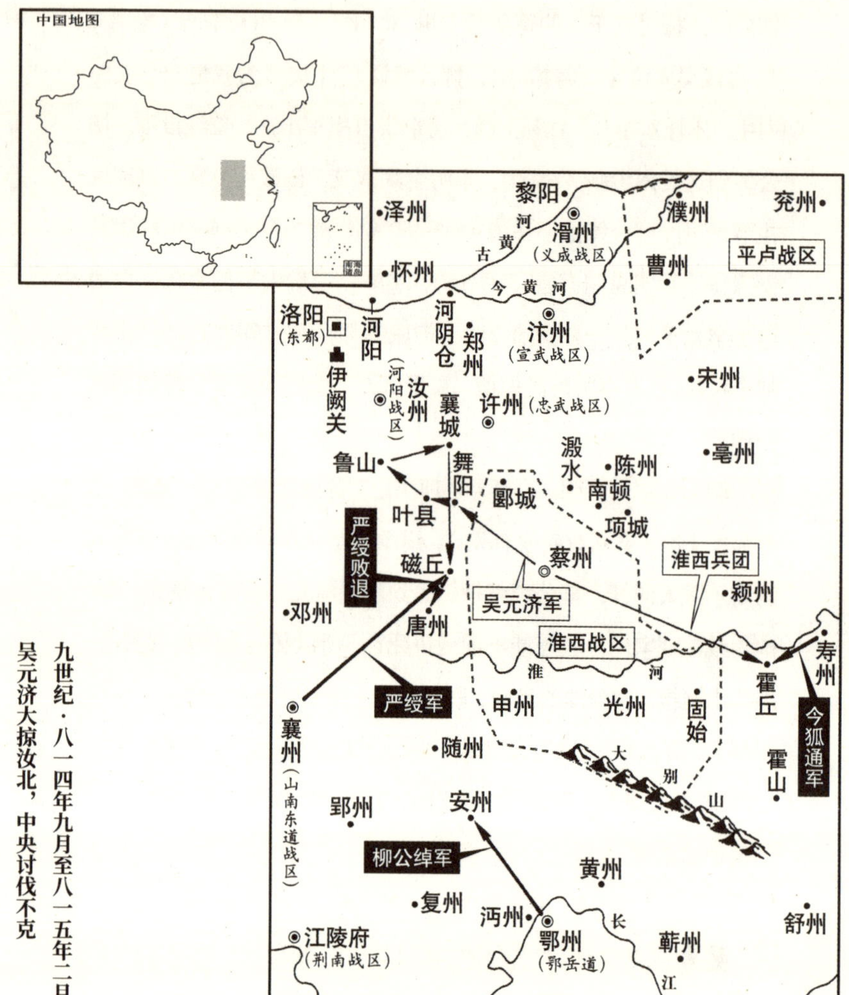

九世纪·八一四年九月至八一五年二月
吴元济大掠汝北，中央讨伐不克

纯和宰相武元衡，也对他们厌恶。

三月十四日，李纯把他们都派到荒凉的边疆当州长，官位虽然擢升，不过离京师（首都长安）更远：永州（湖南省永州市）军务秘书长（司马）柳宗元当柳州（广西柳州市）州长，朗州（湖南省常德市）军务秘书长（司马）刘禹锡当播州（贵州省遵义市）州长。柳宗元说："播州（贵州省遵义市）蛮荒，不是人类居住的地方，刘禹锡上有娘亲，决不可能母子同去！"打算请求中央准许他跟刘禹锡调换，自己去播州（贵州省遵义市）而让刘禹锡去柳州。正巧，副总监察官（御史中丞）裴度也为刘禹锡向皇帝求情说："刘禹锡固然有罪，但是娘亲已老，跟儿子生别就是死离，使人伤感！"李纯说："做人的儿子，尤其要自爱，不要教父母担忧；刘禹锡竟教娘亲担忧，惩罚应该更重。"裴度说："陛下正奉养皇太后，恐怕刘禹锡应受怜悯！"李纯想了很久，说："我所说的话，是责备当儿子的人，并不想伤害慈母的心！"退朝后，对左右侍从说："裴度到底是爱我！"明天，下诏调刘禹锡当连州（广东省连州市）州长（王叔文这些文化人朋友，于被贬十年后，自贬所召回京师〔首都长安〕，势将留在中央。但刘禹锡所作的一些诗，尤以《玄都观咏》："紫陌红尘拂面来／无人不道看花回／玄都观里桃千树／尽是刘郎去后栽。"当权人物大不高兴，遂明升暗降，远贬播州〔贵州省遵义市〕；李纯虽自称不愿伤做母亲的心，而连州〔广东省连州市〕更在朗州〔湖南省常德市〕之南航空距离四百八十公里，山深人稀，但已没有人敢再异议）。

柳宗元很会写作，曾写过《梓人传》，说："建筑师（梓人）不是工匠，他并不依靠斧头、刀锯的技巧，而只使用各种测量工具，观察各种木材，依照房屋格局，了解它的高度和深度，选择圆的方的，或长的短的，指挥手下的工匠，负责各自的工作，对不能胜任的人，立刻辞退。等到大厦落成，则只单独留下他的名字（直到二十世纪，乡村盖屋，建筑师的名字都要写在大梁之上），薪俸也高出工匠三倍。这情形跟国家的宰相一样，制定法令、修订规章、选择天下有才干的人，使他们都有适当的工作；安抚全国民众，使他们都可以安居乐业。有才能的擢升，没有才能的摒弃，等到天下太平，人们只纪念伊尹（商王朝四任帝）、傅说（商王朝二十三任帝子武丁的宰相）、姬旦（周王朝周公爵）、姬奭（周王朝召公爵），而不会纪念在他手下辛苦勤劳的文武百官。有些人不懂得提纲挈领、分层负责，只在那里炫耀自己的才干，经营自己的声望，亲自处理一些小事，侵犯其他官员的职权，跟人争执时，只在小节上斤斤计较，忘了重大的远程目标，是不懂当宰相的道理。”

又写《种树人郭橐驼传》（橐，音tuó〔驼〕），说：“郭橐驼所种的树，没有一棵不生长茂盛，有人问他有什么方法，郭橐驼回答说：‘我并不能让树木活得长久，也不能让树木活得蓬蓬勃勃。树木的性质，根部一定要有发展的空间，初移植时，一定要保留相当多原来的泥上。既然种下去，就不要再摇晃它，也不要担心它长得好不好。这时候，应该走得远远的，种植时像爱护儿子一样的爱护它，种植之后就像抛弃破东西一样的抛弃它，它自然会依照它的本性，茁壮成长。有些种树的人却恰恰相反，移植时把根砍削得跟拳头一样大小，泥土也都是新的，爱得太殷勤，忧得太过分，担心不会成长，早上看看它、晚上摸摸它；已经走开，又回头照顾；甚至用指甲抠破树皮，查验一下它是死是活，摇晃一下树干，观察泥土是紧是松。远离树木本性，虽说爱它，其实害它；虽说挂念它，其实仇视它。所以成果不如我！从政做官的人，跟这一样。我从前住在乡间时，看见官员喜欢颁布繁琐的命令，看样子很像是爱护人民，后来却总是给人民带来伤害。有时是早上，有时是晚上，官员忽然驾到，集合民众，宣读上级的文件，督促他们如何耕田，如何收割，如何养蚕，如何织布！我们这些小民全副精力都用在接待官员上，连饭都没有时间吃，又怎么能改善我们的生活，安宁我们的心情！现在这种物质困苦、精神怠倦的社会，都是这个缘故所造成。'”

这些都是柳宗元谈到治国之道的文章。

5 三月二十九日，忠武战区（总部设许州〔河南省许昌市〕）司令官（节度使）李光颜（阿跌光颜）奏报说："在临颍（河南省临颍县）大破淮西变军（蔡州）。"

6 魏博战区（总部设魏州〔河北省大名县〕）司令官（节度使）田弘正（田兴），派他的儿子田布，率魏博特遣兵团三千人，协助严绶的山南东道（总部襄州）特遣兵团，讨伐吴元济。

7 夏季，四月三日（原文误置于三月，据《新唐书》改），李光颜（阿跌光颜）又奏报说：在南顿（河南省项城市）击破淮西变军（蔡州）。

8 吴元济派使节向成德战区（总部设恒州〔河北省正定县〕）及平卢战区（总部设郓州〔山东省东平县〕）求救。成德战区司令官（节度使）王承宗、平卢战区司令官（节度使）李师道，屡次上疏皇帝，请求赦免吴元济，李纯不准。当时，李纯动员各战区出军讨伐吴元济，只没有调发平卢战区（总部郓州），平卢战区司令官（节度使）李师道派大将率军二千人，直向寿春（寿州州政府所在县，安徽省寿县），宣称协助中央军讨伐吴元济，实际上想乘机援救吴元济。

李师道平常豢养身子矫健的杀手数十人，待遇优厚。那些人建议李师道说："战争中最急需的东西，莫过于粮食。现在河阴仓（河南省郑州市西北桃花峪）积存江淮（华东地区）粮食，让我们秘密前往，放火把它烧掉。再招募东都洛阳（河南省洛阳市）地痞流氓数百人，抢劫城市人民财产，纵火焚烧皇宫，使中央没有多余的时间讨伐淮西（蔡州），只能先忙着救自己心脏地带的灾难。这也是支援淮西的一项奇异谋略。"李师道同意。自此之后，到处都发生盗匪抢劫案件。

四月十日，夜晚，盗匪数十人攻击河阴运输分监部（河阴转运院），杀伤十余人，纵火焚烧钱三十余万串、绸缎三十余万匹、稻谷三万余斛。于是，人心恐惧，文武百官纷纷请求停止讨伐吴元济；李纯不许。

9 中央各军讨伐吴元济，很久不能取胜。

五月，李纯派副总监察官（中丞）裴度，前往讨伐军大营慰劳，并考察作战情形。裴度回来后，说明必然胜利的情形，并特别指出："观察所有将领，只有李光颜（阿跌光颜）勇敢忠义，一定可以立功。"李纯大为高兴。

国务院文官部考核司司长（考功郎中）、诏书撰写官（知制诰）韩愈，上疏指出："淮西（彰义）战区（总部设蔡州〔河南省汝南县〕）不过三个小州（蔡州、申州〔河南省信阳市〕、光州〔河南省潢川县〕），农村残破，民生凋敝，在极端困难情况下，抵抗全国军队，失败和破灭，可以站在这里等候。唯一不能预测的，是陛下有没有决心！"遂一条条分析军事行动的利害得失，认为："各战区都派出特遣兵团二三千人，力量单薄，驻扎异乡异土，对盗贼的情形，一点也不了解，风吹草动，都十分恐惧。统帅因他们都是孤军客兵，对待他们往往十分刻薄，给他们的工作也十分艰苦。或者把他们分开，士卒跟他们所熟悉的将领不能留在一起，士卒心情孤单、胆小畏怯，难以立功。而他们所属战区，对他们所需要的粮食武器供应，路途遥远，劳力财力都要增加好多倍。听说陈州（河南省周口市淮阳区）、许州（河南省许昌市）、安州（湖北省安陆市）、唐州（河南省泌阳县）、汝州（河南省汝州市）、寿州（安徽省寿县）一带，跟盗贼（淮西战区）邻近地方，各村落的村民，都拥有武器，习惯作战，对淮西情形十分了解。这项民间武力，并没有充分利用，但他们愿意自备粮食、保卫家乡；如果由政府正式招募，立刻就可组成大军。等盗贼铲除之后，也很容易使他们复员，重新务农。请全部撤回各战区特遣兵团，而由招募的当地勇士取代。”又建议：“淮西兵团（蔡州）士卒，都是唐王朝人民，如果投降不再作恶，中央不应有过度的诛杀。”（李纯什么反应，史书不管。）

10 五月二十六日，李光颜（阿跌光颜）奏报说，在时曲（河南省漯河市南）击败淮西变军（蔡州）。

淮西变军一早就紧逼忠武兵团（总部许州）营门列阵，李光颜（阿跌光颜）无法冲出，于是自行拆毁军门两侧栅栏，发动骑兵攻击。李光颜（阿跌光颜）亲自率几名骑兵，直冲敌阵，杀入再杀出，杀出再杀入，来回三四次，淮西变军士卒都认识他，集中射击，李光颜（阿跌光颜）身上中的箭使他像一个大刺猬一样；他的儿子抓住马头阻止，李光颜（阿跌光颜）举起刀来把他骂走。于是人人争先拼死，淮西变军（蔡州）崩溃，被杀数千人。

李纯认为裴度有知人之明。

11 李纯自李吉甫逝世（参考去年〔八一四〕十月），把讨伐吴元济的事，全部交给武元衡。平卢战区（总部设郓州〔山东省东平县〕）司令官（节度使）李师道豢养的杀手游说李师道说："皇上所以誓死讨伐蔡州（河南省汝南县），都是武元衡的主意，如果把他暗杀除掉，其他宰相都会破胆，谁也不敢再坚持这件事，恐怕都要争着建议皇上停止军事行动。"李师道认为有理，发给足够的费用，派他们出发。

成德战区（总部设恒州〔河北省正定县〕）司令官（节度使）王承宗，派营门官（牙将）尹少卿前往京师（首都长安）奏事，并替吴元济寻求化解。尹少卿到立法院（中书）晋见宰相，言辞傲慢，武元衡把他喝骂出去。王承宗接着上疏攻击武元衡。

六月三日，天还没有亮，武元衡进宫朝见，刚走出所住的靖安坊东门，杀手从黑暗里突然冲出来，向武元衡射箭攻击，随从人员纷纷逃走，杀手拉住马头向前走了十余步，格杀武元衡，砍下人头带走。又到通化坊攻击裴度，裴度头部受伤，栽到水沟里，因毡帽有相当厚度，才保住性命。侍从王义从背后抱住杀手，大声呼叫，杀手砍断王义的一只手臂逃去。京师（首都长安）惊骇震动，陷于无名恐怖。李纯下令金吾卫（卫军第十一、十二军）骑兵，箭上弦、刀出鞘，严密保护宰相外出的安全，各坊大门都加派岗哨，对行人严密盘查，官员们天亮之前，不敢出门。李纯有时候早就登上金銮宝殿，等候很久，官员们仍未到齐。

杀手写信给金吾卫（卫军第十一、十二军），以及首都长安特别市政府（京兆府）、长安（长安西半城）、万年（长安东半城）两赤县县政府，警告说："不要急着搜捕，谁这样做，我先杀谁！"治安官员行动不敢积极。国务院国防部副部长（兵部侍郎）许孟容晋见李纯，说："自从开天辟地，从来没有发生过宰相尸首横躺路旁，却找不到凶手的，这是政府的耻辱！"不禁哭泣。许孟容又到立法院（中书），悲伤流泪，说：“请奏报皇上，擢升裴度当宰相，彻底搜捕匪徒，找出幕后那只黑手！”

六月八日，李纯下诏京师（首都长安）内外，每一个地方都要检查缉拿，捉到杀手的赏钱一万串，授给五品官阶；胆敢藏匿杀手的，全族屠灭。于是京师（首都长安）大肆搜索，高级官员家有夹墙、阁楼的，都一一调查。

成德战区（总部恒州）驻京办事处（进奏院）士卒张晏等数人，经常为非作歹，违法乱纪，大家对他们开始怀疑。

六月十日，神策军将军王士则等，指控成德战区（总部恒州）司令官（节度使）王承宗，派张晏等暗杀武元衡。治安人员逮捕张晏等八人，李纯命首都长安特别市长（京兆尹）裴武、行政监察官（监察御史）陈中师联合审问。

六月二十三日，李纯命把王承宗前后三次奏章，拿给文武百官过目，讨论他所犯的罪行。

裴度因受伤治疗休养，在病床上躺了二十天，李纯命警卫军士进驻他的住宅保护，慰劳的宦官在路上不断。有人请求把裴度撤职，用以安抚成德战区（总部恒州）王承宗和平卢战区（总部郓州）李师道。李纯大发雷霆说：“如果把裴度撤职，是奸人的谋略完全成功，帝国再也没有法律。我用一个裴度，足够击破两个蟊贼。”

六月二十四日，李纯召见裴度进宫谈话。

六月二十五日，命裴度当副立法长（中书侍郎）、二级实质宰相（同平章事）。裴度上疏说：“淮西叛徒（吴元济），是最严重的毒瘤，不得不除。而且中央已经出军讨伐。两河（黄河南北）那些割据军阀，都在严密注视这件事的发展，来决定他们将来的动向，决不可以半途中止。”李纯深深同意，把军事行动全部交给裴度，讨伐的工作越发积极。最初，十二任帝李适（音kuò〔阔〕）在位时，至为猜忌，文武百官有来往应酬的，金吾卫（卫军第十一、十二军）特务人员都秘密奏报，连宰相都不敢在自己家里接见宾客。裴度上疏说："现在盗匪还没有平息，宰相应该招揽延请各地的贤才，参与工作。"请求准许在私宅见客，李纯批准。

行政监察官（监察御史）陈中师审讯张晏等，张晏等一致承认刺杀武元衡；只宰相张弘靖怀疑是屈打成招，屡次报告李纯，李纯不接受。

六月二十八日，斩张晏等五人，诛杀党羽十四人。李师道派的真正杀手，最后仍是暗中逃走（四年后的八一九年，李师道被杀，田弘正〔田兴〕在郓州〔山东省东平县〕账簿上发现有赏赐刺死武元衡杀手的记载。参考该年二月）。

12 秋季，七月一日，朔方战区（总部设灵州〔宁夏灵武市〕）司令官（节度使）李光进（阿跌光进）逝世（年六十五岁）。

李光进（阿跌光进）跟胞弟李光颜（阿跌光颜）友爱，李光颜（阿跌光颜）先结婚，娘亲把家事交给他的妻子。娘亲逝世后，李光进（阿跌光进）才结婚，李光颜（阿跌光颜）命他的妻子把全家钥匙，以及财产账簿，归还长嫂。李光进（阿跌光进）全都退回，说："弟媳侍奉娘亲，娘亲命弟媳掌管家事，不可以随便更改。"兄弟二人握手流泪。

13 七月五日，下诏公布王承宗的罪行，拒绝接受他进贡，说："希望他彻底改过，自己捆绑，归降中央。讨伐的日期，等候命令。"

14 八月一日，日蚀。

15 李师道在东都洛阳（河南省洛阳市）设置招待所（留后院），本战区人员来来往往，十分杂乱，东都洛阳特别市政府（河南府）官员，不敢盘查。当时，淮西变军（蔡州）紧逼洛阳，东都警备军全部进驻伊阙（洛阳南龙门）。李师道派出精锐士卒，秘密进入洛阳招待所，多达数十人、数百人，阴谋放火焚烧东都皇宫，纵兵杀人抢财。杀猪宰羊，大宴各勇士，明天就要发动。部属中一位小卒直向东都警备区司令官（防御使）兼东都留守长官吕元膺告密。吕元膺急忙调回驻扎伊阙（洛阳南龙门）的警备军，包围平卢战区招待所。驻在招待所中的平卢变军突围而出，警备军尾追，不敢迫近。平卢变军遂冲出长夏门（洛阳南城东头第一门），向南方群山逃走。这时，洛阳震恐惊骇，警备军人数单薄，力量不足，吕元膺坐在皇宫城门下面，指挥安置，态度从容，东都人民才感到安全。

东都洛阳特别市（河南府），西邻虢州（河南省灵宝市）、南邻邓州（河南省邓州市），都是高山峻岭，树密林深，人民不从事农耕，只靠打猎为生，勇敢矫健，大家称他们“猎户”（山棚）。吕元膺悬赏重金，捉拿平卢战区东都招待所逃走的变军。几天后，一位猎户（山棚）出售他猎到的鹿，变军碰上，把鹿抢去，猎户（山棚）逃走，召集所熟悉的其他猎户（山棚），联合反抗，引导政府军把所有变军包围在山谷里，全部生擒。一一审讯，找出他们的首领，原来是中岳寺（在嵩山，河南省登封市北）的和尚圆净。圆净曾经是史思明的部将，勇猛凶悍，超过常人，向李师道献策，在伊阙（洛阳南龙门）跟陆浑（河南省嵩县）之间，大量购买田地，招待猎户（山棚）居住，供给他们饮食。有两个名叫訾嘉珍（訾，音zī〔资〕）、门察的人，率领部属秘密投奔圆净。圆净拿李师道千万钱，在洛阳兴建佛光寺，暗中集结党羽，拟订策略，预定訾嘉珍等在城里暴动，圆净则在山中燃起烽火，集合两县猎户，进城助战。圆净当时八十余岁，警备军俘虏他后，用铁锤锤敲他的小腿，竟不能折断，圆净诟骂说：“你们这些鼠辈，连人的小腿都敲不断，还敢自称好汉！”自己把小腿放妥，教他们如何敲断。绑赴刑场斩首时，圆净叹息说：“耽误我的大事，不能使洛阳血流成河。”党羽被处死的有数千人，包括留守长官府、洛阳警备区司令部的将领二人，驿马车站士卒八人，都接受李师道的任命，担任官职，充当李师道的间谍。

吕元膺审问訾嘉珍、门察，才知道刺杀武元衡的，是李师道所派的杀手。吕元膺呈递密奏，用囚车把二人押送京师（首都长安）。李纯既已公开讨伐王承宗，所以也不再追究真相。吕元膺上疏说：“割据称雄的军阀，有可以宽容的，都应宽容。但李师道竟阴谋血洗洛阳，焚烧皇宫，叛逆之情，更为狠毒，不可不诛杀。”李纯同意。但因正在讨伐吴元济，弃绝王承宗，没有能力再讨伐李师道。

16 八月二十七日，李光颜（阿跌光颜，忠武〔总部许州〕司令官）在时曲（河南省漯河市南）被淮西变军（蔡州）击败。

17 最初，李纯因严绶当河东战区（总部太原府）司令官（节度使），所派出的将领都能立功（指李光进〔阿跌光进〕兄弟等），所以调他当山南东道战区（总部设襄州〔湖北省襄阳市〕）司令官（节度使），并且督导中央讨伐军讨伐吴元济。事实上严绶没有其他能力，到职之后，把军库里的财物，全部拿出赏赐给士卒，多少年累积下来的辎重金钱，一天之内用光。平常只会用重金贿赂宦官，依作靠山。虽然拥有八个州的武装部队一万余人，驻扎州境之上，却紧闭营门，将近一年，没有传过一次捷报。宰相裴度不断指出严绶无能。

九月五日，李纯命宣武战区（总部设汴州〔河南省开封市〕）司令官（节度使）韩弘，当讨伐淮西（蔡州）各军总指战官（淮西诸军都统）。韩弘习惯于弄威专权，打算依靠敌人的压力，来增加自己的分量，所以，并不真正愿意淮西（蔡州）变军早被击灭。忠武战区（总部设许州〔河南省许昌市〕）司令官（节度使）李光颜（阿跌光颜），在各将领中，作战最为努力，韩弘打算讨他的欢心，搜遍大梁城（汴州州政府所在城，河南省开封市），物色到一位美女，教她唱歌、舞蹈、音乐，仅穿戴的珍珠宝玉、黄金翡翠，就值数百万钱，派人送给李光颜（阿跌光颜）；使节抵达后，先上疏约定呈献日期。李光颜（阿跌光颜）乃举行盛大宴会，慰劳将士；酒酣耳热时，使者呈献美女，艳丽出众，容貌绝世，座上的人都大为吃惊。李光颜（阿跌光颜）告诉使节说："相公（韩弘遥兼宰相）怜悯我孤身在外，赏赐美女，大恩大德，十分感激。然而，战士数万人，哪一个不是离乡背井、抛家弃室？从万里外远来此地，用肉体冒犯钢刀！我怎么忍心只单独娱乐我自己。"不禁流泪，在座的人都跟着哭泣。李光颜（阿跌光颜）就在筵席上赠送使节厚重的礼物，连同美女，一并送回，说："替我谢谢相公（韩弘），我以身许国，发誓跟叛徒不共戴天，除非战死，没有其他想法。"

18 冬季，十月三日，中央分割山南东道战区（总部设襄州〔湖北省襄阳市〕）为两个战区，命国务院财政部副部长（户部侍郎）李逊，当原战区司令官；命右羽林（禁军第二军）大将军（正二品）高霞寓当分割出来的唐随邓战区（总部设唐州〔河南省泌阳县〕）司令官。中央高阶层认为唐州（河南省泌阳县）跟淮西（彰义）战区（总部设蔡州〔河南省汝南县〕）相接，所以命高霞寓主持，负责军事行动，而命李逊征收五州的赋税供应支援（山南东道原辖八州：襄州、邓州〔河南省邓州市〕、郢州〔湖北省钟祥市〕、复州〔湖北省天门市〕、均州〔湖北省丹江口市西北〕、房州〔湖北省房县〕、随州〔湖北省随州市〕、唐州。如今分割唐随邓三州另置一战区，山南东道便只剩五州）。

19 十月四日，国务院司法部副部长（刑部侍郎）权德舆奏报说：“自从七三七年修订《法令判例大全》（《格式律令事类》。参考该年〔七三七〕七月）之后（迄今七十九年），有关法令判例的诏书，经过删定，又集结三十卷，请正式颁布实施！”李纯同意。

20 李纯虽然断绝成德战区（总部设恒州〔河北省正定县〕）司令官（节度使）王承宗的朝贡，但并没有下诏讨伐。魏博战区（总部设魏州〔河北省大名县〕）司令官（节度使）田弘正（田兴），率军进驻边境，王承宗不断把他击败。田弘正（田兴）愤怒，上疏请求出军，李纯不准；田弘正一连上疏十次，李纯才允许可向前推进到贝州（河北省清河县）。

十月九日，田弘正（田兴）率军抵达贝州（河北省清河县）。

21 十月十三日，东都洛阳（河南省洛阳市）奏报说，变民焚烧柏崖仓（河南省济源市西南）。

22 十一月，寿州（安徽省寿县）州长李文通奏报说，击败淮西变军（蔡州）。

十一月五日，讨伐淮西（彰义）各军总指战官（都统）韩弘，请求中央下令各军同时进攻淮西（彰义）。李纯同意。

李光颜（阿跌光颜，忠武〔总部许州〕司令官）、乌重胤（河阳〔总部汝州〕司令官），在小溵水（颍河支流，流经河南省漯河市郾城区北）击败淮西变军（蔡州），攻克溵水县城（河南省商水县）。

十一月八日，李纯命前山南东道战区（总部设襄州〔湖北省襄阳市〕）司令官（节度使）严绶当太子少保（太子三少之三）。

变民焚毁襄州（湖北省襄阳市）贮藏在佛教寺庙中的军事装备。中央下令把京师（首都长安）所堆积的草料，都运到四郊，防范火灾。

十一月十日，寿州（安徽省寿县）州长李文通，在固始（河南省固始县）击败淮西变军（蔡州）。

十一月十一日，变民焚烧献陵（一任帝李渊的坟墓，陕西省富平县南）的寝宫和甬道。

23 李纯下诏命振武战区（总部设单于府〔内蒙古和林格尔县〕）派军二千人，会同义武战区（总部设定州〔河北省定州市〕）特遣兵团，共同讨伐成德变军（总部恒州）首领王承宗。

24 十一月二十二日，吐蕃王国（首都逻些城〔西藏拉萨市〕）派使节前往陇州（陕西省陇县）要塞，请求自由贸易。李纯允许。

25 当初，吴少阳对信州（江西省上饶市）人吴武陵十分景仰，邀请他当自己的宾客幕僚，吴武陵不回答。吴元济叛变后，吴武陵写信规劝说：“你不要太肯定你的部属不欺骗你，人之常情，他们跟你一样，你背叛中央，他们也会背叛你。换一个立场推断，情形可以预知。”

26 十一月三十日，武宁战区（总部设徐州〔江苏省徐州市〕）司令官（节度使）李愿奏报说，击败平卢战区（总部设郓州〔山东省东平县〕）军。

当时，平卢战区司令官（节度使）李师道，不断派军攻击徐州（江

九世纪·八一五年三月至十一月

李光颜、乌重胤讨伐吴元济

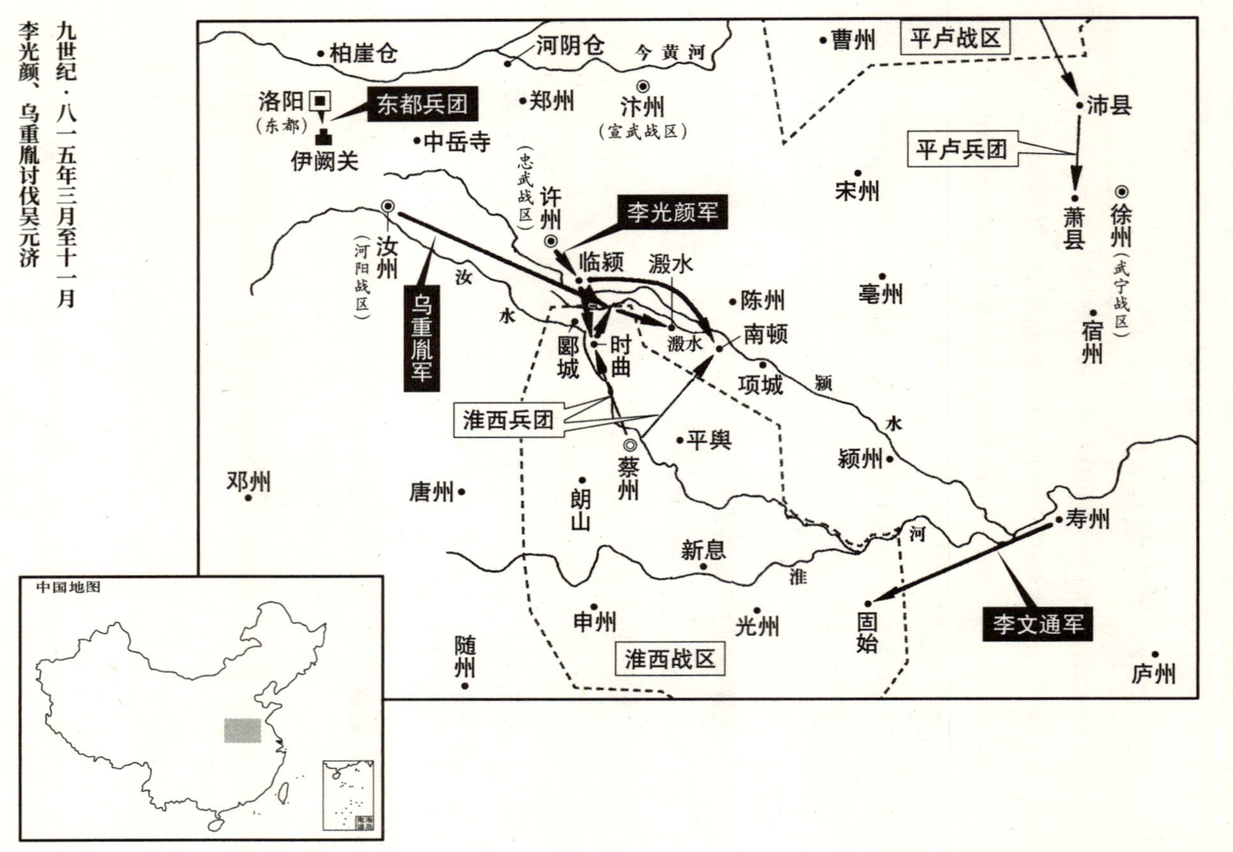

苏省徐州市)，攻破萧县(安徽省萧县)、沛县(江苏省沛县)。李愿把全部兵力交给内营管理官(押牙)温州(浙江省温州市)人王智兴反攻，把平卢军(总部郓州)击败(王智兴健行，参考七八一年十一月)。

十二月七日，王智兴又击破平卢军(总部郓州)，杀二千余人，追击到平阴(山东省平阴县)而回。李愿，是李晟的儿子(李晟，参考七六八年九月)。

27 东都洛阳(河南省洛阳市)警备区司令官(防御使)吕元膺，建议中央招募南方山猎户(山棚)，保卫洛阳皇城。李纯批准。

28 十二月二十八日，河东战区(总部太原府)司令官(节度使)王锷逝世(年七十六岁)。

29 成德战区(总部设恒州〔河北省正定县〕)司令官(节度使)王承宗挥军四出掳掠，卢龙(总部幽州)、横海(总部沧州)、义武(总部定州)三战区困苦。纷纷上疏请求讨伐王承宗，李纯打算批准。副立法长(中书侍郎)、二级实质宰相(同平章事)张弘靖认为："中央在南北两地同时作战，恐怕人力财力无法支持，应全力讨伐淮西(总部蔡州)，然后再讨伐成德(总部恒州)。"但李纯不肯同意，张弘靖遂请求辞职。

牛李党争

导读

唐王朝自中叶之后，带给人民的是一波又一波的灾难，李隆基先生在位时的严重腐败，开启了宦官干政的门户。李德裕先生的为父报仇，使政府官员身不由己的不入于“李党”，就入于“牛党”。唐王朝后期，党争表面化及白热化，几乎所有的事都牵涉党争，一次单纯的人事任命，或一件单纯的司法诉讼，背后都有一只看不见的党争黑手，已经崩溃了的最后道德防线，遂更加崩溃，党人为了打击对方，取得眼前一点利益，几乎无所不用其极，不得不跟宦官结合，两党的首领李德裕和牛僧孺，都必须投靠宦官和倚靠宦官提拔，才有官做；既成为宦官的党羽，独立人格的空间就很小了。面对这一段漫长的历史，如果细心的注意到当事人每一句话或每一次行动，都另有所指，就不禁哑然失色，感受到政治斗争下的官员，良知完全泯灭。

柏杨　一九九〇·六·一五

目录

九世纪

一〇年代

八一六—八一九年

唐王朝

- 围攻彰义（淮西）战区，生擒吴元济斩首。
- 韩愈谏迎佛骨，贬谪潮州。
- 平卢战区兵变，斩李师道。
- 沂海道兵变，斩王遂。

八一六年

丙申

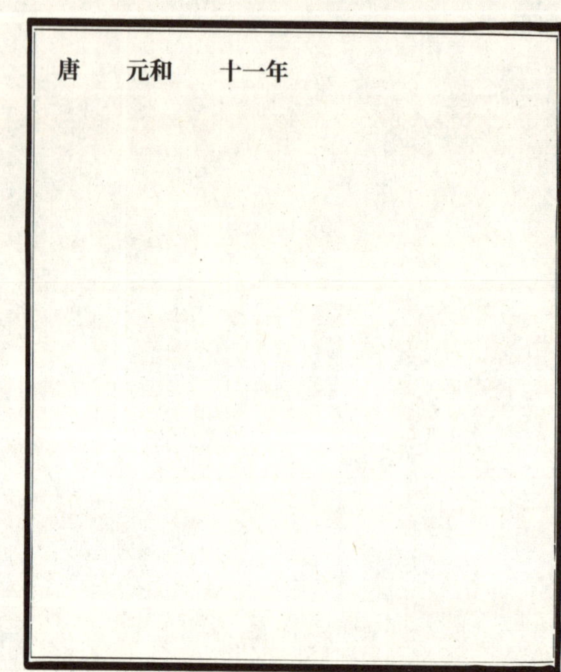
唐　元和　十一年

1 春季，正月三日，唐王朝（首都长安〔陕西省西安市〕）皇帝（十四任宪宗）李纯（本年三十九岁），命张弘靖遥兼二级宰相（同平章事，使相），充当河东战区（总部设太原府〔山西省太原市〕）司令官（节度使）。

2 卢龙战区（总部设幽州〔北京市〕）司令官（节度使）刘总奏报说：击败成德变军（总部设恒州〔河北省正定县〕），攻克武强（河北省武强县），杀一千余人。

3 正月十四日，皇家文学研究官（翰林学士）兼立法官（中书舍人）钱徽、国务院国防部畜牧司司长（驾部郎中）兼皇家诏书撰写官（知制诰）萧俛，分别解除兼职，专任本职。当时文武百官请求停止讨伐行动的人很多，李纯十分厌恶，所以罢黜钱徽、萧俛，作为对别人的警告。钱徽，是吴县（江苏省苏州市）人。

4 正月十七日，李纯下诏剥夺成德战区（总部设恒州〔河北省正定县〕）司令官（节度使）王承宗的官职爵位。命河东（太原府）、卢龙（幽州）、义武（定州）、横海（沧州）、魏博（魏州）、昭义（潞州）等六战区，出军讨伐。宰相韦贯之屡次请求先集中力量讨伐吴元济（淮西〔总部蔡州〕首领），再讨伐王承宗；警告李纯说："陛下难道没有看见八世纪八〇年代初期的事？最先是讨伐魏博（魏州），后来又讨伐平卢（郓州），引起淮宁（蔡州）、卢龙（幽州）、恒冀（恒州）强烈反弹，终于招来朱泚之乱（参考七八三年十月），就是因为德宗（十二任帝李适）不能多忍受几年愤怒，希望天下太平的心，太急太切！"李纯不理。

5 正月十八日，盗贼砍断建陵（十任帝李亨墓，陕西省礼泉县北武将山）墓园大门列戟四十七支。

6 二月，西川战区（总部设成都府〔四川省成都市〕）奏报说，吐蕃王国（首都逻些城〔西藏拉萨市〕）国王（三十九任）足之煎逝世，新国王可黎可足继位（四十任）。

7 二月九日，擢升立法官（中书舍人）李逢吉当副监督长（门下侍郎）兼二级实质宰相（同平章事）。李逢吉，是李玄道的曾孙（李玄道是“十八学士”之一，参考六二一年十月）。

8 二月十九日，昭义战区（总部设潞州〔山西省长治市〕）司令官（节度使）郗士美奏报说：击破成德变军（总部恒州），杀一千余人。

9 南诏王国（首都苴咩城〔云南省大理市〕）。国王（五任）劝龙晟，荒淫凶暴，无论上下，都一片怨恨：该国弄栋战区（总部设弄栋城〔云南省姚安县〕）司令官（节度使）王嵯巅（嵯，音cuó〔瘥〕）发动政变，斩劝龙晟，拥护劝龙晟的老弟劝利继位（六任王）。劝利感激王嵯巅，赏赐他姓蒙，称之为“大容”。大容，南诏话“皇兄”之意。

10 二月二十三日，卢龙战区（总部设幽州〔北京市〕）司令官（节度使）刘总，击破成德变军（总部恒州），杀一千余人。

11 荆南战区（总部设江陵府〔湖北省江陵县〕）司令官（节度使）袁滋的老爹及祖父的坟墓，都在朗山（河南省确山县），请求到中央朝见，打算劝皇帝停止军事行动（朗山是蔡州〔河南省汝南县〕属县）。走到邓州（河南省邓州市），听见萧俛、钱徽因反战被免职消息，大为震惊，等晋见李纯时，立刻改口，反而坚持继续作战，认为一定可以传出捷报，才总算回任。

12 二月二十五日，魏博战区（总部设魏州〔河北省大名县〕）奏报说；击败成德变军（总部设恒州），攻克固城（河北省南宫市境）。

二月二十九日，又奏报说，攻克鸦城（南宫市西北）。

13 三月四日，皇太后王女士（李纯的娘亲）逝世（年五十四岁）。

三月五日，李纯下诏说，因为国家大丧，各机关公事，暂时呈报宰相联合办公厅（中书门下）裁决，不再设置帝国最高摄政（冢宰）。

14 寿州（安徽省寿县）民兵司令（团练使）李文通奏报说：在固始（河南省固始县）击败淮西变军（总部蔡州），攻克鏉山（固始县东）。

三月十三日，唐随邓战区（总部设唐州〔河南省泌阳县〕）司令官（节度使）高霞寓奏报说：在朗山（河南省确山县）击败淮西变军（总部蔡州），杀一千余人，烧毁两座营寨。

15 卢龙战区（总部设幽州〔北京市〕）司令官（节度使）刘总，包围驻扎于乐寿（河北省献县）的成德变军（总部恒州）。

16 夏季，四月五日，忠武战区（总部设许州〔河南省许昌市〕）司令官（节度使）李光颜（阿跌光颜）、河阳战区（总部设汝州〔河南省汝州市〕）司令官（节度使）乌重胤奏报说，在陵云栅（河南省漯河市北）击败淮西变军（总部蔡州），杀三千人。

17 四月十六日，李纯命农林部长（司农卿）皇甫镈（音bó〔博〕）兼副总监察官（兼御史中丞），暂任全国财政总监（权判度支）。皇甫镈因搜刮聚敛民间财富，受到皇帝宠爱。

18 四月二十日，刘总奏报说：在深州（河北省深州市）击败成德变军（总部恒州），杀二千五百人。

四月三十日，义武战区（总部设定州〔河北省定州市〕）司令官（节度使）浑镐（音hào〔浩〕）奏报说：在九门（河北省石家庄市藁城区西北）击败成德变军（总部恒州），杀一千余人。浑镐，是浑瑊的儿子（浑瑊事，参考七五六年四月十一日）。

19 五月（原文误置于四月，据两《唐书》改），宥州（内蒙古鄂托克旗东）兵变，驱逐州长骆怡。夏绥战区（总部设夏州〔陕西省靖边县北白城则村〕）司令官（节度使）田进讨平变乱（宥州属夏绥战区）。

20 五月七日，李光颜（阿跌光颜）、乌重胤奏报说：在陵云栅（河南省漯河市北）再击败淮西变军，杀二千余人。

21 六月十日，唐随邓战区（总部设唐州〔河南省泌阳县〕）司令官（节度使）高霞寓在铁城（河南省遂平县西南）大败，仅逃出一命。当时，各战区将领讨伐淮西（总部蔡州），胜则虚报战果，夸张格杀及俘虏数目，败则闭口不言；这次，高霞寓全军覆没，没有办法掩饰，才不得不奏报中央，中外大为惊愕。宰相们进宫朝见，打算劝李纯停止讨伐。李纯说："胜败是战场上的常事，现在只需要讨论战术战略，对不能胜任的将领早日撤换，对军粮不继的地方想办法增加供应。怎么可以因一个将领一次战役失利，就立刻讨论中止作战！"决心只采用裴度的意见，反战论调稍稍平息。

六月十五日，高霞寓退保唐州（河南省泌阳县）。

李纯彻查高霞寓大败的原因，高霞寓指控山南东道战区（总部设襄州〔湖北省襄阳市〕）司令官（节度使）李逊的粮食不能及时供应。

秋季，七月十三日，贬高霞寓当归州（湖北省秭归县）州长，贬李逊当恩王李连的辅佐官（傅。李连，是十一任帝李豫〔李俶〕的儿子）。命东都洛阳（河南省洛阳市）特别市长（河南尹）郑权当山南东道战区（总部襄州）司令官（节度使），命荆南战区（总部设江陵府〔湖北省江陵县〕）司令官（节度使）袁滋，当彰义（淮西）战区司令官（节度使）兼申光蔡唐随邓道行政长官（观察使），战区总部及道政府设唐州（河南省泌阳县）。

七月十八日，宣武战区（总部设汴州〔河南省开封市〕）奏报说：击破郾城（河南省漯河市郾城区）淮西变军（总部蔡州）二万人，杀二千余人，俘虏一千余人。

22 田弘正（田兴）奏报说：在南宫（河北省南宫市）击破成德变军（总部恒州），杀二千余人。

23 副立法长（中书侍郎）、二级实质宰相（同平章事）韦贯之，性情高傲，喜爱批评别人，又屡次请求停战，监督院初级监督官（左补阙）张宿在皇帝面前对他抨击，说他结党营私。

八月九日，免除韦贯之宰相职务，改任国务院文官部副部长（吏部侍郎）。

24 中央讨伐成德（总部恒州）各军将领，互相观望，谁都不愿单独前进，只昭义战区（总部设潞州〔山西省长治市〕）司令官（节度使）郗士美，率精锐部队紧压成德（总部恒州）边界。

八月二十六日，郗士美奏报说：在柏乡（河北省柏乡县）大破成德变军（总部恒州），杀一千余人，俘虏一千余人，建立三座营垒包围柏乡（河北省柏乡县）。

25 八月二十七日，李纯把娘亲王女士，安葬丰陵（老爹十三任帝李诵墓，陕西省富平县东瓮金山），绰号庄宪皇后。

26 九月十三日，立法院见习立法官（右拾遗）独孤朗因反对中央讨伐行动，贬作兴元（陕西省汉中市）特别市政府出纳官（仓曹）。独孤朗是独孤及的儿子（独孤及事，参考七六五年三月）。

27 饶州（江西省鄱阳县）大水成灾，冲走四千七百户。

28 九月十四日，命韦贯之当湖南道（首府设潭州〔湖南省长沙市〕）行政长官（观察使），这是对他反战的继续谴责。

九月十九日，把国务院文官部副部长（吏部侍郎）韦顗（音yǐ〔乙〕）、考核司副司长（考功员外郎）韦处厚等，贬作边远荒凉地区州长；全由于张宿的谗言陷害，认为他们是韦贯之的一党。韦顗，是韦见素的孙儿（韦见素当过宰相，参考七五四年八月）。韦处厚，是韦夐的九世孙（韦夐，参考五五九年六月）。

29 九月二十三日，李光颜（阿跌光颜，忠武〔总部许州〕司令官）、乌重胤（河阳〔总部汝州〕司令官）奏报说：攻克淮西变军（总部蔡州）陵云栅（河北省漯河市北）。

九月二十五日，李光颜（阿跌光颜）又奏报说：攻克石、越二栅（今地不详）。寿州（安徽省寿县）奏报说：在殷城（河南省商城县）击败淮西变军（总部蔡州），连克六个营寨（《新唐书·藩镇彰义传》记载，是于九女原〔商城县东〕击败变军）。

30 冬季，十一月一日，容州军管区（首府设容州〔广西北流市〕）奏报说：黄洞蛮（广西西南部一带部落）聚众起兵。

十一月四日，邕州军管区（首府设邕州〔广西南宁市〕）奏报说：攻击黄洞蛮，阻止他们前进；收复宾州（广西宾阳县）、峦州（宾阳县东南）等州。

31 十一月五日，命卢龙战区（总部设幽州〔北京市〕）司令官（节度使）刘总，遥兼二级宰相（同平章事，使相）。

32 平卢战区（总部设郓州〔山东省东平县〕）司令官（节度使）李师道，听说中央讨伐淮西大军攻克陵云栅（河北省漯河市北），开始畏惧，上疏诈称拥护中央。李纯因没有讨伐他的力量，只好加授李师道中央官衔：摄理司空（检校司空，三公之三）。

33 河东战区（总部设太原府〔山西省太原市〕）前司令官（节度使）王锷家的两位奴仆，向中央检举王锷的儿子王稷，擅自涂改老爹的遗疏（王锷逝世，参考去年〔八一五〕十二月），隐藏所呈献的家产。李纯怦然心动，命皇宫禁卫（内仗）审讯，派宦官去东都洛阳查抄王锷家产。宰相裴度劝阻说：“王锷逝世后，呈献给皇上的金银珍宝，已不算少。今天又因奴仆的检举，查抄家产，我恐怕各将领听到这个消息，都会忧虑他死后子孙的命运。”李纯立即命派出的宦官返回。

十一月八日，把两名奴仆交给首都长安特别市政府（京兆府），乱棍打死。

34 十一月九日，擢升御前监督官（给事中）柳公绰，当首都长安特别市长（京兆尹）。

柳公绰刚上任，神策军一个低级军官骑马在长安街上奔跑，直冲柳公绰的前导卫士，柳公绰勒马停下，命把该军官乱棍打死。明天，柳公绰前往延英殿朝见，李纯脸色铁青，质问他擅自杀人的情形。柳公绰回答说：“陛下不认为我愚昧，使我主持长安市政，市长象征京师的尊严。而今刚刚接事，一个低级军官竟敢如此无礼，这也是轻视陛下，不仅是轻视我而已。我只知道责打无礼之辈，不知道他是神策军军官。”李纯说：“为什么不奏报？”柳公绰说：“我的职责是处罚，不是奏报。”李纯说：“谁应该奏报？”柳公绰说：“神策军应该奏报。如果死在路旁，金吾卫（卫军第十一、十二军）士卒及巡街警察应该奏报；如果死在坊里，巡察官应该奏报。”李纯扣不上他的罪名。退朝后，对左右宦官说：“你们要小心这个人，我也怕他。”

35 中央讨伐淮西（总部蔡州）大军将近九万人，却长久不能立功，李纯十分恼怒。

十一月二十日，派宫廷机要室主任宦官（知枢密）梁守谦去前线慰问，并留下来担任监军，交给他空着姓名及职衔的人事任命状五百份及相当数量的金钱和绸缎布匹，用以奖励为国效命的战士。

十一月二十九日，先加授李光颜（阿跌光颜）等摄理（检校）中央高官官衔，同时下诏严厉责备，声称再不能立功时，将予惩罚。

36 十一月三十日，寿州（安徽省寿县）警备区司令（防御使）李文通奏报说：在固始（河南省固姑县）击败淮西变军（总部蔡州），杀一千余人（《新唐书·藩镇彰义传》记载：李文通于安阳山〔固始县东南二十公里〕击败淮西变军）。

37 十二月十一日，横海战区（总部设沧州〔河北省沧州市东南〕）司令官（节度使）程执恭奏报说：在长河（山东省德州市）击败成德变军（总部恒州），杀一千余人。

38 义武战区（总部设定州〔河北省定州市〕）司令官（节度使）浑镐，跟成德变军（总部恒州）王承宗作战，屡战屡胜，遂率全部军队进入成德边境，距恒州（河北省正定县）三十华里处驻扎。王承宗恐惧，派军秘密进入义武（总部定州）境内，焚烧房舍，抢夺财产；出征官兵因担忧家人，而信心动摇。正巧，钦差宦官到前方督战，浑镐率特遣兵团抵达恒州（河北省正定县），跟成德变军（总部恒州）会战，大败，逃回定州（河北省定州市）。

十二月十五日，李纯下诏，擢升易州（河北省易县）州长陈楚，当义武战区（总部定州）司令官（节度使）。军中听到这个消息，立即攻击浑镐，劫掠浑家财产，浑家男女老幼的衣服都被剥下来，一个个赤身裸体。陈楚飞马进入定州（河北省定州市），镇压骚动，搜索军中所劫掠的衣服，还给浑镐，派军护送浑镐回京（首都长安）。陈楚，是定州（河北省定州市）人，前战区司令官（节度使）张茂昭（张升云，现任河中战区〔总部设河中府，山西省永济市〕司令官〔节度使〕）的外甥。

39 十二月十六日，擢升皇家文学研究官（翰林学士）王涯，当副立法长（中书侍郎）、二级实质宰相（同平章事）。

40 袁滋抵达总部所在地唐州（河南省泌阳县），不再派出斥候侦探，禁止部队进入淮西变军（总部蔡州）辖境。淮西变军（总部蔡州）包围新兴栅（泌阳县东北），袁滋派人卑屈的向吴元济（淮西〔总部蔡州〕首领）请求解围，吴元济从此不把袁滋看在眼里，中央得到报告。

十二月二十三日，命太子宫总管（太子詹事）李愬（音sù〔素〕）当唐随邓战区（总部设唐州〔河南省泌阳县〕）司令官（节度使）。李愬，是李听的老哥（都是李晟的儿子）。

41 开始设置淮颍水路运输总监（淮颍水运使）。

全国运输总监署扬子（江苏省扬州市南长江渡口）运输分署（扬子院）所有粮船，开始自淮阴（江苏省淮安市淮阴区）进入淮河，逆流而上，进入颍水，经过项城（河南省沈丘县），转入溵水（沙河），抵达郾城（河南省漯河市郾城区），供应中央讨伐淮西（总部蔡州）各道大军。比经过汴水，节省运费七万余串。

42 十二月二十八日，容州军管区（总部设容州〔广西北流市〕）奏报说：黄洞蛮（广西西南部一带部族）攻陷岩州（广西来宾市），杀尽全城男女老幼。

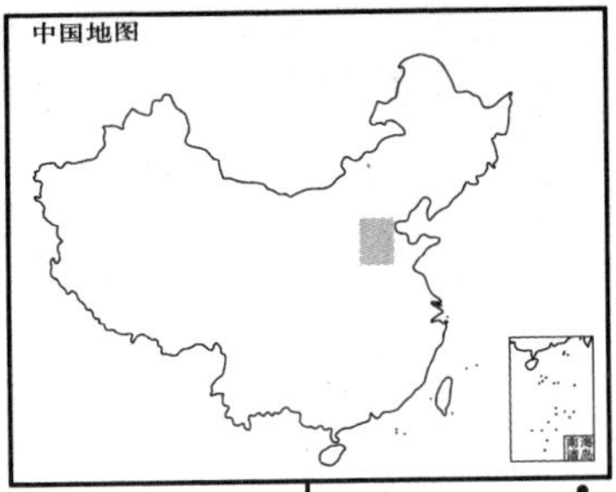

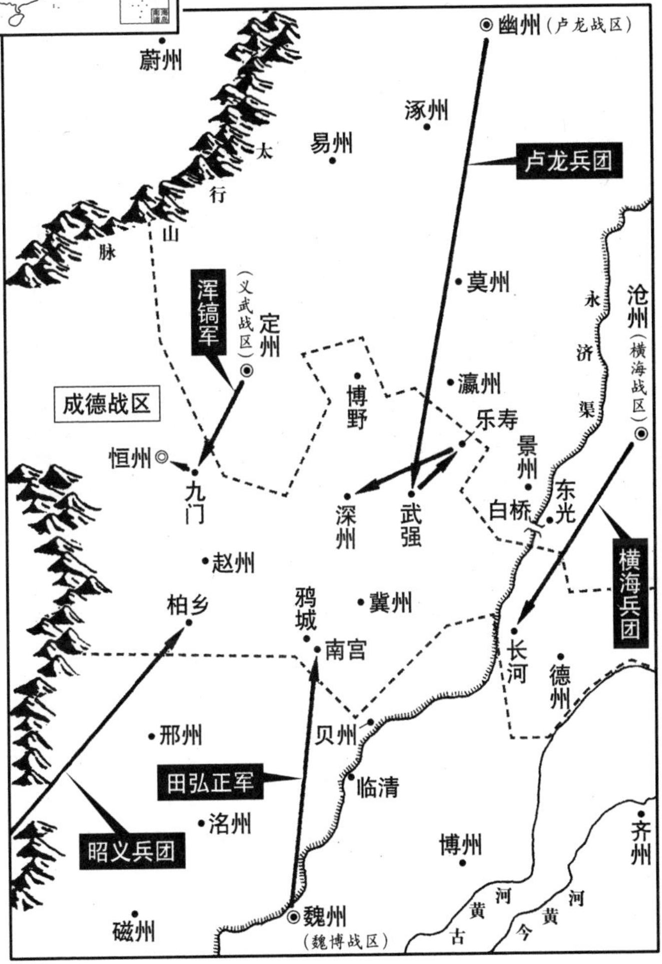

九世纪·八一六年正月至十二月 五战区讨伐成德王承宗

中国地图
南海诸岛
幽州（卢龙战区）
蔚州
涿州
易州
太行山脉
卢龙兵团
莫州
永济渠
沧州（横海战区）
浑镐军
定州（义武战区）
成德战区
博野
瀛州
乐寿
景州
恒州
九门
深州
武强
白桥
东光
横海兵团
赵州
柏乡
鸦城
冀州
南宫
长河
德州
邢州
贝州
临清
田弘正军
洺州
昭义兵团
博州
齐州
磁州
魏州（魏博战区）
古黄河
今黄河

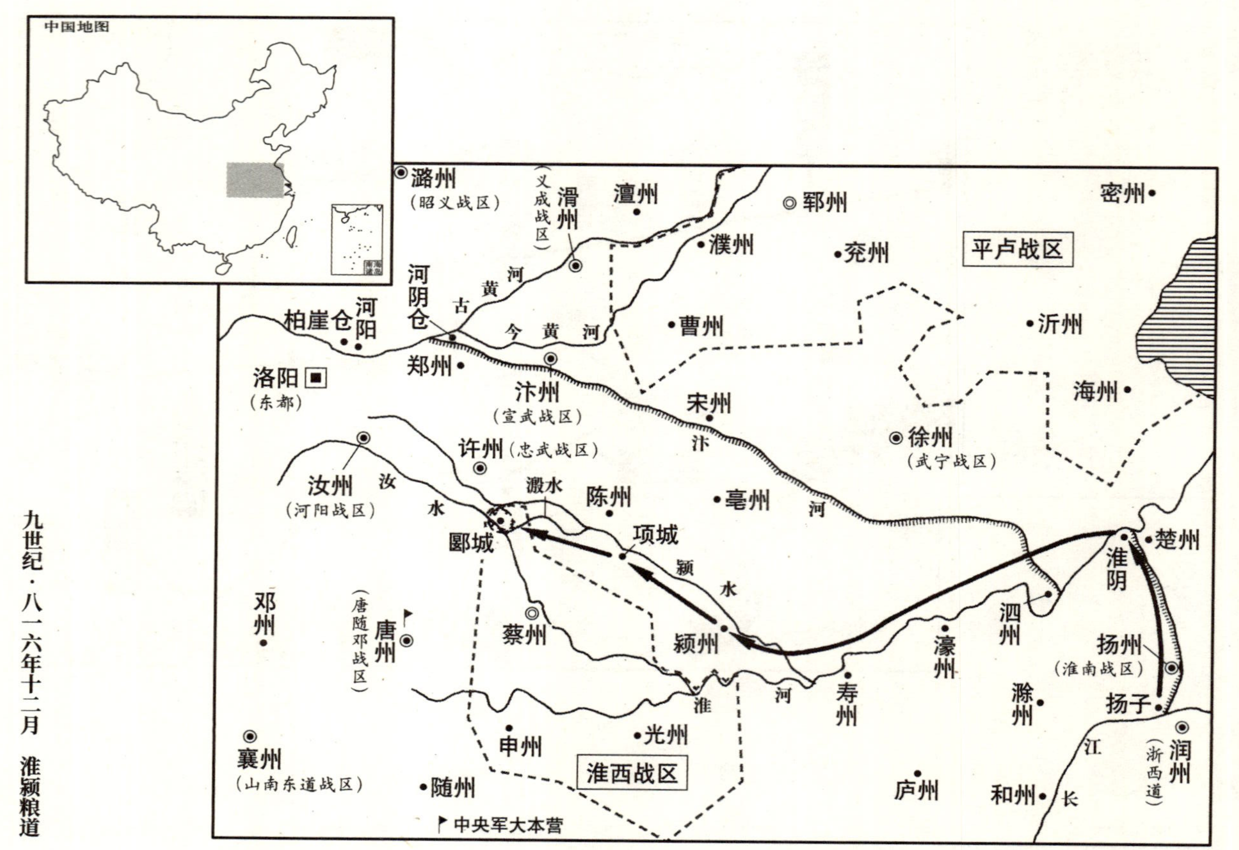

九世纪·八一六年十二月 淮颍粮道

唐　元和　十二年

1 春季，正月二十四日，唐政府（首都长安〔陕西省西安市〕）贬袁滋当抚州（江西省抚州市临川区）州长。

2 唐随邓战区（总部设唐州〔河南省泌阳县〕）司令官（节度使）李愬（音sù〔素〕），抵达唐州（河南省泌阳县），大军在战败丧师的情绪下（去年〔八一六〕六月，高霞寓在铁城战败；十二月，袁滋又在新兴栅战败），士气沮丧，官兵畏惧作战。李愬了解情况恶劣，有出来迎接他的，李愬就告诉他们说:“天子知道我性情懦弱,能够忍受羞辱,所以派我来对你们慰问安抚。至于战场厮杀,不是我的事。”大家相信他的话,军心才安定。

李愬亲自到各处跟士卒接近,对伤患、染病的士卒,一一照顾,不端大帅的嘴脸。有人提醒他:“你这样的话,军令就不能执行。”李愬说:“我并不是不知道,但袁滋希望用恩德感动叛徒,叛徒没有把他看在眼里,听到我来上任,一定增强戒备,我故意显示军营乱七八糟,他必然认为我同样懦弱,戒备才会懈怠,我才有机会施展谋略。”淮西变军(总部蔡州〔河南省汝南县〕)自以为曾经击败过高霞寓、袁滋二位统帅,对于默默无闻、官卑职微的李愬,更是轻视,不加防范。

3 唐帝(十四任宪宗)李纯(本年四十岁)派全国盐铁专卖暨运输副总监(盐铁副使)程异,前往江淮(华东地区)催征财赋。

4 回鹘汗国(瀚海沙漠群)屡次请求迎娶唐王朝公主,主管机关估计费用将高达五百万串。当时,中原正有军事行动,所以李纯不许。

二月一日,送回鹘摩尼教(拜火教、祆教,音xiān〔先〕)教士回国(来唐王朝传教事,参考八〇六年十一月,已十二年);派皇族事务部副部长(宗正少卿)李诚出使回鹘,解释唐政府的困难,希望婚期后延。

5 李愬计划奇袭淮西变军总部所在的蔡州(河南省汝南县),上疏请求增援。李纯命昭义战区(总部设潞州〔山西省长治市〕)、河中战区(总部设河中府〔山西省永济市〕)、鄜坊战区(总部设鄜州〔陕西省富县〕),

各派二千人助战。

二月七日，李愬派带兵官（十将）马少良率十余名骑兵，到边界巡逻，跟淮西变军（总部蔡州）搜索纠察官（捉生虞候）丁士良遭遇，发动攻击，生擒丁士良。丁士良是吴元济（淮西〔总部蔡州〕首领）的勇将，不断在唐随邓战区（总部设唐州〔河南省泌阳县〕）东境掳掠烧杀；中央各将领要求挖出丁士良的心脏，李愬同意。不久，召见丁士良当面盘问，丁士良一点没有畏惧表情，李愬叹息说："真是大丈夫！"下令松绑。丁士良告诉说："我并不是蔡州（河南省汝南县）人，而是安州（湖北省安陆市）人，八世纪九〇年代，跟淮西（总部蔡州）作战，被吴家俘虏，自以为一定会死，吴家却释放我，并且重用，我因吴家得以再生人世，所以替吴家父子出力（七九九年，安黄战区〔总部安州〕曾派军攻伐淮西吴少诚，参考该年〔七九九〕十月）。昨天才尽力屈，再被你生擒，也自以为非死不可，而今你又给我一条生路，请允许我用生命对你回报。"李愬乃发给他军服、武器，命他当搜索官（捉生将）。

6 二月九日，中央讨伐淮西（蔡州）大军总部（淮西行营）奏报说：攻克淮西古葛伯城（河南省宁陵县北）。

7 丁士良告诉李愬说："淮西（蔡州）勇将吴秀琳，拥有三千人部众，据守文城栅（即铁城，河南省遂平县西南），是吴元济的左臂，中央军不敢接近，有一个叫陈光洽的，是他的智囊。陈光洽勇敢而轻佻，喜爱亲自出战，请准许我替你先活捉陈光洽，吴秀琳自会投降。"

二月十八日，丁士良果然生擒陈光洽而回。

8 鄂岳道（首府设鄂州〔湖北省武汉市〕）行政长官（观察使）李道古，

率军从穆陵关（河南省新县南）出发。

二月二十四日，攻击申州（河南省信阳市），克复外城，进击子城，退守子城的变军乘夜反攻，李道古军队惊骇溃散，死亡惨重。李道古，是李皋的儿子（曹王李皋，参考七七九年八月）。

9 淮西变军（总部蔡州）被中央讨伐军围攻，长达数年之久（前年〔八一五〕正月中央下讨伐令，迄今只两年零二月），把仓库里所有粮食都拿出来供应战士，很多人反而无粮可吃，纷纷到池塘里采摘菱角，捕捉鱼鳖鸟兽充饥，但也捕捉罄尽，只好成群结队投奔中央军，前前后后有五千余户。淮西变军认为他们留下来白白浪费粮食，所以也不禁止。

二月三十日，李愬命设置流亡县政府（《旧唐书·宪宗本纪》：在忠武〔总部许州〕、河阳〔总部汝州〕特遣兵团大营，设置行郾城县），照顾这些难民，委任县长，负责管理，并派军保护。

10 三月五日，李愬自唐州（河南省泌阳县）进驻宜阳栅（河南省桐柏县西）。

11 昭义战区（总部设潞州〔山西省长治市〕）司令官（节度使）郗士美，在柏乡（河北省柏乡县）被成德变军（总部恒州）击败，士卒死亡一千余人，只好撤退。

12 三月八日，李纯命横海战区（总部设沧州〔河北省沧州市东南〕）司令官（节度使）程执恭，改名程权。

三月十八日，成德变军（总部恒州）首领王承宗，派军二万人，进

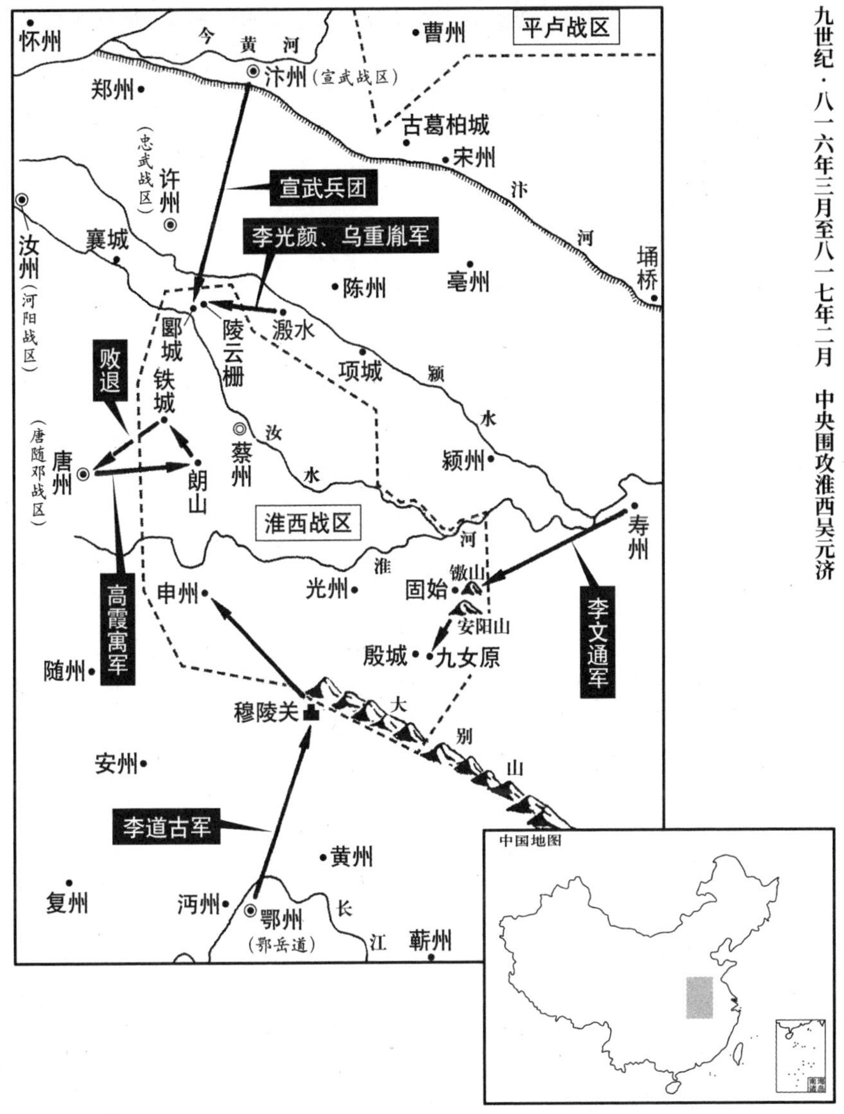

九世纪·八一六年三月至八一七年二月 中央围攻淮西吴元济

入横海战区（总部沧州）所属东光（河北省东光县），切断白桥头（东光县西北，跨永济渠）。程权（程执恭）不能抵御，只好率军返回沧州（河北省沧州市东南。北战场中央已有两军退出，势难久支）。 220

13 淮西变军（总部蔡州）将领吴秀琳献出文城栅（河南省遂平县西南），投降李愬。

三月二十八日，李愬率军抵达文城栅西五华里，派唐州（河南省泌阳县）州长李进诚，率士卒八千人进抵文城栅城下，召唤吴秀琳，城上利箭滚石像大雨一样倾盆而下，中央军不能向前。李进诚回来报告说："盗匪原来是诈降，不可相信。"李愬说："这是等我亲自前去。"迅速前往城下，吴秀琳立即命士卒缴出武器，跪在李愬马前。李愬抚拍他的肩背，慰问安抚，接收降军三千人。吴秀琳的部将李宪，勇敢而有才干，李愬教他改名李忠义，仍用他当官。把全城妇女都迁到唐州（河南省泌阳县）。于是唐随邓战区（总部唐州）的士气，重新振作，官兵才有作战的意愿。淮西（总部蔡州）军民向李愬投降的，路上前后相连，李愬都随他们的盼望安置，对于上有父母的人，就馈赠他们粮食布匹，送他们回去，说："你们都是帝国的臣民，不要抛弃亲戚！"大家都感动流泪。

中央讨伐军跟淮西变军夹着溵水（沙河）筑营，各军互相观望，没有人敢敌前渡河。忠武战区（总部设许州〔河南省许昌市〕）作战司令（兵马使）王沛，先率五千人强渡溵水（沙河），在对岸险要地方筑城，于是河阳（汝州）、宣武（汴州）、河东（太原府）、魏博（魏州）等特遣兵团，相继渡过溵水（沙河），进逼郾城（河南省漯河市郾城区）。

三月二十七日，忠武战区（总部许州）司令官（节度使）李光颜（阿跌光颜），在郾城（河南省漯河市郾城区）击破淮西变军（总部蔡州）三万人，杀士卒十分之二三，变军将领张伯良逃走。

三月二十九日，李愬派乡团带兵官（山河十将）董少玢等，分别进攻淮西变军（总部蔡州）各城栅。当天（三月二十九日），董少玢攻占马鞍山（河南省确山县西北），夺取路口栅（今地不详，当在马鞍山附近）。

夏季，四月二日，乡团带兵官（山河十将）马少良攻占嵖岈山（河南省遂平县西。嵖岈，音chá yá〔查牙〕），活捉淮西将领柳子野。

吴元济（淮西〔总部蔡州〕首领）命蔡州（河南省汝南县）人董昌龄，当郾城（河南省漯河市郾城区）县长，留下他的娘亲杨女士当人质。杨女士告诉董昌龄说："归顺中央而死，胜过跟随叛逆而生。你离开叛徒而我被杀，你才是孝子；你跟随叛逆而我活下去，跟杀了我一样。"正巧，中央军包围青陵（郾城西南），切断郾城到蔡州（河南省汝南县）的道路，郾城守城将领邓怀金跟董昌龄商量，董昌龄劝他回归中央。邓怀金乃向李光颜（阿跌光颜）投降，说："守城官兵们的父母妻子，都在蔡州（河南省汝南县），请你攻城，我们燃起烽火求救，等救兵来时，你迎头痛击，援军一定失败，然后我们投降，这样的话，父母妻子就可能免掉一死。"李光颜（阿跌光颜）接受。

四月六日，董昌龄、邓怀金献出城池投降，李光颜（阿跌光颜）率军进城据守。吴元济听到郾城（河南省漯河市郾城区）陷落消息，大为恐惧。当时，大将董重质，率强大的骡军驻扎洄曲（河南省漯河市南洪河弯曲处），吴元济动员所有亲近的部队及守城军，增援董重质，拒抗从郾城可能继续南下的中央各军（骡军，参考八一四年闰八月）。

李愬部下乡团带兵官（山河十将）妫雅（妫，姓。音guī〔归〕）、田智荣，攻克冶炉城（河南省遂平县西北）。

四月七日，带兵官（十将）阎士荣攻克白狗（河南省息县西北）、汶港（河南省汝南县东南）二栅。

四月十四日，妫雅、田智荣，攻克西平（河南省西平县）。

四月十七日，游击作战司令（游弈兵马使）王义，攻破楚城（汝南县西南）。

五月二日，李愬派柳子野、李忠义（李宪），袭击朗山（河南省确山县），生擒守城将领梁希果。

14 北方战场，六个战区派出讨伐成德（总部恒州）变军首领王承宗的特遣兵团，大军十余万，环绕成德（总部恒州）四周数千华里，既没有统帅指挥，互相间又距离太远，很难约定一个共同行动日期，各军只好逗留徘徊，不能前进，因此，作战虽已两年，但仍没有战果；而千里转运粮食草料，民间牛驴已死去十分之四五。卢龙战区（总部设幽州〔北京市〕）司令官（节度使）刘总既夺取武强（河北省武强县），率军出境，不过五华里，就不再前进，而中央每月却要供应钱十五万串。宰相李逢吉，以及若干官员都向皇帝建议，说："中央应该集中力量，先解决淮西（总部蔡州），等到淮西平定，乘战胜声势，回头再讨伐成德（总部恒州），就跟从地上捡起一根草那么容易。"李纯犹豫了很久才接受。

五月十七日，下诏停止北方战场军事行动，讨伐军各回本战区。

15 五月十八日，李愬派方城（河南省方城县）卫戍司令（镇遏使）李荣宗攻击青台城（方城县东南），攻克。

李愬对俘虏过来的变军官兵，一定亲自询问，因此，对淮西（总部蔡州）境内什么地方险要，什么地方容易夺取，以及道路的远近、防守的虚实，全都了如指掌。李愬对吴秀琳十分厚待，跟他商量图谋蔡州（河南省汝南县）的策略，吴秀琳说：“大帅如果想得到蔡州（河南省汝南县），非李祐不行，我没有这个能力。”李祐，是淮西变军（总部蔡州）骑兵部队将领，勇敢而有智谋，驻防兴桥栅（河南省汝南县西北），时常蹂躏欺凌中央各军。

五月二十一日，李祐率士卒前往张柴村（兴桥栅西）收割小麦。李愬传见两翼纠察官（厢虞候）史用诚，告诫说：“你率三百名骑兵，埋伏在张柴村树林里，派人在树林外挥动旗帜，好像要纵火焚烧麦堆，李祐向来瞧不起中央军，一定轻率的纵马追击，你就发动埋伏，必须把他活捉！”史用诚遵令前往，果然活捉李祐而回。将士们因李祐从前格杀太多中央军官兵，争着要求把李祐处死。李愬不准，解开李祐的捆绑，用宾客的礼节相待。

当时，李愬打算对蔡州（河南省汝南县）发动奇袭，所有计划都在秘密进行，只单独召见李祐及李忠义（李宪），摒除左右侍从，留下二人讨论，有时甚至讨论到深夜，没有人知道他们讨论的内容。将领们恐怕李祐发生变化，纷纷对李愬劝阻，而李愬待李祐越发亲厚，连士卒们都大不高兴，各军每天都呈递报告，指称李祐是淮西变军（总部蔡州）的内应，并且声明：这是被俘虏的淮西间谍提供的确实情报。李愬恐怕这些抨击先传到皇帝耳朵里，自己来不及援救，乃抱着李祐哭泣说：“难道上天不打算削平这个盗贼（吴元济）？为什么我们二人相知这么深，却不能堵住人们的口？”遂对将领们说：“大家既然怀疑李祐，我就把他送给皇上处死。”乃给李祐戴上脚镣手铐，押解前往京师（首都长安），而先行呈递秘密奏章，警告皇帝说：“如果诛杀李祐，就无法成功。”李纯遂下诏释放李祐，送回给李愬。李愬看见李祐，大喜，握住他的手，说：“你得以保住性命，是神灵保护我们国家！”乃命李祐兼散职作战司令（仅有官衔，不统士卒)，命他携带佩刀，负责巡察，可以在自己的帐篷自由出入，有时二人同睡，喁喁细语，一夜不合眼，直到天亮。有人在篷帐外偷听，只听到李祐感动抽泣的声音。这时，唐随邓战区(总部唐州)总部警卫部队有三千人，号称“六院兵马”，都是山南东道战区(总部襄州)的精锐，李愬命李祐兼六院作战司令(六院兵马使)。

从前，一项军令规定：凡是招待敌人间谍住宿的，屠杀全家。李愬废除这项禁令，命对敌人的间谍，特别厚待。间谍反而把淮西(总部蔡州)军情，报告李愬，李愬对淮西变军内部情形，更为清楚。

五月二十六日，李愬派军进攻朗山(河南省确山县)，淮西变军增援，中央军失利，大家十分懊恼，只李愬高兴的说：“这正配合我的计划。”于是招募敢死队三千人，号称“突将”，早晚亲自训练，使他们经常保持战斗状态，准备奇袭蔡州(河南省汝南县)。可是，连绵大雨，到处积水，不能发动。

16 闰五月十日，全国盐铁专卖暨运输副总监(盐铁转运副使)程异，从江淮(华东地区)回京(首都长安)，携来军事经费一百八十五万串(派程异催征财赋，参考本年〔八一七〕正月)。

17 监督院(门下省)高级顾问官(谏议大夫)韦绶，兼太子宫皇家教师(兼太子侍读)，常供应珍贵的饮食给太子李恒(李宥)，又常说幽默、戏谑的话，取悦李恒。李纯得到报告。

闰五月十八日，免除韦绶太子宫皇家教师(太子侍读)的职务，不久，贬出当虔州(江西省赣州市)州长。韦绶，是京兆(首都长安)人。

18 吴元济(淮西〔总部蔡州〕首领)面对部属不断的叛离，军事形

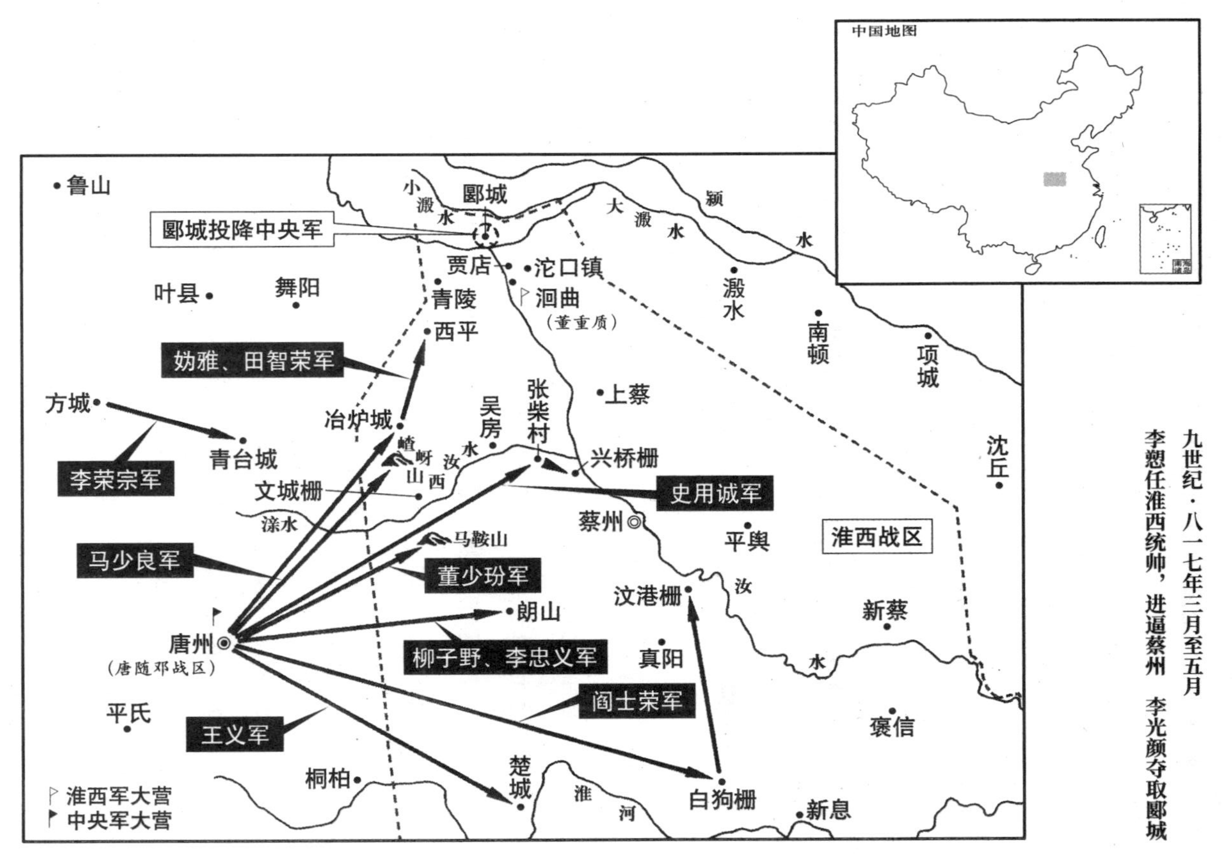

九世纪·八一七年三月至五月
李愬任淮西统帅，进逼蔡州　李光颜夺取郾城

势一天比一天困难，感到惊惶。

六月四日，上疏皇帝，请求恕罪，表示愿意前往中央自首。李纯派宦官携带诏书前往，承诺绝不处死。但吴元济受他左右侍从以及大将董重质的牵制，不能坚持。

19 秋季，七月，大水成灾，有些地方平地水深二丈。

20 最初，国立贵族大学校长（国子祭酒）孔戣（音kuí〔魁〕），任华州（陕西省渭南市华州区）州长。当时，明州（浙江省宁波市）每年进贡扇贝、蛤蜊、淡菜（不是植物，而是一种黑壳的蚌），水陆夫役，辛劳浪费（宁波市到西安市，航空距离一千三百公里，中隔万重江山，要保持肉类鲜美，比杨玉环的荔枝〔参考七四六年七月〕更难），孔戣上疏请求免除。

七月十七日，岭南战区（总部设广州〔广东省广州市〕）司令官（节度使）崔咏逝世。宰相提名几个人接替遗缺，李纯都不满意，说："最近那个劝阻进贡扇贝、蛤蜊、淡菜的是谁？查出姓名，由他接替。"

七月二十三日，命孔戣当岭南战区（总部广州）司令官。

21 中央讨伐淮西变军（总部蔡州），历时四年（前年〔八一五〕正月中央下令讨伐，迄今仅两年七个月，溯自八一四年闰八月吴元济继位，可称四年），不能平定，军粮运输是一项重大负担，政府与民间全都筋疲力尽，农夫不得已，只好用驴耕田（牛力较大，才拉得动犁），李纯也深为忧虑，询问宰相们的意见。李逢吉等一致认为大军出征已久，政府财源枯竭，最好停止讨伐。只裴度不说一句话，李纯指定他回答，裴度说："我愿到前方亲自督战。"

七月二十八日，李纯再问裴度说："你真能为我走一趟？"裴度说："我发誓不跟那个蟊贼一同活在天地之间。最近考察吴元济所上的奏章，发现他已陷于困难急迫之境。不过中央各军将领，人各有志，不能同心合力，加强压迫，所以没有投降，如果我亲自前往大营，各将领恐怕我夺走他们的功劳，一定争着出战。"李纯大为高兴。

七月二十九日（原文"丙戌"，据两《唐书》改），命裴度当副监督长（门下侍郎），遥兼二级宰相（同平章事，使相），充任彰义（淮西）战区司令官（节度使），仍兼淮西地区慰劳特使及征剿绥靖司令（淮西宣慰招讨处置使）。又命国务院财政部副部长（户部侍郎）崔群，当副立法长（中书侍郎）、二级实质宰相（同平章事）。诏书公布，裴度因韩弘（宣武〔总部汴州〕司令官）已是总指战官（都统。参考前年〔八一五〕九月五日），不愿再当征剿司令（招讨使），请求只称慰劳特使及绥靖司令（宣慰处置使）；并请派国务院司法部副部长（刑部侍郎）马总，当副慰劳特使（宣慰副使）；太子宫事务署长（右庶子）韩愈，当彰义（淮西）战区作战参谋长（行军司马）；其他执行官（判官）、机要秘书（掌书记），都是中央官员精英；李纯全部批准。裴度将要出发，报告李纯说："我如果能把叛徒消灭，还有机会朝见陛下；只要叛徒仍然存在，我永不回京（首都长安）。"李纯感动流泪。

八月三日，裴度出发前往淮西（总部蔡州）战场，李纯亲登通化门（长安东城北头第一门）送行。右神武（禁军第六军）将军张茂和，是张茂昭（张升云）的老弟，曾经在裴度面前炫耀自己的胆量韬略，裴度上疏推荐他当内营总管理官（都押牙）；张茂和恐惧，声称他有病在身，不敢接受。裴度大怒，上疏要求斩张茂和。李纯说："张家一门忠贞（老爹张孝忠、老哥张茂昭〔张升云〕前后任义武战区〔总部设定州，河北省定州市〕司令官），为了对你的冒犯，会把他贬到荒远边疆。"

八月四日，贬张茂和当永州（湖南省永州市）军务秘书长（司马）。裴度遂改荐嘉王（十一任帝李豫〔李俶〕的儿子李运，封嘉王，此时李运已亡，当是其子继承爵位，名不详）的辅佐官（傅）高承简，当内营总管理官（都押牙）。高承简，是高崇文的儿子（高崇文平定刘辟，参考八〇六年九月）。

宰相李逢吉反对讨伐蔡州（河南省汝南县），皇家文学研究官（翰林学士）令狐楚，跟李逢吉友好，裴度恐怕他们内外结合，阻挠军事行动（皇家文学研究官〔翰林学士〕在宫内，宰相在宫外，容易呼应），于是请求皇帝更改诏书上几个字，同时指责令狐楚撰写诏书措辞不当。

八月五日，免除令狐楚职务，改任立法官（中书舍人）。

22 忠武战区（总部设许州〔河南省许昌市〕）司令官（节度使）李光颜（阿跌光颜）、河阳战区（总部设汝州〔河南省汝州市〕）司令官（节度使）乌重胤，跟淮西变军（总部蔡州）接触。

八月六日，中央军在贾店（河南省漯河市南）战败。

23 裴度经过襄城（河南省襄城县）南白草原，淮西变军（总部蔡州）将领派七百人在中途截击，襄城指挥官（镇将）楚丘（山东省曹县）人曹华，事先得到情报，严密戒备，把变军击退。裴度虽然辞去征剿司令（招讨使）的名义，但事实上执行中央讨伐大军统帅的任务，并把统帅部设在郾城（河南省漯河市郾城区）。

八月二十七日，裴度抵达郾城（河南省漯河市郾城区）。之前，对各战区特遣兵团，中央都派有监军宦官，军事行动，将领不能做主，而由监军宦官指挥。战争胜利时，监军宦官先派出专使，飞马向皇帝呈递捷报；战争失败时，则对将领破口大骂，百般凌辱。裴度上疏，终于使皇帝把他们全部撤回。自此之后，将领们才得以专心作战，多建功劳。

24 九月十四日，淮西变军（总部蔡州）攻击溵水镇（河南省商水县），格杀中央军三名将领，纵火焚烧草料而去。

25 最初，李纯当广陵王的时候（李纯于七八八年封广陵王），身为平民的知识分子张宿，以流利的口才，得到李纯的宠爱。等到李纯登极称帝，张宿也因之进入官场，不断升迁，最后升迁到国务院司法部审计司副司长（比部员外郎）。张宿贪赃枉法，谄媚权贵；副监督长（门下侍郎）、二级实质宰相（同平章事）李逢吉，对他十分厌恶。

李纯又打算擢升张宿当监督院高级顾问官（谏议大夫），李逢吉说："顾问的责任重大，要能够恰当的批评政府措施，才可以充当。张宿，一个卑劣的小人，怎么可以坐在贤良的座位上？陛下一定要用张宿，请先把我免职。"李纯大不高兴。李逢吉又跟裴度的意见相反，而李纯却正倚靠裴度削平淮西变军（总部蔡州）。

九月二十一日，免除李逢吉职务，改当东川战区（总部设梓州〔四川省三台县〕）司令官（节度使）。

26 九月二十八日，李愬（音sù〔素〕）将要进攻吴房（河南省遂平县），各将领警告说："今天是'往亡'日。"（巫法师在卜卦学中，规定某些特定的日子〔例如：九月寒露后第二十七日〕，称"往亡日"，大凶，什么事都不可以做；参考四一〇年二月五日。）李愬说："我们的兵少，不能大规模会战，只有出其不意。而且，正因为今天是'往亡'，他们认为我们绝不敢行动，一定没有戒备，恰是袭击的好机会。"出发前进，攻克吴房（河南省遂平县）外城，杀一千余人。变军退守子城，不敢出战，李愬撤退，引诱变军追击，变军将领孙献忠果然率精锐骑兵五百人攻击李愬后背，中央军惊骇，将要逃走，李愬下马，坐在交椅上，下令说："敢退一步的，斩首。"部众于是反身奋击，斩孙献忠，淮西变军（总部蔡州）才退。有人建议李愬乘机进攻子城，一定可以攻克。李愬说："这不是我的计划。"率军回营。

李祐告诉李愬说："吴元济的精锐部队，都驻扎洄曲（河南省漯河市南洪河弯曲处），或调配到四面边界上防守；蔡州（河南省汝南县）守军，都是老弱残兵，正可以利用这些弱点，直接袭击州城。等到各地变军将领得到消息，吴元济已成了俘虏。"李愬同意。

冬季，十月八日，李愬派机要秘书（掌书记）郑澥（音xiè〔谢〕）前去郾城（河南省漯河市郾城区），秘密报告裴度。裴度说："军队作战，非出奇兵不能获胜，这是你一项精彩战略。"

27 李纯终于任命张宿当监督院高级顾问官（谏议大夫），宰相崔群、王涯，一再劝阻，李纯拒不接受；二人只好请求李纯，先行任命张宿暂代监督院高级顾问官（权知谏议大夫），李纯允许。

张宿因此怨恨各宰相和品行端正人士，遂跟全国财政总监（判度支）皇甫镈（音bó〔博〕）互相结合，谗言陷害，计划把他们全部赶走。

28 裴度率文武百官到沱口（河南省漯河市东南）视察筑城工程。淮西变军（总部蔡州）大将董重质率骑兵从五沟（洄曲之北）出发，拦腰截击，大声呼喊飞奔，箭上弓弦，手舞钢刀，眼看冲到裴度面前。忠武（总部许州）司令官（节度使）李光颜（阿跌光颜）和魏博（总部魏州）大将田布竭力抵抗，一面迅速撤退，裴度仅能逃进城门。淮西变军退走。田布控制住归途中的一条壕沟，变军下马过沟时，坠到壕沟中，压死一千余人。

29 十月十五日，唐随邓战区（总部设唐州〔河南省泌阳市〕）司令官（节度使）李愬，命步骑兵总纠察官（马步都虞候）、随州（湖北省随州市）州长史旻（音mín〔民〕），坐镇前进指挥部所在地文城栅（河南省遂平县）；命李祐、李忠义（李宪），率突击部队三千人，作为前锋，而自己跟监军宦官，率三千人作为中军，命唐州（河南省泌阳县）州长李进诚，率三千人作为后军。大军悄悄出动，没有人知道要去哪里。李愬下令说："不要发问，只管东进！"走了六十华里，天已黄昏，抵达张柴村（遂平县东），把淮西变军（总部蔡州）的士卒和烽火台官兵，全部屠杀，遂占领营寨，让士卒稍为休息，一面吃干粮，一面整理马头辔勒缰绳，留义成兵团（总部滑州）五百人驻防，破坏洄曲（河南省漯河市南洪河湾曲处）跟蔡州（河南省汝南县）间的道路和桥梁。然后在夜色笼罩下，率军出张柴村栅门，将领请示目的地，李愬说："攻击蔡州（河南省汝南县），生擒吴元济！"将领们脸色大变，监军宦官号哭，说："果然中了李祐的奸计！"当时，狂风暴雪，旌旗破裂，士卒和马匹一个接一个冻死。天气阴暗，浓云像墨一样漆黑。自张柴村以东，就是淮西战区（总部蔡州）腹地，道路陌生，中央军从来没有走过，人心恐惧，自认为一定死在那里；然而畏惧李愬，不敢违背。午夜时分，风雪更大，强行军七十华里，终于抵达蔡州（河南省汝南县），附近有养鸭养鹅的池塘，李愬派人去驱赶鸭鹅，使它们奔跑鸣叫，用以掩护军事行动。

自吴少诚反抗中央（参考七八六年七月），中央军不到蔡州（河南省汝南县）城下，已三十余年（整整三十二年），所以变军没有戒备。

十月十六日，凌晨三时左右，李愬军抵达城下，城里没有一个人知道。李祐、李忠义（李宪）用斧头在城墙上砍出穴坎，首先攀登，战士们在后面跟随而上。城门卫兵正蒙头大睡，就在床上被全部格杀，只留下巡街打更的，命他们像平常一样，继续敲梆报时。于是，大开城门，迎接主力部队进城，再用同样手法进入里城。人不知，鬼不觉，全城仍在酣睡。而这时，公鸡开始啼叫，风雪停止，李愬进入吴元济的城外官邸。有人报告吴元济说："中央军到了！"吴元济正睡得香甜，失笑说："什么中央军？俘虏囚徒惹是生非罢了，天亮后把他们全部处死。"又有人报告说："不是俘虏囚犯，城已陷落！"吴元济说："一定是洄曲（河南省漯河市南洪河弯曲处）子弟回来找我要冬装！"这才起来，走到院子里，外面人声吵成一片，听见陌生口音说："常侍传话（李愬的中央官衔是"散骑常侍"，〔最高顾问官〕，当时官员互相以中央官衔相称）！"应话的将近一万人，吴元济开始恐慌，说："什么玩艺'常侍'，能到这里！"率左右官兵登上内城（牙城）拒抗。

当时，董重质手握精锐部队一万余人，据守洄曲（河南省漯河市南洪河弯曲处）。李愬说："吴元济唯一的希望：是董重质回来救他。"于是拜访董重质家，情意诚恳厚重，命他的儿子董传道携带李愬的信件，前去向董重质解释：董重质立刻抛弃大军，单人匹马返回蔡州（河南省汝南县），向李愬投降。

李愬派李进诚进攻内城，砍毁内城外门，占领军械库，取出武器、铠甲。

十月十七日，再发动攻击，纵火焚烧南门，蔡州（河南省汝南县）居民纷纷背着木柴枯草，增加火势，中央军密集射击城上变军，城上箭支林立，如同刺猬。中午稍过，南门全毁，吴元济在城上认罪投降，李进诚用梯子把他接下来。

十月十八日，李愬把吴元济装进囚车，押解京师（首都长安），并且报告裴度（七八六年七月，吴少诚杀陈仙奇，割据蔡州〔河南省汝南县〕，再传吴少阳，三传吴元济，三十二年而灭）。当天（十月十八日），申州（河南省信阳市）、光州（河南省潢川县）及散布各地的变军二万余人，相继投降。

自从生擒吴元济，李愬没有诛杀一个人。凡是吴元济属下的官吏、部属、厨师、马夫，都仍留守岗位，使他们安心。然后，大军在球场扎营，等候裴度（时在郾城〔河南省漯河市郾城区〕）。

30 李纯命淮南战区（总部设扬州〔江苏省扬州市〕）司令官（节度使）李鄘回京（首都长安），当副监督长（门下侍郎）、二级实质宰相（同平章事）。

31 十月二十三日，中央讨伐淮西（总部蔡州）大军总部奏报生擒吴元济，宫廷膳食部副部长（光禄少卿）杨元卿，向李纯说："淮西（总部蔡州）有相当多的珠宝，我知道放在哪里，我去拿的话，一定可以拿到。"李纯说："我之讨伐淮西（总部蔡州），只是为民除害，不是希望得到珠宝！"（杨元卿全家被屠，参考八一四年九月。）

32 董重质离开洄曲（河南省漯河市南洪河弯曲处）后，李光颜（阿跌光颜）飞马进入大营，接受变军全体投降。

十月二十四日，裴度派慰劳副特使（宣慰副使）马总，先去蔡州（河南省汝南县）安抚。

十月二十五日，裴度竖起彰义（淮西）战区（总部蔡州）大旗，率投降的变军一万余人，自郾城（河南省漯河市郾城区）南下，进入蔡州（河南省汝南县）。李愬全副武装，身佩弓囊箭袋，跪在路旁迎接，裴度打算避开这项隆重军礼，李愬说："淮西人民一向冥顽不灵，凶恶悖谬，

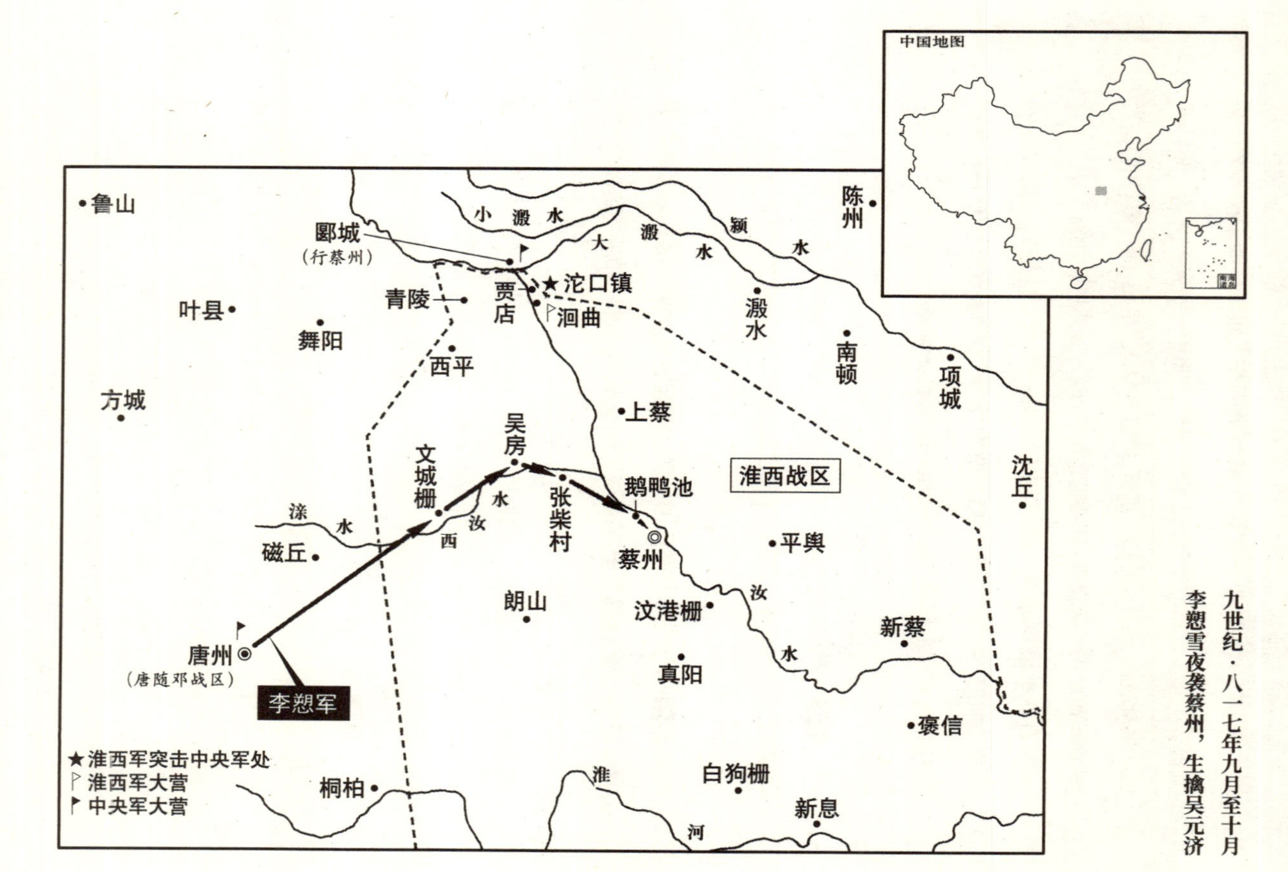

九世纪·八一七年九月至十月
李愬雪夜袭蔡州，生擒吴元济

数十年来，不知道上下贵贱，希望你借着这个机会，让他们留下深刻印象，知道中央的尊严。”裴度这才接受。

李愬率军返回文城栅（河南省遂平县西），将领们向他请教说：“你起先在朗山（河南省确山县）失败，却不忧虑；后来在吴房（河南省遂平县）胜利，却不夺取城池。冒着狂风暴雪而不肯停顿，孤军深入敌人心脏地带而没有畏惧；最后终于成功，大家都不晓得其中道理，是不是可以告诉我们缘故！”李愬说：“朗山（河南省确山县）失败，盗匪对我们一定轻视，就不会戒备；如果我们占领吴房（河南省遂平县），残余一定逃回蔡州（河南省汝南县），合力固守，难以挑战，所以留着它分散他们的兵力。狂风暴雪，天气一定昏暗，能见度低，告急烽火无法传递，吴元济就不会知道我们的行动。孤军深入，官兵只有拼命战斗，力量自然倍增。眼光看得远，就不会管眼前一点小事；计划定得长，就不会贪图近处一点小利。如果小胜就沾沾自喜，小败就忧虑沮丧，是自己先挫伤自己，哪里还能立功建业！”大家全都佩服。李愬对自己克勤克俭，对别人却十分优厚，一看就知道谁是人才，信任不疑，面对千变万化的情况，立刻就可做出正确判断，他所以成功的原因在此。

裴度用淮西（总部蔡州）原有官兵当自己的卫士，有人警告他说：“淮西阴谋不轨的人还很多，不可不防。”裴度笑说：“我是彰义（淮西）战区司令官（节度使），主凶已经捕获，蔡州（河南省汝南县）人就是我的属民，我怀疑什么？”蔡州（河南省汝南县）人听到，感动得哭泣。最初，吴家父子起兵背叛中央，禁止两个人以上在路上说话；入夜之后，全城一片漆黑，家家熄灯，不准露出火光，互相来往饮宴的，一律处死（军阀防范反叛，用尽心计）。裴度到后，下令只禁止偷窃、抢劫，其他限制，一律解除，不管白天夜晚，人民自由行动，淮西

(彰义) 战区人民才享受到人生的乐趣。

十月二十八日，李纯下诏命韩弘、裴度把讨伐淮西将士的功劳及已经投降的变军，就他们的实际情形，分别等级，条列奏报。(胡三省注：“已经投降的淮西变军，等级应是：有在吴元济就擒前投降的，有在吴元济就擒后投降的，有先已表示投降还没有实现的，也有从前曾拒抗或诛杀过中央军的。”) 淮西 (彰义) 各州县农民，免除田赋捐税二年。邻近淮西、受害最重的四个州 (陈州〔河南省周口市淮阳区〕、许州〔河南省许昌市〕、颍州〔安徽省阜阳市〕、唐州〔河南省泌阳县〕)，免除明年 (八一八) 夏季捐税。中央军阵亡的，一律收尸安葬，发给他们遗属衣服粮食五年，因作战受伤残废的，继续发给衣服粮食。

十一月一日，李纯登兴安门，接受献俘，把吴元济押到皇家祖庙，当作畜牲一样，先行献祭，然后绑到独柳之下，斩首 (年二十五岁)。

最初，淮西战区人民受李希烈、吴少诚的虐待，没有力量自救。长久下来，老年人凋零、年轻人茁壮，习惯于背叛中央、割据自雄的生活，不再记得还有中央政府。自吴少诚以来，派各将领四出作战，不受任何法令约束，由他们各自做主，所以每人都可以尽量发挥自己的才干 (虽然吴家割据淮西〔总部蔡州〕只三十二年，但追溯之前的司令官：李忠臣〔董秦，七六二年上任，《资治通鉴》没有记载上任日期〕、李希烈〔参考七七九年三月〕，都是骄兵悍将，其割据性质，与河朔〔河北平原〕大同小异，只差于二人站在中央政府的立场而已，所以，淮西〔总部蔡州〕的无法无天，早在七六二年就已开始，至本年〔八一七〕已五十六年)。当韩全义在溵水 (沙河) 战败时 (参考八〇〇年五月)，在大营中搜出中央官员写给韩全义的一些问候信，吴少诚捆在一起，举给人家观看，说：“这都是中央要员写给韩全义的信，约定攻破蔡州 (河南省汝南县) 那一天，要他挑一个将领的妻女，当他的婢女或小老婆。”官兵全都愤怒，誓死替吴家效力。所以，蔡州（河南省汝南县）虽然正居中原，但风俗粗野暴戾，比边陲蛮荒，还要严重。所以不过只有三个州的部众，中央动员全国军队，从四面八方围攻，历时四年，才终于攻克。

中央讨伐吴元济时，平卢战区（总部设郓州〔山东省东平县〕）司令官（节度使）李师道悬赏可以充当使节前往蔡州（河南省汝南县）观察形势的人，营门纠察官（牙前虞候）刘晏平应募。于是，穿过汴州（宣武战区总部，河南省开封市）和宋州（河南省商丘市）之间空旷地带，秘密抵达蔡州（河南省汝南县）。吴元济大喜，馈赠他厚礼，送他回去。刘晏平回到郓州（山东省东平县），李师道摒除左右侍从，召见他询问，刘晏平说："吴元济把好几万军队，投置到荒郊旷野，危险到如此程度，他却每天跟小老婆和一群奴仆，在深宅大院里赌博游戏，从容不迫，一点也不忧虑，以我的观察，他一定灭亡，而且用不了多久。"李师道一向倚靠淮西（总部蔡州）的支援，听到他不愿意听的话，震惊之余，老羞成怒。不久，找一个借口，把刘晏平乱棍打死。

胡三省曰

以刘晏平的洞察入微，一定有超过常人的知识和见解，李师道不能推心置腹，用作智囊，谋求自救，反而大怒，把他诛杀，自然非亡不可。

柏杨曰

刘晏平看对了吴元济，却看错了李师道，他事实上或许也不见得真的看错了李师道，只不过一念之忠而已。天下多少英雄，为此悲叹！

十一月三日，李纯命李愬当山南东道战区（总部设襄州〔湖北省襄阳市〕）司令官（节度使），封凉国公爵。加授韩弘（宣武〔总部汴州〕司令官）中央官衔：兼最高监督长（兼侍中，使相）。李光颜（阿跌光颜，忠武〔总部许州〕司令官）、乌重胤（河阳〔总部汝州〕司令官）依照功劳等差，分别升官。

33 唐政府制度：监察官（御史）二人负责主管全国驿马车（《唐会要·馆驿使》：七二八年，九任帝李隆基命监察官〔御史〕主管驿马车，七三七年，再指定行政监察官〔监察御史〕主管两京驿马车事宜。七七九年，十二任帝李适命两京各由一名行政监察官〔监察御史〕主管驿马车，称“宾馆及驿马车管理官”〔馆驿使〕）。

十一月七日，李纯下诏命宦官当宾馆及驿马车管理官（馆驿使）。监督院初级监督官（左补阙）裴潾劝阻说：“皇宫差役和政府官员，职位以及工作，有很大差异，所以必须防止宦官侵占政府官员的缺额和断绝宫内人员担任宫外人员的跨线工作。事情反常，必须在一开始时就纠正。不恰当的命令一定会造成伤害，不管这命令是大是小。”李纯不接受。

34 十一月九日，恩王李连逝世（李连，是十一任帝李豫〔李俶〕的儿子）。

35 十一月十六日，命唐随邓战区（总部设唐州〔河南省泌阳县〕）作战司令（兵马使）李祐，当神武（禁军第五、六军）将军，主持军务（禁卫军“将军”“大将军”“上将军”，不过一个虚位名号，如果加“主持军务”〔知军事〕，则实际带兵）。

36 裴度命马总当彰义（淮西）战区（总部蔡州）候补司令官（留后）。

十一月二十八日，裴度从蔡州（河南省汝南县）出发。李纯交给宫廷机要室主任宦官（枢密使）梁守谦两把尚方宝剑，派他前往蔡州

（河南省汝南县）诛杀吴元济从前的部将；走到郾城（河南省漯河市郾城区），跟裴度相遇，裴度陪他一起再回蔡州（河南省汝南县），根据他们过去的罪行，分别处刑，并不完全遵照诏书办理，然后上疏说明处理的经过。

37 十二月七日，李纯封裴度当晋国公爵，召回中央，再当二级实质宰相（同平章事）。命马总当淮西战区（总部设蔡州〔河南省汝南县〕）司令官（节度使）。

38 最初，左神策军总指挥宦官（中尉）吐突承璀，正显赫的时候，出任淮南战区（总部设扬州〔江苏省扬州市〕）监军宦官（参考八一一年十一月）。战区司令官（节度使）李鄘，性情刚直严正，跟吐突承璀互相敬畏，保持距离，所以从没有发生过不愉快事件。后来，吐突承璀调回中央（参考八一四年二月），向皇帝李纯推荐李鄘当宰相（参考本年〔八一七〕十月）。李鄘认为出于宦官的推荐，是一种耻辱，所以当战区官员出城给他饯行时，离别音乐刚奏，李鄘流泪说："我喜爱当地方官，不喜爱当宰相！"

十二月二十三日，李鄘抵达京师（首都长安），声称有病，不进宫朝见，不上班办公，文武官员到家门请求晋谒，也拒绝接见。

39 十二月二十五日，把淮西战区（总部蔡州）投降的将领董重质，贬作春州（广东省阳春市）户籍官（司户）。

董重质是吴元济背叛中央的主要策划人，屡次击败中央军（董重质是首任彰义〔淮西〕司令官吴少诚的女婿，参考八一四年九月）。李纯打算把他处死，李愬奏报说早先已承诺饶他一命，才有这项贬谪。

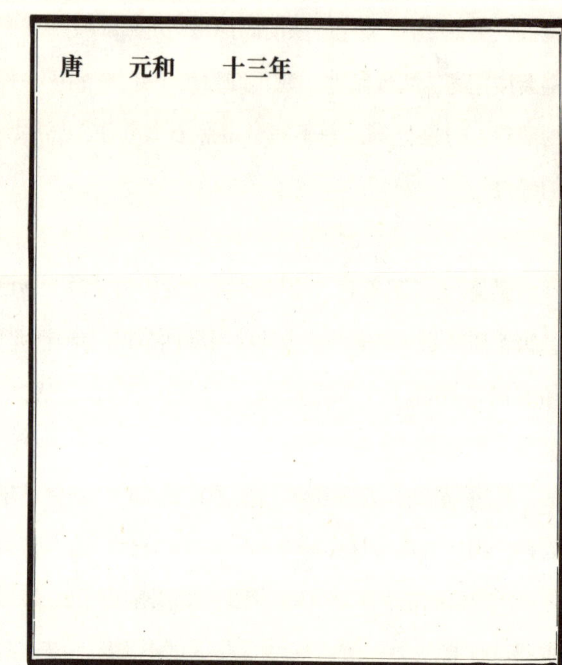

1 春季，正月一日，唐王朝（首都长安〔陕西省西安市〕）赦免天下。

2 最初，平卢战区（总部设郓州〔山东省东平县〕）司令官（节度使）李师道反抗中央时，执行官（判官）高沐，跟同事郭昈（音hù〔户〕）、李公度，不断劝阻（高沐建议亲中央政府，参考八〇六年八月）。执行官（判官）李文会、文书官（孔目官）林英，一向是李师道的亲信，向李师道悲不自胜的哭泣说："我们为了大帅的家事，尽心尽力，反而受高沐等痛恨。大帅为什么不爱惜祖宗传下来的十二州广大土地，却去成全高沐等的功名！”（平卢辖区十二州：郓州〔山东省东平县〕、兖州〔山东省济宁市兖州区〕、曹州〔山东省菏泽市定陶区〕、濮州〔山东省鄄城县〕、淄州〔山东省淄博市〕、青州〔山东省青州市〕、齐州〔山东省济南市〕、海州〔江苏省连云港市〕、登州〔山东省烟台市蓬莱区〕、莱州〔山东省莱州市〕、沂州〔山东省临沂市〕、密州〔山东省诸城市〕。）李师道于是疏远高沐等，贬高沐当莱州（山东省莱州市）州长。不久，林英出差京师（首都长安）奏报公务，命驻京办事官（进奏吏）秘密报告李师道说：“高沐跟中央有来往。”李文会再从侧面加以证实，李师道遂诛杀高沐，囚禁郭旰，军政官员中凡认为李师道应效忠中央的，李文会都指控是高沐的同党，全部囚禁。

后来，淮西（总部蔡州）变乱平定，李师道忧愁畏惧，不知道怎么才好。李公度跟营门官（牙将）李英昙（音tán〔谈〕），乘着李师道六神无主，向他游说，建议他派送人质，呈献土地，向中央赎罪，李师道同意，遂命使节携带奏章和年纪最大的儿子，前往首部长安，请求留下来侍卫皇家，并呈献沂州（山东省临沂市）、密州（山东省诸城市）、海州（江苏省连云港市）。李纯应许。

正月二十一日，唐帝（十四任宪宗）李纯（本年四十一岁）派监督院最高顾问官（左散骑常侍）李逊，前往郓州（山东省东平县）慰问。

3 李纯命禁军六军官兵修麟德殿；右龙武（禁军第四军）统军张奉国、大将军李文悦，认为外面盗寇战乱刚刚平定，土木工程的事不宜太多，于是晋见宰相，希望能出面劝阻。裴度在奏报国事时，顺便提及，李纯震怒。

二月十三日，贬张奉国当藩属事务部长（鸿胪卿）。

二月十八日，贬李文悦当右武卫（卫军第四军）大将军（正三品）兼威远军基地司令（威远营使）。

于是疏浚龙首池（皇宫西北角）、建筑承晖殿，大兴土木。

4 山南东道战区（总部设襄州〔湖北省襄阳市〕）司令官（节度使）李愬（音sù〔素〕）奏报淮西（蔡州）战役有功将领，请分别擢升当执行官（判官）以及大将以下等职位，共一百五十人，李纯大不高兴，对裴度说："李愬固然立下奇功，但保荐的人太多！假如李晟、浑瑊保荐，又该多到什么程度（李晟、浑瑊二人是"奉天定难功臣"排名最先的两位，参考七八四年七月十三日）！"搁置不理。

5 李鄘坚决辞让宰相职位。

三月十五日（原文误置于二月，据《新唐书》改），李纯命李鄘当国务院财政部长（户部尚书）；命总监察官（御史大夫）李夷简，当副监督长（门下侍郎）、二级实质宰相（同平章事）。

6 最初，渤海王国（首都龙泉府〔黑龙江省宁安市西南东京城镇〕）国王（八任僖王）大言义逝世，老弟大明忠继位（九任简王），改年号太始；才一年，大明忠又逝世，叔父大仁秀继位（十任宣王），改年号建兴。

三月二十二日，大仁秀派使节来唐王朝报告丧事。

7 横海战区（总部设沧州〔河北省沧州市东南〕）司令官（节度使）程权（程执恭），自己觉得世袭横海地盘（首任司令官程日华〔程华〕于七八六年四月上任，传二任程怀直、三任程怀信、四任程权〔程执恭〕，共三十三年），跟河北二镇（卢龙〔总部幽州〕、成德〔总部恒州〕、魏博〔总部魏州〕）的割据军阀没有分别，内心深感不安。

三月二十六日，派使节前往中央呈递奏章，请求准许全体家族移居京师（首都长安），李纯同意。但横海战区（总部沧州）将士高兴现在这种自己当家作主、不受中央约束的日子，不让程权（程执恭）离开；机要秘书（掌书记）林蕴向大家分析祸福利害，程权（程执恭）才得以启程。

李纯命林蕴当国务院教育部祭祀司副司长（礼部员外郎）。

8 宰相裴度停留淮西（总部蔡州）时，平民身份的知识分子柏耆，向作战参谋长（行军司马）韩愈呈递条陈，说："吴元济既被生擒活捉，王承宗（成德〔总部恒州〕司令官）一定心胆俱裂，我盼望携带宰相（裴度）的信件，前往游说，可以用不着军事力量，就把他制伏！"韩愈报告裴度，裴度遂命柏耆携带信件前往。王承宗内心恐惧，哀求魏博战区（总部设魏州〔河北省大名县〕）司令官（节度使）田弘正（田兴）转达，他愿派两个儿子到中央当人质，呈献德州（山东省德州市陵城区）、棣州（山东省惠民县），向中央缴纳捐税，请中央派任官吏（与王承宗刚接任时，中央所开出之条件相比，还加了遣二子作人质。中央条件，参考八〇九年七月）。田弘正（田兴）替他奏报中央，李纯最初还不肯答应，田弘正（田兴）不断请求，李纯难以拒绝田弘正（田兴）的意愿，才表示同意。

夏季，四月一日，魏博战区（总部魏州）派使节护送王承宗的两个儿子王知感、王知信和德、棣二州地图及印信，前往京师（首都长安）。

卢龙战区（总部设幽州〔北京市〕）大将谭忠，警告战区司令官（节度使）刘总说："自八〇六年以来，刘辟、李锜、田季安、卢从史、吴元济，一个个兵强马壮，盘踞山河险要，自以为根深蒂固，天下之大，对他无可奈何。然而，回头转眼之间，身死家灭，连他们自己都不知道为什么会有这种严重结局，这不是人力办到的事，乃是上天直接诛杀。何况，现任皇帝神圣威武，苦心积虑，节衣缩食，供养战士，他怎么会一分一秒忘记统一？现在，中央大军势将汹涌北上，成德（总部恒州）已献出十二个县城（德州六县：安德〔山东省德州市陵城区〕、长河〔山东省德州市〕、平原〔山东省平原县〕、平昌〔山东省临邑县北德平镇〕、将陵〔山东省德州市陵城区北〕、安陵〔河北省景县东安陵镇〕；棣州五县：厌次〔山东省惠民县〕、滴河〔山东省商河县〕、阳信〔山东省阳信县〕、蒲台〔山东省滨州市〕、渤海〔山东省利津县〕；景州一县：东光〔河北省东光县。参考去年〔八一七〕三月〕），我深深替你忧虑！”刘总流泪叩头说：“听到你的分析，使我下定决心！”遂一意回归中央。

9 四月十五日，李纯从宫库中拿出两枚作废了的印信，交给禁军左右六军（一军左羽林军，二军右羽林军，三军左龙武军，四军右龙武军，五军左神武军，六军右神武军）督军宦官（辟仗使）。按照惯例：派驻禁军的督军宦官跟派驻各地方军的监军宦官一样，都没有印信（监军宦官之有印信，自王定远开始，参考七九五年五月）。现在，因张奉国触怒皇帝，才颁发督军宦官印信，有权纠正军政命令，事权合一，可以直接上奏君王。

10 四月二十七日，下诏撤销王承宗及成德战区（总部设恒州〔河北省正定县〕）将士的罪状，恢复原来官爵。

11 平卢战区（总部设郓州〔山东省东平县〕）司令官（节度使）李师道，生性愚昧，能力薄弱，军政大事，只跟妻子魏女士，家奴胡惟堪、杨自温，以及婢女蒲女士、袁女士，连同文书官（孔目官）王再升等商议，战区大将跟幕僚官员，都不能参与。魏女士不打算送她的儿子到中央当人质，跟婢女蒲、袁二人，告诉李师道说："自从老爹（李纳）以来，我们拥有十二州的土地（李正己创业时有十五州，参考七七七年十二月；儿子李纳反抗中央，徐州〔江苏省徐州市〕回归中央，参考七八一年十月；德州〔山东省德州市陵城区〕、棣州〔山东省惠民县〕并入卢龙〔总部幽州〕，参考七八二年二月十一日；之后，只剩下十二州），为什么无缘无故，割出三州（沂密海）呈献！现在境内的大军，不少于数十万，拒绝呈献三州，中央不过出兵攻打，如果打不过，再呈献不晚。"李师道大为后悔，打算诛杀劝他向中央回归的执行官（判官）李公度；幕僚贾直言警告一位当权的家奴说："现在，大祸临头，难道不是高沐的冤魂造成？如果再杀李公度，恐怕产生危险！"李师道下令囚禁李公度，把营门官（牙将）李英昙押送莱州（山东省莱州市），还没有走到，就在半途把李英昙绞死。

李逊抵达郓州（平卢战区总部所在），李师道展示他的强大威力，出动大军迎接，李逊气势凌厉，脸色严肃，向李师道分析祸福，要他回答一句不再变卦的果断话，让他报告皇帝。李师道告退后，跟他的智囊讨论，大家一致说："姑且答应他，到了那天，不过写一份奏章解释解释而已。"李师道乃向李逊道歉说："前些时只因父子之情，舍不得他们前往京师（首都长安），而且将士们一再挽留，所以拖延到今天，还没有动身。现在又麻烦钦差大臣，岂敢再三心二意！"李逊看出李师道心怀诈欺，回京（首都长安）之后，奏报李纯说："李师道冥顽不灵，反复无常，中央恐怕免不了出动大军！"不久，李师道上疏说："全体军民，不准我派人质和割地呈献！"李纯大怒，决心讨伐。

贾直言冒着刀锋，竭力劝阻李师道两次，抬着棺材，竭力劝

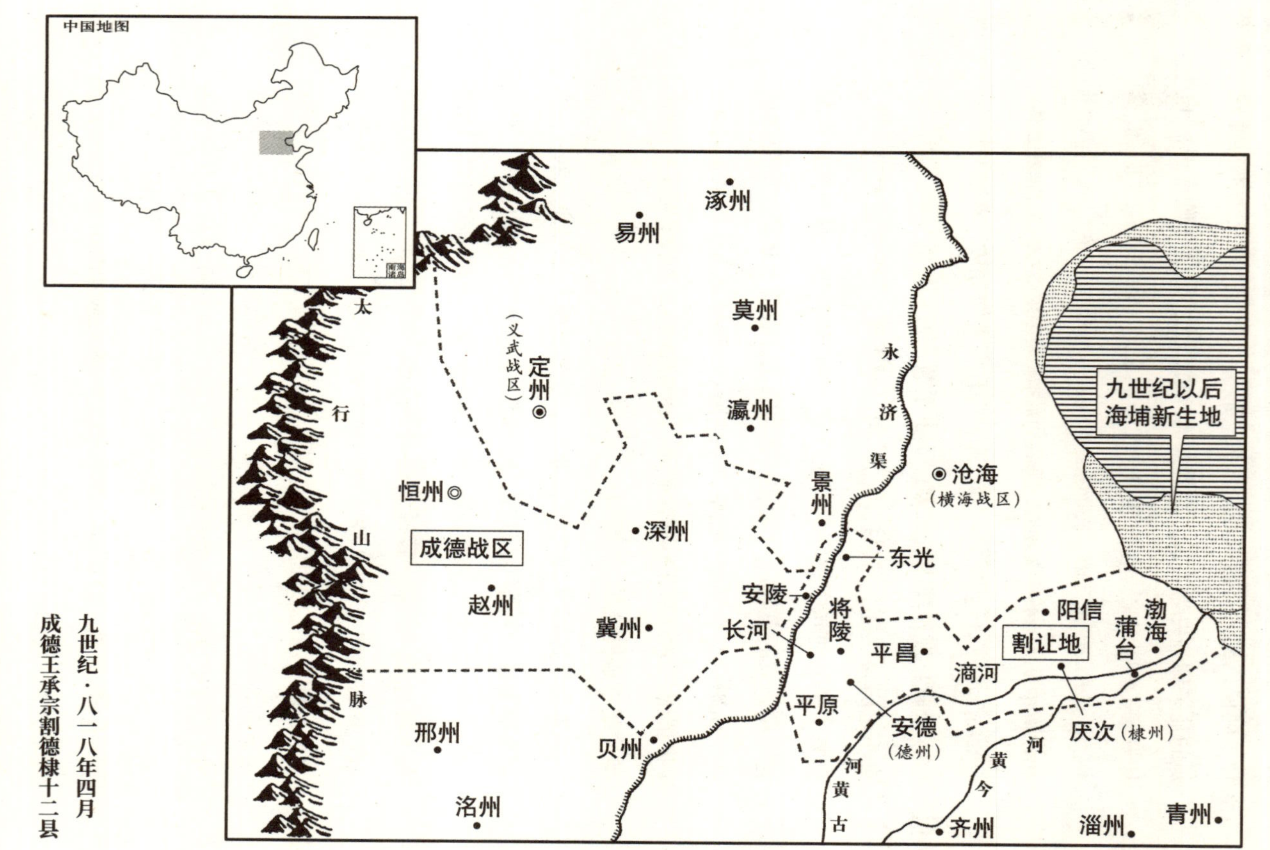

九世纪·八一八年四月

成德王承宗割德棣十二县

阻李师道一次；又画了一张图画，画上一个人绳捆索绑装到囚车上，妻子儿女戴着脚镣手铐，押解前往献俘。李师道大怒，逮捕他囚禁。

五月十三日，李纯命忠武战区（总部设许州〔河南省许昌市〕）司令官（节度使）李光颜（阿跌光颜），当义成战区（总部设滑州〔河南省滑县〕）司令官（节度使），准备讨伐李师道。命淮西战区（总部设蔡州〔河南省汝南县〕）司令官（节度使）马总，当忠武战区（总部设许州〔河南省许昌市〕）司令官（节度使），兼陈许蔡道（首府同设许州）行政长官（观察使）。把淮西（总部蔡州）的申州（河南省信阳市），划归鄂岳道（首府设鄂州〔湖北省武汉市〕）；光州（河南省潢川县）划归淮南战区（总部设扬州〔江苏省扬州市〕）。

12 五月十八日，唐政府封主管渤海王国（首都龙泉府）国务的大仁秀，当渤海国王（十任宣王）。

13 李纯命河阳战区（总部设汝州〔河南省汝州市〕）总作战司令（都知兵马使）曹华，当棣州（山东省惠民县）州长：训令河阳兵团护送到滳河。正巧，平卢变军（总部郓州）攻陷滳河县城，曹华把他们击退，杀二千余人，收回县城，奏报中央。李纯下诏擢升曹华当横海战区（总部设沧州〔河北省沧州市东南〕）副司令官（节度副使）。

14 六月一日，日蚀。

15 六月二十五日，再命河阳战区（总部设河阳县〔河南省孟州市〕）司令官（节度使）乌重胤兼怀州（河南省沁阳市）州长，战区总部由汝州（河南省汝州市）迁回河阳（河南省孟州市。迁汝州事，参考八一四年闰八月）。

16 秋季，七月一日，调山南东道战区（总部设襄州〔湖北省襄阳市〕）司令官（节度使）李愬，当武宁战区（总部设徐州〔江苏省徐州市〕）司令官（节度使）。

七月三日，李纯下诏宣布李师道（平卢〔总部郓州〕司令官）罪状，命宣武（总部汴州）、魏博（总部魏州）、义成（总部滑州）、武宁（总部徐州）、横海（总部沧州）各战区共同讨伐。命宣歙道（首府设宣州〔安徽省宣城市宣州区〕）行政长官（观察使）王遂，当后勤司令（供军使）。王遂，是王方庆的孙儿（王方庆曾任南周王朝的宰相，参考六九六年九月）。

李纯正依靠裴度主持军事行动，副监督长（门下侍郎）兼二级实质宰相（同平章事）李夷简，自知才干不如裴度，请求到地方任职。

七月十九日，李纯命李夷简遥兼二级宰相（同平章事，使相），充当淮南战区（总部设扬州〔江苏省扬州市〕）司令官（节度使）。

17 八月一日，副立法长（中书侍郎）、二级实质宰相（同平章事）王涯免职，调任国务院国防部副部长（兵部侍郎）。

18 吴元济（已故淮西〔总部蔡州〕首领）覆亡后，宣武战区（总部设汴州〔河南省开封市〕）司令官（节度使）韩弘，开始恐惧。

九月，韩弘亲自率本战区特遣兵团攻击李师道，包围曹州（山东省菏泽市定陶区）。

19 淮西变乱（总部蔡州）平定后，李纯渐渐骄傲奢侈。国务院财政部副部长（户部侍郎）兼全国财政总监（判度支）皇甫镈（音bó〔博〕）、军械供应部部长兼盐铁专卖暨运输总监（卫尉卿兼盐铁转运使）程异，看出李纯的心意，不断的向他呈献“经费盈余”，供他挥霍，因而深受李纯的宠信（“盈余”早于十三任帝李诵时，已经撤销，参考八〇五年二月；如今恢复）。皇甫镈（音bó〔博〕）更用重金贿赂宦官吐突承璀。

九月二十三日，李纯下诏命皇甫镈以他的本职，命程异调任国务院工程部副部长（工部侍郎），二人同时兼二级实质宰相（同平章事），总监的职务仍然保持。诏书颁布，无论政府与民间，都张口结舌，呆在那里，街头巷尾的小贩都忍不住嗤之以鼻。

宰相裴度、崔群，极力反对，李纯不理。裴度认为跟这种人同当宰相，是一种羞辱，上疏请求辞职，李纯不准。裴度再上疏指出：“皇甫镈、程异，只是管理钱粮的事务性官员和谄媚灵巧的卑劣小人，陛下忽然之间，擢升他们到宰相高位，中央及地方，没有一个人不惊骇失笑。何况，皇甫镈身任全国财政总监（度支），只知道拼命征收，而又吝啬开支。全国凡是仰仗财政总监署（度支）供应的单位，都把他恨入骨髓，想要割他的肉吞吃。前些时，他克扣淮西（总部蔡州）讨伐大军的粮饷，官兵愤怒，正巧我到那里视察，百般解释慰劳，才算平息，但也不过仅能防止大军溃散作乱而已。而今，又命他们开向平卢（总部郓州）作战，听说皇甫镈高升宰相，一定惊骇忧惧，担心连哭诉都没有渠道。程异虽然人品低下，然而性情和平，可以胜任繁重的工作，但并不适合担任宰相。至于皇甫镈这种人，狡猾奸诈，天下皆知，只看他竟能迷惑住英明神圣领袖，就可以证明他的奸邪本领，已出神入化。我如果不辞职，全国人民都会认为我不知羞耻；我如果不说话，全国人民都会认为我辜负陛下的恩宠。而今，既不准我辞职，而又不理会我的建议，我好像烈火烧心，万箭穿身。所可惜的是，淮西（总部蔡州）荡平，黄河以北三战区重回中央，王承宗（成德〔总部恒州〕司令官）呈献土地、韩弘（宣武〔总部汴州〕司令官）带病出征，难道中央真有这么大的力量置他们于死地？只是陛下领导有方，处置恰当，使他们口服心服而已。陛下建立中兴大业，已完成十之八九，为什么忍心亲自下手破坏，使统一瓦解！”李纯认为裴度结党营私，完全不信。

皇甫镈自知被人家排斥，更加向皇帝谄媚，用以巩固自己的地位，上疏请求减少全国官员的薪俸，移作政府经费，李纯下诏实施。御前监督官（给事中）崔植把诏书退回，竭尽全力说明不可以这么做，才算阻止（薪俸制度的检讨，参考八一一年六月）。崔植，是崔祐甫的侄儿（崔祐甫曾任十二任帝李适的宰相。参考七七九年闰五月）。

当时，宫库交给全国财政总监署（度支）很多历年储存的旧绸缎，要它出卖，皇甫镈用高价全部买下，然后转发给边防军。绸缎存放太久，全都陈旧朽烂，用手轻轻一碰，就会破裂，边防军无可奈何，只好把它聚集在一起，纵火焚烧。裴度在奏报国事时顺便提出，皇甫镈就在李纯面前，伸出一只脚说：“这靴子也是从宫库出来的，我花了两千钱买来，坚固完整，可以穿很久，裴度的话别有居心，不可相信！”李纯认为有理。自此皇甫镈更胆大妄为，毫无顾忌。程异知道自己不孚众望，所以态度谦卑，言语谨慎，被任命当宰相一个月有余，仍不敢轮值批示公文，所以最后得以免除灾祸（皇甫镈最后贬谪崖州，参考后年〔八二〇〕正月）。

20 皇家鹰狗五坊管理宦官（五坊使）杨朝汶，随意逮捕囚禁市民，苦刑拷打，勒索利息，辗转诬陷牵连，最后囚禁将近一千人（原文“责其息钱”，似是讨债，但讨债非政治案件，何来诬引？说不清楚）。副总监察官（中丞）萧俛上疏检举，宰相裴度、崔群也奏报皇帝，李纯说：“我们现在只讨论军国大事，这种小问题，我自会处理。”裴度说：“事实上，战场胜负才是小问题，忧虑的不过山东（太行山之东）一个地区。而皇家鹰狗五坊管理宦官（五坊使）凶恶横暴（五坊，于十三任帝李诵时已撤销，参考八〇五年二月，当是后来李纯恢复），恐怕扰乱京师（首都长安）。”李纯大不高兴，回到内宫里，召见杨朝汶，责备他说：“因为你，让我没有脸见宰相！”

冬季，十月，下令杨朝汶自杀，释放所有囚犯。

21 李纯到了晚年，特别喜爱神仙，命全国推荐巫术师。皇族事务部长（宗正卿）李道古，曾当过鄂岳道（首府设鄂州〔湖北省武汉市〕）行政长官（观察使。参考去年〔八一七〕二月），以贪污残暴，闻名于世，恐怕最后终要被追查定罪，想找一个方法向皇帝献媚，于是透过皇甫镈，向李纯推荐巫术师柳泌，说柳泌会配制长生仙丹。

十月二十四日，李纯命柳泌在兴唐观（位于长安城长乐坊）炼药。

22 十一月一日，盐州（陕西省定边县）奏报说：吐蕃军（西藏）进攻河曲（内蒙古黄河弯曲地带）及夏州（夏绥战区总部，陕西省靖边县北白城则村）。朔方战区（总部设灵州〔宁夏灵武市〕）奏报说：在长乐州（羁縻州，宁夏平罗县西）击破吐蕃军（西藏），攻克长乐州外城。

23 柳泌报告李纯说：“天台山（位于浙江省天台县东北）是神仙居住的地方，生产很多灵芝，我虽然知道，但没有力量取得，如果能当那里的长官，或许有希望找到。”李纯相信。

十一月七日，命柳泌暂代台州（浙江省临海市）州长，特别准他穿三品以上高官才可以穿的紫袍，携带金质鱼袋。谏官争相上疏劝阻，都认为：“历代领袖人物喜爱巫术师的很多，但从来没有派他们直接治理国民，主持地方政府的！”李纯说：“竭尽一个州的力量，而能促使领袖长生不老，做臣属的又何必爱惜一个州！”文武百官再不敢开口。

24 十一月十四日，盐州（陕西省定边县）奏报说：吐蕃军（西藏）撤退。

25 十一月二十二日，命河阳战区（总部设河阳县〔河南省孟州市〕）司令官（节度使）乌重胤，当横海战区（总部设沧州〔河北省沧州市东南〕）司令官（节度使）。

十一月二十七日，命华州（陕西省渭南市华州区）州长令狐楚，当河阳战区（总部河阳县）司令官。

乌重胤率河阳特遣兵团精锐部队三千人，前往沧州（河北省沧州市东南）到差，河阳士卒不愿远离家乡（沧州位河阳东北航空距离五百五十公里），走到中途就一哄而散，逃回河阳，不敢进城，就在城北驻扎，准备大肆抢劫掠夺。令狐楚及时赶到，单人匹马出城安抚慰问，跟他们一同回来。

之前，魏博战区（总部设魏州〔河北省大名县〕）司令官（节度使）田弘正（田兴）要求自黎阳（河南省浚县）渡黄河，跟义成战区（总部设滑州〔河南省滑县〕）司令官（节度使）李光颜（阿跌光颜）会师，共同讨伐李师道（平卢〔总部郓州〕首领）。宰相裴度说：“魏博兵团（总部魏州）一旦渡黄河南下，就不能再退回河北，必须立即进攻，才有希望成功。否则的话，抵达滑州（河南省滑县）后，粮饷开支，全靠中央，结果中央全力供应，反而养成他们乐于逗留观望的心理。万一两战区互相猜忌，越发使逗留观望的时间延长。所以，与其南渡黄河而不进攻，不如就留在河北（黄河以北）养精蓄锐。陛下应令魏博兵团（总部魏州）喂饱战马、磨利武器，等到霜降秋深，枯水季节来临，然后从杨刘（山东省东阿县东北姚寨镇）渡河，直指郓州（山东省东平县），能够挺进到阳谷县（山东省阳谷县）扎营，声势自然强大，盗贼心里一定动摇。”李纯同意。

本月（十一），田弘正（田兴）亲率大军自杨刘（山东省东阿县东北姚寨镇）渡河，挺进到距郓州（山东省东平县）四十里处建营筑垒，城里的平卢变军，大为震动（据《新唐书·李光颜传》，后来，义成兵团攻取平卢战区的濮阳〔河南省濮阳市〕）。

26 宗教管理总监（功德使）上疏说：“凤翔（陕西省宝鸡市凤翔区）法门寺塔，藏有佛祖的一节指骨（塔名护国真身塔，在陕西省扶风县北法门镇，塔内藏释迦牟尼指骨。参考七九〇年春季），相传三十年开塔一次，开塔之年，庄稼丰收，国泰民安。明年（八一九）应该开塔，请迎接佛指入宫。”

十二月一日，李纯派宦官率领一群和尚，前往迎接。

27 十二月十九日，擢升春州（广东省阳春市）户籍官（司户）董重质（参考去年〔八一七〕十月）当试用太子宫总管（试太子詹事），派往武宁战区（总部设徐州〔江苏省徐州市〕）安置工作。这是战区司令官（节度使）李愬的请求。

28 十二月二十九日，魏博兵团（总部魏州）、义成兵团（总部滑州）把所俘虏的平卢变军（总部郓州）总作战司令（都知兵马使）夏侯澄等四十七人，押解京师（首都长安），李纯下令全部释放，免予诛杀，交给俘虏他们的各战区特遣兵团安置，李纯说：“如果有父母在堂，想要回去的，从优发给旅费，送他们回去。我要诛杀的，只李师道一人而已。”变军中听到这个消息，投降的前后相连。

最初，平卢战区（总部设郓州〔山东省东平县〕）执行官（判官）李文会，跟老哥李元规，都在李师古幕府供职，李师古逝世，李师道继位（参考八〇六年闰六月），李元规辞职而去。而李文会因是李师道的亲密智囊，向老哥表明愿意留下。李元规将要动身，警告李文会说："我走，身退命安。你留，一定会取得突然的富贵，但你将招来大祸。"现在，中央讨伐大军从四面八方包围郓州（山东省东平县），战事一天比一天不利，将士们大声喧哗说："高沐、郭昈、李存，向大帅（李师道）呈献忠实计谋。李文会是奸邪小人，诛杀高沐，囚禁郭昈、李存，才招来今天的灾难。"李师道不得已，贬李文会当登州（山东省烟台市蓬莱区）州长；释放郭昈、李存，仍回幕府。

29 李纯时常告诉宰相们说："臣属应该努力做好事，为什么喜爱结党分派？我深为痛恨。"裴度说："人因见解相同而聚集在一起，物因形状不同而分别归类。无论是正人君子或卑劣小人，只要志趣相投，势必结合。正人君子结合，称‘共识’；卑劣小人结合，称‘结党’。外表看起来很相似，实质却有很大的悬殊，唯一的仰仗是：英明领袖能分辨正直邪恶！”

30 武宁战区（总部设徐州〔江苏省徐州市〕）司令官（节度使）李愬，跟平卢变军（总部郓州）会战十一次，每次都传出捷报。

十二月三十日，李愬进攻金乡（山东省金乡县），攻克。

李师道胆小如鼠，自从中央出动讨伐大军，听到前方战事稍稍失利，或失守城池，立刻就惊骇忧愁，生病卧床。因此左右侍从只好隐瞒战报，不告诉李师道实情。金乡（山东省金乡县）是兖州（山东省济宁市兖州区）的重镇，失守之后，州长派员乘驿马飞奔，前来告急，左右侍从却不给他通报，李师道到死都不知道这件事（根据《新唐书·王智兴传》记载，武宁兵团主将王智兴的进攻路线，是从胡陵〔山东省鱼台县东南〕出发，攻克河桥〔山东省微山县北南阳镇〕、黄队〔鱼台县境〕，再攻陷金乡〔山东省金乡县〕县城）。

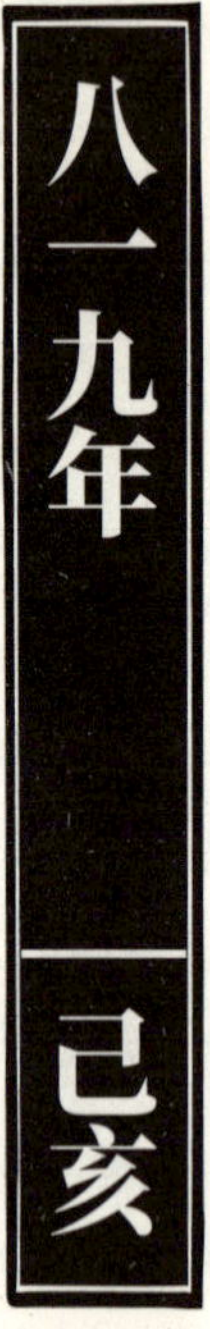

1 春季，正月二日，唐王朝（首都长安〔陕西省西安市〕）宣武战区（总部设汴州〔河南省开封市〕）司令官（节度使）韩弘，攻陷平卢变军（总部设郓州〔山东省东平县〕）辖区的考城（河南省民权县），杀二千余人。

正月七日，平卢变军（总部郓州）所辖沭阳（江苏省沭阳县）县长梁洞，献出城池，向楚州（江苏省淮安市）州长李听投降。

2 吐蕃王国（首都逻些城〔西藏拉萨市〕）派使节论短立藏等，前来唐王朝和解，还没有回去，吐蕃军已进攻河曲（内蒙古黄河弯曲处）。李纯说：“他的国家失信，它的使节有什么罪！”

正月十一日，遣送论短立藏等回国。

3 正月十三日，武宁战区（总部设徐州〔江苏省徐州市〕）司令官（节度使）李愬攻克鱼台（山东省鱼台县）。

4 宦官迎接佛骨回京师（首都长安），留在皇宫里三天，然后依照顺序，送到各寺轮流供奉（前往凤翔迎接佛骨事，参考去年〔八一八〕十二月）。亲王公爵，大官小民，瞻仰膜拜，顶礼布施，争先恐后，唯恐来不及，甚至有人倾家荡产捐赠，也有人在臂上头上点燃香火，灼伤自己，作为奉献。

国务院司法部副部长（刑部侍郎）韩愈，上疏恳切劝阻，认为：

“佛教，是外族的一种信仰。自姬轩辕（黄帝王朝一任帝黄帝），以至姒文命（夏王朝一任帝禹帝）、子天乙（商王朝一任帝成汤帝）、姬昌（周王朝文王）、姬发（周王朝一任王武王），都享有长寿高龄，人民也都安乐，当时，并没有佛教。东汉王朝二任帝（明帝）刘阳时，才开始有佛法（参考六五年），可是，以后每个王朝都骚动混乱，政权寿命，不能长久。南宋帝国、南齐帝国、南梁帝国、陈帝国、北魏帝国以下，信仰佛教更为虔敬，而立国的年代反而更短。萧衍（南梁帝国一任帝武帝）在位四十八年，前后三次舍身同泰寺（应是四次，参考五四七年三月），充当家奴，结果却被侯景逼迫，饿死台城（参考五四九年五月），帝国不久也归灭亡。

“供奉佛祖，只不过为了给自己祈福，想不到反而得到灾祸。从这方面观察，佛祖之不足以相信，可以肯定。人民愚昧，容易迷惑，难以用理性说服，倘若看到陛下这样做，都说：‘连皇上还一心敬奉，我们出身微贱，对于佛祖，怎么可以珍惜自己的身家性命！’佛祖本是外族人，口中不说圣王的训教，身上不穿圣王的衣服。不知道君主与臣属间的大义，和父亲与儿女之间的恩情，假如释迦牟尼这个人还活在人世，奉他们国家的派遣，前来京师（首都长安）朝见，陛下有时间的话，也不过在宣政殿接见他，摆设筵席一桌，赏赐衣服一套，护送他出境回国而已，绝不会允许他留下来招摇惑众。何况他身死已久，枯朽的一节指骨，怎么可以进入深宫！

“古代封国之间，互相吊丧，还要先用桃木苕帚扫除不祥霉气，而今，无缘无故把肮脏污秽的东西，拿出来亲自观看，不先教巫法师念咒诵经，不先用桃木苕帚扫除，文武百官不指出陛下行事不当，监察官（御史）也不检举有关主持人员犯罪，使我感到羞耻。我请求把这个所谓的‘佛骨’交给主管单位，命他们投到火里烧成灰烬，再丢到河里，从根本上彻底铲除，使后代万世之人，永不迷惑。使全国人民都知道伟人圣人的作为，高出平常人万等，岂不是一件盛事。佛祖如果有灵，能够降下灾祸，则所有惩罚，愿全部降临我的身上。”

唐帝（十四任宪宗）李纯（本年四十二岁）看到奏章，大为震怒，交给宰相们传观，准备把韩愈斩首。裴度、崔群代韩愈求情说：“韩愈虽然疯狂，但出自一片忠诚，最好宽恕包容，用以鼓励进言之路。”

正月十四日，把韩愈贬作潮州（广东省潮州市）州长（潮州在长安东南航空距离一千四百公里）。

韩愈诗（示侄孙韩湘）：

一封朝奏九重天 / 夕贬潮阳路八千 / 本为圣朝除弊政 / 肯将

衰朽惜残年 / 云横秦岭家何在 / 雪拥蓝关马不前 / 知汝远来应有意 / 好怀吾骨瘴江边。

在战国时代，“老庄”学派，跟“儒家”学派，互相争辩，都肯定自己是对的，而认为别人全错。到了东汉王朝末年（应是东汉王朝初年），又增加一个“佛教”，不过最初喜爱的不多。晋王朝及南宋帝国后，佛教迅速扩张，上自帝王，下到小民，没有人不尊敬崇信。低阶层人民畏惧冥冥中的惩罚和祈求幸福平安，高阶层贵族则运用佛经，高谈阔论，不务实际。唯独韩愈厌恶他们劳民伤财、妖言惑众，竭力排斥，措辞未免过分激烈。只有《送文畅师序》一篇，最能抓住要点，他说：“飞鸟低头啄食，抬头四望，走兽藏居深山，不轻易出现；都是恐惧受到其他动物的伤害，可是仍然不见得能够逃掉。弱者的肉，是强者的粮食。而今，我跟文畅二人，平安的住在这里，饮食丰富，心情愉快，或生或死，跟鸟兽大不相同，怎么可以不知道所以能有这种生活的原因！”（从这段短文，看不出它跟反佛教言论有什么关系，不知司马光先生为什么引用。）

5 正月十七日，魏博战区（总部设魏州〔河北省大名县〕）司令官（节度使）田弘正（田兴）奏报说：在东阿（山东省阳谷县东北阿城镇）击败平卢变军（总部郓州），杀一万余人。

6 沧州（河北省沧州市东南）州长李宗奭（音shì〔士〕），跟顶头上司、横海战区（总部设沧州〔河北省沧州市东南〕）司令官（节度使）郑权发生冲突（前任战区司令官程权〔程执恭〕举族赴京〔首都长安〕，参考去年〔八一八〕三月），不服从郑权指挥。郑权上疏奏报，李纯派宦官前往传唤李宗奭进京

（首都长安），李宗奭发动军队挽留自己，上疏说："因为恐怕发生变乱，不敢离开。"李纯命乌重胤接替郑权（参考去年〔八一八〕十一月），州军将士大为恐惧，遂驱逐李宗奭，李宗奭逃奔京师（首都长安）。

正月二十二日，在独柳之下，斩李宗奭。

7 正月二十七日，田弘正（田兴）奏报说：在阳谷（山东省阳谷县）击败平卢变军（总部郓州）。

8 二月，楚州（江苏省淮安市）州长李听，袭击海州（江苏省连云港市），一连攻克东海（连云港市东）、朐山（海州州政府所在县）、怀仁（江苏省连云港市赣榆区）等县（《新唐书·李听传》记载，李听自涟水〔江苏省涟水县〕出发，攻克龙沮〔江苏省连云港市南三十公里〕、沭阳〔江苏省沭阳县〕、东海、朐山、怀仁等城）。

李愬（武宁〔总部徐州〕司令官）在沂州（山东省临沂市）击败平卢变军（总部郓州），攻克丞县（山东省枣庄市东南峄城区）。

平卢战区（总部设郓州〔山东省东平县〕）变军首领李师道，不断接到中央军入境逼近情报，下令征调民夫增加郓州（山东省东平县）城墙高度，并挖深护城河道，加强守备工程，甚至强迫女人去做粗工，人民更加恐惧怨恨。

总作战司令（都知兵马使）刘悟，是刘正臣（刘客奴）的孙儿（刘正臣被王玄志所害，参考七五七年正月），李师道派他率军一万余人，驻防阳谷（山东省阳谷县），抵抗中央。刘悟待人宽厚有恩，给士卒们相当大的自由，官兵们唤他"刘老爹"。等到田弘正（田兴）自杨刘（山东省东阿县东北姚寨镇）渡黄河发动攻击时，刘悟的军队没有戒备，迎战又不断战败。有人警告李师道说："刘悟不用军法带兵，专门收买军心，恐怕有别的阴谋，最好早做准备。"李师道命刘悟回来参加军事会议，打算把他斩首，但又有人劝阻说："现在，中央大军从四面八方合围，刘悟并没有叛变的事实，如果凭着一个人的检举，就作无情诛杀，所有将领们，谁还肯再为你效力？这么做是自己砍掉自己的利爪钢牙。"李师道留刘悟停留十天，仍命他返回防地，并送给他大量金钱绸缎，来安他的心。刘悟迅速发觉这项阴谋，回到防地后，暗中戒备。李师道因刘悟在外手握重兵，所以任命刘悟的儿子刘从谏当见习营门官（门下别奏），刘从谏跟李师道的家奴们每天混在一起，知道李师道很多阴谋，于是暗中报告老爹。

又有人警告李师道说："刘悟最后还是会给我们带来大祸，不如早一天把他除掉。"

二月八日，李师道暗中派两位使节，携带他的手令，交给特遣兵团作战副司令（行营兵马副使）张暹，命张暹砍下刘悟人头，送回来呈献，同时令张暹接管大营。当时，刘悟正在距大营二三华里外的一个山冈上高张篷帐，举行宴会。两位使节到大营后，把手令交给张暹。张暹跟刘悟一向亲善，假意和使节商量说："刘悟从总部回来之后，已提高警觉，不能马上动手，我先去报告他说：'大帅派人来慰劳将士，还带有赏赐的礼物，请老总（都头）马上回营，听他们传话。'这样，他才不会怀疑，就有办法对付了。"使节同意，张暹带着李师道的手令前去晋见刘悟，摒除左右侍从，拿给他看。刘悟暗中派人先回大营逮捕两个使节，斩首。

当时，天色已晚，刘悟在马上放松缰绳，缓缓而归，升堂落座，在严密保护下，召集所有将领，脸色严肃，声调凌厉，说："我跟各位不顾自己的死活，对抗中央大军，自问没有一点辜负大帅（李师道），而大帅却相信奸人的诬陷，派人来砍我的人头。我死之后，就要轮到各位。皇上所要诛杀的，只不过大帅一人，我们军事力量一天比一天削弱，为什么一定要跟随他一块受灭族处分！我希望跟各位卷起军旗，藏起武器铠甲，立即返回郓州（山东省东平县），执行中央命令。不仅可以拯救自己免除灾难，还可以享受荣华富贵，各位意下如何？”作战司令（兵马使）赵垂棘在篷帐外，站到大家前面，思考了很久，犹豫说：“事情真的能成功？”话刚说完，刘悟破口大骂说：“你竟然跟大帅合谋！”立刻斩首。然后询问其他将领，有人稍微有点迟疑，还没有发言，也被诛杀，同时诛杀大家平常所厌恶的将领共三十余人，尸首堆积在篷帐前面。剩下的将领们浑身发抖，一致回答说：“只听老总（都头）的命令，愿尽死力。”

刘悟再召集全军士卒，宣布说：“进入郓州（山东省东平县）后，每个人赏钱一百串，但你们不可以接近钱库；至于司令官的官邸（使宅），跟叛党的家宅，随你们抢夺劫掠，有冤报冤，有仇报仇！”命士卒们把饭吃饱、手拿武器。午夜，大营传出报时鼓声，等到传报三更的鼓声停止（凌晨零时），大军出发，人衔木片，马口被绳索绑住，悄悄向郓州（山东省东平县）挺进，路上遇到行人，立刻逮捕扣留，所以消息无从走漏。挺进到距郓州（山东省东平县）数华里，天还没有亮，刘悟命扎营休息，监听城上报时敲梆声音，等到传报五更的梆声停止，天色微明，命十个人先走，传话给守门的军士说：“刘老总（都头）奉命回城！”守门军士要报告司令官（节度使李师道）请示，十个人抽出佩刀就砍，守城军士全部逃走躲藏。刘悟率大军随后赶到，一拥而进，城中鼓噪喧哗，声震天地，等到刘悟本人抵达时，子城大门已经洞开，只有内城（牙城）还紧闭城门拒抗；稍后，刘悟命纵火焚烧，又用大斧劈门，终于杀入，内城里的亲兵不过数百人，开始时还有人射箭抛石，后来知道无济于事，都把武器扔到地上投降。

刘悟带兵升堂，下令搜捕李师道，李师道跟他的两个儿子侧身躲到床下，被生擒活捉。刘悟下令把他们父子押解到大营军门外的空地上，派人对他们说："刘悟奉皇上密诏，送大帅（李师道）前往京师，可是，大帅还有什么脸见皇上！"李师道还希望活命，他的儿子李弘方抬起头说："事情已到这种地步，早死也好！"不久，父子三人，一齐斩首（七六五年五月，李正己〔李怀玉〕割据平卢，传子李纳，李纳传子李师古，李师古传弟李师道，迄今〔八一九年〕五十五年而灭）。从早上六时到中午十二时，刘悟命两个总纠察官（都虞候）巡查街巷，禁止劫掠，社会秩序迅速恢复。刘悟把民兵全部集合球场，亲自骑马巡绕视察，安抚慰劳。赞成李师道背叛中央的官员二十余人，连同家族，全部斩首，文官武将都到总部参见，既恐惧又喜悦。刘悟看到李公度，握手悲叹，命监狱释放贾直言（李公度及贾直言事，参考去年〔八一八〕四月），都延聘到自己幕府。

刘悟从阳谷（山东省阳谷县）回军攻击郓州（山东省东平县）时，暗中派人把自己的密谋告诉魏博战区（总部设魏州〔河北省大名县〕）司令官（节度使）田弘正（田兴），说："事情如果成功，当燃起烽火告捷；万一城中已有防备，不能进城，希望大帅率军援助，成功的时候，功劳都归于你，我不敢占有。"并且建议田弘正（田兴）派军进入自己刚撤出的阳谷（山东省阳谷县）大营。田弘正（田兴）看见烽火，知道刘悟已经进城，立刻派使节前往道贺。刘悟把李师道父子的三颗人头，装到匣子里，派人送给田弘正（田兴），田弘正（田兴）大喜过望，用不封口的告捷奏章，飞骑呈递中央。平卢（总部郓州）十二州的变乱，全部平息。

田弘正（田兴）刚接到李师道父子的人头时，怀疑是不是真的，召见夏侯澄（夏侯澄被俘事，参考去年〔八一八〕十二月），命他分辨。夏侯澄仔细观察，大声痛哭，昏过去很久才醒过来，抱着李师道的人头，用舌舐去眼上的尘垢，再一次痛哭。田弘正（田兴）十分感动，认为他有道义，不加责备。

9 二月十四日，田弘正（田兴）捷报抵达京师（首都长安）。

二月十七日，李纯派国务院财政部副部长（户部侍郎）杨于陵，当平卢战区（山东省东平县）安抚慰劳特使（宣抚使）。

二月二十一日，装着李师道父子三颗人头的木匣，送到京师（首都长安）。自七六三年十一任帝李豫（李俶）初登帝位以来，将近六十年（五十七年），黄河南北三十余州之地，被军阀割据，官吏由军阀任命，田赋捐税由军阀扣留自用，直到现在，才完全回归中央，全国恢复统一（元和中兴，到达最高点）。

李纯命杨于陵分割平卢战区；杨于陵考察地图及档案，依照距离远近，计算军事力量强弱，评估财政经济实力的贫富，分割成为二区一道，使力量平均相等，计：郓曹濮战区、淄青齐登莱战区、兖海沂密道。李纯批准。

刘悟认为，当初中央大军讨伐李师道时，诏书上说："部将中如果有人诛杀李师道，率部众投降的，李师道所有的官职爵位，全部给他！"于是认为自己将得到十二州土地。遂补足文官武将的缺额，更换州长县长。告诉部属们说："总部军政，跟过去一样。从今之后，我和各位只要抱子弄孙，再也没有什么忧虑！"

李纯打算调走刘悟，恐怕刘悟拒绝，势将再起战端，于是密令田弘正（田兴）评估。田弘正（田兴）当天就派人晋见刘悟，声称亲善访问，实际上是作实地观察。刘悟身体健壮，喜爱手腕搏力，攻克郓州（山东省东平县）第三天，就教军中勇士练习手腕搏力，跟魏博（总部魏州）使节到庭院观看，看到紧张时，刘悟摇动双肩，挥舞手臂，离开座位，替一方助长声势。田弘正（田兴）得到报告，笑说：“他一听调差，就会立刻上路，没有其他选择！”

二月二十二日，李纯发布人事命令，命刘悟当义成战区（总部设滑州〔河南省滑县〕）司令官（节度使）。刘悟听到消息，震惊慌乱，不知道怎么反应。第二天，就出发西上。而田弘正（田兴）率几个战区的特遣兵团，已快速东下，在郓州（山东省东平县）城西二华里，跟刘悟在驿站宾馆见面，刘悟当面接过符信，前往滑州（河南省滑县）到差，延聘李公度、李存、郭昈、贾直言当幕僚，随自己一同上任。

刘悟一向跟李文会友善，占领郓州（山东省东平县）后，派人接他回来（李文会贬登州〔山东省烟台市蓬莱区〕州长，参考去年〔八一八〕十二月），李文会还没有回来，中央人事命令突然发布，郭昈、李存秘密商议说：“李文会是一个花言巧语的马屁精，败坏平卢一道，使李师道全族屠灭，被万人痛恨。如果不乘这个机会把他除掉，田弘正（田兴）到后，一切宽大处理，将怎么平息三齐（山东省）之地对他的愤怒！”于是，伪造一份刘悟的信件，派使节前往，无论什么地方迎到李文会，就在该地砍下人头。使节走到丰齐驿（山东省东阿县东南）就遇到喜气洋洋回来的李文会，遂把李文会斩首。可是使节回郓州复命时，刘悟及郭昈、李存已经远走，找不到复命的对象。李文会有两个儿子，一个逃亡，一个死在监狱，家产全部被人掠夺，田地房舍，都被政府没收。

李纯下诏命平卢特遣兵团副司令（行营副使）张暹，当戎州（四川省宜宾市）州长（戎州在郓州西南航空距离一千四百公里外的蛮荒地带，用这个官职嘉奖他的功劳，似是讽刺）。

二月二十五日，加授田弘正（田兴）中央官衔：摄理司徒（检校司

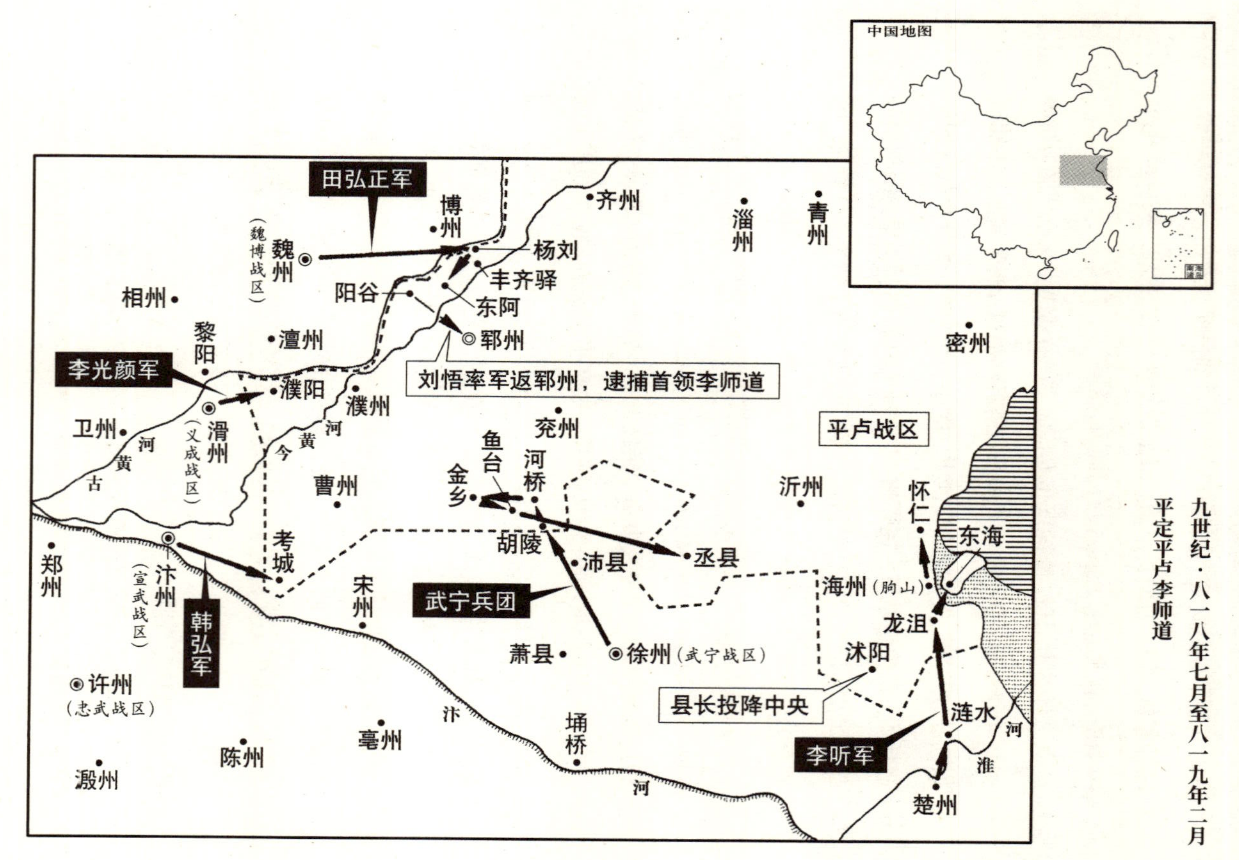

九世纪·八一八年七月至八一九年二月
平定平卢李师道

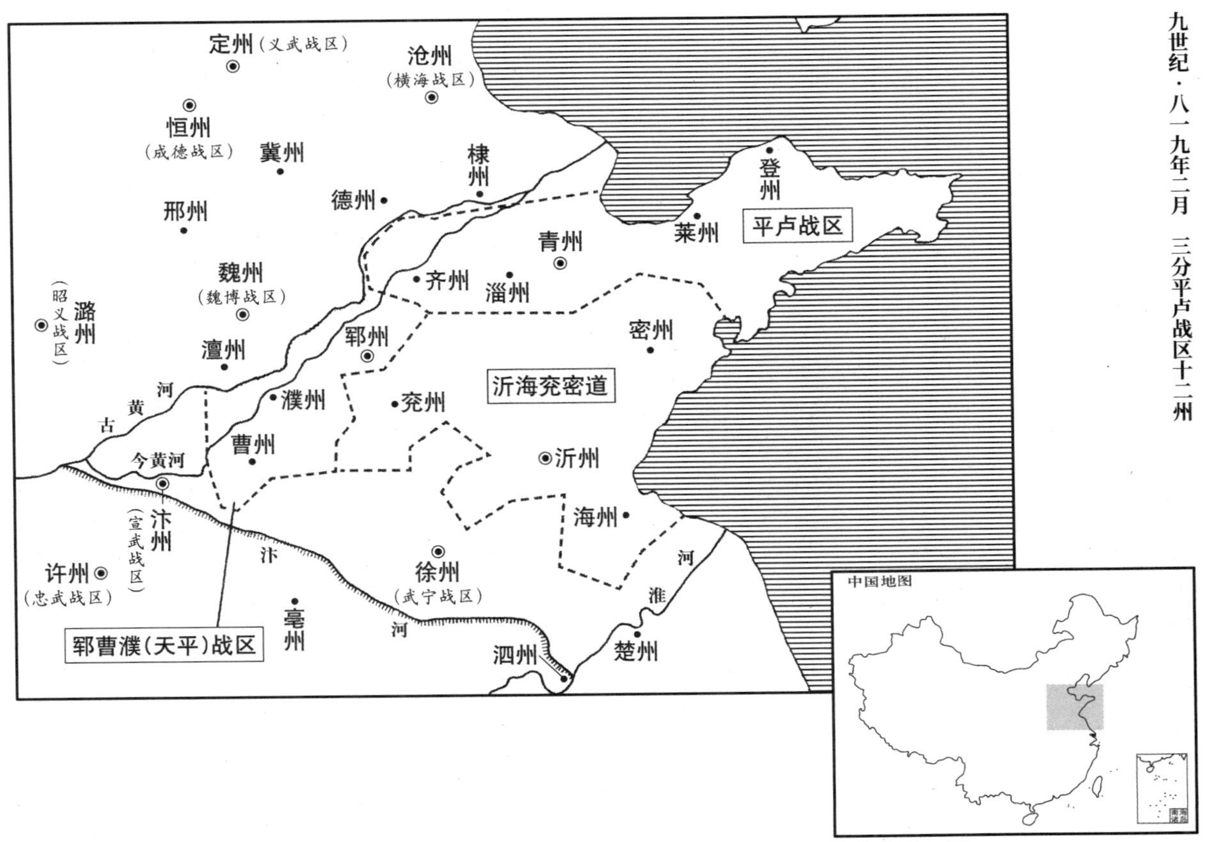

九世纪·八一九年二月　三分平卢战区十二州

徒，三公之二）遥兼二级宰相（同平章事，使相）。

起先，李师道失败前的几个月，过度恐惧紧张，听见风吹草动或鸟飞狗吠，都怀疑发生变乱，所以严厉禁止郓州（山东省东平县）居民亲戚或相识的人，有任何宴会聚集，路上相遇，也不准说话，违犯的一律处罚。田弘正（田兴）进入郓州（山东省东平县），废除所有苛刻的禁忌，放任人们随意寻欢取乐，寒食节日（参考七七〇年三月注），一连七天七夜，完全开放，不限制行人。有人劝阻说："郓州（山东省东平县）长期以来背叛中央，今天虽然平息，人心并不安定，不可不防。"田弘正（田兴）说："叛逆头目既然除掉，对人民应该宽大施恩，如果再跟过去一样，多方管制，是用暴政代替暴政，人民的好处在哪里！"

之前，李师道不断派杀手入关（潼关），砍断皇家坟墓门前的列戟（参考八一六年正月），焚烧仓库（参考八一五年四月），用箭射递文书，制造恐怖（参考八一五年八月），使京师（首都长安）陷于混乱，打击民心士气。有关单位搜捕缉拿，十分严厉。潼关（陕西省潼关县）治安官员甚至打开根本不能藏人的箱子、行李，搜查刺客，但是始终不能阻止杀手来去自如。直到田弘正（田兴）进入郓州（山东省东平县），检查李师道的档案，上面记载有赏刺死武元衡杀手王士元等及赏赐潼关（陕西省潼关县）、蒲津关（陕西省大荔县东黄河渡口）治安官兵账目，才知道原来中央治安人员都收受李师道的贿赂，故意包庇杀手。

裴度编纂蔡州（淮西战区）、郓州（平卢战区）战役史以来，皇帝如何忧虑勤劳，如何指示机宜事例，利用参加宴会的机会，呈献李纯，请带回盖印后交付国史馆。李纯说："这样做的话，好像是我出的主意，我不愿人们有这种印象。"不准。

三月十日，李纯命华州（陕西省渭南市华州区）州长马总，当郓曹濮战区（总部设郓州〔山东省东平县〕。明年〔八二〇〕七月，改称“天平战区”）司令官（节度使）。

三月十一日，调义成战区（总部设滑州〔河南省滑县南〕）司令官（节度使）薛平，当平卢战区（总部改设青州〔山东省青州市〕）司令官（节度使）兼淄青齐登莱道（首府同设青州）行政长官（观察使。平卢战区只剩下这五州，总部东迁）。命中央讨伐平卢各战区特遣兵团粮秣供应总监（行营供军使）王遂，当沂海兖密道（首府设沂州〔山东省临沂市〕）行政长官（观察使）。

10 横海战区（总部设沧州〔河北省沧州市东南〕）司令官（节度使）乌重胤奏报说：“河朔（河北平原）军阀所以能够割据一方，拒抗中央长达六十余年，由于各州县除了州长、县长外，战区总部还另派镇守将领，管理军政，剥夺州长、县长的权力，而自己作威作福（河北各战区属州大小官员由司令官任命，早于十一任帝李豫〔李俶〕时便是如此，参考七六五年七月）。当初如果能支持州长行使职权，则即令有奸雄像安禄山、史思明之流出现，也不能靠他们控制的一个州背叛中央。本战区德州（山东省德州市陵城区）、棣州（山东省惠民县）、景州（河北省泊头市西交河镇）三州，我已命三州州长行使自己的职权，所有驻军，一律由州长指挥。”

夏季，四月十九日，李纯命各战区司令官（节度使）、各道民兵总司令官（都团练使）、各警备区总司令官（都防御使），各军管区指挥官（经略使）等，把所指挥的各州民兵，一律交还给各州州长。自七五六年十任帝李亨登极以来，战区司令官（节度使）手握大权，所属各州都另行成立民兵部队，派大将统领，横暴凶恶，成一大灾难，所以乌重胤加以检讨。后来，河北（黄河以北）各战区，只有横海（总部沧州）对中央最为服从，都因为乌重胤处理适当之故。

11 四月二十四日，国务院工程部副部长（工部侍郎）、二级实质宰相（同平章事）程异逝世。

12 裴度在宰相位置上，知无不言，言无不尽。另一位宰相皇甫镈（音bó〔博〕）的同党，对裴度暗中排斥。

四月二十九日，李纯命裴度当副监督长（门下侍郎），遥兼二级宰相（同平章事，使相），充任河东战区（总部设太原府〔山西省太原市〕）司令官（节度使），贬出京师（首都长安）。

皇甫镈专门搜刮全国财富，供皇家挥霍，讨取李纯喜悦。政府官员没有一个人敢说话，只监督院高级顾问官（谏议大夫）武儒衡上疏指责。皇甫镈向皇帝解释时，攻击武儒衡别有居心，李纯说："因为武儒衡控告你，你打算报复是不是！"皇甫镈才不敢再说。武儒衡，是武元衡的堂弟（武元衡被刺杀，参考八一五年六月）。

13 国史馆编撰官（史馆修撰）李翱上疏说："平定祸乱，全靠军队；但建立一个和平世界，要靠政治、教育。而今，陛下既然用武力统一全国，如果能紧跟着进行大规模改革，恢复高祖（一任帝李渊）、太宗（二任帝李世民）的制度，任用忠心正直人士，而不怀疑；摒除奸邪谄媚之徒，而不跟他们接近；改变纳税条例，不再收钱而改收绸缎布匹（"两税法"之弊端，参考七九四年五月）；拒绝地方官员呈献'经费盈余'，减少人民缴纳的田赋捐税（"开支盈余"，参考七九六年六月）；厚待帝国的边防军，用以制裁蛮夷的侵略；经常召见顾问及谏诤的官员，下情才可以上达。这六项是政治改革的重点，世界和平，在这个基础上，才能建立。陛下已经办到最难办到的事，为什么不去办最容易办到的事？陛下有最高的神圣天资，如果能不受身旁亲信甜蜜语言的迷惑，而任用骨鲠正直的干部，共同开创教育文化新境，用不着多么辛苦，就可完成。如果认为这并不重要，我恐怕大功告成之后，物质享受的欲望抬头，摇尾分子马屁精一定说：‘天下已经太平，陛下可以无忧无虑的寻求欢乐！’如果真的这样，和平的日子恐怕永难来临。”

14 秋季，七月一日，田弘正（田兴）押解刺死武元衡的凶手王士元等十六人抵达京师（首都长安），李纯命首都长安特别市政府（京兆府）、总监察署（御史台）逐一审讯，都坦白招认。但是，当特别市长（京兆尹）崔元略问他们武元衡的面貌形状，以及衣服是什么颜色时，回答并不一致。崔元略问他们缘故，回答说：“成德（总部恒州）跟平卢（总部郓州）分别派杀手对付武元衡，可是王士元比预定的时间晚到，听说成德（总部恒州）已经得手，王士元等遂声称是自己干的，逃回去接受赏赐。现在不管我们行刺或不行刺，自问罪状都是一样，最后反正难逃一死，所以招认。”李纯也不打算追究谁是真凶，全部诛杀（武元衡之死，参考八一五年六月三日）。

15 七月二日，宣武战区（总部设汴州〔河南省开封市〕）司令官（节度使）韩弘，第一次到中央朝见，李纯待他十分优厚。韩弘呈献马三千匹，绢（生丝厚绸）五千匹、各种绸缎三万匹、金银器具一千件。而汴州（河南省开封市）仓库里仍存有钱一百余万串、绢（生丝厚绸）一百余万匹、马七千匹、粮食三百万斛。

16 七月十三日，文武百官向李纯呈献绰号：元和圣文神武法天应道皇帝；李纯赦免天下。

17 沂海兖密道行政长官（观察使）王遂，本是一个管理钱粮的官员，性情急躁刻薄，没有见识。当时，道政府匆匆建立，人心不安，王遂的治理手段，却严厉残酷，所用行刑的棍棒，都比常用的粗得多（唐王朝刑棍标准，参考六三七年正月注）。每次诟骂士卒，都咆哮说：“反叛蛮虏！”又在炎热盛夏，驱使士卒兴建道政府及行政长官（观察使）居住的官邸，督促急迫、责罚严厉，将士们愤怒怨恨。

七月十五日，做苦工的士卒王弁（音biàn〔变〕）跟他的四个朋友，在沂水（流经临沂市东）洗澡，秘密计划抗暴，说：“现在苦工做下去，犯罪也是死；挺身干一番事业，也是一死；死于挺身干一番事业，岂不更好！明天，大帅（王遂）跟监军宦官，以及副行政长官（副使），举行宴会，将领们全请假在外，值班卫士会留在房子里休息，我们出其不意的发动突击，有绝对制胜把握。”四个人完全同意，约定事成之后，推王弁当候补行政长官（留后）。

七月十六日，王遂正主持宴会，刚过中午，王弁等五人，突然闯入，在值班卫士室前面，夺取弓箭佩刀，直接射击副行政长官（副使）张敦实，射死。王遂跟监军宦官狼狈逃走，王弁活捉王遂，列举他在炎热的夏季大兴土木，以及刑罚苛刻残暴等罪状，当场立即斩首。传话说：“不要惊动监军宦官。”王弁自称候补行政长官（留后），升堂就职，发号施令，跟监军宦官同起同坐，召集将领军士们参见他并向他道贺，大家不敢不接受。监军宦官上疏报告兵变情形。

18 七月十八日，韩弘（宣武〔总部汴州〕司令官）再呈献给皇帝绢（生丝厚绸）二十五万匹、绝（音shī〔诗〕。粗绸）三万匹，银器二百七十件。左、右神策军总指挥宦官（中尉），也分别呈献皇帝钱一万串。自从讨伐淮西（总部蔡州）以来，全国财政总监署（度支）、盐铁专卖暨运输总监署（盐铁），以及四面八方，全国各地，争相进贡给皇帝，称为“助军”。战事结束后，呈献进贡，依然照旧，但名义改称“贺礼”。社会秩序恢复后，天下太平，再改称“助赏”。李纯接受绰号，也接受呈献进贡，也称“贺礼”。

19 七月二十一日，擢升河阳战区（总部设河阳县〔河南省孟州市〕）司令官（节度使）令狐楚，当副立法长（中书侍郎）、二级实质宰相（同平章事）。

令狐楚跟皇甫镈（音bó〔博〕）是同年进士（同一年通过进士科考试），所以皇甫镈推荐他当宰相。

20 中央得到沂州（山东省临沂市）兵变消息。七月二十八日，命棣州（山东省惠民县）州长曹华，当沂海兖密道（首府设沂州〔山东省临沂市〕）行政长官（观察使）。

21 韩弘一连上疏皇帝，请求留在京师（首都长安）。

八月三日，李纯命韩弘暂任司徒（守司徒，三公之二），兼最高立法长（兼中书令）。

八月七日，命国务院文官部长（吏部尚书）张弘靖，遥兼二级宰相（同平章事，使相），充任宣武战区（总部设汴州〔河南省开封市〕）司令官（节度使）。张弘靖，是宰相张延赏的儿子（参考八一四年六月），小时候就很受称赞，在中央供职，态度严肃，不多说活。河东战区（总部设太原府〔山西省太原市〕）及宣武战区（总部设汴州〔河南省开封市〕）司令官（节度使）先后出缺，中央认为张弘靖德高望重，所以先后派他镇守。在王锷横征暴敛之余、韩弘严厉凶猛之后，两战区军民喜爱张弘靖的廉洁谨慎和宽容作风，所以上下平安（河东王锷任上逝世〔参考八一五年十二月〕，张弘靖接替〔参考八一六年正月〕。现在再接替宣武韩弘）。

22 八月十三日，田弘正（田兴，魏博〔总部魏州〕司令官）到中央朝见，李纯待他尤其优厚。

23 八月二十二日，忠武战区（总部设许州〔河南省许昌市〕）司令官（节度使）郗士美逝世（年六十四岁）。李纯派国务院国防部军械司副司长（库部员外郎）李渤当吊丧特使（李渤本是隐士，参考八〇六年九月）。回来之后，李渤上疏说：

“我经过渭南（陕西省渭南市），发现长源乡（渭南市境）原有四百户，现在只剩下一百余户。阌乡县（河南省灵宝市西。阌，音wén〔文〕）原有三千户，现在只剩下一千户；其他州县，大体一样。追查所以凋零的原因，只缘于政府把逃亡户应缴的赋税，强迫邻户分摊，以致迫使大家一起逃亡，这都是搜刮聚敛的官员，剥削人民，谄媚领袖，认为只要汲干池塘里的水，不怕捕不到鱼（《吕氏春秋》：“汲干池塘的水捕鱼，怎么会捕不到鱼！问题是明年以后，永远没有鱼”）。故请颁布诏书，废止把逃亡户的田赋捐税分摊给邻户的办法。而只变卖逃亡户的家产折抵，仍然不足时，不再追缴。预计用不了几年，人们都会回乡耕田。”

当权官员（指皇甫镈）看见，大发雷霆，李渤遂声称患病辞职，返东都洛阳（河南省洛阳市）。

24 八月二十七日，吐蕃王国（首都逻些城〔西藏拉萨市〕）派军攻击庆州（甘肃省庆阳市），在方渠（甘肃省环县）扎营。

25 中央讨论出动军队讨伐王弁，又恐怕其他两战区——平卢（总部青州）和郓曹濮（总部郓州）跟随响应。于是中央发布人事命令，命王弁当开州（重庆市开州区）州长，派宦官把任用状交给王弁。宦官郑重告诉王弁说：“开州（重庆市开州区）可能已派人上路迎接，你应该早一点动身。”王弁当天就从沂州（山东省临沂市）出发，前道和后卫还有一百余人，可是进入徐州（武宁战区总部，江苏省徐州市）辖境之后，每到一个地方，当地政府就裁减他若干人，而他的卫士看情形不对，也开始逃亡，最后逮捕王弁，戴上脚镣手铐，骑驴西上，进入潼关。

九月三日，把王弁押解到首都长安东市，腰斩。

稍早，分割平卢兵团（总部郓州），分别隶属新设的二区一道。王遂被杀后，中央认为李师道的凶党余孽，还没有完全铲除，下令沂海兖密道（首府设沂州〔山东省临沂市〕）新任行政长官（观察使）曹华，率棣州（山东省惠民县）民兵到差，搜捕严办。沂州将领出来迎接，曹华态度诚恳，说尽好话安抚，命将领们先行回城，安慰其他同事及全部官员；大家心情坦荡，没有一点怀疑。曹华接事三天，举行盛大宴会，招待将士，在帐幕下埋伏一千人，集合大家宣布说：“天子因郓州（山东省东平县）官员有迁徙的辛劳，特别另行赏赐，最好分开排队，郓州（山东省东平县）人站左边、沂州（山东省临沂市）人站右边。”分别既定，命沂州（山东省临沂市）人全体出去，只留下郓州（山东省东平县）来的官兵，曹华下令关闭大门，对郓州（山东省东平县）来的官兵宣布说：“王大帅（王遂）奉天子的命令，在此统率全军，你们怎么可以把他杀害！”话还没有说完，伏兵已起，团团围住，大肆屠杀，一千二百人全死刀下，没有一个人逃生，大门屏风间赤雾冉冉上升，有一丈余高，过了很久才散。

司马光曰

《春秋》记载：楚王（十任灵王）芈围，把蔡国国君（十八任灵侯）蔡般，诱骗到申城（河南省南阳市北）诛杀（《春秋》前五四三年：蔡国国君〔十七任景侯〕蔡同，奸淫他的儿媳，他的儿子蔡般遂杀老爹。前五三一年：楚王〔十任灵王〕芈围驻军申城〔河南省南阳市北〕，邀请蔡般聚会，蔡般在位已十三年，打算赴宴。国务官〔大夫〕警告他："芈围贪而无信，尤其是这次邀请，礼物丰厚，言辞谦卑，是明显的一个陷阱，最好不去。"蔡般不接受。结果在宴会上被芈围逮捕，连同他的卫士七十人，全部被斩首）。楚王国不过是一个封国，孔丘还严厉的予以责备，憎恨芈围用诈术杀人，何况身为国家最高领袖，欺骗一个小民！

王遂不过一个赃官凶吏，教他镇守刚刚回归中央的土地，因苛刻暴虐，激起兵变。王弁不过一个平庸的士卒，乘机发动反抗。假如沂州（山东省临沂市）统帅是适当人选，杀王弁不过像杀一条狗、一头猪一样，何必用皇帝的诏书当作诱饵？而且，发动兵变的，不过五个人而已，竟然严重到使曹华摆下圈套，屠杀一千余人，岂不太滥！自此之后，士卒谁不猜疑他们的将领，将领又怎么能再取信于他们的士卒！上下怒目相视，好像仇人一样聚在一起，有机会就互相把对方当作鱼肉，谁先动手谁就是英雄好汉，灾祸什么时候才能停止！

可惜，李纯铲平全国所有的军阀割据，几乎使唐王朝重现和平，他的雄心大业所以不能完成，因为他只图眼前的近利，而不能建立大信。

柏杨曰

沂州之屠，告诉我们一项真理：没有权力制衡的政治领袖，是一个危险动物，比疯狂了的毒蛇还可怖，他随时会食言，而且还有充足的食言理由。相信这种人的承诺，就好像把自己的头放到轮盘上当赌注，赢了不过活命，输了就失去人头。

26 九月二十九日，李纯命田弘正（田兴）兼最高监督长（兼侍中，使相），而仍保持魏博战区（总部设魏州〔河北省大名县〕）司令官（节度使）。田弘正（田兴）再三上疏请求留在中央，李纯不允许。田弘正（田兴）常怕一旦逝世，战区军民仍按照老规矩，要求他的儿子世袭，所以把他的兄弟、儿子、侄儿，都送到中央政府，李纯把他们都擢升到显要位置；红色官服（四品、五品）及紫色官服（三品以上）充满家门，当时的人都羡慕他们的富贵。

27 九月三十日，李纯问各宰相说："玄宗（九任帝李隆基）在位主政时，起先把国家治理得很好，后来却天下大乱，什么缘故？"崔群回答说："玄宗（九任帝李隆基）最初信任姚崇（姚元之，参考七一三年十月）、宋璟（参考七一〇年七月）、卢怀慎（参考七一三年十二月）、苏颋（参考七一六年闰十二月）、韩休（参考七三三年三月）、张九龄（参考七三三年十二月），国家自然治理。后来信任宇文融（参考七二九年六月）、李林甫（参考七三四年五月）、杨国忠（杨钊，参考七四五年八月），天下就不可能不大乱。所以，重要干部的选择恰当与否，关系严重。人们都认为七五五年安禄山叛变，天下才开始大乱的，我却认为七三六年张九龄被免除宰相，而专信李林甫，才是一个明显的分水岭。希望陛下把八世纪二〇年代作为模范，而以八世纪五〇年代作为鉴戒，才是国家无穷的福气。"

皇甫镈对崔群恨入骨髓。

28 冬季，十月十七日，容州军管区（首府设容州〔广西容县〕）通报说："安南军管区（首府设安南府〔越南河内市〕）通报说：'变民首领杨清，攻陷总督府，杀总督（都护）李象古跟他的妻子、儿女，以及总督府官员和部属一千余人。'"李象古，是李道古的老哥（李道古，参考前年〔八一七〕二月），因贪赃枉法，凶恶横暴，失去民心。杨清是当地部族世袭酋长，李象古命他担任营门官（牙将），杨清不满意自己的职位，情绪低落。李象古派杨清率军三千人攻击黄洞蛮（黄洞蛮〔广西西南部一带部落〕就是西原蛮，其中一支因姓黄之故，所以称黄洞蛮），杨清利用民怨沸腾，率军在黑夜中返回，袭击首府（安南总督府），攻陷。

最初，黄洞蛮酋长黄少卿聚众起兵（参考七九四年四月，当时称钦州蛮），自八世纪九〇年代以来，有时归降，有时反抗。桂州道（首府设桂州〔广西桂林市〕）行政长官（观察使）裴行立、容州军管区（首府设容州〔广西容县〕）指挥官（经略使）阳旻，打算使士卒冒险出击，建立奇功，争相请求讨伐。李纯批准。岭南战区（总部设广州〔广东省广州市〕）司令官（节度使）孔戣（音kuí〔魁〕）屡次上疏劝阻，说："那些蛮夷，跟禽兽没有分别，只可以从利害观点着手，不能讲道理、论是非。"李纯不接受，于是大规模征调长江两湖（洞庭湖及鄱阳湖）一带各战区道大军，会合容州军管区及桂州道部队，进入深山讨伐，士卒受到瘴气摧残，染上瘟疫，死亡惨重。安南军管区（首府设安南府〔越南河内市〕）变民利用这个机会，起兵反击，诛杀总督（都护）。裴行立、阳旻竟不能成功。两个军管区一片残破，只岭南战区（总部广州）平安无事。

十月二十一日，李纯命唐州（河南省泌阳县）州长桂仲武，当安南总都（都护）。赦免杨清，命他当琼州（海南省定安县）州长。

29 本年（八一九），吐蕃王国（首都逻些城〔西藏拉萨市〕）战区司令官（节度使）论三摩等，率大军十五万人包围盐州（陕西省定边县），党项部落军（陕西省北部）也出动助战。州长李文悦守城，竭力抵抗，前后二十七日，吐蕃军（西藏）不能攻克。朔方战区（总部设灵州〔宁夏灵武市〕）营门官（牙将）史奉敬，建议司令官（节度使）杜叔良：出动精锐部队三千人，携带三十天粮食，深入吐蕃占领区，解除盐州（陕西省定边县）的包围。杜叔良交给他二千五百人。史奉敬率军挺进，十余天没有消息，总部认为他已经全军覆没。没有多久，史奉敬绕道到吐蕃军背后，突然出现，吐蕃军大吃一惊，急行撤退，全军溃散。史奉敬急行攻击，大破吐蕃军，格杀及俘虏不计其数。

史奉敬跟凤翔战区（总部设凤翔府〔陕西省宝鸡市凤翔区〕）将领野诗良辅（野诗，复姓）、泾原战区（总部设泾州〔甘肃省泾川县〕）将领郝玼，都以勇猛闻名边疆，吐蕃军深感畏惧。

30 柳泌代理台州（浙江省临海市）州长，到差以后，就驱使官民人等，上山采集药材，一年有余，什么都没有做出来（柳泌事，参考去年〔八一八〕十一月，迄今整一年），大为恐惧，全家逃入山区。浙东道（首府设越州〔浙江省绍兴市〕）行政长官（观察使）把他捕获（台州属浙东道），押送京师（首都长安）。宰相皇甫镈、皇族事务部长（宗正卿）李道古出面沟通保护。李纯命柳泌到皇家文学研究院（翰林院）当待诏官，仍继续吞服柳泌呈献的药，于是一天比一天口渴、急躁。

皇家言行记录官（起居舍人，从六品上）裴潾上疏，指出："铲除天下弊害的，享受天下的利益；能跟天下苍生同乐的人，享受天下的祝福。自姬轩辕（黄帝王朝一任帝黄帝）到姬昌（周王朝文王）、姬发（周王朝一任王武王），寿命都达高龄，就是这项法则。自去年（八一八）以来，各地纷纷推荐巫法师（方士），他们自己又互相介绍，人数逐渐增多。假如天下真有神仙，他们一定隐居在高山深谷之中，唯恐被人发现。凡是奔走权贵之门，大言不惭的展示自己异能奇才，使人震惊的，都是在正常手段外企图夺取暴利的人，怎么可以相信他们的话，吃他们的药！药的作用是治疗疾病，不是食品，何况金银石屑，都是矿物，有剧毒，增长火热之气。人类的五脏，怎么能够承受？古时候，君王服药，臣属自己先尝，我建议命献药的巫法师先自己吞服一年，真假自然显露。”李纯大为震怒。

十一月二十五日，贬裴潾当江陵（江陵府所在县，湖北省江陵县）县长。

31 当初，文武百官准备呈献皇帝绰号（参考本年〔八一九〕七月十三日），皇甫镈打算增加“孝德”二字，副立法长（中书侍郎）、二级实质宰相（同平章事）崔群说：“有‘圣’则‘孝’自然包括在内。”皇甫镈向李纯打小报告说：“崔群不认为陛下应有‘孝德’二字。”李纯大怒。当时，正巧皇甫镈不能按时发给边防军物资，而发给的又陈旧破败，粮食不能吃，衣服不能穿，军心怨恨，谣言传播说：就要发生兵变。邠宁战区（总部设邠州〔陕西省彬州区〕）司令官（节度使）李光颜（阿跌光颜）忧愁恐惧，打算自杀，派人向李纯陈情，李纯全不相信。京师（首都长安）人心激动，崔群把这种情形，报告李纯。皇甫镈秘密告诉李纯说："对边防军发放财物，一律遵照规定，而人心竟然如此，只因崔群从中挑拨煽动，用来卖弄他的正直，却把怨恨推到陛下头上。"李纯同意。

十二月十一日，贬崔群当湖南道（首府设潭州〔湖南省长沙市〕）行政长官（观察使）。中外官民对皇甫镈更切齿痛恨。

32 立法官（中书舍人）武儒衡，有骨气节操，言论正直，李纯对他十分器重，照顾他也很周到，人们都预测他将要升任宰相。宰相令狐楚嫉妒，企图阻止，于是极力赞扬山南东道战区（总部设襄州〔湖北省襄阳市〕）军法官（节度推官）狄兼谟有才干品德。

十二月十九日，李纯擢升狄兼谟当见习监督官，宫内办公（左拾遗内供奉）。狄兼谟，是狄仁杰的同族曾孙。令狐楚亲自撰写诏书，夸张的说："天后（武曌）窃据皇位，奸臣专权，全靠狄仁杰保护中宗（四任、六任帝李显），终于重返宝座（参考六九八年二月）。"武儒衡向李纯流泪说："我的曾祖父武平一（武曌的堂侄孙），在天后（武曌）时，辞去一切官职，隐居山林，直到去世（参考七〇八年十月）。"李纯因此看不起令狐楚的为人。

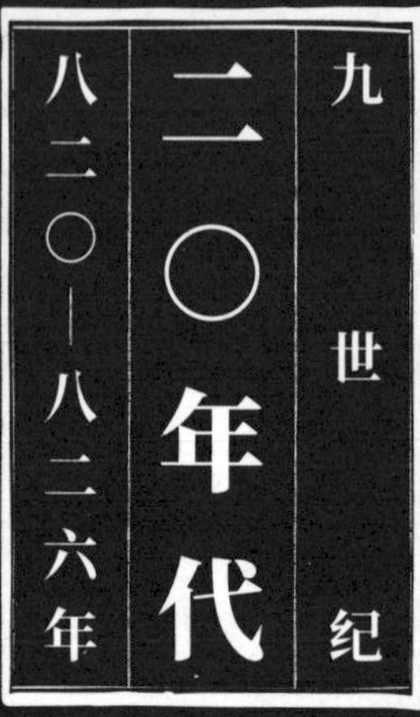

唐王朝

- 宦官刺杀十四任帝宪宗李纯。
- 卢龙兵变，逐张弘靖。成德兵变，杀田弘正。
- 武宁兵变，逐崔群。宣武兵变，逐李愿。
- 太和公主下嫁回鹘。
- 卢龙再兵变，杀朱克融，再兵变，杀朱延嗣。
- 宦官刺杀十六任帝敬宗李湛。
- 柏耆事件。

- 查理曼（法兰克）皇帝路易生擒意大利王柏恩哈特，挖去双目，并吞土地。
- 阿拉伯帝国建泰黑耳王朝。

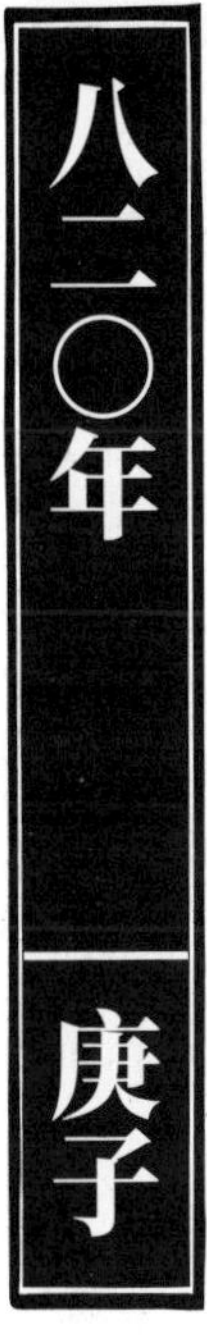
八二〇年
庚子

唐　元和　十五年

1 春季，正月，唐王朝（首都长安〔陕西省西安市〕）沂海兖密道（首府设沂州〔山东省临沂市〕）行政长官（观察使）曹华，请求把道政府迁到兖州（山东省济宁市兖州区），中央批准。

2 义成战区（总部设滑州〔河南省滑县〕）司令官（节度使）刘悟，到中央朝见。

3 最初，左神策军总指挥宦官（左军中尉）吐突承璀，秘密计划拥护澧王（澧，音lǐ〔李〕）李恽（音yùn〔运〕）当太子，唐帝（十四任宪宗）李纯不允许。后来李纯生病卧床，吐突承璀仍不肯打消这个念头。太子李恒（李宥）得到消息，十分忧虑，秘密派人问他的舅父农林部长（司农卿）郭钊，请教应该怎么办。郭钊回答说："你只管尽忠尽孝，谨慎小心，顺其自然，不要采取任何行动！"

李纯服用长生金丹，性情暴躁，容易发怒，侍候在身边的宦官，常常因一点小事，受到惩罚，甚至处死，人人恐惧。

正月二十七日，李纯在中和殿暴毙（年四十三岁），当时众口一词，认为被宦官总管府秘书长（内常侍）陈弘志刺死，同党们隐瞒真相，不敢追查凶手，对外发布消息只说是药物中毒，外人不明内情（《旧唐书·宪宗本纪》："时帝暴崩，皆言内官陈弘志弑逆，史氏讳而不言。"《王守澄传》："宪宗疾大渐，内官陈弘志等弑逆。内官秘之，不敢除讨，但云药发暴崩。"《新唐书·王守澄传》："守澄与内常侍陈弘志弑帝于中和殿。"裴廷裕《东观奏记》："宣宗〔十九任帝李忱〕追恨光陵商臣之酷，郭太后亦以此暴崩。"李纯死于宦官之手，应无疑议。杀一个皇帝，竟如此安全，好像杀一条毛虫，没有引起任何反应，说明宦官力量已不可制）。

右神策军总指挥宦官（右军中尉）梁守谦，联合内宫宦官马进潭、刘承偕、韦元素、王守澄等，共同拥护太子李恒；诛杀左神策军总指挥宦官（左军中尉）吐突承璀，以及澧王李恽；赏赐左、右神策军士卒，每人钱五十串，禁军六军（左羽林军、右羽林军、左龙武军、右龙武军、左神武军、右神武军）、左右威远军士卒，每人钱三十串，左右金吾卫（卫军第十一、十二军）士卒每人钱十五串（卫军中仅金吾军有赏，金吾军负责京师〔首都长安〕治安及官员与官署安全）。

闰正月三日，太子李恒（本年二十六岁）在太极殿东厢登极称帝（十五任穆宗）。当天（闰正月三日），李恒召见皇家文学研究官（翰林学士）

段文昌等，以及国务院国防部军政司长（兵部郎中）薛放、国防部畜牧司副司长（驾部员外郎）丁公著，到思政殿集合，询问他们的意见。薛放，是薛戎的老弟（薛戎事，参考八〇〇年三月）。丁公著，是苏州（江苏省苏州市）人，都是太子宫的皇家教师（太子侍读）。李恒因守丧的缘故，不能立即亲自主持政府，薛放、丁公著常到皇宫，参预机密政务。李恒想请二人当宰相，二人坚决辞让。

4 闰正月四日，李恒停止去西宫老爹灵柩前哭祭，改在月华门集结文武百官。

贬宰相皇甫镈当崖州（海南省海口市琼山区）户籍官（司户），消息传出，大街小巷一片欢呼。

5 李恒命提名宰相，令狐楚推荐副总监察官（御史中丞）萧俛（音fǔ〔府〕）。

闰正月八日，李恒命萧俛、段文昌，同时当副立法长（中书侍郎）、二级实质宰相（同平章事）。令狐楚、萧俛，跟皇甫镈都是同年进士（在此后的中国社会中，“同年进士”，是一个有强大凝聚力的封建关系，影响一千年之久的中国历史）。李恒本来要杀皇甫镈（因他赞成吐突承璀拥护澧王李恽），萧俛和宦官们竭力营救，才免一死。

闰正月九日，李恒下令把巫法师柳泌、和尚大通，乱棍打死，其他巫法师全都流放岭表（南岭以南）。贬左金吾（卫军第十一军）将军李道古当循州（广东省惠州市）军务秘书长（司马）。

6 闰正月十日，命薛放当国务院工程部副部长（工部侍郎）、丁公著当御前监督官（给事中）。

7 闰正月十二日，李恒尊称娘亲郭贵妃为皇太后。

8 闰正月二十四日，李恒跟文武百官，一起脱下丧服，换穿平常衣裳。

9 二月五日，李恒登丹凤门，赦免天下。仪式完毕后，就在丹凤门里，命演出各式各样戏剧杂耍，供自己观赏。

二月十五日，李恒前往左神策军观赏腕力比赛及杂耍。

二月十八日，行政监察官（监察御史）杨虞卿上疏说："陛下应召见文武官员，向每一个人征求意见，用柔和谦卑的态度，使他们好像夺取利益似的竞争贡献忠言，好像诉说冤枉似的议论政事。如果这样做而不能达到世界太平，还从来没有听说过。"

衡山（湖南省株洲市南）人赵知微也上疏规劝李恒说：游玩打猎，都不可没有节制。李恒虽然不能听从，但对他们也不责罚。

10 二月二十日，撤销邕州军管区（首府设邕州〔广西南宁市〕），各属州由容州军管区（首府设容州〔广西容县〕）军事指挥官（经略使）阳旻兼管。

11 安南总督（总督府设越南河内市）桂仲武，抵达安南总督府（河内市），部族酋长杨清拒绝他入境。但杨清用刑残忍狠毒，同党人人离心。桂仲武派人游说当地其他酋长和英雄豪杰，几个月时间里，归降的人前后相继，共集结士卒七千余人。可是中央认为桂仲武故意逗留不进。

二月二十二日，命桂州道（首府设桂州〔广西桂林市〕）行政长官（观察使）裴行立当安南（越南河内市）总督（都护）。

二月二十三日，命畜牧部长（太仆卿）杜式方当桂州道（首府桂州）行政长官（观察使）。

二月二十四日，贬桂仲武当安州（湖北省安陆市）州长。

12 丹王李逾逝世（李逾，是十一任帝李豫〔李俶〕的儿子）。

13 吐蕃王国（首都逻些城〔西藏拉萨市〕）军队攻击灵武（灵州州政府所在城，宁夏灵武市）。

14 十四任帝李纯在位末年（九世纪一〇年代后期），回鹘汗国（瀚海沙漠群）派使节合达干，前来求婚，态度越发恳切，李纯允许（婚事因征伐叛徒而后延，参考八一七年二月）。

三月一日，送合达干回国。

15 李恒看见夏绥道（首府设夏州〔陕西省靖边县北白城则村〕）行政执行官（观察判官）柳公权的字迹，十分喜爱。

三月十九日，命柳公权当立法院见习立法官（右拾遗）、皇家文学研究助理官（翰林侍书学士）。李恒问柳公权道："你的书法怎么写得那样好？"柳公权说："用笔如用心，心端正，笔也端正！"李恒沉默不说话，脸上露出敬意，知道他用写字的道理，来表达谏诤。柳公权，是柳公绰的老弟（柳公绰事，参考八一六年十一月）。

16 三月二十九日，安南总督府（越南河内市）守城变军，大开城门迎接桂仲武，生擒杨清，斩首。

裴行立抵达海门（越南海防市），逝世。中央再命桂仲武当安南总督（都护）。

17 吐蕃军（西藏）攻击盐州（陕西省定边县）。

18 最初，国务院教育部供品司副司长（膳部员外郎）元稹，当江陵（湖北省江陵县）特别市政府工务官（士曹。元稹被宦官击伤贬江陵事，参考八一〇年正月），跟监军宦官崔潭峻友善。

李恒当太子时，听到宫女背诵元稹的诗，十分欣赏。登极后，恰巧崔潭峻调回皇宫，呈献元稹诗篇一百余首。李恒问："元稹在什么地方？"崔潭峻说："现在当一个闲散官。"

夏季，五月九日，李恒擢升元稹当国务院教育部祭祀司长（祠部郎中），兼诏书撰写官（知制诰），高阶层官员对元稹十分轻视。正巧，文武百官到立法院（中书）聚会吃瓜，有只苍蝇飞到瓜上，立法官（中书舍人）武儒衡用扇子挥逐，一语双关的说："你从哪里跑出来？到这里干什么！"同事们都大惊失色，武儒衡却态度自然。

19 五月十九日，把前任帝（十四任）李纯（李淳）安葬景陵（陕西省蒲城县西北），绰号神圣章武孝皇帝，庙号宪宗。

20 六月，擢升湖南道（首府设潭州〔湖南省长沙市〕）行政长官（观察使）崔群，当国务院文官部副部长（吏部侍郎），李恒在便殿召见他，说："我之所以能当太子，出于你的帮助（参考八一二年七月）！"崔群说："先帝（李纯）心里，早就属意陛下，我有什么力量！"

21 郭太后住兴庆宫，每月一日及十五日，李恒都率领文武百官前去晋见。李恒性情奢侈，对娘亲的供养，尤其豪华浪费。

22 秋季，七月五日，郓曹濮战区（总部设郓州〔山东省东平县〕）改名为天平战区。

23 副监督长（门下侍郎）、二级实质宰相（同平章事）令狐楚，因担任皇帝坟墓兴建管理总监（山陵使），部属盗卖政府财产，而令狐楚又不肯发给工人工资，却把工资积存十五万串钱，当作“盈余”，呈献皇帝，到处是埋怨诉苦。

七月二十七日，贬令狐楚当宣歙道（首府设宣州〔安徽省宣城市宣州区〕）行政长官（观察使）。

24 八月二十四日，征调神策军二千人，疏浚鱼藻池。（鱼藻池在鱼藻宫。诗人王建《宫词》咏此事：“鱼藻宫中锁翠娥／先皇幸处不曾过／而今池底休铺锦／菱叶鸡头渐渐多。”）

25 八月二十九日，命副总监察官（御史中丞）崔植当副立法长（中书侍郎）、二级实质宰相（同平章事）。

26 八月三十日，再贬令狐楚当衡州（湖南省衡阳市）州长。

27 李恒刚刚脱下丧服（共服丧二十七日），就立即投入声色犬马之中；对亲信大量赏赐，丝毫没有节制。

九月，李恒打算在重阳节（九月九日）举行大规模宴会，见习监督官（左拾遗）李珏率领他的同事，上疏劝阻说：“年号还没有更改，坟墓仍然很新，陛下虽然顺从习惯，一个月就脱下丧服，但《礼经》有守丧三年的记载，内心仍应遵守。由全国各地前来奔丧的至亲才离开京师（首都长安），派往远方蛮夷告哀的使节还没有返回。解除限制欢乐的禁令，完全是为了人民，但陛下在后宫寻欢作乐，却不应那么做。”李恒不理。

28 九月十九日，命邠宁战区（总部设邠州〔陕西省彬州市〕）司令官（节度使）李光颜（阿跌光颜）、武宁战区（总部设徐州〔江苏省徐州市〕）司令官（节度使）李愬（音sù〔素〕），遥兼二级宰相（同平章事，使相）。

29 冬季，十月，成德战区（总部设镇州〔河北省正定县〕。本年〔八二〇〕正月，避皇帝李恒的讳，恒州改作镇州）司令官（节度使）王承宗逝世。部属保守秘密，不对外发布。王承宗的儿子王知感、王知信，都在中央当人质（参考前年〔八一八〕四月），各将领打算在所属各州物色继任统帅。参谋官崔燧用王承宗祖母（王武俊之妻）凉国夫人的命令，昭示各将领和亲军，指定王承宗的老弟、后勤补给官（观察支使）王承元继位。

王承元本年二十岁，将领们向他下跪叩头，王承元也下跪叩头，哭泣流泪，拒绝接受；各将领坚决拥护，王承元说：“皇帝派有监军宦官，应该跟他商量。”监军宦官到后，也劝他顺从大家意见。王承元说：“各位仍怀念先人的功德，不嫌弃我年纪轻轻，想要我代理军政业务，十分感动，但我唯一的要求是效忠中央，遵从祖父（王武俊）的遗志，各位肯不肯听从？”大家承诺听从。王承元遂登上总作战司令（都知兵马使）公堂，接见将领，处理公务，命左右侍从官员不可称自己是候补司令官（留后），把工作分配给辅佐及参谋官员，秘密上疏中央，请求派人接替司令官（节度使）遗缺。

十月十一日，监军宦官奏报说：“王承宗病重，老弟王承元暂代候补司令官（权知留后）。”并转呈王承元的奏章。

30 党项部落再向导吐蕃军（西藏）攻击泾州（甘肃省泾川县），军营连绵五十华里。

31 十月十二日，李恒派皇家言行记录官（起居舍人）柏耆，前往镇州（恒州）安抚慰劳。

32 十月十三日，文武百官入便殿（阁）朝见皇帝（正式大殿，称“衙”，卫士森严。偏殿便殿，称“阁”，并不是真的有一个“阁”），监督院高级顾问官（谏议大夫）郑覃、崔郾等五人启奏说：“陛下宴会寻欢的日子太多，狩猎游荡，一点没有节制。而今，蛮夷大军侵入国土，如果有紧急情况，需要请示，都不知道皇上在什么地方。而且陛下日夜不停的跟戏子杂耍之类的人，亲密的聚在一起，赏赐又过于丰厚。金银绸缎，都是人民的血汗，除非对国家有功，不可以随便发给他们。虽然，宫库有很多剩余，但希望陛下爱惜，万一发生战事，可以免得有关单位再向小民横征暴敛！”很久以来，便殿中召见文武百官，很少有人说话，所以李恒大为惊讶，问宰相们道：“他们是什么人？”宰相们回答说：“都是谏官！”李恒派人慰劳他们说：“我会照你们的话去做。”宰相都上前道贺，但事实上，李恒根本抛到脑后。郑覃，是郑珣瑜的儿子（郑珣瑜曾当宰相，参考八〇三年十二月）。

33 李恒曾经对御前监督官（给事中）丁公著说：“听说民间生

活优裕，经常宴会取乐，这是天下太平、社会富足的征候，我十分安慰。”丁公著说：“这恐怕不是一个好消息，可能给陛下带来麻烦。”李恒问道：“为什么？”丁公著回答说：“自从八世纪四〇年代以来，政府高级官员互相比赛，看谁最能享乐，日夜相继，沉醉不醒，和歌童舞女厮混，不认为那是羞耻（九任帝李隆基生活奢侈，早于宇文融掌权时便形成，参考七二九年十月）。这样下去，政府所有的事都会停顿，陛下难道能不忧虑辛劳！希望稍微加以禁止，才是天下之福。”

34 十月十四日，泾原战区（总部设泾州〔甘肃省泾川县〕）奏报说：“吐蕃军（西藏）推进到距泾州（甘肃省泾川县）三十里处扎营。”请中央紧急救援。李恒命右神策军总指挥宦官（右军中尉）梁守谦，当左右神策军京师（首都长安）西北特遣兵团总监（西北行营都监），率军四千人，并动员八镇驻兵（神策军有八个基地：长武〔陕西省长武县西北〕、兴平〔陕西省兴平市〕、好畤〔陕西省永寿县西南〕、普润〔陕西省宝鸡市凤翔区北〕、郃阳〔陕西省合阳县〕、良原〔甘肃省灵台县西梁原乡〕、定平〔甘肃省正宁县西南〕、奉天〔陕西省乾县〕），全军增援，赏赐将士制装费二万串。命郯王府政务秘书长（长史）邵同（郯王李经，是十三任帝李诵的儿子），当库藏部副部长（太府少卿）兼副总监察官（兼御史中丞），充当回应吐蕃王国（首都逻些城〔西藏拉萨市〕）亲善友好特使（充答吐蕃请和好使）。

当初，皇家图书院副院长（秘书少监）田洎（音jì〔继〕），担任派赴吐蕃（西藏）告哀特使（吊祭使）。吐蕃（西藏）请求跟中国在长武（陕西省长武县西北）城下签订和好条约，田洎恐怕吐蕃扣留他不准他回国，只好含糊其辞的允许。不久，吐蕃在党项部落引导下入侵，借口说：“田洎答应我们带兵出席会盟。”李恒遂贬田洎当郴州（湖南省郴州市）户籍官。

35 成德战区（总部设镇州〔河北省正定县〕）奏报说：司令官（节度使）王承宗逝世。

十月十六日，李恒调魏博战区（总部设魏州〔河北省大名县〕）司令官（节度使）田弘正（田兴）当成德战区（总部设镇州〔河北省正定县〕）司令官（节度使），调成德道（首府同设镇州）后勤补给官（观察支使）王承元当义成战区（总部设滑州〔河南省滑县〕）司令官（节度使），调义成战区（总部滑州）司令官（节度使）刘悟当昭义战区（总部设潞州〔山西省长治市〕）司令官（节度使），调武宁战区（总部设徐州〔江苏省徐州市〕）司令官（节度使）李愬当魏博战区（总部魏州）司令官（节度使）；命左金吾（卫军第十一军）将军田布（田弘正的儿子）当河阳战区（总部设河阳县〔河南省孟州市〕）司令官（节度使）。

36 渭州（流亡州政府设甘肃省平凉市）州长郝玼，不断出兵袭击吐蕃（西藏）军营，格杀很多（渭州属泾原战区〔总部泾州〕）。

邠宁战区（总部邠州〔陕西省彬州市〕）司令官（节度使）李光颜（阿跌光颜）派特遣兵团增援泾州（甘肃省泾川县），士卒亲眼看到神策军所受的厚重赏赐，悲愤的说："每人给五十串钱，却不作战，他们是什么人！依照国家规定发给的衣服粮食都不发给，却冒着钢刀白刃，我们是什么人（神策军待遇优厚，参考七九一年三月）！"群情激愤，不能克制，李光颜亲自向他们宣示大义，一面说一面呜咽流泪，士卒终于受到感动，满怀喜悦的出发。快要抵达泾州（甘肃省泾川县），吐蕃军（西藏）惊惧，退走。

十月十七日，撤销神策军特遣兵团。

西川战区（总部设成都府〔四川省成都市〕）奏报说：吐蕃军（西藏）攻击雅州（四川省雅安市）。

十月二十二日，盐州（陕西省定边县）奏报说：吐蕃军（西藏）在乌

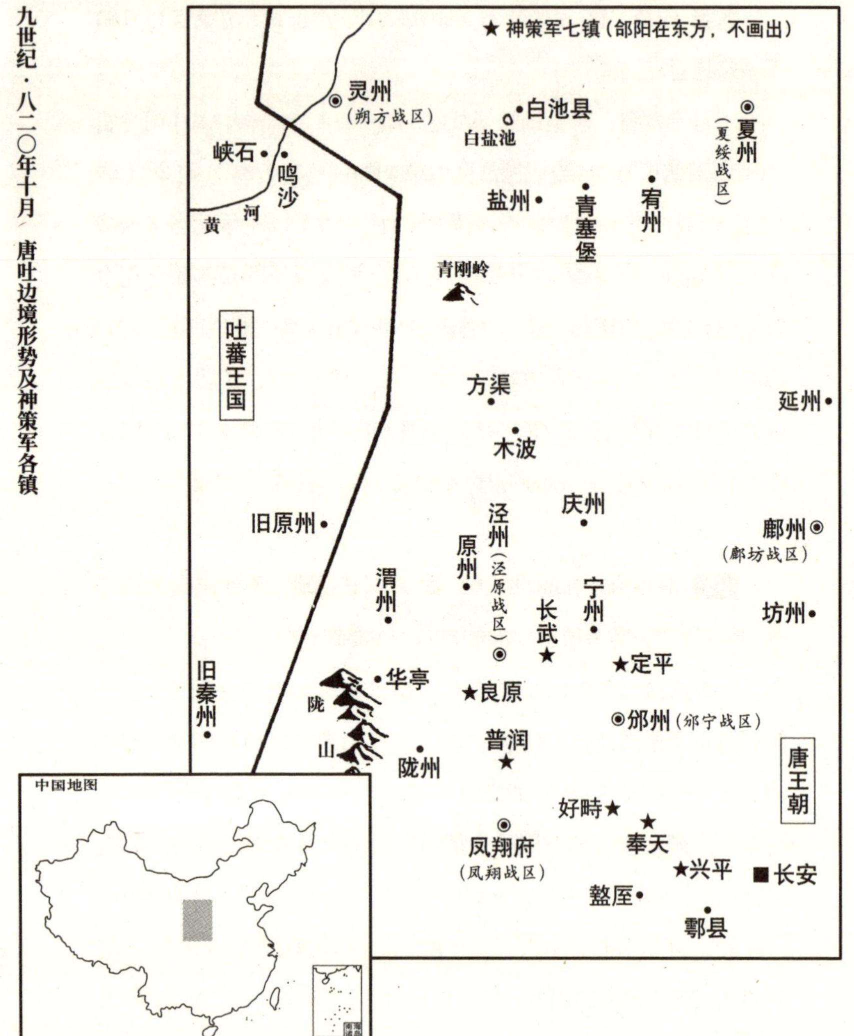

九世纪·八二〇年十月 唐吐边境形势及神策军各镇

池、白池扎营（《新唐书·食货志》：盐州有四盐池：乌池、白池、瓦窑池、细项池）；但不久即行退走。

37 十一月五日，再派监督院高级顾问官（谏议大夫）郑覃，前往镇州（恒州，河北省正定县）慰劳，赏赐钱一百万串给全体官兵。最初，王承元上疏请求中央派遣统帅，各将领及相邻的几个战区，则希望他依照惯例，王承元一律拒绝。现在，中央调王承元前往义成战区（总部设滑州〔河南省滑县〕），将领们全体反对，喧哗吵闹，不肯接受。王承元跟稍早派来的钦差大臣柏耆（参考前年〔八一八〕三月），召集各将领，宣读皇帝诏书，百般沟通，但各将领哭号悲痛，仍不听从。王承元拿出自己的家产，分散给大家，就其中特别有功劳的几位，擢升官职，告诉他们说："各位因我父祖的缘故，不愿我远离，这份情意，至为深厚。然而如果因此而使我违背皇帝的命令，罪状就太大。从前，李师道（平卢〔总部郓州〕首领）还没有失败时，中央曾经对他赦免，李师道打算前去中央，将领们坚决挽留（参考前年〔八一八〕正月）。可是，以后诛杀李师道的，也是当初坚决挽留他的那些将领（李师道之死，参考去年〔八一九〕二月），各位不要逼我变成李师道，就是无比幸运。"流泪悲号，不能停止，并且向各将领跪下叩头，但营门官（牙将）李寂等十余人仍坚持非留下王承元不可，王承元遂把他们斩首示众，军心才告平定。

十一月九日，王承元前往滑州（河南省滑县）到差，将领或官员们有些携带镇州（河北省正定县）的器具财产，王承元命他们全部留下。

38 李恒准备前往华清宫（陕西省西安市临潼区西）。

十一月二十日，宰相率监督（门下省）、立法（中书省）两院全体官员，前往延英门，前后三次上疏劝阻，说：“陛下一定要去的话，我们应该同行保护圣驾。”请求李恒召见，当面讨论，李恒一概不理。谏官们跪在延英门下，从早到晚，没有反应，只好退回。

十一月二十一日，凌晨，天还没有亮，李恒从双层道出城，前往华清宫（胡三省注：从双层道前往兴庆宫，再从兴庆宫出长安城，不直接出皇城，避免惊动文武百官随驾），只有公主、驸马、神策军总指挥宦官（中尉），以及神策军六基地司令（神策六军使），率禁军士卒一千余人随从，下午才回京师（首都长安）。

39 十二月一日，盐州（陕西省定边县）奏报说：“吐蕃军（西藏）一千余人包围乌池、白池（陕西省定边县北）。”

40 十二月十二日，西川战区（总部成都府）奏报说：南诏王国（首都苴咩城〔云南省大理市〕。苴咩，音xié miē）军队二万人进入唐朝边界，请求讨伐吐蕃（西藏）。

41 十二月十五日，容州军管区（首府设容州〔广西容县〕）奏报说：击破黄洞蛮（参考去年〔八一九〕十月）酋长黄少卿部众一万余人，攻克营寨三十六个。

黄少卿民变，很久不能平息（已二十七年，参考七九四年五月），国立贵族大学校长（国子祭酒）韩愈上疏说：“我去年（八一九）被贬岭南（贬潮州事，参考去年〔八一九〕正月），对黄家蛮夷（广西西南部一带部族）的事，相当了解。黄家蛮夷地盘没有城郭，依山靠险，酋长自称‘洞主’，平常日子，各自谋生，遇到紧急情况，则集结一起，互相支援。最近只因邕州军管区（首府设邕州〔广西南宁市〕）军事指挥官（经略使），人选并不恰当，恩德既不能感化，武力也不能镇压，却去做掠夺、欺凌、俘虏、绑架之类坏事，使蛮夷怨恨入骨，遂攻击劫掠州县，侵犯虐待我国小民，但往往只是报复私仇、贪图小利，有时聚、有时散，并不能成就大事。最近，中央讨伐计划，本是裴行立、阳旻提出（参考去年〔八一九〕十月），这两个人根本没有深谋远虑，只不过为了追求富贵功名。同时他们也认为：蛮夷还没有集结的时候，势孤力弱，所以纷纷向中央献策。可是自从动员大军征剿，已经两年，前后奏报诛杀俘虏的总数，不下二万余人，如果不是说谎，蛮夷不久就会死光。事实上，蛮夷仍然庞大，足以证明他们欺骗中央。邕州及容州两个军管区，经过战事破坏，民生凋敝，瘟疫疾病传染，十户人家，九家已空，如此下去，我恐怕岭南战区（总部设广州〔广东省广州市〕）不可能有安静之日（邕州及容州二军管区，都隶属岭南战区〔另两个隶属岭南的军管区是桂州和安南〕）。自从中央讨伐以来，蛮夷也有伤害损失，考察他们的状况，依情依理，势必也厌恶战争。蛮夷散布高山深谷，如果把他们全部灭绝，夺取他们全部土地，对于帝国的国计民生，并没有益处。如果因明年（八二一）更改年号的庆典，赦免他们的罪行，派使节前去安抚慰问，他们望见风声，就会投降。然后中央选择有威望、信誉的官员当军管区军事指挥官（经略使），假定处理得好，自然再不会有反抗的事发生。”

李恒不能采用。

1 春季，正月四日，唐王朝（首都长安〔陕西省西安市〕）皇帝（十五任穆宗）李恒（本年二十七岁），前往圆形神坛祭祀天神；赦免天下，改年号长庆（之前是元和十六年，之后是长庆元年）。命河北（黄河以北）各战区重新修订“两税”缴纳办法（黄河以北各战区归服中央，中央开始接管赋税）。

2 副监督长（门下侍郎）、二级实质宰相（同平章事）萧俛（音fǔ〔府〕），孤僻廉洁，疾恶如仇，身为宰相，有推荐人才的责任，但他却珍惜官位，很少推荐。西川战区（总部设成都府〔四川省成都市〕）司令官（节度使）王播向皇帝大量进贡，更用大量贿赂结交宦官，希望能当宰相；另一宰相段文昌又在一旁相助，于是李恒征召王播回京（首都长安）。萧俛在延英殿上，屡次抗争，指出："王播貌似忠厚，其实奸诈，舆论沸腾，不可以让他玷污宰相高位。"李恒不理，萧俛遂辞职。

正月二十二日，王播抵达京师（首都长安）。

正月二十五日，李恒免除萧俛职务，调任国务院右最高执行长（右仆射），萧俛坚决辞让。

二月六日，改命萧俛当国务院文官部长（吏部尚书）。

3 卢龙战区（总部设幽州〔北京市〕）司令官（节度使）刘总，自从谋害老爹和老哥（参考八一〇年七月。迄今十二年），心神不宁，一直疑神疑鬼，很多次看见老爹、老哥鲜血淋漓的幽魂向他显现；刘总经常在官邸招待和尚数百人，日夜不停的念经。刘总处理公务下班之后，就挤到和尚群里跟着做佛事；有时也躲到另一个房间，经常被剧烈的心跳惊醒，不能入睡。到了晚年，已成神经质的恐惧，心脏悸动更为严重。就在这个时候，黄河南北各割据军阀，陆续服从中央。

二月十二日，刘总上疏请准予他放弃官位，出家当和尚，也请中央赐钱一百万串赏赐将士。

4 李恒当面指示西川战区（总部成都府）司令官（节度使）王播回任，王播不断上疏请求留在京师（首都长安）。正巧副立法长（中书侍郎）、二级实质宰相（同平章事）段文昌请求退休。

二月十五日（原文“壬申”〔二月五日〕，《旧唐书》同，唯排于二月十二日之后，似误。今据《新唐书·穆宗本纪》及《宰相表》改），李恒命段文昌遥兼二级宰相（同平章事，使相），充任西川战区（总部成都府）司令官（节度使）；命皇家文学研究官（翰林学士）杜元颖当国务院财政部副部长（户部侍郎）、二级实质宰相（同平章事）；命王播当国务院司法部长（刑部尚书）兼全国盐铁专卖暨运输总监（盐铁转运使）。杜元颖，是杜淹的六世孙（杜淹是二任帝李世民的宰相，参考六二七年九月）。

5 回鹘汗国（瀚海沙漠群）保义可汗（十任大可汗。名不详）逝世。

6 三月十七日，李恒命刘总兼任最高监督长（兼侍中，使相），充当天平战区（总部设郓州〔山东省东平县〕）司令官（节度使）；命宣武战区（总部设汴州〔河南省开封市〕）司令官（节度使）张弘靖当卢龙战区（总部设幽州〔北京市〕）司令官（节度使）。

7 三月十九日，命暂代首都长安特别市长（权知京兆尹）卢士玫，当瀛莫道（首府设瀛州〔河北省河间市〕）行政长官（观察使）。

三月二十一日，李恒下诏任命刘总所有的兄弟子侄，全部当官；刘总的大将和僚属辅佐官员一律越级擢升；人民免除田赋捐税一年，赏赐战区武装部队官兵一百万串。

8 三月二十二日，李恒封皇弟李憬当鄜王、李悦当琼王、李惸（音qióng〔穷〕）当沔王、李怿当婺王、李愔当茂王、李怡当光王、李协当淄王、李憺当衢王、李㤤当澶王；封皇子李湛当景王、李涵当江王、李溱当漳王、李溶当安王、李瀍当颖王。

9 刘总上疏坚决请求出家当和尚，并把他的住宅改作佛教寺庙。李恒下诏命名刘总法号大觉，寺名报恩寺，派宦官携带紫色和尚衣服，连同天平战区（总部设郓州〔山东省东平县〕）司令官（节度使）印信符节，以及最高监督长（侍中，使相）的任命状，一并送交给刘总，由他选择。诏书还没有抵达，刘总已剃光头发，正式成为和尚，将士们还打算遮道挽留，刘总诛杀领头的十余人。夜晚，把符节印信交给候补司令官（留后）张玘（刘总弑父杀兄的帮凶，参考八一〇年七月），逃走；直到天亮，军中才知道这个消息。张玘上疏奏报说："刘总不知道去向！"

三月二十七日，刘总在定州（河北省定州市）境内逝世（刘怦于七八五年六月割据卢龙战区〔总部幽州〕，传刘济、刘总；共三世，三十七年而灭）。

10 皇家文学研究官（翰林学士）李德裕，是故宰相李吉甫的儿子（李吉甫事，参考八一四年十月），因立法官（中书舍人）李宗闵曾在考试问卷上，讥讽他的老爹，所以对李宗闵痛恨入骨（李宗闵条陈事，参考八〇八年四月）。而李宗闵又跟皇家文学研究官（翰林学士）元稹，在官场斗争中，发生摩擦。立法院初级立法官（右补阙）杨汝士，跟国务院教育部副部长（礼部侍郎）钱徽，主持全国文官考试（掌贡举），西川战区（总部成都府）司令官（节度使）段文昌、皇家文学研究官（翰林学士）李绅，各人都把自己请托的考生姓名，写给钱徽。等到放榜，段文昌、李绅请托的考生，统统没有录取，而"进士及第"的，有监督院高级顾问官（谏议大夫）郑覃的老弟郑朗、河东战区（总部设太原府〔山西省太原市〕）司令官（节度使）裴度的儿子裴譔（音zhuàn〔赚〕）、李宗闵的女婿苏巢、杨汝士的老弟杨殷士，于是引起强烈反弹。

段文昌报告李恒说："今年大考，教育部（礼部）毫不公正，所录取的'进士'，都是贵族豪门的子弟，没有才艺，只靠打通关节。"李恒征求各皇家文学研究官（翰林学士）的意见，李德裕、元稹、李绅，众口一词说："段文昌的话真实！"李恒乃命立法官（中书舍人）王起等，举行复试。

夏季，四月十一日，李恒下诏罢黜郑朗等十人，把钱徽贬作江州（江西省九江市）州长、李宗闵贬作剑州（四川省剑阁县）州长、杨汝士贬作开江（开州州政府所在县，重庆市开州区）县长。

有人劝钱徽把段文昌、李绅的请托函件，呈报李恒，李恒一定会醒悟这是一场报复诬陷，钱徽说："只要问心无愧，得到或丧失，都是一样，把别人的私信呈献皇上，岂是正人君子的作为！"遂将段文昌、李绅的函件拿出来烧掉；当时的人深为赞叹。李绅，是李敬玄的曾孙（李敬玄是三任帝李治的宰相，参考六六九年二月）。王起，是王播的老弟。

自此以后，李德裕、李宗闵分别结党，互相倾轧，前后长达四十年。

柏杨曰

九世纪唐王朝的牛李党争，起因于李吉甫当宰相时，官位低微的牛僧孺、李宗闵等，对政府弊政，直率抨击，李吉甫当时就立即反扑（参考八〇八年四月）。李吉甫逝世后，他的儿子李德裕，继续寻衅复仇，政府文官系统遂分为两大阵营，以李德裕为首的称"李党"，以牛僧孺为首的称"牛党"，两党人马，分别追求宰相高位，并在夺取到宰相高位后，尽量擢升本党同志进入中央，而把敌人贬出京师（首都长安）。这种情形似乎可以勉强用现代民主政治交替，作为说明："牛党"胜，牛党的人纷纷上台；"李党"胜，李党的人纷纷上台。不同的是，牛李两党的胜败，不取决于选民，而取决于皇帝和宦官。同时，民主政治下的党可以和平共存，专制政治下的党则属于殊死斗；“牛党”“李党”之间，就是殊死斗。自八〇八年李吉甫向牛僧孺等反扑，就已开始，牛李二人虽死，党派的利害冲突仍在，直到八八〇年，变民首领黄巢攻陷长安，七十年之久，几乎全国所有高级官员，都卷入这项党争，两党都以正人君子自居，而矢言对方全是卑劣小人，并且用最恶毒的言词抨击结党的行为不当，以反证自己并没有结党。是非完全混淆，社会出现只问党不党，不问义不义的畸形标准，连皇帝老爷都束手无策。为了夺权，两党比赛着向皇帝的亲信宦官谄媚献身，结果是宦官除了掌握军队外，还拥有自动投靠的重量级官员群，威权更猛不可当。

牛李两党不但为九世纪的中国制造灾祸，也为后世若干史学家带来纷扰，一派史学家认为李德裕无党，牛李乃指牛僧孺、李宗闵二人而言；另一派史学家恰恰相反，认为牛僧孺无党，所谓牛李党争，乃双李党争——李李党争，即李德裕跟李宗闵的党争。在长达七十余年的官场混战中，如果说两大党魁竟然不是党魁，而是出于污泥而不染，痴呆得如同一块木偶，毫不知情，不但跟史迹不符，也严重违反经验法则。一般小市民，如果意见相同，诉求相同，利害相同，都会结成一个团体，何况剑及屦及、瞬息万变的官场社会。

惨烈的劣质党争，使政府成了赌场，公权力式微，人民像赌场中的筹码，以致九世纪以降，唐王朝政府只剩下一群又一群翻云覆雨的党棍，再没有一个像样的政治家，成为帝国瓦解的主要原因。

11 四月二十日，唐王朝册封回鹘汗国（瀚海沙漠群）新任可汗（十一任大可汗）名号：登啰羽录没密施句主毗伽崇德可汗。

五月一日，回鹘汗国派军区总司令（都督）、宰相等五百余人，来迎接公主。

12 五月十七日，全国盐铁专卖暨运输总监（盐铁使）王播，建议提高茶叶专卖的税率，每一百钱加五十钱。立法院见习立法官（右拾遗）李珏等上疏反对，说："茶叶专卖，于国家财政困难的七九三年开始（参考该年〔七九三〕正月），而今，天下太平，应该减少征收的数目，才是合理，现在不但不减少，反而增加，穷苦的人民什么时候才能喘一口气！"李恒不接受。

13 五月二十一日，建王李恪逝世（李恪，是李恒的老弟）。

14 五月二十八日，李恒送太和长公主远嫁回鹘汗国（瀚海沙漠群）。太和长公主，是李恒的妹妹（虽是"长"公主，应在二十七岁以下）。吐蕃王国（首都逻些城〔西藏拉萨市〕）听到唐王朝跟回鹘联婚，大为震怒。

六月七日，攻击青塞堡（陕西省定边县东三十公里），盐州（陕西省定边县）州长李文悦把他们击退。

六月十四日，回鹘奏报说："派骑兵一万人从北庭（新疆吉木萨尔县），再派骑兵一万人从安西（龟兹，新疆库车市），分别出击，抵抗吐蕃。另派军南下迎接太和长公主。"

15 最初，刘总奏报："把卢龙战区一分为三：幽涿营战区，请中央派宣武战区（总部设汴州〔河南省开封市〕）司令官（节度使）张弘靖当司令官（节度使）；平蓟妫檀战区，请中央派平卢战区（总部设青州〔山东省青州市〕）司令官（节度使）薛平当司令官（节度使）；瀛莫道（首府设瀛州

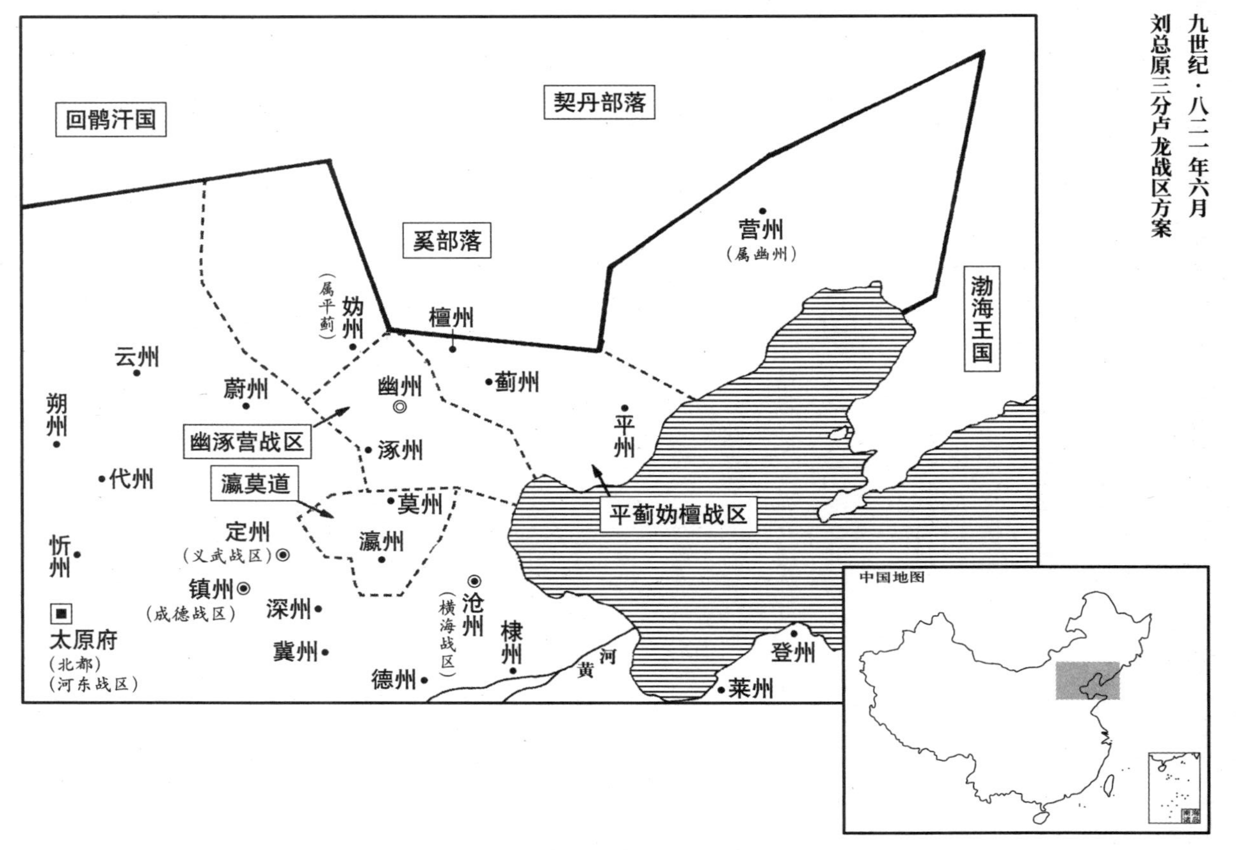

九世纪·八二一年六月
刘总原三分卢龙战区方案

〔河北省河间市〕)，请派暂代首都长安特别市长（权知京兆尹）卢士玫当行政长官（观察使）。”

张弘靖先前当过河东战区（总部太原府）司令官（参考八一六年正月），行政宽大简单，受到人民称赞，卢龙战区（总部设幽州〔北京市〕）跟它相邻，刘总经常听到有关张弘靖的好评，认为卢龙人民长期以来，一直桀傲凶蛮，所以推荐张弘靖代替自己绥靖安抚。薛平，是薛嵩的儿子（参考七七三年正月），了解河朔（河北平原）的风俗习性，而又效忠中央，所以也特别推荐。卢士玫，则是刘总妻子的娘家人。

刘总又遴选部属中有功劳、雄健难制的将领，像总作战司令（都知兵马使）朱克融等，送到京师（首都长安），请中央特别奖励擢升，使卢龙战区（总部幽州）将士，能兴起羡慕前去中央任官的念头。又呈献战马一万五千匹，然后才削发而去。朱克融，是朱滔的孙儿（朱滔事，参考七八五年六月）。

可是，这个时候，新任皇帝李恒正沉醉在欢乐游宴之中，从不留意国家大事，两位宰相崔植、杜元颖，既没有远略，也没有见识，又不知道国家安危大计；只一味奉承张弘靖，除了瀛莫道（首府设瀛州〔河北省河间市〕）交给卢士玫外，其他两战区，则全由张弘靖统御。朱克融等长期羁留京师（首都长安），没有收入，甚至穿衣吃饭，都要向别人借贷，每天到立法院（中书省）请求早日任命一官半职，崔植、杜元颖颟顸不理。等到张弘靖前往幽州（北京市）到差后，下令朱克融等返回幽州（北京市）听候差遣，朱克融等大为愤怒。

从前，黄河以北各战区司令官（节度使）都亲自冒着严冬、烈日，跟士卒同甘共苦。张弘靖接任后，官架十足，态度骄傲简慢，虽在万众之中，照样目中无人，独乘八抬小轿，幽州（北京市）官民人等看到，大为惊讶。张弘靖庄重严肃，性情沉默，自命不凡，不屑跟普通人讲话，十天半月，才到公堂处理军政，而又板起面孔，宾客及将领很少听他开口，上下不能沟通，军政大事完全交给幕僚。而张弘靖所任用的执行官（判官）韦雍之流，又是一些心浮气躁的青年知识分子，喜爱饮酒，行为放纵豪迈，无论上班和回家，卫士们都前呼后拥，清道戒严，声势嚣张；有时三更半夜，他们经过的地方却满街烛光炬火，这些都是幽州（北京市）人所不习惯的事，引起强烈反感。

李恒下诏赏赐一百万贯给卢龙（总部幽州）官兵，张弘靖克扣二十万串留作总部杂用，韦雍等则克扣中央拨付给官兵们的粮食，动辄严刑峻法，诟骂官兵“叛徒”“蛮虏”，对他们讥讽：“而今，天下太平，你们能拉动两石重的弓，不如认识一个‘丁’字。”于是军中人人怨恨悲愤。

秋季，七月十日，韦雍外出，一个低级军官在街上骑马奔跑，一不小心，冲撞到韦雍的前导卫队，韦雍勃然大怒，喝令把那军官从马背上拖下来，打算就在街上棍打。河朔（河北平原）战士们不习惯这种刑罚，不肯接受。韦雍报告张弘靖，张弘靖命纠察官（虞候）审讯惩处。当天夜晚（七月十日），兵变，士卒们一个营接一个营大声喊叫，冲出营门，将领们无法阻止，变兵遂拥进战区司令官（节度使）官邸，掠夺张弘靖的家产财富和妇女，把张弘靖囚禁幽州（北京市）驿马车站招待所蓟门宾馆；接着诛杀激起兵变的韦雍，以及其他幕僚张宗元、崔仲卿、郑埙（音xūn〔勋〕）、总纠察官（都虞候）刘操、内营管理官（押牙）张抱元。明天（七月十一日），变兵有点后悔，全体到蓟门宾馆，向张弘靖道歉，请求准许他们戴罪立功；一连请求三次，张弘靖都不说一句话，变兵们商议说：“他闭口无言，是不肯赦免我们的罪行，我们还向他求情干什么？军中不可以一天没有统帅！”

于是一同迎接老将朱泚，请求朱泚担任候补司令官（留后）。朱泚，是朱克融的老爹，当时因行动不便，在家疗养，向变兵们说明年老多病，坚决辞让，但推荐自己的儿子朱克融担任，大家同意。大家认为执行官（判官）张彻是位忠厚长者，不打算处死，张彻诟骂说："你们怎么敢叛变，马上就要全族屠灭！"大家遂把他诛杀。

16 七月十八日，文武百官呈献李恒尊贵绰号：文武孝德皇帝。李恒下诏赦免天下。

17 七月二十日，卢龙战区（总部设幽州〔北京市〕）监军宦官奏报兵变情形。

七月二十三日，中央贬张弘靖当太子宾客（正三品），在东都洛阳（河南省洛阳市）办公。

七月二十五日，再贬张弘靖当吉州（江西省吉安市）州长。

七月二十六日，命昭义战区（总部设潞州〔山西省长治市〕）司令官（节度使）刘悟，当卢龙战区（总部设幽州〔北京市〕）司令官（节度使）。刘悟认为朱克融的势力正强，不敢到任，上疏请求说："不如姑且颁发给朱克融任命状，以后再慢慢想办法铲除。"中央遂命刘悟仍留任昭义战区（总部潞州）司令官（节度使）。

18 七月二十七日，太和长公主从首都长安（陕西省西安市）出发。

19 最初，田弘正（田兴）被任命当成德战区（总部设镇州〔河北省正定县〕）司令官（参考去年〔八二〇〕十月），自己知道长期以来跟成德作战，杀人父兄，怨仇未解，为了安全，率魏博兵团（总部魏州）二千人护送自己到差，顺便留在镇州（河北省正定县），作为亲军自卫；上疏请全国财政总监署（度支）供应粮食及颁发赏赐。可是国务院财政部副部长（户部侍郎）兼全国财政总监（判度支）崔倰（音líng〔零〕），刚愎自用，固执偏激，没有远见，认为魏博兵团应回归魏博，成德兵团有保护本军统帅的责任，一旦准许魏博兵团（总部魏州）留在成德（总部魏州），恐怕其他战区援例请求；于是拒绝。田弘正（田兴）一连呈递四次奏章，都没有下文，万不得已，只好命魏博兵团返防。崔倰，是崔沔的孙儿（崔沔，九任帝李隆基时当皇家图书院长〔秘书监〕，参考七三四年三月）。

田弘正（田兴）对他的家族，十分厚待，兄弟子侄在两都（首都长安、东都洛阳）的，多达数十人（参考前年〔八一九〕九月），互相竞争看谁最奢侈浪费，每天开支就要二十万钱；田弘正搜刮魏博（总部魏州）及成德（总部魏州）人民的血汗，送到两京，供他们挥霍；车辆驴马，在路上接连不断，两战区的官兵，都十分愤慨。这时，李恒正巧下诏赏赐成德兵团一百万串，可是全国财政总监（度支）迟迟没有运到，官兵们越发不高兴。

成德战区总作战司令（都知兵马使）王庭凑，本是回鹘汗国（瀚海沙漠群）阿布思部落一个支派（王庭凑的曾祖父五哥之，骁勇善战，成德〔总部恒州〕司令官王武俊收作义子，改姓王），性情强悍阴险、凶恶狡狯，暗中进行兵变，每每挑剔微小细节，刺激士卒愤怒的情绪。只因魏博兵团（总部魏州）留驻的缘故，不敢行动；等到魏博兵团一离开，立即发动。

七月二十八日，夜晚，王庭凑在战区总部前集合警卫部队士卒，大声呐喊呼叫，冲进去诛杀田弘正（田兴。年五十八岁）跟他的幕僚，以及从魏博战区（总部魏州）带来的助理官吏，连同他们的家属，共三百余人。王庭凑自称候补司令官（留后），强迫监军宦官宋惟澄上疏中央，请求颁发人事任命状。

八月六日（原文“癸巳”〔八月三十日〕，据《旧唐书》改），宋惟澄奏章抵达京师（首都长安），中央上下惊骇。可是崔倰是宰相崔植的远房堂兄，没有人敢指出他的罪恶。

最初，中央调换魏博（总部魏州）和成德（总部魏州）统帅时，左金吾（卫军第十一军）将军杨元卿上疏反对，认为绝不合适；又亲自晋见宰相，分析利害，可是没有人重视他的意见。等到成德兵变，李恒想起杨元卿的话，特别赏赐给他白玉腰带。

八月八日，李恒任命杨元卿当泾原战区（总部设泾州〔甘肃省泾川县〕）司令官（节度使）。

瀛莫道（首府设瀛州〔河北省河间市〕）将领士卒们的家属，很多留在幽州（北京市）。

八月九日，莫州（河北省任丘市北鄚州镇）总纠察官（都虞候）张良佐，秘密引导朱克融的卢龙兵团（总部幽州）进城；州长吴晖失踪。

八月十日，王庭凑派杀手刺死冀州（河北省衡水市冀州区）州长王进岌，派军占领城池（冀州属成德战区）。

魏博战区（总部设魏州〔河北省大名县〕）司令官（节度使）李愬，听到田弘正（田兴）被害消息，换上丧服，召集将士，说：“魏博官兵所以能取得中央重视，沐受皇家教化，到今天仍安居乐业，都是田公（田弘正）的功劳。镇州（恒州，河北省正定县）人如此悖逆，竟把田公杀害，是认为我们魏州（河北省大名县）没有人敢挺身复仇。各位受田公厚重的恩德，应该怎么回报？”大家都放声痛哭。深州（河北省深州市）州长牛元翼，是成德战区（总部设镇州〔河北省正定县〕）的优秀将领，李愬派人送给他佩剑和玉带，说：“从前，我家老爹（李晟）曾用这支佩剑替帝国立过大功（指削平朱泚），我也曾用它平定蔡州（指削平吴元济）。今天转授给你，希望你用它铲除王庭凑！”牛元翼把佩剑、玉带拿到大营，展示给全体官兵，回答李愬说：“愿意为国战死！”李愬计划出动大军北上讨伐，正巧生病，不能实施。牛元翼，是赵州（河北省赵县）人。

八月十二日，中央征召服丧中的前泾原战区（总部设泾州〔甘肃省泾川县〕）司令官（节度使）田布（田弘正〔田兴〕的儿子），接替李愬，继任魏博战区（总部设魏州〔河北省大名县〕）司令官（节度使），命他乘坐政府驿马车前往到差。田布坚决辞让，中央坚决不准，田布向妻子儿女和宾客告别说：“我不能再回来了！”放弃旌旗符节和前导亲军护卫，只带少数几个随从上路，距魏州（河北省大名县）三十里，脱去冠帽，披头散发，光着双脚，哀号悲哭进城（魏州州城），住在丧宅；每月薪俸一千串，他一文也不领取；变卖祖传产业，共得钱十余万串，全部赏赐官兵，对年纪较大的昔日将领，当作兄长一样尊敬。

田布的所作所为，应该是可以得到魏博兵团士卒的效忠拥护，而最后仍归失败的原因，是人心已经动摇，而田布的威势及谋略，又不能发挥之故。

八月十三日，瀛莫道（首府设瀛州〔河北省河间市〕）兵变，逮捕行政长官（观察使）卢士玫及监军宦官，以及其他辅佐官员等，一起押送幽州（卢龙战区总部，北京市），囚禁宾馆（瀛莫一道遂完全被变军占领）。

王庭凑派将领王立攻击深州（河北省深州市），不能攻克。

八月十四日，李恒下诏命魏博（总部设魏州〔河北省大名县〕）、横海（总部设沧州〔河北省沧州市东南〕）、昭义（总部设潞州〔山西省长治市〕）、河东（总部设太原府〔山西省太原市〕）、义武（总部设定州〔河北省定州市〕）各战区各派特遣兵团，进驻成德（总部设镇州〔河北省正定县〕）边境，如果王庭凑仍然执迷不悟，当立刻讨伐。成德大将王俭等五人，阴谋诛杀王庭凑，不幸泄漏，连同他们家属以及所属军队官兵三千人，全被诛杀。

八月十六日，李恒命深州（河北省深州市）州长牛元翼，当新设的深冀战区（总部深州）司令官（节度使）。

八月二十四日，李恒命宫廷监察官（殿中侍御史）温造，当皇家言行记录官（起居舍人），充任镇州（河北省正定县）地区各军慰劳特使（镇州四面诸军宣慰使），前往昭义（总部设潞州〔山西省长治市〕）、河东（总部设太原府〔山西省太原市〕）、魏博（总部设魏州〔河北省大名县〕）、横海（总部设沧州〔河北省沧州市东南〕）、深冀（总部设深州〔河北省深州市〕）、义武（总部设定州〔河北省定州市〕）等战区，传达中央指定的向成德（总部设镇州〔河北省正定县〕）变军发动总攻击的日期。温造，是温大雅的五世孙（温大雅是一任帝李渊的文书官，参考六一七年六月十四日）。

八月二十六日，李恒命河东战区（总部太原府）司令官（节度使）裴度，当卢龙（幽州）暨成德（镇州）二战区讨伐安抚特使（招抚使）。

八月三十日，成德变军（总部镇州）首领王庭凑，引导卢龙变军（总部镇州）包围深州（河北省深州市）。

20 九月十二日，相州（河南省安阳市）兵变，诛杀州长邢濋（音chǔ〔楚〕）。

21 吐蕃王国（首都逻些城〔西藏拉萨市〕）派教育部长（礼部尚书）论纳罗，前来唐王朝要求和解及结盟。

九月十七日，李恒派最高法院院长（大理卿）刘元鼎，出任吐蕃（西藏）会盟特使。

22 九月十九日，卢龙战区（总部设幽州〔北京市〕）变军首领朱克融，烧杀掳掠易州（河北省易县）、涞水（河北省涞水县）、遂城（河北省保定市徐水区西遂城镇）、满城（河北省保定市满城区）。

23 唐政府自从实施“两税制度”（参考七八〇年正月）以来，钱一天比一天贵，货物价格一天比一天低廉，人民缴纳实物代金，要比最初规定的数目，高出三倍（如果：最初应缴十钱者折合一匹布；现在应缴十钱者，则折合三匹布）。李恒下令中央文武百官，共同讨论如何改革弊端。国务院财政部长（户部尚书）杨于陵认为：“钱币的功能，就是要显示出各种货物的价格，用自己有的，交换自己所没有的，必须使它不停的流通，不应该积蓄囤集。而今，却把民间钱币都征收到政府，严密的保管在公库之中。过去，八世纪二〇年代，全国铸钱七十余炉，每年收入一百万，而今全国铸钱才十余炉，每年只收入十五万，而又聚集在商人的仓库，或流传到四方蛮夷邻邦。八世纪六〇年代之前，平卢（总部设郓州〔山东省东平县〕）、河东（总部设太原府〔山西省太原市〕）、魏博（总部设魏州〔河北省大名县〕）做生意时，羼杂使用铅、铁，岭南（总部设广州〔广东省广州市〕）商人做生意时，羼杂使用金银、朱砂、象牙；而今，全部使用钱币。钱既然如此缺少，它怎能不贵，物又怎能不贱！今后应该规定：人民缴纳田赋捐税，改用谷米、绸缎计算。政府应大量铸造钱币，禁止囤积，不准带出国外，则钱币供应量充足，就不会短缺。”中央批准，开始命两税可以用最初所定价格，缴纳布匹、生丝、丝棉；但盐税、酒税，仍然缴钱（有关货币及缴税制度的流弊，参考七九四年五月）。

24 冬季，十月三日，命全国盐铁专卖暨运输总监（盐铁转运使）、国务院司法部长（刑部尚书）王播，当副立法长（中书侍郎）、二级实质宰相（同平章事），仍保持总监官位。王播当宰相，专门摇尾拍马，谄媚皇帝，从来不谈国家安危大事。

25 命裴度（河东〔总部太原府〕司令官）当镇州（河北省正定县）地区各战区特遣兵团征剿总司令（镇州四面行营都招讨使）。

左领军（卫军第七军）大将军杜叔良，因谄媚当权大官，步步高升。当时，卢龙（总部幽州）、成德（总部幽州）军事力量强大，中央讨伐各军，都不敢前进，而李恒却急于把他们早日平定。宦官竭力推荐杜叔良，李恒遂命杜叔良当深州（河北省深州市）中央各特遣兵团司令官（诸道行营节度使）。又命牛元翼当成德战区（总部镇州）司令官（节度使）。

26 十月十日，李恒命宰相以及高级官员共十七人，跟吐蕃（西藏）教育部长（礼部尚书）论纳罗，在首都长安城西，缔结和平盟约。唐王朝又派最高法院院长（大理卿）刘元鼎，随同论纳罗前往吐蕃（首都逻些城〔西藏拉萨市〕），也跟他们的宰相及高级官员缔结和平盟约。

27 十月十二日，命沂州（山东省临沂市）州长王智兴，当武宁战区（总部设徐州〔江苏省徐州市〕）副司令官（节度副使）。从前，副司令官（节度副使）都由文官担任，李恒听说王智兴勇敢而有谋略，打算用他讨伐河北（黄河以北）各割据军阀，所以赐给他这项宠爱和荣耀。

28 十月十四日，裴度亲自率军从承天军（山西省平定县东北娘子关镇）旧关出发，讨伐王庭凑（《新唐书·藩镇镇冀传》：裴度军于会星〔今地不详〕逐成德变军，又进入元氏〔河北省元氏县〕境）。

29 朱克融派军攻击蔚州（河北省蔚县。蔚州属河东战区〔总部太原府〕）。

30 十月十五日，王庭凑派军攻击贝州（河北省清河县。贝州属魏博战区〔总部魏州〕）。

31 十月十六日，易州（河北省易县）州长柳公济，在白石岭击败卢龙变军（总部幽州），杀一千余人。

32 十月十七日，横海战区（总部设沧州〔河北省沧州市东南〕）司令官（节度使）乌重胤奏报说，在饶阳（河北省饶阳县）击败成德变军（总部镇州）。

33 十月十八日，魏博战区（总部设魏州〔河北省大名县〕）司令官（节度使）田布，率全部兵力三万人，北上讨伐王庭凑，在南宫（河北省南宫市）南方扎营，一连攻克成德（总部镇州）两个营寨。

34 皇家文学研究官（翰林学士）元稹，跟宫廷机要室主任宦官（知枢密）魏弘简，交情深厚，打算通过魏弘简的力量，升到宰相高位；元稹很受皇帝宠爱，遇到事情，李恒总要询问他的意见。元稹对于裴度（河东〔总部太原府〕司令官），并没有私人怨恨，可是因裴度是先达前辈，而且身负重望，唯恐他击败王庭凑（成德〔总部镇州〕首领），建立大功；届时可能重返中央，再任宰相，那就挡住了自己的前途，所以凡裴度奏报的事情，元稹总是跟魏弘简从中阻挠破坏。裴度忍无可忍，遂上疏检举元稹、魏弘简：结党营私、朋比为奸。指出："叛逆小丑作乱，不过山东（太行山以东）一地震动；邪恶的官员勾结在一起，则破坏全国施政。陛下想要扫荡幽州（北京市）、镇州

(河北省正定县)叛逆，应该先行整肃中央政府。为什么？祸患有大小，事情有先后，河朔(河北平原)盗贼只不过扰乱山东(太行山以东)，而宫廷里的宦官及政府中的奸邪，却扰乱全国。是以河朔(河北平原)带来的祸患小，政府所隐藏的祸患大。小的祸患，我跟各将领同心合力，一定可以消灭；大的祸患，除非陛下彻底醒悟，独行专断，就无法排除。而今文武百官、中外万民，有心的人，无不愤怒；有口的人，无不叹息！只因这些当权人士正受陛下重用，不敢冒犯，深怕检举刚刚提出，灾难已经临头，既无法为国效忠，只好自求平安。我自奉命出军以来，前后所呈递的奏章，每件事情都十分急迫，影响巨大，可是接到的批答诏书，往往前言不照后语。陛下交付给我的任务不轻，奸邪对我的压制伤害更多。我跟这些摇尾分子本来没有误会，只因我前些时请求乘坐政府驿马车前往京师(首都长安)，向陛下当面陈述前方军事情况。奸邪之徒最恐惧的就是我揭发他们的过失，所以千方百计阻止。我又请求率军跟各战区兵团同时推进，遇到机会，即行攻击，可是奸邪唯恐我万一成功，竟用各种方法阻挠，拖延逗留，进退都受限制。下级的建议，全被隔断。只希望我早早失败，一事无成，至于帝国是治是乱，山东(太行山以东)是胜是败，全都不管。想不到做一个侍奉君王的臣属，竟卑劣到这种地步！如果政府中的奸邪全被驱走，则河北(黄河以北)变乱用不着讨伐，自会平息。如果政府中的奸邪一直存在，变乱纵然平息，对帝国的治理，也没有裨益。陛下如果不肯相信我的话，请把我这份奏章交下，召集文武百官讨论，奸邪之辈如果不受指摘，我愿受罚。”一连三次上疏，李恒虽然大不高兴，但因裴度是帝国大臣，万不得已。

十月二十日，贬魏弘简当宫廷军械库弓箭分库管理官(弓箭库使）、元稹当国务院工程部副部长（工部侍郎）。不过，元稹虽然解除皇家文学研究院（翰林院）重要职务，而李恒对他的欣赏及信任，依然如故。

35 宿州（安徽省宿州市）州长李直臣，因贪赃枉法，将判处死刑。宦官接受他大量贿赂，向李恒求情；但副总监察官（御史中丞）牛僧孺坚决主张诛杀，李恒说："李直臣有才干，可惜！"牛僧孺回答说："那些没有才干的人，最大的愿望不过穿得暖、吃得饱、养活妻子儿女，对他们用不着担心！政府制定法律，正是为了克制有才干的人。安禄山、朱泚的才干都超过普通人，法律对他们却无能为力。"李恒命把李直臣处决。

36 横海战区（总部设沧州〔河北省沧州市东南〕）司令官（节度使）乌重胤，出动战区全部兵力，拯救陷于重围的深州（深冀战区总部，河北省深州市），中央讨伐各军，都依靠乌重胤独当卢龙（幽州）、成德（镇州）变军东南一面。乌重胤是沙场老将，知道变军声势正强，不可能击破，就暂时按兵不动，等待机会。李恒震怒。

十月二十三日，命杜叔良当横海战区（总部设沧州〔河北省沧州市东南〕）司令官（节度使），调乌重胤当山南西道战区（总部设兴元府〔陕西省汉中市〕）司令官（节度使）。

37 朔方战区（总部设灵州〔宁夏灵武市〕）司令官（节度使）李进诚奏报说：在大石山（地望应在黄河河套南）击败吐蕃军骑兵三千人。

38 十一月二十八日，平卢战区（总部设青州〔山东省青州市〕）司令官（节度使）薛平奏报说：突击队将领马廷崟（音yín〔吟〕）发动兵变，失败，被杀。

当时，卢龙（幽州）及成德变军（镇州），联合攻击棣州（山东省惠民县）；薛平派大将李叔佐率军增援。州长王稷供应军需，稍微不足（王稷是王锷的儿子，参考八一六年十一月），官兵怨恨愤怒，夜晚，哗然溃散，推举马廷崟当首领，一面回奔，一面集结部众，约七千余人，直扑青州（山东省青州市）。城中军队太少，无法抵挡，薛平把库房中的金钱绸缎，以及自己的家产，全部拿出来招兵买马，集合精锐部队两千人，迎头痛击，大破变军，斩马廷崟，诛杀他的同党数千人。

39 横海战区（总部设沧州〔河北省沧州市东南〕）司令官（节度使）杜叔良，率各战区特遣兵团，跟成德变军（总部设镇州〔河北省正定县〕）会战，屡战屡败，成德变军知道杜叔良是个无能之辈，经常抢先攻击。

十二月八日，监军宦官谢良通奏报说：杜叔良在博野（河北省蠡县）大败，官兵被杀及失踪七千余人。杜叔良仅逃出一命，奔回营垒，连皇帝赐给他的战区司令官的旌旗符节，全部失落。

40 十二月十五日，义武战区（总部设定州〔河北省定州市〕）司令官（节度使）陈楚奏报说：分别在望都（河北省望都县）及北平（河北省顺平县），击败卢龙变军（总部设幽州〔北京市〕），格杀及俘虏一万余人。

41 十二月十六日，李恒命凤翔战区（总部设凤翔府〔陕西省宝鸡市凤翔区〕）司令官（节度使）李光颜（阿跌光颜），当忠武战区（总部设许州〔河南省许昌市〕）司令官（节度使），兼深州（河北省深州市）特遣兵团司令官（行营节度使），接替杜叔良。

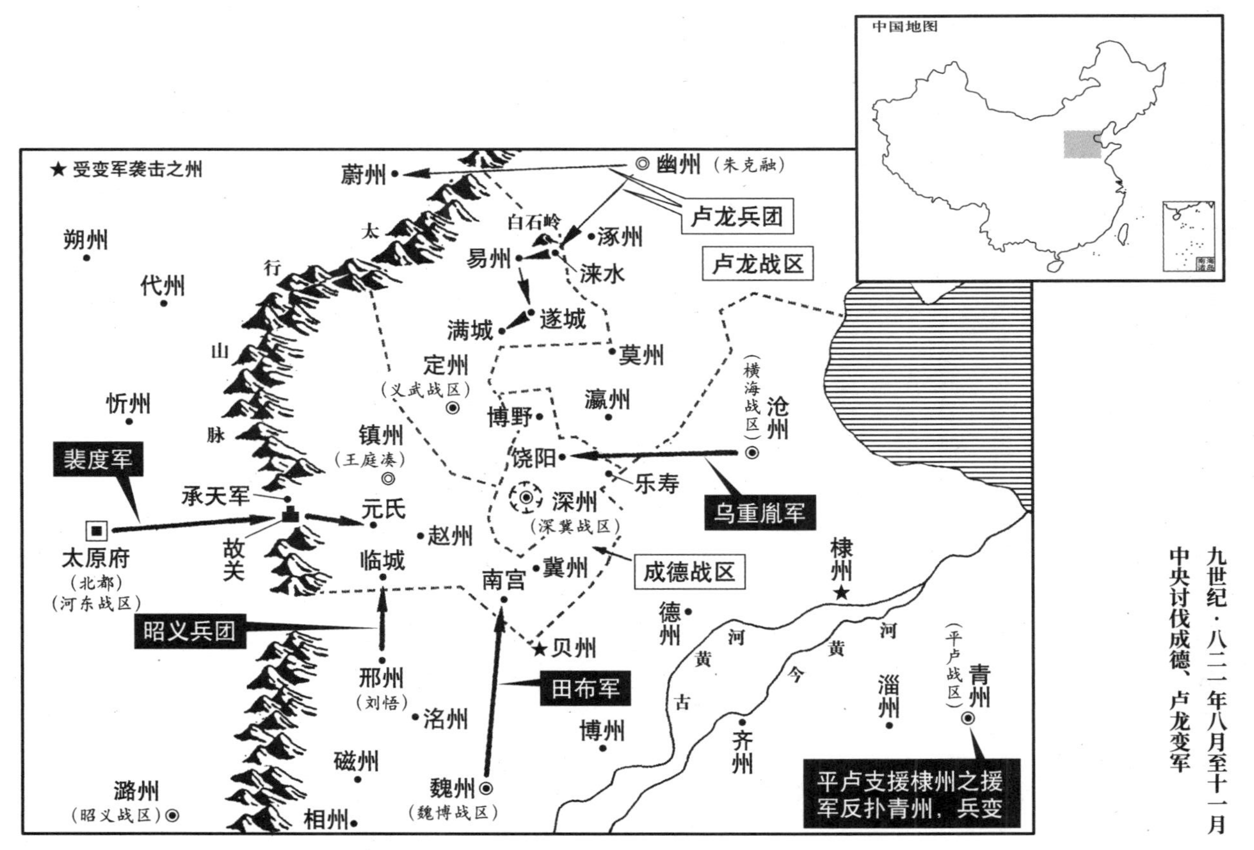

九世纪·八二一年八月至十一月

中央讨伐成德、卢龙变军

42 自前任帝（十四任宪宗）李纯登极以来，四面八方讨伐征战，国库已经空虚。现任帝（十五任穆宗）李恒登极后，毫无节制的赏赐左右侍从及禁卫各军；而今又对卢龙（幽州）、成德（镇州）采取大规模军事行动，为时已久，不能取胜，国库完全枯竭，无力继续支持。当政高官于是建议："王庭凑诛杀田弘正（田兴），而朱克融保全张弘靖，罪状轻重不同，请赦免朱克融，专心讨伐王庭凑。"李恒批准。

十二月二十三日，李恒下诏任命朱克融当卢龙战区（总部设幽州〔北京市〕）司令官（节度使）。

43 十二月二十六日，义武战区（总部设定州〔河北省定州市〕）奏报说：一连击破莫州（河北省任丘市北鄚州镇）、清源（河北省保定市境）等变军的三个营寨，格杀及俘虏一千余人。

1 春季，正月五日，卢龙战区（总部设幽州〔北京市〕）变军攻陷弓高（河北省泊头市西交河镇）。

原先，弓高（河北省泊头市西交河镇）守卫一向严密，有一次，钦差宦官半夜抵达，守城将领不肯开门迎接，等到天亮，才让他进城，钦差宦官认为是奇耻大辱，破口大骂。变军间谍得到这项情报，于是，又有一天，变军派的假钦差宦官，也于半夜抵达城下，守城将领不敢再拒，只好迎接入城，变军在后面紧跟，遂占领弓高（河北省泊头市西交河镇)，进围下博(河北省深州市东南下博村)。

立法官(中书舍人)白居易上疏说："自从幽州(北京市)、镇州(河北省正定县)背叛中央，政府动员各战区军队，共十七八万，四面进攻，已超过半年，并没有取得胜利，变军的力量反而仍然强大。弓高(河北省泊头市西交河镇)沦陷后，粮运道路，完全切断，下博(河北省深州市东南下博村)、深州(河北省深州市)，孤军被困，士卒饥饿疲倦，情形至为危急。中央讨伐各军，只因高级将领太多，不能同心合力，所以没有人肯先行攻击，大家都逗留原地，互相观望。而且，中央赏罚，近来更不公平，没有立功的人或许已经升官，对沙场战败的将领，人们也听不到有什么处罚。既然不能赏善罚恶，自无法鼓励士气；因循拖延，直到今天，如果不能改革，势将毫无希望。我建议命李光颜(阿跌光颜，忠武〔总部许州〕司令官)率各战区精锐部队约三四万人，从东向西挺进，打通弓高(河北省泊头市西交河镇)运粮要道，解除深州(河北省深州市)重围，跟牛元翼(深冀〔总部深州〕司令官)会师。再命裴度率河东战区(总部太原府)全部军队，担任从前曾经担任过的征剿司令(招讨使)旧职(参考去年〔八二一〕十月)，从西向东压迫成德(总部镇州)，等候机会出动。如果能乘虚直入，就应会师扫荡；如果大胜，盗匪穷途末路，则应允许他们投降。这样的话，东西夹攻，使盗贼的兵力分散；鼓励归顺中央，使盗贼的军心动摇；不一定流血，盗匪内部就会发生变化。再建议命李光颜(阿跌光颜)在各战区军队中，遴选最精锐的留下，其余不能作战的全部遣送回去，防守自己的疆域。现在，官兵人数虽多，却不是精锐，岂止白白浪费衣服粮食，恐怕还要引起挫败！如果采纳我的意见，东西各有一个统帅，陛下不妨各设总监军宦官一人，其他所有的监军宦官，则全部撤回。如此，号令齐一，定可成功。再者，中央之所以任用田布(魏博〔总部魏州〕司令官），本是要他为父报仇。如今，他率全部军队出境，费用完全仰赖全国财政总监署（度支）供应，可是几个月以来，不能继续推进，并不是田布愿意如此，而是别有原因。听说魏博战区（总部设魏州〔河北省大名县〕）的军队，受到的赏赐太过优厚（田弘正〔田兴〕初归中央，第一次便赏赐一百五十万串，参考八一二年十月，以后不断），士卒骄傲，将领富有，斗志全失，不肯作战。何况，仅魏博一个兵团，每月费用，就要支出二十八万串，拖延下去，中央用什么供应？仅这一点理由，就应召回大军。如果只留下东西两支军队（东指李光颜，西指裴度）六万人，费用就不太多，既容易支持，供应自然丰富，现在事情越发紧急，隐藏的危机，深不可测。如果军队人数不能减少，军费就不能减少；粮食不够，军心怎么能安定！一个军心不安定的军队，什么事不会发生？何况地方政府为了供应这项庞大的军费，只有千方百计向人民搜刮聚敛；不准横征暴敛，他们就交不出军费，准许横征暴敛，人民就无法不对政府痛恨。自古以来，这就是国家安危的关键，请皇上多多考虑。”奏章呈上后，唐帝（十五任穆宗）李恒（本年二十八岁）不理。

正月七日，全国财政总监署（度支）运往横海战区（总部设沧州〔河北省沧州市东南〕）的粮食六百车，经过下博（河北省深州市东南下博村），被成德变军（总部镇州）全部截走。当时，各军已经缺粮，后勤供应站（供军院）供应的衣服粮食，往往无法运到，半途就被其他友军掠夺，以致深入敌境的孤军，饥饿和寒冷交迫，什么都得不到。

最初，田布跟老爹田弘正（田兴）在魏州（河北省大名县）时，对营门官（牙将）史宪诚很是照顾，不断称赞推荐，逐渐擢升高位，当作心腹，命他担任先锋作战司令（先锋兵马使），把军中精锐部队，全交到他手。史宪诚的祖先，是奚部落（滦河上游）人，几代都在魏博战区（总部魏州）当带兵官。魏博（总部魏州）跟卢龙（总部幽州）、成德（总部镇州），本来三位一体，各自割据称雄，被人称为“河北三镇”。现在，卢龙（总部幽州）、成德（总部镇州）既背叛中央，魏博（总部魏州）军心动摇。田布率魏博兵团讨伐成德变军，在南宫（河北省南宫市）扎营，李恒不断派宦官前往督战，而官兵骄傲怠惰、无意作战，又逢天降大雪，全国财政总监署（度支）来不及供应。田布下令征收所属六州的租税支援（魏博战区共辖六州：魏州〔河北省大名县〕、博州〔山东省聊城市〕、贝州〔河北省清河县〕、卫州〔河南省卫辉市〕、澶州〔河南省内黄县东南〕、相州〔河南省安阳市〕），将领们大起反感，说：“依照惯例，战区部队一旦出境，一切都由中央供应。而今，大帅搜刮六州人民的血汗肌肉，虽然愿意自己过穷日子，去效忠中央，但六州人民有什么罪！”史宪诚这时已怀二心，利用大家怨恨的情绪，从中挑拨煽动。正巧，皇帝下诏命分出一部分军队给李光颜（阿跌光颜）增援深州（河北省深州市）。

正月八日，魏博特遣兵团崩溃，很多人投奔史宪诚军营。田布只率中军八千人，返回魏州（河北省大名县）。

正月十日，田布抵达魏州（河北省大名县）。

正月十一日，田布召集军事会议，讨论再次出动，各将领越发兴趣索然，说：“大帅如果能承袭河朔（河北平原）割据传统，我们的生死由大帅做主。如果教我们再次北伐，绝不奉命。”田布无可奈何，叹息说：“心愿难以完成！”当天，撰写遗疏，大略说：“我看大家的志向，最后终于要辜负皇恩，我既不能为国立功，怎么敢忘一死！乞求陛下火速增援李光颜（阿跌光颜，忠武〔总部许州〕司令官）、牛元翼（深冀〔总部深州〕司令官），否则，忠臣义士，将被河朔（河北平原）军阀，屠杀罄尽。”捧着奏章悲号痛哭，郑重交付给幕僚李石，于是到后堂叩拜老爹田弘正（田兴）的灵位，拔出佩刀说：“对上报答君王跟老爹，对下把忠义昭示三军！”遂刺入自己心脏，逝世（年三十八岁）。史宪诚得到田布死亡消息，立即向全体部众宣布脱离中央，恢复河朔（河北平原）传统，部众大为高兴，拥着史宪诚返回魏州（河北省大名县），推举他当候补司令官（留后）。

正月十六日，魏博战区（总部魏州）奏报田布自杀。

正月十七日，中央命史宪诚当魏博战区（总部魏州）司令官（节度使）。史宪诚虽然高兴得到中央的任命，表面上仍服从中央，但暗中却跟卢龙（总部幽州）、成德（总部镇州）勾结。

2 正月十八日，中央命德州（山东省德州市陵城区）州长王日简，当横海战区（总部设沧州〔河北省沧州市东南〕）司令官（节度使）。王日简，本是成德战区（总部设镇州〔河北省正定县〕）的营门官（牙将）。

正月二十日，贬杜叔良当归州（湖北省秭归县）州长。

成德战区（总部设镇州〔河北省正定县〕）变军首领王庭凑，把牛元翼包围在深州（河北省深州市）城里，中央军从三方面增援（西面河东裴度、东面忠武李光颜、北面义武陈楚。但根据《新唐书·藩镇泽潞传》，当时昭义〔总部潞州〕刘悟，亲率大军进驻邢州〔河北省邢台市〕，派军围攻临城〔河北省临城县〕，但不久退军，《资治通鉴》亦没有提及。所以成德〔总部镇州〕四面都受到攻击），但都因缺乏粮食，无法前进；勇将像李光颜（阿跌光颜）也只能紧闭营门，仅保本军不被饿死而已，士卒自己出营四处砍柴割草，每人每天不过陈米（去年以前收割的米）一勺。而深州（河北省深州市）包围越发紧急，中央不得已，只好屈服。

二月二日，李恒下诏命王庭凑当成德战区（总部设镇州〔河北省正定县〕）司令官（节度使），将领们的官爵也一律恢复。派国防部副部长（兵部侍郎）韩愈当慰劳特使（宣慰使）。

李恒刚登极时，两河（黄河南北）粗略平定，宰相萧俛、段文昌建议李恒：“天下已经太平，应该逐渐裁军，请下达秘密诏书给各军事单位，规定每年一百人中，必须逃走或死亡八人。”李恒正沉迷在声色犬马、饮酒欢乐之中，对国家大事，毫不在意，所以立即批准。于是大量士卒脱离军籍，无事可做，就聚集在山上水边，当起强盗，四出劫掠。

没有周密的善后安置，就命武职人员解甲归田，他们除了集结自救外，别无其他求生之途。政府如无强敌，他们就当盗；政府如有强敌，他们就投敌。这种严重的错误措施，历史上不断重演。无他，有决定权的官员，既没有头脑，而又不肯稍读历史。

后来，朱克融、王庭凑背叛中央，登高一呼，这些逃亡的士卒就纷纷前往投效。皇帝命各战区讨伐，可是各战区剩下的军队已寥寥无几，只好临时招兵买马，士卒没有经过训练，全是乌合之众。而监军宦官的泛滥，也摧毁各军战斗能力，战区特遣兵团固有监军宦官，其他凡是单独驻扎，或单独出动的较小部队，也有监军宦官；只要有监军宦官，统帅就不能单独发号施令。战场上一点小小胜利，监军宦官立刻派人乘政府驿马车飞奔京师（首都长安）告捷，好像仗是他一个人打的，认为全是自己的功劳。一旦失利，监军宦官就对统帅威胁迫害，教统帅负起全部责任。监军宦官把健壮勇敢的士卒挑出来当自己的卫队，只派老弱残兵到前方作战，所以每次战役都会失败。但最致命的仍是中央遥控指挥，当军事行动开始时，一举一动，都由最高统帅部——皇宫，发出指令，而早上的指令，到了晚上又会修改，使万里外沙场上的官兵，不知道应该怎么执行。最高指令根本不了解、也不理会战场上的情形，只一味要求攻击。钦差宦官像织布梭一样在路上不停奔走，驿马不够使用，就掠夺行人的马匹补充，结果人民只抄小路，不敢行走正道。所以，虽然各战区士卒共有十五万人之多，而裴度又是元老，乌重胤、李光颜（阿跌光颜）又是一代名将，但讨伐卢龙（总部幽州）、成德（总部镇州）一万余名的变军，对峙超过一年，竟然失败，力量耗尽，库藏枯竭。

崔植、杜元颖、王播当宰相，都是碌碌庸才，没有见识眼光。史宪诚既逼死田布，中央不能讨伐，遂连同朱克融、王庭凑，一起任命他们当战区司令官（节度使）。于是，河朔（河北平原）于回归中央十个月之后（成德事，参考去年〔八二一〕十一月；卢龙事，参考本年〔八二二〕二月），再度背叛中央，直到十世纪〇〇年代唐王朝灭亡（历时八十年），中央再不能收回。

朱克融得到中央符节印信后，才释放张弘靖、卢士玫（参考去年〔八二一〕七月、八月）。

二月四日，中央命坚守深州（河北省深州市）的牛元翼，当山南东道战区（总部设襄州〔湖北省襄阳市〕）司令官（节度使）；命左神策军特遣兵团乐寿镇（河北省献县）作战司令（兵马使）、清河（河北省清河县）人傅良弼，当沂州（山东省临沂市）州长；命瀛州（河北省河间市）博野（河北省蠡县）卫戍司令（镇遏使）李寰当忻州（山西省忻州市）州长。傅良弼、李寰防地在幽州（北京市）跟镇州（河北省正定县）之间，朱克融、王庭凑互相威迫利诱，傅良弼、李寰坚决拒绝，分别率部众固守城池，变军始终无法攻克；因此中央擢升二人官职，作为奖赏。

3 二月十四日，李恒命横海战区（总部设沧州〔河北省沧州市东南〕）司令官（节度使）王日简，改姓名为李全略。

4 二月十九日，副立法长（中书侍郎）、二级实质宰相（同平章事）崔植，贬作国务院司法部长（刑部尚书）；命国务院工程部副部长（工部侍郎）元稹，兼二级实质宰相（同平章事）。

5 二月二十一日，中央命李光颜（阿跌光颜）兼横海战区（总部设沧州〔河北省沧州市东南〕）司令官（节度使）及沧景道（首府沧州）行政长官（观察使），本职忠武战区（总部设许州〔河南省许昌市〕）司令官（节度使）及深州（河北省深州市）特遣兵团司令官（行营节度使），仍然保持。命原横海战区（总部沧州）司令官（节度使）李全略（王日简）当新设立的德棣战区（总部设德州〔山东省德州市陵城区〕）司令官（节度使）。当时，中央认为：李光颜（阿跌光颜）一支孤军，深入敌境，补给供应难以为继，所以把横海战区（剩下沧景二州）划入他的管辖。

王庭凑（成德〔总部镇州〕司令官）虽然接受中央的任命，但不肯解除深州（河北省深州市）的包围。

二月二十四日，中央命诏书撰写官（知制诰）东阳（浙江省东阳市）人冯宿，当山南东道战区（总部设襄州〔湖北省襄阳市〕）副司令官（节度副使），暂代候补司令官（权知留后）。仍派宦官前往深州（河北省深州市）督促牛元翼早日前往襄州（湖北省襄阳市）接事。裴度（河东〔总部太原府〕司令官）也分别写信给朱克融（卢龙〔总部幽州〕司令官）、王庭凑，用大义责备；朱克融撤回他的军队，王庭凑虽然稍稍后退，但仍驻守附近，不肯离开。

宰相元稹怨恨裴度（参考去年〔八二一〕十月），打算解除裴度的军权，所以劝李恒昭雪王庭凑，结束这场讨伐叛逆的战争。

二月二十五日，李恒擢升裴度当司空（三公之三）、东都洛阳（河南省洛阳市）留守长官，仍遥兼二级宰相（同平章事，使相）。谏官们纷纷上疏指出："现在时局仍然紧张，战争并没有全部平息；裴度有宰相、大将全才，不应该放到闲散位置上。"李恒乃命裴度先到京师（首都长安）朝见，然后再赴东都洛阳。

李恒命朔方战区（总部设灵州〔宁夏灵武市〕）司令官（节度使）李听，当河东战区（总部设太原府〔山西省太原市〕）司令官（节度使）。

最初，李听当羽林（禁军第一、二军）将军，有一匹好马，李恒正是太子，派左右侍从暗示李听赠送。李听因自己是皇帝的亲信侍卫，不敢私自呈献，婉转拒绝。现在，河东战区（总部太原府）统帅出缺，李恒说："李听连一匹马都不肯送给皇太子，一定可以胜任。"遂有这项命令。

6 昭义战区（总部设潞州〔山西省长治市〕）监军宦官刘承偕，仗恃皇帝对他的感恩和宠爱（刘承偕有拥戴之功，参考前年〔八二〇〕正月），骄傲不驯，无时无地不在欺压及戏弄战区司令官（节度使）刘悟，尤其在公开场合，往往当面横肆凌辱，又放纵他的部属违法乱纪。到了最后，更胆大包天，秘密跟磁州（河北省磁县）州长张汶合作，打算生擒刘悟，绳捆索绑送到京师（首都长安），而命张汶当战区司令官（节度使）。刘悟得到消息，暗示他的部众行动，于是爆发兵变，诛杀张汶，包围刘承偕，也打算诛杀。幕僚贾直言进来，警告刘悟说："你如果这样做，难道想效法李师道（参考八一八年四月）？怎么知道军队里没有第二个刘悟？假使李师道地下有知，恐怕会在九泉之下笑你。"刘悟感谢贾直言的指导，遂救免刘承偕，只把刘承偕囚禁在官邸里。

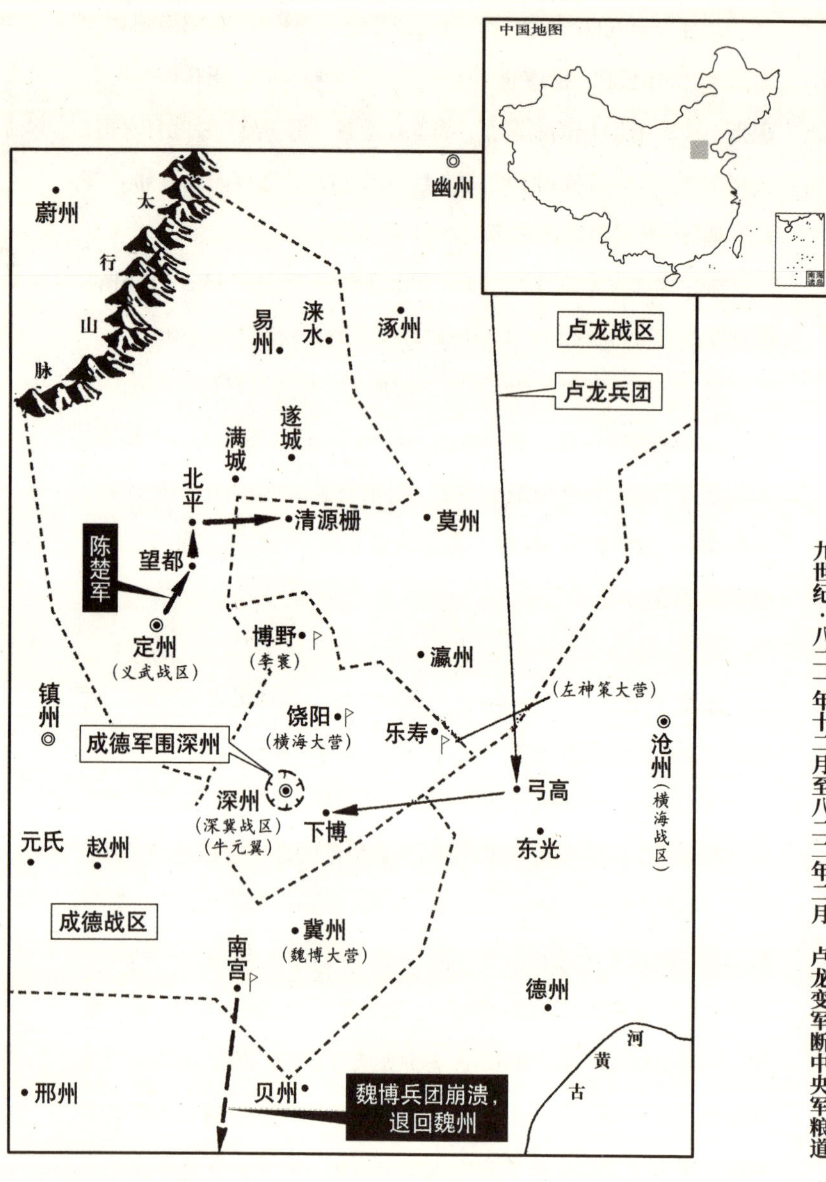

九世纪·八二一年十二月至八二二年二月　卢龙变军断中央军粮道

7 最初，李恒在东宫当皇太子时，听到各地厌战消息，所以登极之后，对将领士卒百般宽容优待，得过且过。

三月一日，李恒下诏说："神策六军（北衙禁军）基地司令（使）及南衙（卫军）有资格朝见的高级将领（包括上将军、大将军、将军），应准备经历及功绩，列表送到立法院（中书省），依照实际情形，分别奖励、擢升。各战区的大将，职位太久没有变动，或立过功劳的，全部奏报上来，都应擢授官职。至于各战区兵团，则应依照旧有规定，全部补满，不可以随意减少。"于是，做生意的人、当雇员杂役的人，纷纷贿赂战区司令官（藩镇），只要他们在奏章上补列一个名字表示推荐，就可以取得中央官衔（朝籍）。这种奏章大量涌到，堆积如山，知识分子们都扼腕叹息。

8 武宁战区（总部设徐州〔江苏省徐州市〕）副司令官（节度副使）王智兴，率精锐士兵三千人讨伐卢龙（总部幽州）及成德（总部镇州），战区司令官（节度使）崔群对王智兴既嫉妒又畏惧，于是上疏中央，建议命王智兴当战区司令官（节度使），如果不准，则建议中央把王智兴召回京师（首都长安），另行任命别的官职。中央还没有答复，王智兴已警觉到自己被长官排斥。正巧，李恒下诏赦免王庭凑，各战区特遣兵团纷返原防。王智兴率军在约定期限前，先行入境。崔群大为恐惧，派人迎接慰劳，要求士卒脱下铠甲、放下武器，徒手进城，王智兴拒绝。

三月十四日，王智兴率军继续前进，徐州（江苏省徐州市）城内同党大开城门等待，王智兴诛杀十余个反对他的人，进入总部，晋见崔群及监军宦官，叩头在地说："军心已变，无可奈何。"于是，给崔群和执行官（判官）、侍从人员等准备马车仆夫，又为他们整理行装，事实上这一切早已准备妥当，然后派军护送崔群等抵达埇桥（安徽省宿州市）而回。王智兴遂劫掠盐铁专卖暨运输分监署（盐铁院）储存的金钱绸缎布匹，以及各战区各道呈献皇帝，而仍留在汴河（连接黄河及淮河的运河）贡船上的物资，连同做生意或行旅客人所携带的商品，都搜刮三分之二。

9 三月十五日，李恒加授朱克融（卢龙〔总部幽州〕司令官）、王庭凑（成德〔总部镇州〕司令官）中央官衔：国务院摄理工程部长（检校工部尚书），这是对他们解除深州（河北省深州市）包围的一种奖励。但王庭凑的军队事实上仍驻扎深州（河北省深州市）城下。

韩愈动身前去成德战区（总部设镇州〔河北省正定县〕），中央文武百官们都替他担心。李恒下诏指示：抵达边境时观察当时情势，再作决定，不可以冒冒失失进入。韩愈说："命我止步，是君王的仁慈。我拼命一死，是臣属的大义。"遂直到镇州（河北省正定县）。王庭凑派人弓上弦、刀出鞘，杀气腾腾的迎接，护送到宾馆，当时，宾馆庭院已挤满军队。王庭凑说："这里所以乱成一团，都是他们这些人干出的事，不是我的本心。"韩愈大声说："皇上因你有统帅的才干，所以才把成德（总部镇州）托付给你，不知道你竟然不能教他们这些人听话！"武装士卒逼到韩愈脸上说："先太师（王武俊赠官太师）为帝国击败朱滔（参考七八四年五月），血衣还在，有什么地方辜负中央，竟把我们当成盗贼看待！"韩愈说："你们能记得先太师（王武俊）就太好了。当一个叛徒和当一个忠臣，他们是福是祸，明显的摆在眼前。自从安禄山、史思明以来，直到吴元济、李师道，他们的子孙今天还有没有人活在人世，更别说做官！田弘正（田兴）率魏博战区（总部魏州）归顺中央，即令是怀抱中的婴儿，都有很好的官职。王承元率本战区归顺中央，年方二十，就当战区司令官（王承元当义成〔总部滑州〕司令官事，参考前年〔八二〇〕十月）；刘悟、李祐，而今仍是战区司令官（节度使），你们知不知道！”王庭凑恐怕军心动摇，命士卒退出庭院，向韩愈说：“大驾前来，打算教我怎么办？”韩愈说：“神策六军中，像牛元翼这样的将领多得很，但中央为了顾念大体，不能遗弃不管，你为什么仍继续包围？”王庭凑说：“马上就放他们出城！”遂跟韩愈饮酒欢宴，很有礼貌的送韩愈回京（首都长安）。

不久，牛元翼率十余位骑兵突围而出，深州（河北省深州市）大将臧平等献出城池投降，王庭凑斥责他守城太久，斩臧平等文武官员一百八十余人。

10 三月十七日，裴度抵达首都长安（陕西省西安市），晋见唐帝李恒，就讨伐变军没有功劳一事，请求宽恕。

在此之前，李恒下诏命刘悟（昭义〔总部潞州〕司令官）把监军宦官刘承偕送回京师（首都长安），刘悟声称那样会激起兵变，拒绝接受。李恒询问裴度的意见：“应该怎么办？”裴度说：“刘承偕在昭义战区（总部潞州），骄傲横暴，违法乱纪，我完全知道。刘悟率特遣兵团出征时（讨伐王承宗），写信给我，十分清楚。当时一位钦差宦官赵弘亮正在我那里，带着刘悟的信回来，说：‘要亲自奏报皇上！’不知他是否奏报？”李恒说：“我不知道这件事。不过，刘悟是帝国高级将领，为什么不自己奏报？却这么转弯抹角！”裴度说：“刘悟是一个武夫，不知道政府正常手续。可是，到了今天，刘承偕的罪状明显到如此地步，我亲向皇上当面奏报，皇上还不能下决心处理！当初刘悟就是奏报，不过片面之词，皇上怎么听得进去！”

李恒说：“过去的事不必再提，我只问你现在怎么办？”裴度说：“陛下如果要收全国民心，只需要下半纸诏书，宣布刘承偕骄傲放纵、违法乱纪，命刘悟召集各将领，当面处决，则各战区司令官（节度使），谁不想为陛下一死，岂止刘悟一个人而已？”李恒低头考虑了很久，说：“我并不在乎刘承偕，可是，皇太后（李恒的娘亲郭女士）认领刘承偕当养子。他被刘悟囚禁这件事，还不敢让皇太后知道，何况把他诛杀！你再想一个别的办法！”裴度退下后，跟宰相王播等联名奏报说：“如果下诏宣布把刘承偕贬窜到荒凉远州，刘悟一定会释放他！”李恒接受。一个多月后，刘悟才把刘承偕释放。

11 李光颜（阿跌光颜）所率的忠武战区（总部设许州〔河南省许昌市〕）特遣兵团，听说将长期留驻沧州（横海战区总部，河北省沧州市东南），霎时溃散，大呼小叫，向西方逃走（必须绕到西方才能南回许州），李光颜（阿跌光颜）无法控制，惊骇恐惧，染病在身。

三月十八日，李光颜（阿跌光颜）上疏坚决辞让横海战区（总部设沧州〔河北省沧州市东南〕）司令官（节度使），请求仍回忠武战区（总部设许州〔河南省许昌市〕）司令官（节度使）本职；李恒允许。

12 三月二十一日，李恒命裴度任淮南战区（总部设扬州〔江苏省扬州市〕）司令官（节度使），其他官位仍然保持。

13 加授刘悟（昭义〔总部潞州〕司令官）中央官位：摄理司徒（检校司徒，三公之二），其他官位仍然保持。

从此，刘悟轻视中央，态度骄傲，企图效法河北三镇（卢龙〔总部幽州〕、成德〔总部镇州〕、魏博〔总部魏州〕）；招兵买马，集结地痞流氓及英雄好汉；呈报皇帝的奏章，语气嚣张。

14 裴度出军讨伐卢龙（总部幽州）、成德（总部镇州）时，回鹘汗国（瀚海沙漠群）请求派兵助战；唐政府认为不可以，派宦官前去阻止。而回鹘派的将领李义节，率三千人南下，已进抵丰州（内蒙古五原县）以北。请他们不再前进，李义节拒绝。李恒无可奈何，发给他们绸缎七万匹，作为酬劳。

三月二十三日，回鹘军才撤退。

15 武宁战区（总部设徐州〔江苏省徐州市〕）变军首领王智兴，派轻装备游击部队二千人袭击濠州（安徽省凤阳县东北临淮关镇。濠州属武宁战区）。

三月二十五日，濠州州长侯弘度放弃城池，逃奔寿州（安徽省寿县）。

16 中央高阶层官员都认为不应把裴度放逐到外地，李恒自己也尊重裴度。

三月二十七日，下诏命裴度留在中央辅佐皇帝；另命副立法长（中书侍郎）、二级实质宰相（同平章事）王播，遥兼二级宰相（同平章事，使相），代替裴度前往淮南战区（总部设扬州〔江苏省扬州市〕），但仍兼各战区道盐铁专卖暨运输总监（诸道盐铁转运使）。

17 博野（河北省蠡县）守将李寰，率部众三千人出博野城，王庭凑（成德〔总部镇州〕司令官）派军追赶，李寰反击，杀三百余人，王庭凑军才退。李寰留下的部众二千人，仍固守博野。

18 中央因刚刚复员，没有能力讨伐王智兴。

三月二十八日，只好任命王智兴当武宁战区（总部设徐州〔江苏省徐州市〕）司令官（节度使）。

19 唐政府再命德棣战区（总部设德州〔山东省德州市陵城区〕）司令官（节度使）李全略（王日简），回任横海战区（总部设沧州〔河北省沧州市东南〕）司令官（节度使。德棣二州归还横海战区）。

20 夏季，四月一日，日蚀。

21 四月十四日，命傅良弼、李寰，当神策军总作战司令（神策都知兵马使）。

22 国务院财政部副部长（户部侍郎）、全国财政总监（判度支）张平叔上疏说："如果由政府直接卖盐，不再委托民间，可以获得两倍利益（唐王朝盐政，参考七八〇年七月）。"因之建议："政府官员前往乡村，直接向人民推销食盐。"又建议："由宰相兼任全国盐铁专卖暨运输总监（盐铁使）。"又建议："以出售食盐多少，作为州长、县长考绩优劣的标准！"又建议："调查各地实际户口，命他们互相担保：然后一次发给他们一年的食盐，准他们分四期（每季一期）付款。"又建议："实行这项条例后，富商大贾（音gǔ〔古〕）向官员行贿，或拦路告状的，对领头的人，立刻乱棒打死，对签名的人，用棍棒殴打脊背。"李恒命文武百官讨论这些建议的可行性。

国务院国防部副部长（兵部侍郎）韩愈上疏指出："城镇之外的广大乡村，很少见到现钱，农民平常买盐，多半用杂物交换，而盐贩则什么东西都要，有时还准许农民赊欠，以后慢慢归还。用这个方法作为补救，穷人才有盐可吃，双方都有益处。而今，命官员坐在店铺里经手出售，除非是现钱，其他任何杂物，他势不肯接受。这样的话，穷人就吃不到盐，而盐也卖不出去，哪里还有税收，更哪里来的加倍利益？如果命官员挨家逐户，送到门口推销，一定会向农民勒索，制造的麻烦更多。同时，州长、县长，职责在分担皇上的忧虑，治理县民，怎么可以用卖盐多少，作为升级降职的标准，竟不再考察其他政绩！而贫苦人家，用盐量很少，有的甚至十天一月，不吃一粒（可悲），如果依照户口供应，按时价收缴，官员畏惧上级处罚，一定使用苦刑。我恐怕民间从此不得平安，这是更严重的问题。"

立法官（中书舍人）韦处厚指出："宰相身居指导国家大计方针的高位，却兼卖食盐，实不恰当。窦参、皇甫镈，都是管理钱粮出身，擢升宰相，名利全失，最后还大祸临头（窦参事，参考七八九年二月；皇甫镈事，参考八一八年九月）。而今更用重法酷刑，禁止人民喊冤呼救！强迫人做没有能力做到的事，事情一定不能完成；禁止人非违犯不可的事，法令一定不能执行。"

事情遂被搁置。

张平叔又奏准：追缴人民早年积欠的旧税。江州（江西省九江市）州长李渤上疏抨击，说："全国财政总监署（度支）追缴本州七八六年逃亡户口所欠的赋税钱四千余串，本州今年大旱成灾，农作物收获，每亩减少十分之九，陛下为什么在大旱之岁，追缴三十六年前的欠债？"李恒命完全免除。

23 邕州（广西南宁市）人不高兴归容州（广西容县）军管（撤销邕管事，参考前年〔八二〇〕二月），州长李元宗把地方士绅的请愿书，交给监察官（御史）代为奏报中央。容州军管区（首府设容州〔广西容县〕）军事指挥官（经略使）严公素得到消息，大发雷霆，派人调查李元宗擅自把罗阳县（广西靖西市境）归还蛮夷首领黄少度的罪行（胡三省注：裴行立攻黄洞时〔参考八一九年十月〕占领，李元宗自作主张归还）。

五月十二日，李元宗率军一百人，携带州政府印信，逃往黄洞（广西靖西市）。

24 王庭凑包围牛元翼时，和王（李恒的叔父李绮）辅佐官（傅）于方打算贡献奇策，谋求升迁；报告宰相元稹，建议："派遣有辩才的人王昭、于友明，私下前往游说及离间叛党，使他们解除深州（河北省深州市）包围。再贿赂国防部（兵部）及文官部（吏部）初级官员，伪造空白人事任命状二十件，让他们依照实际需要，赏赐给有关人士。"元稹全都同意。有一位名叫李赏的人，得到这个消息，警告裴度说："于方替元稹物色杀手，将刺杀你！"裴度放在心里，不作反应。李赏索性前往神策军揭发。

五月二十七日，李恒命国务院左最高执行长（左仆射）韩皋，负责审问调查。

25 五月二十八日，卢龙战区（总部设幽州〔北京市〕）司令官（节度使）朱克融进贡马一万匹、羊十万头；但上疏请中央拨付马羊价格，当作犒劳。

26 司法三单位（三司：国务院司法部〔刑部〕、总监察署〔御史台〕、最高法院〔大理寺〕）审问调查于方刺杀裴度事，没有发现证据。

六月五日，裴度及元稹同时被免除宰相职务；李恒命裴度当国务院右最高执行长（右仆射），元稹当同州（陕西省大荔县）州长。命国务院国防部长（兵部尚书）李逢吉，当副监督长（门下侍郎）、二级实质宰相（同平章事）。

27 党项部落（陕西省北部）攻击灵州（朔方战区总部，宁夏灵武市）、渭北（渭水以北），掠夺政府牧场军马。

28 谏官们上疏说："裴度没有罪，不应该免除宰相。元稹跟于方从事邪恶勾当，处罚太轻。"李恒不得已。

六月十三日，免除元稹所兼任的长春宫（陕西省大荔县东）管理总监（长春宫使。"宫"，不是指皇宫，而是指寺庙。"宫使"，是一个怪诞的官职，但在以后，却成为一种重要荣衔，虽没有权，却有俸及表示身价。到了宋王朝，改"使"为"提举"，像《资治通鉴》主稿人司马光，在他的一长串官衔中，就有"西京嵩山崇福宫管理总监〔提举西京嵩山崇福宫〕"。元稹被任命当州长时，同时兼任"宫使"，今则削去兼职，但仍保留州长官位）。

29 吐蕃军（西藏）攻击灵武（灵州州政府所在城，宁夏灵武市）。

30 六月二十一日，盐州（陕西省定边县）奏报说：党项部落军区司令官（都督）托跋万诚（托跋，复姓），请求投降。

31 六月二十三日，吐蕃军（西藏）攻击盐州（陕西省定边县）。

32 六月二十九日，唐政府恢复设置邕州军管区（首府设邕州〔广西南宁市〕）军事指挥官（经略使）。

33 当初，张弘靖当宣武战区（总部设汴州〔河南省开封市〕）司令官（参考八一九年八月），不断用赏赐取悦官兵，以致库房枯竭。李愿继任，性情奢侈浪费，赏赐比张弘靖要少，但刑罚却比张弘靖要重，士卒大不高兴。而李愿更任用他妻子的老弟窦瑗统御侍卫亲兵，窦瑗骄傲不可一世，又贪得无厌，官员对他都十分憎恶。营门官（牙将）李臣则等，发动兵变。

秋季，七月四日，入夜，变兵就在窦瑗的寝帐中砍下他的人头，大家一齐呼喊，官邸卫士随声响应。李愿大为恐惧，带着一个儿子，翻城逃奔郑州（河南省郑州市），乱兵诛杀李愿的妻子，推举内营总管理官（都押牙）李㝏（音jiè〔介〕）当候补司令官（留后）。

34 七月八日，宋王李结逝世（李结，是李恒的叔父）。

35 七月十日，宣武战区（总部设汴州〔河南省开封市〕）监军宦官，奏报兵变。

七月十二日，李㝏奏报自己已暂代候补司令官（权知留后）。

七月十七日，李恒命中央三院主管官员，会同宰相，讨论对宣武（总部汴州）兵变如何处理，大家一致认为：应援用河北三镇前例，授给李㝏战区司令官（节度使）符节。李逢吉反对说："黄河以北割据情形，是万不得已。如果连宣武战区也一并抛弃，则江淮（华东地区）以南，都将脱离中央。"杜元颖、张平叔则强调说："为什么爱惜一纸人事任命状，而不爱惜一方人士的性命！"讨论没有结果。但不久宣武战区（总部汴州）所辖的其他三州：宋州（河南省商丘市）、亳州（安徽省亳州市）、颍州（安徽省阜阳市）州长，分别上疏请求另派战区司令官（节度使）。李恒大喜，认为李逢吉的意见正确，遂派宦官前去三州慰劳。李逢吉因而建议:“征召李㝧到京师(首都长安)当禁卫将军,而命义成战区(总部设滑州〔河南省滑县〕)司令官(节度使)韩充,转镇宣武(总部汴州)。韩充,是韩弘的老弟(韩弘镇守宣武〔总部汴州〕二十一年),性情宽厚,深得人心。假设李㝧抗拒,则命武宁战区(总部设徐州〔江苏省徐州市〕)及忠武战区(总部设许州〔河南省许昌市〕)东西夹攻,而由义成兵团(总部滑州)攻击北方,韩充一定可以进城到任。”李恒都接受。

七月十八日,李恒贬李愿当随州(湖北省随州市)州长,命韩充当宣武战区(总部汴州)司令官(节度使),仍兼义成战区(总部滑州)司令官。征调李㝧当右金吾(卫军第十二军)将军,李㝧不接受。宋州(河南省商丘市)州长高承简斩李㝧的使节,李㝧派军二千人攻高承简,攻陷宁陵(河南省宁陵县)、襄邑(河南省睢县)。宋州(河南省商丘市)有三个子城,李㝧军已攻陷南城,高承简退守北边二城,跟变军会战十余次。

七月二十五日,忠武战区(总部设许州〔河南省许昌市〕)司令官(节度使)李光颜(阿跌光颜)率军二万五千人,讨伐李㝧,进驻尉氏(河南省尉氏县)。兖海战区(总部设兖州〔山东省济宁市兖州区〕)司令官(节度使)曹华听到李㝧兵变消息,不等接到诏书,立即出军讨伐。李㝧增派援军三千人攻宋州(河南省商丘市),恰好刚到城下。

七月二十八日,曹华军迎头痛击,击破李㝧变军。

七月二十九日,李光颜(阿跌光颜)在尉氏(河南省尉氏县)击败宣武变军(总部汴州),诛杀及俘虏二千余人。

36 八月三日,最高法院院长(大理卿)刘元鼎,出使吐蕃王国(首都逻些城〔西藏拉萨市〕)返回(参考去年〔八二一〕九月)。

37 八月六日,韩充进入汴州(河南省开封市)边境,驻军千塔

（地望应在开封市北）。武宁战区（总部设徐州〔江苏省徐州市〕）司令官（节度使）王智兴，会同宋州（河南省商丘市）州长高承简，击破宣武变军（总部汴州），杀一千余人，残余的变军逃走。

八月十四日，韩充在郭桥（河南省封丘县西南）击败宣武变军（总部汴州），杀一千余人，推进到万胜（河南省中牟县西北）。

最初，李岕被拥护当候补司令官（留后），把总作战司令（都知兵马使）李质当作亲信心腹；后来，中央征召李岕担任禁卫将军，李岕拒绝，李质屡次规劝，李岕都不接受。稍后，李岕头上长疮，派李臣则等率军前往尉氏（河南省尉氏县）抵抗李光颜（阿跌光颜）。不久，中央大军从四面八方开来，变军屡次战败，而李岕病势更重，于是把军事行动全部交给李质，在家中卧床养病。

八月十八日，李质跟监军宦官姚文寿生擒李岕，斩首。伪造李岕军令，征召李臣则等班师，等李臣则等回来，全都斩首；逮捕李岕的四个儿子，押解京师（首都长安）。

韩充还没有到，李质暂时代替主持军政，当时警卫士卒三千人，每天由总部供应酒食，财力已不能支持。李质说："韩公如果一来就停止供应，军心恐怕不稳，不可以把这项弊端留给我们新任统帅。"立即停止供应，然后迎接韩充。

八月十九日，韩充进入汴州（河南省开封市）。

八月二十五日，李恒命韩充专任宣武战区（总部设汴州〔河南省开封市〕）司令官（节度使），命曹华当义成战区（总部设滑州〔河南省滑县〕）司令官（节度使），命高承简当兖海战区（总部设兖州〔山东省济宁市兖州区〕）司令官（节度使）；加授李光颜（阿跌光颜，忠武〔总部许州〕司令官）中央官衔：兼任最高监督长（兼侍中，使相）；命李质当右金吾（卫军第十二军）将军（从三品）。

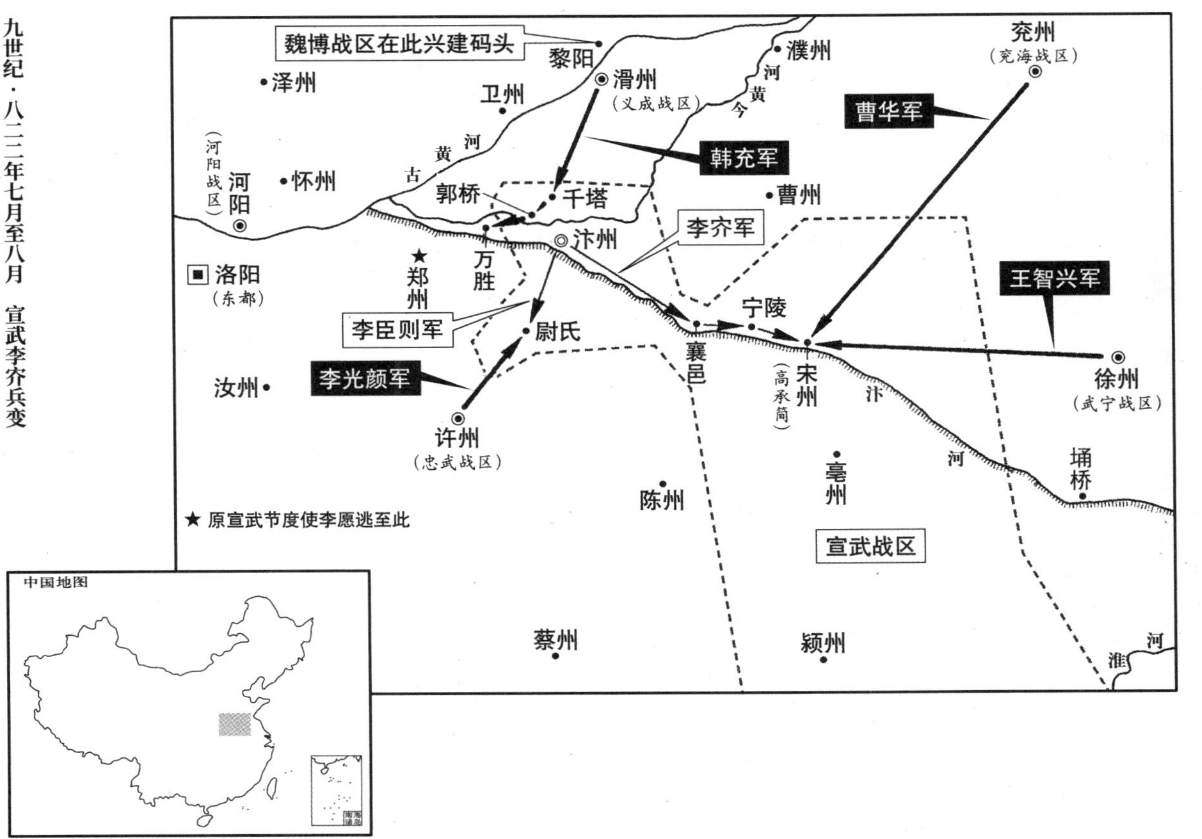

九世纪·八二二年七月至八月 宣武李齐兵变

韩充既到差，军心略微安定；于是秘密调查这次犯上作乱的一千余人，有一天，连同他们的父母妻子儿女，全体驱逐出境，警告说："胆敢逗留境内不离开的，斩首！"于是军政完全纳入正常轨道。

消灭暴乱，彻底拔除祸根，暴乱就无法再度发生。

胡三省的评论，泄漏是统治阶级的单向思考，五千年来，恶行坏事之不断重演，大多是这种单向思考的产物。汴州（河南省开封市）兵变，灾祸是军官凶恶骄傲、贪赃枉法，只铲除抗暴的民，不能阻止变乱，必须铲除施暴的官，才是彻底解决之道，高级知识分子胡三省的心窍都被酱成这个样子，连源头都找不到，甚至不敢找，那才是中国人真正的灾祸。

38 九月一日，浙西道（首府设润州〔江苏省镇江市〕）行政长官（观察使）京兆（首都长安）人窦易直奏报说：大将王国清发动兵变，已经诛杀。

最初，窦易直得到汴州（河北省开封市）兵变消息，大为恐惧，打算分散金银绸缎，赏赐官兵。但有人提醒他说："没有名义而突然颁发奖赏，恐怕使他们更加疑心！"窦易直才打消原议。可是外面已经有人知道这项消息，王国清遂利用大家的不满，发动兵变。窦易直把他们逮捕，诛杀王国清以及他的同党二百余人。

39 德州（山东省德州市陵城区）州长王稷，继承老爹王锷遗留下来的财产，非常富有。横海战区（总部设沧州〔河北省沧州市东南〕）司令官（节度使）李全略（王日简）贪图他的财富，决定用暴力掠夺（德州属横海战区）。

九月九日，李全略（王日简）密令士卒攻击王稷，屠杀他的全家，而收王稷的女儿当小老婆，上疏中央，说是变兵干的坏事。

40 中央讨伐李岕时，派国务院司法部关卡稽查司司长（司门郎中）韦文恪，前往魏博战区（总部设魏州〔河北省大名县〕）慰劳。战区司令官（节度使）史宪诚支持李岕，上疏皇帝，建议发给李岕符节，并且在黎阳（河南省浚县）黄河渡口兴建码头，摆出大军就要渡黄河南下的姿势，接见韦文恪时，说话和态度，都倨骄傲慢。可是，听到李岕被杀消息，嘴脸立刻大变，十分恭顺，说："俺史宪诚，是一个蛮夷，好像一条狗，虽然被棒打鞭抽，宁死也不离开主人！"

41 冬季，十一月十四日，皇太后郭女士前往华清宫（陕西省西安市临潼区西）。

十一月十五日，李恒从双层道前往华清宫，遂在骊山打猎，当天回宫。郭太后数天以后才回宫。

42 十一月二十日，集王李緗逝世（李緗，是李恒的叔父）。

43 十一月二十四日，李恒在宫内跟宦官们打马球，一个宦官突然从马背摔下，李恒大吃一惊，霎时间中风，遂卧病在床，不能走路，从此人们再听不到皇帝任何消息。宰相们屡次请求进宫朝见，都得不到批示。国务院右最高执行长（右仆射）裴度，一连呈递三次奏章，请早日册封太子，并且请求进宫朝见。

十二月五日，李恒坐在绳编的椅子上，被抬到紫宸殿，接见文武百官，摒除左右禁卫侍从，身旁只有十余位宦官侍候，人心稍为安定。宰相李逢吉奏报说："景王（李恒的嫡长子李湛）的年龄已渐长大（本年，李湛十四岁），请封他当太子！"裴度请迅速下诏宣布，以回应全国人民的盼望。接着，立法（中书）、监督（门下）两院（省）官员也有奏章请求早封太子。

十二月七日，李恒下诏封景王李湛当皇太子。而李恒的病情也逐渐康复。

44 本年（八二二），开始实行《宣明历》（《新唐书·历志》记载，自《建中正元历》〔参考七八二年十二月〕之后，八〇七年改用《观象历》〔《资治通鉴》没有记载〕，至本年〔八二二〕再改用《宣明历》）。

八二三年 癸卯

唐 长庆 三年

1 春季，正月二十七日，唐王朝（首都长安〔陕西省西安市〕）皇帝（十五任穆宗）李恒（本年二十九岁），赏赐左右神策军总指挥宦官（中尉）以下全体官兵金钱。

二月六日，再赏赐左右神策军统军、基地司令（军使）等棉布、彩色绸缎、银质器具；依照官阶递减。

2 李恒对国务院财政部副部长（户部侍郎）牛僧孺，一向敬重厚待。最初，司徒（三公之二）韩弘的儿子、右骁卫（卫军第六军）将军（从三品）韩公武，替他老爹筹划，用他在任上搜刮的财富，贿赂中外官员，广结善缘。韩公武早死，韩弘接着也死，剩下稚龄的孙儿韩绍宗继承庞大的家产；经管家产的奴仆，跟政府低级官员发生争执，向总监察署（御史台）告状（奴仆怎么会跟官员发生冲突？说不清楚）。李恒怜恤韩弘的孙儿孤弱，教把韩弘的家产账目，全部送进皇宫，亲自查阅，发现中外所有当权官员，都接受过韩弘的贿赂，只有一行用红笔写的小字注明："某年某月某日，送国务院财政部牛副部长（牛侍郎）钱千万，拒收。"李恒大为兴奋，拿给左右侍从观看说："怎么样！我不会看错人！"

三月七日，命牛僧孺当副立法长（中书侍郎）、二级实质宰相（同平章事）。

当时，牛僧孺跟浙西道（首府设润州〔江苏省镇江市〕）行政长官（观察使）李德裕，都有当宰相的希望，现在，李德裕落选，而又一连八年没有升迁（直到八二九年，裴度极力推荐，才征召李德裕回中央，而又被李宗闵逐走〔参考该年八月〕），认为是李逢吉为了排斥自己，才故意推荐牛僧孺当宰相。因此李德裕跟牛僧孺之间，仇恨更深。

3 夏季，四月十日，安南军管区（首府设安南府〔越南河内市〕）奏报说："陆州（广西钦州市东南犀牛脚镇）獠部落，攻掠州县。"

4 四月十二日，李恒赏赐宫廷事务总监署（宣徽院）全体宦官，自身穿紫色衣服三品高级宦官起，每人钱一百二十串，到办事员低级宦官（承旨），分别等级，依次递减。

5 最初，翼城（山西省翼城县）人郑注，身体瘦弱短小，眼神畏缩，对人不敢正看，总是低眉下视，但口舌敏捷，学识丰富，诡诈谄媚，反复无常，精于揣摩人的心意，是一位云游四方的江湖医生，走遍各地，生活穷苦。曾经用他的医术结识武宁战区（总部设徐州〔江苏省徐州市〕）的一位营门官（牙将），营门官（牙将）对他十分欣赏，特别推荐给战区司令官（节度使）李愬，李愬吃了郑注的药，发生奇效，遂对郑注大为宠爱，任命他当杂务官（牙推），郑注逐渐干涉军政，随心所欲，作威作福，总部官员对他都很讨厌。监军宦官王守澄把军心所向，反映给李愬，请李愬解除郑注官职。李愬说："郑注虽然荒唐，但他是一代奇才，你不妨跟他谈谈，假定一无可取，再把他赶走不迟。"于是命郑注晋见王守澄，王守澄最初还有些为难，既出于李愬请求，万不得已，只好接见，可是等坐下来谈话不久，王守澄就大喜过望，把郑注请到大厅之中，膝盖碰着膝盖，坐在那里，谈笑风生，互相都恨相见太晚。明天，王守澄告诉李愬说："郑先生精彩，跟你形容的一样。"从此，郑注又得到王守澄的宠爱，权势越发膨胀。李愬擢升他当大营巡察官（巡官），当作宾客相待。郑注既掌握权柄，恐怕推荐他的营门官（牙将）泄漏他的底细，遂秘密用别的罪名，在李愬面前诬告陷害，李愬遂诛杀那位营门官（牙将）。后来，王守澄调升宫廷机要室主任宦官（知枢密），遂携带郑注一起西上，在京师（首都长安）给他兴建家宅，供给他生活费用，并推荐给皇帝，李恒待他也十分优厚。

自从李恒患病（参考去年〔八二二〕十一月），王守澄就完全控制政府，权势倾动皇宫内外，郑注不分日夜出入王守澄的私宅，跟他共商大计，一谈就是一夜，打通关节、致送贿赂，人们看不出有什么痕迹。但有些地位低贱，急于钻营的知识分子，已开始透过郑注的中介，图谋擢升。几年之后，郑注门口停满了高级官员的车马。国务院工程部长（工部尚书）郑权，有很多小老婆，纯靠俸禄不够供养，通过郑注，走王守澄的门路，要求充当地方一级首长。

四月二十五日，李恒命郑权当岭南战区（总部设广州〔广东省广州市〕）司令官（节度使）。

6 五月十八日，李恒命国务院左秘书长（尚书左丞）柳公绰当山南东道战区（总部设襄州〔湖北省襄阳市〕）司令官（节度使）。

柳公绰经过邓城县（湖北省襄阳市汉水北岸），发现有两位低级官员，一位贪污，一位玩弄法令条文。大家认为柳公绰一定诛杀赃官，想不到柳公绰判决："赃官犯法，法仍然在；奸官乱法，法就死亡。"竟诛杀玩弄法令条文的那位。

7 五月二十二日，唐政府把晋慈道（首府设晋州〔山西省临汾市〕）升格为保义战区，命行政长官（观察使）李寰当战区司令官（节度使）。

8 六月六日，李恒命国务院文官部副部长（吏部侍郎）韩愈，当首都长安特别市长（京兆尹）；禁军六军不敢犯法，私下互相警告说："他可是那个连佛骨都要烧掉的家伙（参考八一九年正月），怎么敢冒犯他！"

9 秋季，七月十一日，岭南战区（总部设广州〔广东省广州市〕）奏报说：黄洞蛮（广西西南部一带部族）攻击邕州（广西南宁市），占领左江镇（南宁市西）。

七月十四日，邕州（广西南宁市）奏报说：黄洞蛮（广西西部一带部族）攻陷钦州（广西钦州市）千金镇（广西钦州市西南），州长杨屿逃奔石南寨（今地不详）。

10 南诏王国（首都苴咩城〔云南省大理市〕。苴咩，音xié miē）国王（六任）劝利逝世，贵族们拥护他的老弟丰祐继任国王（七任）。丰祐勇敢善战，有领导能力，加强接受唐王朝文化，取消“连名”制度，不再用老爹名字最后一字当作自己的姓。

11 八月十一日，邕州军管区（首府设邕州〔广西南宁市〕）奏报说：击破黄洞蛮（广西西部一带部族）。

12 八月十四日，李恒从双层大道前往兴庆宫，经过通化门城楼时，投下绸缎二百匹，施舍给山上佛教和尚。李恒滥行赏赐，都是如此，记都记不完。

13 八月二十一日，命国务院左最高执行长（左仆射）裴度当司空（三公之三）、山南西道战区（总部设兴元府〔陕西省汉中市〕）司令官（节度使），但不遥兼二级宰相（兼平章事，使相）。

李逢吉对裴度厌恶到极点，而初级立法官（右补阙）张又新等，攀附李逢吉，争相制造及传播流言蜚语，终于把裴度挤出中央。张又新，是张荐的儿子（张荐出使回鹘，参考七九五年五月）。

14 九月五日，加授昭义战区（总部设潞州〔山西省长治市〕）司令官（节度使）刘悟：遥兼二级宰相（同平章事，使相）。

15 宰相李逢吉，跟宫廷机要室主任宦官（知枢密）王守澄勾 352
结，权势震动朝野。只有皇家文学研究官（翰林学士）李绅，每逢皇帝向他征求意见时，他总对李逢吉、王守澄斥责抨击，李逢吉、王守澄把公文草稿呈递到宫中请皇帝裁定时，李绅常加指摘（皇家文学研究院〔翰林院〕设在皇宫之内，所有奏章及政府拟定的法令规章、人事任免，递入皇宫后，都由皇家文学研究官〔翰林学士〕签报意见给皇帝），李逢吉大为头痛，但李恒对李绅十分宠信，无法使他们疏远。正巧，副总监察官（御史中丞）出缺，李逢吉向李恒大力推荐李绅：清廉正直，应该居于整饬风纪法令的位置。李恒认为副总监察官（御史中丞）属于“次对官”（宰相属第一级“常参官”，宰相退下后，第二级“次对官”再晋见皇帝），并没有疑心是一项排挤的阴谋，因之批准。于是不久，李绅就跟首都长安特别市长（京兆尹）兼总监察官（御史大夫）韩愈，为了首都长安特别市长（京兆尹）应不应前往总监察署（御史台）参见，以及其他事项，发生冲突，公文来往，双方都措辞强硬。李逢吉遂奏报二人不能合作（依照规定，新到差的首都长安特别市长〔京兆尹〕，应到总监察署〔御史台〕参见，李逢吉为了促使李韩斗争，因韩愈兼总监察官〔御史大夫〕之故，特准免除参见，李绅果然跳进圈套）。

冬季，十月五日，李恒调韩愈当国务院国防部副部长（兵部侍郎），李绅当江西道（首府设洪州〔江西省南昌市〕）行政长官（观察使）。

16 十月八日，又命副立法长（中书侍郎）、二级实质宰相（同平章事）杜元颖，遥兼二级宰相（同平章事，使相），当西川战区（总部设成都府〔四川省成都市〕）司令官（节度使）。

17 十月十日，安南军管区（首府设安南府〔越南河内市〕）奏报说：黄洞蛮（广西西南部一带部族）入侵。

18 韩愈、李绅进宫叩谢新职，李恒命他们自行陈述冲突的经过，才醒悟过来。

十月十一日，命韩愈当国务院文官部副部长（吏部侍郎）、李绅当财政部副部长（户部侍郎）。

八二四年 甲辰

1 春季，正月一日，唐王朝（首都长安〔陕西省西安市〕）皇帝（十五任穆宗）李恒（本年三十岁），第一次登含元殿主持元旦朝会。

2 最初，柳泌等被诛杀（参考八二〇年闰正月），巫术师一时绝迹，可是时间稍久，侍候在皇帝左右的宦官，又逐渐把他们引进皇宫，李恒开始吃他们炼制的长生不老仙丹。隐士张皋上疏警告说："欲望减少、心情平淡，血脉气息，就会平和。欲望多而强烈，自然容易生病。药物的功用，在于治病，如果没有病，就不应吃药。前代名医孙思邈曾经说过：'药物都有副作用，使人的内脏受伤，即令有病，吃药也要慎重！'（孙思邈，华原〔陕西省铜川市耀州区〕人，是七世纪初叶的名医，有"药王"之称。今陕西省铜川市耀州区就有药王庙。）平民还要珍惜自己，何况天子！先帝（十四任宪宗李纯）就是因为相信巫术师的话，吃药吃出疾病，这件事陛下最了解不过，怎么可以重蹈覆辙？现在无论政府与民间，大家都暗中议论，只恐怕触怒陛下，才没有人敢出面奏报。我生在荒林野草之中，跟麋鹿一同遨游，对陛下毫无所求，只是略知忠义，希望对陛下能有万分之一的贡献！"李恒认为他说得很有道理，派使节找他，却找不到。

3 正月十七日，岭南战区（总部设广州〔广东省广州市〕）奏报说：黄洞蛮（广西西南部一带部族）攻击钦州（广西钦州市），格杀将领及文官。

4 正月二十日，李恒的旧病复发。

正月二十二日，病重，命太子李湛监督国政。宦官们打算请郭太后临朝主持政府。郭太后说："从前，武后（武曌）临朝主持政府，几乎颠覆帝国。我们郭家世代忠良，不是武家同类（郭太后是郭子仪的孙女）。太子（李湛）年纪虽小，但是只要有贤能的宰相作为辅佐，你们也不干涉政治，何必担心国不平安！自古以来，哪有女人当全国最高领袖，而能达到伊祁放勋（尧帝）、姚重华（舜帝）的太平盛世！"把诏书撕碎。郭太后的老哥、祭祀部长（太常卿）郭钊听到这个消息，写一封密函给妹妹说："你如果答应他们的请求，我先率领子弟们辞去官职，退还爵位，回归乡里。”郭太后流泪说：“祖先的恩德，回报到我哥哥身上。”当天（正月二十二日）晚上，李恒在寝殿逝世（年三十岁）。

正月二十三日，命李逢吉当帝国最高摄政（摄家宰）。

正月二十六日，皇太子李湛（本年十六岁）在太极殿东厢登极（十六任敬宗）。

最初，李恒登极时，神策军所得到的赏赐，是每人五十串钱（参考八二〇年正月）。现在，宰相们发现国库无力再负担这项庞大的开支，于是由李湛下诏说：“禁卫军负责皇家及政府的保护工作，辛苦勤劳，自应厚赏。可是，连年以来，大旱成灾，粮食歉收，国库、宫库，全部空虚，甚至边防军的军服还没有裁缝（参考八一九年十一月）！无论奖赏或抚恤，总要公平。神策军官兵每人赏赐绢（生丝厚绸）十匹、钱十串；京畿各战区官兵再减一半，赏赐钱五串，另由宫库拿出绫（薄绸）二百万匹，交给全国财政总监署（度支），发给边防军缝制春季服装。”当时的人无不称赞这项措施。

5 自正月二十八日到正月三十日，李湛大量赏赐宦官们官服、彩色绸缎，以及金银珍宝；有时候今天赐他穿绿色官服（六品、七品），明天又赐他穿红色官服（四品、五品）。

6 前任帝（十五任穆宗）李恒留下李绅（参考去年〔八二三〕十月），李逢吉越发嫉恨。李绅的堂侄李虞，在文学造诣上享有相当的知名度，一向自称不喜爱当官，隐居在华阳川（河南省灵宝市境）。稍后，李虞的堂叔李耆，在中央当见习监督官（左拾遗），李虞写信给李耆，求他推荐进入仕途。想不到阴差阳错，这封漏底的信竟误送到李绅（李绅也是李虞的堂叔）手上，李绅写信嘲笑他，并且告诉别人。李虞对李绅遂恨入骨髓，于是晋见李逢吉，把李绅平常在背后抨击李逢吉的言论，全盘托出，李逢吉更为忿怒，命李虞跟初级监督官（左补阙）张又新，以及堂侄、前河阳战区（总部设河阳县〔河南省孟州市〕）机要秘书（掌书记）李仲言等，秘密收集李绅的缺点，在知识分子间大肆宣传，并传布谣言说："李绅暗中调查知识分子有谁聚在一起交头接耳，就指控谁在结党，报告皇上！"因此很多知识分子忌恨李绅。

李湛登极后，李逢吉跟他的党羽，高兴李绅的后台老板倒塌，但又恐怕李湛对李绅再用，于是日夜不停的设计，要找出一个伤害李绅最有效的方法。楚州（江苏省淮安市）州长苏遇，警告李逢吉的党羽说："皇上初次处理国政，一定在延英殿听取大家意见，如果有'次对官'（参考去年〔八二三〕九月）晋见，就难以预防。"党羽们认为有理，立即报告李逢吉说："事情紧急，万一李绅当权，我们后悔已来不及。"李逢吉于是命王守澄告诉李湛说："陛下所以能当皇太子，经过情形，我全知道，都是李逢吉的力量。像杜元颖、李绅之类，他们都拥护深王（深王李悰，是十四任帝李纯的儿子，李湛的叔父）。"国务院财政部会计司副司长（度支员外郎）李续之等接着上疏，也陈述这件事。李湛本年才十六岁，但仍心存怀疑，不敢相信。正巧，李逢吉上疏说："李绅对皇上不利，请予贬谪。"李湛向大家再三反复询问，李逢吉的党羽异口同声，李湛终于听从。

二月三日，贬李绅当端州（广东省肇庆市）州政府军务秘书长（司马）；李逢吉因而率文武百官朝见祝贺。退出后，文武百官再前往立法院（中书省）宰相联合办公厅（政事堂）向宰相祝贺。当时，李逢吉正跟张又新谈话，守门人不肯让文武百官进去，很久很久，张又新才出来，一面擦汗，一面向文武百官作揖，说：“端州（广东省肇庆市）这件事，我不敢太谦让。”大家惊骇得向后倒退，大为畏惧。只有见习立法官（右拾遗）在皇宫当差的吴思，不肯前往祝贺，李逢吉大怒，派吴思充当前往吐蕃王国（首都逻些城〔西藏拉萨市〕）告哀特使。

二月六日，贬皇家文学研究官（翰林学士）庞严当信州（江西省上饶市）州长，蒋防当汀州（福建省长汀县）州长。庞严，是寿州（安徽省寿县）人，跟蒋防都出于李绅的推荐。御前监督官（给事中）于敖，跟庞严感情一向亲密，把贬谪蒋防的诏书，封驳退回，拒绝发布，全体官员都替于敖恐惧，说：“于敖为了庞严、蒋防受冤，甘愿冒犯宰相，高风亮节，实在难能可贵！”可是等到封驳的奏章批下来，竟然是认为对庞严、蒋防贬谪太轻，应该从重惩罚。李逢吉对于敖十分夸奖。

但张又新等仍嫉恨李绅，每天上疏指控责罚太轻，李湛承诺一定把李绅处死。政府官员没有一个人敢说一句话，只有皇家文学研究院初级研究官（翰林侍读学士）韦处厚上疏指出说：“李绅被李逢吉党羽谗言陷害，人心惊骇惋惜。李绅受先帝（李恒）重用，即令有罪，也应该宽大处理，完成‘三年不改于父之道’（《论语》孔丘语）的孝思。何况，李绅根本无罪！”李湛才开始有点觉悟。正巧翻阅宫内文件，有老爹李恒所封的一箱文书，打开来看，发现裴度、杜元颖、李绅请求封李湛当太子的奏章，李湛感慨叹息，把所有陷害李绅的报告，全部焚毁（《资治通鉴》只记载李逢吉、裴度二人请立李湛，参考前年〔八二二〕十二月）。虽然没有立即把李绅召回京师（首都长安），但以后再有人抨击李绅，李湛再也不听。

7 二月十九日，李湛尊祖母郭太后为太皇太后。

8 二月二十五日，李湛尊娘亲王女士为皇太后。王太后，是越州（浙江省绍兴市）人。

9 二月二十七日，李湛前往中和殿打马球。从此之后，李湛不停的游乐欢宴，打马球、听音乐，大量赏赐宦官、音乐师，多得无法记载。

10 三月三日，赦免天下。下诏命各道各战区除了规定应进贡的物品外，不准再进贡别的物品。

11 三月五日，李湛第一次登延英殿，召见宰相对话。

12 最初，牛元翼在山南东道战区（总部襄州）司令官（节度使）任上时，不断贿赂成德战区（总部镇州）司令官（节度使）王庭凑，希望放走他的家人，王庭凑不肯（牛元翼逃出深州事，参考前年〔八二二〕三月）。后来，听到牛元翼逝世（当在去年〔八二三〕五月）消息。

三月十五日，王庭凑屠杀牛元翼全家。

13 李湛登金銮宝殿主持朝会的时间，常常延误到很晚。

三月十九日，太阳已升得很高，李湛还没有出宫，文武百官在紫宸门外排队等候，年老的和有病在身的，几乎都要栽倒在地。监督院高级顾问官（谏议大夫，正四品下）李渤，报告宰相说："昨天我才上疏提醒皇上朝会的时间太晚，今天的朝会却比昨天更晚，请准我出去到金吾卫（卫军第十一、十二军）军法处投案，由皇上定罪。”李湛最后总算出来。朝会后退班，见习监督官（左拾遗，从八品上）刘栖楚独自留下，对李湛说：“宪宗（李纯）和先帝（李恒）都是年长的君王，四方仍不断发生叛乱，陛下年纪正轻，刚刚继承大位，应该一早就起来治理国事才对。陛下却偏偏贪图睡觉，沉湎音乐美女，很晚才肯起床。亡父的灵柩还没有下葬，歌唱奏乐的声音，竟然每天不停；美好的声誉还没有传扬，恶名却远近都知。担心陛下的福禄不会长久，我愿撞死台阶，为我这个谏诤官员有亏职守赎罪。”遂用前额猛烈撞击御前台阶，响声传到阁外，血流满面，仍不停止。李逢吉传达皇帝的话，说：“刘栖楚不要再叩头，听候指示。”刘栖楚捧着头起立，又开口抨击宦官，李湛连连挥手教他退下，刘栖楚说：“陛下不接受我的建议，我就死在陛下面前。”牛僧孺传达皇帝的话，说：“你所奏报的事，已经知道，到门外听候指示。”刘栖楚只好退出，在金吾卫（卫军第十一、十二军）等候处罚；宰相认为皇帝应接受他的建议，李湛遂派宦官前往金吾卫，慰劳刘栖楚、李渤，命他们回家。

不久，擢升刘栖楚当皇家言行记录官（起居舍人，从六品上），赐穿红色官服（四、五品）。刘栖楚坚决辞让，返回东都洛阳（河南省洛阳市）。

14 三月二十一日，李湛赏赐宫内歌舞团（内教坊）钱一万串，要他们加强排练，准备演出。

15 夏季，四月十五日，淮南战区（总部设扬州〔江苏省扬州市〕）司令官（节度使）王播，被免除所兼的盐铁专卖暨运输总监（盐铁转运使。

王播兼总监事，参考前年〔八二二〕三月二十七日）。

16 四月十六日，李湛擢升平民姜洽当初级监督官（左补阙，从七品上），擢升最高法院试用助理审判官（试大理评事，从八品下）陆洿（音wū〔巫〕）、平民李虞、刘坚，当见习监督官（左拾遗，从八品上）。

是时，宰相李逢吉掌权，亲信有张又新、李仲言、李续之、李虞、刘栖楚、姜洽，以及见习监督官（左拾遗）张权舆、程昔范；更有人攀附这些亲信。当时怨恨李逢吉的人，称之为“八关”“十六子”（关，指关卡）。

司马光曰 宰相门下，不可能没有特别亲信，多接见几次，询问他们对政治上的意见，听取对时局人物的批评，这些人有忠有奸，混杂在一起。受到疏远冷落，不能如愿以偿的，因而怨恨，巧立名目，嘲骂讥讽，从古到今，都是如此，也是常态。不仅李逢吉门下有“八关”“十六子”而已。《旧唐书·李逢吉传》记载：“凡有求于李逢吉的，先向这八人行贿，定有满意的结果。”恐怕未必如此，只不过李逢吉门下奸邪较多而已。这些记载都来自李让夷修订的《敬宗实录》。按：刘栖楚当低级官吏，竟敢跟王承宗抗争（参考八〇九年闰三月），实是正直人士，怎能列入奸党！只因为李让夷是李德裕的党羽，而刘栖楚受李逢吉礼遇，所以作此恶毒攻击。

17 算命师苏玄明，跟皇家洗染坊工人张韶，友情至厚。苏玄明对张韶说：“我替你卜了一卦，算定你会坐在皇帝宝座上，跟我在一起共同进餐。现在，皇上日夜不停的打猎玩球，经常不在皇宫，我们可以完成大事。”张韶深信不疑，乃跟苏玄明秘密集结洗染坊工匠及街头流氓无赖一百余人。

四月十七日，苏玄明、张韶，把武器藏到装紫草的车子里（胡三省注：“紫草，根可以染色。”），运进左银台门（大明宫东），准备于夜晚发动攻击；还没有走到目的地，禁卫人员警觉到车载太重，拦住盘问，张韶紧张，格杀那个禁卫，跟他的徒众换上衣服，挥动武器，大声嘶喊，冲入皇宫。

李湛当时正在清思殿打马球，宦官们看见苏玄明等变民，大为惊骇，急行回奔闭门，奏报李湛，而变民已砍开宫门，一拥而入。先前，右神策军总指挥宦官（中尉）梁守谦，深受李湛宠爱，所以每次两军作技艺比赛时，李湛总是偏袒右神策军，给右神策军加油。现在，李湛魂不附体，狼狈逃走，打算投奔右神策军，左右宦官说：“右神策军太远，恐怕半路遇到强盗，不如投奔左神策军。”李湛同意。左神策军总指挥宦官（中尉）、河中（山西省永济市）人马存亮，听到皇帝驾到，急忙出迎，叩头在地，捧着李湛的脚哭泣，亲自把李湛背到大营，派大将康艺全率骑兵进宫搜捕变民。李湛忧虑两宫太后（祖母郭太皇太后及娘亲王太后）消息隔绝。马存亮再派骑兵五百名，把两位太后迎接到军营。

张韶登清思殿，坐上皇帝的宝座，跟苏玄明一起吃东西，高兴的说：“你卜的卦真准！”苏玄明大惊说：“难道你只为了这个！”张韶这才醒悟他已闯下滔天大祸，大为恐惧，立即逃走。正巧康艺全跟右神策军作战司令（兵马使）尚国忠率军抵达，左右夹攻，斩张韶、苏玄明跟大部分变民，死尸满地。直到夜晚才恢复秩序，残余分子四散躲藏在禁苑里。第二天（四月十八日），全部擒获。

我们无法相信，苏玄明、张韶难道真的不知道杀进皇宫的严重后果？也无法了解，苏玄明、张韶到底向工匠流氓说了些什么，竟使那么多人甘愿赴汤蹈火！当苏张神气活现坐在御床上大吃大喝时，他们想些什么？当大家四散逃亡被捕杀时，他们是什么样的心理状态？这一切，我们全不知道，但这桩历史公案，至少提醒我们，在面对英明伟大的政治领袖时，要特别小心，因为他们中间可能就有苏玄明、张韶之辈，正摄弄我们欢天喜地的奔向金銮宝殿。

强烈的私欲，加上一连串小聪明和对权力的狂热，是大多数灾难的来源。苏玄明、张韶，只看到他们想看到的，他们不想看到的，则全不存在。结果是，把锅玩砸了之后，一走了之，或一死了之，而留下追随他的信徒受苦！

当时，皇宫城门全都封闭，李湛就在左神策军住宿过夜，中外部不知道皇帝在哪里，人心恐惧震骇。

四月十八日，李湛回宫，宰相率文武百官前往延英门祝贺，来的不过数十人。变民所通过的各门，守门宦官三十五人，依法都应处死。

四月二十日，李湛命一律减刑，改为棍打，仍任原来职务（神策军两位最高指挥宦官〔中尉〕和其他宦官的求情）。

四月二十三日，特别赏赐左右神策军立功将士。

18 五月七日，李湛命国务院文官部副部长（吏部侍郎）李程、财政部副部长（户部侍郎）全国财政总监（判度支）窦易直，同时兼二级实质宰相（同平章事）。

李湛向李逢吉询问宰相人选，李逢吉开列当时资深望高的政府高级官员名单奏报，李程列于第一位，所以有这项任命。

李湛喜爱大兴土木、建造宫室，打算再盖一座宝殿，规模庞大。李程规劝，请求把所用的木材石头转修前任帝（十五任穆宗）李恒的坟墓，李湛马上批准。

19 六月一日，李湛命左神策军大将军（正二品）康艺全当鄜坊战区（总部设鄜州〔陕西省富县〕）司令官（对他击斩苏玄明等的酬庸）。

20 李湛接到王庭凑（成德〔总部镇州〕司令官）屠杀牛元翼全家报告（参考本年〔八二四〕三月十五日），叹息宰相没有才干，才使叛徒横肆暴虐。皇家文学研究官（翰林学士）韦处厚上疏说："裴度对帝国的贡献，无与伦比，声威传播塞外，如果能调回中央，命他参与决策，河北（黄河以北）、山东（太行山以东），定会放弃割据。管仲说：'听一面之词的，愚昧。听很多不同意见的，圣明。'治理和混乱，基本原则一样：顺应人心就天下太平，违背人心就天下不安。听说陛下在吃饭的时候，叹息没有萧何、曹参这样的人才！可是，陛下有一个裴度，还不能留在中央，这正是冯唐告诉刘恒（西汉王朝五任帝）的：'虽然有廉颇、李牧，却不能用！'（参考前一六六年。）对于宰相，陛下应该把全权交给他，信任他、亲近他、礼遇他；如果他办事没有成绩，对国家没有贡献，就应该调一个闲差，或贬谪远地。这样的话，在位的人不敢不全力以赴，想进身的人不敢不认真办事。我跟李逢吉之间，从来没有私人恩怨，但我却曾经无辜的被裴度贬官（韦贯之免除宰相时，韦处厚贬开州，参考八一六年九月）。今天所陈述的，对上解除领袖的忧虑，对下转达大家的愿望！"李湛看到裴度的奏章上没有遥兼二级宰相（同平章事，使相）官衔，询问韦处厚怎么回事，韦处厚把李逢吉排斥裴度的情形（参考去年〔八二三〕八月二十一日），奏报李湛，李湛说："怎么会这个样子！"而李程也建议应特别礼遇裴度。

六月十八日，命裴度遥兼二级宰相（同平章事，使相）。

21 清思殿之乱，马存亮的功劳最大，但他从不夸耀，宁愿放弃军权，请求调往外地。

秋季，七月，李湛命马存亮当淮南战区（总部设扬州〔江苏省扬州市〕）总监军宦官（监军使）。

22 夏绥战区（总部设夏州〔陕西省靖边县北白城则村〕）司令官（节度使）李祐（原淮西将领，参考八一七年五月十八日），到京师（首都长安）朝见，改任左金吾卫（卫军第十一军）大将军。

七月二十五日，李祐呈献马一百五十匹；李湛不接受。

七月二十七日，中央监察官（侍御史）温造，在金銮宝殿朝见时，弹劾李祐违抗圣旨，呈献贡品，请求依法制裁。李湛吩咐赦免。李祐告诉朋友说："我曾经在夜半时候进入蔡州（河南省汝南县）生擒吴元济（参考八一七年十月十六日），没有一点害怕，今天遇到温监察官（御史），教人丧胆！"

23 八月二十一日（原文"丁卯"，据《新唐书》改），安南军管区（首府设安南府〔越南河内市〕）奏报说：黄洞蛮（广西西南部一带部族）侵入安南辖境。

24 龙州（四川省平武县东南）州长尉迟锐（尉迟，复姓）上疏说："牛心山（四川省江油市北）一向被认为有神灵居住，（《道教灵验记》：“李虎〔唐王朝一任帝李渊的祖父〕葬龙州〔四川省平武县东南〕牛心山。”《牛心山灵异记》：“南梁帝国武陵王萧纪，治理益州〔四川省中部〕时〔参考五三七年闰九月〕，命李龙迁在牛心山筑城。李龙迁逝世后，就埋葬在山边，乡里为他建庙。唐王朝建立后，七世纪二〇年代，改‘庙’称‘观’。武瞾当权，下令凿断牛心山山脉。九任帝李隆基逃亡蜀地〔四川省〕时，一位名苏坦的老人奏报说：‘牛心山，是帝国祖先坟墓所在，今天皇帝逃亡的灾难，都是武瞾凿断山脉引起。’李隆基即令填补，恢复原状。明年，就诛杀安禄山，复员回宫。”）可是有很多地方仍被凿断，政府应该填补。”李湛批准。征调民夫数万人到悬崖绝壁、万分险要的地方从事苦工。东川战区（总部设梓州〔四川省三台县〕）为此民穷财尽（龙州属东川战区）。

25 九月一日，波斯王国（伊朗）国王李苏沙，向唐王朝呈献可以建造楼阁亭台的沉香木材。见习监督官（左拾遗）李汉上疏说：“这跟瑶台、琼室，有什么分别？”（夏王朝亡国之君姒履癸〔夏桀〕建琼宫、瑶台。）李湛虽大怒，但仍包容。李汉，是李道明的六世孙（李道明，是淮阳王李道玄的老弟）。

26 冬季，十月二十三日，皇家文学研究官（翰林学士）韦处厚规劝李湛改正荒淫欢宴生活，说：“先帝（李恒）因酒色过度，而缩短生命，我当时所以不拼死规劝，因陛下年纪已十五岁。而今，皇子才一岁，我怎么能畏惧死亡而不规劝？”李湛十分感动，赏赐韦处厚彩色锦缎一百匹、银器四件。

27 十一月十三日，安南军管区（首府设安南府〔越南河内市〕）奏报说：黄洞蛮（广西西南部一带部族）跟环王（首都占城〔越南中部茶荞城〕），联合攻陷陆州（广西钦州市东南犀牛脚镇），诛杀州长葛维。

28 十一月十五日，把前任帝（十五任）李恒安葬光陵（陕西省蒲城县北十公里尧山），绰号睿圣文惠孝皇帝，庙号穆宗。

29 淮南战区（总部设扬州〔江苏省扬州市〕）司令官（节度使）王播，贿赂宫廷机要室主任宦官（知枢密）王守澄钱十万串，要求再兼全国盐铁专卖暨运输总监（盐铁转运使）。

十二月九日，监督院高级顾问官（谏议大夫）独孤朗、张仲方，皇家生活记录官（起居郎）柳公权、皇家言行记录官（起居舍人）宋申锡、见习监督官（左拾遗）李景让、薛廷老，请求皇帝登延英殿，召开扩大会议，揭发王播的奸邪。李湛问："前些时宝殿上叩头谏诤的那位（参考本年〔八二四〕三月），在不在这里？"当天，任命刘栖楚当监督院高级顾问官（谏议大夫）。李景让，是李憕的曾孙（李憕守东都洛阳，死于安禄山之难，参考七五五年十二月十二日）。薛廷老，是河中（山西省永济市）人。

30 十二月十六日，加授天平战区（总部设郓州〔山东省东平县〕）司令官（节度使）乌重胤：遥兼二级宰相（同平章事，使相）。

31 十二月二十一日，徐泗道（首府设徐州〔江苏省徐州市〕）行政长官（观察使）王智兴，为了庆祝明年（八二五）皇帝生日（李湛于八〇九年六月九日生），请求在泗州（江苏省盱眙县淮河北岸）设置佛家戒坛，剃度和尚、尼姑，祈求赐福（剃发而未受戒的，称"沙弥"，人民剃发受戒之后，就可以免除兵役及差役。泗州〔江苏省盱眙县淮河北岸〕有大圣塔，各方都来朝拜，所以王智兴在此设坛)，李湛允许。

自从八〇六年以来，中央严禁剃度。王智兴打算聚敛钱财，首先请求举办，于是男女从四面八方拥向泗州(江苏省盱眙县淮河北岸)，江淮(华东地区)地区的人更多。王智兴家产因此增加万万。浙西道(首府设润州〔江苏省镇江市〕)行政长官(观察使)李德裕上疏说："如果再不禁止，到明年(八二五)陛下生日那天才停，估计浙西(江苏省南部)、浙东(浙江省)、福建(福建省)等道，将损失六十万名服役青年。"奏章到达中央后，李湛立即下令停止。

32 本年(八二四)，回鹘汗国(翰海沙漠群)崇德可汗(十一任大可汗)逝世，老弟药罗葛曷萨公爵(跌跌曷萨特勒)继位(十二任大可汗)。

八二五年
乙巳

唐 长庆 五年
宝历 元年

1 春季，正月七日，唐王朝（首都长安〔陕西省西安市〕）皇帝（十六任敬宗）李湛（本年十七岁），到京师（首都长安）南郊祭祀天神。回宫，登丹凤楼，赦免天下，改年号宝历（之前是长庆五年，之后是宝历元年）。

先前，鄠县（陕西省西安市鄠邑区）县长崔发听到外面有人大声喧哗吵闹，询问发生什么事，左右回答说："皇家'五坊'的人殴打市民！"（皇家五坊：雕坊、鹘坊、鹞坊、鹰坊、狗坊。）崔发大怒，把他们逮捕，拖到县政府大庭，当时天已黄昏，过了很久，才来问话，发现他们竟是宦官。李湛得到报告后，暴跳如雷，下令逮捕崔发，囚禁总监察署（御史台）监狱。当天，崔发跟普通囚犯一样，同大家一起站在金鸡之下（古时每有赦免，特设“金鸡”于竿头，参考五六六年十二月。道家《海中占星》书上说：“天鸡星动，一定有赦。”李白《流夜郎赠辛判官》诗，有云：“我愁远谪夜郎去，何日金鸡放赦回。”）忽然有宦官（品官）数十人（《唐会要·内侍省》：八二〇年四月，宦官总管署〔内侍省〕有高级宦官〔高品〕一千六百九十六人，见习宦官〔品官白身〕三千零二人），手拿棍棒，号叫着冲进来，抓住崔发，乱棒齐下，打得崔发满脸是血，牙齿脱落，眼看他断气才呼啸而去。崔发在昏迷很久后悠悠转醒，而第二拨宦官又来寻找崔发殴击，总监察署（御史台）官员把崔发藏到席子底下，才算逃出一命。但李湛仍下令把崔发继续囚禁总监察署（御史台）监狱，而开释其他囚犯。

2 副立法长（中书侍郎）、二级实质宰相（同平章事）牛僧孺，眼看李湛荒淫无道，而左右一些卑劣小人，又纷纷当权；如果直言规劝，又怕惹祸上身，唯一的办法是屡次上疏，请求调到外地任职。

正月十一日，中央把鄂岳道（首府设鄂州〔湖北省武汉市〕）升格为武昌战区，命牛僧孺遥兼二级宰相（同平章事，使相），充任武昌战区（总部鄂州）司令官（节度使）。

李湛下诏命王播兼全国盐铁专卖暨运输总监（盐铁转运使）；谏官屡次上疏反对，李湛一概不理。

牛僧孺路过襄阳（湖北省襄阳市），山南东道战区（总部设襄州〔州政府同设襄阳〕）司令官（节度使）柳公绰，全副武装，身佩弓箭袋，在宾馆恭候；将领们反对说：“襄阳（指山南东道战区）地位，高过夏口（指武昌战区），以部属晋见长官的礼节相待，是不是过分谦卑？”柳公绰说：

"牛先生刚离高位，地方官尊重宰相，就是尊重中央。"仍然这么做。

3 李湛游荡荒宴，毫无节制，和一群卑劣的小人物亲密的厮混在一起，每个月上朝不超过三天，帝国最高级的官员都难得一见。

二月八日，浙西道（首府设润州〔江苏省镇江市〕）行政长官（观察使）李德裕，呈献《丹扆六箴》（扆，音yǐ〔以〕。屏风），一、《宵衣箴》，讽刺皇帝上朝太晚，次数太少；二、《正服箴》，讽刺皇帝穿戴奇装异服；三、《罢献箴》，讽刺皇帝搜刮珍贵物品；四、《纳诲箴》，讽刺皇帝看轻及摒弃正直的言论；五、《辨邪箴》，讽刺皇帝亲信卑劣小人；六、《防微箴》，讽刺皇帝到处寻欢作乐。其中《纳诲箴》说："刘骜（西汉王朝十二任帝）沉湎饮酒，一杯连一杯（参考前一五年）；曹叡（曹魏帝国二任帝）奢侈豪华，修建凌霄阁（参考二三五年八月）。对忠言虽然不拒绝，对善言也从来不接受，把规劝的话当作耳塞，什么都听不见。"《防微箴》说："乱臣贼子的数目，数都数不清。一旦身穿黑衣，谁都辨认不出来，要碰到他的凶器时，才会发觉（"身穿黑衣"事，西汉王朝十任帝刘病已时，霍家外孙任宣被控谋反被杀。任宣的儿子任章改穿黑衣，乘夜潜入皇家祖庙，假扮卫士，手拿铁戟，站在岗哨上等待，准备刺杀刘病已，被发觉，斩首。"碰到凶器"事，指马何罗谋杀西汉王朝七任帝刘彻，参考前八八年六月。两件事发生在两个皇帝身上，被强拉在一起，好像是一件事），刘彻穿平民衣服私访柏谷，虎狼堵住道路，幸亏他的相貌不凡，农夫才献上饮食（参考前一三八年九月），都应使自己警惕！"李湛下诏嘉许。

4 李湛既然再度逮捕崔发囚禁，御前监督官（给事中）李渤上疏说:“县长固不应该羁押宦官，但宦官也不应该殴打皇家囚犯，两方都有罪。然而，县长犯罪在大赦之前，宦官犯罪在大赦之后。宦官凶暴蛮横，竟到这种程度，如果不早用法律制裁，我担心四方藩镇听到消息，对中央会心生怠慢。”监督院高级顾问官（谏议大夫）张仲方上疏，说:“浩荡的皇恩将普及天下，却不能实施在皇上跟前，德泽推广到所有昆虫，竟独漏崔发。”其他谏官上疏规劝的很多，李湛一概不理。

二月十四日，宰相李逢吉等在一个适当机会，对李湛说:“崔发随便羁押宦官，诚然犯了大不敬的罪。但他的娘亲是故宰相韦贯之的姐姐，年纪快八十岁了，自从崔发下狱，她忧愁过度，已经害病卧床。陛下用孝治理天下，实在应该同情。”李湛怜悯的说:“所有谏官只说崔发冤枉，没有人说他犯了大不敬的罪，也没有人提到他上有老母。像你说的情形，我为什么不赦免他！”派宦官去总监察署（御史台）赦崔发出狱，并送他回家，慰问他的老母。崔发的娘亲当着宦官的面，打崔发四十棍。

5 三月十七日，唐政府派国务院司法部关卡稽查司长（司门郎中）于人文，前去回鹘汗国（翰海沙漠群），封新任可汗药罗葛曷萨（跌跌曷萨）公爵（特勒）：爱登里啰汨没密施合毗伽昭礼可汗（简称昭礼可汗，十二任大可汗）。

6 夏季，四月二十日，文武百官呈献李湛尊贵绰号：文武大圣广孝皇帝，李湛接受，下诏赦免天下，但诏书上只说:“贬谪在外的官员，已经向内地迁移过的，可以再次向内地迁移。”对于从没有内移过的，应如何办理，却没有提到。皇家文学研究官（翰林学士）韦处厚上疏说："这是李逢吉的诡计，唯恐李绅内移，所以才有这种小动作。这样的话，近年来所有被贬谪的官员，只因李绅一个人，全都不能内移。"李湛命追回诏书，重新改写。李绅因此得以内移，当江州（江西省九江市）政务秘书长（长史。李绅贬端州〔广东省肇庆市〕军务秘书长〔司马〕事，参考去年〔八二四〕二月）。

7 秋季，七月二日，全国盐铁专卖暨运输总监（盐铁使）王播，呈献盈余绢（生丝厚绸）一百万匹。

王播兼任全国盐铁专卖暨运输总监（领盐铁），搜刮急苛，每年连正式预算的数额都无法向中央呈缴，但却不断有"盈余"进贡（正额缴政府，盈余缴皇宫，影响不同）。

七月十七日，李湛命王播建造明年（八二六）五月五日端午节竞赛用的渡船二十艘，把材料运到京师（首都长安）组合。共计要消耗全国盐铁专卖及运输总监署半年的经费，监督院高级顾问官（谏议大夫）张仲方等竭力规劝，李湛勉强允许减少一半。

8 负责谏诤的官员上疏检举：首都长安特别市长（京兆尹）崔元略，以侍奉老爹的礼数侍奉宦官总管署秘书长（内常侍）崔潭峻。

七月二十五日，李湛贬崔元略当国务院财政部副部长（户部侍郎）。

9 昭义战区（总部设潞州〔山西省长治市〕）司令官（节度使）刘悟，离开郓州（山东省东平县）时（参考八一九年二月），率郓州官员二千人跟随自己。

八月十日，刘悟突然害病，逝世。他的儿子、建筑部秘书官（将作监主簿）刘从谏，封锁消息，跟大将刘武德、郓州亲军秘密商议，伪造一份刘悟的遗疏，请求中央任命刘从谏暂代候补司令官（知留后）。参谋长（司马）贾直言到官邸责备刘从谏说："你老爹把十二州的土地呈献中央（参考八一九年二月），功劳不小，只因张汶的缘故（磁州州长张汶跟宦官刘承偕阴谋事，参考八二二年二月），自认为屎尿泼了一头，竟羞愧而死。你这个小子，怎么敢这样！老爹死了都不哭，怎么算是人！"刘从谏恐惧惊慌，无法回答，于是发布丧事消息。

10 最初，陈留（河南省开封市东南陈留镇）人武昭，从石州（山西省吕梁市离石区）州长任上下来，当袁王（李绅〔十三任帝李诵的儿子，非宰相李绅〕，李湛的祖叔父）王府的政务秘书长（长史），心情落寞，怨恨当权官员。宰相李逢吉跟另一宰相李程，互不喜欢对方，国务院工程部河川司长（水部郎中）李仍叔，跟李程是同族，激怒武昭说："李程要调你一个好官职，但李逢吉万般阻挠。"一天，武昭在喝醉了酒之后，对左金吾（卫军第十一军）兵籍官（兵曹）茅汇说："看我杀掉李逢吉！"被人告密。

九月十日，李湛命三司法单位调查审问（三司法单位：国务院司法部〔刑部〕、总监察署〔御史台〕、最高法院〔大理寺〕）。曾任河阳战区（总部设河阳县〔河南省孟州市〕）机要秘书（掌书记）的李仲言对茅汇说："你如果供出李程跟武昭同谋，你还可以活命。否则的话，你就死定了。"茅汇说："受冤而死，心甘情愿；诬陷别人来保全自己，我绝不做。"大狱终于定案。

冬季，十月二十五日，武昭死在乱棍之下，李仍叔贬作道州（湖南省道县）军务秘书长（司马），李仲言流放象州（广西象州县），茅汇流放崖州（海南省海口市琼山区）。

11 李湛打算前去骊山温泉（陕西省西安市临潼区境），国务院左最高执行长（左仆射）李绛、监督院高级顾问官（谏议大夫）张仲方等，屡次劝阻，李湛都不接受。见习监督官（左拾遗）张权舆跪在紫宸殿下，叩头警告说：“从前，姬宫涅（周王朝十二任王幽王）游玩骊山，被犬戎部落诛杀（参考二八四年正月注）；嬴政（秦王朝一任帝始皇帝）埋葬骊山，帝国覆亡；玄宗（九任帝李隆基）在骊山兴筑宫殿（温泉宫〔华清宫〕，参考七二三年十月），安禄山遂起兵叛乱；先帝（李恒）前往骊山（参考八二二年十一月），寿命不长。”李湛大惊说：“骊山竟如此凶险，我更应该前去体验体验，看你说的是不是实话！”

十一月二十一日，李湛前往骊山温泉，当天回来，对左右宦官说：“那些磕头虫说的话，怎么能够相信！”

12 十一月二十七日，李湛封皇子李普当晋王。

13 中央政府收到刘悟的遗疏，文武百官议论纷纷，很多人认为：上党（潞州州政府所在县，山西省长治市）是内地战区，跟河朔（河北平原）三镇不同，不可以允许。

国务院左最高执行长（左仆射）李绛上疏，认为：

“军事行动最重要的是疾如闪电，当机立断，趁着对方的人心还没有团结一致，才可以施展谋略。刘悟逝世，已经数月，中央仍未处理善后，无论中外人士，都惋惜失去先机。现今，昭义战区（总部设潞州〔山西省长治市〕）武装部队，不可能全部拥护刘从谏，即令有一半接受他的命令，其他的一半也会效忠中央。刘从谏长期脱离军旅，威严恩德都没有建立。而该战区一向贫穷，在此非常时期，一定没有使人震动的赏赐。只要中央迅速在接近昭义战区（总部潞州）

选择一位将领当昭义战区司令官（节度使），命他加倍速度前往就职，刘从谏还没有来得及布置，新司令官已到潞州（山西省长治市），正是先声夺人！

“新司令官抵达之后，军心有所归属，刘从谏既没有官位，他用什么名义发号施令？假使他企图反抗中央，将士们一定不会服从。现在中央一直没有处理，战区官兵不了解中央的意思，打算归顺中央，又恐怕中央忽然把司令官（节度使）授给刘从谏；打算追随刘从谏，又恐怕中央任命别的将领。长期犹豫困惑，万一有野心家为他们策划，随便捏造一个数目，宣布大赏官兵，士卒们可能从此观望不前，中央就更难指挥。

“我请求陛下立刻决定，先颁诏书，公告天下，向昭义战区（总部潞州）全体部众发出号召，嘉奖他们对皇家的忠心传统，发给新任司令官（节度使）绸缎五十万匹，使他用作赏赐。然后，任命刘从谏当一个州长。刘从谏多少得到一点东西，自必选择对自己有利的一条路走，绝不可能抗拒。即令抗拒，我认为也根本用不着中央讨伐。为什么？我听说刘从谏已下令昭义战区所辖山东（太行山以东）三州（邢州、洺州、磁州）官兵，禁止私藏武器，足以说明内部并不同心协力，用不着质疑：一定有人企图诛杀刘从谏，建立功业。综合各方面资讯判断，没有理由马上把战区就交给刘从谏的道理。”

但当时宰相李逢吉、宦官王守澄的计议已定，竟不采用李绛的计划。

十二月三日，李湛命刘从谏当昭义战区（总部潞州）候补司令官（留后），刘悟苛刻烦琐，刘从谏待他的部属宽厚，大家对他都相当敬服。

14 李绛喜爱直言直语，李逢吉对他深为厌恶。从前惯例，国务院左最高执行长（左仆射）上任之日，宰相都要亲自相送，文武百官也要排列两旁，副总监察官（御史中丞）则站在中庭；国务院部长以下官员每月都要到最高执行长（仆射）办公室参拜。九世纪〇〇年代，伊慎当最高执行长（仆射）时（参考八〇五年十二月），礼仪官（太常博士）韦谦上疏说这项礼节太过隆重，当时十四任帝李纯下诏免除。

而今，副总监察官（御史中丞）王播，仗恃李逢吉的支持，跟李绛在路上相遇时，毫不回避（低级官员在路上遇高级官员时，应停在一旁，由高级官员先行通过）。李绛引用传统惯例，上疏说："国务院最高执行长（仆射），当七世纪唐王朝政府建立时，是正宰相高位（"同平章事""参议朝政"之类，都是"执行宰相职务"而已），受到最大的尊敬。假如他不配居此高位，就应另行任命贤良人才；假如命他居此高位，就不可破坏惯例，请交给文武百官讨论，征求意见。"文武百官很多人赞成李绛的意见，李湛准许恢复旧礼。

十二月二十六日，李绛因脚有病，改任太子少师（太子三少之一），派驻东都洛阳（河南省洛阳市）办公。

15 谏官一致赞扬裴度贤能，不应把他抛弃到地方政府。李湛屡次派宦官到兴元（山南西道战区总部，陕西省汉中市）慰劳裴度，暗中告诉他征召他返回中央的日期。裴度遂正式请求到京师（首都长安）朝见，李逢吉的党羽大起恐慌。

八二六年 丙午

1 春季，正月二十四日，唐王朝（首都长安〔陕西省西安市〕）山南西道战区（总部设兴元府〔陕西省汉中市〕）司令官（节度使）裴度，自兴元（陕西省汉中市）前来中央朝见，宰相李逢吉的党羽千方百计诋毁诬陷。

先前，民间有谣言说：“绯衣（红衣）小儿露着肚，天上有口被驱逐。”（职业特务解释：“绯衣，就是非衣，非衣，就是‘裴’字；天上有口，就是‘吴’字；指裴度生擒吴元济，身有奇才。”）当时，首都长安（陕西省西安市）城里，东西横亘着六个高坡，好像八卦中的“乾卦”（“乾卦”卦形），裴度家正筑在第五个高坡上，李逢吉的党羽张权舆散布谣言说：“裴度姓名应验神秘预言书，家宅又居‘乾卦，高坡。中央没有召见，自己主动来京（首都长安），显然别有用心。”（九任帝李隆基时两位宰相：张说住宅在裴度家之西，张嘉贞住宅在裴度家之北，二人都没有因此而出事，为什么单单检举裴度？这只是职业特务害人手段而已。）唐帝（十六任敬宗）李湛虽然还是一个少年（本年十八岁），却完全洞察这是一种诬陷，待裴度更好。

裴度刚到京师（首都长安），政府官员前来晋见的，塞满家门，裴度摆下筵席，留客人饮酒。首都长安特别市长（京兆尹）刘栖楚，附到裴度耳朵上低声讲话，中央监察官（侍御史）崔咸举起酒杯罚裴度说：“宰相不应该准许地方官咬耳朵低声细语！”裴度笑着饮下一杯。刘栖楚内心不安，仓猝告退。

二月九日，李湛命裴度当司空（三公之三）、二级实质宰相（同平章事）。裴度在立法院（中书省）宰相联合办公厅（政事堂）时，左右忽然报告说：“印信失踪！”听到的人面色苍白，裴度却像平常一样饮酒。不久，左右再报告说，在失印的地方找到原印，裴度也不理会。有人问他什么缘故。裴度说：“一定是有人偷去在文件上盖印，追查太急，他会把它丢到水里火里；如果假装不知道，他自会放回原处。”人们佩服他的见识与度量。

2 唐帝李湛自从登极以来，一直打算前往东都洛阳（河南省洛阳市）；宰相以及政府官员劝阻的很多，李湛全不接受，下定决心非去不可，并命国务院财政部会计司副司长（度支员外郎）卢贞前去视察，着手整修东都洛阳宫殿及中途行宫（自长安〔陕西省西安市〕东行，华阴〔陕西省华阴市〕有琼岳宫、金城宫，郑县〔陕西省渭南市华州区〕有神台宫，陕县〔河南省三门峡市〕有陕城宫，渑池〔河南省三门峡市东〕有芳桂宫，福昌〔河南省宜阳县

西韩城镇〕有福昌宫，永宁〔河南省洛宁县北〕有崎岫宫、兰峰宫，寿安〔河南省宜阳县〕有连昌宫、兴泰宫）。 380

裴度在融洽气氛中，对李湛说："帝国设立两个京都，就是作为巡视之用；自从帝国多灾多难，这项行动已经停止（事实上，在唐王朝中后期，一直设置三个"都"：首都上都长安、东都洛阳、北都太原，参考七六二年二月。但太原〔山西省太原市〕位置偏北，所以一直被忽略，当时的人，一般只提"两都"）。现在东都（洛阳）的宫殿、军营、政府机关官舍，大都成为废墟荒田，陛下如果想去，最好是命有关单位在一个较长期限内，慢慢整修，然后再去。"李湛说："从一开始，那些发言的官员，只一味指摘我不应该去。如果像你所说的情形，不去也可以。"正巧，卢龙战区（总部设幽州〔北京市〕）司令官（节度使）朱克融、成德战区（总部设镇州〔河北省正定县〕）司令官（节度使）王庭凑，先后请求中央准他们派兵工到东都洛阳参与重建。

三月二十日，李湛下诏说，整修东都洛阳，实在扰民，应立即停止。命卢贞回京（首都长安）。

先前，中央派宦官去幽州（卢龙战区总部，北京市）赏赐朱克融换季服装，朱克融认为衣服质料太坏而手工又劣，于是逮捕钦差宦官。又奏报说："本战区将士春季军衣，数量不足，请求全国财政总监署（度支）发给三十万端匹。"又奏报说："我准备率领兵马及工匠五千人，南下助修东都（洛阳）。"李湛十分烦恼，询问宰相们的意见，打算派遣重要高官前去安抚慰劳，要朱克融释放钦差宦官。裴度上疏说：

"朱克融嚣张到这种程度，可预知他死期不远。好像一只野兽，在山林里踢腾跳跃、咆哮号叫，时间一久，一定疲困。至于南下助修东都（洛阳），事实上他绝不敢离开他的巢穴。希望陛下不要派人前去安抚，也不要命他释放钦差宦官。稍延到十天半月之后，才赐给他一道诏书，说：'听说宦官到你那里，行动稍受限制，等他回来，我自有处分。所赐换季服装，主管官员粗制滥造，我很想知道细情，已下令调查办理。至于将士们的春季新衣，从来不由中央发给，一向由战区自己供应，我并不爱惜数十万匹东西，只因没有前例，不可以单独优待范阳（幽州州政府所在城，北京市）。'朱克融所强调助修宫殿，更是空话，如果想直率揭穿，就说：'兵工最好是早日出发，我已命沿途地方政府负责招待。'他接到这个诏书，一定张皇失措，不知道怎么办才好。如果表示包容，则不妨说：'整修工作，自有主管单位负责，不须兵工远来。'只要这样就好，不值得陛下忧虑。"

李湛大为高兴，接受。

3 李湛封才人（小老婆群第十一级）郭女士当贵妃（小老婆群第一级）。郭贵妃，是晋王李普的娘亲。

4 横海战区（总部设沧州〔河北省沧州市东南〕）司令官（节度使）李全略（王日简）逝世；他的儿子、副总司令官（副大使）李同捷自兼候补司令官（领留后），用大量金银珍宝贿赂相邻战区，要求继承老爹官位。

5 夏季，四月十一日，中央命昭义战区（总部设潞州〔山西省长治市〕）候补司令官（留后）刘从谏，实任司令官（节度使）。

6 五月，卢龙战区（总部设幽州〔北京市〕）兵变，诛杀司令官（节度使）朱克融和他的儿子朱延龄；另一派官兵拥护朱克融最小的儿子朱延嗣主持军政。

7 六月二十八日，李湛登三殿（麟德殿），命左右神策军、皇家歌舞团（教坊）、宫廷园艺管理署（内园）的人，表演马球、手搏、杂耍比赛。当竞争激烈，情绪激动时，有的胳膊折断，有的头颅撞碎，惨剧不断发生，午夜过后很久才结束。

8 六月己卯日（六月丁酉朔，没有己卯。如放在七月，则是七月十四日），李湛前往兴福寺（在修德坊，本王君廓住宅，六三四年，二任帝李世民在原址立寺，为娘亲求福），听和尚文溆通俗讲经。

9 秋季，七月十八日（原文误置于六月，据《两唐书》改），衡王李绚逝世（李绚，是十三任帝李诵的儿子，李湛的叔祖父）。

10 七月二十七日，李湛传话，命把国库（左藏）现存的白银十万两、黄金七千两，全部运到宫库（内藏），供他随时赏赐。

11 道士赵归真告诉李湛有关神仙的种种故事；和尚惟贞、齐贤、正简，告诉李湛如何用寺庙祭祀、祈求福，他们出入皇宫，毫无阻拦，李湛深信他们的话。隐士杜景先请求派自己走遍全国山川，寻访奇人。润州（江苏省镇江市）人周息元，自称年数百岁，李湛派宦官前往迎接。

八月十日，周息元抵达京师（首都长安），李湛招待他在皇宫里山亭住下。

12 朱延嗣主持卢龙战区（总部设幽州〔北京市〕），虐待他的部属。总作战司令（都知兵马使）李载义，跟老弟大营作战司令（牙内兵马使）李载宁，再度发动兵变，诛杀朱延嗣，并屠杀朱家满门三百余人（朱克融于八二一年七月夺取卢龙，传朱延嗣，共六年而亡）。李载义暂代候补司令官（权知留后）。

九月，李载义列举朱延嗣的罪状，呈报中央。李载义，是李承乾的后裔（李承乾是二任帝李世民的太子，后被罢黜；参考六四三年四月）。

13 九月庚申日（九月乙丑朔，没有庚申），魏博战区（总部设魏州〔河北省大名县〕）司令官（节度使）史宪诚，信口开河奏报说："横海战区（总部设沧州〔河北省沧州市东南〕）兵变，李同捷被他的武装部队驱逐，投奔本战区，请求回归中央。"过了几天，又奏报说："李同捷又返回沧州。"

14 九月八日，李湛命副立法长（中书侍郎）、二级实质宰相（同平章事）李程，遥兼二级宰相（同平章事，使相），充当河东战区（总部设太原府〔山西省太原市〕）司令官（节度使）。

15 冬季，十月五日，命李载义当卢龙战区（总部设幽州〔北京市〕）司令官（节度使）。

16 十一月二十一日，命副监督长（门下侍郎）、二级实质宰相（同平章事）李逢吉，遥兼二级宰相（同平章事，使相），充当山南东道战区（总部设襄州〔湖北省襄阳市〕）司令官（节度使）。

17 李湛年轻气盛，精力充沛，荒淫游荡，毫无节制，和一群卑劣的小人厮混在一起，戏谑亲热，互相纠缠。李湛打马球的技术超越当时，喜欢跟人比赛腕力，禁军及各道各战区争相呈献大力士。李湛又交给宫廷园艺管理署（内园）巨款一万串，命另行招募大力士，这些大力士日夜不离李湛。李湛又喜爱深夜亲自捕捉狐狸。李湛性情褊急暴躁，大力士中有些人仗恃恩宠，态度稍不恭敬，李湛翻脸无情，动不动就把他们流放边荒，或没收他们的财产家人。对宦官也是一样，宦官有一点小过，李湛动不动就对他们棍击鞭打，大家对这位年轻皇帝，既怨恨入骨，而又深为畏惧。

十二月八日，李湛在外打猎，深夜才回宫，又跟宦官刘克明、田务澄、许文端，以及禁军马球将领苏佐明、王嘉宪、石从宽、阎惟直等二十八人，挤在一起饮酒。李湛酩酊大醉，去洗手间，殿上的蜡烛突然全部熄灭，苏佐明等遂把李湛格杀（李湛本年十八岁）。刘克明等假传李湛圣旨，召唤皇家文学研究官（翰林学士）路隋撰写遗诏草稿，命绛王李悟暂时主持帝国政府大事（李悟，是十四任帝李纯的儿子，李湛的叔父）。

十二月九日，皇宫发布李湛遗诏，李悟登紫宸殿外廊，接见宰相及文武百官。

刘克明等打算排除当权宦官，于是“四大宦官”（“四贵”）：宫廷机要室主任宦官（枢密使）王守澄、杨承和，左右神策军总指挥宦官（中尉）魏从简、梁守谦，秘密商议对策，派卫军（南衙）到十六宅迎接江王李涵进宫（李涵，是十五任帝李恒的儿子，李湛的老哥），紧急集结左右神策军和皇家飞龙马厩骑射兵，进宫讨伐贼党，全部屠杀。刘克明情急跳井，被拉出来斩首。绛王李悟也死在乱军之手。

当时，事情突然爆发，王守澄认为皇家文学研究官（翰林学士）韦处厚博古通今，于是传唤他进宫，当天夜间所作的决定，都跟他磋商。王守澄等打算发布一份文告，却不知道如何解释这场宫廷喋血。韦处厚说：“光明正大的讨伐弑君叛徒，合乎正义，怎么可以吞吞吐吐，有什么顾忌？”王守澄等又问：“江王（李涵）用什么方式登极？”韦处厚说：“明天一早，我们就公布江王（李涵）的文告，昭示已削平内难。最后文武百官三次上疏请求江王（李涵）继承帝位，再由太皇太后（十四任帝李纯小老婆郭贵妃）下诏命江王（李涵）登极。”当时一切都依照韦处厚的意见去做，没有时间去问其他官员，各种礼仪规则，都由韦处厚决定，没有一件事不恰当。

十二月十日，命裴度当帝国最高摄政（摄冢宰）。李涵在紫宸殿外廊，接见文武百官，身穿素服，泣涕流泪。

十二月十一日，李涵在少阳院（太子宫）接见各军基地司令（使）。把赵归真等巫法师，以及李湛在位时所亲信的人，都流放岭南（南岭以南）或其他边远之地。

十二月十二日，李涵（本年十九岁）登极，改名李昂（十七任文宗）。

十二月十五日，李昂（李涵）尊奉他的娘亲萧女士为皇太后。王太后（李湛的娘亲，李昂的嫡母）称宝历太后。当时，郭太皇太后（李昂的祖母）居兴庆宫，王太后住义安殿，萧太后住内宫。李昂（李涵）性情孝顺谨慎，侍奉三位太后，完全一样，每得到珍贵奇异的东西，都先供奉皇家祖庙，然后送给三位皇太后，最后李昂（李涵）才自己享用。萧太后，是闽县（福建省福州市）人。

18 十二月十七日，李昂（李涵）任命皇家文学研究官（翰林学士）韦处厚，当副立法长（中书侍郎）、二级实质宰相（同平章事）。

19 李昂（李涵）在当亲王的时候，就深刻了解老爹（十五任帝李 386
恒）和老弟（十六任帝李湛）在位时政治上的种种弊端。所以，等到登极，专心整顿，排除奢侈，力求节俭，对没有职务的宫女，都遣送出宫，一次就送出三千余人。皇家五坊所畜养的鹰鹞猎狗，依照九世纪〇〇年代、十四任帝李纯登极时前例，除了留下一些供打猎使用外，其他全部释放（撤销“五坊”应是十三任帝李诵登极时的事，参考八〇五年二月）。有关单位供应皇宫每年物品，则遵照八世纪八〇年代、十二任帝李适在位时前例（参考七七九年闰五月）。裁减皇家歌舞团（教坊）、皇家文学研究院（翰林院）、林园总监署（总监）等机关多余官员一千二百多人，停发皇宫各单位新添的衣服粮食。御马坊牧场、球场，以及近年来另行储存的粮食及钱财，跟所占用的田地，完全发还有关单位。

前任帝（十六任敬宗）李湛传旨索取的刺绣、雕刻等物件，全部停止。

李湛在位时，每月上朝不过一两次，李昂（李涵）恢复传统制度，每逢单数日子，没有一天不主持朝会，向宰相及文武百官询问政事，很久才退。等待皇帝随时差遣的一些官员（待制官），过去虽然设立，但皇帝对他们从来没有召见过，现今，李昂（李涵）才经常问他们的意见。李昂（李涵）只在双日才停止朝会，假日也都放在双日。中外一致庆贺，认为太平日子就要到来。

胡三省曰

英明的政治领袖并不常见。一个普通的政治领袖刚掌权时，如果有一两项足以使人民耳目一新的措施，天下就寄以重望。然而，他们却终于不得不使人民失望，像曹髦（曹魏帝国四任帝）、司马炽（晋王朝五任帝）、李适（唐王朝十二任帝）、李昂（唐王朝十七任帝），就是例证。

官场有句话：“新官上任三把火！”新首领上任，同样也会有三把火。而且，几乎所有新人，都烧过三把火，虽然大多数都无以为继，使人失望，但至少可以告诉我们一件事，如果能经常定期的有新人上任烧三把火，弊端才有改革、人民生活品质就有改善的可能。民主政治带给我们的正是这种定期出现的三把火。

甘露事变

导读

中国历史上共有三个宦官时代：第一个宦官时代出现于二世纪东汉王朝，第二个宦官时代出现于九世纪唐王朝，第三个宦官时代出现于十五世纪明王朝。当宦官时代来临之时，也就是它所属的那个王朝内部腐烂败坏到连耶稣、佛祖都无法拯救之时。

第二个宦官时代，有明显的特点：帝王和宦官的地位，逐渐颠倒。无论理论和实际，宦官都是帝王的奴隶，但因唐王朝宦官掌握军权的缘故，时间一长，那种历史悠久而又十分稳定的主奴关系，发生异化，“甘露事变”遂告爆发。这是一场帝王跟宦官最凌厉的一次正面冲突，由皇帝发动攻击，宦官反应，结果皇帝失败。从此以后，因为皇帝向宦官屈服之故，连宰相也都成为宦官的家奴——没有宦官推荐，他就当不上宰相。怎么把国家弄成这个样子，值得读历史的人沉思。

柏杨　一九九〇·八·一五

目录

九世纪

二〇年代

八二七—八二九年

唐王朝

◎ 南诏王国大举侵入唐王朝。

◎ 不列颠七小国统一，建英格兰王国。

◎ 路易为幼子查理重划国土，其他三子反对，内战爆发。

八二七年 丁未

唐 宝历 三年
太和 元年

1 春季，二月十三日，唐王朝（首都长安〔陕西省西安市〕）皇帝（十七任文宗）李昂（李涵。本年二十岁），下诏赦免天下；改年号太和（之前是宝历三年，之后是太和元年）。

2 横海战区（总部设沧州〔河北省沧州市东南〕）副司令长官（副大使）李同捷，擅自篡夺战区军政（参考去年〔八二六〕三月），过了一个新年，中央仍不闻不问。李同捷希望新皇帝登极后，或许特别宽恕通融。

三月一日，派机要秘书（掌书记）崔从长携带奏章，同他的老弟李同志、李同巽一起到京师（首都长安）朝见，表示愿遵守中央决定。

3 李昂虽然虚怀若谷，听取各方面意见，但优柔寡断，不够坚定。跟宰相反复讨论，已经决定的事情，可是不久，李昂却首先变卦。

夏季，四月二十五日，宰相韦处厚在延英殿激烈抗议李昂这种态度，请求辞职；李昂再三慰劳挽留。

4 忠武战区（总部设许州〔河南省许昌市〕）司令官（节度使）王沛逝世。

四月二十九日，命畜牧部长（太仆卿）高瑀当忠武战区司令官（节度使）。

自八世纪六〇年代、十一任帝李豫（李俶）在位末期以来，各战区司令官（节度使）差不多都出身禁军；禁军大将有资格出任战区司令官（节度使）的，都用比平常要高两倍的重利，向富家借钱，用来贿赂神策军总指挥宦官（中尉），贿款动不动就超过一万万钱，然后才能取得皇帝任命；从来没有一个战区司令官（节度使）来自宰相推荐。这些人到任之后，沉重的贷款压力，使他们迫不及待的搜刮征取。直到现在（已六十余年），王沛逝世，裴度、韦处厚才奏报派高瑀接任。中央及地方一致庆贺说：“从今以后，‘债帅’就要少见！”

“债帅”一词，动人心弦，我们不能想象这种将领面对战争的时候，有什么心理反应。二十世纪后，民主时代来临，“债官”又生，借钱竞选，屁股一旦坐上公堂，当然是急吼吼的搜刮勒索，先偿欠账，再储蓄下次竞选经费，为选民服务的空间，自然相对缩小。如何避免债帅债官的产生，是一个重要课题，否则，贪污就永远不能根绝。

5 五月十五日，李昂命天平战区（总部设郓州〔山东省东平县〕）司令官（节度使）乌承胤当横海战区（总部设沧州〔河北省沧州市东南〕）司令官（节度使）。命横海战区前副司令长官（副大使）李同捷当兖海战区（总部设兖州〔山东省济宁市兖州区〕）司令官（节度使）。中央仍顾虑黄河南北的割据军阀和战区煽动李同捷抗命，于是命魏博战区（总部设魏州〔河北省大名县〕）司令官（节度使）史宪诚，遥兼二级宰相（同平章事，使相）。

五月十六日，再命卢龙战区（总部设幽州〔北京市〕）司令官（节度使）李载义、平卢战区（总部设青州〔山东省青州市〕）司令官（节度使）康志睦、成德战区（总部设镇州〔河北省正定县〕）司令官（节度使）王庭凑，分别摄理中央官位。

6 全国盐铁专卖暨运输总监（盐铁使）王播，自淮南战区（总部设扬州〔江苏省扬州市〕）来中央朝见，想尽办法谋取更高官位。仅贿赂皇帝的银器，就以一千件为计算单位，绸缎以十万匹为计算单位，上上下下，终于被他买通。

六月三日，李昂命王播当国务院左最高执行长（左仆射）、二级实质宰相（同平章事）。

7 秋季，七月十三日，把前任帝（十六任）李湛，安葬庄陵（陕西省富平县西），绰号睿武昭愍孝皇帝，庙号敬宗。

8 李同捷宣称将士强行挽留，拒绝调职，不肯接受诏书。

七月二十五日，武宁战区（总部设徐州〔江苏省徐州市〕）司令官（节度使）王智兴，上疏请求率本战区军三万人，自备五个月粮秣，讨伐李同捷。李昂批准。

八月十一日，李昂下诏撤除李同捷所有官爵，命乌重胤（横海）、王智兴（武宁）、康志睦（平卢）、史宪诚（魏博）、李载义（卢龙），以及义成战区（总部设滑州〔河南省滑县〕）司令官（节度使）李听、义武战区（总部设定州

〔河北省定州市〕）司令官（节度使）张璠（音fán〔凡〕），各率本战区军队讨伐。

李同捷派他的子弟，送珍贵的货物、美丽的女子，给河北各战区。

八月二十九日，李载义（卢龙）逮捕李同捷的侄儿，连同所送的贿赂，一并呈献中央。

史宪诚（魏博）跟李全略（王日简，李同捷的老爹）是儿女亲家。李同捷反抗中央，史宪诚暗中运送粮食帮助。宰相裴度不知道史宪诚做的事，认为史宪诚绝对忠贞。史宪诚派亲信部属到立法院（中书省）向宰相请示，韦处厚告诉他说："晋公爵（裴度）在皇上面前，用他全家百口的性命，保证你们战区首领忠心耿耿。我却认为不是这样，只等以后有什么举动，自有国法！"史宪诚恐惧，不敢再跟李同捷来往。

王庭凑（成德）替李同捷请求中央发给战区司令官（节度使）符节，中央不准，于是大量增援李同捷，派军进驻边境，以阻吓魏博特遣兵团。又派使节用厚重礼物，贿赂沙陀部落（神武川，山西省山阴县东）酋长朱邪执宜，请求支援，朱邪执宜拒绝。

冬季，十月，天平战区（总部设郓州〔山东省东平县〕）司令官（节度使）兼横海战区（总部设沧州〔河北省沧州市东南〕）司令官（节度使）乌重胤，攻击李同捷，屡战屡胜。

十一月八日，乌重胤在军中逝世（年六十七岁）。

十一月二十二日，中央调保义战区（总部设晋州〔山西省临汾市〕）司令官（节度使）李寰，当横海战区司令官（节度使）。这是王智兴（武宁）的推荐，中央同意。

9 十二月二十三日，中央命王智兴遥兼二级宰相（同平章事，使相）。

八二八年 戊申

唐　太和　二年

1 春季，三月二十三日，唐王朝（首都长安〔陕西省西安市〕）武宁战区（总部设徐州〔江苏省徐州市〕）司令官（节度使）王智兴，攻击棣州（山东省惠民县），纵火焚毁三面城门。

2 十四任帝（宪宗）李纯在位末年、九世纪二〇年代以来，宦官越发骄横，连谁当皇帝都由他们决定，威权比皇帝还高，没有人敢就这种畸形现象，发言纠正。

三月二十五日，唐帝（十七任文宗）李昂（李涵。本年二十一岁）亲自主持御前考试，参与“贤良方正科”的考生、昌平（北京市昌平区）人刘蕡（音fén〔焚〕），在试卷上对时政作尖锐抨击，大略说："陛下最先忧虑的，应是宫廷将发生变化，帝国将出现危机，政府将要倾覆，全国将陷于大乱。"

刘蕡说："陛下如果想消除篡位弑君的根源，就必须自己正直，而且接近正直的人，疏远被阉割过的贱民，亲近骨鲠之士，宰相得以全权做事，部属得以尽忠职守。怎么可以仅由五六个亲近的宦官，领导这个庞大帝国？灾祸埋伏在院墙之内，邪恶发生于床帐之间。我恐怕曹节、侯览，会在今天重生（曹节、侯览，东汉王朝宦官，参考一六八、一七二年）。"

刘蕡又说："忠良得不到领袖的信任，宦官却手握废立皇帝的大权，使先帝（十六任李湛）不得善终，陛下也不能有一个光明正大的开始。"

刘蕡又说："中央权威衰退，地方政府嚣张跋扈。将来可能有人心怀不轨，借口清除君王身旁奸佞，领头作乱，他们不了解《春秋》所昭示的君臣大义，只认为驱逐邪恶是正当行为。中央赏罚不出自领袖，战争征伐全操于割据军阀之手。"

刘蕡又说："陛下为什么不切断奸邪的管道？不斥退围绕在四周的宦官？不消除他们威胁欺侮的狼子野心？不恢复他们打扫门户、听候差遣的原来工作？使他们做应该做的，忧应该忧的！既然不能早作预防，只好在事后矫正；既然不能有好的开始，只好希望有个好的收场，这样才可以尊奉古圣先贤的经典告诫，继承大业。秦王朝灭亡，由于太强；西汉王朝灭亡，由于太弱。太强则叛徒怕死而谋杀领袖，太弱则奸邪窃弄权威而震慑君主。我亲自看到，敬宗皇帝（李湛）不警惕秦王朝的灾祸，不在一开始时就把他们翦除。现在只有希望陛下深刻思虑西汉王朝灭亡的原因，严防历史重演，则祖宗的大业可以继续，更可以上追三皇、五帝的楷模（三皇：天皇、地皇、人皇。五帝：黄帝姬轩辕、玄帝姬颛顼、喾帝姬夋、尧帝伊祁放勋、舜帝姚重华）。”

刘蕡又说：“我听说刘奭（西汉王朝十一任帝元帝）刚登极时，实施七十多项改革（参考前四八年），用心诚恳，赢得全国人民赞誉。可是法令规章一天比一天混乱，帝国命运一天比一天衰退，邪恶的势力一天比一天升高，人民一天比一天穷苦困顿。主要的是，刘奭不能选择及信任贤明能干的人才，终于失去主导大局的权柄。”

刘蕡又说：“陛下假如真能把充分的政治权力，归还宰相；把充分的军事权力，归还将领，心里就十分坦荡、行为就能受人民拥戴。”

刘蕡又说：“法令规章应该划一，官员的称号应该纳入正轨。现在这种‘外官’‘中官’的区分，‘南司’‘北司’的对立（政府官员在南宫〔南牙〕朝会，称“外官”“南司”；宦官办公处集中玄武门里，称“中官”“北司”），有人在‘南司’（政府辖区）犯罪，就逃到‘北司’（宦官辖区）寻求庇护；有人已由‘外官’（政府官员）审理判决有罪，而宦官的‘中官’却能破坏帝国法律，判他清白。法令不一致，人民不知道要怎么做。实在是由于军人和农人立场不同，宦官跟官员所根据的法令相差太大之故。”

刘蕡又说：“现在，国务院国防部长（夏官）不管军事，只不过出席朝会，向皇帝叩头而已。禁卫军的将领既不训练士卒，也不指挥作战，只不过混一个资格，以求晋级升官而已。‘皇家观察兵马阵容特派监军宦官’（观军容使）成为最高统帅，军政军令两大系统，都由宦官负责（参考七五八年九月）。头上只要一戴军帽，就把文职官员视作仇敌；脚步只要一踏进营门，就把种田农夫当作野草。谋略不能够铲除叛逆，诡诈却足以耀武扬威，勇气不能够保卫国家，凶暴却足以横行乡里。奴役地方政府官员、冒犯欺凌宰相，破坏国法，瓦解人心。扩张武官的威风，对上控制中央；假传皇帝的圣旨，对下招揽英雄豪杰。他们有藏奸怀诈、待机而发的祸心，却没有赴汤蹈火、为国死难的正义。这难道是帝国设立文武百官的本意！”

刘蕡又说：“我并不是不知道话一出口，大祸就要临头；意见一旦蒙采纳实施，就会受到诛杀。只不过痛惜帝国危急，哀伤人民困苦，怎么能为了不触犯忌讳，而闭口不言，辜负陛下给我一个官职的恩惠！”

3 闰三月一日，魏博战区（总部设魏州〔河北省大名县〕）司令官（节度使）史宪诚奏报说：已派他的儿子、战区副司令长官（副大使）史唐，总作战司令（都知兵马使）亓志绍（亓，音qí〔奇〕）率军二万五千人，直进德州（山东省德州市陵城区），讨伐横海战区（沧州）变军首领李同捷。

本来，史宪诚打算支援李同捷，但史唐哭泣阻止，并且建议出军讨伐，史宪诚不能不接受。

4 闰三月九日，参加御前“贤良方正科”考生裴休、李郃、李甘、杜牧、马植、崔玙、王式、崔慎由等二十二人，及格录取，分别任命当官。阅卷官、监督院最高顾问官（左散骑常侍）冯宿等，看到刘蕡的试卷，都叹息佩服，可是畏惧宦官反击，不敢录取。诏书发布，舆论替刘蕡叫屈。谏官、监察官（御史）打算抗议，宰相们出面阻止。李郃说：“刘蕡落榜，我们反而登科，怎不惭愧！”于是上疏说：“刘蕡的议论，汉魏王朝以来，没有人可以相比。主管官员认为刘蕡直率的抨击侍奉在陛下左右的宦官，不敢奏报陛下得知。我恐怕忠良自此走投无路，国家的希望跟着毁灭。况且我的意见比刘蕡相差太多，请把我的官职转授给刘蕡，表扬他的正直（当时，李郃任东都洛阳市政府〔河南府〕参谋官〔参军事〕）。”没有下文。刘蕡从此不能到中央任职，终生当一个战区（节度使）的幕僚（《新唐书·刘蕡传》：刘蕡先后任山南东道〔总部襄州〕及山南西道〔总部兴元府〕幕僚）。杜牧，是杜佑的孙儿（杜佑曾任宰相，参考八〇三年三月）。马植，是马勋的儿子（马勋，参考七八四年二月二十五日）。王式，是王起的儿子（王起，参考八二一年四月）。崔慎由，是崔融的玄孙（崔融，参考七〇〇年十二月）。

5 夏季，六月，晋王李普逝世（李普，是十六任帝李湛的儿子）。

六月七日，李昂封李普绰号：悼怀太子。

6 最初，李昂的娘亲萧太后自幼离开乡里，还有一个小弟。李昂登极后，命福建道（首府设福州〔福建省福州市〕）行政长官（观察使）查访寻求，无法找到。正巧一位运茶工人萧洪，说他有一个姐姐，从小失散，不知流落何方。商人赵缜遂带着他晋见萧太后的近亲吕璋的妻子，她也不能分辨真假，于是一同晋见萧太后。李昂认为终于找到了真正舅父。

六月十日，李昂命萧洪当太子宫图书馆长（太子洗马）。

7 峰州（越南河内市西北永安市）州长王升朝，背叛中央。

六月二十六日，安南都护（越南河内市）武陵（湖南省常德市）人韩约，出军讨伐，斩王升朝（峰州属安南军管区）。

8 成德战区（总部设镇州〔河北省正定县〕）司令官（节度使）王庭凑暗中派出军队，又运食盐粮秣等，帮助李同捷，李昂打算讨伐王庭凑。

秋季，七月二十日，命立法院（中书省）集合文武百官讨论，宰相以下官员，没有人敢提出不同的意见，只有军械供应部长（卫尉卿）殷侑反对，说："王庭凑虽然依附叛徒，但犯罪行为还不太明显，应该暂时包容，而用全副力量对付李同捷。"（殷侑，是陈州〔河南省周口市淮阳区〕人。）

八月十六日（原文误置于七月，据《新唐书》改），李昂下诏宣布王庭凑罪状，命相邻各战区严阵以待，等候王庭凑改过自新。

9 九月四日，武宁战区（总部设徐州〔江苏省徐州市〕）司令官（节度使）王智兴奏报说：攻克棣州（山东省惠民县）。

10 横海战区（总部设沧州〔河北省沧州市东南〕）新任司令官（节度使）李寰，自保义战区（总部设晋州〔山西省临汾市〕）率军东下到差，对士卒不加约束，一路奸淫烧杀劫掠，走到哪里，就逗留在哪里，迟迟不肯前进，却拼命向地方政府索取供应。

九月七日，中央改命李寰当夏绥战区（总部设夏州〔陕西省靖边县北白城则村〕）司令官（节度使）。

11 九月十一日，李昂下诏免除王庭凑所有官爵，命各战区军队从四面进攻（《新唐书·藩镇镇冀传》记载，义武〔总部定州〕兵团攻新乐〔河北省新乐市〕、行唐〔河北省行唐县〕，昭义〔总部潞州〕兵团攻临城〔河北省临城县〕，又引导漳水水攻深州〔河北省深州市〕、冀州〔河北省衡水市冀州区〕）。

12 加授武宁战区（总部设徐州〔江苏省徐州市〕）司令官（节度使）王智兴中央官衔：暂任司徒（守司徒，三公之二）。命夏绥战区（总部设夏州

〔陕西省靖边县北白城则村〕）前任司令官（节度使）傅良弼，当横海战区（总部设沧州〔河北省沧州市东南〕）司令官（节度使）。

13 岳王李绲逝世（李绲，是十三任帝李诵的儿子，李昂的叔祖父）。

14 九月二十七日，容州军管区（首府设容州〔广西容县〕）奏报说：安南军管区（首府设安南府〔越南河内市〕）发生兵变，驱逐总督（都护）韩约。

15 冬季，十月，洋王李忻（李寰）逝世（李忻，是十四任帝李纯的儿子、李昂的叔父）。

16 魏博战区（总部设魏州〔河北省大名县〕）在平原（山东省平原县）击败横海战区（总部设沧州〔河北省沧州市东南〕）变军，攻克县城。

17 十一月一日，义武战区（总部设定州〔河北省定州市〕）司令官（节度使）柳公济奏报说：击败横海（沧州）变军，攻克坚固寨（河北省沧县境），在寨东再击败变军。

当时，黄河南北各战区特遣兵团讨伐李同捷，很久不能成功，偶尔有一次小胜，就大肆夸张格杀及俘虏的数目，以求赏赐，中央竭尽全力供应，江淮（华东地区）被搜刮得民穷财尽。

18 傅良弼走到陕州（河南省三门峡市），逝世。

十一月三日，命左金吾（卫军第十一军）大将军李祐，当横海战区（总部设沧州〔河北省沧州市东南〕）司令官（节度使）。

19 十一月二十二日，皇宫昭德寺失火，火势蔓延到宫女居住的地方，烧死宫女数百人。

20 十二月六日，王智兴奏报说：他所属的作战司令（兵马使）李君谋，率军渡河（注入渤海的鬲津河），攻破无棣（河北省盐山县东南庆云镇。《新唐书·藩镇横海传》更记载李君谋收降饶安〔河北省盐山县西南〕士卒五千人）。

21 十二月二十一日，副立法长（中书侍郎）、二级实质宰相（同平章事）韦处厚逝世（年五十六岁）。

22 横海（沧州）变军首领李同捷在战场上不断挫败，成德（镇州）无法援救，乃派人游说魏博（魏州）大将亓志绍（亓，音qí〔奇〕），唆使他诛杀史宪诚父子，夺取魏博战区（总部设魏州〔河北省大名县〕）。亓志绍于是倒戈，率领部队二万人，回军反攻魏州（河北省大名县）。

十二月二十六日，李昂派监督院高级顾问官（谏议大夫）柏耆，前往魏博（魏州）安抚慰劳；并命义成（滑州）、河阳（河阳县）二战区出兵攻击亓志绍。

23 十二月二十七日，李昂命皇家文学研究官（翰林学士）路隋，当副立法长（中书侍郎）、二级实质宰相（同平章事）。

24 十二月三十日，史宪诚奏报说：叛将亓志绍率军驻扎永济（山东省冠县北北馆陶镇）；向中央请求紧急援助。李昂下诏命义成战区（总部设滑州〔河南省滑县〕）司令官（节度使）李听，率沧州（河北省沧州市东南）各战区特遣兵团，讨伐亓志绍。

八二九年 己酉

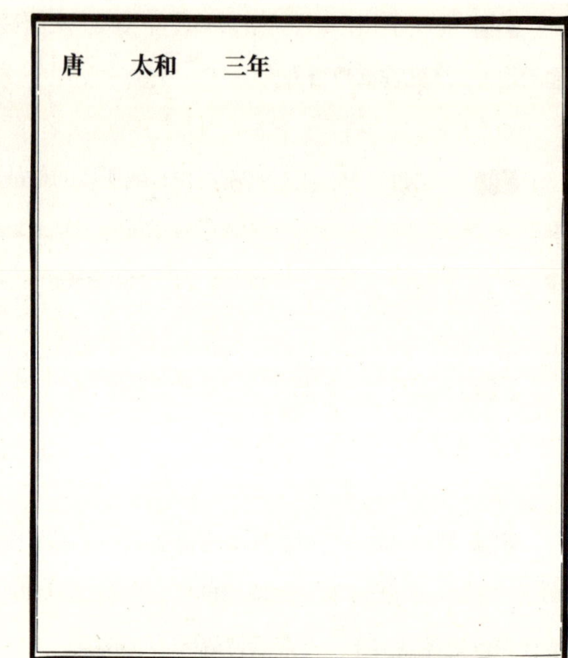

1 春季，正月，魏博战区（总部设魏州〔河北省大名县〕）变军将领亓志绍（亓，音qí〔奇〕），跟成德战区（总部设镇州〔河北省正定县〕）变军，联合劫掠贝州（河北省清河县。亓志绍事，参考去年〔八二八〕十二月）。

2 唐王朝（首都长安〔陕西省西安市〕）义成战区（总部设滑州〔河南省滑县〕）特遣兵团士卒三千人，先前驻扎齐州（山东省济南市），奉命调往禹城（山东省禹城市），走到半路，兵变，溃散逃回；横海战区（总部设沧州〔河北省沧州市东南〕）司令官（节度使）李祐出军截击，三千人全部诛杀。

3 义成战区（总部设滑州〔河南省滑县〕）司令官（节度使）李听、魏博战区（总部设魏州〔河北省大名县〕）副司令长官（副大使）史唐，联合攻击亓志绍，把亓志绍击破。

亓志绍率他的直属部众五千人，投奔镇州（成德战区总部，河北省正定县）。

4 卢龙战区（总部设幽州〔北京市〕）候补司令官（留后）李载义奏报说：攻击沧州（河北省沧州市东南）所属的长芦（沧州市），攻克。

5 正月二十三日，昭义战区（总部设潞州〔山西省长治市〕）奏报说：亓志绍的残余部众一万五千人，前来本战区投降，已把他们安置洺州（河北省邯郸市永年区东南广府镇）。

6 二月，横海战区（总部设沧州〔河北省沧州市东南〕）司令官（节度使）李祐，率各战区特遣兵团攻击横海战区（总部沧州）变军首领李同捷，把变军击破；乘胜继续进攻德州（山东省德州市陵城区。德州属横海战区）。

7 武宁战区（总部设徐州〔江苏省徐州市〕）搜索作战司令（捉生兵马使）石雄，十分勇敢，而且爱护士卒。战区司令官（节度使）王智兴残忍暴虐，官兵们想驱逐王智兴，拥护石雄；王智兴得到消息，遂利用石雄建立战功机会，上疏中央，推荐石雄担任州长。

二月六日，中央任命石雄当壁州（四川省通江县）州长。

8 魏博战区（总部设魏州〔河北省大名县〕）司令官（节度使）史宪诚，听到横海（沧州）变军将被消灭的消息，大为恐惧，他的儿子史唐劝他前往中央朝见。

二月十六日，史宪诚派史唐携带奏章，前往京师（首都长安），请求准许他到中央朝见，并将军政大权缴回中央。

9 石雄一离开徐州（江苏省徐州市），武宁（总部徐州）司令官（节度使）王智兴，就把军中跟石雄有交情的官员一百余人，全部诛杀。

夏季，四月九日，王智兴上疏指控石雄图谋不轨，动摇军心，请求处决石雄。唐帝（十七任文宗）李昂（李涵。本年二十二岁）明知道这是一种诬陷，但无法拒抗军阀的压力，只好认定石雄有罪，但下令免除石雄死刑，终身流放白州（广西博白县）。

10 四月十九日，卢龙战区（总部设幽州〔北京市〕）候补司令官（留后）李载义奏报说：进攻沧州（河北省沧州市东南）的特遣兵团，攻破外城。横海战区（总部设沧州〔河北省沧州市东南〕）司令官（节度使）李祐攻克德州（山东省德州市陵城区），守城变军三千余人，逃往镇州（河北省正定县。投奔成德）。

横海战区（总部设沧州〔河北省沧州市东南〕）变军首领李同捷，眼看大势已去，写信给李祐，请求投降。李祐接受，并把该信奏报中央，中央派监督院高级顾问官（谏议大夫，正四品下）柏耆，前往安抚慰问（柏耆，参考八一八年三月）。中央讨伐军总部一向喜爱夸大声势，用苛刻的军法控制各将领，各将领早有强烈反感。现在，李同捷向李祐

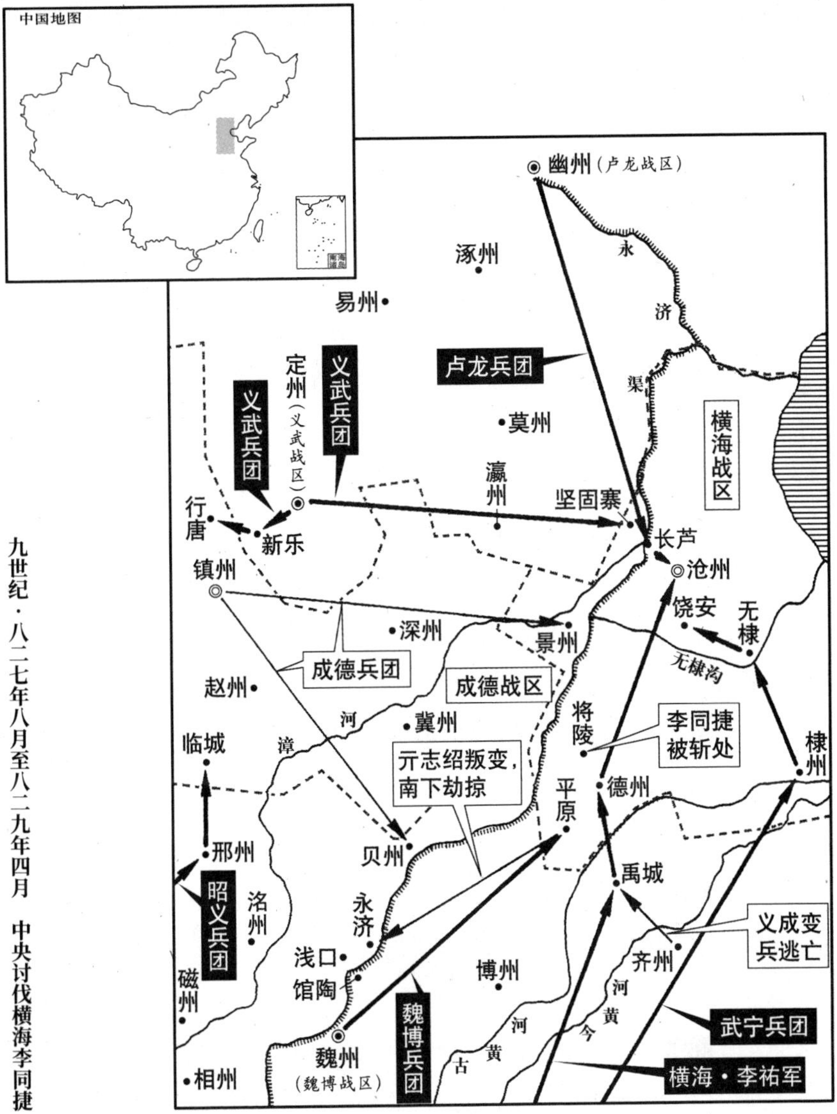

九世纪·八二七年八月至八二九年四月　中央讨伐横海李同捷

中国地图
南海诸岛
幽州（卢龙战区）
永
济
渠
涿州
易州
卢龙兵团
定州（义武战区）
义武兵团
义武兵团
莫州
横海战区
瀛州
坚固寨
长芦
沧州
行唐
新乐
镇州
饶安
无棣
无棣沟
深州
景州
成德兵团
成德战区
赵州
河
漳
冀州
将陵
李同捷被斩处
棣州
临城
亓志绍叛变，南下劫掠
平原
德州
邢州
贝州
禹城
昭义兵团
洺州
永济
义成变兵逃亡
浅口
齐州
馆陶
博州
河
黄
磁州
河
黄
今
武宁兵团
魏博兵团
魏州（魏博战区）
古
横海·李祐军
相州

投降，李祐派大将万洪率军进入沧州（河北省沧州市东南），从李同捷手中接管防务。柏耆怀疑李同捷心怀奸诈，可能发生变化，于是亲自率领骑兵数百人，奔入沧州（河北省沧州市东南），找一个借口，诛杀万洪，逮捕李同捷和他的家属，押解送往京师（首都长安）。

四月二十六日，走到将陵（山东省德州市陵城区北），听说成德（总部镇州）变军首领王庭凑，准备派奇袭部队救出李同捷。于是柏耆斩李同捷，把人头送到京师（首都长安）。横海战区（总部设沧州〔河北省沧州市东南〕）一场变乱，全部削平（变乱长达三年两个月。李同捷起兵事，参考八二六年三月）。

五月十二日，中央命卢龙战区（总部设幽州〔北京市〕）司令官（节度使）李载义，遥兼二级宰相（同平章事，使相）。

各战区特遣兵团讨伐李同捷，苦战三年，不过勉强胜利，而柏耆却抢先入城，当作他一个人的功劳，各将领大为愤怒，纷纷向皇帝控诉。

五月十三日，李昂下令贬柏耆当循州（广东省惠州市）户籍官（司户）。不久，李祐也逝世。

11 五月二十四日，魏博战区（总部设魏州〔河北省大名县〕）摄理副司令官（摄副使）史唐奏报改名史孝章。

12 六月八日，李昂（李涵）下诏说：“中央讨伐成德战区（总部设镇州〔河北省正定县〕）各战区特遣兵团，应各自返防休息，只负责保护边境不受侵扰，不准跟成德（总部镇州）来往，只有在变军首领王庭凑表示归顺中央时，才可以接受他的奏章、转报中央；其他任何东西都不准接受。”

13 六月十三日，中央加授史宪诚中央官衔：兼任最高监督长（兼侍中，使相），充当河中战区（总部设河中府〔山西省永济市〕）司令官（节度使），而命义成战区（总部设滑州〔河南省滑县〕）司令官（节度使）李听，兼魏博战区（总部魏州）司令官（节度使）。中央从魏博战区（总部魏州）中分割相州（河南省安阳市）、卫州（河南省卫辉市）、澶州（河南省内黄县东南）三州，另设相卫澶战区（总部相州），命史孝章（史唐）当司令官（节度使）。

14 最初，横海战区（总部沧州）司令官（节度使）李祐，听到柏耆诛杀万洪消息，大为惊恐，病势加重。李昂（李涵）说："李祐如果死了，是柏耆杀他！"

六月二十五日，李昂下令柏耆自杀（根据《旧唐书·柏耆传》，柏耆不因李祐致死，而是宦官马国亮奏报柏耆夺取李同捷婢女九人，李昂才把他处决）。

15 河东战区（总部设太原府〔山西省太原市〕）司令官（节度使）李程奏报说：接到王庭凑的信，请求呈献景州（河北省泊头市。景州本属横海战区，李同捷割据时，王庭凑乘机夺取）。又奏报说：亓志绍上吊自杀。

16 李昂派宦官送给史宪诚，兼任最高监督长（兼侍中，使相）及河中战区（总部河中府）司令官（节度使）旌旗符节。

六月二十五日，钦差宦官抵达魏州（魏博战区总部，河北省大名县）。当时，新司令官（节度使）李听，自贝州（河北省清河县）前线回军，扎营馆陶（河北省馆陶县，南与魏州〔河北省大名县〕航空距离二十五公里），逗留拖延，不再前进。史宪诚把公库里所有金银财宝、绸缎布匹，搬运一空，准备全部带往河中（山西省永济市），将领们大为愤怒。

六月二十六日，兵变，斩史宪诚，拥护内营总作战司令（牙内都知兵马使）灵武（宁夏永宁县西南）人何进滔，代理候补司令官（知留后）。李听率军进抵魏州（河北省大名县）城下，何进滔拒绝接受，李听不能入城。

秋季，七月，何进滔发动突袭，李听军没有戒备，大败崩溃，士卒四散，李听率残兵败将日夜不停的逃亡，北奔浅口（河北省馆陶县西北），死伤及逃亡超过一半，武器粮食等军用物资，全部丧失。幸好昭义战区（总部设潞州〔山西省长治市〕）特遣兵团出动援救，李听才逃出一死，投奔滑台（河南省滑县，义成战区总部所在城）。

黄河以北地区长期战乱，粮食无法供应，中央政府既厌倦又困苦，对新兴的军阀，束手无策，只有屈服。

八月五日，李昂命何进滔当魏博战区（总部设魏州〔河北省大名县〕）司令官（节度使），归还相州（河南省安阳市）、卫州（河南省卫辉市）、澶州（河南省内黄县东南）。

17 沧州（河北省沧州市东南）在战乱之后，遍地白骨，城池一空，郊野荒凉，仍活着的人，不到从前的十分之三四（所谓从前，指八二六年李同捷反抗中央之前，三年左右，人民死散十分之六七，可悲）。

八月六日，中央命军械供应部长（卫尉卿）殷侑，当新设立的沧齐德景战区司令官（横海战区从此撤销，两年后〔参考八三一年正月〕，改名义昌战区，直到十世纪〇〇年代唐王朝亡）。殷侑到任后，跟士卒同甘共苦，安抚人民，奖励他们种田养蚕，失散在外的农民渐渐返回本土，社会生产力才渐渐恢复（兵凶战危，李同捷不过一个微不足道的小军阀，为时不过三年，便给人民带来如此可怕灾难）。

从前，本战区武装部队三万人，全靠中央财政总监署（度支）供应。殷侑到任一年，所有的租税，能支付一半；到任二年，已可以完全自己负担，请求中央停止供应；三年之后，户口大量增加，仓库满盈。

18 成德战区（总部设镇州〔河北省正定县〕）变军首领王庭凑，透过相邻的其他战区，稍微表示有意服从中央。

八月二十五日，李昂下诏赦免王庭凑跟他的部将，恢复他们原来的官职爵位。

19 李昂征召浙西道（首府设润州〔江苏省镇江市〕）行政长官（观察使）李德裕，回京（首都长安）当国防部副部长（兵部侍郎）。裴度推荐李德裕担任宰相，但另一位资格相同的文官部副部长（吏部侍郎）李宗闵，在宦官协助下取得胜利。

八月二十七日，李昂命李宗闵当二级实质宰相（同平章事）。

20 李昂性情节俭，生活朴实。

九月四日，下令左右神策军总指挥宦官（中尉）以下将领，不可以穿绫罗绸缎。李昂处理政务之余，只喜爱读书，在阅读中取得乐趣，对美女、音乐、打猎、声色犬马，都不太留意。驸马韦处仁，曾经头戴“夹罗巾”（当时贵族子弟流行的一种帽子），李昂告诉他说：“我敬佩你家的清高，所以选你迎娶公主（韦处仁娶十五任帝李恒的女儿义丰公主，是李昂的姐妹），像这样的帽子，随他们别的皇亲国戚去戴，你不必跟他们一样。”

21 九月十五日，命李德裕当义成战区（总部设滑州〔河南省滑县〕）

司令官（节度使）。李宗闵厌恶李德裕威胁自己的地位，所以把他逐出中央。

22 冬季，十月九日，命李听当太子少师（太子三少之一）。

23 宰相路隋报告李昂说：“宰相的责任重大，不应该再兼办金钱粮食之类的细小琐事，像杨国忠（参考七四八年六月）、元载（参考七六二年三月）、皇甫镈（音bó〔博〕。参考八一八年九月），身兼财务，都是奸邪的行为，不应该效法。”李昂认为有理；于是裴度请求辞去全国财政总监（度支）；李昂批准。

24 十一月十八日，李昂前往圆形神坛祭祀天神；赦免天下。下诏禁止四方官员呈献奇怪巧妙的东西，包括纤细美丽的布匹在内，并下令把纺织这种布匹的织布机，一并焚毁。

25 十一月二十日，西川战区（总部设成都府〔四川省成都市〕）司令官（节度使）杜元颖奏报说：“南诏王国（首都苴咩城〔云南省大理市〕）武装部队侵入大唐边境！”

杜元颖曾经当过宰相（参考八二一年六月），风度高贵，态度文雅，自认为高人一等，但不懂军事，只懂贪污聚敛和克扣士卒的衣服钱粮。于是，西南疆界上的边防军官兵，衣服和粮秣，都发生短缺，无法充分供应，边防军只好侵入南诏王国（云南省）掳掠抢劫，用以自救；南诏人民反而供应这些盗匪一样的唐王朝边防军，送给他们衣服和粮食。于是，西川战区（总部成都府）的虚实动静，南诏政府了如指掌。南诏亲王（大容）蒙嵯颠（嵯，音cuó〔痤〕），秘密计划向唐王朝发动大规模攻击（蒙嵯颠杀五任王劝龙晟事，参考八一六年二月），沿边各州不断向总部提出警告，杜元颖一概不信，以致蒙嵯颠大军抵达边塞时，边塞毫无准备。南诏兵团用西川战区士卒当向导，一连攻陷嶲州（四川省西昌市。嶲，音xī〔西〕）、戎州（四川省宜宾市）。

十一月二十八日，杜元颖出动军队，在邛州（四川省邛崃市。邛，音qióng〔穷〕）南方跟南诏兵团会战，西川军大败，南诏兵团（云南省）遂攻陷邛州（四川省邛崃市）。

26 武宁战区（总部设徐州〔江苏省徐州市〕）司令官（节度使）王智兴，前往京师（首都长安）朝见。

27 李昂下诏命东川战区（总部设梓州〔四川省三台县〕）、山南西道战区（总部设兴元府〔陕西省汉中市〕）、荆南战区（总部设江陵府〔湖北省江陵县〕）各派特遣兵团，增援西川（总部成都府）。

十二月一日，李昂再下诏命武昌战区（总部设鄂州〔湖北省武汉市〕）、山南东道战区（总部设襄州〔湖北省襄阳市〕）、忠武战区（总部设许州〔河南省许昌市〕）各派特遣兵团，继续增援。

28 命王智兴当忠武战区（总部设许州〔河南省许昌市〕）司令官（节度使）。

29 十二月三日，命东川战区（总部设梓州〔四川省三台县〕）司令官（节度使）郭钊，当西川战区（总部都府）司令官（节度使），兼暂任东川战区（总部梓州）司令官（兼权节度事）。

蒙嵯颠自邛州（四川省邛崃市）率军直扑成都（四川省成都市）。

十二月四日，南诏军攻陷成都外城。杜元颖率部队退保内城抵抗，三番五次想弃城逃走。

十二月六日，李昂下令贬杜元颖当邵州（湖南省邵阳市）州长。

30 十二月十三日，李昂命右领军（卫军第八军）大将军董重质，当神策军暨各战区特遣兵团西川（总部成都府）大营司令官（节度使）。再命河东战区（总部设太原府〔山西省太原市〕）、凤翔战区（总部设凤翔府〔陕西省宝鸡市凤翔区〕）各派特遣兵团，增援西川（总部成都府）。

南诏兵团（云南省）攻击东川战区（总部设梓州〔四川省三台县〕），进入梓州（四川省三台县）西城，战区司令官（节度使）郭钊，兵少将寡，力量衰弱，不能抵抗，只好写信给蒙嵯颠，责备他发动侵略，破坏两国友谊，蒙嵯颠回信说："杜元颖百般骚扰，我们只是有怨报怨，有仇报仇而已。"跟郭钊重订盟好誓约，遂即撤退。

南诏兵团（云南省）驻扎成都（四川省成都市）西城十天，开始时对汉人十分和善，百般安抚，所以街市店铺照常开张，一如平常。可是，南诏兵团（云南省）将要撤退时，霎时翻脸，大肆掳掠青年男女，以及各种行业的技术工匠，约数万人，连同所有的金银财货，向南而去。大家恐慌畏惧，很多人投江自杀，尸体塞满江面，翻滚而下。蒙嵯颠亲自率军担任后卫，阻止唐军追击及防止俘虏逃亡。走到大度水（大渡河），蒙嵯颠向蜀人宣布说："再往南走，就是我们的国境，你们不可能再回来，让你们哭别祖国故土！"大家放声大哭，跳大度水（大渡河）而死的，以千为计算单位。从此之后，南诏王国（首都苴咩城〔云南省大理市〕）工艺技巧，巴蜀地区相当。

蒙嵯颠派使节到长安，上疏唐帝李昂，说："我们近来严守职责，按期进贡，怎么敢侵犯边境？只因杜元颖不体恤他的士卒，士卒们对杜元颖痛恨入骨，争着当我们的向导，请求我们派正义之师，诛杀暴虐统帅。我们没有如愿以偿的诛杀杜元颖，实无法安抚贵国西川战区（总部成都府）的军心，请陛下斩杜元颖。"

十二月二十一日，李昂把杜元颖再贬作循州（广东省惠州市）军务秘书长（司马）。下诏命董重质及各特遣兵团，各回所属战区。郭钊抵达成都（四川省成都市），跟南诏签订双边条约，互不侵犯。李昂派宦官送亲笔信给蒙嵯颠。

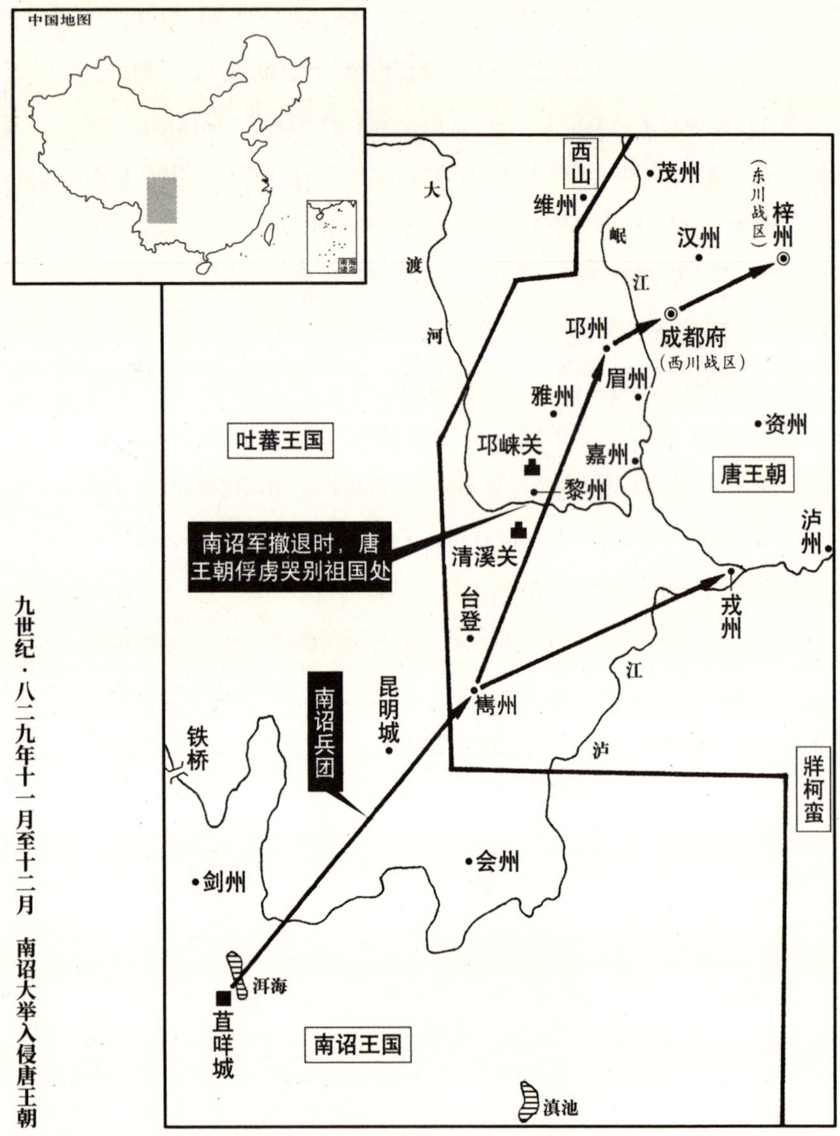

九世纪·八二九年十一月至十二月　南诏大举入侵唐王朝

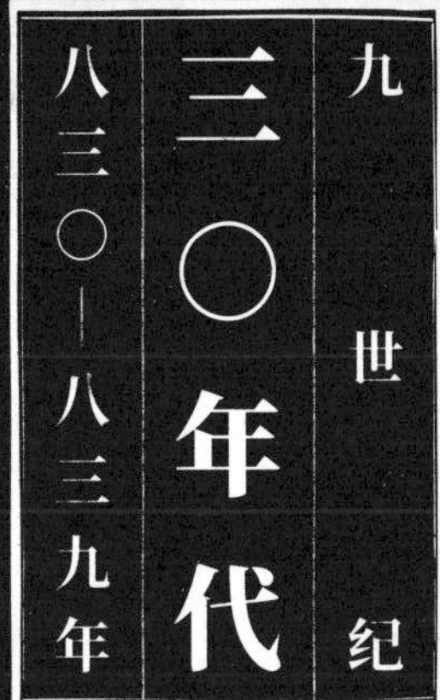

唐王朝

- 山南西道战区兵变，杀李绛。
- 卢龙战区兵变，逐李载义。第二次兵变，逐杨志诚。
- 李隆基幽闭血亲政策不能解除。
- 甘露事变。
- 河阳战区兵变，逐李泳。

- 阿拉伯帝国攻陷西西里岛的巴勒摩城。
- 意大利威尼斯圣马可教堂落成，专藏圣马可遗骨。
- 日本淳和天皇让位于仁明天皇（第五十四任）。
- 法兰克国王路易，被他的儿子们在冈比恩（巴黎东北）俘虏，旋释放重新执政。
- 新罗王国内乱，发生王位争夺战。

八三〇年 庚戌

唐　太和　四年

1 春季，正月六日，唐王朝（首都长安〔陕西省西安市〕）武昌战区（总部设鄂州〔湖北省武汉市〕）司令官（节度使）牛僧孺，进京（首都长安）朝见。

2 正月十三日，唐帝（十七任文宗）李昂（李涵。本年二十三岁）封皇子李永为鲁王。

3 宰相李宗闵竭力向皇帝推荐牛僧孺（牛僧孺罢免事，参考八二五年正月）。

正月十六日，李昂命牛僧孺当国防部长（兵部尚书）、二级实质宰相（同平章事）。李牛二人结合，共同排斥李德裕的党羽，逐渐把他们逐出中央。

4 南诏王国（首都苴咩城〔云南省大理市〕）攻击成都（四川省成都市）的时候，李昂下诏命山南西道战区（总部设兴元府〔陕西省汉中市〕）出军增援，可是现役士卒太少，战区司令官（节度使）李绛，临时募兵一千人前往，还没有走到，南诏兵团已经撤退，遂全军返回。因战区常备军有一定数目，中央下令把这批新兵遣散。

二月十日，李绛召集全体新兵讲话，宣布这项命令，命他们各自回乡，并且赏赐小麦粮食。新兵们大失所望，闷闷退出，前往监军宦官那里辞别，监军宦官杨叔元一向痛恨李绛不奉承自己，遂指出赏赐太少，故意挑拨大家感情，众怒果然爆发，嘶喊呼号，抢夺武器，直扑战区总部。李绛正跟幕僚们饮酒欢宴，没有任何戒备，得到消息，急逃到北城。有人劝他缒出城外，李绛说："我是统帅，怎么可以离城！"命审判官（推官）赵存约逃走，赵存约说："我身受你知遇之恩，不能临难偷生！"营门官（牙将）王景延抵抗追击的变军，力竭而死，李绛、赵存约，以及道政府行政执行官（观察判官）薛齐，都被变军诛杀（李绛年六十七岁），变军更屠杀李绛全家。

二月十三日，监军宦官杨叔元奏报说："李绛吞没新兵的遣散费，导致兵变。"

二月十五日，李昂命国务院右秘书长（尚书右丞）温造，当山南西道战区（总部设兴元府〔陕西省汉中市〕）司令官（节度使）。当时，三院（三省）官员上疏共同指出李绛冤屈；监督院高级顾问官（谏议大夫）孔敏行具体报告杨叔元激起兵变的经过，李昂才明白。

5 三月一日，李昂命国务院司法部长（刑部尚书）柳公绰，当

河东战区（总部设太原府〔山西省太原市〕）司令官（节度使）。 420

从前，回鹘汗国（瀚海沙漠群）向唐王朝进贡或跟唐王朝贸易时，所经过的地方，唐王朝地方政府恐怕发生变故，经常都要派军迎接和护送，用以防范意外。柳公绰到任后，回鹘政府派伯爵（梅录）李畅，运马一万匹到唐王朝出售，柳公绰只不过派一个营门官（牙将）单人匹马到边境上迎接慰劳。李畅抵达太原后，战区总部大开辕门，接受他礼貌上的谒见。李畅感动得流泪哭泣，告诫他的部下，沿途不准奔驰打猎，一点也没有侵扰。

陉岭（山西省代县西北句注山）以北沙陀部落，一向骁勇善战（沙陀部落定居神武川〔山西省山阴县东，位陉岭北〕，参考八〇九年六月），九姓部落（山西省西北部落，参考七一七年七月）和六州胡（即“河曲六胡州部族”，参考八一四年二月），都畏惧屈服。柳公绰上疏建议任命他们的酋长朱邪执宜当阴山军区（羁縻军区）总司令（都督），兼代北（代州〔山西省代县〕以北）特遣兵团大营慰劳安抚特使，派他们驻扎云州（山西省大同市）、朔州（山西省朔州市）边塞一带，保卫北方边疆。朱邪执宜率各部酋长前往太原（山西省太原市）晋见柳公绰，柳公绰设宴招待。朱邪执宜神采焕发，态度严肃，进退举止，都彬彬有礼。柳公绰告诉幕僚们说：“朱邪执宜外表严肃，内心宽厚，说话缓慢，条理分明，是个有福气的人。”朱邪执宜的娘亲和妻子，也到后堂参拜柳公绰的妻子，柳公绰命妻子设宴款待，馈赠礼物，把她们送回。朱邪执宜感激，竭尽全力回报。沿边有十一个要塞已经颓废，朱邪执宜一一把它们修复，派他的部落军三千人分别守卫，从此，其他部族不敢侵犯边疆（其他部族，指退浑〔即吐谷浑，山西省北部及黄河河套〕、回鹘、鞑靼〔散布于蒙古国中部至瀚海沙漠群〕、契丹〔辽河上游〕、霫〔辽河以北〕、奚〔滦河上游〕、室韦〔内蒙古东北部〕等部落）。

6 山南西道战区（总部设兴元府〔陕西省汉中市〕）司令官（节度使）温造，抵达褒城（陕西省勉县东褒城镇），正巧遇到大将卫志忠，讨伐蛮夷部落班师，温造跟卫志忠秘密计划诛杀变军，于是把卫志忠所率领的野战军八百人，改编为温造的侍卫营，派五百人当前锋。抵达兴元（陕西省汉中市），进入官邸后，分别接管各门。

三月五日，温造登堂处理公务，在军营大门摆设酒席，宴请全体将士，温造宣布说："我打算亲自询问新兵愿去愿留的意见，教他们全体集合！"集合之后，温造向大家表示安抚慰劳，命他们入席饮酒。这时，卫志忠秘密行动，侍卫营开始包围现场，等包围完成，一声令下："杀！"新兵八百余人，全被乱刀砍死。杨叔元心胆俱裂，从座位上跳起来，跪下抱住温造的靴子，哀求饶他一命，温造命逮捕杨叔元囚禁。动手诛杀李绛的人，被砍成一百段；其他变兵全部斩首，把尸首投入汉水，用一百颗人头向李绛献祭，三十颗人头祭祀其他死难的人；然后把执行情形，奏报中央。

三月十五日，把杨叔元流放康州（广东省德庆县）。

7 三月二十九日，命淮南战区（总部设扬州〔江苏省扬州市〕）司令官（节度使）段文昌，遥兼二级宰相（同平章事，使相），调任荆南战区（总部设江陵府〔湖北省江陵县〕）司令官（节度使）。

8 奚部落（滦河上游）攻击幽州（北京市）。

夏季，四月三日，卢龙战区（总部设幽州〔北京市〕）司令官（节度使）李载义，把奚部落军击破。

四月十七日，生擒奚部落酋长（奚王）茹羯，呈献京师（首都长安）。

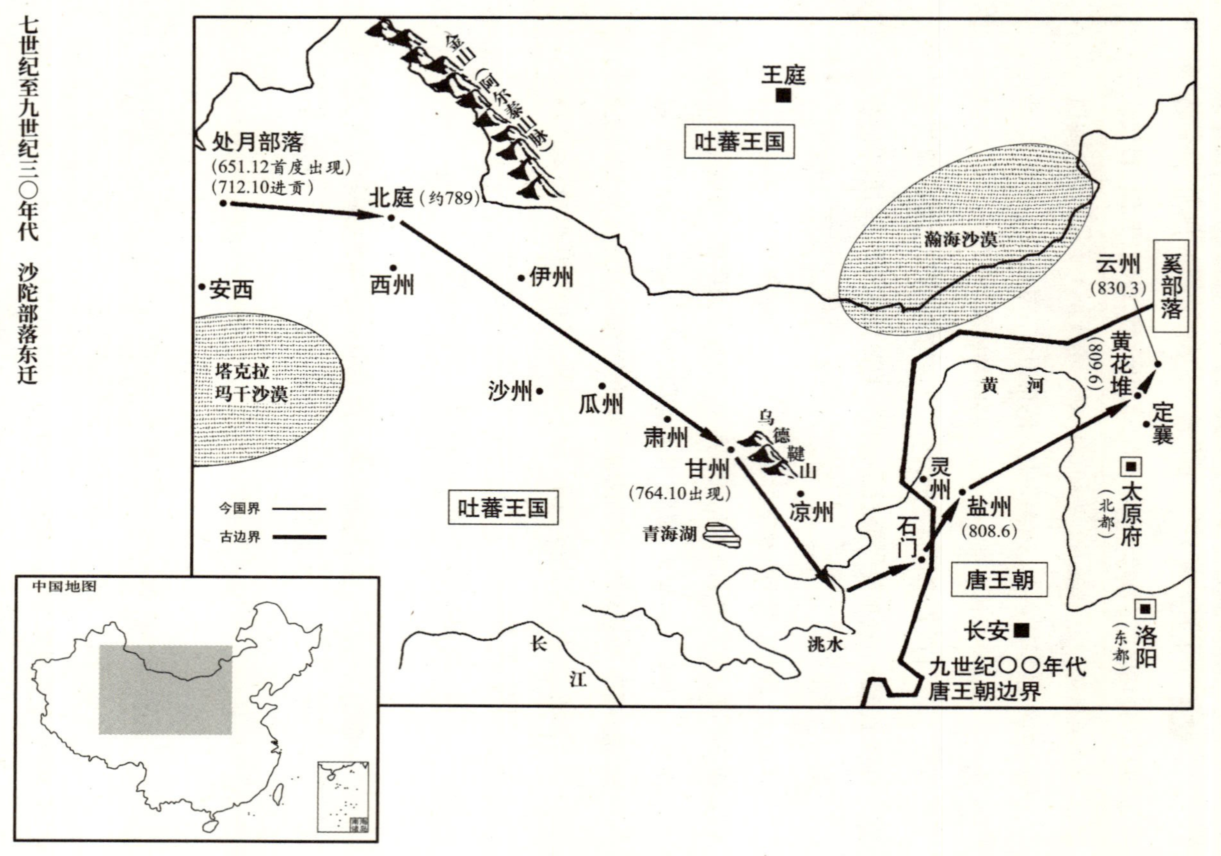

七世纪至九世纪三〇年代　沙陀部落东迁

9 宰相裴度因年老多病（本年六十六岁），恳切提出辞呈。

六月五日，李昂命裴度当司徒（三公之二）、特级实质宰相（平章军国重事。此最高荣誉，一向不轻易授予别人，上一次是刘幽求，参考七一三年八月）；在病势稍微减轻时，每隔三、五天，去一次宰相联合办公厅（中书）。

李昂忧虑宦官势力膨胀，且谋杀祖父李纯（十四任帝宪宗）及老弟李湛（十六任帝敬宗）的凶手党羽，仍在自己左右。左神策军总指挥宦官（中尉）王守澄，尤其专擅蛮横，独断专行，大肆接受贿赂，李昂无法控制。曾经跟皇家文学研究官（翰林学士）宋申锡暗中谈到这件事，宋申锡建议逐渐解除王守澄的权力。李昂认为宋申锡稳重忠实，谨慎小心，可以靠他完成大事，遂擢升他当国务院右秘书长（尚书右丞）。

七月十一日，更命宋申锡兼二级实质宰相（同平章事）。

10 最初，裴度讨伐淮西战区（总部设蔡州〔河南省汝南县〕）变军（参考八一七年七月），特地延揽李宗闵当道政府行政执行官（观察判官），李宗闵从此渐受重用。而今，李宗闵对裴度推荐李德裕当宰相（参考去年〔八二九〕八月），大不谅解，遂趁着裴度患病离职的机会，把裴度逐出中央。

九月十一日，李昂下诏命裴度遥兼最高监督长（兼侍中，使相），充任山南东道战区（总部设襄州〔湖北省襄阳市〕）司令官（节度使）。

11 西川战区（总部设成都府〔四川省成都市〕）司令官（节度使）郭钊，因病辞职，请中央派人接替。

冬季，十月七日，李昂调义成战区（总部设滑州〔河南省滑县〕）司令官（节度使）李德裕，当西川战区（总部成都府）司令官（节度使）。

西川战区（总部成都府）自南诏兵团（云南省）入侵，社会残破凋零，郭钊患病在身，没有时间整顿。李德裕到差后，兴建筹边楼，作为边防作战指挥中心，画出西川战区地图，南方包括南诏王国（首都苴咩城〔云南省大理市〕）、西方包括吐蕃王国（首都逻些城〔西藏拉萨市〕）。每天召请长期在军中、熟悉军事和边事的人，即令是挑担赶车做小生意的，甚至是蛮夷人士，也都一一延见，李德裕向他们询问山川形势、城镇位置，以及道路远近分布情形，是险是易，是宽是窄。没有超过一个月，都熟悉得好像亲自到过。

李昂命李德裕兴筑清溪关（四川省石棉县东南），用以阻断南诏（云南省）入侵的要道，如果没有土，就用石头堆积（清溪公路，参考八五九年十二月）。李德裕上疏说："唐朝跟南诏（云南省）之间，交通小道太多，绝不可能仅靠筑一个'关'就能完全堵塞。只有派重兵到各地防守，才可以没有忧虑；黎州（四川省汉源县）、雅州（四川省雅安市）一带能有一万人，成都（四川省成都市）一带能有二万人，训练成精锐部队，才可以克制南诏（云南省）轻举妄动。但边防军的数目，也不应该太多，中央必须随时能够控制。从前，崔旰（崔宁）诛杀郭英乂（参考七六五年闰十月），张朏驱逐张延赏（参考七八三年十一月。朏，音fěi〔匪〕），用的都是边防部队。"当时，北方各战区特遣兵团都已返防，只有河中（总部河中府）、忠武（总部许州）两战区特遣兵团三千人，留驻成都（四川省成都市），皇帝诏书也已下达，定明年（八三一）三月北返，西川战区（总部成都府）人民惊慌不安。李德裕上疏请求义成战区（总部滑州）派五百人、忠武战区（总部许州）派一千人，留下来协防西川（总部成都府），强调说："西川（总部成都府）官兵力量脆弱，尤以新近被南诏（云南省）击败，一个个胆都吓破，已经不能再胜任征战，如果北方军队再全部调回，则又恢复杜元颖在职时候的情况，西川（总部成都府）就不可能保全。我非常害怕一种情况发生，那就是议论纷纷中，有人会强调说：‘巴蜀地区（四川省）自从南诏（云南省）侵犯以来，战区的武装力量，已经加强。’事实上，先前南诏军（云南省）已经逼近，杜元颖才招兵买马，集结市井小民三千余人，只不过勉强凑够数目，并不能作战。郭钊在任时，招募北方人当兵，只招到一百余人。我到差后，只招到二百余人，除此以外，其他都是杜元颖时的旧部。我又害怕有人相信‘一夫当关，万夫莫前’的雄壮辞句，认为清溪关（四川省石棉县东南）天险，可以堵塞。我访问过巴蜀（四川省）一些老将，发现清溪关（四川省石棉县东南）旁边，仅大道就有三条，而小路无数，都是东蛮（指勿邓、丰琶等部落，参考七九一年十二月）临时开凿，如果说它可以堵塞，则是欺骗中央。我认为必须在大度水（大渡河）北岸，多兴建一座城池，用一连串碉堡连接黎州（四川省汉源县），派重兵守卫，才能真正阻止。同时，我得到情报，南诏（云南省）把所掳掠的二千蜀人，连同金银绸缎，送给吐蕃（西藏）作为贿赂，如果两个敌国知道西川战区（总部成都府）内部如此衰弱，联合侵略，实在使人忧虑。中央有些官员所以高谈阔论，只是因为灾祸不会降临到他们身上。我建议要他们每人写下他们的建议，送到宰相联合办公厅（政事堂）归档保管，一旦听从他们的建议，招致失败，不应由我单独承受国法制裁。”中央完全采纳他的建议。李德裕遂加强军事训练，整修堡塞亭障，积极储存粮食，加强边防，巴蜀（四川省）社会粗略安定。

12 本年（八三〇），渤海王国（首都龙泉府〔黑龙江省宁安市西南东京城镇〕）国王（十任宣王）大仁秀逝世。皇子大新德早死，皇孙大彝震继任（十一任王），改年号咸和。

八三一年 辛亥

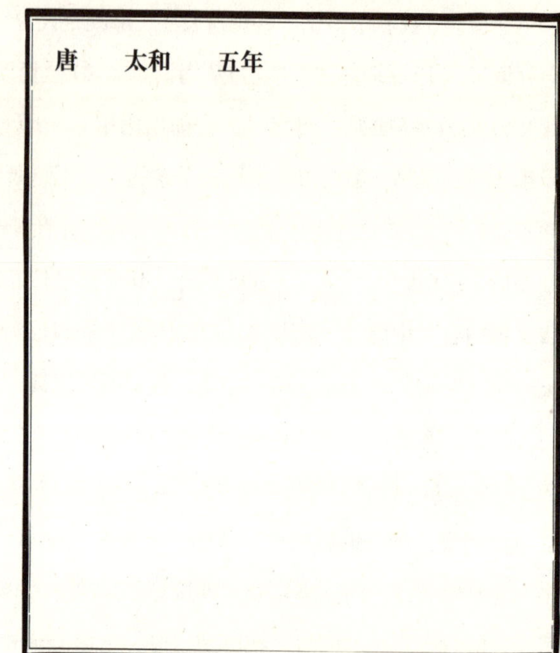

1 春季，正月十八日，唐王朝（首都长安〔陕西省西安市〕）皇帝（十七任文宗）李昂（李涵。本年二十四岁），下诏改沧齐德战区（总部设沧州〔河北省沧州市东南〕）称义昌战区。

2 正月二十一日，卢龙战区（总部设幽州〔北京市〕）监军宦官奏报说：战区司令官（节度使）李载义跟钦差宦官，正在球场后院举行宴会，副作战司令（副兵马使）杨志诚和他的党徒部众，呼叫呐喊，发动兵变。李载义跟他的儿子李正元，逃奔易州（河北省易县。易州属义武战区〔总部定州〕）；杨志诚又诛杀莫州（河北省任丘市北鄚州镇）州长张庆初。

李昂召集各宰相讨论应变，牛僧孺说："范阳（幽州州政府所在城，北京市）自从安禄山、史思明以来，已不属于中央政府，刘总短暂的回归（参考八二一年二月），中央政府共支出八十万串钱，结果竟毫无所得（参考八二一年七月，中央主权共行使六个月）。而今被杨志诚夺取，跟前些时李载义夺取（参考八二六年八月），有什么分别！最好是顺势安抚，使他抵抗北方戎狄，不必追究他是逆是顺！"李昂听从。李载义自易州（河北省易县）前往京师（首都长安），李昂因李载义有击溃横海战区（总部设沧州〔河北省沧州市东南〕）变军首领李同捷的功劳（参考前年〔八二九〕四月），而且对中央的态度一向恭顺。

二月二十三日，李昂命李载义当太保（三师之三），仍兼二级宰相（同平章事，使相）；而命杨志诚当卢龙战区（总部幽州）候补司令官（留后）。

从前，圣人顺应天理、察看人情，深知身份相同的普通平民，不能互相约束，所以设置教师感化；深知政府官员不能互相指使，所以设置国君控制；深知各封国不能互相服从，所以设置帝王统御。帝王对天下万邦，能够奖赏善行，消除罪恶；压制强横，扶持弱小；安抚顺从的人，惩戒背叛之徒；禁止暴行，诛杀乱党；然后发号施令，四海之内，就不可能有不顺从的国民。《诗经》说："我们的领袖行善不倦，才能治理四方。"（《大雅·棫朴》）李载义是边疆高级将领，对帝国有功劳贡献，并没有犯罪，而杨志诚把他赶走，这正是帝王必须处理的事。如果连一声都不问，而顺势把土地官位都授给杨志诚，则统帅将领的罢黜或拥护，以及活命或死亡，都出于士卒之手，天子虽高高在上，不知道做些什么事！国家设立战区，难道只是为了搜刮财赋？像牛僧孺的论点，不过是一种姑息偷安的手段，岂是宰相辅佐天子，治理天下的大道！

柏杨曰

看到一个驼背的人，在那里诟骂另外一个人驼背，实在啼笑皆非，司马光痛斥牛僧孺姑息偷安，我们的感觉就是如此。不同的是，牛僧孺面对的问题是一个死结，除了因循、敷衍、和稀泥外，没有第二条路。宋王朝初年则是一个活泼的转型期，司马光却坚持姑息偷安！

卢龙（总部设幽州〔北京市〕）孤悬边疆，北方众戎逼塞，南方军阀林立，中央军刚在成德（总部设镇州〔河北省正定县〕）战败，不得不在极端屈辱下收场，难道要牛僧孺再在比成德更远的北方，发动另一场必败的战争？不承认或看不出自己的劣势，只一味拍胸脯、喷唾沫，作激情的煽动，是逼人做出惨烈后果的一种不负责任的行为。尤其，当中央政府不得不任命更凶悍，更嗜杀的王庭凑、朱克融当战区司令官（节度使）时，司马光却不说一句话，独对态度比较温和的杨志诚，提出抨击，使我们发现：司马光的抨击，只是对人而发。如果就事论事，牛僧孺所提出的，恰是当时唯一可行之策，无他，形势比人强，只有委曲求全。

3 新罗王国（首都金城〔朝鲜半岛庆州市〕）国王（四十一任宪德王）金彦升逝世，太子金景徽继任（四十二任兴德王）。

4 李昂跟宰相宋申锡密谋诛杀宦官（参考去年〔八三〇〕六月），宋申锡推荐文官部副部长（吏部侍郎）王璠，当首都长安特别市长（京兆尹），把皇帝的秘密指示告诉他。想不到王璠却把消息泄漏。宫廷机要室主任宦官（枢密使）王守澄，跟他的智囊郑注，得到消息，暗中布置。

李昂的老弟、漳王李凑，英明贤能，有很高声望，郑注命神策军总纠察官（都虞候）豆卢著，诬告宋申锡阴谋拥护李凑登极称帝（中国传统的"诬以谋反"模式）。

二月二十九日，王守澄报告李昂，李昂信以为真，勃然大怒，下令查办。王守澄打算派骑兵二百人立即屠杀宋申锡全家，皇家飞龙厩御马总监宦官（飞龙使）马存亮坚决反对，说："如果这样的话，京师（首都长安）先乱！应该跟其他宰相共同讨论这件事。"（马存亮曾救十六任帝李湛，参考八二四年四月。）王守澄才停止行动。

当天（二月二十九日），正是"旬日休假"（中国古代每十天休息一天），政府官员全不上班，李昂派宦官传话，紧急召集各宰相到立法院（中书省）东门。宦官宣告说："召见的人中没有宋申锡的名字！"宋申锡这才知道他已身陷重罪，望着延英殿，用笏版敲打自己头部（这个奇怪的礼节表示什么，不懂），告退。各宰相抵达延英殿，李昂把王守澄的奏章拿出来传阅，大家面面相觑，全部呆在那里。李昂命王守澄逮捕豆卢著列举的主要关系人：亲王十六宅采购宦官（宫市品官）晏敬则，及宋申锡的侍从官（亲事）王师文等，到宫中审讯。王师文得到消息逃亡。

三月二日，贬宋申锡当太子宫事务署长（右庶子）。上自宰相，以及所有高级官员，没有人敢公开说宋申锡冤枉。只首都长安特别市长（京兆尹）崔琯、最高法院院长（大理卿）王正雅，前后上疏，请求把人犯从宫廷监狱，移交政府司法单位调查审判，因此严峻情形稍稍和缓。王正雅，是王翃的儿子（王翃，参考七七一年正月）。晏敬则等都一一自动招认（这其中经过多少苦刑拷打，可悲），供称：宋申锡曾派王师文晋见李凑致意，结下异日的知遇之恩，全案确定。

三月四日，李昂召集太师（三师之一）、太保（三师之二）以下，跟中央各院部监署（台省府寺）全体首长，当面询问大家的意见。将近中午，监督院最高顾问官（左常侍，正三品）崔玄亮、御前监督官（给事中，正五品上）李固言、监督院高级顾问官（谏议大夫，正四品下）王质、监督院初级监督官（补阙，从七品上）卢钧、舒元褒、蒋系、裴休、韦温等，请求再开延英殿，建议应把全案移交政府司法单位重审。李昂说：“我已经跟高阶层官员讨论过了。”不断命他们退下，大家不退。崔玄亮叩头哭泣说：“杀一个小民还不可不慎重，何况杀一个宰相！”李昂怒气稍稍平息，说：“我会跟各宰相再作商议。”于是命各宰相再进来，牛僧孺说：“人臣的最高官位，不过宰相，而宋申锡已是宰相，假如像指控的他另有企图，他不过仍当宰相，还要追求什么？宋申锡应该不至于如此。”郑注恐怕重审会使真相大白，遂态度软化，劝王守澄建议皇帝，不定大刑，只罢黜贬谪。

三月五日，贬漳王李凑当巢县公爵、宋申锡当开州（重庆市开州区）军务秘书长（司马）。马存亮当天（三月五日）就申请退休。崔玄亮，是磁州（河北省磁县）人，王质，是王通的五世孙（王通，参考六〇三年九月）。蒋系，是蒋乂的儿子（蒋乂，参考七九七年八月）。舒元褒，是江州（江西省九江市）人。晏敬则等因之被处死或被流放的，有数十将近一百人。宋申锡最后死在贬所（开州，重庆市开州区）。

在这场权力倾轧的血腥窝里斗中，仍有人冒死刑或放逐的危险，坚持是非。千年以下，我们向马存亮、崔琯、王正雅、崔玄亮、李固言、牛僧孺等人，致最高敬意。没有这些人不自量力，用螳臂阻挡巨鳌，宋申锡满门男女老幼，早化成一摊血泥。为人申冤辩谤，才是真正的英雄豪杰！

5 夏季，四月二十一日，李昂命李载义当山南西道战区（总部设兴元府〔陕西省汉中市〕）司令官（节度使），杨志诚当卢龙战区（总部设幽州〔北京市〕）司令官（节度使）。

6 五月四日，李昂发现皇家祖庙（太庙）中有两间房舍破败漏雨，过了一年仍没有修补，下令扣除建筑部长（将作监）、全国财政总监执行官（度支判官）、皇族事务部长（宗正卿）的薪俸；立即派宦官率领工匠，停止宫中正在进行的土木工程，把器材拿到皇家祖庙（太庙）供应整修。监督院初级监督官（左补阙）韦温劝阻说："国家设立文武百官，各有工作，假如荒废惰怠，应该免除他的官职，物色有能力的人接替。现在，失职官员，仅罚他的薪俸，而陛下所忧心的事情，却交给宦官，这是把皇家祖庙，当作私有，而文武百官也都成为虚设。"李昂认为他说得有理，立刻命宦官停止行动，交有关单位整修。

7 五月十九日，西川战区（总部设成都府〔四川省成都市〕）司令官（节度使）李德裕奏报说：派使节前往南诏王国（首都苴咩城〔云南省大理市〕）索取当年掳掠出去的平民（参考前年〔八二九〕十二月），要回四千人。

8 秋季，八月十三日，命陕虢道（首府设陕州〔河南省三门峡市〕）行政长官（观察使）崔郾，当鄂岳道（首府设鄂州〔湖北省武汉市〕）行政长官（观察使）。

鄂岳道地势险要，群山包围，长江如带，是百越（华南地区）、巴蜀（四川省）、荆汉（湖北省中部西部）贸易集散的中心，盗匪如麻，劫掠来往船只，无论男女老幼，一律格杀灭口。崔郾到任后，训练士卒，建造巡逻快艇，追击搜捕，一年工夫，全部处死。崔郾在陕州（河南省三门峡市）时，对人民宽厚仁慈，有时整一个月不责打一个人。到了鄂州（湖北省武汉市），却用法严厉。有人问他什么缘故，崔郾回答说："陕州（河南省三门峡市）地贫民困，我竭力安抚还来不及，唯恐打扰他们。鄂州（湖北省武汉市）地势险要，住户复杂，蛮夷风俗，剽悍狡诈，专做坏事。除非使用严刑，不能维持社会秩序。治理人民，应了解变化，就是如此。"

9 西川战区（总部成都府）司令官（节度使）李德裕奏报说："巴蜀军中的老弱病患，从来不加淘汰。我下令设立五尺五寸（一七一公分）高杆，作为标准，凡身高不到这个标准的，一律退伍，共淘汰四千四百余人，同时又用这个高度，招募健壮青年一千人，安慰稳定民心。另行招募的北方士卒，也有一千五百人，跟本土民兵杂住在一起，互相学习，加强训练，战斗技能日有进步。又，巴蜀工匠制造的武器，外表华丽，但不耐使用，我现在特别招请外地工匠来做，成品坚利无比。"

九月，吐蕃王国（首都逻些城〔西藏拉萨市〕）维州（四川省理县）守城副司令（副使）悉怛谋（怛，音dá〔达〕），请求投降，率领全体部众投奔成都。李德裕命暂兼维州州长虞藏俭，率军进入维州接防。

九月二十五日，李德裕把情形上疏奏报，并且建议："打算派生羌（未开化的原始羌人）部落军三千人，焚烧十三桥（唐吐边界桥），直捣吐蕃（西藏）心脏，可以雪除大唐长久以来所受的羞辱，弥补韦皋终身遗恨。”（十二任帝李适在位时，韦皋当西川战区司令官，屡攻维州，不能攻克，参考八〇二年正月。）奏章交国务院（尚书省）。李昂集合文武百官讨论，大家都赞成李德裕的策略。只宰相牛僧孺反对，说：“吐蕃（西藏）边境，四面各有一万华里，损失一个维州（四川省理县），对他们的国势，丝毫没有影响。最近两国和解（指八二一年十月唐吐两国和平盟约），共同约定撤除边防警戒，我们和外国交往，应遵守条约承诺。如果他们来责备说：‘为什么失信？’在蔚茹川（黄河支流清水河流域，今宁夏南部，大分裂时代，称高平川，参考四〇七年十月）牧马，向平凉阪（甘肃省平凉市东南四十里铺镇）推进，用万名骑兵封锁回中（陕西省陇县西北。早在秦王朝时，在此建行宫，参考前二二〇年），理直气壮，用不了三天，前锋就到咸阳桥（即西渭桥，陕西省咸阳市西南）。在这个时候，西南数千华里外，就是得到一百个维州（四川省理县），又有什么用？凭白抛诚失信，对国家只有伤害，没有裨益。一个小民都不肯做的事，何况身为帝王！”李昂认为有理。下诏命李德裕把维州城归还吐蕃（西藏）。于是李德裕逮捕悉怛谋跟他所带来的部众，全部交回。就在边境上，吐蕃（西藏）把他们全部屠杀，而且用刑极为惨酷，李德裕因此对牛僧孺更为怨恨（维州事件详情，参考八四三年三月）。

10 冬季，十月十四日，李德裕奏报说：南诏王国（首都苴咩城〔云南省大理市〕）派军攻击嶲州（四川省西昌市。嶲，音xī〔西〕），连陷三县。

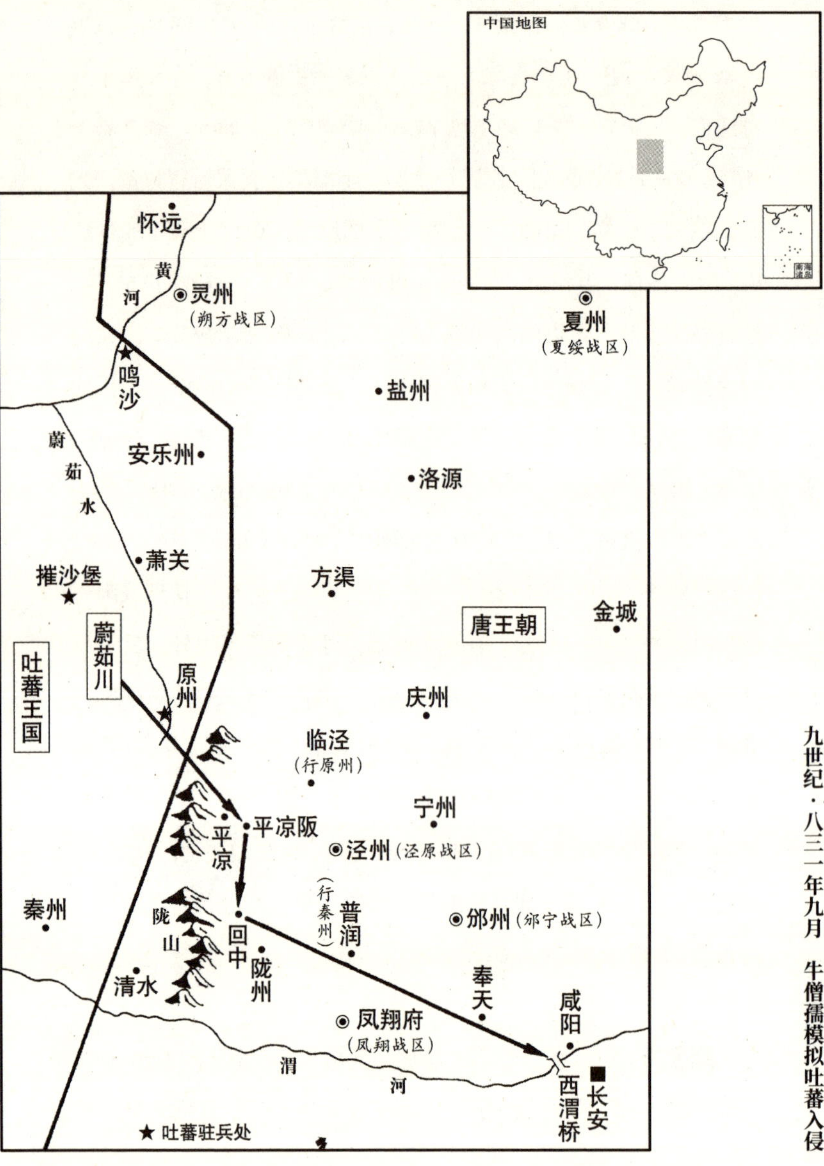

九世纪·八三一年九月　牛僧孺模拟吐蕃入侵

唐　太和　六年

1 春季，正月十八日，唐王朝（首都长安〔陕西省西安市〕）皇帝（十七任文宗）李昂（李涵。本年二十五岁），因水灾旱灾不断，下诏对囚犯减刑。文武官员呈献尊贵绰号：太和文武至德皇帝。初级立法官（右补阙）韦温上疏说："而今，水旱成灾，恐怕不是用华贵绰号作为装饰的时候。"李昂认为有理，辞让不受。

2 三月八日，命武宁战区（总部设徐州〔江苏省徐州市〕）司令官（节度使）王智兴，兼最高监督长（兼侍中，使相），当忠武战区（总部设许州〔河南省许昌市〕）司令官（节度使）；命邠宁战区（总部设邠州〔陕西省彬州市〕）司令官（节度使）李听，当武宁战区司令官（节度使）。

3 回鹘汗国（瀚海沙漠群）昭礼可汗（十二任大可汗）药罗葛曷萨，被他的部属格杀，侄儿药罗葛胡公爵继位（十三任大可汗）。

4 李听从前镇守武宁（总部设徐州〔江苏省徐州市〕）时，有一个奴仆，后来升作营门官（牙将）。现在，李听派一个亲信侍从先到徐州（江苏省徐州市）慰劳将士，那位奴仆出身的营门官（牙将）不愿意李听再来（李听从没有当过武宁战区司令官，但李听的老哥李愿当过，参考八一五年十一月），于是煽动士卒，把那位亲信侍从杀掉，剁成肉酱吞吃下肚。李听畏惧，声称有病，坚决辞职。

三月二十八日，李昂命前任忠武战区（总部设许州〔河南省许昌市〕）司令官（节度使）高瑀，当武宁战区（总部设徐州〔江苏省徐州市〕）司令官（节度使）。

5 夏季，五月十二日，西川战区（总部设成都府〔四川省成都市〕）司令官（节度使）李德裕奏报说：整修邛崃关（四川省汉源县北），并把巂州（四川省西昌市，已沦陷）州政府移到台登城（四川省冕宁县南泸沽镇）。

6 秋季，七月，原王李逵逝世（李逵，是十一任帝李豫〔李俶〕的儿子）。

7 冬季，十月五日，李昂封皇子鲁王李永当太子。

最初，李昂因晋王李普，是前任帝（十六任敬宗）李湛的长子，性情谨慎，打算封他当帝位继承人。不幸，李普早死（参考八二八年六月），李昂痛惜哀悼，所以长久以来，不讨论设立储君；直到今天才确定太子。

8 十一月二十七日，命荆南战区（总部设江陵府〔湖北省江陵县〕）

司令官（节度使）段文昌，当西川战区（总部成都府）司令官（节度使）。

西川战区监军宦官王践言调回京师（首都长安），当宫廷机要室主任（知枢密），屡次报告李昂："逮捕悉怛谋送给蛮夷（吐蕃王国），使蛮夷称心快意，关闭以后投降门路，不是好谋略（参考去年〔八三一〕九月）！"李昂也感到后悔，抱怨副立法长（中书侍郎）、二级实质宰相（同平章事）牛僧孺决策错误。而赞成李德裕的人因而强调："牛僧孺跟李德裕之间互相怨恨，嫉妒他为国立功。"李昂对牛僧孺越发疏远。牛僧孺心中不安，正巧，李昂登延英殿，对宰相们说："天下什么时候才能太平？你们是不是有意于此！"牛僧孺回答说："真正的天下太平，并没有特别突出的现象。现在的情势是：四方蛮夷没有侵略，广大人民没有流散，虽然谈不上是太平盛世，但也勉强可称'小康'。陛下如果更要追求天下太平，就不是我们能力所可办到。"退朝之后，告诉同事说："领袖对我们的责备和期望如此之高，我们怎么能长久的坐在这个座位？"遂不断上疏请求辞职。

十二月七日，李昂命牛僧孺遥兼二级宰相（同平章事，使相），充任淮南战区（总部设扬州〔江苏省扬州市〕）司令官（节度使）。

君王圣明，臣属忠诚，在上位的人发令，在下位的人服从，有才干的当权，邪恶之辈放逐远荒，礼仪实施，教育推行，司法清廉，政治和平，盗贼消失，战争暴乱平息，地方政府听命，四方部族敬畏，风调雨顺，农田丰收，家家户户，都很丰富，这就是太平景观。而在唐王朝末期这个时代，宦官专权，在宫内威胁君王，君王无法跟他们疏远。军阀割据，在外地欺凌中央，中央无法对他们控制。士卒们诛杀或驱逐统帅，反抗命令，独立自主，从没有人过问。战争每年都有，对人民的横征暴敛，一天比一天惨急！血肉白骨，纵横原野；纺纱织布的器具，村落中已再找不到。这种悲惨情况，牛僧孺竟称之为“太平”，岂不是诈欺！当李昂（唐王朝十七任帝文宗）追求天下太平的最高理念时，牛僧孺正当宰相，前进只不过苟且偷安，博取君王的包容，窃取官位，后退则欺骗君王，蒙蔽人民，博得美名，世界上有谁的罪恶比他更大！

司马光全力抨击牛僧孺自称“太平”，态度的激烈，前所未见，问题是，牛僧孺从来没有自称“太平”，而只自称“小康”，并且承认他没有能力达到“太平”之境，因之辞职去官。司马光却把牛僧孺从没有说过的话，硬塞到牛僧孺之口，然后万箭齐发。

但最奇怪的是，牛僧孺发现他能力不足而提出辞呈时，司马光却严肃的指责他：“前进只不过苟且偷安，博取君王的包容，窃取官位；后退则欺骗君王，蒙蔽人民，博得美名，世界上有谁的罪恶比他更大！”是牛僧孺不辞职也不行，辞职也不行！无论政治家或政客，除非他犯了刑案，所谓政治责任，不过辞职，牛僧孺已经辞职，司马光还谴责不已，难道要牛僧孺从不曾出生？司马光也曾经辞职过，为什么就不是罪大恶极！

至少在这件攻击牛僧孺的评论上，司马光故意捏造证据，欺骗国家元首，诬陷无辜，使人震骇！

9 珍王李诚逝世（李诚，是十二任帝李适的儿子）。

10 十二月十七日，昭义战区（总部设潞州〔山西省长治市〕）司令官（节度使）刘从谏，到京师（首都长安）朝见。

11 十二月丁未日（十二月己未朔，没有丁未），命前任西川战区（总部成都府）司令官（节度使）李德裕，当国务院国防部长（兵部尚书）。

最初，李宗闵跟李德裕结怨（参考八二一年三月）。现在，李德裕从西川（总部成都府）回京（首都长安），皇帝李昂对他十分敬重，看情形随时都可能出任宰相，李宗闵千方百计破坏，都无法阻止。首都长安特别市长（京兆尹）杜悰，是李宗闵的同党，曾经拜访李宗闵，看到李宗闵脸色沉重，说："你莫非是在担心'大兵头'！"（李德裕刚被任命为国务院国防部长〔兵部尚书〕，故隐语称他"大兵头"。）李宗闵说："对极，你有什么办法挽救？"杜悰说："我有一个办法，定可以化解你们之间的怨恨，只怕你不能接受！"李宗闵说："什么办法？"杜悰说："李德裕文学造诣很高，但因为不是科举——进士及第出身，心里一直觉得遗憾，如果能推荐他主持全国文官考试（知贡举），他一定喜不自胜。"李宗闵沉默不回答，然后问说："再想想别的办法？"杜悰说："否则就用他当总监察官（御史大夫）。"李宗闵说："这倒可以。"杜悰再三跟李宗闵约定，于是拜访李德裕。李德裕作揖迎接，说："你怎么会想起来看我这个冷门货？"杜悰说："李相公（李宗闵）教我向你致意！"遂把推荐他当总监察官（御史大夫）的意思告诉他。李德裕既惊且喜，感动得流下眼泪，说："这是'大门官'（胡三省注：唐王朝制度，皇帝朝会时，总监察官〔御史大夫〕率领他的部属——监察官〔御史〕，纠察文武百官秩序，最后在最靠近皇帝的地方站定，故称"大门官"）。我这个后进，怎么有资格担任！"一再请杜悰代向李宗闵道谢。

然而，李宗闵再跟御前监督官（给事中）杨虞卿商量，杨虞卿坚决反对，事情遂中途变卦，杨虞卿，是杨汝士的堂弟（杨汝士，参考八二一年四月）。

八三三年 癸丑

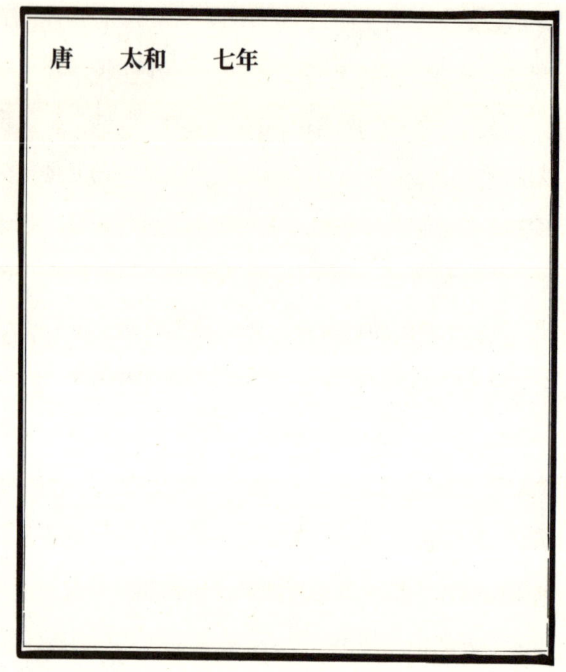

1 春季，正月六日，唐王朝（首都长安〔陕西省西安市〕）皇帝（十七任文宗）李昂（李涵。本年二十六岁），命昭义战区（总部设潞州〔山西省长治市〕）司令官（节度使）刘从谏：遥兼二级宰相（同平章事，使相）；送他返回战区。

最初，刘从谏以忠义自我期许，进京（首都长安）朝见，打算请求调差，可是，抵达京师之后，发现中央一团混乱，政出多门，而官员们又纷纷向他请托关说，刘从谏对中央的尊敬，转变成为轻视。返回以后，态度更加傲慢。

2 武宁战区（总部设徐州〔江苏省徐州市〕）受前任司令官（节度使）王智兴暴虐影响，将领凶顽，士卒骄横；现任战区司令官（节度使）高瑀不能控制，唐帝李昂十分担忧。

正月二十六日，命岭南战区（总部设广州〔广东省广州市〕）司令官（节度使）崔珙，当武宁战区（总部徐州）司令官（节度使）。崔珙到差后，宽大严厉恰到好处，徐州（江苏省徐州市）人心才告安定。崔珙，是崔琯的老弟（崔琯事，参考前年〔八三一〕三月）。

3 二月五日，加授卢龙战区（总部设幽州〔北京市〕）司令官（节度使）、国务院摄理工程部长（检校工部尚书）杨志诚官衔：国务院摄理文官部长（检校吏部尚书）。卢龙（总部幽州）驻京（首都长安）办事官（进奏官）徐迪，晋见宰相说："战区大军不了解中央制度，只知道部长（尚书）改最高执行长（仆射）是升迁，不知道工程部（工部）改文官部（吏部）也是升迁（国务院六部部长品秩同是正三品，但文官部〔吏部〕是六部之首）。钦差宦官前往幽州（北京市），恐怕再出不来。"态度言辞，都十分傲慢，可是宰相们没有放到心上。

4 二月二十八日，李昂命国务院国防部长（兵部尚书）李德裕，兼二级实质宰相（同平章事）。李德裕进宫叩谢，李昂跟他讨论到政府官员结党营私的事。李德裕回答说："中央政府官员，三分之一以上，都在结党！"当时，御前监督官（给事中）杨虞卿，跟堂兄、立法官（中书舍人）杨汝士，老弟、国务院财政部税务司长（户部郎中）杨汉公，立法官（中书舍人）张元夫，御前监督官（给事中）萧澣（音huàn〔换〕）等，广结善缘，朋友遍天下，攀附权势人物，对上结交宰相，对下干涉政府，替知识分子介绍官职或保荐参加科举考试，没有一个不如愿以偿。李昂听到这项报告，十分厌恶，所以跟李德裕谈话时，首先提到这件事。李德裕因而得以利用排斥他所不喜欢的人。

最初，监督院最高顾问官（左散骑常侍）张仲方，曾经驳斥过李吉甫的官定绰号（李吉甫逝世〔参考八一四年十月〕，主管单位拟定绰号“敬宪”，当时国务院财政部会计司长〔度支郎中〕张仲方驳斥说推崇过分，十四任帝李纯因此贬谪张仲方，但李吉甫绰号也改为“忠懿”）。现在，李德裕当宰相，张仲方声称有病，不再上班。

三月五日，调张仲方当太子宾客（正三品），到东都洛阳（河南省洛阳市）办公。

5 杨志诚对中央没有赐给他国务院最高执行长（仆射，使相）官衔，大发雷霆，下令扣留钦差宦官布达特使（官告使）魏宝义、运送春装特使（春衣使）焦奉鸾、报聘奚部落（滦河上游）及契丹部落（辽河上游）特使尹士恭。

三月七日，杨志诚派营门官（牙将）王文颖前往京师（首都长安）叩谢恩典，并辞让官位。

三月九日，中央把国务院摄理文官部长（检校吏部尚书）任用状（告身），及不准杨志诚辞职的批答公文，一并交给王文颖，王文颖拒不接受，回头就走。

6 和王李绮逝世（李绮，是十三任帝李诵的儿子）。

7 三月二十三日，贬杨虞卿当常州（江苏省常州市）州长、张元夫当汝州（河南省汝州市）州长。

有一天，李昂再一次谈到结党营私问题，李宗闵说："我一向看得清楚，所以对于杨虞卿这些人，都不给他们美好的官职！"李德裕说："御前监督官（给事中）、立法官（中书舍人），难道不是美好的官职？"李宗闵脸色苍白，无法回答。

三月三十日，李昂贬萧澣当郑州（河南省郑州市）州长。

8 夏季，四月二十九日，唐政府册封回鹘汗国（瀚海沙漠群）新可汗（十三任大可汗）药罗葛胡公爵（特勒）称：爱登里啰汨没密施合句禄毗伽彰信可汗。

9 六月十三日（原文"乙巳"误），命山南西道战区（总部设兴元府〔陕西省汉中市〕）司令官（节度使）李载义，当河东战区（总部设太原府〔山西省太原市〕）司令官（节度使）。

之前，回鹘汗国（瀚海沙漠群）每次进贡，所经过的地方，无不任意凶暴劫掠，州县政府不敢闻问，唯一的办法只有加强戒备防卫而已（早在十一任帝李豫时便如此，参考七七二年正月）。李载义到差后，回鹘使节李畅晋见祝贺，李载义告诉他说："可汗派你来唐王朝进贡，主要的是表达外甥对舅父的感情（唐王朝公主嫁回鹘，已有二人，回鹘可汗自是外甥，中国皇帝自是舅父），并不是派你来欺侮作践大唐。你不管束你的部属，反使他们烧杀掳掠，当起强盗，我会把他们同样诛杀，不要认为大唐法律算不了什么。"于是把警戒部队撤销，只派两个士卒守卫宾馆大门。李畅尊敬畏惧，不敢违犯。

10 六月十六日，命国务院工程部长（工部尚书）郑覃（音tán〔谈〕），当总监察官（御史大夫）。

最初，宰相李宗闵，对郑覃在宫中不断在皇帝面前批评时政，十分厌恶，于是请求免除郑覃兼任的皇家教授（翰林侍讲学士），李昂批准。郑覃遂被逐出宫廷。李昂曾经不经意的对宰相们说："殷侑（义昌〔总部沧州〕司令官）的学问很像郑覃。"李宗闵回答说："郑覃、殷侑对儒家经典还算熟悉，但他们的见解不值得重视。"李德裕说："郑覃、殷侑的见解，别人不重视，只有陛下重视。"十天后，李昂直接下令，擢升郑覃当总监察官（御史大夫）。李宗闵十分不满，对宫廷机要室主任宦官（枢密使）崔潭峻说："事情都由皇上直接决定好了，还要宰相干什么？"崔潭峻说："八年皇帝，也可以当家做主了。"李宗闵一脸忧惧，话到口边又止住。

11 六月十九日，李昂命副立法长（中书侍郎）、二级实质宰相（同平章事）李宗闵，遥兼二级宰相（同平章事，使相），出任山南西道战区（总部设兴元府〔陕西省汉中市〕）司令官（节度使）。

12 秋季，七月十七日，命国务院右最高执行长（右仆射）王涯，兼二级实质宰相（同平章事），再兼全国财政及盐铁专卖暨运输总监（兼度支、盐铁转运使）。

13 宣武战区（总部设汴州〔河南省开封市〕）司令官（节度使）杨元卿患病，中央讨论继任人选。李德裕建议调昭义战区（总部设潞州〔山西省长治市〕）司令官（节度使）刘从谏接替，因而使上党（潞州州政府所在县）摆脱军阀割据局面，切断刘从谏跟山东（太行山以东）各割据军阀的联系。李昂认为时机还没有成熟，暂不可行（早在刘从谏接任司令官之前，便想把他调离，参考八二五年十一月）。

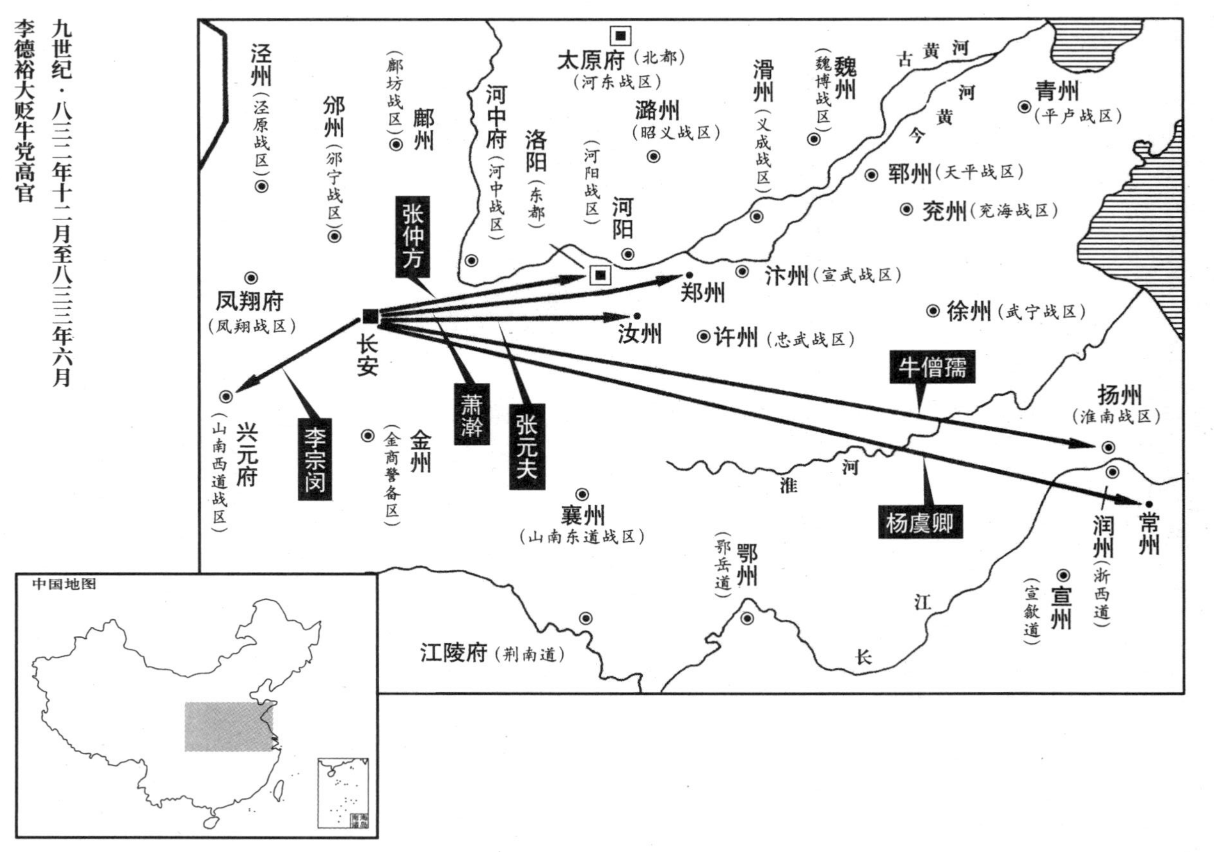

九世纪·八三二年十二月至八三三年六月
李德裕大贬牛党高官

七月二十八日，命国务院左最高执行长（左仆射）李程，当宣武战区（总部汴州）司令官（节度使）。 446

14 李昂因近来知识分子不通时事实务的人太多，深为忧虑，李德裕请采纳杨绾（音wǎn〔晚〕）的建议，在“进士科”考试时，改考议论题，不再考诗赋（杨绾建议，参考七六三年六月）。李德裕同时指出：“从前，玄宗（九任帝李隆基）以临淄王的身份，平定内乱（参考七一〇年六月），从此以后，对皇族成员心怀猜忌，不准他们离开宫廷出任政府官职（建十王宅，参考七二七年五月）。全国人民都认为这种囚禁骨肉的行为，伤害人伦天理。回想当初，八世纪五〇年代（安史兵变），及八世纪八〇年代（泾原兵变），如果皇族子弟四散全国各地，虽然不见得能够保卫中央，但各人至少可以保住自己一命。结果竟全被安禄山、朱泚无情屠杀，只因为他们聚集在一个地方，容易下手之故（安禄山屠杀各亲王事，参考七五六年七月十五日；朱泚屠杀事，参考七八三年十月九日。在此之后，还有两次屠杀，一是黄巢动手，参考八八〇年十二月十一日；一是韩建动手，参考八九七年正月八日）。陛下最好在册封皇太子的时候，在诏书上宣示，准许年纪已高，血缘已疏的皇族，离开宫廷，并任命他们当州政府的高级幕僚官，使他们得以携带子女出宫婚配（这是二任帝李世民时代的制度，参考六三一年十一月），这种已实行一百年之久的恶法，陛下一旦除去，四海之内，谁不喜悦！”李昂说：“我早就知道它的不合理，现在亲王中难道没有贤能人才？只是没有机会让他们施展！”

八月七日，李昂册封太子，同时下诏：“各亲王今后依照顺序出宫，发给紫色官服（三品以上），充当上等州州长或高级幕僚。十六宅县主（皇帝女称公主，亲王女称县主），应及时出嫁（皇族女儿晚婚，参考七七九年十一月）。‘进士科’不再考诗赋。”

然而，各亲王出宫事，在担任什么官这一点上，讨论不能定案，因而连出宫的事也一并搁置作罢。

15 八月十九日，加授卢龙战区（总部设幽州〔北京市〕）司令官（节度使）杨志诚中央官衔：国务院摄理右最高执行长（检校右仆射，使相），另派宦官前往慰问解释。

16 因“贤良方正科”录取而被授官职的杜牧（参考八二八年闰三月），痛恨河朔（河北平原）三镇割据军阀的横暴（三镇：卢龙〔总部幽州〕、成德〔总部镇州〕、魏博〔总部魏州〕），中央政府却专门姑息忍耐，于是著书表达心意，书名《罪言》，大略认为：“自从八世纪五〇年代盗贼起事（安史之乱），黄河以北一百余座城池，全部丧失，中央没有留下寸土。全国上下，都把那里当成回鹘（瀚海沙漠群）、吐蕃（西藏），没有人敢多看一眼。平卢（总部青州）、汴宋（总部汴州）、淮西（总部蔡州），受他们的影响，也变成盗匪（平卢战区司令官李正己〔李怀玉〕，最初不但不是叛徒，而且是讨伐安史之乱叛军的军官，参考七五八年十二月；只是到了后来，夺取司令官职位之后，才结合河朔各战区，参考七六五年七月。汴宋变军首领李灵曜，也是在原司令官田神玉逝世之后，才夺取兵权，连结魏博〔总部魏州〕田承嗣，参考七七六年五月。淮西李希烈，称帝前原是司令官，是上一任司令官李忠臣〔董秦〕的堂侄，而李忠臣〔董秦〕原是平卢战区〔总部柳城〕将领，也是讨伐安史兵变的功臣。三战区的人脉，皆非出自原安史变军，与河朔三镇不同）。几乎从来没有过五年不发生战争，水深火热，长达七十余年。而今，上策最好是中央改革重整，中策集中力量夺取魏州（魏博战区总部，河北省大名县），最最下策则是不能忍耐一时的气愤，处处作战，不管地理情况、不问攻守形势。”

杜牧惋惜征兵制度——“府兵”的瓦解，再著《原十六卫》，认为："帝国沿袭隋王朝制度，设立十六卫。现代人眼光，却认为最无聊的官职，就是十六卫。但追本探源，起初的十六卫，是帝国最重要的高官。七世纪二〇年代稍后，对内设十六卫，安置将领，对外设五百七十四征兵府，集结士卒（六三六年十二月记载是六百三十四个征兵府）。有事则将领率军出征，无事则交出军权，回归政府。回归政府时，享受帝国给他的荣华富贵，而所率领的士卒，则分散到各地征兵府。一级征兵府不超过一千二百人，一年之中，三季耕种，一季训练，名册存放征兵府，军队分散田亩，人员不能集中，势力自然衰弱，于是人人自爱。即令蚩尤当统帅，也无法使他们作乱。在外作战时，各部队奉军令集结，前面有刀斧诛杀，后面有官爵赏赐，雷霆万钧，生死交斗，哪有时间胡思乱想！即令蚩尤当统帅，也无法使他们叛变。自七世纪二〇年代后期，到八世纪四〇年代初叶，一百三十年间，武夫战将，从没有篡夺行为，正是伟大圣人所以能够酌量轻重、控制内外、神机妙算的缘故。后来到了八世纪四〇年代之初，愚昧的知识分子上疏说：'天下已经太平，请取消征兵！'（参考七二二年九月。）强悍的武夫上疏说：'国力空前强大，请削平四方蛮夷！'（大规模开疆拓土，到九任帝李隆基，到达顶点。参考七二七年正月。）于是对内撤除征兵，对外建立边防武力，雄兵猛将，飞瀑乱箭般奔赴边疆，中央防卫一空，再没有戒备（参考七四七年十二月）。尾巴大过身躯，外强难掩中干，遂使古燕国（指安禄山为帅的范阳战区）成为军事重镇，而天下大乱，根叶燃烧。七位圣人忧心积虑，想把战乱消灭，却不能够（唐王朝称帝王为"圣人"，七圣：十任帝李亨、十一任帝李豫、十二任帝李适、十三任帝李诵、十四任帝李纯、十五任帝李恒、十六任帝李湛）。由此观察，武官战将，怎么能让他们掌握政权！帝国固然不能没有军队，但军队驻扎外地时，担心他们叛变；驻扎京师（首都长安）时，又担心他们篡位。使他们在外不叛，在内不篡，从古到今，最好的办法，岂不是只有设立十六卫！近代以来，带兵官堕落的情形，越发严重，差不多都是街头巷尾的流氓无赖，用金银珠宝贿赂宦官，行贿的人一手交钱，受贿的人一手交官。对父兄们尊重的礼义，完全不懂；朋友间的慷慨激昂，道义千秋，更成虚话。一百个城池，一千华里土地，一下子滑到自己之手，强悍凶暴，违法乱纪，不允许有任何约束；杀尽斩绝忠良之家，也不允许有任何反对。这种情形下，权力无限，形势有利，恐怕没有人不变成盗匪；阴险狡猾的，更会挨家逐户，清点人头，苛征暴敛，用来贿赂皇上的奸邪亲信，购买高官贵爵。丢掉州长位置，立刻就会弄到特别市市长；把脚走过的地方，当作自己的宾馆。这其中只要有一个人不幸长寿，他就一定会剥削人民，宰割全国。战乱不停，经济枯竭，都由于这个原因。文皇帝（二任太宗李世民）设立‘十六卫’的宗旨在此，有谁能使它恢复？”

杜牧又著《战论》，认为：“从河北（黄河以北）看全国，河北像是一粒珍珠；从全国看河北，河北不过是全国四肢。黄河以北风俗纯朴，居民无论农耕或作战，都勇敢果决，全身投入；加上本土出产良马，适合沙场奔驰，所以作战时军队一定胜利，平常时民间一定富饶；用不着跟其他地方贸易，自己就成为一个独立的经济单位，犹如大地主之家，并不一定要有珠宝才算富翁。帝国没有河北，则精致坚韧的铠甲、勇敢善战的士卒、锋利尖锐的武器、优良强大的弓箭、所向无敌的战马，都失去来源，于是第一肢——武备，被自己砍下。河东（山西省太原市，河东战区）、盟津（河南省孟州市，河阳战区）、滑台（河南省滑县，义成战区）、大梁（河南省开封市，宣武战区）、彭城（江苏省徐州市，武宁战区）、东平（山东省东平县，天平战区），都驻满军队，用以阻塞外部族的侵略通道，这些军队，不能派到别的地方，于是第二肢——

人员，被自己砍下。上述六个战区的特遣兵团，数目有三十万，全部依靠中央供给衣服粮食，他们除了抱着手臂站在那里侍候统帅外，什么事都不做，淮河以北、黄河以南，东到东海，西到洛水（流经洛阳城南），要刮尽土地上所有财物，才能维持大军开支，于是第三肢——财政，被自己砍下。咸阳（陕西省咸阳市）西北，边防军要塞相连，把吴越（太湖流域）和荆楚（湖北省）富饶地区，全部吸光刮尽，去支援西北防务，接济边境要塞，于是第四肢——财富，也被自己砍下。四肢全都砍下，只剩下头部腹部突出在那里，怎么能够久安！而今，如果真能改正'五败'的错误，则一次战争就可底定江山，四肢也可以复生。什么是'五败'？一败：当天下太平无事的时候，地方政府首长，姑息偷安，自私自利，战士流离失所，武器锈钝，盔甲破损，这是平常不注意战斗训练的缘故。二败：一百人手执干戈，由政府供应粮食，但在名册上可能列出一千人，无论大将小兵，都在享受吃空缺的利益。而且认为敌人强大，是自己的幸运：拖延观望，不肯推进，沙场僵持变成一种娱乐。明显的是，真正作战的战士太少，吃闲饭的战士太多，这是平常虚报给养的缘故。三败：将领作战小小胜利，就扩大夸张战果，争先呈报捷音，邀取上等奖赏，有的一天之内，赏赐两次，有的一个月之内，有好几次封爵，还没有来得及唱出凯歌，官品已升到极限。爵位不能再高，家产田宅不能再广；金银绸缎不能再多，子孙们受父兄功劳庇荫，已全都当官，怎么可能教他们勇猛克敌、出生入死，这是赏赐太厚太滥的缘故。四败：有些将领总是打败仗，士卒大量丧亡，即令失守再大的城镇，只要单身逃回首都（长安），中央不但对他没有任何责罚，顶多也不过贬他去当州长，欢天喜地而去，面对刀斧刑罚，充满平安自信；还没有到一年，他就又站到指挥台上，向三军鼓励训勉，这是处罚太轻的缘故。五败：指挥作战的高级将领，没有权力发号施令，钦差宦官不断把他呼来喝去，堂堂正正的国防军，敲锣布阵，擂鼓调动，宦官一会坚持采取‘偃月阵’，一会坚持使用‘鱼丽阵’，大小三军，数万士卒，奔走徘徊在恍惚不同的军令之下，还没有弄清楚方位，敌人的骑兵已抓住机会，发动攻击，夺取我们的战鼓战旗，这是不信任统帅的缘故。现在，如果真的要重整雄风，洗涤羞辱，为万世建立和平，却仍犯从前的错误，就不会有什么作为。”

杜牧又著《守论》，认为：“现在的舆论一致认为：‘对付凶悍顽强的军阀，中央最好用优良的将领和精锐的部队，作为控制工具，再用高官贵爵喂饱他的肠肚，让他生活安适而不打扰他，放任他随心所欲而不拘束他，好像豢养虎狼一样，不触怒它，则它的凶恶本性，就不会爆发。八世纪最后四十年间，就是用这种方法安邦定国，现在何必改变，使人民陷于水深火热，然后才感到痛快？’我的回答是：‘八世纪最后四十年间（十一任帝李豫〔李俶〕、十二任帝李适在位），事实上并不因此而国泰民安，反而因此而灾难不断。在那个时候，无论是什么人，只要控制数十个城池，率领千百个士卒，中央立刻另眼看待，就是犯了法，中央也不敢制裁。于是，他们就目中无人，大言不惭，建立自己的势力范围，破坏国家的制度和法律，互相竞争奢侈豪华。最高领袖唯恐怕碰钉子而不敢计较，主管官员更是假装看不见而不敢发声；没有功劳，给他们超越功劳的爵位和俸禄；他们从不前来京师（首都长安）朝见，中央反而赏赐茶几手杖，使他们安心（西汉王朝五任帝刘恒赐吴王刘濞几杖事，参考前一五四年正月）；叛徒或蛮虏的儿子，皇帝却把皇女嫁给他，而且嫁妆丰富，彩色绸缎和金玉首饰，无不具备。最后，割据的土地一天比一天扩大，军事力量一天比一天强盛，超过身份的事，一天比一天加多，奢侈浪费心理，一天比一天炽热。中央所能掌握的土地、官职、爵位，几乎消耗净光，可是盗贼匪徒的贪婪野心，仍不能满足，遂索性超越官位，称帝称王，组织联盟，互相起咒发誓，毫不畏惧中央制裁，而只知道四出掠夺，满足自己私欲。因此，赵王（王武俊）、魏王（田悦）、冀王（朱滔）、齐王（李纳）一时崛起，倡导于先（参考七八二年十一月），而汴州（李希烈，参考七八二年十二月）、蔡州（吴少诚，参考七九九年九月）、润州（李锜，参考八〇七年十月）、成都（刘辟，参考八〇六年正月），纷纷追随响应。其余那些打算效法他们的嚣张凶顽，更到处都是。宪宗（十四任帝李纯）登极之后，对这种畸形现象，日夜图谋改革，集结英雄豪杰，早晚讨论商议，终于把最顽劣的军阀诛杀，并用恩德怀柔势力较小的人，使他们回归中央（被诛杀之军阀，有淮西吴元济、平卢李师道等。归顺之军阀，有成德王承元、卢龙刘总等）。否则的话，首都长安（陕西省西安市）及东都洛阳（河南省洛阳市）郊外，都将成为打猎之地。大体上说：人类天生的有很多欲望，欲望不能满足则愤怒，一旦愤怒，则发生争夺，社会就陷于混乱。因之，在家庭用板子责打子弟，在社会用刑罚矫正人民，在全国用军事行动维持政治秩序，目的都在压制欲望，阻止纷争。八世纪后期，中央措施跟这项原则恰恰相反，用中央政府有限的资源（官职爵位），堵塞别人无穷的争夺，终于全身瘫痪，首尾四肢，互相不能照顾。现在不但不指出当时的错误，反而认为那是良策美法，我想，强盗不仅横行河北（黄河以北）而已！八世纪后期那种治国之术，应该永以为戒。”

杜牧又注解《孙子兵法》，为它写一篇《序言》，认为：“军事行动，是一种刑罚；而刑罚，就是政治。当孔丘先生的学徒，传播孔丘先生思想的，是仲由、冉有的事，不知道从什么时候或从什么人

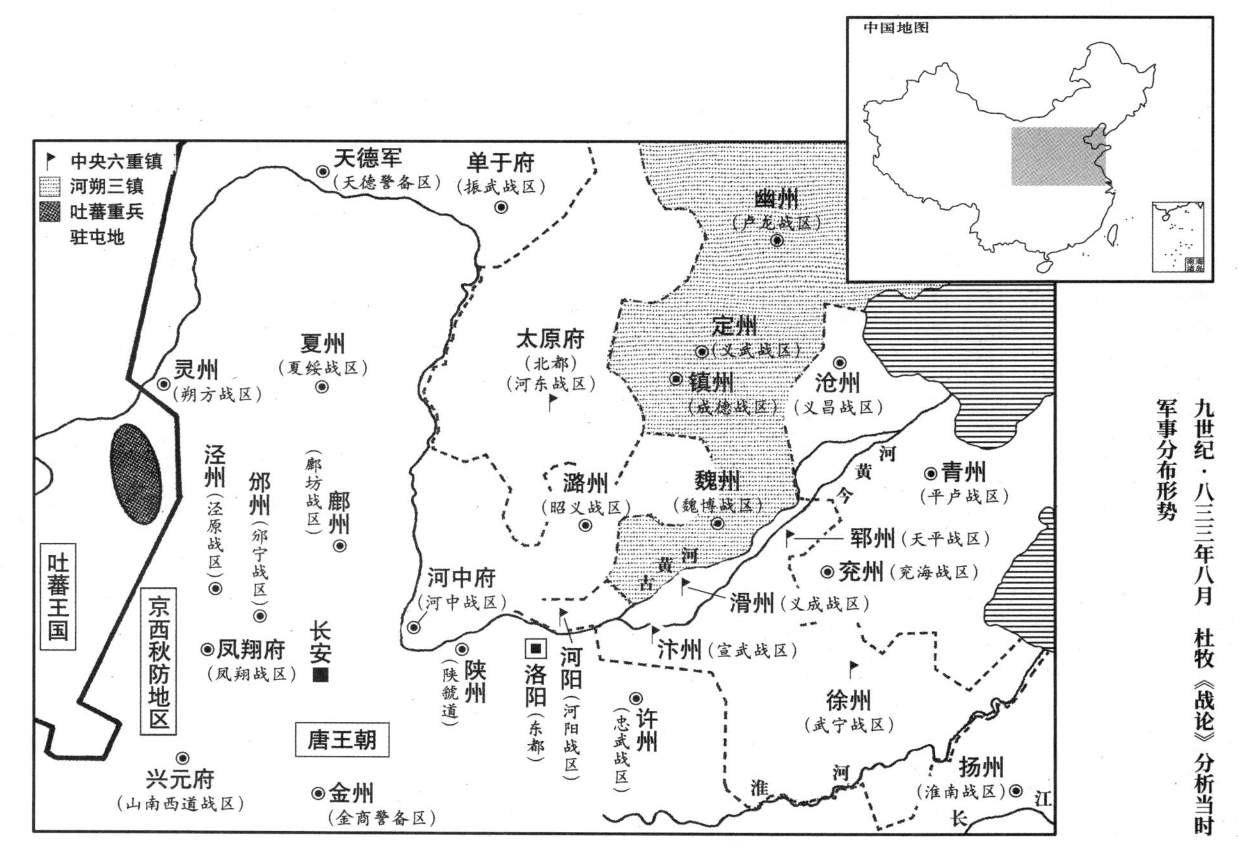

九世纪·八三三年八月 杜牧《战论》分析当时军事分布形势

开始，把学问分为‘文’‘武’二途，各自发展，使知识分子——包括政府官员及地方士绅，从不敢谈军事，并且认为谈军事是一种羞耻。如果有人谈及，世人都会认为他粗暴野蛮，跟常人不同，就再不会有人把他当成朋友。可怜，知识分子已经忘本，这是最严重的错误。《礼记·曲礼》说：‘四郊如果有很多营垒，就是高级官员及知识分子的羞辱。’从古到今，无论是建立一个国家，或消灭一个国家，没有一次不是诉诸战争。最高统帅必须是圣贤，必须有才干，必须见闻广博，才能建立功业。在中央政府讨论方案的时候，对军事行动，已了如指掌，然后把任务交给将领执行。刘邦（西汉王朝一任帝）曾经说过：‘指示野兽行踪的，是人；捕捉兔子的，是狗。’正是此意。那些当宰相的总是说：‘军事，不是我的责任，我不应该知道。’正人君子警告他说：‘如果有这种想法，你就不应该坐在宰相座位上。’”

17 前邠宁战区（总部设邠州〔陕西省彬州市〕）作战参谋长（行军司马）郑注，仗恃右神策军总指挥宦官（右军中尉）王守澄的支持，权势炙热，连唐帝李昂都对郑注厌恶。

九月十三日，中央监察官（侍御史）李款在金銮宝殿上弹劾郑注：“对内跟宦官勾结，对外跟官员交往，奔走北衙（皇宫）与南衙（政府）之间，猎取金钱，收受贿赂，白天躲藏不动，夜晚四出活跃，窃弄权势，没有人敢提出抨击，连路上行人对他都只敢侧面观望，不敢正面抬头，请求交付司法单位。”十天之间，李款呈递数十份奏章，情势紧张，王守澄把郑注藏匿在右神策军。左神策军总指挥宦官（左军中尉）韦元素，宫廷机要室主任宦官（枢密使）杨承和、王践言，都痛恨郑注，左神策军将领李弘楚对韦元素说：“郑注奸诈狡猾，天下无双，不除掉快孵出怪鸟的蛋卵，一旦它翅膀坚硬，定给帝国带来祸害。现在，他被监察官（御史）弹劾，藏在军营，我想用你的名义，假装患病，教他前来医治。郑注来的时候，你就请他坐下，我在一旁侍候，只要你向我使一个眼神，我立刻就把他拖出去乱棍打死。你就晋见皇上，叩头请求宽恕，把他的奸邪行为，全部说出奏报，杨承和、王践言一定帮助你向皇上求情。而且，你有拥护皇上登极的功劳，怎么可能因除奸而受刑罚！”韦元素认为有理，召见郑注。郑注前来，态度非常谦卑，像尺蠖一样弯曲着身子，像老鼠一样惊恐小心，谄媚韦元素的话，像泉水一样的涌出，韦元素不知不觉握住他的手，表示敬慕之意，倾听郑注的谈话，忘记疲倦。李弘楚在一旁再三提醒韦元素，韦元素却不看李弘楚一眼。最后，韦元素馈赠郑注很多金银绸缎，送他回去。李弘楚大怒说：“你今天不能果断，失去机会，有一天大祸临头，你逃不了一死。”遂解除军职离开，不久，背上生疮逝世。

王涯之能当上宰相（参考本年〔八三三〕七月十七日），郑注出了大力（透过王守澄），而王涯本人也畏惧王守澄，所以把李款弹劾郑注的奏章，全扣留不理。王守澄向李昂替郑注解释，李昂遂不再追究。稍后，王守澄保荐郑注当中央监察官（侍御史），充任右神策军执行官（右神策判官），无论政府或民间，听到这个消息，都惊骇叹息。

18 十一月二日，李昂命前忠武战区（总部设许州〔河南省许昌市〕）司令官（节度使）王智兴，当河中战区（总部设河中府〔山西省永济市〕）司令官（节度使）。

19 唐政府文武百官，因李昂登极称帝，已经八年，还没有尊贵绰号。

冬季，十二月十二日，呈献尊贵绰号：太和文武仁圣皇帝。这时，皇家鹰狗五坊总监宦官（五坊中使）薛季棱从同州（陕西省大荔县）、华州（陕西省渭南市华州区）出差回京（首都长安），向李昂报告民间生活穷苦凄惨情形，李昂叹息说："关中（陕西省中部）总算小小丰收，人民还是这个样子，何况江淮（华东地区）近来大水成灾，人民将如何活命，我没有办法救他们，怎能敢再爱虚名！"赏赐薛季棱通天带一条。文武百官共上疏四次，李昂始终不肯接受。

20 十二月十八日，李昂突然中风，不能说话，于是王守澄推荐昭义战区（总部设潞州〔山西省长治市〕）作战参谋长（行军司马）郑注。郑注的医术精湛。李昂召他前来京师（首都长安），吃了郑注的药，很有效验，遂对郑注宠爱有加。

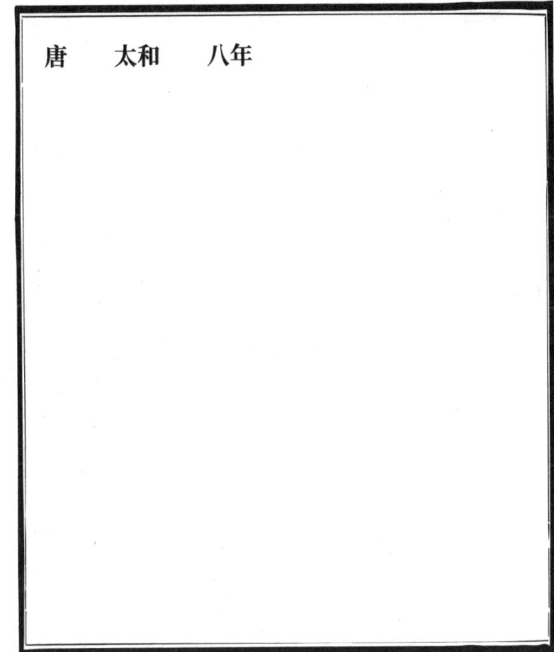

1 春季，正月，唐王朝（首都长安〔陕西省西安市〕）皇帝（十七任文宗）李昂（李涵。本年二十七岁）病情渐渐痊愈。

正月五日，李昂登太和殿，接见亲近官员，但精神虚弱疲惫，不能像从前一样。

2 二月一日，日蚀。

3 夏季，六月七日，莒王李纾逝世（李纾，是十三任帝李诵的儿子）。

4 李昂因天气久旱成灾，下诏征求可以使上天降雨的方法。国务院司法部关卡稽查司副司长（司门员外郎）李中敏上疏，指出：“连年大旱，并不是陛下的神圣恩德没有普及，而只是因为宋申锡被滥杀（宋申锡死于贬所，参考八三一年三月），而郑注的奸恶太大。如今，感动上天降雨的方法，最有效的莫过于昭雪宋申锡、诛杀郑注。”奏章呈上去后，李昂把它留在宫中，不作批示。李中敏遂声称有病，回东都洛阳（河南省洛阳市）。

5 郯王李经逝世（李经，是十三任帝李诵的儿子）。

6 最初，李仲言流放象州（广西象州县。李仲言迫茅汇害人事，参考八二五年九月、十月），遇到大赦，返回东都洛阳，正巧，东都留守长官李逢吉盼望再当宰相，李仲言说他跟郑注的关系十分亲善，李逢吉遂请李仲言馈赠给郑注一笔丰富的贿赂。郑注把李仲言引见给王守澄，王守澄再把李仲言推荐给皇帝，强调李仲言精通《易经》。李昂召见李仲言，当时，李仲言的娘亲刚刚逝世，李仲言还穿丧服，难以公开入宫，于是乃改穿平民服装，号称王山人。李仲言仪态俊美，容貌清秀，体格魁伟，倜傥不拘小节，好侠喜义，而文学造诣很高，口才流利，充满智慧谋略。李昂接见他，大为喜悦，认为遇到天下奇才，待他一天比一天优厚。李仲言终于服丧期满。秋季，八月十三日，李昂打算任命李仲言当谏诤官员，安置在皇家文学研究院（翰林院）。宰相李德裕反对说：“李仲言从前做的那种事，陛下一定全都知道，怎么可以安置在身旁？”李昂说：“难道不允许一个人改过自新？”李德裕回答说：“我曾经听说，只有颜回能不再犯错。圣贤犯错，只是思虑不周，偶尔失去公正而已。李仲言犯错，来自心智邪恶，怎么能够改过！”李昂说：“他是李逢吉推荐的，我已答应，不想失信。”李德裕回答说：“李逢吉身为宰相，竟然推荐误国误民的奸邪，也是罪人。”李昂说：“那么，另外给他一个官职。”李德裕说：“也不可以。”李昂回头看另一位宰相王涯，王涯回答说：“可以。”李德裕急摇手阻止，正巧李昂头转过来，看在眼里，脸色十分不快，退朝。最初，王涯听说李昂要用李仲言，上疏劝阻，措辞愤怒严厉。可是，等到发现李昂态度坚决，而自己也畏惧李仲言同党力量的强大，遂中途变卦。

不久，李昂命李仲言当国立贵族大学附设四门专科学校副教授（四门助教，从八品上），御前监督官（给事中）郑肃、韩佽（音cì〔次〕），把诏书封还。李德裕将要离开宰相联合办公厅（中书）时，对王涯说：“幸好，御前监督官（给事中）退回诏书。”王涯立刻召见郑肃、韩佽，说：“李公刚才留话，请二位不要封还诏书。”二人遂把诏书发下。明天，报告李德裕，李德裕大为惊骇说：“我如果不打算封还，自会当面告诉，怎么会请别人传话？而且，主管官员有封驳的权力和责任，怎么还要向宰相请示？”二人满怀怅惘懊恼退出。

九月三日，李昂征召昭义战区（总部设潞州〔山西省长治市〕）副司令官（节度副使）郑注返回京师（首都长安）。王守澄、李仲言、郑注，都厌恶李德裕；因山南西道战区（总部设兴元府〔陕西省汉中市〕）司令官（节度使）李宗闵，跟李德裕互相排斥，决定征调李宗闵再回中央，增加跟李德裕的对抗力量。

九月十四日，李昂下诏从兴元（陕西省汉中市）召回李宗闵（李宗闵贬兴元，参考去年〔八三三〕六月）。

7 冬季，十月四日，卢龙战区（总部设幽州〔北京市〕）兵变，驱逐司令官（节度使）杨志诚监军宦官李怀仵；推举作战司令（兵马使）史元忠主持留守事务。

8 十月十三日，命李宗闵当副立法长（中书侍郎）、二级实质宰相（同平章事）。

十月十七日，命副立法长（中书侍郎）、二级实质宰相（同平章事）李德裕，遥兼二级宰相（同平章事，使相），充任山南西道战区（总部兴元府）司令官（节度使）。当天（十月十七日），擢升李仲言当皇家教授（翰林侍讲学士）。御前监督官（给事中）高铢、郑肃、韩佽、监督院（门下省）高级顾问官（谏议大夫）郭承嘏（音gǔ〔古〕）、立法官（中书舍人）权璩等，竭力反对，没有效果。郭承嘏，是郭晞的孙儿（郭晞，是郭子仪的儿子，参考七六四年十一月）。权璩，是权德舆的儿子（权德舆曾任十四任帝李纯的宰相，参考八一〇年九月）。

9 十月二十八日，国务院教育部专用考试场（贡院）上疏，建议“进士科”恢复考试诗赋，李昂批准（停止考试诗赋事，参考去年〔八三三〕七月）。

10 李德裕晋见李昂，请求留在京师（首都长安）。

十月二十九日，命李德裕当国务院国防部长（兵部尚书）。

11 被驱逐的前卢龙战区（总部设幽州〔北京市〕）司令官（节度使）杨志诚，经过太原（山西省太原市），河东战区（总部设太原府〔山西省太原市〕）司令官（节度使）李载义逮捕他，亲自动手殴打，打算诛杀（杨志诚逐李载义，参考八三一年正月，迄今三年十个月），幕僚官员竭力劝阻，才算免除一死，但李载义仍诛杀杨志诚的妻子儿女，以及随从他的将领士卒。中央因李载义对帝国有功，不追究责任。李载义的娘亲安葬幽州（北京市），杨志诚挖掘坟墓搜刮殉葬财宝。李载义上疏要求挖出杨志诚的心脏祭悼娘亲。中央不准。

12 十一月，成德战区（总部设镇州〔河北省正定县〕）司令官（节度使）王庭凑逝世，武装部队拥护他的儿子、总作战司令（都知兵马使）王元逵代理候补司令官（知留后）。

王元逵一改老爹的作风，对中央至为恭顺尊敬。

13 卢龙战区（总部设幽州〔北京市〕）变军首领史元忠呈献杨志诚所制造的皇帝专用衮龙黄袍，跟其他各种帝王用的器具。

十一月二十一日，流放杨志诚到岭南（南岭以南），走到半路时，把他诛杀。

14 宰相李宗闵向唐帝李昂抗议说：李德裕的任命已经发表，不应该随他的意思变更。

十一月二十九日，再命李德裕当镇海战区（总部设润州〔江苏省镇江市〕）司令官（节度使），但没有遥兼二级宰相（兼平章事，使相）。当时，李德裕、李宗闵各自结党，对同党支援，对异党排挤，李昂深为忧心，常叹息说：“消灭河北（黄河以北）盗匪容易，消灭官员结党难！”

君子跟小人之互不相容，犹如冰块和炭火不可以放在同一个罐子里一样。所以君子当权则排斥小人，小人得势则排斥君子，这是自然之理。然而，君子当权，进用贤能，贬逐败类，居心公正，论证都是事实。小人则只称赞他所喜爱的、诋毁他所讨厌的，居心褊私，论证全属虚伪。公平而实在，称为“正直”，自私而虚伪，称为“结党”，全看领袖是否能够分辨。

所以，英明的领袖在上，应该衡量部属的品德行为，再给他官职，考察部属的干才能力，再交付他工作；有功时奖赏，有罪时处罚；不受奸诈的人迷惑，不随谄媚的话改变，能够如此，结党营私的事，怎么能够发生！那些昏庸的领袖就做不到，有眼不能观察，有权不能判断，邪恶的人和正直的人一并进用，诋毁和赞誉混杂而来，决定的权柄不在君王，威福的根基暗中移到别人之手。于是，奸佞的人扬眉吐气，“结党”的议论兴起。

木材腐败就会生出蛀虫，醋变馊就会引来蚊蝇，所以政府官员结党，领袖应该责备自己，不应该责备部属。李昂假如忧心文武百官结党，为什么不调查那些人所抨击或所赞誉的，是真？是假？所推荐、所贬逐的，是贤良？是奸邪？然后考察当权者的用心是公？是私？当权者自己是君子？是小人？假如他是真实、贤能、公正、君子，不但要采纳他的建议，更应该重用他的人。假如他是诬陷、奸邪、自私、小人，不但要拒绝他的意见，还应该给他惩处。

如果这样，即令是驱赶他使他结党营私，谁又敢结党营私？不在这方面努力，而只一味抱怨文武官员难以统治，好像不播种、不耕种，却抱怨田地荒芜一样。连政府中的结党营私都不能消灭，何况消灭河北（黄河以北）盗贼！

在威权领导的社会中，人的思想陷于二分法模式，犹如孩子们看电视，常向大人询问荧光屏上人物：“谁是好人？谁是坏人？”儿童世界就是如此单纯。传统文化把政治道德化，人民遂被区分为两极：一是“君子”，一是“小人”。这种两极思考，使中国人的头脑越来越奇异，越来越辨识不出是非，甚至弄不清什么是“是”，什么是“非”。历史上所有的理念斗争，儒家学派一律称之为“君子”和“小人”的道德斗争，而且坚称自己是“君子”，对方是“小人”——延伸为自己是“贤良”，对方是“奸佞”，自己“无党”，对方“有党”。最后，诉求帝王裁判（而不是诉求选民裁判），请帝王支持“君子”一方的“公道”和“大义”，也就是把“小人”的对方，逐出政府，或绑到刑场斩首。文质彬彬的大儒，在这个节骨眼上，没有什么温柔敦厚，赤裸裸的露出凶相。这种互罩铁帽的卑鄙手段，往往使帝王哑然失笑，大家都是家奴，家奴的长相又都一样，狗咬狗，每只狗都一口毛，简直无法分辨谁真谁假，以及几分是真，几分是假。最后一视同仁，杀谁剐谁、赏谁贬谁，只看心里高兴不高兴。“君子”“小人”，不过政治斗争的一种制式工具，毫无意义。

有政府就一定有人结党，独夫式强势领导只能使结党隐形，不能根绝。迄今为止，人类智慧还不能消灭结党分派，唯一的办法是实行民主，使结党分派完全透明化，逼迫他们不得不从事良性竞争。

15 十一月三十日，李仲言请准改名李训。

16 卢龙战区（总部设幽州〔北京市〕）奏报说：莫州（河北省任丘市北鄚州镇）兵变，州长张元汎失踪。

17 十二月三日，李昂命昭义战区（总部设潞州〔山西省长治市〕）副司令官（节度副使）郑注，回中央当畜牧部长（太仆卿）。监督院高级顾问官（谏议大夫）郭承嘏屡次上疏反对，李昂不理。于是，郑注上疏假装坚决辞让，李昂派宦官前去送给他任命状，郑注拒不接受。

18 十二月七日，命史元忠当卢龙战区（总部设幽州〔北京市〕）候补司令官（留后）。

19 最初，宋申锡跟副总监察官（御史中丞）宇文鼎，接受皇帝密诏，阴谋诛杀郑注，命首都长安特别市长（京兆尹）王璠秘密逮捕郑注。王璠把宰相命令暗中拿给王守澄，郑注因此得免一死，对王璠深为感激。而王璠又跟李训（李仲言）友善，于是李训（李仲言）、郑注共同保荐，把王璠从浙西道（首府设润州〔江苏省镇江市〕）行政长官（观察使）任上，征召回京（首都长安），擢升国务院左秘书长（尚书左丞）。

八三五年 乙卯

唐　太和　九年

1 春季，正月九日，唐王朝（首都长安〔陕西省西安市〕）皇帝（十七任文宗）李昂（李涵。本年二十八岁），命成德战区（总部设镇州〔河北省正定县〕）候补司令官（留后）王元逵，实任司令官（节度使）。

2 巢公爵李凑逝世，追封齐王（李凑因宋申锡被贬事，参考八三一年三月）。

3 郑注上疏指出古秦国地区（陕西省中部）将发生灾难，应该大兴土木，镇压化解。

二月十六日（原文误置于正月，据《旧唐书》改），李昂调动左、右神策军一千五百人，疏浚曲江及昆明池。

4 三月，冀王李绒逝世（李绒，是十三任帝李诵的儿子）。

5 三月十一日，擢升卢龙战区（总部设幽州〔北京市〕）候补司令官（留后）史元忠，实任司令官（节度使）。

6 最初，李德裕任浙西道（首府设润州〔江苏省镇江市〕）行政长官（观察使），漳王李凑的保姆杜仲阳，受宋申锡案的牵连，逐回故乡金陵（江苏省南京市），李昂命李德裕对她特别照顾（金陵城属润州）。适逢李德裕离开浙西（首府润州）。离去时，把皇帝的吩咐用公文通知候补司令官（留后）李蟾（李德裕于八二九年八月离浙西〔首府润州〕、八三〇年十月在西川〔总部成都府〕，而宋申锡案发生于八三一年二月，时间有差错）。

现在，国务院左秘书长（左丞）王璠、国务院财政部副部长（户部侍郎）李汉，上疏指控李德裕用重金贿赂杜仲阳，透过她暗中交结李凑，图谋叛变。李昂大怒若狂，召见各宰相，以及王璠、李汉、郑注等，当面对质。王璠、李汉一口咬定这是事实。路隋说：“李德裕不致如此，如果真的像所指控的，我也应该有罪！”陷害的声音才稍稍停息。

夏季，四月，改命李德裕当太子宾客（正三品），到东都洛阳（河南省洛阳市）办公。

7 四月十八日，李昂命郑注暂任畜牧部长（守太仆卿）兼总监察官（兼御史大夫）；郑注这时才肯接受，可是，却推荐抨击他最激烈的国务院财政部粮秣司副司长（仓部员外郎）李款代替自己（李款事，参考前年〔八三三〕九月），说："他加到我头上的罪状，虽然在法理上我清白无辜，但李款的忠诚尽责，乃是事奉君王的典范。"听到的人忍不住失笑。

8 四月二十一日，命副监督长（门下侍郎）、二级实质宰相（同平章事）路隋，当镇海战区（总部设润州〔江苏省镇江市〕）司令官（节度使），立即前往到差，不准面见皇帝辞行。因他援救李德裕，所以有此贬逐。

9 最初，首都长安特别市长（京兆尹）、河南（河南省洛阳市）人贾悚（音sù〔速〕），性情轻佻暴躁，心胸狭小，跟李德裕有怨，而跟李宗闵、郑注友善。上巳日（即三月三日，参考三一六年正月注），皇帝李昂在曲江（首都长安东南角）设宴款待文武百官，依照惯例，首都长安特别市长（京兆尹）要在大门外下马，向监察官（御史）行礼作揖。贾悚仗恃他的后台强硬，骑着马一路直闯而进，宫廷监察官（殿中侍御史）杨俭、苏特，跟他争论，贾悚诟骂说："你们这些黄脸娃，竟敢如此！"因此被提出弹劾，判处罚俸。贾悚觉得受到羞辱，要求外调，李昂任命他当浙西道（首府设润州〔江苏省镇江市〕）行政长官（观察使），但还没有动身。

四月二十三日，擢升贾悚当副立法长（中书侍郎）、二级实质宰相（同平章事。这种鹞子翻身的升迁，是郑注决心显示他的威力）。

10 四月二十五日，李昂下诏斥责李德裕说："前年，我患病时（参考前年〔八三三〕十二月），宰相王涯招呼李德裕一起飞奔进宫问安，李德裕竟然不到；李德裕在西川战区（总部设成都府〔四川省成都市〕）时，强行征收久欠的捐税田赋三十万串，使农民生活愁苦。” 468

再贬李德裕当袁州（江西省宜春市）政务秘书长（长史）。

11 最初，宋申锡被定罪（参考八三一年二月），宦官比从前更为蛮横凶暴，李昂虽然表面上十分包容，但内心已愤怒得不能忍耐。李训（李仲言）、郑注既然深受李昂宠爱信任，了解李昂的心意，李训（李仲言）遂利用进宫讲书的机会，不断用敏感的言辞，试探打动李昂的心意。李昂看出他反应敏捷，才能干练，认为可以跟他商讨大事。同时，又因李训（李仲言）、郑注，都出于王守澄的推荐，不会引起宦官的猜疑，于是诚恳的把内心秘密告诉他们。李训（李仲言）、郑注，就把诛杀宦官当作自己的责任，二人互相依赖，早晚商议讨论，所提出的任何要求，李昂没有一件事拒绝。声势烜赫，震动天下。郑注大多数时间留在宫中，遇到休假，家里的宾客也填满门户，各方送来的贿赂，堆积如山。外面的人只知道李训（李仲言）、郑注，仗恃宦官作威作福，万料不到他们竟跟皇帝结合，进行一项诛杀宦官的危险阴谋。

李昂之被推上皇帝宝座，右领军（卫军第八军）将军，身为宦官的兴宁（广东省兴宁市）人仇士良，出力有功（史书没有记载），可是却被王守澄压制，二人从此结怨。李训（李仲言）跟郑注替李昂设计，先行擢升仇士良，用以分散王守澄的权柄。

五月二十一日，李昂命仇士良当左神策军总指挥宦官（左神策中尉），王守澄大不高兴（左神策军总指挥宦官〔中尉〕韦元素，现在被逐）。

12 五月二十四日，命国务院左秘书长（左丞）王璠，当国务院财政部长（户部尚书）兼全国财政总监（判度支）。

13 京师（首都长安）传出谣言说：郑注给皇帝配制长生不老仙丹，需要婴儿心肝，绘影绘声，民间惊骇恐惧，李昂听到消息，深为痛恨。郑注一向讨厌首都长安特别市长（京兆尹）杨虞卿，遂跟李训（李仲言）联合陷害，说是这谣言出自杨虞卿家人之口，李昂大怒。

六月，下令逮捕杨虞卿，囚禁监狱。郑注曾经向副立法长（中书侍郎）、二级实质宰相（同平章事）李宗闵，要求当两院官（两省官），李宗闵不准，郑注遂在皇帝面前抨击李宗闵；而现在，李宗闵竭力援救杨虞卿，李昂更怒火冲天，大声把李宗闵赶出。

六月二十八日，贬李宗闵当明州（浙江省宁波市）州长。

14 左神策军总指挥宦官（左神策中尉）韦元素、宫廷机要室主任宦官（枢密使）杨承和、王践言，在宫中任职，跟右神策军总指挥宦官（右军中尉）王守澄，因争权夺利，发生冲突。李训（李仲言）、郑注遂贬杨承和当西川战区（总部设成都府〔四川省成都市〕）监军宦官、韦元素当淮南战区（总部设扬州〔江苏省扬州市〕）监军宦官、王践言当河东战区（总部设太原府〔山西省太原市〕）监军宦官。

15 秋季，七月一日，贬杨虞卿当虔州（江西省赣州市）军务秘书长（司马）。

16 七月七日，在曲江（首都长安东南角）南重建紫云楼。

17 七月八日，命总监察官（御史大夫）李固言当副监督长（门下侍郎)、二级实质宰相(同平章事)。

18 李训(李仲言)、郑注,替李昂拟定治国平天下的大计:第一步先铲除宦官,其次收复西部河湟(甘肃省中部西部及青海省东部)失地,最后扫荡河北(黄河以北)的割据军阀。经营的方法及实施步骤,都有具体方略,探讨分析,了如指掌。李昂十分欣赏,对二人的宠爱和倚重,一天比一天增加。

最初,李宗闵当国务院文官部副部长(吏部侍郎)时(参考八二九年八月),透过驸马沈𰿋(音yí〔宜〕),结交皇宫女学士宋若宪和宫廷机要室主任宦官(知枢密)杨承和,才被擢升到宰相高位(宋若宪姊妹都能写文章〔十九世纪之前,中国妇女没有几个人识字〕,十二任帝李适把她们召到宫中,不纳入小老婆群,只称她们"女学士")。现在,李宗闵贬谪明州(浙江省宁波市),郑注揭发这项官场丑闻。

七月九日,把李宗闵再贬作处州(浙江省丽水市)政务秘书长(长史)。

皇家图书院编撰官(著作郎,从五品上)、派往东都洛阳(河南省洛阳市)办公的舒元舆,跟李训(李仲言)友善,李训(李仲言)当权后,征召舒元舆回京(首都长安),当国务院右主任秘书(右司郎中),兼主任监察官(兼侍御史知杂),负责审讯杨虞卿一案。

七月十日,擢升舒元舆当副总监察官(御史中丞。李训〔李仲言〕酬庸他审判之功)。舒元舆,是舒元褒的老哥(舒元褒,参考八三一年三月四日)。

贬国务院文官部副部长(吏部侍郎)李汉当汾州(山西省汾阳市)州长、司法部副部长(刑部侍郎)萧澣当遂州(四川省遂宁市)州长;二人都被指作李宗闵的一党。

当时,李训(李仲言)、郑注,一连驱逐三位宰相(李德裕、路隋、李宗闵),声势权威,震动天下,对平生丝毫的恩怨,无一不报。

19 李训（李仲言）奏报说：和尚尼姑的数目太多，严重消耗国家税收及民间生产。

七月十四日，李昂下诏全国各地方政府，分别考试所在地的和尚尼姑，凡是诵读佛经不及格的，一律限令还俗；禁止寺庙给别人剃度，也不准私自剃度（和尚太多，参考八二五年十二月）。

20 当时的人都说：郑注早晚会当宰相，中央监察官（侍御史）李甘在政府宣称："诏书如果发下，我会在大庭广众中把它撕毁！"

七月二十日，贬李甘当封州（广东省封开县）军务秘书长（司马）。然而，李训（李仲言）对郑注也心怀猜忌，不希望看到郑注当宰相，事情遂被搁置。

21 七月二十一日，命国立贵族大学教授（国子博士，正五品上）李训（李仲言），当国务院国防部军政司长（兵部郎中）、诏书撰写官（知制诰），原皇家教授（侍讲学士）的职务依旧保持。

22 贬左金吾（卫军第十一军）大将军沈㼧当邵州（湖南省邵阳市）州长。

八月三日，李昂再贬李宗闵当潮州（广东省潮州市）州政府户籍官（司户），并下令宋若宪自杀。

23 八月四日，命畜牧部长（太仆卿）郑注当国务院工程部长（工部尚书）兼皇家教授（翰林侍讲学士）。郑注喜爱穿鹿皮衣裳，以隐士自居，李昂也把他当作师傅、朋友，不敢当作部属。郑注开始受到赏识时，李昂曾经问皇家文学研究官（翰林学士）、国务院财政部副部长（户部侍郎）李珏说："你知不知道郑注？有没有跟他说过话？"李珏说："我不但知道他的姓名，也知道他的为人。他奸诈无比，陛下宠爱他，对陛下的神圣品德，没有裨益。我在皇上身边做事，怎么敢跟这种人来往！"

八月五日，贬李珏当江州（江西省九江市）州长。再贬沈曦当柳州（广西柳州市）州政府户籍官（司户）。

24 八月二十三日，李昂下诏斥责杨承和庇护宋申锡，而韦元素、王践言，以及李宗闵、李德裕负责联络内外，接受他们的贿赂，都应加重处罚：杨承和流放驩州（越南荣市）、韦元素流放象州（广西象州县）、王践言流放恩州（广东省恩平市），命所在有关单位，加上脚镣手铐，装入囚车押送。再斥责杨虞卿、李汉、萧澣是结党营私的首领，也应加重责罚：贬杨虞卿当虔州（江西省赣州市）户籍官（司户）、李汉当汾州（山西省汾阳市）军务秘书长（司马）、萧澣当遂州（四川省遂宁市）军务秘书长（司马）。

不久，李昂派宦官追踪而至，命杨承和、韦元素、王践言自杀（韦元素竟终于应验李弘楚的预言，参考前年〔八三三〕九月）。当时，崔潭峻已经逝世，命剖开棺木，鞭打尸体。

八月二十六日，命前庐州（安徽省合肥市）州长罗立言，当农林部副部长（司农少卿）。罗立言是一个赃官，用贿赂结交郑注，才得到这个职位。

郑注进入皇家文学研究院（翰林院），立法官（中书舍人）高元裕撰写诏书草稿，叙述郑注因医药精湛，得以侍奉君王（参考去年〔八三四〕十二月）；郑注记恨在心，奏报说：李宗闵贬出时，高元裕曾经到郊外送别。

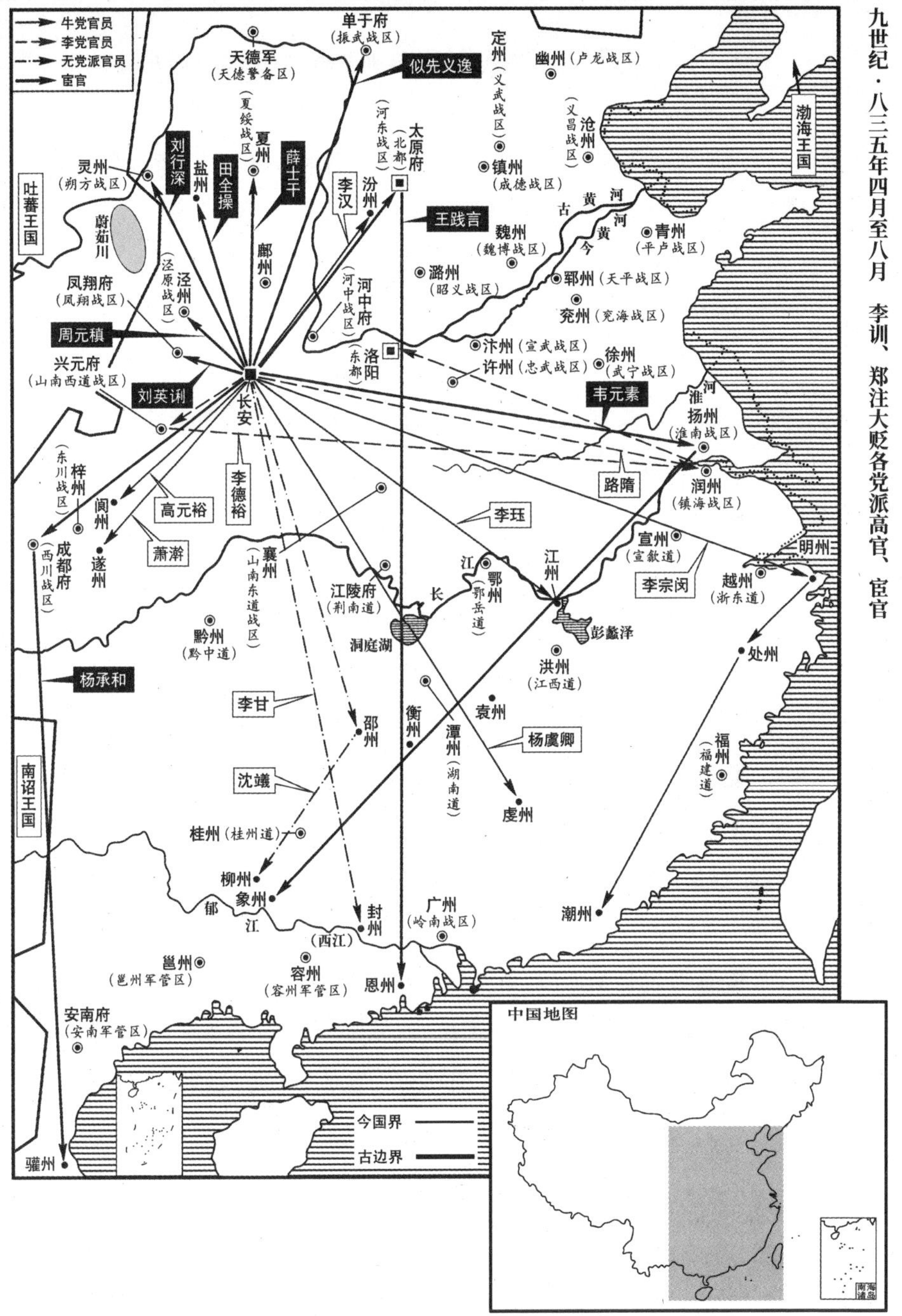

九世纪·八三五年四月至八月　李训、郑注大贬各党派高官、宦官

八月二十九日，贬高元裕当阆州（四川省阆中市）州长。高元裕，是高士廉的六世孙（高士廉是长孙无忌的舅父，参考六四七年正月）。

当时，凡郑注和李训（李仲言）所厌恶的政府官员，一律被指为“二李党”（二李，谓李德裕、李宗闵），贬谪流放，没有一天停过，以致金銮宝殿朝会时，有些应有官员排列的地方，都空了出来，政府中人心惶惶，李昂也知道这种情形，李训（李仲言）、郑注担心地位动摇。

九月一日，二人建议李昂下诏宣布：“李德裕、李宗闵的亲友、故旧，以及门生、部属，除了今天以前贬逐的之外，其余的一律不再追究。”李昂同意，人心稍稍安定。

25 全国盐铁专卖暨运输总监（盐铁使）王涯，奏请改变江淮（华东地区）及岭南（南岭以南）茶叶专卖法令，增加税收（茶税，参考七九三年正月）。

26 九月十八日，命凤翔战区（总部设凤翔府〔陕西省宝鸡市凤翔区〕）司令官（节度使）李听，当忠武战区（总部设许州〔河南省许昌市〕）司令官（节度使），接替杜悰。

27 十四任帝（宪宗）李纯当初突然逝世，大家都认为是宦官陈弘志谋杀（参考八二〇年正月）。现在，陈弘志当山南东道战区（总部设襄州〔湖北省襄阳市〕）监军宦官。李训（李仲言）替李昂策划，召唤他回京（首都长安）。陈弘志走到青泥驿（陕西省蓝田县南）。

九月二十一日，李昂命人携带刑杖前往，把陈弘志乱棍打死。

28 郑注要求当凤翔战区（总部设凤翔府〔陕西省宝鸡市凤翔区〕）司

令官（节度使）。副监督长（门下侍郎）、二级实质宰相（同平章事）李固言不同意。

九月二十五日，命李固言当山南西道战区（总部设兴元府〔陕西省汉中市〕）司令官（节度使），郑注当凤翔战区（总部凤翔府）司令官（节度使）。李训（李仲言）虽然因郑注的提拔，进入官场，但后来权势和官位日渐升高，反而对郑注相当猜忌。于是在秘密谋略中，强调必须内外合力，才能诛杀宦官，所以希望郑注出镇凤翔（陕西省宝鸡市凤翔区）。其实，李训（李仲言）另有阴谋，等到诛杀宦官后，接着就诛杀郑注。

郑注打算物色有才能声望的官员，当他的副手，请国务院教育部祭祀司副司长（礼部员外郎）韦温出任副司令官（副使），韦温拒绝。有人警告韦温："你拒绝他，后患无穷。"韦温说："非选择灾祸不可的时候，应选择比较轻的。我拒绝他不过被贬到远方，如果顺从他，灾祸恐怕难测。"终于辞去。

29 九月二十六日，李昂下诏擢升右神策军总指挥宦官（右神策中尉），兼代右卫（卫军第二军）上将军、宦官总管（知内侍省事）王守澄，当皇家左、右神策军观察兵马阵容最高监军宦官（左右神策军观军容使），兼十二卫（卫军共十六军，此处应指其中十二军）统军。这是李训（李仲言）、郑注为皇帝筹划的策略：用崇高的虚名尊崇王守澄，实际上却是把他架空，剥夺他的实权。

30 九月二十七日，擢升副总监察官（御史中丞）兼国务院司法部副部长（兼刑部侍郎）舒元舆，专任国务院司法部副部长（刑部侍郎）；国务院国防部军政司长（兵部郎中）兼诏书撰写官（知制诰）及皇家教授

（翰林侍讲学士）李训（李仲言），当国务院教育部副部长（礼部侍郎），二人同时兼二级实质宰相（同平章事）。命李训（李仲言）依照惯例，三两天进宫到皇家文学研究院（翰林院），向皇帝讲解《易经》。舒元舆当副总监察官（御史中丞）时，凡是李训（李仲言）、郑注所厌恶的，他就提出弹劾，因此被擢升担任宰相；同时，李昂鉴于李宗闵、李德裕结党营私，互相对抗，而认为贾悚、舒元舆，出身平民家庭，又都是新人，所以也乐于擢升他们到宰相高位，多少因为他们没有结党。

李训（李仲言）从一个流刑犯进入京师（首都长安），第二年就被擢升宰相，皇帝又对他完全相信。李训（李仲言）有时在宰相联合办公厅（中书），有时在皇家文学研究院（翰林院），全国事务，都由他决定。其他宰相像王涯之类，只是看他的眼色行事，仍恐怕他不满意。上自神策军总指挥宦官（中尉）、宫廷机要室主任宦官（枢密使），下到禁卫军各级将领，看见李训（李仲言），都畏惧震骇，迎上去叩头。

九月三十日，命国务院司法部法务司长（刑部郎中）兼主任监察官（兼御史知杂）李孝本，暂代副总监察官（权知御史中丞）。李孝本，是皇族子弟（不知其世系），投靠李训（李仲言）、郑注，才得以升迁。

31 忠武战区（总部设许州〔河南省许昌市〕）司令官（节度使）李听，自认为他是功臣家世（李听是李晟的儿子。李晟，是排名第一的奉天定难功臣，参考七八四年七月十三日），对郑注不太有礼貌。郑注接任李听当凤翔战区（总部设凤翔府〔陕西省宝鸡市凤翔区〕）司令官时，先派营门官（牙将）丹骏到大营慰劳（丹，姓），遂诬告李听在凤翔贪污暴虐。

冬季，十月三日，李昂命李听当太子太保（太子三师之三），派到东都洛阳（河南省洛阳市）办公。命杜悰再回任忠武战区（总部设许州〔河南省许昌市〕）司令官（节度使）。

郑注常自负他有救世富民之才，李昂问他使人民富裕的方法，郑注回答不出来，只建议征收茶税，李昂遂命宰相王涯兼全国茶税总监（榷茶使）；王涯明知道不能这样，但又不敢违背，人民深受剥削的痛苦。

李昂问郑注如何使人富起来，郑注的办法却是加重茶税。无论如何，在那个一元化的农业时代，加税只能使人穷，怎么能使人富？连白痴都懂，只李昂不懂。人，稍有所蔽，再光亮的颜色都看不见，再荒谬的道理都听得进去！

32 郑注打算争取和尚、尼姑的好感，一再请求停止淘汰，李昂批准（李训〔李仲言〕淘汰僧尼，参考本年〔八三五〕七月）。

33 李训（李仲言）、郑注，秘密向李昂建议除掉王守澄。

十月九日，李昂派宦官李好古送一份毒酒到王守澄家，命王守澄服下自杀。然后追赠王守澄官衔：扬州军区总司令官（扬州大都督）。李训（李仲言）、郑注，全都是依靠王守澄的栽培提拔，才有今天高位（李训事参考去年〔八三四〕六月，郑注事参考去年〔八三四〕四月），结果王守澄竟死在两位马屁精之手，人心大快，但大家对李训（李仲言）和郑注的阴险狡诈、忘恩负义，也至为痛恨。十四任帝（宪宗）李纯时代留下的叛逆宦官，至此全部清除。

十月十三日，郑注前往凤翔（陕西省宝鸡市凤翔区）到差。

34 十月二十八日，李昂命东都洛阳（河南省洛阳市）留守长官、司徒（三公之二）兼最高监督长（兼侍中）裴度，兼最高立法长（兼中书令），其他官衔仍然保持。

李训（李仲言）所提拔的人，大多数是急进冒险之徒，但有时候也推荐一些天下有重望的前辈，以顺应人心，像裴度、令狐楚、郑覃，都是几朝元老，被当权分子长期排斥（当权分子，指牛李二党），安置在闲散的位置上，李训（李仲言）都推荐他们居于高位。因之知识分子也有人希望他们真的能为帝国带来和平，不仅仅李昂被他们迷惑而已。但是有见识的人看到他们那种不可理喻的专横和傲慢的态度，肯定他们定会失败。

35 十一月五日，命最高法院院长（大理卿）郭行余，当邠宁战区（总部设邠州〔陕西省彬州市〕）司令官（节度使）。

十一月十二日，命河东战区（总部设太原府〔山西省太原市〕）司令官（节度使）、遥兼二级宰相（同平章事，使相）李载义，兼最高监督长（兼侍中，使相）。

十一月十六日，命国务院财政部长（户部尚书）、全国财政总监（判度支）王璠，当河东战区（总部太原府）司令官（节度使）。

十一月十七日，命首都长安特别市长（京兆尹）李石，当国务院财政部副部长（户部侍郎）、全国财政总监（判度支）。命首都长安特别市副市长（京兆少尹）罗立言，暂代特别市长（权知府事）。李石，是李神符的五世孙（襄邑王李神符，是一任帝李渊的堂弟，参考六一八年六月七日）。

十一月十八日，命库藏部长（太府卿）韩约，当左金吾卫（卫军第十一军）大将军。

最初，郑注跟李训（李仲言）秘密计议：郑注就任凤翔战区（总部设凤翔府〔陕西省宝鸡市凤翔区〕）司令官（节度使）后，遴选数百名勇士，不用刀剑，只手拿木棍，怀揣利斧，作为亲兵侍卫。

本月（十一）二十七日，王守澄安葬浐水（注入灞水），郑注上疏请求参与护卫丧礼，因而携带亲兵同行。再请李昂命神策军总指挥宦官（中尉）以下所有宦官，全到浐水集合，追悼送葬。就在这时候，郑注下令关闭大门，由亲兵用大斧砍杀，一个活人也不留下。计划确定后，李训（李仲言）跟他的同党研究，发现："如果大事告成，就全成了郑注的功劳！不如命郭行余、王璠以前往战区到差的名义，大量招兵买马，加上金吾卫（卫军第十一、十二军）、总监察署（台）、首都长安特别市政府（府）的士卒，一齐发动，先行诛杀宦官，然后连郑注一并铲除。"郭行余、王璠、罗立言、韩约，和副总监察官（御史中丞）李孝本，都是李训（李仲言）所厚待的心腹，所以把他们全安置在重要位置上，只跟他们这几个人以及舒元舆密商，外人都不知道，万事布置妥当，择日发动。

十一月二十一日，李昂登紫宸殿，文武百官各就各位，左金吾（卫军第十一军）大将军韩约没有例行的奏报平安（惯例：皇帝在龙椅坐下后，金吾〔卫军第十一、十二军〕将军奏报："左右厢房内外平安。"），却奏报说："左金吾（卫军第十一军）司令部（听事）后面石榴树上，昨夜天降甘露，我已呈递'门奏'！"（夜间宫门紧闭，紧急奏章从门缝投入，称"门奏"。）遂三跪九叩，宰相立即率文武百官祝贺。李训（李仲言）、舒元舆劝李昂亲往观看，以承受上天赐下的祝福，李昂允许；文武百官退下，到含元殿站班（紫宸殿位宫内，称内殿，含元殿位大明宫，称前殿。左右金吾卫〔卫军第十一、十二军〕司令部〔仗院〕在含元殿前方两侧）。过了一会，李昂坐软轿出紫宸门，登含元殿。先命宰相及两院官员（两院，即两省：门下省及中书省）去左金吾卫司令部（左仗）察看，很久以后回来，李训（李仲言）回奏说："我跟大家一起检查，似乎不像是真的甘露，不应该立刻对外宣布，恐怕引起全国祝贺。"李昂说："怎么会有这种事？"回头命左右神策军总指挥宦官（中尉）仇士良及鱼弘志，率各宦官前往复视。宦官群离殿之后，李训（李仲言）立即召唤郭行余、王璠，宣布说："听候圣旨！"王璠双腿发抖，不敢上前，只郭行余在殿前跪下，当时，二人的部属有数百人，都手拿武器，站在丹凤门外，李训（李仲言）已先派人把他们召到含元殿前接受诏书。可是只王璠的河东（总部太阳府）军进去，郭行余的邠宁（总部邠州）军竟没有进去。

仇士良等到左金吾（卫军第十一军）司令部（左仗）后面察看甘露，而韩约紧张过度，脸色改变，汗流满面，仇士良觉得奇怪，说："将军，你怎么啦！"就在这时候，大风吹起帐幕，发现很多手拿武器的战斗部队，又听到有武器互相碰击的声音。仇士良等大吃一惊，急往外逃走，守门人正要闭门，仇士良大声叱喝，门关不上。仇士良等跑向含元殿，向李昂报告事变。李训（李仲言）看见，急叫金吾卫士："快上殿保护皇上，每人赏钱一百串！"宦官们大叫："事情紧急，请皇上回宫！"立即抬起软轿，把李昂扶上去，冲破殿后的网索屏风，向北飞奔。李训（李仲言）用手攀住软轿，大喊说："我奏报事情还没有完，陛下不可回宫！"这时，金吾卫士已登上殿台；罗立言率京师（首都长安）警察部队三百余人从东边增援，李孝本率总监察署（御史台）警卫士卒二百余人从西边增援，也都登上殿台，挥刀攻击，宦官死伤十余人，流血满地，声声呼冤。但并不能阻止李昂的软轿，软轿摇摇晃晃进入宣政门（宣政殿大门），李训（李仲言）手攀软轿不放，焦急的呼唤李昂停下，李昂喝他住口。宦官郗志荣上前猛击李训（李仲言）的胸脯，李训（李仲言）栽倒在地，紧攀软轿的手松开，软轿遂进入宫城，宫门立即紧闭，宦官们一起大喊万岁，排列在含元殿的文武百官呆在那里，接着四散逃出。李训（李仲言）知道大势已去，急换上随从人员的绿色衣服，骑马奔出宫门，在路上大声抱怨说："我犯了什么罪，贬窜出京（首都长安）！"没有人怀疑他已惹下滔天大祸。王涯、贾悚、舒元舆回到宰相联合办公厅（中书），互相说："皇上就要登延英殿，召集我们讨论善后事宜。"两院（两省）官员前来向宰相请示发生什么事，三人都说："不知道发生什么事，各位安心工作！"

仇士良等这时候已发现李昂竟是主持这项屠杀宦官阴谋的主角，怨恨愤怒一齐爆发，对这位现任皇帝口出恶言，李昂既惭愧又恐惧，不敢说话。仇士良等命左、右神策军基地副司令（副使）刘泰伦、魏仲卿等，各率禁军五百人，手执钢刀，出宫搜捕李郑党羽。王涯等在宰相联合办公厅（中书）正要中午聚餐，职员报告说："军队从皇宫出来，见人就杀！"王涯等来不及骑马，步行狼狈逃走，两院（两省）官员，及金吾卫（卫军第十一、十二军）官兵一千余人，挤在大门那里，争先恐后逃命，大门不久关闭，仍有六百余人没有逃出来，全被屠杀。仇士良等分别派禁军关闭所有皇城大门，进入政府机关搜索逮捕贼党，各机关官员士卒，以及正巧留在政府机关的民间小贩，全被屠杀——又有一千余人，尸体纵横、流血满地、狼藉一团。各机关印信、档案、图书、幕帐、器具，全都摧毁；又分别派骑兵各一千余人，出城追捕逃亡，又派军队在京师（首都长安）严密搜捕。

舒元舆换穿平民衣服，独自骑马逃出安化门（长安南面西头第一门），禁军追上去，生擒活捉。王涯步行到永昌里（长安东城）茶馆，禁军赶到捕获，押往左神策军总部；王涯年已七十余，被戴上刑具，苦刑拷打，无法忍受痛苦，只好自诬说，他跟李训（李仲言）阴谋政变，准备推翻李昂，拥护郑注登极。王璠逃回长兴里（长安南城）私宅，紧闭大门，命河东战区（总部太原府）军队防守。神策军将领到了门口，大声呼叫说：“王涯等谋反，皇上打算命你接任宰相，鱼护军（鱼弘志）派我前来致意。”王璠大喜，出门相见，将领到他面前，向他拼命道贺，王璠才发现自己受骗，流着眼泪跟他而去，到了左神策军总部，看见王涯说：“你自己谋反，为什么牵连我？”王涯说：“你从前当首都长安特别市长（京兆尹），不把机密泄漏给王守澄（参考八三一年二月），怎么会有今天！”王璠低头说不出话。禁军又在太平里（长安西南城）逮捕罗立言，又逮捕王涯等人的亲属和奴仆婢女，全部囚禁左右神策军。国务院财政部税务司副司长（户部员外郎）李元皋，是李训（李仲言）的远房堂弟，李训（李仲言）对他没有感情可言，但也被逮捕处死。故岭南战区（总部设广州〔广东省广州市〕）司令官（节度使）胡证，家产亿万，禁军打算抢夺他的家财，借口搜索贾悚，到他家里逮捕他的儿子胡溵，诛杀。又闯进监督院最高顾问官（左常侍）罗让、太子宫总管（詹事）浑鐬（音huì〔惠〕）、皇家文学研究官（翰林学士）黎埴（音zhí〔直〕）等家，抢掠他们家财，像扫地一样，没有留下一件东西。浑鐬，是浑瑊的儿子（浑瑊事，参考七五六年四月十一日）。大街小巷的地痞流氓，乘势报仇，杀人掠货，并互相攻击，尘埃滚滚，上蔽天际。

十一月二十二日，文武百官进宫早朝，太阳东升，才开建福门（宫城南面西头第一门），守门禁军只准每人携带一个随从进宫，卫士钢刀出鞘，夹道而立，到宣政殿，门还没有开。当时，没有宰相、监察官（御史）出席，官员们已不能排列就位。李昂登紫宸殿，问说：“宰相为什么不来？”仇士良说：“王涯等叛变，囚禁监狱。”遂把王涯手写的自动招认供状呈上，并召唤国务院左最高执行长（左仆射）令狐楚、右最高执行长（右仆射）郑覃等到殿上审视。李昂悲愤得几乎无法克制，问令狐楚等说：“这是不是王涯的亲笔？”令狐楚等说:“是的。”李昂说:“真这样的话,诛杀仍有余罪!”遂命令狐楚、郑覃晚上就住在宰相联合办公厅(中书)参与机要政务,又命令狐楚撰写诏书,把事变经过昭示中外。令狐楚叙述王涯、贾倮谋反的事时,用词空泛,仇士良大不高兴,令狐楚也因此不能擢升宰相。

柏杨曰

面对一个政治犯写下的足以置自己于极端不利的自白书,只因是出于亲笔,就对它深信不疑的话,他如果不是一只天真的小白兔,就一定是一条心怀叵测的恶狼。小白兔不过轻信而已,恶狼则不然,他内心并不深信,但他却认为深信比不深信对自己有利。甘露事变中,李郑失败,李郑所引进的宰相,在被捕之后,立刻坦承谋反,这种明显的自诬,连小白兔都骗不过。但李昂却“悲愤得几乎无法克制”。当初三任帝李治杀他的舅父长孙无忌时,就上演过这种节目(参考六五九年四月),如今重演一遍,使人拍案叫绝。在鲨鱼群眼中,这就是口供主义最引人入胜之处,妙不可言。

当时,街市上的劫掠事件,仍不停止,命左、右神策军将领杨镇、靳遂良等,各率五百人分别驻扎大街闹市,擂动大鼓警告匪徒;诛杀十余人后,社会秩序才安定。

贾倮换穿衣服躲到民间,住了一夜,天地虽大,自知无所逃遁,于是改穿丧服,骑驴到兴安门,向守门人投案说:“我是宰相贾倮,受奸臣牵连,请送我到神策军。”守门人遂把他押解右神策军。李孝本虽然改穿绿色衣服,但仍系着金腰带,用帽子遮着脸,独自骑马投奔凤翔(陕西省宝鸡市凤翔区),走到咸阳(陕西省咸阳市)西,

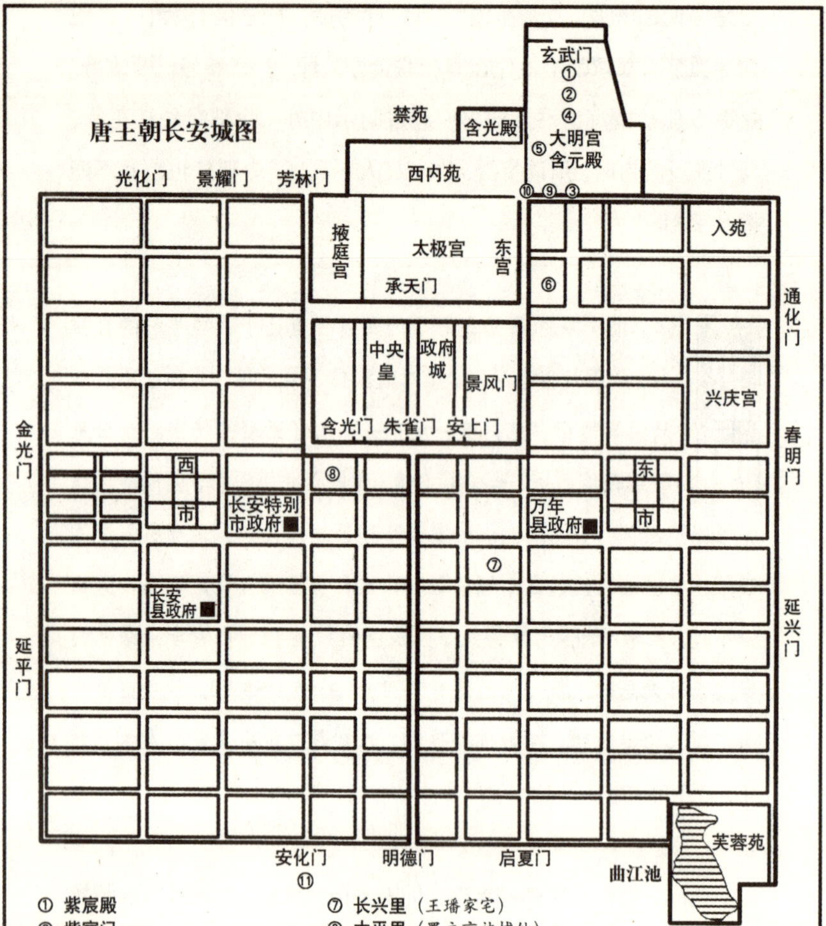

唐王朝长安城图

玄武门
①
②
④
禁苑
含光殿
⑤ 大明宫
含元殿
西内苑
光化门
景耀门
芳林门
⑩ ⑨ ③
掖庭宫
太极宫
东宫
承天门
入苑
⑥
通化门
中央政府
皇城
景风门
兴庆宫
含光门
朱雀门
安上门
金光门
春明门
⑧
西市
东市
长安特别市政府
万年县政府
⑦
长安县政府
延兴门
延平门
芙蓉苑
安化门
⑪
明德门
启夏门
曲江池

① 紫宸殿
② 紫宸门
③ 丹凤门
④ 宣政门
⑤ 政事堂
⑥ 永昌里（王涯被捕处）
⑦ 长兴里（王播家宅）
⑧ 太平里（罗立言被捕处）
⑨ 建福门
⑩ 兴安门
⑪ 安化门（舒元舆逃离长安处）

九世纪·八三五年十一月　甘露事变有关地望

禁军追上擒获。

十一月二十三日，命国务院右最高执行长（右仆射）郑覃，兼二级实质宰相（同平章事）。

李训（李仲言）一向跟终南山和尚宗密友善，遂投奔宗密。宗密准备剃光李训（李仲言）的头发藏匿，但徒弟们反对。李训（李仲言）只好出山，准备投奔凤翔（陕西省宝鸡市凤翔区），被盩厔（陕西省周至县）卫戍司令（镇遏使）宋楚生擒，戴上刑具，派军解送京师（首都长安）。走到昆明池（首都长安东南角），李训（李仲言）恐怕送到神策军后，将遭受更残酷的苦刑和羞辱，告诉押解官说："得到我就得到富贵，听说禁军到处捉我，一定会从你手中把我抢走领功，为你着想，不如砍下我的人头送去。"押解官接受他的建议，砍下他的人头呈献京师（首都长安）。

十一月二十四日，李昂下诏（宦官下诏），命国务院财政部副部长（户部侍郎）、全国财政总监（判度支）李石，兼二级实质宰相（同平章事），仍兼全国财政总监（判度支）。前河东战区（总部设太原府〔山西省太原市〕）司令官（节度使）李载义，仍回原职（王璠下狱，李载义得以复职）。

左神策军派士卒三百人，高举李训（李仲言）的人头充当前导，押解王涯、王璠、罗立言、郭行余；右神策军派士卒三百人，押解贾餗、舒元舆、李孝本；一起前往皇家祖庙（太庙）及农神地神祭坛（太社），像呈献畜牲一样行呈献仪式，然后押解到东市、西市，游街示众。命文武百官监刑，在独柳之下，全体腰斩，砍下人头悬挂兴安门外，他们的亲属家人，不管远近亲疏，一律处死，连怀抱中的婴儿和无知的孩童，都不留一命。妻妾儿女逃过一死的，也都被没收到官府当奴仆婢女，围观的长安（陕西省西安市）居民，怨恨王涯增加茶税，有的诟骂，有的用瓦片石子向他投击。

司马光曰

评论家一致认为王涯、贾𫗧，都有文学素养和很高声望，开始时并不知道李训（李仲言）、郑注的阴谋，却招来全族屠灭的横祸，都为他们感到悲愤，叹息所受的冤枉，我却认为并不是如此。如果国家颠危而不能扶持，要那种宰相干什么！（《论语》孔丘语："夫颠危不扶，焉用彼相！"）王涯、贾𫗧，安然的身居高位，饱享荣华富贵；而李训（李仲言）、郑注一伙小人，奸诈险恶，都到极点，全力以赴，最后终于夺取宰相。王涯、贾𫗧跟他们并肩共坐，竟不认为是一种羞耻；国家面对危乱，毫不担忧；苟且偷生，过一天算一天，自以为得到明哲保身的奇妙策略，谁都没有他聪明！假如人人都如此而竟然无灾无难，则奸佞之辈，谁不愿意去做！想不到刹那间祸患发生，鼎足折断、食物四散，暗室受刑（《易经》："鼎折足，覆公𫗧，其刑剭，凶。"剭，音wū〔屋〕，诛杀高官，不在街市行刑，而在暗室行刑，称"剭"），是上天诛杀他们，仇士良怎么能屠灭他们全族！

甘露事变为历史提出一个浓缩的模式：在激烈夺权的窝里斗中，奇计百出的政客们，发起飙来，既不要脸，又不要命！

36 王涯有位远房堂弟王沐，家住江南（长江以南。王涯是太原〔山西省太原市〕人），年纪老迈而家贫如洗。听说王涯高居宰相，千里迢迢骑驴到京师（首都长安）投奔，打算谋求县政府一个秘书官（簿）或防卫员（尉）低微官职。逗留长安（陕西省西安市）二年有余，才见到王涯一面，王涯对这位远房堂弟十分冷漠。过了很久，王沐透过王涯心爱的家奴，才说出自己的希望，王涯允许派他一个小官，从此，王沐早晚都要到王涯家宅，排班请安，等候差遣，禁军逮捕王涯全家时，王沐正巧也在那里，跟王涯同时腰斩。

舒元舆有一位堂侄舒守谦，聪明谨慎，舒元舆十分喜爱，提携他十年之久，有一天，他并没有犯错，舒元舆忽然对他大发雷霆，以后每天都对他斥责，奴仆婢女也瞧他不起。舒守谦心里不能平衡，请求返回江南（舒守谦是江州〔江西省九江市〕人），舒元舆也不挽留，舒守谦悲叹惆怅，告辞而去，傍晚，走到昭应（陕西省西安市临潼区），听到舒元舆全家被屠，只有他一人逃出一命。

王沐之陪伴送命，是躁进惹的祸。舒守谦之侥幸平安，是厚道余下的福。福祸的应验，上天岂会忘记。

王沐先生，不过一个穷苦的乡巴佬，万里投奔凉薄的族兄，希望谋一个小差，糊口而已，天天排班，仰望家奴颜色，其情堪怜，哪里来的“躁进”？犹如一个失业老汉，冒着烈日酷暑、狂风暴雪，东街晋谒，西街应征，只希望找一工作，喂饱妻子儿女的肚子，哪里来的“躁进”？腰斩之后，胡三省没有一句同情之言，反而冷嘲热讽，这种冷血心态，使人冽冽生寒。至于舒守谦得以保命，不过一种侥幸，如果仅靠厚道就可以不遭横死，推理的结论必然是：凡横死的人，都非厚道之辈。这种逻辑，恐怕只有中国这个酱缸文化中才有。

当天（十一月二十四日），中央命令狐楚当全国盐铁专卖暨运输总监（盐铁转运使），监督院最高顾问官（左散骑常侍）张仲方，暂代首都长安特别市长（权知京兆尹）。数天之间，所有诛杀、赦免、任命、撤职，都由左、右神策军两位总指挥宦官（中尉）决定，李昂事先根本都不知道。

最初，王守澄厌恶同是宦官的田全操、刘行深、周元稹、薛士干、似先义逸（似先，复姓）、刘英誗（音chán〔蝉〕）等；李训（李仲言）、郑注顺势把他们分别派到盐州（陕西省定边县）、灵州（朔方总部，宁夏灵武市）、泾州（泾原总部，甘肃省泾川县）、夏州（夏绥总部，陕西省靖边县北白城则村）、振武（单于府，内蒙古和林格尔县）、凤翔（凤翔总部，陕西省宝鸡市凤翔区），巡查边防（称"巡边宦官"）。等他们出发后，李训（李仲言）、郑注命皇家文学研究官（翰林学士）顾师邕撰写诏书，训令六战区道把六巡边宦官诛杀。不料李训（李仲言）失败，六战区道接到诏书后，拒绝执行。

十一月二十五日，宦官们认为顾师邕假传圣旨，捕入总监察署监狱（御史狱）。

稍早，凤翔战区（总部设凤翔府〔陕西省宝鸡市凤翔区〕）司令官（节度使）郑注，率亲兵卫士五百人，从凤翔出发，抵达扶风（陕西省扶风县），扶风县长韩辽知道他的阴谋，拒绝供应，而且索性携带印信，率领县政府大小官员，逃奔武功（陕西省武功县西）。郑注也得到李训（李仲言）政变失败消息，于是折返凤翔。仇士良等派人携带皇帝密旨，交给凤翔战区监军宦官张仲清，命张仲清处置郑注；张仲清惊慌失措，不知道怎么才好，内营管理官（押牙）李叔和建议说："不要担心，我把你的善意告诉郑注，请他前来聚会，调开他的卫士，在座位上就可把他制服，大功告成。"张仲清同意，埋伏士卒，等待郑注踏入陷阱。郑注仗恃亲兵卫士保护，应邀拜会张仲清。李叔和把郑注随身携带的亲兵留在外边大吃大喝，郑注单独带几位贴身侍卫进去。宾主落座饮茶，李叔和抽出佩刀砍下郑注人头，遂下令关闭大门，把正在外边大吃大喝的郑注亲兵，全部诛杀。这时才拿出密旨，向将士宣读，遂屠灭郑注全家男女老幼，并斩副司令官（副使）钱可复、战区执行官（节度判官）卢简能、道政府行政执行官（观察判官）萧杰、机要秘书（掌书记）卢弘茂等，以及其他党徒，杀死一千余人。钱可复，是钱徽的儿子（钱徽，参考八二一年四月）。卢简能，是卢纶的儿子（卢纶是八世纪七〇年代诗人，跟吉中孚、韩翃、钱起、司空曙、苗发、崔峒、耿纬、夏侯审、李端，号“大历十子”）。萧杰，是萧俛（音fǔ〔府〕）的老弟（萧俛曾任宰相，参考八二〇年闰正月）。中央此时还不知道郑注已死。

十一月二十六日，李昂下诏（宦官下诏）剥夺郑注所有官职及爵位，命相邻各战区紧急戒备，严密注视情势发展；并命左神策大将军陈君奕当凤翔战区（总部设凤翔府〔陕西省宝鸡市凤翔区〕）司令官（节度使）。

十一月二十七日，夜晚，张仲清派李叔和等携带郑注的人头，进京（首都长安）呈献，仇士良等命悬挂兴安门外，人心稍微安定，京师（首都长安）各军才各自复员回营。

李昂下诏（宦官下诏），命讨伐逆党有功和没有参加变乱的将领，依照阶级，分别赏赐。右神策军在崇义坊捕获韩约。

十一月二十八日，斩韩约。仇士良等也各依照阶级，分别升官。从此以后，中央大权握在“北司”（皇宫）宦官之手，“南衙”（政府）宰相只不过照发公文而已，宦官更盛气凌人，对上胁迫天子、对下轻视宰相，把文武百官当作草芥。每次在延英殿讨论政事，仇士良等动不动就用李训（李仲言）、郑注的事，堵宰相们的口。郑覃、李石反击说：“李训（李仲言）、郑注当然是祸乱的头目，问题是，不知道李训（李仲言）、郑注，最初是什么人推荐引进的？”宦官的气焰稍稍降低，政府官员都依靠郑覃、李石保护。

当时，宰相联合办公厅（中书）只剩下空旷荒芜的断墙破屋，连桌椅都没有。江西道（首府设洪州〔江西省南昌市〕）、湖南道（首府设潭州〔湖南省长沙市〕），呈献一百二十人的衣服和粮食，供应宰相重组侍卫（宰相卫队的盛大，自李林甫开始，参考七四七年十二月）。

十一月三十日，李石上疏拒绝，说："宰相如果忠心耿耿，神灵都会保佑，即令遇到盗匪，也不会受到伤害。如果心怀奸诈，即令保护得密不通风，连鬼都会把他诛杀。我愿竭尽赤心，上报国家，仍应依照前例，用金吾卫（卫军第十一、十二军）士卒，作为前导就足够。两道所呈献的衣服粮食，请求他们停止。"李昂批准。

李石拒绝重组侍卫，炎炎大言，可贯天日，最后证明，他不过在那里故意的搔首弄姿。依照他阁下的说法，武元衡、裴度受到狙击，一死一伤，岂非"心怀奸诈，即令保护得密不通风，连鬼都会把他诛杀！"再想不到，稍后不久，李石遭受暗箭攻击（参考八三八年正月），吓得胆破心裂，连宰相都不敢再干，岂不反证他并不忠心耿耿，所以神灵不佑！他如果老老实实的说："宰相警卫，中央自会负责，地方政府盛情，体制上不便接受！"岂不更好！很多人不喜欢真话真说，一旦认为噩运绝不会发生在自己头上，就忍不住装腔作势，以示不同凡品！于是乎，忽然间噩运降临，就把自己陷于难堪窘困之境。

十二月一日，把顾师邕流放儋州（海南省儋州市），走到商山（陕西省商洛市商州区东），李昂下诏（宦官下诏）命他自杀。

37 茶税征收总监（榷茶使）令狐楚，上疏请求取消茶税（初征，参考七九三正月；增税，参考本年〔八三五〕九月），李昂同意。

38 全国财政总监署（度支）奏报说：没收郑注家产，仅绢（粗丝厚绸）就有一百余万匹，其他东西跟这成正比。

十二月九日，李昂问宰相说："大街小巷是不是已恢复平静？"李石回答说："渐渐正常，可是最近几天，气候奇冷，这是杀人太多的缘故！"郑覃说："罪犯所有的亲人，已经死尽，其余最好不再追问！"当时，宦官对李训（李仲言）等恨入骨髓，凡跟他们有一点瓜葛的亲属，或是曾受过他们奖励引荐的人，都横加诛杀或流放，不肯住手，所以二位宰相特别提及。

李训（李仲言）、郑注死后，仇士良等召唤六战区道巡边宦官回京（首都长安），田全操对李训（李仲言）、郑注的阴谋，大怒若狂，路上就放出风声："我一进京城（首都长安），凡穿知识分子衣服的，不管他是官是民，一律诛杀！"

十二月十二日，田全操等乘驿马车飞奔入金光门（长安西城北头第二门），京师（首都长安）居民大为惊恐，认为是盗匪进城，号叫呼唤，向四方逃走，尘灰弥漫。政府各机关官员听到消息，也一哄而散，有些机警的人连腰带和袜子都来不及穿，跳上马背狂奔而去（看情形，唐王朝官员上班时都是光脚）。

郑覃、李石仍留在宰相联合办公厅（中书），眼看着部属及卫士陆续逃走，郑覃对李石说："情况有点不一样，应该出去避一下！"李石说："宰相地位尊贵，声望高隆，维系天下安危，不可以轻举妄动。而今实际情况还不了解，只有坚定的坐镇不动，才有可能安定人心，如果连宰相都逃走，就会大乱。何况真有灾祸，逃也逃不脱。"郑覃同意。李石坐在那里批阅公文，态度安详，跟平常一样。

钦差宦官一连串传达命令："关闭皇城各城门！"（长安城称"京

城”“京师”，皇帝睡觉的地方称“宫城”“子城”“北衙”“北司”，政府所在称“皇城”“南衙”“南司”。）左金吾（卫军第十一军）大将军陈君赏率领部队驻守望仙门（皇城南城东面第二门），告诉钦差宦官说：“等盗匪来了再关门不晚，现在应冷静的观察它的变化，不应该露出恐惧！”直到黄昏之后，秩序才告稳定。当天（十二月十二日），长安地痞流氓，都身穿黑衣，手拿弓箭刀枪，遥向北方盯着皇城观看，只等皇城城门关闭，就下手大掠。如果不是李石及陈君赏镇定不移，京师（首都长安）几乎再陷大乱，当时，政府官员应去服务单位值班的，临走时向家人告辞，就好像永别。

39 十二月十三日，李昂命停止曲江（首都长安东南角）亭馆工程（参考本年〔八三五〕二月）。

40 十二月十六日，李昂下诏说：“叛逆的亲人和党羽，除非是已经诛杀或仍在通缉中的，其余一概不再追究。政府官员虽然受到胁迫，犯过错误，也一律赦免，任何人不可以再检举或出言恐吓。对逃亡的人，也一律不再搜捕，三天之内，都可以回到原属的机关上班。”

这时，禁军蛮横凶暴，首都长安特别市长（京兆尹）张仲方，眼看人民饱受欺凌，却不敢过问；宰相因他没有能力胜任，外放当华州（陕西省渭南市华州区）州长，另命农林部长（司农卿）薛元赏接任。薛元赏曾经前往晋谒李石，听见李石在公堂上跟一个人争辩吵闹，声震屋瓦。薛元赏派人察看，说是神策军一个将领正在那里报告事情，薛元赏进去，责备李石说："宰相辅佐天子，治理国家，连眼皮下一个军官都制伏不了，使他嚣张横行到如此地步，怎么能镇服四方蛮夷！"转身出去，上马，命左右侍从逮捕那名神策军将领，押解到下马桥（大明宫建福门北）。薛元赏随后抵达，神策军将领已被脱下上衣，跪在那里。神策军同党急报告仇士良，仇士良派宦官召唤薛元赏说："总指挥宦官（中尉）委屈市长（尹）过去相见！"薛元赏说："正巧有点公事，等办完了就来。"遂把那位神策军将领乱棍打死，换穿白色衣服（官员等候定罪时的服色），晋见仇士良。仇士良说："你这个呆书生，怎么敢打死禁军大将！"薛元赏说："总指挥宦官（中尉）是帝国高官，宰相也是帝国高官，宰相的部属如果冒犯总指挥宦官（中尉），你会怎么办？总指挥宦官（中尉）的部属现在冒犯宰相，难道能够原谅！总指挥宦官（中尉）跟帝国共同一体，应该珍惜国法。我现在已穿上囚服，生死由你！"仇士良知道那位将领已不能复生，无可奈何，于是摆设筵席跟薛元赏欢聚饮酒，告一结束。

最初，武元衡被刺（参考八一五年六月），皇帝命宫廷军械库（内库）拿出弓箭、佩刀，发给金吾卫（卫军第十一、十二军）司令部，要他们负责宰相的安全，从家门口一直护卫到建福门（大明宫南城西二门）才退。现在，全部撤销。

八三六年 丙辰

唐 开成 元年

1 春季，正月一日，唐王朝（首都长安〔陕西省西安市〕）皇帝（十七任文宗）李昂（李涵。本年二十九岁），登宣政殿，赦免天下，改年号开成。左神策军总指挥宦官（中尉）仇士良，建议用神策军代替金吾卫（卫军第十一、十二军）守卫殿门，监督院高级顾问官（谏议大夫）冯定，极力反对，才算停止。冯定，是冯宿的老弟（冯宿，参考八二二年二月二十四日）。

2 二月十三日，李昂跟宰相谈话，对各方面进呈的奏章，用辞华丽、却言之无物的现象，感到忧虑。李石回答说："古代的人因为叙述事情才写文章，现代的人却为了写出华丽的文章，不惜扭曲事实。"

3 昭义战区（总部设潞州〔山西省长治市〕）司令官（节度使）刘从谏，上疏皇帝，要求公开向全国人民宣布：王涯犯了什么罪？强烈指控说："王涯等不过一介书生，蒙皇上宠爱，享受荣耀，谁不想保全自己家族，怎么肯做叛徒？李训（李仲言）实际上只想讨伐两个总指挥宦官（中尉），自认为可以救亡图存，想不到却导致互相残杀，并被诬陷谋反，事实上并没有犯所指控的那些罪行。即令宰相确有图谋，也应交给有关单位正式审判定罪，怎么可以允许宦官擅自派出军队，任意劫掠，祸乱延到平民头上，横受杀伤！血流宫门，僵尸以万为单位计算，搜捕罗织，像枝叶藤蔓，无论中央及地方，悲痛猜疑，神魂不安。我本打算亲身前往中央，当面陈奏是非善恶，深怕也被陷害杀戮，事情反而不能完成。我会小心的沿着边界戒备，加强士卒战斗训练，在内做陛下的心腹，在外做陛下的藩篱。如果奸诈之徒仍难以控制，我誓死都要肃清陛下左右。"

二月二十六日，李昂加授刘从谏中央官衔：摄理司徒（检校司徒，三公之二）。

4 天德警备区（总部设天德军城〔内蒙古乌拉特前旗东北〕）奏报说：吐谷浑部落（宁夏南部）三千个篷帐，前来丰州（内蒙古五原县）投降。

5 三月三日，擢升袁州（江西省宜春市）政务秘书长（长史）李德裕当滁州（安徽省滁州市）州长。

6 在一个融洽的气氛中，国务院左最高执行长（左仆射）令狐楚奏报说：“王涯等既然伏诛，家族也全被屠灭，尸骨狼藉满地，没有人料理，最好是请政府代为收拾掩埋，用以顺应阳春祥和之气。”李昂悲痛很久，命首都长安特别市政府（京兆府）到城西收葬王涯等十一人的尸骨，各发一件衣服。仇士良暗中派人掘开坟墓，把尸骨投到渭水。

7 三月八日，皇城留守长官郭皎奏报说：“各机关仪仗队有带刀的，一律送缴宫廷军械库（军器使），当值班列队时，另用木刀代替。”李昂批准。

8 刘从谏再派营门官（牙将）焦楚长前往京师（首都长安）呈递奏章，辞让加授的中央官衔，强调说：“我所作的陈述，关系帝国大体，如果陛下采纳，则王涯等冤狱，一定会蒙受昭雪，如果陛下不采纳，则奖赏不应该随便颁发。怎么可以冤死的还没有伸雪，而活着的却享受国家俸禄！”强烈指控仇士良的罪恶。

三月二十二日，李昂召见焦楚长，安慰解释，命他回去。当时仇士良等随心所欲的凶暴专横，政府官员每天都忧虑家破人亡。等到刘从谏奏章呈递，仇士良等才开始有所畏惧，行为稍微收敛，因此，郑覃、李石勉强可以施政，李昂也靠着刘从谏，多少能自己做主。

9 夏季，四月十日，擢升潮州（广东省潮州市）户籍官（司户）李宗闵，当衡州（湖南省衡阳市）军务秘书长（司马）。

凡是李训（李仲言）所指控的二李党羽（二李：李德裕、李宗闵），开始稍有人调动升迁。

10 淄王李协逝世（李协，是十四任帝李纯的儿子）。

11 四月二十五日，命山南西道战区（总部设兴元府〔陕西省汉中市〕）司令官（节度使）李固言，当副监督长（门下侍郎）、二级实质宰相（同平章事）；命国务院左最高执行长（左仆射）令狐楚，接替李固言。

12 四月二十九日，李昂跟各宰相讨论诗的好坏，郑覃说："最好的诗，莫过于《诗经》三百首，都是本国人士所作，讽刺或赞美当时的政治，君王们用笔记下，用来考察风俗人心，从没有听说君王亲自写诗的。后代知识分子写的诗，文字虽然美好，可是没有实质内容，对国家大事没有用处。陈叔宝（陈帝国末任帝）、杨广（隋王朝二任帝），都写出很好的诗，仍免不了国破家亡（这是二任帝李世民语，参考六三八年三月），陛下何必对诗重视！"郑覃对儒家学派的经典，有很深的造诣，李昂十分器重。

13 五月十一日（原文误置于四月），李昂登紫宸殿，各宰相因奏报事情，向李昂叩头谢恩，外面立刻传出谣言说："天子打算把禁军交给宰相，宰相已经叩头谢恩！"宦官跟政府官员之间再度猜忌对抗，人心恐慌，官民紧急应变，准备随时逃亡，都不敢脱衣服睡觉，一连几天都是如此。

五月二十七日，李石奏请李昂召见仇士良等，当面解释误会。李昂遂命仇士良等出来，李昂跟李石共同向他们说明，仇士良等终于不再怀疑，事情才算化解。

14 闰五月十七日，命太子太保（太子三师之三）、东都洛阳（河南省洛阳市）办公的李听，当河中战区（总部设河中府〔山西省永济市）司令官（节度使）。李昂曾经叹息说：“把兵权交给他而不猜忌，把他放到一个闲散位置上而他没有怨言，只有李听办得到。”

15 闰五月二十七日，李固言推荐崔球当皇家言行记录官（起居舍人），郑覃再三认为不可以，李昂说：“你不要总是反对！”郑覃说：“如果宰相们的意见完全一致，恐怕一定会发生蒙蔽欺骗陛下的事！”

16 李孝本被杀后，有两个女儿被没收发配到右神策军当奴，李昂命送她们进宫。

秋季，七月，见习立法官（右拾遗，从八品上）魏谟上疏说：“陛下从不喜爱音乐女色，所以屡次释放宫女出宫，匹配单身男子。我私下听说，数月以来，皇家歌舞团（教坊）遴选演员以百为单位计算，而皇家庄院管理宦官（庄宅使）仍在继续物色。现在又把李孝本的女儿召唤进宫，毫不避讳她们也是皇家血统。引起议论，我深感痛惜。从前，刘秀（东汉王朝一任帝）偶尔回头看一下画着美女的屏风，宋弘还严肃批评，刘秀立刻就把屏风撤除（参考二六年二月），陛下怎么可以不想到宋弘所说的话，而自甘居于刘秀之下！”李昂马上送李孝本的女儿出宫，擢升魏谟当初级立法官（右补阙，从七品上），说：“我所以遴选美女，只是打算赏赐给各亲王。怜惜李孝本的女儿幼小孤苦，所以接到宫中抚养。魏谟在疑似的情形下，能够尽情直言，是真正爱我，不辜负他的祖先！”命宰相办公厅（中书）用最优美的词汇夸奖。魏谟，是魏徵的五世孙儿（魏徵事，参考六四三年正月）。

17 鄜坊战区（总部设鄜州〔陕西省富县〕）司令官（节度使）萧洪，冒充萧太后的老弟（参考八二八年六月），事情被发觉。

八月七日，把萧洪流放驩州（越南荣市），走到中途，命他自杀。赵缜、吕璋等都流放岭南（南岭以南）。

最初，李训（李仲言）看出萧洪冒充，萧洪大为恐惧，聘请李训（李仲言）的老哥李仲京当幕僚。之前，凡是神策军出身当战区司令官（节度使）的，出发时，军中都会集钱资助他的行装，到任之后，加三倍偿还（"债帅"，参考八二七年四月）。有一位将领出身左神策军，充任鄜坊战区（总部鄜州）司令官（节度使），还没有搜刮到足够的钱偿还，就一病而死，军中债主们不肯落空，要求萧洪承认这项债务，萧洪仗恃李训（李仲言）的势力，不肯接受。军中债主们转向死者的儿子索取，萧洪又教导死者的儿子拦住宰相李训（李仲言）的马头诉冤，李训（李仲言）判决死者的儿子可以拒绝。仇士良因此深恨萧洪。

事实上，萧太后有一位同父异母的弟弟，仍留在闽中（福建省），懦弱得不能自己表达。有闽中（福建省）人萧本从他那里探听出家族人物的名字，透过仇士良的关系告诉皇帝，并揭发萧洪诈欺内幕，萧洪因此获罪。李昂遂认为萧本是萧太后的真弟弟。

八月十一日，擢升萧本当太子宫事务参议官（右赞善大夫，正五品上）。

18 九月十一日，宰相李石向李昂指出宋申锡忠直，竟被谗害他的人诬陷，流放荒远边疆，含冤而死，迄今没有受到昭雪。李昂低头不语，很久很久，忍不住泪流满面，唏嘘说："这件事我早就知道是一项错误，只为了奸邪逼迫和帝国安全，兄弟几乎不能相容（贬漳王李凑事，参考八三一年三月）。何况宋申锡，也不过仅只不腰斩或砍头而已。那时候，不仅只宦官陷害他，连政府官员也有人对他落井下石，都因为我头脑糊涂，不能辨明真相。换了刘弗陵（西汉王朝八任帝），绝不会有这次冤狱！”（刘弗陵辨明上官桀陷害霍光事，参考前八〇年。）郑覃、李固言也同声替宋申锡呼冤，李昂深为痛心，一脸惭愧。

九月十四日，下诏恢复宋申锡所有官爵，任命宋申锡的儿子宋慎微当成固（陕西省城固县）县政府防卫员（尉）。

19 宰相李石用国务院财政部财务司副司长（金部员外郎）韩益，主持全国财政总监署文案（判度支案），韩益贪污赃款三千余串，被捕下狱（韩益，是韩滉的侄孙。韩滉，参考七八七年二月）。李石说：“我最初认为韩益精通钱粮，所以才保荐他，想不到他贪赃到这种程度！”李昂说：“宰相只需要发现人有才干就任用，发现人有过错就惩罚，就会得到适当的人选。你用人不护短、不包庇，可说是大公无私。从前宰相们用人，喜爱掩盖他们的过失，不愿别人弹劾，才是最大的弊端。”

冬季，十一月丁巳日（十一月丙寅朔，没有丁巳），贬韩益当梧州（广西梧州市）户籍官（司户）。

20 李昂自从甘露事变后，神情落寞，心里一直忧郁，左、右神策军踢球比赛，也减少十分之六七，即令盛大宴会上，音乐杂技充满庭院，李昂也从没有笑容，闲来无事，或徘徊、或眺望、或自言自语，独自叹息。

十一月十七日，李昂在延英殿对各宰相说：“我每次跟你们讨论帝国大事，总是满腔愁绪。”宰相回答说：“治理国家，不能立刻就有美好的成果。”李昂说：“我读历史，羞于做一个平凡的君王。”李石说：“宫内和宫外官员之间，仍有很多小人猜忌挑拨，希望陛下用更宽厚的态度相待。他们里面有正直清廉、奉公守法的，像刘弘逸、薛季棱（这是一位有爱心的宦官，参考八三三年十二月），陛下应该褒扬奖赏，鼓励善行。”

十一月十九日，李昂再告诉宰相说：“我跟你们讨论天下大事，有些在事实上根本没有办法实行，只好退一步饮酒，希望喝醉！”各宰相回答说：“这都是我们的过错！”

21 主管机关因国库（左藏）累积弊端，为时已久，请求检查勘验，并且强调：判刑在赦免令发布以前的，一律赦免；李昂批准。不久，果然查出有人把崭新的绸缎，谎报成受水渍污染。李昂下令赦免，御前监督官（给事中）狄兼谟，封还诏书说：“监守自盗，情理上不能赦免。”李昂解释说：“有关机关请求检查的时候，我已答应赦免。与其失去信诺，宁可失去罪人，你能严格执法，应该嘉许。”

22 十二月十五日，命华州（陕西省渭南市华州区）州长卢钧，当岭南战区（总部设广州〔广东省广州市〕）司令官（节度使）。李石报告李昂说：“中央发表卢钧到岭南（总部广州）的消息后，政府官员，都互相庆贺。认为岭南战区（总部广州）地方富饶，这些年来的战区司令官（节度使），都是大量贿赂宦官购买到手（广州一向油水充足，参考七九二年六月）。这次宦官不阻挠政府执行职权，陛下应该加以奖励，作为回应，才有可能宫内宫外，都守法遵纪，这是使帝国治理的基础。”李昂听从。卢钧到达任所，以清廉仁惠，受人民赞扬。

23 十二月二十四日，溆王李纵逝世（李纵，是十三任帝李诵的儿子）。

八三七年 丁巳

1 春季，二月二十五日，唐王朝（首都长安〔陕西省西安市〕）皇帝（十七任文宗）李昂（李涵。本年三十岁）对各宰相说：“推荐人才，不应该考虑跟自己的关系是亲是疏！我听说窦易直当宰相（参考八二四年五月），从来没有用过自己的亲戚朋友。如果亲戚朋友真有才干，因自己避嫌而把他们舍弃，也不能称为大公无私。”

2 均王李纬逝世（李纬，是十三任帝李诵的儿子）。

3 三月，有彗星在张宿星座（二十八宿之一）附近出现，长八十余尺。

三月九日，李昂下诏裁撤乐队，减少饭菜，一天的饭菜，分成十日。

4 夏季，四月五日，命皇家文学研究官（翰林学士）、国务院工程部副部长（工部侍郎）陈夷行，兼二级实质宰相（同平章事）。

5 四月十一日，李昂在便殿告诉立法官（中书舍人）、皇家文学研究官（翰林学士）兼皇家书法研究官（兼侍书）柳公权，李昂举起袖子让柳公权看，说："这件衣服已洗过三次。"在场的其他官员一致称颂皇帝节俭的美德，只柳公权不说话，李昂问他缘故，柳公权说："陛下贵为天子，拥有四海财富，应该进用贤才，排除不称职的人，采纳对时政的批评和建议，明确公正的执行赏罚，才可以使天下和睦太平。至于穿洗过的衣服，只是细微末节！"李昂说："我知道立法官（中书舍人，正五品上）不应该再当高级顾问官（谏议大夫，正四品下），因你有诤谏官的风采，仍委屈你兼任。"（低职位升高职位何以被称委屈？可能立法官〔中书舍人〕虽五品而有实权，高级顾问官〔谏议大夫〕的四品只有虚名。）

四月十二日，命柳公权当监督院高级顾问官（谏议大夫），其他官职仍然保持。

6 六月，河阳战区（总部设河阳县〔河南省孟州市〕）兵变，战区司令官（节度使）李泳，逃奔怀州（河南省沁阳市。怀州属河阳战区）。变军纵火焚烧官邸及总部，诛杀李泳的两个儿子，大肆劫掠，数天后才停止。

李泳，是长安（首都长安西半城）人，禁军挂名军官，靠贿赂取得战区司令官（节度使）高位。所到的地方，仗恃中央的强硬奥援，贪赃枉法，残忍凶暴，部属无法忍受，终于激起兵变（李泳，典型的“债帅”）。

六月十五日，贬李泳当澧州（湖南省澧县）政务秘书长（长史）。

六月十六日，命左金吾（卫军第十一军）将军李执方当河阳战区（总部河阳县）司令官（节度使）。

7 秋季，七月二日，振武战区（总部设单于府〔内蒙古和林格尔县〕）奏报说：党项部落（陕西省北部）三百余篷帐，前来抄掠抢劫，得手后逃走。

8 御前监督官（给事中）韦温，当太子李永的家庭讲经官（侍读），早晨前往东宫，中午才见到面。韦温规劝说：“太子应该在早晨鸡叫的时候就起床，晋见爹娘请安，侍候爹娘吃饭，不应该一心玩乐，起得这么晚！”

李泳不能接受，韦温遂请求辞去家庭讲经官（侍读）兼职。

七月十日，李昂批准，命韦温仍保留本职。

9 振武战区（总部设单于府〔内蒙古和林格尔县〕）突厥外籍兵团一百五十个篷帐叛变，剽掠武装垦田。

七月十七日，战区司令官（节度使）刘沔把他们击破。

10 八月十九日，李昂擢升昭仪（小老婆群第五级）王女士当德妃（小老婆群第三级）、昭容（小老婆群第六级）杨女士当贤妃（小老婆群第四级）。

封前任帝（十六任李湛）的儿子李休复当梁王、李执中当襄王，李言杨当杞王、李成美当陈王。

八月二十二日，李昂封皇子李宗俭当蒋王。

11 河阳战区（总部设河阳县〔河南省孟州市〕）变军逐走战区司令官（节度使）李泳后，一直不安，每天互相煽动，打算再度兵变。

九月，战区司令官（节度使）李执方搜捕领导人物七十余人，一律斩首，残余党羽分别贬到外县，然后才告安定。

12 冬季，十月，国立贵族大学（国子监）的《石经》完成（李昂喜爱儒家学派经典，遂效法东汉王朝蔡邕刻经前例〔参考一七五年三月〕，也石刻《九经》，可能因有独到见解，所以深受传统儒家学者抵制）。

13 福建道（首府设福州〔福建省福州市〕）奏报说：晋江（福建省泉州市）平民萧弘自称是萧太后（李昂的娘亲）的同族。李昂命总监察署（御史台）调查。

14 十月十八日，命副监督长（门下侍郎）、二级实质宰相（同平章事）李固言，遥兼二级宰相（同平章事，使相），充当西川战区（总部设成都府〔四川省成都市〕）司令官（节度使）。

15 十月二十四日，总监察署（御史台）奏报说：萧弘是假。李昂命遣送回家，沿途由政府供给饮食，不予处罚，希望终于能找到真正舅父。

八三八年 戊午

唐　开成　三年

1 春季，正月五日，唐王朝（首都长安〔陕西省西安市〕）宰相李石进宫早朝，走到中途，暗中埋伏的强盗向李石发射冷箭，李石轻伤，左右侍从人员四散逃走。李石坐骑受到惊吓，回头飞奔回家，想不到坊门那里也埋伏杀手，挥刀突出攻击，砍断马尾，李石仅逃出一命。唐帝（十七任文宗）李昂（李涵。本年三十一岁）接到报告，大为惊骇，下令神策六军派兵保护，命中央及地方政府紧急搜捕，但毫无所获。

正月六日，进宫朝见的文武官员，只有九个人。京城（首都长安）

骚动数天，才归平静。

2 正月八日，追赠故齐王李凑绰号：怀懿太子（李昂求自己心安，参考八三一年二月）。

3 正月九日（原文“戊申”，据《新唐书·宰相表》改），命全国盐铁专卖暨运输总监（盐铁转运使）兼国务院财政部长（户部尚书）杨嗣复、国务院财政部副部长（户部侍郎）主管税务司（判户部）李珏，同时兼二级实质宰相（同平章事），原职仍然保持。杨嗣复，是杨于陵的儿子（杨于陵因录用牛僧孺被贬，参考八〇八年四月）。

4 副立法长（中书侍郎）、二级实质宰相（同平章事）李石，继甘露事变之后的乱局，危机四伏，人人恐惧，宦官们随心所欲，蛮横凶暴，他不顾自己的安危，全力从公，法纪和社会秩序，得以粗略建立。仇士良对他深恶痛绝，秘密派出杀手行刺，虽然失败，但李石开始恐惧，屡次上疏声称有病，请求辞职。李昂深知真正的原因是什么，可是无可奈何。

正月十七日，命李石遥兼二级宰相（同平章事，使相），充当荆南战区（总部设江陵府〔湖北省江陵县〕）司令官（节度使）。

5 宰相陈夷行性情耿介正直，讨厌杨嗣复的为人，每次讨论到公事时，多半互相斥责。

二月四日（原文误置于正月），陈夷行因脚痛辞职，李昂不准。

6 李昂命皇家言行记录官（起居舍人）魏谟，呈献他五世祖魏徵的笏版（笏，音hù〔户〕），郑覃说："问题在人，不在笏版！"李昂说："我索取笏版，是'甘棠'的意思。"（周王朝初创，人民思念召公姬奭，不忍砍下姬奭亲手种的甘棠树。）

7 杨嗣复打算引荐李宗闵，恐怕郑覃作梗，于是先透过宦官说服李昂。早朝时，李昂对宰相说："李宗闵贬在外地，已很多年（参考八三五年六月），最好升他一个官。"郑覃果然反对，说："陛下如果怜悯李宗闵贬得太远，只可向内地调动数百华里，但不可以再加重用。如果再重用他，请准我先离开现在的官位。"陈夷行说："李宗闵以前结党营私，扰乱政事，陛下为什么偏爱这种小人！"杨嗣复说："事情应该守中庸之道，不可以用自己的'爱''憎'作为标准。"李昂说："不妨给他一个州。"郑覃说："那对他太优厚，顶多命他当洪州（江西道首府，江西省南昌市）军务秘书长（司马）。"遂跟杨嗣复互相指责对方结党。李昂说："给李宗闵一个州有什么关系！"郑覃等退出后，李昂问皇家生活记录官（起居郎）周敬复、皇家言行记录官（起居舍人）魏谟说："宰相吵闹成这个样子，可不可以？"二人回答说："当然不可以，不过郑覃等一片忠心，十分激愤，自己也没有察觉。"

二月九日（原文误置于正月，据《旧唐书》改），命衡州（湖南省衡阳市）军务秘书长（司马）李宗闵，当杭州（浙江省杭州市）州长。李固言跟杨嗣复、李珏友善，希望李宗闵能再居高位，共同排斥郑覃、陈夷行。于是中央讨论任何一件事情，都会意见纷纷，把事情搅得十分复杂，李昂难以裁决。

8 三月，牂柯部落（贵州省北部）攻击涪州（重庆市涪陵区。涪，音fú

〔芙〕）清溪镇（涪陵区东南），守军把他们击退。

9 最初，本世纪（九）三〇年代中期，杜悰当凤翔战区（总部设凤翔府〔陕西省宝鸡市凤翔区〕）司令官（节度使），李昂下令淘汰和尚、尼姑（参考八三五年十月）。当时岐山（陕西省岐山县东北）之上出现五彩云层，接近法门寺（陕西省扶风县北法门镇），民间谣言纷纷，说是佛骨降下的祥瑞（佛骨藏法门寺，参考八一八年十一月），用以慰劳惶乱不安的和尚、尼姑。监军宦官打算奏报，杜悰说："云层改变颜色，事情稀松平常，佛祖如果爱护和尚、尼姑，祥瑞应该在京师（首都长安）出现！"不久，民间有人捉到白兔，监军宦官又打算奏报，强调说："这是来自西方的祥瑞！"杜悰说："白兔的野性还没有驯服，应该先把它养起来。"十天之后，白兔死亡，监军宦官大不高兴，认为杜悰故意抹黑皇帝神圣的美德，就独自画图进呈。后来，郑注接替杜悰镇守凤翔（陕西省宝鸡市凤翔区），先奏报说天际出现紫云，接着又进贡白色野鸡。当年（八三五）八月，甘露降在紫宸殿前樱桃树上，李昂亲去采下来品尝，文武百官齐声祝贺。引起再次利用甘露的动机。同年（八三五）十一月，遂有金吾卫（卫军第十一、十二军）甘露事变，惹起大祸（当年〔八三五〕，杜悰在忠武战区〔总部许州〕，凤翔〔总部凤翔府〕司令官是李听）。

后来，杜悰当国务院工程部长（工部尚书）兼全国财政总监（判度支）时，河中战区（总部设河中府〔山西省永济市〕）奏报说：发现"驺虞"（音zōu yú〔邹于〕。参考二九一年六月注）。文武百官一齐祝贺。李昂告诉杜悰说："李训（李仲言）、郑注都利用祥瑞作乱，才知道祥瑞并不是国家之庆。你从前在凤翔（陕西省宝鸡市凤翔区）不奏报白兔，真有先见。"杜悰回答说："上古时候，黄河出现图画，伏羲氏（五氏之二）根据它画出八卦；洛水出现书籍，姒文命（夏王朝一任帝）根据它规划九州（《禹贡》九州)。都对人民有益，所以值得推广。至于禽兽草木祥瑞，什么时候没有？刘聪（汉赵帝国三任帝）是一个凶恶叛徒，黄龙却出现三次（《资治通鉴》没有记载）；石季龙（后赵帝国三任帝石虎）残酷暴虐，黑麟却出现十六只、白鹿也出现七只，用它们来驾皇家车辆（参考三四七年八月）。由这个角度观察，祥瑞根本跟德行无关。玄宗（九任帝李隆基）曾经当过潞州（山西省长治市）总秘书长（别驾。参考七一〇年六月十二日），等到登极，潞州（山西省长治市）奏报发现十九项祥瑞，玄宗（李隆基）说：‘我在潞州（山西省长治市）的日子，只知道奉公守法、勤快工作，不知道这些祥瑞。’希望陛下认定：人民的安全和富有，才是国家之庆，其他都不值得注意！”李昂十分称赞，有一天，对宰相说：“风调雨顺，庄稼丰收，才是上等祥瑞。奇异的麦穗，灵秀的芝草，对国事有什么裨益！”宰相回答说：“《春秋》记载天变灾异，只是为了促使君王警惕；却从来不记载祥瑞，原因在此。”

夏季，五月十九日，李昂下诏说：“各地发现祥瑞，一律不准奏报，也不准报告有关机关。腊月（十二月）祭祀皇家祖庙（太庙）和太清宫（唐王朝始祖李耳庙），以及元旦朝会时例行的祥瑞奏报，一律停止。”

10 最初，朔方战区（总部设灵州〔宁夏灵武市〕）司令官（节度使）王晏平，监守自盗七千余串钱，李昂因他的老爹王智兴对国家有功（王智兴当武宁战区〔总部徐州〕司令官，参考八二七年七月），特免王晏平一死，无限期流放康州（广东省德庆县）。王晏平暗中请托河北三镇司令官（节度使）救援（河北三镇：卢龙〔总部幽州〕、成德〔总部镇州〕、魏博〔总部魏州〕），由他们上疏请求昭雪；李昂无法拒绝。

六月十六日，改贬王晏平当永州（湖南省永州市）户籍官（司户）。

11 八月十四日，嘉王李运逝世（李运，是十一任帝李豫〔李俶〕的儿子，现任帝李昂的高曾叔祖父，辈分高四代）。

12 太子李永的娘亲王德妃，李昂对她并不宠爱，被杨贤妃谗言害死。而李永又不知道自己克制，喜爱寻欢作乐、饮酒举宴，亲信身边小人，杨贤妃又日夜不停的在丈夫耳旁说李永的坏话。

九月七日，李昂升延英殿，召集宰相和立法院（中书省）及监督院（门下省）首长、监察官（御吏），以及各单位主管官员，命大家指摘李永的过失，罢黜太子封号，李昂说："这种人能不能当天子？"大家都说："太子年龄还轻，应给他改邪归正的机会。国家的根本，至为重要，怎么可以随便更动！"副总监察官（御史中丞）狄兼谟尤其坚持，甚至哭泣流涕。御前监督官（给事中）韦温说："陛下只有一个儿子，没有好好的教育他，使他沉沦到这种地步，难道单要他一个人担当后果！"

九月八日，皇家文学研究官（翰林学士）六人，神策军基地司令（军使）十六人，再上疏提出异议，李昂的决心稍稍化解。

当天（九月八日）晚上，太子李永才准回少阳院（宫城蓬莱殿正东）。采购官（如京使）王少华等，跟宦官、宫女等，受牵连而被流放或诛杀的有数十人（一场不起眼的审问，结局竟如此之惨）。

13 义武战区（总部设定州〔河北省定州市〕）司令官（节度使）张璠，在任十五年（据吴廷燮《唐方镇年表》考证，张璠于八二九年三月上任，迄今只十年）。北邻卢龙战区（总部设幽州〔北京市〕）跟南邻成德战区（总部设镇州〔河北省正定县〕）都对他十分敬畏。张璠患病，上疏请求前往中央朝见。中央还没有作妥善安置，张璠病势转重，告诫他的儿子张元益，要率全族回归京师（首都长安），不可效法河北三镇的军阀割据（河北三镇：卢龙〔总部幽州〕、成德〔总部镇州〕、魏博〔总部魏州〕）。张璠不久逝世，兵变爆发，拥护张元益继承统帅，道政府候补行政长官（观察留后）李士季反对，变军诛杀李士季，又诛杀大将十余人。

九月十七日，中央政府命易州（河北省易县）州长李仲迁，当义武战区（总部定州）司令官（节度使）。义武战区（总部定州）骑兵总纠察官（马军都虞候）何清朝，逃出定州（河北省定州市），投奔中央。

九月十八日，中央命何清朝当仪州（山西省左权县）州长。

14 中央认为义昌战区（前横海战区，总部设沧州〔河北省沧州市东南〕）司令官（节度使）李彦佐，在任时间够久（胡三省注：八三二年，李彦佐接替殷侑）。

九月十九日，中央命德州（山东省德州市陵城区）州长刘约当副司令官（节度副使），准备接替李彦佐。

15 甘露事变之后，神策军人事任免调动，事先多不奏报皇帝，而直接把公文送到宰相联合办公厅（中书），由宰相联合办公厅（中书）向皇帝复奏施行；任免调动，没有一天停止。

九月二十八日，李昂才下诏命神策军人事调动，都要事先奏报，由皇帝再交宰相联合办公厅（中书）审查施行。

16 冬季，十月，义武战区（总部设定州〔河北省定州市〕）监军宦官奏报说：武装部队拒不接受李仲迁，请用张元益当候补司令官（留后）。

17 太子李永仍不能改过。

十月七日，李永暴毙（事实上，是被鲨鱼群谋杀，老爹李昂至少知情而没有阻止，参考明年〔八三九〕十月十九日），追赠绰号：庄恪太子。

18 十月十二日，命左金吾（卫军第十一军）大将军郭旼，当邠宁战区（总部设邠州〔陕西省彬州市〕）司令官（节度使）。

19 宰相们商议派军讨伐义武战区（总部设定州〔河北省定州市〕）。李昂说："义武（总部定州）地方狭小，人民贫困，军队经费一半依靠中央，逼迫太急，他们可能横冲直撞，不如稍稍延缓反应，内部定会发生变化，只要命它的四邻边境，严加戒备，等待以后发展。"于是发表人事命令，用张元益当代州（山西省代县）州长。不久，义武（总部定州）军中果然分裂，上疏中央说他们仅只反对李仲迁而已。中央遂撤销李仲迁新职。

十一月八日，李昂下诏说：张元益离开定州（河北省定州市）后，义武（总部定州）军中最初阴谋拥护张元益的将领，一律赦免，不追究责任。

20 命义昌战区（总部设沧州〔河北省沧州市东南〕）司令官（节度使）李彦佐，当天平战区（总部设郓州〔山东省东平县〕）司令官（节度使），命刘约接任义昌战区（总部沧州）司令官（节度使）。

21 十一月十三日，张元益离开定州（河北省定州市）州城。

22 十一月十六日，李昂向皇家文学研究官（翰林学士）柳公权询问外边有什么议论？柳公权回答说："郭旼当邠宁战区（总部设邠州〔陕西省彬州市〕）司令官（节度使），大家相当困惑。"李昂说："郭旼，是尚父（郭子仪）的侄儿，太皇太后（十四任帝李纯正妻郭女士，参考八一三年十二月）的叔父，做官从来没有过失，自金吾卫（卫军第十一、十二军）大将军调到一个小战区，外边有什么不满意！”柳公权说：“不是议论郭旼不该当战区司令官，而是听说陛下最近召唤他的两个女儿进宫，有没有这回事？”李昂说：“有，但她们进宫只是参见太皇太后（郭女士）！”柳公权说：“外边不知道内幕，都说郭旼把两个女儿呈献后宫，所以陛下给他一个战区！”李昂低头想了很久，说：“那怎么办？”柳公权说：“只有从兴庆宫把她们送回家（太皇太后郭女士住兴庆宫），外边的议论自然平息。”当天（十一月十六日），太皇太后郭女士，就把两位堂妹送回郭旼家。

23 李昂喜爱诗词，曾经打算设立皇家诗学研究官（诗学士）。宰相李珏反对说：“现代诗人，都浮华浅薄，对治理国家没有益处。”才算停止。

24 十一月二十日，擢升蔡州（河南省汝南县）州长韩威，当义武战区（总部设定州〔河北省定州市〕）司令官（节度使）。

25 河东战区（总部设太原府〔山西省太原市〕）司令官（节度使）、司徒（三公之二）、最高立法长（中书令，使相）裴度，身患重病，请求调回东都洛阳（河南省洛阳市）。

十二月七日，李昂下诏命裴度回京（首都长安）参与政府决策，派宦官敦请他早日上路。

26 宰相郑覃屡次上疏请求辞职。

十二月二十二日，李昂下诏说：郑覃每隔三日或五日，前往宰相联合办公厅（中书）。

27 本年（八三八），吐蕃王国（首都逻些城〔西藏拉萨市〕）国王彝泰逝世，老弟达磨继位。彝泰身弱多病，把政事委任给所信任的官员，仅能保持国境，所以很久以来没有侵犯唐朝边境。达磨荒淫残暴，民心叛离，天灾人祸，相继发生，吐蕃（西藏）遂越发衰败。

八三九年 己未

唐 开成 四年

1 春季，闰正月十六日，唐王朝（首都长安〔陕西省西安市〕）河东战区（总部设太原府〔山西省太原市〕）司令官（节度使）裴度返抵京师（首都长安），因病势沉重，直接回自己私宅（长安县平乐里），不能进宫朝见。唐帝（十七任文宗）李昂（李涵。本年三十二岁）慰劳问安、赏赐礼物，钦差宦官接连不断。

三月四日，裴度逝世（年七十五岁），追赠绰号文忠。李昂奇怪裴度怎么没有遗疏，询问他的家人，发现遗疏只写了半张稿纸，对皇帝一直未曾确定太子，深感忧虑，没有一句话谈到私事。裴度身材和面貌都并不超过普通人，可是威望远达外国，外国官员见到唐王朝使节时，都会询问裴度的健康情形，极受政府尊重程度，像郭子仪一样（参考七八一年六月），一身维系国家的安危二十余年（裴度首次晋升宰相，参考八一五年六月，迄今二十五年）。

2 夏季，四月十七日，李昂称赞全国财政总监（判度支）杜悰的才能，宰相杨嗣复、李珏因而推荐杜悰当国务院财政部长（户部尚书）。宰相陈夷行说："恩德应由皇帝发出，自古以来，国家所以覆亡，往往因为权柄移到臣属之手。"李珏说："陛下曾经告诉我：领袖应当选择宰相，不应当怀疑宰相！"

五月七日，李昂再跟宰相讨论政事，陈夷行再强调权威不可交给臣属，李珏说："陈夷行所以特别坚持这一点，是他已认定宰相中有人窃弄陛下的权威。我屡次请求辞职，如果能给我一个亲王师傅（王傅，从三品），我就十分幸运。"郑覃说："皇上八三六、八三七年政事最为完美，八三八、八三九年就逐渐不如从前。"杨嗣复说："八三六、八三七年，郑覃、陈夷行当权，当然完美。八三八、八三九年，我跟李珏共同主政。当然不如从前，反正我有罪定了。"因而叩头说："我不敢再踏入宰相联合办公厅（中书）！"叩头后急步退出。李昂派人叫他回来，慰劳说："郑覃说错了话，你何必这样？"郑覃起身道歉说："我性情愚笨，并不是针对杨嗣复，杨嗣复却这么激烈反应，是他容不下我。"杨嗣复说："郑覃指出政事一年不如一年，不仅要我负责，也连累陛下的神圣恩德！"退出后，一连三次上疏辞职，李昂派宦官把奏章退回。

五月十三日，杨嗣复才进宫朝见。

五月十六日，副监督长（门下侍郎）、二级实质宰相（同平章事）郑覃免职，改任国务院右最高执行长（右仆射），陈夷行也免职，改任国务院文官部副部长（吏部侍郎）。郑覃性情清廉节俭、陈夷行也鲠直廉正，所以杨嗣复等对二人深为痛恨（牛李党争已如火如荼，李党的郑覃、陈夷行，跟牛党的杨嗣复、李珏，势难共存）。

3 李昂认为全国盐铁专卖暨运输总监署审判官（盐铁推官）、国务院教育部教育司摄理副司长（检校礼部员外郎）姚勖，对于疑难的诉讼纠纷，都能查出真相，作公正判决，于是命他暂代国务院国防部图籍司副司长（权知职方员外郎）；国务院右秘书长（右丞）韦温不同意，上疏说："国务院的官员都是'清流'——有声望的清高知识分子，不应该赏赐给有才干的人（唐王朝"清流"的定义，参考六八九年九月注）。"李昂遂擢升姚勖摄理国务院教育部教育司司长（检校礼部郎中），仍兼盐铁署审判官（盐铁推官）。

六月二十七日，李昂把这件事问宰相杨嗣复，杨嗣复回答说："韦温希望澄清官员的出身，如果有才干的人无论如何努力都不能成为'清流'，国家的事谁替陛下治理！恐怕晋王朝那种衰败的风气，会再出现！"然而，李昂一向尊重韦温，不强迫他接受。

4 秋季，七月四日，命张元益当左骁卫（卫军第五军）将军，封他的娘亲侯莫陈女士（侯莫陈，三字姓）尊贵绰号：赵国太夫人，赏赐绢二百匹。

义武战区（总部设定州〔河北省定州市〕）兵变时，侯莫陈女士把变军说服，并且告诫张元益服从中央命令，所以有此赏赐。

5 七月二十五日，命祭祀部长（太常卿）崔郸（音dān〔单〕），兼二级实质宰相（同中书门下平章事）。崔郸，是崔郾的老弟（崔郾宽厚，参考八三一年八月）。

6 八月二日，郿王李憬逝世（李憬，是十四任帝李纯的儿子）。

7 八月二十四日，昭义战区（总部设潞州〔山西省长治市〕）司令官（节度使）刘从谏上疏说："萧本冒充萧太后的老弟被揭发（参考八三六年八月），全国上下，都认为萧弘是真的，只因萧本出于左神策军推荐，所以萧弘受有关机关压制（参考前年〔八三七〕十月）。现在萧弘在我这里，求我奏报，请命萧弘前往京师（首都长安），跟萧本当面对质，辨别真假！"李昂命三司法机关调查（三司：国务院司法部〔刑部〕、总监察署〔御史台〕、最高法院〔大理寺〕）。

8 冬季，十月七日，李昂亲自去皇家言行记录官（起居舍人）魏谟办公处，索取《起居注》阅读，魏谟拒绝。说："《起居注》记善也记恶，目的在警告君王（《起居注》的渊源，参考四〇四年三月注）。陛下只要竭力做善事就够了，不必管它怎么记载。"李昂说："我从前曾经看过！"魏谟回答说："那是从前负责史书官员的失职，如果陛下亲自阅读记载，史官一定心存忌讳，后代的人怎么能够相信！"李昂才停止。

9 杨贤妃请李昂封皇弟安王李溶当皇太弟，李昂征求宰相的意见，李珏反对。

十月十八日，李昂封前任帝（十六任）李湛的小儿子陈王李成美当皇太子。

十月十九日，李昂到会宁殿观看杂耍娱乐，一个儿童表演攀登高竿，下面一个中年人一直抬头上望，汗流满面，不停的盘旋奔走，好像发狂。李昂感到奇怪，左右侍从说："他是孩子的老爹！"李昂流泪哭泣说："我身为皇帝，却不能保全自己的儿子！"召唤皇家歌舞团（教坊）刘楚材等四人，宫女张十十等十人，斥责说："陷害太子（李永），都是你们。现在又封太子了，你们是不是还想如此！"把他们交给主管机关。

十月二十一日，全体诛杀。然而，李昂因过度感伤，旧病更为加重。

10 十一月，三司法机关调查萧本、萧弘都不是萧太后的真弟弟。萧本开除官籍，流放爱州（越南清化市）、萧弘流放儋州（海南省儋州市）。

而萧太后的真正胞弟，仍留在闽中（福建省），始终不能表达。

11 十二月二十七日（原文误置于十一月，据《旧唐书》改），李昂病势稍轻，到思政殿闲坐，召见皇家初级文学研究官（直学士）周墀（音chí〔驰〕），命他饮酒，顺便问说："我可比从前王朝哪个帝王？"周墀说："可比伊祁放勋（尧帝）、姚重华（舜帝）！"李昂说："我怎么敢比伊祁放勋、姚重华！希望你告诉我，比上比不上姬延（周王朝末任王赧王）、刘协（东汉王朝末任帝献帝）？"周墀震惊说："他们都是亡国之君，怎么可以和陛下相提并论！"李昂说："姬延、刘协受强大的军阀控制，我今天受到的控制却来自家奴。就这方面看，我恐怕不如他们！"眼泪流下，把衣襟都滴湿。周墀伏在席上，呜咽哭泣；李昂自此不再出宫早朝。

12 本年（八三九），唐王朝全国有四百九十九万六千七百五十二户。

13 回鹘汗国（瀚海沙漠群）宰相安允合、公爵（特勒）柴革，聚众起兵。彰信可汗（十三任大可汗）药罗葛胡把二人诛杀。另一宰相掘罗勿率军在外，得到消息后，送战马三百匹给沙陀部落（山西省北部）酋长朱邪赤心（沙陀迁云朔，参考八三〇年三月），向沙陀借兵，联合攻击药罗葛胡，药罗葛胡兵败，自杀。贵族们拥护公爵药罗葛㕎驭当可汗（十四任大可汗。㕎驭，音kè sà〔克飒〕）。当年瘟疫流行，又大风雪，羊马大批死亡，回鹘汗国开始衰败。朱邪赤心是朱邪执宜的儿子（朱邪执宜事，参考八〇八年六月）。

唐王朝

- 回鹘汗国瓦解溃散。
- 卢龙战区兵变，杀史元忠，又杀陈行泰。

- 查理曼帝国皇帝忠实路易卒，三子争位，攻战不止，最后讲和，分割帝国为三：罗塞尔、东法兰克、西法兰克。

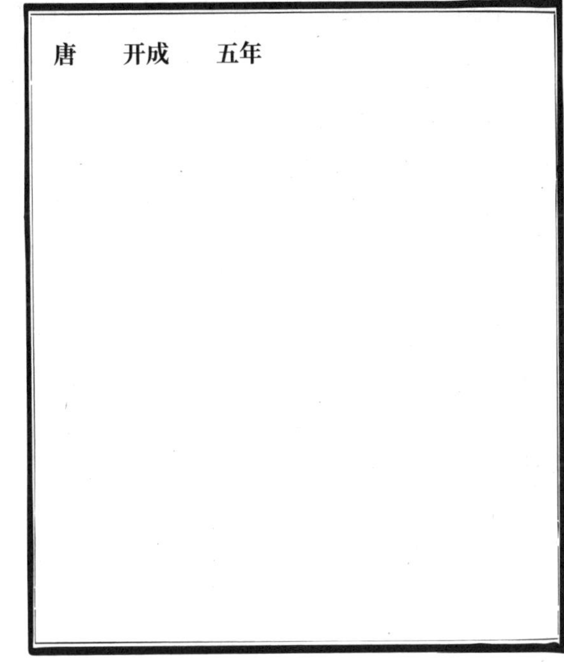

1 春季，正月二日，唐王朝（首都长安〔陕西省西安市〕）皇帝（十七任文宗）李昂（李涵。本年三十三岁），下诏封颍王李瀍（音chán〔蝉〕）当皇太弟；所有军国大事，都由他裁决。强调皇太子李成美年龄还小，不能离开教师指导，仍改封陈王。

当时，李昂病势沉重，召唤宫廷机要室主任宦官（知枢密）刘弘逸、薛季棱，引导宰相杨嗣复、李珏等进宫，打算命他们保护太子李成美监督国政。可是手握军权的左、右神策军总指挥宦官（左右军中尉）仇士良、鱼弘志，因李成美封太子，是李昂亲自决定，而不是由于宦官推荐，功劳不在自己，所以强烈反对。声称李成美年纪还小，又有病在身，应该考虑更换太子。李珏说："太子的位置已经确定，怎么可以中途变卦！”仇士良、鱼弘志坚持更换，于是假传李昂圣旨，封李瀍当皇太弟。

当天（正月二日），仇士良、鱼弘志率武装部队前往亲王们居住的十六宅，把颍王李瀍迎接到少阳院，再护送李瀍登思贤殿接受文武百官朝见。李瀍沉静刚毅，英明果断，无论欢喜或恼怒，都不形诸颜色，跟安王李溶，一向受李昂厚待，跟别的亲王不同。

正月四日，李昂在太和殿逝世（年三十三岁），命杨嗣复当帝国最高摄政（摄冢宰）。

正月六日，仇士良说服皇太弟李瀍，下令命杨贤妃、安王李溶、陈王李成美自杀。又下令规定刚逝世的皇帝李昂尸体，于正月十四日入棺，到那时候再改穿丧服。监督院高级顾问官（谏议大夫）裴夷直上疏指出距入棺的日期太远，李瀍不理。当时，仇士良等深恨李昂，凡是乐队演奏师和其他宦官，只要受李昂宠爱过的，不杀就贬，前后相连。裴夷直再上疏警告说：“陛下由亲王入继大统，应该谨慎忧惧，内心充满哀伤及敬慕，迅速举行丧礼，早日商议大计方针，安慰天下人民。可是，只不过几天工夫，对先帝（李昂）亲近的臣属，就开始大批诛杀，全国人民听到看到，无不惊骇。先帝（李昂）在天之灵，也会伤痛，人情怎能忍受！帝国体制至为重要，这些人如果无罪，固然不可以乱杀；如果有罪，他们身在天罗地网之内，没有地方可以逃亡，十天之后再去执行，难道就晚？”李瀍不理。

正月十四日，李昂的尸体才正式入棺；李瀍（本年二十七岁）登上皇帝宝座（十八任武宗）。

正月十七日，李瀍追赠娘亲韦妃称皇太后。

二月八日，赦免天下。

二月十九日，追赠皇太后韦女士绰号：宣懿皇太后。

2 夏季，五月四日，副监督长（门下侍郎）、二级实质宰相（同平章事）杨嗣复免职，改任国务院文官部长（吏部尚书）；命国务院司法部长（刑部尚书）崔珙（音gǒng〔拱〕）兼二级实质宰相（同平章事），再兼全国盐铁专卖暨运输总监（盐铁转运使）。

3 秋季，八月十九日，把李昂安葬章陵（陕西省富平县西北天乳山），绰号元圣昭献孝皇帝，庙号文宗。

4 八月二十七日，副监督长（门下侍郎）、二级实质宰相（同平章事）李珏，被指控担任皇帝坟墓兴建管理总监（山陵使）时，柩车走到中途，曾发生车轮下陷差错，免职，改任祭祀部长（太常卿）；首都长安特别市长（京兆尹）敬昕（敬，姓）贬作郴州（湖南省郴州市）军务秘书长（司马）。

5 义武战区（总部设定州〔河北省定州市〕）兵变，驱逐司令官（节度使）陈君赏。

陈君赏招募敢死队数百人，返回定州（河北省定州市），诛杀变军。

6 当初，李瀍登极称帝，原不出于宰相本意，所以杨嗣复、李珏前后都被免职，李瀍决定召回淮南战区（总部设扬州〔江苏省扬州市〕）司令官（节度使）李德裕前来中央。

九月一日，李德裕抵达京师（首都长安）。

九月四日，李瀍命李德裕当副监督长（门下侍郎）、二级实质宰相（同平章事）。

九月七日，李德裕进宫谢恩，向李瀍奏报说：“治理国家的要诀，在于分辨文武官员是邪恶，还是正直！邪恶跟正直二者，势不并存。正直君子指邪恶小人是邪恶，邪恶小人也指正直君子是邪恶，领袖高高在上，要想清楚分辨，至为困难。我认为正直君子好像松树柏树，独立存在，不偏不倚；邪恶小人却像藤蔓一样，非攀附着别的东西，就不能生存。所以正直君子一心事奉君王，而邪恶小人全力结党营私。先帝（十七任李昂）深知结党营私会造成祸害，可是所用的竟然全是结党营私的人。只因为心里不够坚定，所以邪恶小人才得以乘隙而入。担任宰相的人，不可能每一位都是忠良，有时做了欺诈的事，领袖开始疑心，就询问身旁侍从小官对宰相的意见。像德宗（十二任帝李适）在位末年（八世纪九〇年代至九世纪一〇年代初期），所信任的只剩下裴延龄一撮人，其他宰相们呆坐那里签名而已，政治混乱的原因在此。陛下真能谨慎的选择贤才担任宰相，发现有欺骗情事时，立刻罢黜；中央日常施政，都由宰相裁决，陛下对宰相推心置腹，坚定不移，还用担心国家不能治理！”

李德裕再强调说：“先帝（李昂）跟高级官员之间，喜爱多少保持一点距离，对臣属犯的小错，总是特别包容，不肯指摘，结果日积月累，使他们闯下大祸，同归失败。这是一项重大错误，希望陛下以此为戒。我们有罪，陛下应该当面考查追问。假使不是事实，真理就越辩越明；假使是事实，道理既亏，自然什么话都说不出。如是小过，请容许悔改；如是大罪，就请诛杀谴责。这样的话，君王和臣属之间，就不会有隔阂。”李瀍高兴的接受这项建议。

最初，李德裕在淮南战区（总部设扬州〔江苏省扬州市〕），当时唐帝李昂下诏召回监军宦官杨钦义，所有的人都认为杨钦义回京（首都长安）后，将担任宫廷机要室主任宦官（知枢密）。但李德裕对他并没有特别尊敬，杨钦义怀恨在心。有一天，李德裕在中堂大厅摆下酒席，单独宴请杨钦义，无论情谊和礼貌，都非常隆重，金玉珠宝，堆满了好几张床，筵会散后，全部送给杨钦义，杨钦义大喜过望。可是，走到汴州（河南省开封市），皇帝却忽然变卦，命他仍回淮南（总部扬州），杨钦义垂头丧气的把李德裕赠送的金玉珠宝如数退还，李德裕说："它能值多少钱！"结果仍是给了杨钦义。后来，杨钦义终于当了宫廷机要室主任宦官（知枢密）。李德裕得以擢升宰相，掌握权柄，杨钦义从中尽了大力。

7 最初，伊吾（新疆哈密市）之西、焉耆（新疆焉耆县）之北，有黠戛斯汗国（黠戛，音xiá jiá〔匣夹〕），也就是古代的坚昆汗国（参考前四九年二月），唐王朝初年的结骨部落（参考六四八年正月），后来改称黠戛斯部落（西伯利亚萨彦岭北）。八世纪五〇年代稍后（唐王朝十任帝李亨在位），被回鹘汗国（瀚海沙漠群）击破，遂跟唐王朝隔绝。酋长阿热，中央御帐设于青山（叶尼塞河上游支流阿巴坎河西上祖布山），距回鹘王庭，骆驼行程四十日（航空距离五百公里），人民勇敢凶悍，吐蕃王国（首都逻些城〔西藏拉萨市〕）和回鹘汗国，都对它时常馈赠贿赂，封酋长一个官衔，用来笼络安抚。回鹘国势衰退，阿热遂自称可汗。回鹘派宰相率军进攻讨伐，战争延续二十余年，回鹘不断被黠戛斯击败。阿热诟骂回鹘说："你们的气数已尽，我一定夺取你们的金帐。"所谓金帐，指回鹘中央政府所在（蒙古国哈拉和林市）。

现在，回鹘汗国（瀚海沙漠群）内乱，宰相掘罗勿诛杀彰信可汗（十三任大可汗）药罗葛胡，拥护药葛罗㕎驭继任可汗（十四任大可汗，参考去年〔八三九〕十二月），回鹘别动部队将领句录莫贺，引导黠戛斯汗国骑兵十万人，攻击回鹘，大破回鹘军，诛杀药罗葛㕎驭及宰相掘罗勿，把回鹘王庭所在城市（蒙古国哈拉和林市）纵火焚毁，全部成为灰烬，几乎不留一木一草，回鹘于是瓦解，残余部众四散逃跑。宰相驳职（驳，音sà〔飒〕），公爵药罗葛厖（音máng〔茫〕）等十五个部落，向西投奔葛逻禄部落（中亚巴尔喀什湖南）。中途有两支族群脱离主干，另奔前程，一支投奔吐蕃王国（西藏），一支投奔安西（新疆库车市）。仍留在本土的一支部众，在可汗药罗葛㕧驳的老弟嗢没斯等（嗢，音wà〔袜〕），以及宰相赤心（曾出使唐王朝，参考七七三年八月二十九日）、仆固、公爵那颉啜，各自率领自己的部众，抵达天德（内蒙古乌拉特前旗东北）边塞，向其他蛮夷买卖粮食，请求唐王朝收容。

冬季，十月十四日，天德军（内蒙古乌拉特前旗东北）基地司令（军使）温德彝奏报说："回鹘残军仍然众多，已逼近西受降城（内蒙古五原县西北），横宽六十华里，纵深看不到殿后部队。沿边居民因回鹘突然漫天遍野而来，人心恐惧不安。"李瀍下诏命振武战区（总部设单于府〔内蒙古和林格尔县〕）司令官（节度使）刘沔，进驻云迦关（天德军北）戒备。

8 魏博战区（总部设魏州〔河北省大名县〕）司令官（节度使）何进滔逝世。军中拥护他的儿子、总作战司令（都知兵马使）何重顺，代理候补司令官（知留后）。

9 萧太后（十七任帝李昂的娘亲）移居兴庆宫积庆殿，称积庆太后。

10 十一月一日，李瀍前往云阳（陕西省泾阳县北云阳镇）打猎。

11 依照惯例，新皇帝登极，两院（立法院及监督院）全体官员，都要联名上疏祝贺。李瀍登极时，监督院高级顾问官（谏议大夫）裴夷直，独漏了签名，因此，贬出当杭州（浙江省杭州市）州长。

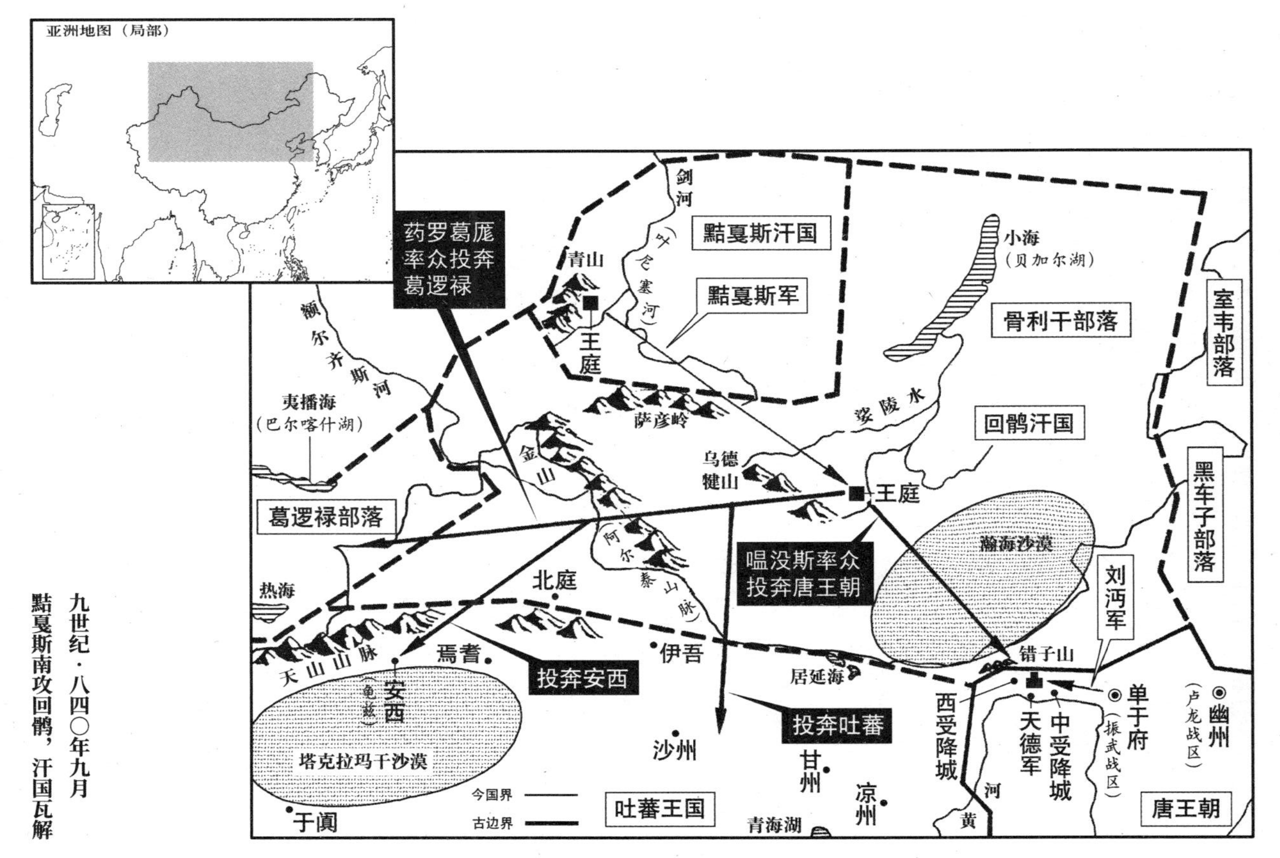

九世纪·八四〇年九月
黠戛斯南攻回鹘，汗国瓦解

12 开府仪同三司（文散官一级，从一品）、左卫（卫军第一军）上将军，兼宦官总管（内谒者监）仇士良，请求以他开府仪同三司（文散官一级）的官位，庇荫他的儿子当千牛卫（卫军第十五、十六军）御前贴身带刀侍卫（千牛备身）。御前监督官（给事中）李中敏批驳说："开府（文散官一级）固然有资格庇荫儿子（荫子制度，参考六二八年十月注），但问题在于宦官哪里来的儿子？"仇士良既惭愧又怨恨。李德裕也认为李中敏是杨嗣复的党羽，打从心眼里讨厌，于是贬李中敏当婺州（浙江省金华市）州长。

13 十二月十八日，李瀍命何重顺当魏博战区（总部设魏州〔河北省大名县〕）代理候补司令官（知留后事）。

14 李瀍封皇子李峻当杞王。

八四一年

辛酉

唐　开成　六年
　　会昌　元年

1 春季，正月九日，唐王朝（首都长安〔陕西省西安市〕）皇帝（十八任武宗）李瀍（本年二十八岁。瀍，音chán〔蝉〕），前往圆形祭坛祭祀天神，赦免天下。改年号会昌（之前是开成六年，之后是会昌元年）。

2 振武战区（总部设单于府〔内蒙古和林格尔县〕）司令官（节度使）刘沔奏报说："回鹘（瀚海沙漠群）残军已向北撤退（参考去年〔八四〇〕十月）。"李瀍命刘沔回镇（由云迦关〔内蒙古乌拉特前旗东北〕回单于府〔内蒙古和林格尔县〕）。

3 二月，回鹘仍留在王庭（设蒙古国哈拉和林市）附近的十三个部落，拥护公爵药罗葛乌希，称乌介可汗（十五任大可汗），南下据守错子山（内蒙古狼山东北）。

4 三月三日，李瀍命总监察官（御史大夫）陈夷行，当副监督长（门下侍郎）、二级实质宰相（同平章事）。

5 最初，宫廷机要室主任宦官（知枢密）刘弘逸、薛季棱，深受前任帝李昂的宠信，仇士良对他们大为痛恨（二人是托孤大臣，参考去年〔八四〇〕正月）。李瀍之能坐上皇帝宝座，不是他们两位以及宰相的原意，所以贬杨嗣复当湖南道（首府设潭州〔湖南省长沙市〕）行政长官（观察使）、李珏当桂州道（首府设桂州〔广西桂林市〕）行政长官（观察使）。仇士良在李瀍面前不断陷害刘弘逸等，建议李瀍把他们除掉，李瀍被煽动得怒不可遏。

三月二十四日，李瀍下令刘弘逸、薛季棱自杀，并派宦官前往潭州（湖南省长沙市）及桂州（广西桂林市）诛杀杨嗣复及李珏。国务院财政部长（户部尚书）杜悰得到消息，骑马飞奔晋见李德裕，警告说："皇上年纪还轻（本年，李瀍二十八岁），刚刚登极，杀人的事不应该太随意！"

三月二十五日，李德裕、崔珙、崔郸、陈夷行三次上疏，又邀请宫廷机要室主任宦官（枢密使）到宰相联合办公厅（中书），请他向李瀍回奏，指出："德宗（十二任帝李适）怀疑刘晏颠覆皇太子，把他诛杀（参考七八〇年正月），无论中央及地方，都了解他被诬害，两河（黄河南北）割据军阀，因此大为恐惧，遂利用这种事作为借口（平卢战区司令官李正己〔李怀玉〕要求公布刘晏罪状，参考七八一年二月）；德宗（李适）十分后悔，录用刘晏的子孙当官（七八九年，擢升刘晏的儿子刘执经当祭祀部礼仪官〔太常博士〕、刘宗经当皇家图书院管理官〔秘书郎〕）。文宗（十七任帝李昂）怀疑宋申锡结交亲王，流放荒远，终于死在边疆（参考八三一年三月），不久就明白冤枉，忍不住流泪哭泣（参考八三六年九月）。杨嗣复、李珏如果犯了国法，请陛下加重贬斥。一定无法包容，非杀不可时，也应该先行审判，等罪状明确，再诛杀不晚。现在，没有跟我们讨论商议，就派使节前去执行死刑，人心大为惊骇。请陛下登延英殿，允许我们当面陈述！”

一直到傍晚，李瀍才登延英殿，召唤李德裕等进去。

李德裕等十分激动，哭泣流泪说：“陛下应该特别慎重这项决定，不要后悔！”李瀍说：“我不后悔。”再三命各宰相坐下，李德裕等说：“我们希望陛下免除二人死刑，不要使他们死后，天下人同声呼冤。接到指示前，不敢就座。”很久之后，李瀍才说：“看你们面上，饶二人性命。”李德裕等急到阶下三跪九叩谢恩。李瀍命他们到殿上入座，叹息说：“我继承帝位的时候，宰相们有谁讲过公道话？李珏、薛季棱一心拥护陈王（李成美）！杨嗣复、刘弘逸一心拥护安王（李溶）。陈王（李成美）还算文宗（十七任帝李昂）生前的意思，而安王（李溶）却专门攀附杨贤妃（杨贤妃请封李溶当太子事，参考前年〔八三九〕十月）。杨嗣复更写信给杨贤妃说：‘姑妈，你为什么不效法则天皇后（武曌）临朝主政！’假设安王（李溶）如愿以偿，我哪里能有今天？”李德裕等说：“这种事暧昧难明，虚实难知！”李瀍说：“杨贤妃有一次患病，文宗（李昂）让她的弟弟杨玄思进宫侍奉医药，逗留一个月有余，他们就是由他私通消息。我曾经详细的查问过宫女宦官，情况十分明显，一点不假。”遂派使节紧急上路，追回两个执行死刑的杀手。但再贬杨嗣复当潮州（广东省潮州市）州长，李珏当昭州（广西平乐县）州长、裴夷直当驩州（越南荣市）户籍官（司户）。

6 夏季，六月六日，李瀍下诏说："自今以后，臣属上疏抨击或揭发别人犯罪，奏章一律交给总监察署（御史台）调查审判，不准请求'留在宫中作参考资料'，用以杜绝小报告陷害。"

7 擢升魏博战区（总部设魏州〔河北省大名县〕）候补司令官（留后）何重顺，实任司令官（节度使）。

8 李瀍命道士赵归真等（赵归真于十六任帝李湛死时被贬，参考八二六年十二月），在三殿（麟德殿）设置九天道场（道场，道教一种祈祷及祭祀仪式。九天，中央加八方，中央称"钧天"、东方称"苍天"、东北称"变天"、北方称"玄天"、西北称"幽天"、西方称"颢天"、西南称"朱天"、南方称"炎天"、东南称"阳天"），李瀍亲自接受神符。见习立法官（右拾遗）王哲上疏恳切劝阻，李瀍贬王哲当东都洛阳特别市政府（河南府）公务官（士曹参军）。

9 秋季，八月，加授左神策军总指挥宦官（中尉）仇士良：皇家观察兵马阵容最高监军宦官（观军容使）。

10 天德军（内蒙古乌拉特前旗东北）基地司令（使）田牟、监军宦官韦仲平，打算攻击回鹘汗国残军，用以建立自己的功业，奏报说："回鹘叛将嗢没斯等（嗢，音wà〔袜〕）侵犯到边塞之下，而吐谷浑部落、沙陀部落（山西省北部）、党项部落（陕西省北部）都跟回鹘是世仇，请准许我们发兵驱逐。"李瀍命文武百官讨论，大家都认为嗢没斯是回鹘可汗的叛徒，不可接纳他的投降，应批准田牟等请求，出军攻击。李瀍征求宰相们的意见，李德裕说：“无路可逃的飞鸟，误撞到怀里，还应该保护它。何况回鹘对大唐有过很大帮助（八世纪五〇及六〇年代，击平安禄山、史思明，代唐政府收复两京〔长安及洛阳〕），而今被邻国击破，部落四散，穷途末路，没有地方可以投奔，从遥远的塞外，前来依靠大唐皇帝，对边塞没有秋毫侵犯，我们为什么要乘他困难之际，发动攻击！不但不应如此，反而更应该派使节前去安抚，赏赐给他们粮食，那正是刘病已（西汉王朝十任帝）所以降服挛鞮稽侯栅（匈奴汗国十四任呼韩邪单于）的道理（参考前五一年正月）。”陈夷行说：“不然，那才是送武器给强盗、运粮食给仇敌的道理！大唐应该出军攻击。”李德裕说：“田牟所说的诸如吐谷浑等，各有各的部落，有利可图就争先恐后的前进，战场上一旦失利，就像天上的鸟，池中的鱼一样，霎时间全都惊散逃命，各奔各的巢穴，怎么肯死守岗位，为唐王朝卖命？而今，天德军（内蒙古乌拉特前旗东北）边防士卒才一千余人，如果攻击不能顺利，城池必定沦陷。不如用恩义善待嗢没斯等，就不可能成为灾难。即令凶性大发，骚扰边塞，也应该征调各战区大军讨伐，怎么可以只派天德（内蒙古乌拉特前旗东北）一支孤军！”

当时，李瀍派藩属事务部长（鸿胪卿）张贾当巡边特使（巡边使），命他观察回鹘残军的真实情形，还没有回京（首都长安）。李瀍问李德裕说：“嗢没斯请求投降，你能保证他们的诚心！”李德裕说：“连就在眼前的大唐官员，我都不敢保证，何况保证数千华里外蛮夷！但抨击嗢没斯是可汗的叛将，却绝对错误。如果可汗还在人世，嗢没斯率领部众南来，在体制上唐王朝当然不可以接受。可是现在听说：汗国已经破灭，一团混乱，没有领袖，文武将相逃散一空，有的投奔吐蕃王国（首都逻些城〔西藏拉萨市〕），有的投奔葛逻禄部落（中亚巴尔喀什湖南），只有嗢没斯这一支，远来依靠大唐，看他呈递的奏章，可发现他处境的紧急和窘困，态度恳切，怎么能称他‘叛将’！何况，嗢没斯等，去年（八四〇）九月就进抵天德（内蒙古乌拉特前旗东北），今年（八四一）二月，贵族们才拥护药罗葛乌希登极称乌介可汗，二人之间，根本没有君臣的名分。我希望皇上下诏，命河东战区（总部设太原府〔山西省太原市〕）及振武战区（总部设单于府〔内蒙古和林格尔县〕）进入备战状态，保护边境，等回鹘残军攻击城镇时，再用武力把他们赶走。如果他们进入吐谷浑等部落抢夺抄掠，各部落不妨自行报复，大唐军队不必参与。另行下诏给田牟、韦仲平，不可为了立功，去惹是生非。我们一定要遵守两国间的大信，作恰当安抚，他们虽是蛮夷，也会知道感恩。”

八月二十四日，李瀍下诏命田牟约束边防军将士及不同种族的各部落，不可先去冒犯回鹘。

九月一日，再下诏命河东（总部太原府）及振武（总部单于府）两战区严密戒备。田牟，是田布的老弟（田布，参考八二二年正月）。

11 九月二十六日，卢龙战区（总部设幽州〔北京市〕）兵变，诛杀司令官（节度使）史元忠（参考八三四年九月），拥护营门官（牙将）陈行泰主持候补司令官业务。

12 宰相李德裕建议派使节前往北方塞外慰劳安抚回鹘残军，并运输粮食三万斛作为赏赐。李瀍深为怀疑。

闰九月三日，李瀍登延英殿召集各宰相共同讨论，陈夷行反复强调：这正是送武器给强盗，运粮食给仇敌！坚决反对。李德裕说：“现在，征召各战区的军队，还没有完全集合，天德（内蒙古乌拉特前旗东北）远在边塞，孤单危险，假如不运这批粮食去喂饱饥饿的蛮夷，使他们暂时安静，万一天德（内蒙古乌拉特前旗东北）陷入蛮夷之手，由谁负责！”陈夷行已走到李瀍跟前，但不敢再说话。李瀍遂决定运输谷米二万斛赈济。

13 李瀍免除山南东道战区（总部设襄州〔湖北省襄阳市〕）司令官（节度使）、遥兼二级宰相（同平章事，使相）牛僧孺的职务，改当太子太师（太子三师之一）。

之前，汉水泛滥，大水淹坏襄州（湖北省襄阳市）居民房舍（汉水流经襄州城北）。李德裕认为这是牛僧孺的罪行，所以把他调一个闲散差事。

14 卢龙战区（总部设幽州〔北京市〕）再一次兵变，变军诛杀陈行泰，拥护营门官（牙将）张绛。

最初，陈行泰驱逐史元忠，派监军宦官的随从，携带战区高级将领联名奏章，请求中央承认既成事实，颁发人事任命状。李德裕说：“河朔（河北平原）各战区情形，我最熟悉，这些年来，中央钦差宦官和任命状，都来得太快，所以军心稳定。如果搁置几个月，不闻不问，他们内部一定发生变化，现在最好是留住监军宦官的随从，也不派使节前去，而静坐在这里，观察变化。”不久果然再度兵变，诛杀陈行泰，拥护张绛，张绛也上疏请求颁发符节，中央仍不闻不问。这时，雄武军（河北省兴隆县）基地司令（使）张仲武出军讨伐张绛，并派参谋官员吴仲舒，携带奏章前往京师（首都长安）。指控张绛残暴，请准许他率所属部队讨伐。

冬季，十月，吴仲舒抵达京师（首都长安），李瀍命宰相询问实际情况，吴仲舒说："陈行泰、张绛，都不是本战区出身，所以军心不附。张仲武则是卢龙（总部幽州）旧将，性情忠义，通晓文学，熟悉军事，人心向往。当初，张绛杀陈行泰的时候，曾召唤张仲武，打算把候补司令官（留后）的位置让给他，但总部有一两百人反对，张仲武已走到昌平（北京市昌平区），张绛命他退回。现在，张仲武刚从雄武（河北省兴隆县）出发，大营已开始驱逐张绛。"李德裕问："雄武（河北省兴隆县）军队有多少人？"吴仲舒回答说："正规边防军八百人，民众自卫团五百人。"李德裕说："兵力太少，怎么能够成功？"吴仲舒说："主要是依靠人心，假如人心不附，即令有三万大军，有什么用？"李德裕又问："万一失败，有什么计划？"吴仲舒说："卢龙（总部幽州）粮食，都靠妫州（河北省怀来县）跟北方七镇供应（七镇：大王〔北京市平谷区〕、北来、保要、鹿固、赤城、邀虏、石子舭〔以上六地，都在北京市密云区境〕），万一进不了幽州（北京市），我们就据守居庸关（北京市昌平区西北），切断粮食供应线，幽州（北京市）自会被困死。"李德裕奏报说："陈行泰、张绛，都是命大将上疏威胁中央，强行要求任命，所以不可以接受。现在张仲武先行上疏，请求出兵为中央讨伐叛乱，答应他，似乎名正言顺。"李瀍于是命张仲武当卢龙战区（总部幽州）候补司令官（留后）。不久张仲武攻克幽州（北京市）。

15 李瀍前往咸阳（陕西省咸阳市）打猎。

16 十一月，李德裕上疏说："现在，回鹘汗国（瀚海沙漠群）瓦解，太和公主不知道流落到什么地方（太和公主嫁回鹘事，参考八二一年五月）！如果不派使节前往寻访慰问，蛮夷一定认为大唐对下嫁外邦的公主，原来并不爱怜痛惜，则既辜负公主之心，也伤害蛮夷之情。我建议派总礼宾官（通事舍人，从六品上）苗缜，携带诏书，前去晋见嗢没斯，要他告诉公主，并且从这件事情上，可看出嗢没斯有没有归顺唐王朝的决心！”李瀍同意。

17 李瀍非常喜爱打猎和激烈的运动比赛（如踢球、骑马射箭、腕搏等），皇家鹰狗五坊的差役（五坊：鸡坊、狗坊、鹰坊、鹞坊、鹘坊），可以随时出入皇宫，赏赐也特别优厚。李瀍曾经晋谒郭太后，顺便问当皇帝最重要的一件事是什么，郭太后告诉他说：“接受批评！”李瀍回来后，把所有规劝的奏章拿出来阅读，多数劝告他应减少游戏及打猎。从此，李瀍出宫打猎的次数稍为减少，对皇家鹰狗五坊差役也不再动不动就横加赏赐。

18 十一月二十七日，命副立法长（中书侍郎）、二级实质宰相（同平章事）崔郸，遥兼二级宰相（同平章事，使相），充任西川战区（总部设成都府〔四川省成都市〕）司令官（节度使）。

19 当初，黠戛斯汗国（西伯利亚萨彦岭北。黠戛，音xiá jiá〔匣夹〕）击破回鹘汗国（瀚海沙漠群）时，俘虏太和公主，遂自称是李陵的后裔（李陵投降匈奴，参考前九九年），跟唐王朝皇帝同姓（《新唐书·回鹘传》记载：黠戛斯人“身材高大，赤发、白脸、蓝眼”，是典型的白种人，李陵后裔当是黑眼、黑发。为了政治利益，连自己的种族都强行否定，黠戛斯人提供一个例证），于是派将领（达干）十名，护送太和公主回归唐王朝。回鹘乌介可汗（十五任大可汗）药罗葛乌希率军在中途埋伏，发动袭击，把黠戛斯汗国护送将领全部格杀，而把太和公主当作人质，渡瀚海沙漠南下，进入天德（内蒙古乌拉特前旗东北）边境。太和公主派人上疏给她的侄儿、唐王朝皇帝李瀍，证实新可汗已经登极，请求对新可汗加封。药罗葛乌希又命他的宰相颉干伽斯等，联合上疏，请求唐政府把振武城（振武总部单于府，内蒙古和林格尔县）借给回鹘，好让公主、可汗有安身之所。

十二月十四日，李瀍派右金吾（卫军第十二军）大将军王会等，出塞慰劳回鹘，馈赠谷米二万斛。又给乌介可汗药罗葛乌希诏书，告诉他说："你最好率领部众，逐渐收复旧有疆域，现在这种漂泊塞外的情形，绝对不是好办法。"又说："借大唐振武城（内蒙古和林格尔县），前代从来没有发生过这种事。如果希望另找一个地方，以求大国声援，必须以瀚海沙漠群南部边缘为限。我会准许公主回国朝见，将亲自询问情形。假如回鹘确实需要援助，大唐一定毫不吝啬。"

唐　会昌　二年

1 春季，正月，唐王朝（首都长安〔陕西省西安市〕）皇帝（十八任武宗）李瀍（本年二十九岁。瀍，音chán〔蝉〕），擢升卢龙战区（总部设幽州〔北京市〕）候补司令官（留后）张仲武，实任司令官（节度使）。

2 唐政府因回鹘汗国（瀚海沙漠群）残军进驻天德（内蒙古乌拉特前旗东北）、振武（内蒙古和林格尔县）北境，命国务院国防部军政司长（兵部郎中）李拭，当巡边特使，考察边防军将领的才干能力。李拭，是李鄘的儿子（参考八〇九年四月）。

3 二月，淮南战区（总部设扬州〔江苏省扬州市〕）司令官（节度使）李绅，到中央朝见。

二月十二日，李瀍命李绅当副立法长（中书侍郎）、二级实质宰相（同平章事）、全国财政总监（判度支）。

4 河东战区（总部设太原府〔山西省太原市〕）司令官（节度使）苻澈，整修杷头烽（山西省朔州市西北）营垒废墟，预防回鹘汗国溃散后各部落南下流窜。宰相李德裕奏请增兵镇守，并进一步整修更北的东受降城（内蒙古托克托县南）及中受降城（内蒙古包头市），加强保卫天德军（内蒙古乌拉特前旗东北）的实力。李瀍批准。

5 立法院最高顾问官（右散骑常侍，正三品）柳公权，跟李德裕一向友善，另一宰相崔珙，向李瀍推荐柳公权当皇家编译院研究官（集贤殿学士），并代理院长（判院事）。李德裕认为这项恩德不出于自己，大不高兴，找一个借口，把柳公权免职，贬作太子宫总管（太子詹事，正三品）。

从柳公权这件事上，可看出李德裕所以不能免除结党营私招来大祸的原因！

6 回鹘流亡可汗（十五任乌介可汗）药罗葛乌希，再上疏唐王朝皇帝，请求接济粮食；又请求唐政府查勘吐谷浑部落（黄河河套及山西省北部）、党项部落（陕西省北部）掠夺他们的财物；又请求借用振武城（内蒙古和林格尔县）。

李瀍派宦官杨观携带写给药罗葛乌希的信，前往告知说：借城不可能，其他请求，唐王朝当尽量帮助。

三月十三日，巡边特使李拭，返回京师（首都长安），推荐振武战区（总部设单于府〔内蒙古和林格尔县〕）司令官（节度使）刘沔（音miǎn〔免〕），有威望谋略，可以担当军国大事。这时，河东战区（总部设太原府〔山西省太原市〕）司令官（节度使）苻澈患病。

三月二十五日，李瀍命刘沔接替苻澈；命左金吾（卫军第十一军）上将军李忠顺接替刘沔。派建筑部副部长（将作少监）苗缜，携带诏书前往册封药罗葛乌希；命苗缜慢慢前进，逗留河东（总部太原府），等可汗的政权稳定，再行前进。可是，不久，药罗葛乌希不断侵犯唐朝边境，苗缜遂中止行程。

7 回鹘前任可汗（十四任）药罗葛遏驳（音kè sà〔克飒〕）的老弟、残军将领嗢没斯，认为宰相赤心狡狯凶暴，难以控制（参考前年〔八四〇〕九月），于是向唐王朝天德军（内蒙古乌拉特前旗东北）基地司令（使）田牟，诬告赤心阴谋对唐王朝边塞发动攻击。田牟遂引诱赤心、仆固，一并诛杀。那颉啜公爵收拾赤心部众七千篷帐，向东逃亡。

河东战区（总部设太原府〔山西省太原市〕）奏报说：“回鹘残军进抵横水（山西省大同市西北），大肆屠杀及劫掠大唐人民，现在退驻释迦泊（内蒙古包头市北）东。”李德裕上疏建议说：“释迦泊（内蒙古包头市北）西距乌介可汗王庭（时在错子山〔内蒙古狼山东北〕）三百华里，不知这支回鹘军是那颉啜的逃亡部队，还是乌介可汗派出的正规军？我们不妨姑且认定这是一支不受乌介可汗指挥的部队，擅自出动剽掠。应密令刘沔（河东〔总部太原府〕司令官）、张仲武（卢龙〔总部幽州〕司令官），集中力量对付，如果可以把他们赶走，也师出有名，先行把这支部队摧毁，乌介可汗自会恐惧。”

夏季，四月十六日，天德（内蒙古乌拉特前旗东北）警备区总司令（都防御使）田牟奏报说：“回鹘军不断侵扰，虽没有接到中央命令，我仍是出动士卒三千人抵御。”

四月十八日，宰相李德裕上疏指控说：“田牟太没有军事常识，蛮夷最擅长野战，缺乏攻城能力，田牟应该坚守城池，等待各路救兵。而今，却把全部兵力投入野战战场，万一失败，城防空虚，用什么方法防御！我希望急派宦官前往阻止。如果已经接触，则请陛下立即下诏，出动云州（山西省大同市）、朔州（山西省朔州市）、天德军（内蒙古乌拉特前旗东北）所属的羌部落军及浑部落军，分别向回鹘攻击，掳掠回鹘的男女和财物，都归各部落军自己所有。回鹘残军孤悬塞外，已经两年，缺少粮食，军心容易动摇。请下令田牟，把招诱前来投降的俘虏，全部发给粮食，转送太原（山西省太原市），绝对不可以留在天德（内蒙古乌拉特前旗东北）。嗢没斯内心如何决定，虽不知道，但是我们必须早日对他任官封爵，作为奖赏。即令他对大唐并没有诚意，至少也可以使回鹘残军更分崩离析。而且也是鼓励他对大唐效忠，作为将来军事行动时的政治号召。同时向各戎狄部落昭示：唐政府只不过责备回鹘可汗对大唐冒犯，并不是要消灭全部回鹘种族。石雄骁勇善战，所向无敌，请任命他当天德（内蒙古乌拉特前旗东北）警备区民兵副总司令（都团练副使），协助警备总司令（都防御使）田牟作战。”李瀍全部批准。

最初，本世纪（九）三〇年代，河西（陕西、山西二省界河以西）党项部落侵犯唐王朝边境，前任帝（十七任文宗）李昂，把白州（广西博白县）州长石雄（石雄受王智兴迫害被贬事，参考八二九年四月），召回中央，派到振武战区（总部设单于府〔内蒙古和林格尔县〕）当初级将领（裨将），屡次建立战功，李昂都因不愿得罪王智兴的缘故，没有作明显擢升。直到今天，李德裕才正式推荐。

四月二十日，回鹘残军首领嗢没斯，率回鹘汗国公爵、宰相等二千二百余人，向唐王朝投降。

8 李瀍对宰相李德裕至为信任，神策军观察兵马阵容最高监军宦官（观军容使）仇士良大为厌恶。正巧，李瀍将要接受臣属们呈献尊贵绰号，并登丹凤楼宣布全国大赦令。于是有人向仇士良打小报告说：宰相跟全国财政总监（度支）正商议撰写诏书，减少禁军的衣服、粮食和马匹所需的草料。仇士良在大庭广众中扬言说："真这样的话，宣布大赦的时候，士卒们势将集结丹凤楼前，示威请愿！"李德裕得到消息。

四月二十一日，李德裕请李瀍登延英殿和高级官员见面，提出辩护。李瀍大怒，立即派宦官到左、右神策军宣布说："我跟宰相只讨论大赦令，并没有讨论削减粮草。大赦令都是我的意思，并不出于宰相，你们怎么可以说这种话！"仇士良惶恐惭愧，请求宽恕。

四月二十三日，文武百官呈献李瀍绰号：仁圣文武至神大孝皇帝，赦免天下。

9 五月十四日，派藩属事务部长（鸿胪卿）张贾，前往塞北安抚慰问回鹘残军首领嗢没斯等，任命嗢没斯当左金吾（卫军第十一军）大将军，封怀化郡王。地位较低的酋长，依照顺序，分别任官颁赏。再发给全体部众米五千斛、绢（粗丝厚绸）三千匹。

向东逃亡的那颉啜，率领部众从振武（内蒙古和林格尔县）、大同（山西省朔州市）出发，占领黑沙城（内蒙古阴山北麓。东突厥可汗阿史那默啜曾在此建王庭，参考六九八年八月），裹挟东方的室韦部落（内蒙古东北部），再南下攻击雄武军（河北省兴隆县），企图夺取幽州（北京市）。卢龙战区（总部设幽州〔北京市〕）司令官（节度使）张仲武，派老弟张仲至率军三万人迎击，大破回鹘，斩首及俘虏不计其数，七千篷帐全部投降，唐政府把他们分别配发到各地安置。只那颉啜单人匹马逃出一命，却被乌介可汗生擒诛杀。

当时，乌介可汗势力虽然衰弱，但对外宣称仍有部众十万人，王庭迁到大同军（山西省朔州市）北闾门山（朔州市北）。钦差宦官杨观从回鹘返京（首都长安）后，呈递所携带的乌介可汗的奏章，请唐政府援助粮食、牛羊，以及要求唐王朝交出嗢没斯等。李瀍下诏回答说："所需的粮食，准许你们运马匹到振武城（内蒙古和林格尔县）交换三千石。牛，是大唐农民耕种时必不可缺的兽力，一向禁止屠宰。羊，塞内很少畜养这种动物，塞外其他各部落蛮夷才有，大唐从来不作征收。嗢没斯于汗国崩溃后，最先投奔大唐塞下，两年之久，从没有追随过可汗，又恐怕可汗猜忌，走投无路，才投降大唐。前任可汗（十四任彰信可汗）因为猜忌暴虐，六亲都成仇敌，导致众叛亲离。现任可汗（十五任乌介可汗）丧失自己国土，在远地做客，尤应该痛切改正从前的错误。如果继续残杀自己同胞，则可汗左右亲信的臣属，谁敢自保？我对人民的爱护，不分彼此，既已接受嗢没斯等的归降，自不能再把他们交出，这样做，对可汗而言，显示恩德宽容，对唐王朝而言，免得失信丧义，岂不是两全其美，最好的智谋。"

嗢没斯到京师（首都长安）朝见。

六月二十一日，李瀍赐嗢没斯的部众名归义军，命嗢没斯当左金吾（卫军第十一军）大将军，充任归义军基地司令（使）。

10 副监督长（门下侍郎）、二级实质宰相（同平章事）陈夷行免

九世纪·八四二年三月至五月

回鹘汗国内讧，全部内迁塞内

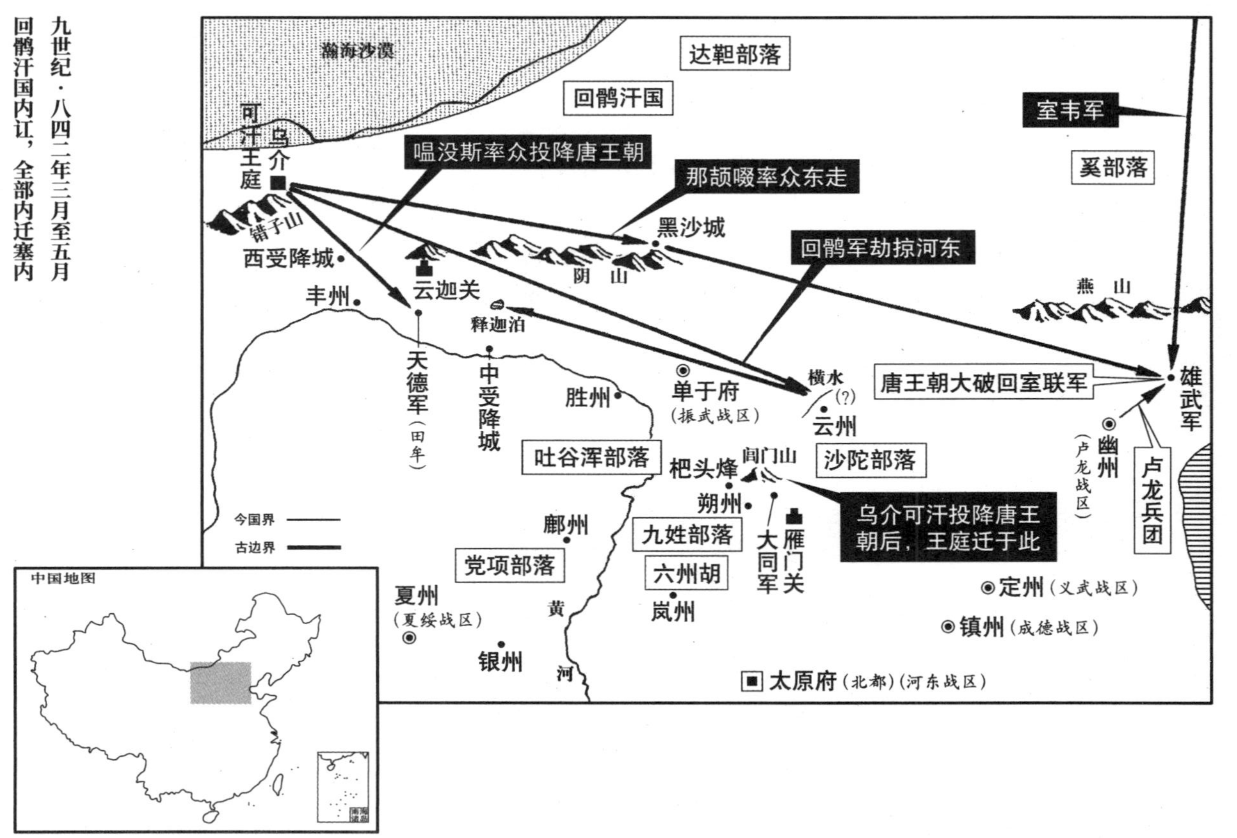

职，调任国务院左最高执行长（左仆射）。

秋季，七月，命国务院右秘书长（尚书右丞）李让夷当副立法长（中书侍郎）、二级实质宰相（同平章事）。

11 岚州（山西省岚县）人田满川聚众起兵，夺取州城。河东战区（总部设太原府〔山西省太原市〕）司令官（节度使）刘沔讨伐，诛杀田满川（岚州属河东战区）。

12 嗢没斯请求把家属安置太原（山西省太原市），而亲率所有老弟，到塞上为唐王朝防御边疆。李瀍命刘沔照顾安抚他们的家人。

乌介可汗再派他的宰相携带奏章到京师（首都长安），请求借给他军队复国；并再请求借给他天德城（内蒙古乌拉特前旗东北），李瀍拒绝。

最初，乌介可汗来往天德（内蒙古乌拉特前旗东北）、振武（内蒙古和林格尔县）之间，劫掠这一带游牧的羌部落及浑部落，最后，王庭进驻杷头烽（山西省朔州市西北）北。唐政府好几次派使节前往传达皇帝旨意，要他返回瀚海沙漠群南部，乌介可汗不肯接受。李德裕认为："那颉啜正驻山北（恒山以北），乌介可汗恐怕那颉啜跟奚部落（滦河上游）、契丹（辽河上游）部落结盟截击，所以不敢远离边塞。请训令张仲武（卢龙〔总部幽州〕司令官），转告奚部落、契丹部落，应配合乌介可汗，联合消灭那颉啜，好让乌介可汗北返。"后来，乌介可汗诛杀那颉啜，北返道路肃清，但仍然毫无去意。有人又认为乌介可汗在等候唐王朝给付马价，李瀍下诏，命把马价一次付清，乌介可汗还是不走。

八月，乌介可汗向唐朝发动攻击，大军南下越过杷头烽（山西省朔市西北）南，突入大同川（桑干河上游），掳掠裹挟河东（山西省）各戎狄部落牛马数万头，一面作战，一面前进，转斗到云州（山西省大同市）城下，州长张献节闭门防守。吐谷浑部落（原居黄河河套及山西省北部）、党项部落（原居陕西省北部），纷纷携带家人逃入深山躲避。

八月九日，李瀍下诏征召陈州（河南省周口市淮阳区）、许州（河南省许昌市）、徐州（江苏省徐州市）、汝州（河南省汝州市）、襄州（湖北省襄阳市）等武装部队，分别前往太原（山西省太原市）、振武（内蒙古和林格尔县）、天德（内蒙古乌拉特前旗东北）集结，等明年（八四三）春季，扫荡乌介可汗。

八月十六日，李瀍赐给嗢没斯跟他老弟阿历支、习勿啜、乌罗思等皇家姓氏——李，分别改名李思忠（嗢没斯）、李思贞（阿历支）、李思义（习勿啜）、李思礼（乌罗思）。另赐给汗国宰相爱邪勿新姓——爱，改名爱弘顺；命爱弘顺（爱邪勿）当归义军基地副司令（副使）。

李瀍遣返回鹘汗国早年派来唐王朝的使节石戒直，携带李瀍写给乌介可汗的信件，告诉乌介可汗说："贵国自从被黠戛斯击破，各部落溃散，南下边塞，投靠大唐，大唐接待照顾，无微不至，如今，可汗停留塞下，从没有考虑北返故土，甚至还侵犯掳掠云州（山西省大同市）、朔州（山西省朔州市）等州，抄掠劫夺羌部落、浑部落等。遥想你的心意，似乎仗恃唐回两国姻亲之情，观察你的行动，看出你包藏祸心，随时会对大唐突击。中央及边防军将领，一致要求把你铲除，我顾念两国长久友谊，宁可再度忍耐，不忍心使贵国再次受到灾祸。可汗应有明智的抉择，不要将来懊悔！"

李瀍又命李德裕代河东战区（总部设太原府〔山西省太原市〕）司令官（节度使）刘沔，草拟答复回鹘宰相颉干迦斯的回信，警告说："贵国遥远的前来投靠，应该效法挛鞮稽侯栅，派遣子弟到大唐充当皇家侍卫（参考前五三年），自己也亲来京师（首都长安）朝见（参考前五一年），并送太和公主回国，晋谒太皇太后（太和公主是太皇太后郭女士的女儿，现任帝李瀍的姑妈），哀哀求告，大唐所作的救援和帮助，才有正当理由。可是你们不但不这样做，反而企图夺取大唐沿边城镇，骄傲横暴，毫无顾忌，提出过分的要求，发号施令，好像仍在你们自己家园，更深入大唐国境，不断烧杀掳掠。如果本意是请求援助，维持友好，怎么可以有这种行为！你来信威胁说：‘蛮夷容易冲动，难以安抚，如果把他们激怒，我再无法控制。’贵国被黠戛斯击破，所有宰相、将领们的尸体，都被挖出，抛弃荒郊野外；历代可汗的坟墓，更被远隔天涯。贵国的愤怒，不去对付黠戛斯，却抛仁弃义，来对付大唐，天地神灵，岂允许世间有这种怪事！从前，郅支单于凌辱我国，最后终被屠灭（参考前三五年）。历史教训，能不放在心上！”

八月二十七日，李德裕上疏说：“如果遵照陛下稍早颁布的诏书，河东（总部太原府）、卢龙（总部幽州）、振武（总部单于府）三战区完成备战，等到明年（八四三）春季驱逐回鹘，一方面回鹘人困马疲，一方面大唐远征军也得以免受严寒酷冬之苦，则卢龙（总部幽州）的部队，就应停留战区境内，等候中央进一步指示。然而，如果担心今年（八四二）冬季，河川冰封，回鹘可能发动大规模攻击，则我们必须提前行动，就在未来的几个月的秋季之中，天时还没有变寒之前，速战速决。命河朔（河北平原）各战区增援河东（总部太原府），要他们必须在最近两个月里，取得战果。外面官员议论纷纷，各有主张，倘若不广泛的征求大家意见，恐怕会受到虚浮的言词蒙蔽，因之我建议召集文武百官，共同讨论。”李瀍同意。讨论的结果，大多数人认为应等到明年（八四三）春季。

九月，命刘沔（河东〔总部太原府〕司令官）兼招安回鹘特使（招抚回鹘使），一旦军事行动开始，各战区特遣兵团都暂时由他指挥。命张仲武（卢龙〔总部幽州〕司令官）兼东翼招安回鹘特使（东面招抚回鹘使），东方各战区特遣兵团及奚（滦河上游）、契丹（辽河上游）、室韦（内蒙古东北部）等部落军，统由他指挥。命李思忠（嗢没斯）当河西（陕西省北部）党项部落军总作战司令（都将），兼回鹘西南方征剿司令（招讨使），都到太原（山西省太原市）会合。李瀍命刘沔进驻雁门关（山西省代县北）。

最初，奚部落（滦河上游）及契丹部落（辽河上游），都隶属回鹘汗国，汗国对各部落都派有驻在使节（类似唐政府的监军宦官），代表可汗督促及征收捐税及进贡物品，并负责侦察唐王朝动向（奚、契丹二部落，原是唐王朝藩属，后来被安禄山逼反，参考七四五年九月，当是之后倒向回鹘）。张仲武派营门官（牙将）石公绪管辖两个部落，把回鹘驻在该两部落的使节等八百余人，全部诛杀。张仲武击破那颉啜时，生擒室韦部落（内蒙古东北部）酋长的妻子。室韦部落准备大量金钱绸缎羊马等，请求赎回。战区司令官（节度使）张仲武不接受，说："只要诛杀所有回鹘驻在使节，就立即送还。"

九月十二日，李德裕奏报说："河东战区（总部太原府）驻京办事官（奏事官）孙俦，刚刚抵达，据他说：'回鹘大军向南推进四十华里，战区司令官（节度使）刘沔判断：认为一定是契丹部落（辽河上游）拒绝支持，恐怕受到偷袭。'根据这项情况，正是大唐出军驱逐回鹘的最佳时机。我们曾问孙俦：'如果跟卢龙（总部幽州）呼应，驱逐回鹘，需要增加多少军队？'孙俦认为不必增加。不过大同川（桑干河上游）防卫力量单薄，只要义武战区（总部设定州〔河北省定州市〕）派一千人协防，就十分足够。"李瀍全部批准。诏令河东（总部太原府）、卢龙（总部幽州）、振武（总部单于府）各战区，及天德（内蒙古乌拉特前旗东北）警备区，分别派出特遣兵团，缓缓向前移动，逼近回鹘残军主力。

13 李瀍久仰太子少傅（太子三少之二）白居易的名望，打算命他担任宰相，征求李德裕的意见（白居易事，参考八〇六年四月）。李德裕一向讨厌白居易，于是强调白居易年老体衰（本年七十一岁），又经常生病，不能胜任金銮宝殿上三跪九叩的劳动量。因而推荐白居易的堂弟、国务院左秘书官（左司员外郎，从六品上）白敏中、文学造诣不亚于白居易，又有器度和远识。

九月十三日，李瀍擢升白敏中当皇家文学研究官（翰林学士）。

14 李思忠（嗢没斯）请求准允他跟契苾部落（九姓部落之一）、沙陀部落（山西省北部）、吐谷浑部落（黄河河套及山西省北部）等骑兵六千人，联合攻击回鹘。

九月十四日，李瀍命银州（陕西省榆林市东南鱼河镇）州长何清朝、蔚州（河北省蔚县）州长契苾通，分别率领河东战区（总部设太原府〔山西省太原市〕）各戎狄组成的外籍兵团，前往振武战区（总部设单于府〔内蒙古和林格尔县〕），接受李思忠（嗢没斯）指挥。契苾通，是契苾何力的五世孙（契苾何力，参考六三二年十一月）。

15 冬季，十月七日，李瀍封皇子李岘当益王，李岐当兖王。

16 黠戛斯汗国（西伯利亚萨彦岭北）派将军踏布合祖等，前来天德军基地（内蒙古乌拉特前旗东北），声明说："去年（八四一），曾派使节都吕施合等，护送太和公主返回大唐，至今没有消息，不知道是否已经到达，或者被奸邪远隔边境之外。现在已派出军队搜索，不管上天入地，一定要得到确实答案。"又指出："王庭将迁到合罗川（蒙古国中部），统治回鹘汗国旧有疆域。同时已并吞安西（龟兹，新疆库车市）、北庭（新疆吉木萨尔县）两地的达靼（蒙古）等五个部落。"

17 十一月一日，昭义战区（总部设潞州〔山西省长治市〕）司令官（节度使）刘从谏上疏，请派军五千人讨伐回鹘。李瀍不准。

18 李瀍派使节送冬天衣服给太和公主，命李德裕代自己写信，告诉太和公主说："先前，皇家割舍爱女，跟回鹘汗国结亲（参考八二一年五月），为帝国谋取和平，深信回鹘定会协助大唐抵御外患，使边塞保持安宁。可是回鹘最近的作为，完全违反常理，马头竟然常向南方！姑妈难道不畏惧高祖（一任帝李渊）、太宗（二任帝李世民）在天之灵的震怒，不断侵犯扰乱大唐边疆，岂不思念太皇太后（太和公主的娘亲郭女士）的慈祥和爱护！姑妈是回鹘的国母，应有足够的权力发号施令。如果可汗不接受你的命令，则是断绝两国的亲情，从此之后，他们就不能再用姑妈作为借口！"

19 李瀍前往泾阳（陕西省泾阳县）打猎。

十一月二十五日，监督院高级顾问官（谏议大夫）高少逸、郑朗，在便殿晋见皇帝时，规劝说："陛下最近游玩打猎的次数增多，出城太远，直到满天星斗才回，帝国军政大事，都被荒废。"李瀍严肃聆听。高少逸等退出后，李瀍告诉宰相说："政府设置谏官，本来就是要他们随时指出君王过失，我希望能经常听到这些言论。"宰相们纷纷祝贺。

十一月二十九日，擢升高少逸当御前监督官（给事中）、郑朗当监督院高级顾问官（左谏议大夫）。

20 刘沔（河东）、张仲武（卢龙）坚称：在冰天雪地中大军很难作战，请求等到明年（八四三）春季。只李忠顺（振武）请求会同李思忠（嗢没斯）联合出击。

十二月七日，李德裕奏报，请命李思忠进驻保大栅（今地不详）。李瀍批准。

21 十二月八日，吐蕃王国（首都逻些城〔西藏拉萨市〕）派官员论普热，来唐王朝报告国王达磨逝世消息。

李瀍派建筑部副部长（将作少监）李璟，当祭悼特使。

22 河东战区（总部设太原府〔山西省太原市〕）司令官（节度使）刘沔奏报率军进驻云州（山西省大同市）。

23 振武战区（总部设单于府〔内蒙古和林格尔县〕）司令官（节度使）李忠顺奏报说：攻击回鹘，把他们击破。

24 十二月二十七日，李瀍封皇子李峄当德王，李嵯当昌王。

25 最初，吐蕃王国（首都逻些城〔西藏拉萨市〕）国王达磨，用一位性情邪恶的摇尾分子，担任宰相。达磨逝世后，没有儿子，该摇尾宰相就拥护达磨的继姓王妃的老哥尚延力的儿子乞离胡，继任国王，年才三岁，摇尾宰相跟继姓王妃共同主持国政，王国元老级高官数十人，全被排斥。首席宰相结都那在晋见乞离胡时，拒绝叩头，声明说：“王族的人很多，竟然拥护继姓的儿子当国王，全国人民谁服从他的命令？天地鬼神谁接受他的祭祀？国家势必灭亡。近年以来，灾变很多，正是为了这个。我没有力量拨乱反正，报答先王的恩德，只有一死而已！”拔刀割破脸面，放声痛哭，退出。摇尾宰相遂诛杀结都那，屠灭他的全族，全国人民得到消息，大为愤怒；而摇尾宰相又不派使节去唐王朝请求册封新王。

洛门川（甘肃省武山县东南）征剿司令（讨击使）论恐热，性情残忍凶悍，奸诈而多权谋，告诉他的部众说：“叛徒们舍弃王族而拥护綝姓，专门残害忠良，裹挟政府官员，而綝姓儿子又没有唐王朝册封，怎么能宣称他是‘国王’！我当跟大家起义勤王，前往京师（首都逻些城〔西藏拉萨市〕）诛杀綝妃跟当权分子，使王国恢复常轨。上天永远帮助顺服的人，一定可以成功。”遂说服三个部落追随他一同反抗中央，集结骑兵一万人。本年（八四二），论恐热跟青海战区（青海省）司令官（节度使）盟誓，联合行动，自称王国宰相。

勤王军前进到渭州（甘肃省陇西县），在薄寒山（陇西县南）跟宰相尚思罗接触，论恐热攻击，尚思罗抛弃辎重财产，向西逃奔松州（今地不详，地望非四川省松潘县）。论恐热遂把渭州（甘肃省陇西县）全城居民，屠杀一空。尚思罗征调苏毗部落（青海省杂多县）、吐谷浑部落（青海省）、羊同部落（西藏西北部）等大军，共集结八万人，固守洮水（于甘肃省永靖县西刘家峡镇注入黄河），烧毁桥梁，强行阻止论恐热西进。论恐热抵达后，隔着洮水，向苏毗部落（青海省杂多县）等喊话，说：“叛徒使王国陷于混乱，上天派我回去替天行罚，你们为什么帮助叛徒？我现在已是宰相，王国所有武装部队，我都可以管辖，你们拒绝追随我的话，我就屠灭你们部落！”苏毗部落等迟疑不敢作战，论恐热率骁勇骑兵部队，在敌人面前强行渡过洮水，苏毗等部落全都投降。尚思罗继续向西逃走，论恐热追击，把他生擒，斩首，残余部众，全被并吞，共有十余万人，从渭州（甘肃省陇西县）到松州（今地不详），所经过的地方，都加摧毁，尸首遍野，一个接一个相连。

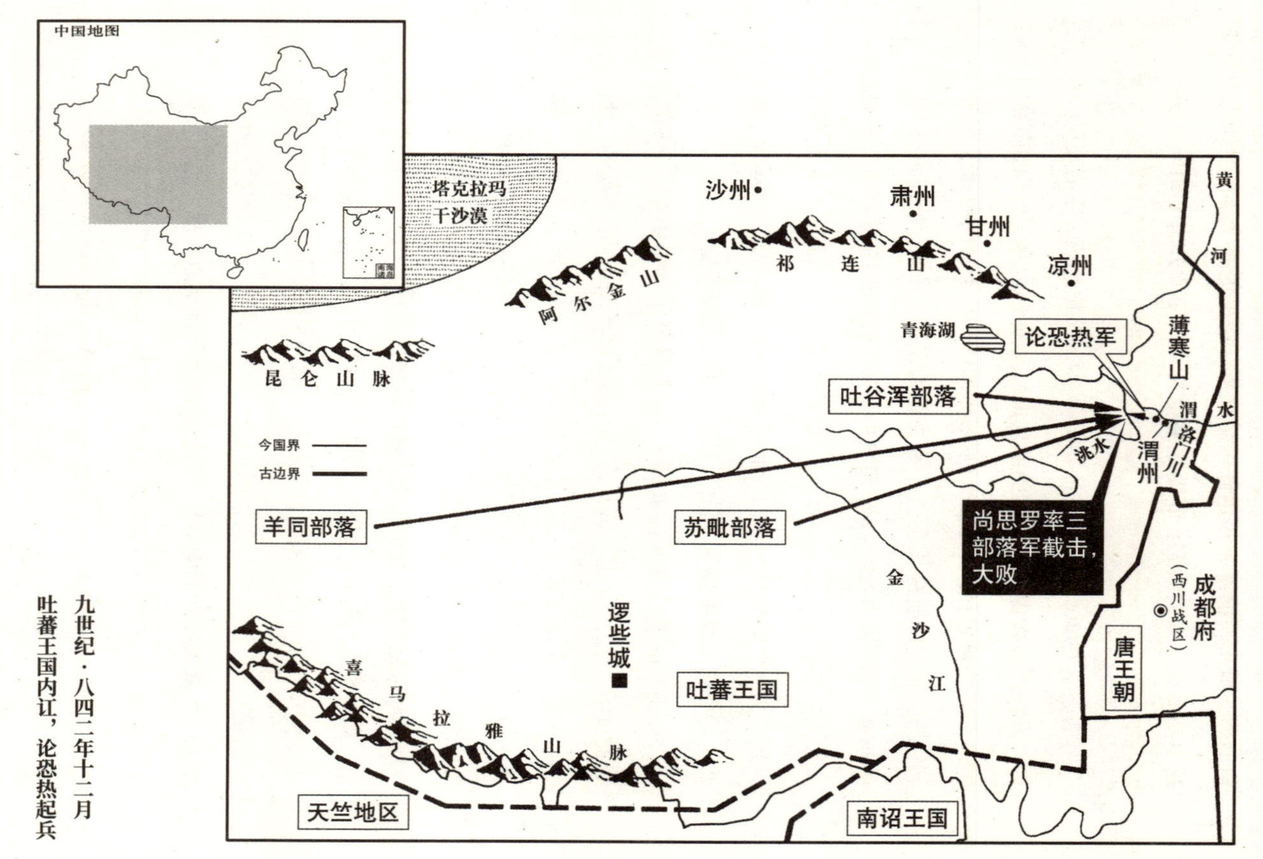

九世纪·八四二年十二月
吐蕃王国内讧，论恐热起兵

八四三年 癸亥

唐 会昌 三年

1 春季，正月，回鹘汗国流亡政府乌介可汗（十五任大可汗）药罗葛乌希，率军进逼唐王朝（首都长安〔陕西省西安市〕）振武战区（总部设安北府〔内蒙古和林格尔县〕。据《新唐书·方镇表》记载，本年〔八四三〕振武总部单于总督府，改名安北总督府。《唐会要·安北都护府》则说是八四五年七月改名），河东战区（总部设太原府〔山西省太原市〕）司令官（节度使）刘沔（音miǎn〔免〕）派麟州（陕西省神木市）州长石雄、总作战司令（都知兵马使）王逢，率沙陀部落（山西省北部）酋长朱邪赤心所辖的三方面军，以及契苾部落、拓跋部落（河西党项部落一支）骑兵三千人，袭击回鹘中央御帐（王庭）；刘沔亲自率主力部队续进。

石雄抵达振武（安北府，内蒙古和林格尔县），登上城楼，研判回鹘部众的多寡，发现有构造特别的毡车数十辆（用毡做成车屋，冬暖夏凉），来往走动的仆从，有的穿红色衣服（四品、五品官服），有的穿绿色衣服（六品、七品），好像唐朝人。派间谍前去探听，回答说："这是公主御帐！"石雄再派间谍去报告太和公主，说："公主来到这里，这里是公主的娘家，应该想办法回来。现在我们将对乌介可汗发动攻击，请公主跟侍从保持镇定，车辆就停在原地，不要移动！"石雄遂在城墙上凿出十余个洞穴，夜晚，率军出城，直扑乌介可汗御帐，快要抵达御帐时，回鹘军才从梦中惊醒。乌介可汗魂飞天外，手足失措，抛弃所有辎重——衣服、粮食、武器，落荒而逃。石雄紧追不舍。

正月十一日，追到杀胡山（内蒙古包头市北大青山），再大破回鹘军，乌介可汗受伤，在数百名骑兵保护下逃走，石雄遂迎接太和公主回国，杀回鹘一万人，俘虏二万余人。

正月十七日，刘沔报告大捷的奏章，抵达京师（首都长安）。

李思忠（嗢没斯）进京（首都长安）朝见，知道自己是从回鹘投降过来的人，恐怕边防军将领对他猜忌，遂上疏请求连同老弟李思贞（阿历支）等，以及爱弘顺（爱邪勿）等，全部调回中央。唐帝（十八任武宗）李瀍（本年三十岁）批准。

正月二十一日，李瀍擢升石雄当丰州（内蒙古五原县）警备区总司令（都防御使）。

乌介可汗投奔黑车子部落（内蒙古呼伦池南），溃散的士卒，多半投奔幽州（北京市）。

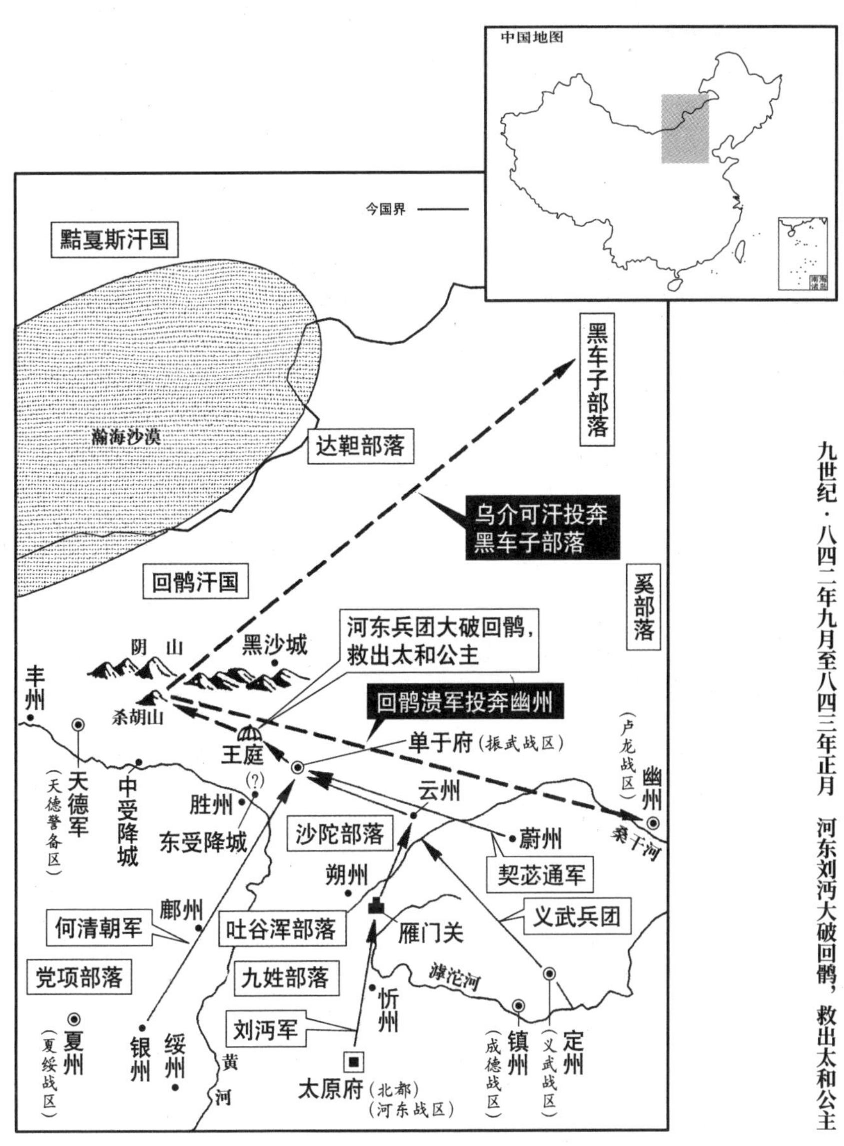

九世纪·八四二年九月至八四三年正月　河东刘沔大破回鹘，救出太和公主

2 二月一日，日蚀。

3 李瀍下诏撤销归义军（参考去年〔八四二〕六月），把回鹘士卒分别配发到各战区作骑兵部队，粮饷优厚。

4 二月十二日，黠戛斯汗国（瀚海沙漠群。黠戛，音xiá jiá〔匣夹〕）派使节注吾合索（注吾，复姓）来唐王朝，呈献名马二匹。李瀍命畜牧部长（太仆卿）赵蕃设宴招待慰劳。

二月十五日，李瀍召见注吾合索，座位在渤海王国（首都龙泉府〔黑龙江省宁安市西南东京城镇〕）的使节之上。

李瀍打算命赵蕃透过使节，向黠戛斯汗国要求归还安西（新疆库车市）、北庭（新疆吉木萨尔县）。李德裕反对，上疏说："安西（新疆库车市）距京师（首都长安）七千余华里（航空距离二千四百公里），北庭（新疆吉木萨尔县）距京师（首都长安）五千余华里（航空距离一千九百公里），如果收回，势必设置总督（都护），并派出一万人的大军驻防，不知道这一万人从哪里征调？粮饷供应又从哪条道路运送？这是用实际上的耗费，去博取虚名，不是良策。"李瀍才停止。

5 副立法长（中书侍郎）、二级实质宰相（同平章事）崔珙免职，改任国务院右最高执行长（右仆射）。

6 黠戛斯汗国（瀚海沙漠群）可汗上书唐政府，请求册封，李德裕认为：应该与黠戛斯汗国保持友谊，要求他们出军报复诛杀他们使节的罪行（回鹘乌介可汗杀护送太和公主的黠戛斯使节，参考前年〔八四一〕十一月），并讨伐黑车子部落（内蒙古呼伦池南）。李瀍恐怕一旦正式册封可汗，可能就对唐王朝不再顺服，而效法回鹘当年的作为，要求唐王朝每年赏赐，以及强行向唐王朝卖马（参考七七三年五月）；反复考虑，不能决定。李德裕奏报说：“黠戛斯酋长早已自称可汗，大唐如要借用他的力量对付回鹘，恐怕不能舍不得对他加封。回鹘当初有协助我们削平安禄山、史思明的功劳（参考七五七年及七六二年），所以每年赏赐他们绢（粗丝厚绸）二万匹，并准许贸易通商。黠戛斯跟大唐之间，从来没有渊源，怎么敢冒昧要求赏赐！如果担心他不再顺服，当跟他事先约定，必须效法回鹘，向大唐称臣，才能册封。同时，又向他强调同姓之谊（黠戛斯自称李陵的后裔，参考前年〔八四一〕十一月），增加亲密关系，使他行晚辈的礼节。”李瀍同意。

7 三月一日（原文误置于二月，据《旧唐书》改），太和公主抵达京师（首都长安），改封为安定大长公主（太和公主于八二一年七月出嫁回鹘，迄今二十三年，嫁时如为十八岁，本年已四十岁）。李瀍下诏命宰相率文武百官前往章敬寺前迎接。太和公主前往光顺门（大明宫宣政殿西），换下盛装衣裳，摘下珠宝首饰，对回鹘辜负唐王朝的恩德，以及自己和亲失败，请求宽恕。李瀍派宦官前来安慰，然后迎她进宫。阳安等七位公主，没有前来致意，各被罚俸禄及停发应赏赐的绸缎（七公主：十三任帝李诵女〔太和公主的姑妈〕：阳安公主；十四任帝李纯女〔太和公主的姐妹〕：宣城公主、真宁公主、义宁公主、临真公主、真源公主；十五任帝李恒女〔太和公主的侄女〕：义昌公主）。

8 李瀍命魏博战区（总部设魏州〔河北省大名县〕）司令官（节度使）何重顺，改名何弘敬。

9 三月，命畜牧部长（太仆卿）赵蕃，当安抚黠戛斯汗国特使。

李澶命李德裕撰写《赐黠戛斯可汗书》，指出："六四八年，黠戛斯当时的君主，就曾亲来唐王朝觐见（参考该年〔六四八〕正月），唐政府加授他左屯卫（卫军第九军）将军，兼坚昆军区（总部设萨彦岭北阿巴坎城）总司令（都督），直到八世纪四〇年代，对唐王朝的朝贡，从来没有间断。后来，回鹘在中间阻挠，才告中止。回鹘对各种族部落，一向欺凌暴虐，可汗能够复仇雪耻，建立伟大壮烈的勋业，扫荡回鹘王庭（设蒙古国哈拉和林市），自古迄今，没有人能跟可汗相比。而今，回鹘残兵败将，不满一千人，又四散逃亡，躲藏山谷，可汗既跟他们结怨，应该把他们全部诛杀才是，如果留下星星火苗，一旦死灰复燃，恐怕后患无穷。又听说可汗姓氏的来源，跟我同出一族，我们祖先乃北平郡郡长（李广）的苗裔，而可汗乃都尉（李陵）的后代，以这个关系联宗，尊卑顺序，十分明显（李陵是李广的孙子）。如今，打算册封可汗，并特别增加优美的称号，只因不知道可汗的本意，所以特派使节前往，表明唐王朝立场。等赵蕃回国后，当再派使节依礼行事。"自从回鹘汗国残军抵达边塞，及黠戛斯汗国向唐王朝进贡，每次颁发诏书及训令，李澶都命李德裕起草。李德裕请交皇家文学研究官（翰林学士），李澶说："他们不能深刻了解我的意思，非你亲自动笔不可。"

10 河东战区（总部设太原府〔山西省太原市〕）司令官（节度使）刘沔奏报说："遵照诏书指示，归义军回鹘战士三千余人及酋长四十三人，应分别配发各战区。但他们大声呼号，营垒相连，据守滹沱河（滹沱，音hū tuó〔呼驼〕），拒绝接受：我不得不派军镇压，把他们全部诛杀。回鹘归降卢龙战区（总部设幽州〔北京市〕）前后三万余人，都已分别遣送到各战区。"

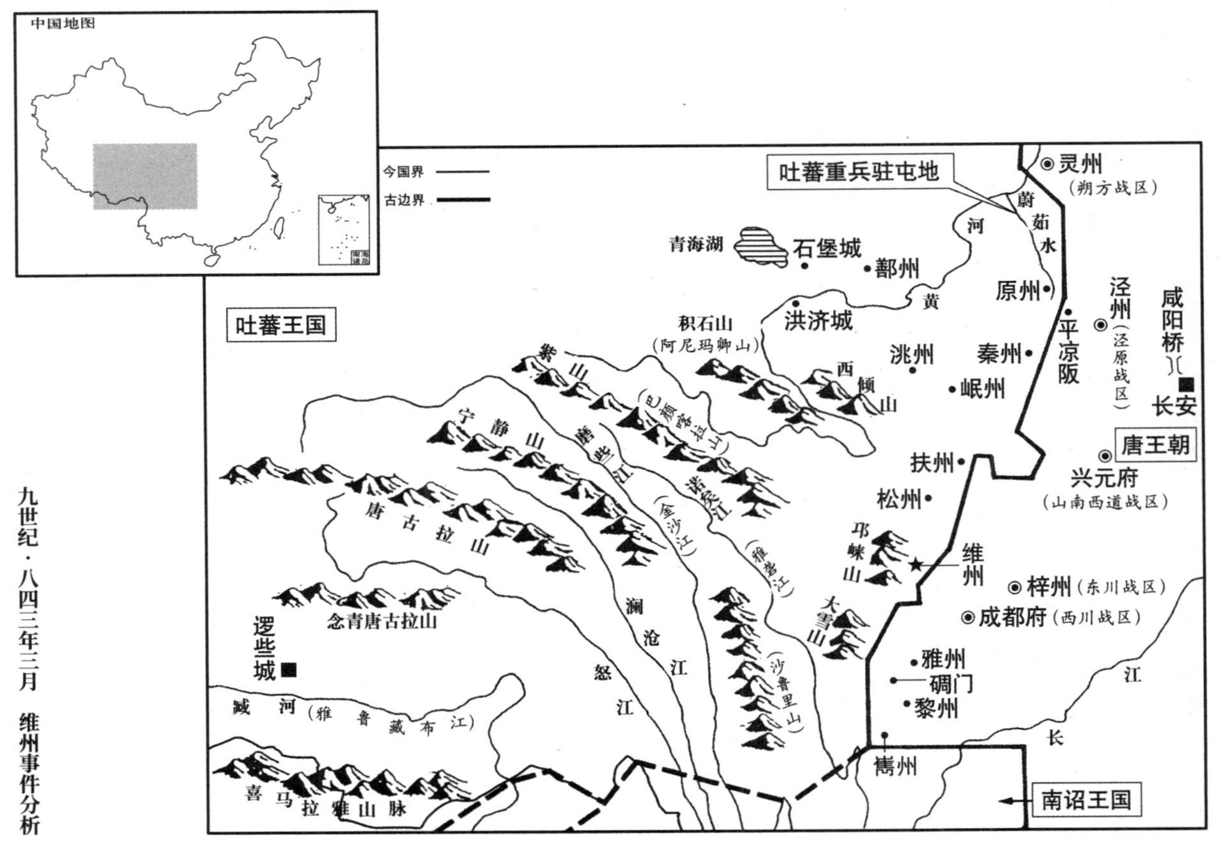

九世纪·八四三年三月 维州事件分析

11 宰相李德裕追究十二年前维州（四川省理县）守将悉怛谋（怛，音dá〔达〕）事件（参考八三一年九月），上疏说： 564

“维州（四川省理县）位于高山绝顶之上，三面江水环绕，是吐蕃王国（首都逻些城〔西藏拉萨市〕）重要门户，也是唐王朝军事上向吐蕃进兵的孔道。当初，河西（甘肃省）、陇右（青海省东部）同时沦陷，只维州（四川省理县）仍然独存，为唐王朝固守。吐蕃暗中把一名妇女嫁给此州守门官吏，二十年后，她所生的两个男孩，都长大成人，暗中打开城门，迎接吐蕃军夜晚进入，城遂陷落，吐蕃称之为‘无忧城’。自此之后，吐蕃南方无后顾之忧，才得以全力经营大唐西部边疆，攻击京畿（首都长安），历代皇帝都为此饮食不安。八世纪九〇年代，西川战区（总部设成都府〔四川省成都市〕）司令官（节度使）韦皋准备收复河湟（甘肃省及青海省东部），因为必须先行收复此城，才能开始。于是发动精锐大军，强行攻击，苦战数年，虽然生擒论莽热而回，但维州城垒坚固，竟无法攻克（参考八〇二年正月）。

“我最初到西蜀（四川省）时，对外宣扬国威，对内整顿边防军备，维州（四川省理县）信服我的号召，空城归降。我一接受他们的要求，南方蛮夷震动慑服，山西八国（成都西方群山八〔九〕个部落，参考七九三年五月），都愿归属，吐蕃所辖合水、栖鸡（二城均在四川省茂县西北）等城，丧失保障，势将陆续归降，大唐就可以减少八个重镇的兵力，坐在那里，收复一千余华里的帝国旧土。而且，维州（四川省理县）没有归降的前一年（八三〇年），吐蕃曾经围攻鲁州（河曲六胡州之一，参考七二一年四月），哪里来的信守盟约？我在受降之初，曾经指天发誓，当面向悉怛谋等承诺，转奏陛下，定对他们各有赏赐。

“可是，当时排斥我的官员（指宰相牛僧孺），无缘无故，妒火中烧，诏书颁下，命我把悉怛谋等全部逮捕，交还给吐蕃，任由他们屠杀。我岂能忍受断送三百余人的性命，抛弃信义、苟且偷安！屡次上疏陈述，乞求怜悯赦免，而诏书严厉急切，终于把他们捆绑送回。悉怛谋等脚镣手铐，刑具满身，用竹筐抬起，当抬他们上路的时候，他们呼冤叫屈，哀号痛哭，文武官员面对着我，无不哭泣流涕。吐蕃将领更向押解的士卒嘲笑说：‘他们已经投降唐王朝，送回来干什么？’于是就在唐吐边界之上，用残忍的手段，把投降的人全部诛杀，用以阻吓内部的叛离，甚至将婴儿高抛到半空，下面用枪尖承接。

“断绝境外效忠归顺的道路，使凶暴的敌人大肆称心快意，自古迄今，从没有发生过这种惨事，虽然时间已过去一纪（十二年为一纪），但影响可达千年，我建议追溯奖励已死的忠魂，对各人予以褒扬赠官。”

李瀍下诏追赠悉怛谋当右卫（卫军第二军）将军（正三品）。

讨论历史事件的学者，很多人怀疑：对保留维州（四川省理县）或放弃维州，所作的决策，并不能显示牛僧孺和李德裕二人谁是谁非，谁对谁错。我认为不然，从前，晋国大将荀吴，包围鼓国（河北省晋州市），鼓国人民暗中跟荀吴联络，表示将叛变投降，献出城池；荀吴拒绝，说：“如果我的城池中有人叛变，我会厌恶到极点；别的城池中有人叛变，我怎么能够欢喜？我不能为了得到一个城池，而鼓励奸邪！”并且通知鼓国国君诛杀叛徒，重新加强战备。

当时，唐王朝刚刚跟吐蕃王国（首都逻些城〔西藏拉萨市〕）和解结盟，就夺取他们的维州（四川省理县）。就利益而言，维州（四川省理县）小而信守大，就弊害来说，维州（四川省理县）灾祸慢而京畿（首都长安）灾祸急速。为唐王朝打算，应该选择哪一项？悉怛谋对唐王朝而言，虽是归化，但在吐蕃立场，仍是叛徒，被吐蕃诛杀，有什么可以怜惜！

而且，李德裕强调的是利益，牛僧孺强调的是正义。一个小民如果为了利益而忘掉正义，还是一种耻辱，何况身为天子？好像邻居一条牛，闯到自己家，有人劝老哥把它归还原主，有人劝老弟留下它当作己有。劝归还原主的人说："留下来违反正义，而且会吃官司！"劝留下来的人说："他们曾经夺取过我们的羊，那时正义哪里去了。牛是只庞大家畜，留下来可以发财。"从这个立场观察，牛僧孺、李德裕之间，谁是谁非，谁对谁错，十分明显。

胡三省曰

十一世纪末，宋王朝政府抛弃米脂（陕西省米脂县）等四个要塞给西夏帝国（首都兴庆府〔宁夏银川市〕，参考一〇八九年），当时指导宋王朝外交政策的，就是司马光这种言论。

在牛僧孺及李德裕有关维州（四川省理县）的争论中；赞扬牛僧孺，斥责李德裕的，司马光是第一人。司马光所以有这种见解，为的是警惕十一世纪七〇年代当权高官不断调动军队，惹是生非，使唐王朝疲惫，也使边疆层出不穷的发生战争，所以强调应跟邻国和平相处，用以提醒当时的君王（宋王朝六任帝赵顼）。可是，古代跟现代有时间上的差异，中国跟外国有强大弱小的差异，战争有主动被动的差异，利益跟弊害也不一样。仅只根据眼前时局的需要，就去判断历史上的重大是非，这是一个评论者最容易犯的毛病，司马光就是如此。

司马光认同牛僧孺所说，用以打击李德裕的一句话是："诚信！"一旦用"诚""信"作为号召，谋略之士不能批评、忠贞之士不能反对，可以封所有天下人的口，使他们无法辩解。问题是，诚信真有这么大的功能？诚信，为中国所独有，蛮夷既然超越分际，伤害中国，则中国杀他们不算是不仁，抢他们不算是不义，出卖他们不算是不信。如果遵守对他们所作的誓言，而培养出大的灾难来危害我们国家、杀戮我们人民、撕裂我们衣裳冠帽，如果不是这样，姬亶父（周王朝一任王姬发的曾祖父）势当终身隶属于獯鬻部落（陕西省北部。獯鬻，音xūn yù〔勋玉〕），姬旦（姬发的老爹）也将永远臣服于昆夷部落（甘肃省西部），而石敬瑭（后晋帝国一任帝）、桑维翰、汤思退、史弥远，可真成了正人君子。

对突厥汗国及回鹘汗国，唐政府刻意的向他们屈膝，原因是他们为唐政府立过大功，所以可以原谅他们偶发的罪恶，而用诚信安抚，还勉强说得过去。但是也不尽然，他们有时顺服、有时背叛，反复无常，必须另行设法控制，无论如何都不能对他们诚信到底。何况吐蕃王国是唐政府时代的毒蛇猛兽，对唐王朝没有一点贡献，而结下的仇怨，却多如山丘。偶尔和解，同意停战，在这种基础上，怎么可以强调诚信？牛僧孺说："轻易的抛弃诚信，一个没有知识的小民也不屑去做。"如此可知，他之所谓诚信，不过没有知识的小民所遵守的规则。如果从国家利益来分析，牛僧孺说："吐蕃如果前来质问，在蔚茹川（宁夏南部）集结部队，进驻平凉阪（甘肃省平凉市东南四十里铺镇），一万名骑兵攻击回中（陕西省陇县西北），不过三天，就到咸阳桥。"（参考八三一年九月）是他故意夸张蛮虏的声势，恫吓唐政府，跟张仪故意夸张秦王国的强大，威胁韩王国跟楚王国一样（参考前三一一年），都是煽情的游辞，千秋万世，都使人感到羞耻。而说这种话的人，仍然毫无忌惮，卑劣小人的蛮横，竟到这种地步。

吐蕃王国自九世纪二〇年代以后，长久以来，已不复从前。

八一九年，吐蕃大军十五万人包围盐州（陕西省定边县），州长李文悦固守，无法攻破，稍后杜叔良（朔方战区司令官〔节度使〕）派史奉敬率二千五百人攻击，吐蕃大军大败退走（参考该年十月）。明年（八二〇），吐蕃再攻泾州（甘肃省泾川县），李光颜（阿跌光颜）鼓励神策军派兵救援，吐蕃军恐惧而迅速退走（参考该年十月）。八二一年，吐蕃特派论纳罗来唐王朝请求和解（参考该年九月），并不是受了唐王朝仁义的感化，只不过对唐王朝畏惧，希望苟且偷安。没有几年，他们出现一个荒淫残暴名叫达磨的国王（参考八三八年十二月）。上天星辰改变，下界人民叛离，国势开始衰退。而论恐热、尚婢婢互相攻击（参考本年〔八四三〕六月），直到灭亡（二人所掀起的战乱，直至论恐热被杀，才能平息，参考八六六年十月）。哪里来的牛僧孺所预言的："攻抵咸阳桥，深入大唐心脏送死，而没有别的选择？"唐王朝竟然毫不反抗，逮捕悉怛谋送给吐蕃，使他们惨死在边境之上，沉重打击蛮夷归化唐王朝的盼望。幸亏吐蕃已经衰弱，假如它日趋强盛，刀箭之下，唐王朝还能存在？

牛僧孺又说："吐蕃版图，四面都长达万里，失去一个维州，对他们造不成伤害。"这更是一项谎言。吐蕃之所以强盛，因为它拥有北方土地，九世纪初期（十四任帝李纯在位），放弃北方优势，全力南下，因西番（四川盆地西部各蛮夷部落）居住的地方有重重高山，条条深谷，地势险要，又土地肥沃，遂作为狐狸野兔的洞穴，建成军事基地。而吐蕃国势，也开始衰败。沙陀部落（山西省北部）、黠戛斯汗国（西伯利亚萨彦岭以北）、回鹘部落（瀚海沙漠群），先后侵入吐蕃旧有国土。所以韦皋在西川（四川盆地西部）一次作战胜利，陇右（青海省）的灾祸马上平息（十二任帝李适派韦皋攻吐蕃，用以牵制入侵河曲的吐蕃军，参考八〇一年七月）。南诏王国（云南省）跟吐蕃邦交破裂，碉门（四川省荥经县西北）、黎州（四川省汉源县）、雅州（四川省雅安市）之间，立即成为重要防线，得到它就扼住吐蕃咽喉、瓦解吐蕃的附属部落，用不着辛苦经营，即可建立大功。西方可以收复岷州（甘肃省岷县）、洮州（甘肃省临潭县）；南方可以控制南诏王国；北方可以抵御黠戛斯汗国（萨彦岭以北）和回鹘汗国（瀚海沙漠群）向东侵略。由此可以看出，维州（四川省理县）收复之后，唐王朝就没有西顾之忧。对吐蕃而言，正是致命要害，怎么可以说没有影响。

蛮夷聚集在一起，一定侵犯唐王朝；分散到四面八方，力量不能集中时，对唐王朝的态度自会谦卑，这是必然现象。唐王朝拒绝他们归降，正好加强他们的团结，所以尚婢婢说："等到我国没有了领袖，就投奔唐王朝。"（参考本年〔八四三〕六月及后年〔八四五〕十二月。）然而，论恐热身经百战而终不投奔唐王朝（参考八五一年五月），正是恐惧悉怛谋惨剧重演，深知唐王朝之不可信赖。把这种结局当作诚信，想欺骗谁？更重要的是：牛僧孺难道真的是坚持诚信，号召远方蛮夷？和观察国际形势、追求和平？只不过因为是李德裕的功劳，力图破坏而已。卑鄙小人物心怀私人怨恨，国家的安全、唐朝人跟蛮夷之间的分别，都无法胜过他恫吓疑难的邪恶。李昂（唐王朝十七任帝文宗）没有醒悟而批准他的建议，后悔已来不及。司马光竟立即赞美说："牛僧孺所坚持的是正义！"假使这样的话，姬旦（周王朝周公爵）之并吞蛮夷，孔丘之作《春秋》，一定变成违反正义，然后才能心满意足。

维州（四川省理县）事件，司马光为掩饰自己对外退缩的错误立场，乃捡起来牛僧孺的唾沫，雄辩的提出"正义"和"私利"的分别。牛僧孺的理由，王夫之已详尽的予以驳斥及指正，而司马光的理由，迄今（一九三二年）仍没有引起史学家的

注意。司马光的言论，对世道人心有莫大伤害，不可以不深刻分析。维州本是唐王朝失地，唐王朝收容主动归降而来的军民，对“正义”有什么伤害？不通之一。从陇右（青海省东部）直到安西（新疆库车市）、北庭（新疆吉木萨尔县），八世纪四〇年代后，全部被吐蕃侵略占领，维州主动回归唐王朝，好比邻居从前偷了我们的羊数十只之多，现在不过一只羊逃回来而已，司马光却把它比喻成邻人的牛闯进我们家门，简直是数典忘祖，不通之二。维州投降的军民三百余人，他们的老爹、祖父，原来都属唐王朝，现在竟然把他们押送吐蕃，任由吐蕃人民随意屠杀，使人怒发上指，司马光认为对他们的死不必同情，轻视同胞骨肉，不分敌我，不通之三。唐、吐两国共四次结盟，其中平凉之劫（参考七八七年闰五月），更是唐王朝的耻辱。何况维州投降的前一年，吐蕃已先失信，进攻鲁州（六胡州之一），在这方面强调“诚信”，跟子滋甫（春秋时代宋国二十任国君襄公）不俘虏有白头发的敌人，有什么两样？不通之四。司马光认为，关中（陕西省中部）安全应为第一优先，维州的收复，可以稍缓，乍听之下，似乎有理，吐蕃夺取维州后，“得以全力用于西边，对南方更无后顾之忧。”（《文饶集》语。）我们收回维州，作用跟结交南诏王国（云南省）一样，正是釜底抽薪，围魏救赵的谋略（参考前二五八年）。不收复维州，则西川战区（四川盆地西部）所控制的“西山八国”（参考七九三年五月）之间的联系，就全被切断，唐王朝的屏障遂完全丧失，不通之五。八四九年，正是“牛党”当权时期，距八三一年，为时仅十八年，距李德裕追论维州事件，为时也仅六年，吐蕃的国势，应该没有太大变化，而这年（八四九），秦州（甘肃省秦安县西北）、原州（宁夏固原市）、安乐州（羁縻州，宁夏中宁县东北鸣沙洲）等三州，以及石门（宁夏固原市西北航空距离五十公里）等七关，先后归降唐王朝（三州七关归降，参考八四九年二月），中央立刻命西川战区（总部设成都府〔四川省成都市〕）、山南西道战区（总部设兴元府

〔陕西省汉中市〕)，对沦陷区中的州县，要酌量自己的力量收回。接着，西川（总部成都府）杜悰报告收回维州（四川省理县）、山南西道（总部兴元府）郑涯报告收回扶州（四川省九寨沟县南坪镇，参考该年〔八四九〕十二月），相隔没有多久，为什么当时要"坚守诚信"，现在却可"见利忘义"？当时认为"关中安全重要，维州收复可以稍缓"。现在却又不是这个样子？很明显的，牛僧孺纯属自私之见，一百一万句话，都不能反驳，不通之六。八四九年之收复维州，"并不依靠军队，而是人心所向。"（《旧唐书·杜佑传》语）扶州（四川省九寨沟县南坪镇）之归降，想象中也是如此。牛僧孺所指：吐蕃军三天就到达咸阳，根本在长他人志气，灭自己威风，假如有这种可能，则边防军已十分脆弱，更不是只要放弃维州，就可以平安无事，为什么我们没有听说牛僧孺建议整修战备，像李德裕所做的那样，不通之七。"只因牛僧孺跟李德裕之间有怨，才坚持把城池交还。"（《旧唐书·杜佑传》语）用私人仇恨，影响公事，所以李德裕对牛僧孺深为厌恶，绝不是由于私人怨恨，而《资治通鉴》却认为"李德裕因此对牛僧孺痛恨更深"。对于公私的判断，模糊到极点。

李德裕果然是文学高手，以写作而论，维州事件的奏章，真是一篇动人心弦的文学创作，无怪乎世人受它的迷惑。李德裕这份奏章，主要目的在陷害牛僧孺，正巧因刘稹兵变（参考本年〔八四三〕四月），才抛弃利用维州，而采取另一种更恶毒的手段。

维州（四川省理县）在成都西北，岷江西岸，杂谷河（杂谷脑河，注入岷江）北方，邛崃山高踞西境，岷山高踞北境，九顶山隔岷江高踞东境，三面都是三千五百公尺以上的崇山峻岭，仅东南沿杂谷河一线，曲折而到成都（维州至成都航空距离一百三十公里）。由成都前往吐蕃王国（西藏），有两条道路可走：一由成都西南行，经新津（四川省成都市新津区）、邛州（四川省邛崃市）、雅州（四川省雅安市），横越大渡河，进入吐蕃国土；一由成都沿岷江东岸北行，经过茂州（四川省茂县）、松州（四川省松潘县），横越岷山，再进入吐蕃国土。两条路都不经过维州，只因维州西方的邛崃大山，“连岭而西，不知其极”。稍西的大雪山，更是“终年积雪如玉”，插翅难飞。即令上述两条道路，也不适合大军行动：由松州（四川省松潘县）出境，必须翻过岷山、西倾山、积石山、巴颜喀喇等巨山；由雅州（四川省雅安市）出境，则须翻过邛崃山、折多山、大雪山、宁静等巨山。而诸山之间，都紧夹着从北向南奔腾倾泻的急流，那种艰难险阻，绝不是坐在舒适的政府大厦里的官员，所能想象。维州对外交通，除了东方可到汶川（四川省汶川县）外，只有沿杂谷河西北，穿过邛崃山区，抵达小金川（流经四川省小金县注入大金川），然而这也是采药人所走的羊肠小道，大军无法通行。吐蕃每次攻击维州，都由松州（四川省松潘县）南下。七六三年，也是先攻陷松州（四川省松潘县），再攻陷维州（四川省理县）和天保军（即保州，理县西北。参考该年〔七六三〕十二月）。维州对成都的安全，固然重要，但是如果强调它是“唐王朝进兵西藏的要道”，则是诈欺。唐王朝军队既不能横越万重高山向西出击，而松州（四川省松潘县）当时仍在吐蕃之手，又怎么能通过它北伐？李德裕说：“河西陇右全都陷落，只维州仍存。”事实上，维州于七六三年跟松州（四川省松潘县）同时沦陷，河西陇右并没有“仍存”（参考该年〔七六三〕十二月），而在此之前，吐蕃已经攻陷京师（首都长安。参考七六三年十月），用不着先得到维州，才能东进。当时，中央可曾用维州牵制吐蕃？河西陇右的丧失，不由于先失维州，而九世纪五〇年代之收复河西陇右，也不因先收复维州（张义潮收复河湟十一州，参考八五一年十月）。试考查二十世纪三〇年代以前，可曾有谁率军由维州(四川省理县)进入吐蕃?

李德裕奏章中最有趣的是：吐蕃嫁女给维州(四川省理县)守门官吏，诚是传奇中的传奇，神话中的神话。维州跟松州(四川省松潘县)、保州(理县西北)于七六三年十二月同时沦陷，都由于军备废弛，战区司令官(节度使)高适坐视不救，难道其他二州是被攻破，只维州独有内应？自七六三年上溯二十年，应是七四三年，当时皇甫维明、王忠嗣、哥舒翰，正在青海湖大破吐蕃军，彼时吐蕃怎能预知日后唐王朝有安史之乱，竟能全部占领河西陇右？因而暗中把女儿嫁给万山之外的维州守门官吏？又怎能预知她必定生下儿子？即令生下儿子，又怎敢肯定他们一定顺从娘亲通敌？而不顺从老爹尽忠？事实上吐蕃对维州并不重视。李德裕强调："悉怛谋不久就率一城军民，连同州政府印信以及铠甲武器，塞满道路，空城向我归降。"空城是何等壮观，而这空城壮观不过三百人而已，当时吐蕃驻防松州(四川省松潘县)的国防军却有二千八百人，维州是不是十分重要，本身已作说明。

无论"牛党""李党"，都坚持诚信，问题是：李德裕所守的是政府官员对归降人士所作的承诺，一旦拒绝受降，是迫使他个人失信于悉怛谋。而牛僧孺所守的，则是皇帝命宰相跟吐蕃使节论讷罗，所签的正式国际条约，唐朝并派刘元鼎当特使(参考八二一年九月)，代表唐朝，前往吐蕃再度立誓，祭告天地，歃血结盟，并且把盟约刻在石碑上，公告天下，共同遵守。这两种诚信，哪个轻哪个重？如果必须背弃其中之一时，哪一个应该背弃？当王宰自作主张，收受刘稹降表时，李德裕上疏斥责："只可使王宰失信，不可伤害中央尊严！"(参考八四四年正月)为什么李德裕不可失信而王宰可失信，为什么李德裕当宰相，中央就必须维持尊严，牛僧孺当宰相，中央要维持尊严时，就变成妒贤害功？李德裕对杀降之事，表现得痛心疾首，所以指出："从前，白起杀降，终招杜邮（陕西省西安市西北）大祸；陈汤被贬谪，是替郅支单于报仇。"（谷永语，参考前二九年十一月）李德裕奏章写于八四三年，而第二年（八四四）中央讨伐刘稹，诏书明确公告："昭义战区将领中，如果能舍弃叛徒，归顺中央，率军投降，中央一定厚厚赏赐，如能生擒刘稹，当另行加授给他采邑、酬劳功勋。"可是等到郭谊等杀了刘稹投降，李德裕却把郭谊以下降将全部处斩，又命降将李丕等，写出刘稹同党，甚至连新任战区司令官（节度使）卢钧，都认为杀得太滥（参考明年〔八四四〕九月）。此时，李德裕又怎么没有白起、陈汤的前车之鉴！

李德裕强调维州一旦归降唐王朝，吐蕃立即破胆。吐蕃王国版图，平方万里，武装部队数十万，当唐王朝国力最强之时，皇甫维明攻破洪济城（参考七四三年四月），王忠嗣在青海湖传出大捷（参考七四六年正月），哥舒翰强夺石堡城（参考七四七年十月），为什么吐蕃没有破胆，而维州三百人投降，却恐惧得非破胆不可！牛僧孺警告说："吐蕃在蔚茹川（宁夏南部）集结战马，东出平凉阪（甘肃省平凉市东南四十里铺镇），一万人骑兵攻击回中（陕西省陇县西北），理直气壮，不过三日，就到咸阳桥。"当时吐蕃重兵驻扎原州（宁夏固原市），由平凉阪（平凉市东南四十里铺镇）不到一天，就可抵达泾州（甘肃省泾川县。原州与泾州航空距离六十公里），由泾州（甘肃省泾川县）东南下，经过邠州（陕西省彬州市）、乾州（奉天，陕西省乾县），抵达咸阳（陕西省咸阳市），骑兵恰是三天行程，而驿马车则只需一日（泾州与咸阳航空距离一百八十公里），牛僧孺丝毫没有危言耸听。当国力不振之时，有责任的国家领导人，不可不特别慎重。

李德裕以西川战区（总部设成都府〔四川省成都市〕）司令官（节度使）的身份，站在他的岗位上，当然希望接受悉怛谋的归降，当时一般知

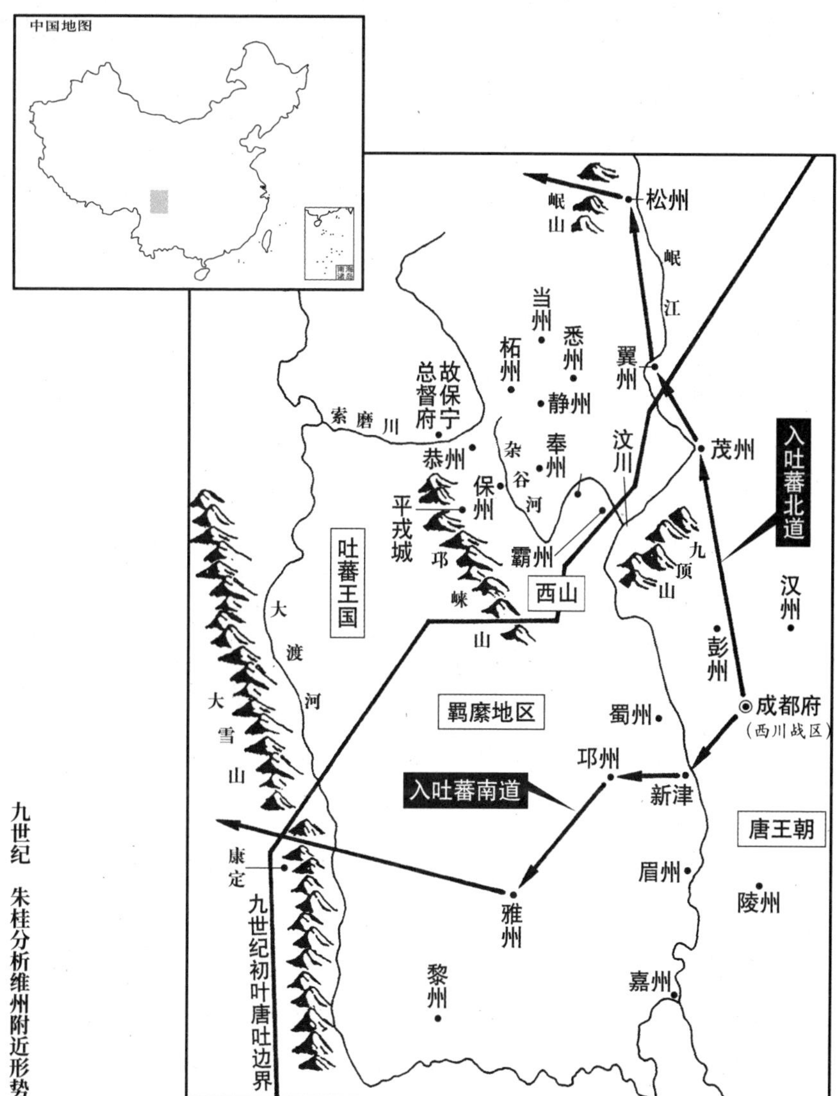

九世纪 朱桂分析维州附近形势

识分子及后世爱国读者，基于民族感情，也赞成接受。但牛僧孺不同，他位居中央领导人岗位，一身系国家的安危，不能不统筹全局。如果万山之外得到一个维州，却招致敌骑近逼京师（首都长安）；为维护三百名降人的性命，而使百万人民丧生，哪一个轻，哪一个重？哪一个利，哪一个害？怎么可以毫不计算。倘若牛僧孺闭口不言，则真成了乡愿。为国家献身的人不顾自己，图谋大事的人不贪小利，牛僧孺对于他的职责，完全没有遗憾。姑且举一个近代史上的例证作为说明：中法之战，李鸿章评估当时形势，深知国力不足，竭力主张忍耐让步，可是诸如张佩纶之类的清流，叫嚣呼喊，讥讽攻击，一口咬定李鸿章懦弱卖国。结果，战端一开，在马尾（福建省福州市东南）抱头鼠窜，只剩下一只靴子的，正是张佩纶（参考一八八四年）。讨论国事，必须为大局着想，本位主义只会坏事。国力没有充实之前，不可轻率的挑起战争，李德裕打算“派生羌部落三千人，焚烧十三桥（唐吐边界桥），直捣吐蕃心脏（首都逻些城〔西藏拉萨市〕）！”真不知他怎么翻越过横断山脉？真正是痴人说梦。当时宦官专政于内，军阀割据于外，怎么可以轻率的横挑强敌。牛僧孺如果为自身利害，批准李德裕的奏章，后果难道还能想象！

柏杨曰

最高正义一定符合最大利益，最大利益也一定符合最高正义。孟轲的“义”“利”之辩，不过一堆腐儒挤在一起咬文嚼字，董仲舒之后，二者更被激化，更被尖锐对立，以致朱熹批评维州（四川省理县）事件时，竟然说出这样精神恍惚的话：“牛僧孺论点正大而心中有私，李德裕论点诡异而心中公正。”就心论事，而不就事论事，真理遂被埋没。司马光把一件国际事务的“利”“害”判断，引入抽象化的“义”“利”之争，就不得不信口开河，远离主题。王夫之充满种族歧视，仇恨践踏爱心，不时显露杀机。他支持李德裕的西进论，但是他对维州地势，却全不了解，所强调的“韦皋一次战胜，而陇右的灾患平息”，颇像舞台上的“数来宝”，比“游辞”还差。

维州（四川省理县）之必须放弃，只因为唐朝当时没有力量回应吐蕃万一发动攻击时的变局，所以我同意朱桂的见解。只除了一点：他认为“送还俘虏，或杀或赦，权在吐蕃”。我不认为如此，三百人性命的重要，超过一个城池，唐政府可交还城池，不可交还降民；可交还降民，但必须得到吐蕃的确实承诺：不加杀戮。否则，就应拒绝遣返。我们不能保证吐蕃不翻脸，但在一个土地比人命值钱的时代，吐蕃又得到收复失地的颜面，有接受这项条件的可能性。如果是牛僧孺坚持非连人也遣回不可，那才是他应受严厉谴责之处。生命尊严，不可以随便摧残。

12 夏季，四月十三日，宰相李德裕请求改调一个闲差，李瀍说：“你每次辞职，都使我十天半月心神不安。现在大事没有一件就绪，你怎么可以离开！”

13 最初，昭义战区（总部设潞州〔山西省长治市〕）司令官（节度使）刘从谏，不断上疏指控宦官仇士良的罪恶（参考八三六年二月），仇士良也抨击刘从谏反抗中央。李瀍登极后，刘从谏有匹马，身高九尺，呈献李瀍，李瀍不接受，刘从谏认为是仇士良从中破坏，大怒，把马杀掉；从此跟中央互相猜忌，遂招降纳叛，集合亡命之徒，整修军备；所有邻近的战区，都对他暗中戒备。

刘从谏征收马税及商人的营业税，每年收入五万串，又专卖盐、铁，每年也收入数万串。对于大商人，都授给他们军官的名号，派他们担任使节，到邻近各战区问候通好，并趁便做生意买卖。这些商人仗恃刘从谏的势力，所到的地方，常常凌辱他们的将士，惹起各战区普遍厌恶。

刘从谏患病，对妻子裴女士说："我忠心耿耿，事奉中央，而中央不了解我的志向，相邻战区又跟我们并不和睦。我死之后，别人来主持军政，我们家连炉灶都不会冒烟了。"乃跟幕僚张谷、陈扬庭商议，希望效法河北（黄河以北）割据军阀，命右骁卫（卫军第六军）将军、老弟刘从素的儿子刘稹（音zhěn〔诊〕），当大营总作战司令（牙内都知兵马使），堂侄刘匡周当中军作战司令（中军兵马使）、文书官（孔目官）王协当内营侍卫军作战司令（押牙亲军兵马使）、家奴李士贵当官邸警备作战司令（使宅十将兵马使）；刘守义、刘守忠、董可武、崔玄度，分别率领亲信部队。张谷，是郓州（山东省东平县）人。陈扬庭，是洪州（江西省南昌市）人。

不久，刘从谏逝世（年四十一岁），刘稹不发布消息。王协给刘稹献计说："我们当遵循八二五年前例（刘悟逝世、刘从谏继任，参考该年〔八二五〕八月），出不了一百天，中央任命状就会颁下。现在只要谨慎的侍候监军宦官，多送礼物给钦差宦官，打发他们高高兴兴上路，千万不可跟四邻冲突，只在城里暗中戒备。"派内营管理官（押牙）姜崟（间yín〔吟〕）携带奏章，请求皇帝派遣国家级医生。李瀍命宦官解朝政陪同医生前往问候。刘稹又强迫监军宦官崔士康奏报说："刘从谏病重，请任命他的侄儿刘稹当候补司令官（留后）。"李瀍派贴身宦官（供奉官）薛士干前去昭义（总部潞州）传话说："恐怕刘从谏一时难以痊愈，最好前往东都（洛阳，河南省洛阳市）静养，等到稍微痊愈，当另有任命，现在盼望刘稹来京（首都长安）朝见，中央一定任官封爵，特别优待。”

李瀍关切昭义（总部设潞州〔山西省长治市〕）局势，询问各宰相意见，多数认为：“回鹘的残余部众，仍没有消灭，边境仍须加强戒备，如果再讨伐昭义（总部潞州），恐怕国力不能支持，最好同意刘稹暂时代理主持军务。”谏官及文武百官，也都赞成。只李德裕一人反对，说：“昭义（总部潞州）的情况，跟河朔（河北平原）三镇（卢龙〔总部幽州〕、成德〔总部镇州〕、魏博〔总部魏州〕）完全不同，河朔（河北平原）军民很久以来，习惯割据，人心难以挽回，是以一连几位皇上，都把他们置之化外。而昭义（总部潞州）却近在心脏，一向被称为忠义两全，曾经击破朱滔（参考七八四年五月）、生擒卢从史（参考八一〇年四月），当时多用文官担任统帅，像李抱真（安抱真）是首任战区司令官（节度使），德宗（十二任帝李适）还不允许他儿子世袭，而命李缄护送灵柩返回东都洛阳（参考七九四年六月）。敬宗（十六任帝李湛）不过问国家大事，宰相又没有谋略远见，刘悟死后，因循姑息，才把官位授给刘从谏（参考八二五年十二月）。刘从谏跋扈傲慢，中央难以控制，不断上疏威胁中央，而今，临死之前，又把军权擅自交付一个不懂事的小娃，中央如果因此再把官位授给他，全国所有战区，谁不想效法？皇上的声威号令，又有谁服从？”李瀍说：“你有什么方法制伏？能不能取胜？”李德裕说：“刘稹所仗恃的是河朔三镇（卢龙〔总部幽州〕、成德〔总部镇州〕、魏博〔总部魏州〕），只要成德（总部镇州）、魏博（总部魏州）不跟他站在一条线上，刘稹就无能为力。如果能派重要高官前去游说王元逵（成德）、何弘敬（何重顺，魏博），告诉他们：‘自从非常事变以来（指四镇称王事，参考七八二年十一月），历届皇上允许你们世代相袭，已成惯例，跟昭义（总部潞州）完全不同。现在，中央将下令讨伐昭义（总部潞州），但禁军并不打算进入山东（太行山以东）。山东隶属昭义（总部潞州）的三个州（邢州〔河北省邢台市〕、洺州〔河北省邯郸市永年区东南广府镇〕、磁州〔河北省磁县〕），则交给你们攻取。’然后通令所有将士，盗贼平定之后，一定优厚赏赐。假如这两个战区接受中央命令，不在旁边横生枝节，阻挠中央军事行动，刘稹一定溃败。”李瀍大喜说：“我的意见跟李德裕的相同，保管不会后悔。”决心讨伐刘稹，反战言论遂不再出现。

李瀍命李德裕撰写诏书，下达给成德战区（总部设镇州〔河北省正定县〕）司令官（节度使）王元逵、魏博战区（总部设魏州〔河北省大名县〕）司令官（节度使）何弘敬（何重顺）。大意说：“昭义（总部潞州）跟你们的情形不同，千万不可以自认为为子孙打算，企图保留昭义（总部潞州），希望将来互依互靠。只要能建立明显的功劳，福气自然保佑后代。”

四月十九日，李瀍登金銮宝殿，赞扬李德裕的措辞切中要害，说：“就应该这么直率的告诉王元逵！”又下诏给卢龙战区（总部设幽州〔北京市〕）司令官（节度使）张仲武说：“回鹘的残余部众，还没有消灭，边塞危险仍多，授给你全权抵御外患。”王元逵、何弘敬（何重顺）接到诏书，心怀恐惧，都遵守命令。

钦差宦官解朝政抵达上党（潞州州政府所在县），刘稹接见他，说：“大帅病势严重，不能亲自叩头接诏。”解朝政打算硬闯进帐，作战司令（兵马使）刘武德、董可武，用脚踩住幕帘，满面怒容站在那里，解朝政恐怕发生变化，即行退出。刘稹馈赠他的贿赂，价值高达数千串，并且再派营门官（牙将）梁叔文进京（首都长安）请求中央宽恕。贴身宦官（供奉官）薛士干进入昭义（总部潞州）辖境，根本不提刘从谏的病，暗示已知道他已死亡。内营总管理官（都押牙）郭谊等出动大军，前往龙泉驿（山西省长治市屯留区西北）迎候钦差宦官，请求采用河朔三镇世袭体制。郭谊等又晋见监军宦官崔士康，也提出这项建议。崔士康胆小害怕，不敢拒绝。在一切准备妥当后，将士们才扶着刘稹出来接见大众，发布刘从谏逝世消息。薛士干竟不能进入军营大门，刘稹也拒绝接受诏书。郭谊，是兖州（山东省济宁市兖州区）人。解朝政回京（首都长安）复命，李瀍大怒，打他一顿刑棍，发配恭陵做工（恭陵，三任帝李治的儿子李弘墓，参考六七五年四月，在河南省洛阳市偃师区南）。囚禁姜崟、梁叔文。

四月二十三日，李瀍才停止朝会，表示对刘从谏逝世的哀悼，追赠太傅（三师之二），下诏命刘稹护送灵柩返回东都洛阳。又召见刘从素，命他写信给刘稹劝导，刘稹拒不接受。

四月二十九日，调忠武战区（总部设许州〔河南省许昌市〕）司令官（节度使）王茂元当河阳战区（总部设河阳县〔河南省孟州市〕）司令官（节度使）；邠宁战区（总部设邠州〔陕西省彬州市〕）司令官（节度使）王宰当忠武战区（总部许州）司令官（节度使）。王茂元，是王栖曜的儿子（王栖曜，参考七八四年二月）。王宰，是王智兴的儿子（王智兴，参考七八一年十一月）。

黄州（湖北省武汉市新洲区）州长杜牧，上书李德裕，说：“我曾经问过淮西战区（总部设蔡州〔河南省汝南县〕）将领董重质，中央对于仅只不过三个州的部众（淮西战区辖三州：蔡州、光州、申州），发动大规模攻击，历时四年（八一四至八一七），都不能攻破，原因何在？董重质认为：‘中央征调的各路人马，成分过于复杂，其中来自遥远战区的客军，因数量不多，不能单独成为一个战斗单位，事事都要看地主军的颜色，势衰力弱，军心涣散，多数都在溃败后四散逃亡（参考八一五年四月韩愈的分析）。最初两年中，淮西（总部蔡州）战无不胜，格杀的大多都是这种客军。可是，两年之后，客军日渐减少，只好跟忠武（总部徐州）、河阳（总部汝州）的正规野战军硬碰硬对决，所以，即令李愬不袭取蔡州（河南省汝南县），淮西（总部蔡州）也不能继续支持。当时中央如果命鄂州（鄂岳道首府，湖北省武汉市）、寿州（安徽省寿县）、唐州（唐随邓战区总部，河南省泌阳县）只保守边境，而不出击，只派忠武战区（总部设许州〔河南省许昌市〕）、义成战区（总部设滑州〔河南省滑县〕）两支特遣兵团，配备宣州（宣歙道首府，安徽省宣城市宣州区）、润州（浙西道首府，江苏省镇江市）特种射击部队，封锁淮西（总部蔡州）四境，用不了一年，就再没有蔡州（淮西战区总部所在州，河南省汝南县）。’现在昭义（总部潞州）的叛变，跟当年淮西（总部蔡州）的叛变，并不相同，淮西（总部蔡州）背离中央，前后五十年，军民只看到背离中央的好处，只享到背离中央的利益，风俗已成，气焰更盛，自认为全国军队没有一个是他们的对手，这种想法根深蒂固，改变它十分困难。昭义（总部潞州）则不然，自安禄山、史思明大军南下，他们对叛徒并不顺服，八世纪八〇年代之后，更竭尽忠义：因此，郧公爵李抱真（安抱真）能使田悦受困、朱滔逃窜（参考七八四年五月），经常以穷苦的孤军，使河北（黄河以北）强梁军阀，受到挫败。由此可知，他们人心忠义，习惯服从中央。刘悟死后，刘从谏要求继承，跟他一条心的，只不过当初一起从郓州（山东省东平县）跟随来的亲军二千人而已（参考八二〇年十月）。当时正逢九世纪二〇年代中期（十六任帝李湛在位），国家正多灾难，遂颁发给他们符节，至今不过二十余年（八二五年迄今十九年），风俗还没有改变，老一代的人还存在世上。刘稹即令想挟持裹挟，部众必不会听从摆布。而今，成德（总部镇州）、魏博（总部魏州）虽然服从中央，愿意出军，也不过围一个城池、攻一个营寨，牵制昭义（总部潞州）一些老弱妇孺而已。所以我建议命河阳（总部河阳县）派一万人出发，封锁天井关（山西省晋城市南），增高城墙，挖深壕沟，不跟敌人接触。另派忠武（总部许州）、武宁（总部徐州）两特遣兵团，再配备平卢（总部青州）精锐士兵五千人，宣州（宣歙道首府，安徽省宣城市宣州区）、润州（浙西道首府，江苏省镇江市）特种射击部队二千人，直捣上党（潞州州政府所在县，山西省长治市），用不了几个月，一定可以颠覆他们的巢穴。”当时李德裕全权处理讨伐战事，相当采纳杜牧的意见。

14 李瀍虽然表面上十分尊敬宠信宦官仇士良，但心里实在猜忌嫌恶。仇士良也警觉到这项讯息，遂声称年老多病，请求调任一个闲散官位。

李瀍下诏命仇士良当左卫（卫军第一军）上将军兼宦官总管（兼内侍监），主持宦官总管府。

15 李德裕奏报说：“关心时局的人都认为刘悟对国有功（诛杀李师道事，参考八一九年二月），所以对刘稹不可以这么急切的就去诛杀，应该使皇家的恩德完整无缺。我建议交付文武百官讨论，了解大家的心意。”李瀍说：“刘悟有什么功？当时只是自救罢了，并不是一心报效国家。即令有功，父子身兼将相二十余年，国家回报他的已经足够，刘稹怎么可以背叛中央？我认为有功就应公开赏赐，有罪也不许逃避。”李德裕说：“陛下说的话，正是治理国家重点。”

16 五月，李德裕奏报说：“太子宾客（正三品）、东都洛阳（河南省洛阳市）办公的李宗闵，跟刘从谏暗中勾结，不应使李宗闵留在东都（洛阳）。”

五月十日，李瀍贬李宗闵出任湖州（浙江省湖州市）州长。

司马光曰

《献替纪》说："(八四三年)四月十九日，皇上(李瀍)训示：'东都李宗闵，我听说他近来跟刘从谏暗中勾结，现在昭义(总部潞州)的事怎么样？李宗闵不妨另调一官，不要教他留在东都(洛阳)。'李德裕说：'我们下去商量。'李瀍说：'不可给他战区司令官(节度使)，只可给他一个远州！'李德裕又说：'那么就给他一个州。'"

明显的，李德裕为了过去的仇恨，利用刘稹的背叛，阴谋陷害李宗闵，又畏惧别人抨击讥讽，所以在《献替纪》作上述记载，希望涂灭谋害李宗闵的痕迹！

17 河阳战区(总部设河阳县〔河南省孟州市〕)司令官(节度使)王茂元，率步骑兵三千人进驻万善(河南省沁阳市北)；河东战区(总部设太原府〔山西省太原市〕)司令官(节度使)刘沔，派步骑兵二千人进驻芒车关(山西省武乡县东北)、步兵一千五百人进驻榆社(山西省榆社县)；成德战区(总部设镇州〔河北省正定县〕)司令官(节度使)王元逵，派步骑兵三千人进驻临洺(河北省邯郸市永年区)，劫掠尧山(河北省隆尧县)；河中战区(总部设河中府〔山西省永济市〕)司令官(节度使)陈夷行，派步骑兵一千人进驻翼城(山西省翼城县)，另派步兵五百人劫掠冀氏(山西省安泽县南)。

五月十三日，李瀍下诏剥夺刘从谏及刘稹所有官职爵位，命王元逵当昭义(总部潞州)北方征剿司令(北面招讨使)、何弘敬(何重顺)当昭义(总部潞州)南方征剿司令(南面诏讨使)，会同陈夷行、刘沔、王茂元，集中力量讨伐。

从前，河朔(河北平原)各战区统帅逝世，如果有人企图继承，中央一定先派吊祭特使，再派追赠官号特使，以及慰劳特使，然后再讨论军情（参考八一二年十月）。等中央决定拒绝继承时，也会把当事人另行任命一个官职，接着武装部队坚决挽留，不允许继承人出境，然后中央才下令讨伐，所以往往拖延半年，继承人遂利用这个机会，加强战备。这次，各宰相也打算经过这样的程序，先派使节沟通，想不到李瀍马上下令讨伐。王元逵接到诏书的当天，就派军进驻赵州（河北省赵县）。

18 五月十四日，李瀍命皇家文学研究院院长（翰林学士承旨）崔铉，当副立法长（中书侍郎）、二级实质宰相（同平章事）。崔铉，是崔元略的儿子（崔元略以拍宦官马屁闻名，参考二五年七月）。

李瀍于夜晚召见皇家文学研究官（翰林学士）韦琮，把崔铉的名字交给他，命他撰写人事任命状，各宰相以及宫廷机要室主任宦官（枢密使），事先一点也不知道。当时宫廷机要室主任宦官（枢密使）刘行深、杨钦义，都是怕事的乡愿，不敢多作主张。老宦官抱怨说：“都是刘、杨胆小如鼠，败坏传统！”韦琮，是韦乾度的儿子（韦乾度，参考八〇六年九月）。

19 命武宁战区（总部设徐州〔江苏省徐州市〕）司令官（节度使）李彦佐，当晋绛地区（总部设绛州〔山西省新绛县〕）各战区道特遣兵团征剿司令（节度招讨使）。

20 河东战区（总部设太原府〔山西省太原市〕）司令官（节度使）刘沔，自代州（山西省代县）返回太原。

21 李瀍在皇宫中兴筑望仙观。

22 六月，河阳战区（总部设河阳县〔河南省孟州市〕）司令官（节度使）王茂元，派作战司令（兵马使）马继等，率步骑兵二千人，进驻天井关（山西省晋城市南）科斗店。昭义战区（总部设潞州〔山西省长治市〕）变军首领刘稹，派大营带兵官（衙内十将）薛茂卿，率亲卫军二千人抵御。

23 黠戛斯汗国（瀚海沙漠群）可汗，派将军温仵合，前来唐王朝进贡。李瀍回信要他迅速消灭回鹘及黑车子部落（内蒙古呼伦池南）；并派使节前往加封。

24 六月十六日，左卫（卫军第一军）上将军（从二品）、宦官总管（内侍监）仇士良退休。他的党羽送他出宫回到私宅，仇士良教导他们如何长期掌握权柄和如何加强皇帝对自己的宠爱，说："千万不可以让皇上闲着无事，而要使他沉醉在奢侈靡烂的生活里，眼睛耳朵尽情享受！我们更要日新月异，花样不断翻新，使他再没有时间照顾到别的事情，然后我们才可以扬眉吐气。无论如何不要使皇上读书和接近知识分子，他一旦发现前代兴亡故事，心里忧愁恐惧，我们就会被疏远。"他的同党叩头致谢而去。

25 六月十九日，李瀍下诏给王元逵（成德）、李彦佐（武宁）、刘沔（河东）、王茂元（河阳）、何弘敬（魏博），定于七月中旬发动攻击，五战区同时并进，刘稹万一请求投降，一律不准接受。又命刘沔亲自率军夺取仰车关（山西省武乡县东北），进入昭义（总部潞州）边境。

26 吐蕃王国（首都逻些城〔西藏拉萨市〕）鄯州战区（总部设鄯州〔青海省海东市乐都区〕）司令官（节度使）尚婢婢，世代担任宰相。尚婢婢喜爱

九世纪·八四三年六月　吐蕃王国瓦解前版图

读书，不喜爱政治和官场，吐蕃人对他十分尊敬，年龄四十余岁，国王彝泰强行征调他镇守鄯州（青海省海东市乐都区）。尚婢婢待人宽厚，沉着稳健而有谋略，训练的士卒，无不英勇精锐。

自称宰相的论恐热（参考去年〔八四二〕十二月），虽然对外宣称他起兵勤王，是一支讨伐乱臣贼子的军队，但事实上他却企图乘机夺取政权：所以对尚婢婢十分猜忌，向首都逻些城（西藏拉萨市）进军时，恐怕自己后背受到袭击，打算先行把尚婢婢消灭。本月（六），论恐热向尚婢婢发动大规模攻击，旌旗迎风招展，各种家畜成群结队，部众络绎一千余华里没有间断；抵达镇西（青海省循化县）时，忽然刮起大风，雷电交加，天地震动，军营突然失火，烧死初级将领十余人，家畜死的以百为单位计算，论恐热心里厌恶，逗留原地，不敢继续前进。尚婢婢对部属说："论恐热大军压境，把我们当作蝼蛄、蚂蚁，认为还不够他们屠杀！忽然遇到天灾，使他失去信心，犹豫不决，不敢继续前进，我们不妨假装屈服，把他打发走，他会更加骄傲，不再戒备，然后我们才有机会下手。"于是派使节携带金银绸缎、牛肉美酒，前去犒劳大军，并且向论恐热呈递一封措辞谦卑的书信。信上说："相公仗义起兵，拯救国家苦难，全国人民，谁不望风追随！相公只要派一个使节，赐一纸信件，我怎么敢不接受命令，何至劳动大军亲临！我性情愚昧孤僻，只喜爱读书，先王任命我当战区司令官，实在是太不了解我的才干，惭愧警惕，日夜不安，唯一的盼望是退休闲住，安度晚年。相公如果准许我保全骸骨，回归家园，正是我平生愿望！"论恐热看信后大为高兴，把信交给各将领传阅，说："尚婢婢不过一个书呆子而已，怎么懂得军事！等我夺到政权，当命他当王国的宰相，有名无权，让他坐在家里，不过一个废物。"遂写一回信，态度也很谦卑，就率军撤退。尚婢婢接到报告，拍着大腿笑说：“王国如果没有领袖，我就归降唐王朝，怎么能伺候这个鼠狗之辈！”

27 秋季，七月，李瀍调山南东道战区（总部设襄州〔湖北省襄阳市〕）司令官（节度使）卢钧，当昭义（总部潞州）慰劳安抚特使（节度招抚使）。

中央因卢钧在襄阳（襄州州政府所在县）宽厚，很有德政，深得人民爱戴，所以用他作为号召。

28 李瀍派国务院司法部副部长（刑部侍郎）兼副总监察官（兼御史中丞）李回，前往慰问安抚河北三镇（卢龙〔总部幽州〕、成德〔总部镇州〕、魏博〔总部魏州〕）。命卢龙战区（总部设幽州〔北京市〕）利用秋高气爽季节，早日肃清回鹘汗国（此时已崩溃四散）的残余部众；命成德战区（总部设镇州〔河北省正定县〕）、魏博战区（总部设魏州〔河北省大名县〕），早日肃清昭义（总部潞州）变军。

李回，是一任帝李渊的祖父李虎的第八世孙儿（李虎第六子李祎生李德良〔参考七一三年六月〕，六世到李回）。

七月十七日，李德裕奏报说：“我考察从前讨伐河朔（河北平原）军阀割据的往事，发现各战区贪图‘出境作战，军费统由中央供应’的好处，往往跟叛徒暗中勾结，借一个县城或一个营寨，派军进去驻扎，自认为已经立功，坐在那里吃中央从千里外转运过去的粮食，迁延岁月。我建议陛下下诏给各战区，命王元逵（成德）夺取邢州（河北省邢台市）、何弘敬（魏博）夺取洺州（河北省邯郸市永年区东南广府）、王茂元（河阳）夺取泽州（山西省晋城市）、李彦佐（武宁）及刘沔（河东）夺取潞州（山西省长治市），不可以只夺取县城营寨。”李瀍接受。

晋绛地区（总部设绛州〔山西省新绛县〕）各战区特遣兵团司令官（晋绛

行营节度使）李彦佐，自从徐州（江苏省徐州市）出发，行动就十分缓慢，好容易抵达绛州（山西省新绛县），就请求休养士卒，并同时请求增援。李德裕奏报说："李彦佐逗留观望，不肯前进，显然没有讨伐叛徒的意思，所以他的请求，都不应批准。对他最好严厉责备，命他向前推进到翼城（山西省翼城县）。"李瀍接受。李德裕遂建议命天德（内蒙古乌拉特前旗东北）警备区司令（防御使）石雄，当李彦佐的副手；等石雄抵达大营之后，再取代李彦佐。

七月十八日，李瀍下诏命石雄当晋绛地区各战区特遣兵团副司令官（晋绛行营节度副使）；仍命李彦佐向前推进到翼城（山西省翼城县）。

昭义战区（总部设潞州〔山西省长治市〕）变军首领刘稹上疏分辩说："我的父亲刘从谏曾经为李训（李仲言）洗刷冤屈，指控仇士良的罪行（参考八三六年三月），因此深被当权分子痛恨，认定我父亲有背离中央的意图，所以我不敢全家回归中央。请求陛下稍赐宽大，容我在外能活一命。"魏博（总部魏州）何弘敬（何重顺）也为他上疏，请求昭雪，中央一概不理。

李回抵达河朔（河北平原），何弘敬（魏博）、王元逵（成德）、张仲武（卢龙），都身穿铠甲，佩带弓袋箭囊，到郊外迎接，站在路边，自己手控马缰，不敢派士卒拉马，恭送钦差大臣先行通过。自从天下大乱以来，从没有这种盛况。李回有辩才而又有胆量见识，三战区全都接受诏书。

王元逵（成德）奏报说：攻克宣务栅（河北省隆尧县西北），攻击尧山（河北省隆尧县）。刘稹（昭义变军）派军增援尧山（隆尧县），王元逵把他击败（根据《新唐书·藩镇泽潞传》，成德兵团攻击尧山、任县〔河北省邢台市任泽区〕、向城〔今地不详〕三城）。李瀍下诏严厉斥责李彦佐（武宁）、刘沔（河东）、王茂元（河阳），命他们立即进军逼近昭义（总部潞州），并赞扬王元逵新立大功，作为激发鼓励。擢升王元逵遥兼二级宰相（同平章事，使相）。

八月九日，昭义（总部潞州）变军大将李丕，投降中央，有人认为可能是刘稹派他诈降卧底，故意提出错误情报，引导中央军进入迷途。李德裕奏报说："中央讨伐令下达已有半年，还没有人投降，现在何必问他是诚心或是假意！我们要做的，应该厚厚的给他赏赐，鼓励后来的人，只要不把他放到重要位置上就可以。"

29 李瀍用平静的语气告诉李德裕，说："文宗（十七任帝李昂）喜爱听外面的议论，所以谏官所提出的批评，很多都不写名字，看起来好像打小报告的黑信（打小报告制度已废除，参考前年〔八四一〕六月）！"李德裕说："我当宰相的时候，文宗还不是这个样子（李德裕于八三三年二月当宰相，八三四年十月免职，调山南西道战区〔总部兴元府〕）。都是李训（李仲言）、郑注鼓励文宗用这种小动作统御下属，一时成为风气。领袖只要诚心待人，如果有人欺骗，就严厉而公正的处罚，谁还再敢蒙蔽！"李瀍同意。

30 成德战区（总部设镇州〔河北省正定县〕）特遣兵团前锋，攻进邢州（河北省邢台市）境内，已超过一个月，魏博战区（总部设魏州〔河北省大名县〕）司令官（节度使）何弘敬（何重顺）的特遣兵团，还没有出动，王元逵（成德）屡次密疏奏报，指控何弘敬（何重顺）心怀二意。

八月十一日，李德裕上疏说："忠武战区（总部设许州〔河南省许昌市〕）屡次建立战功，有很高声威，战区司令官（节度使）王宰，年轻力壮，谋略也足可称道。我建议下诏给何弘敬（何重顺），告诉他：'河阳（总部河阳县）、河东（总部太原府），受山川限制，都不能向前推进，而盗贼（昭义变军）不断出军晋州（山西省临汾市）、绛州（山西省新绛县），烧杀掳掠，情势危急。现在命王宰亲率忠武战区（总部许州）特遣兵团，经过魏博（总部魏州）战区，直攻磁州（河北省磁县），迫使盗贼分散兵力。’何弘敬（何重顺）一定大起恐慌，这是一种心战谋略。”李瀍接受，下诏命王宰挑选步骑兵精锐部队，穿过相州（河南省安阳市）、魏州（河北省大名县），直攻磁州（河北省磁县）。

八月十八日，昭义（总部潞州）变军大营带兵官（衙内十将）薛茂卿，攻陷中央军据点科斗寨（山西省晋城市南），俘虏河阳特遣兵团大将马继等，烧杀掳掠十七个较小营寨，距离怀州（河南省沁阳市）仅有十余华里，薛茂卿因没有刘稹的命令，不敢深入。此时，中央议论纷纷，认为刘悟对国家立过大功，不可以灭绝他的后裔；而且，刘从谏拥有精锐部队十万人，储存的粮食可以供应十年，怎么能够攻克？李瀍也深为疑虑，询问李德裕。李德裕说：“小小败仗，是战场上常见的事，希望陛下不要再听外面的议论，一定就会成功。”李瀍遂告诉其他宰相说：“替我转告所有官员，如果再有人上疏反战，我就把他绑到盗贼边境上斩首！”反战议论才停止。

何弘敬（何重顺）听到王宰要穿过他的辖区，大为震惊，恐怕忠武（总部许州）特遣兵团一旦入境，军中会发生变化，于是立即集结部队，仓猝出征。

八月二十日，何弘敬（何重顺）奏报说：“亲自率领大军北上，已渡过漳水（流入卫河），直向磁州（河北省磁县）。”

八月二十四日，李德裕上疏说：“河阳（总部河阳县）特遣兵团士卒少，战斗力弱，自从科斗寨（山西省晋城市南）战败，盗贼越发猖獗。战区司令官（节度使）王茂元又有病在身，军心恐慌不安，打算退守怀州（河南省沁阳市）。我考察九世纪一〇年代以来，所有叛将，都会选择中央军人数最少、战斗力最弱的地方，集中全力猛攻，当击破这支中央军后，再转攻另一个地方。而今，魏博（总部魏州）还没有跟盗贼接触，西方晋绛地区各战区特遣兵团，受山川阻隔，不能前进，所以盗贼才得以集中全军南下。如果河阳（总部河阳县）退缩，不但中央声望上受到挫败，也恐怕同时震动东都（洛阳）。我建议下诏给王宰（忠武），不再派他前往磁州（河北省磁县），而命他率忠武（总部许州）特遣兵团，增援河阳（总部河阳县），不仅保护东都（洛阳），也可同时控制魏博（总部魏州）。如果担心难以供应全军粮饷，则命他先派先锋五千人前往，也足以增加声势。”

八月二十八日，李德裕再上疏说：“请陛下命王宰率主力部队继续前进，并火急把武器、绸缎运往河阳战区（总部河阳县），解救窘困贫乏！”

李瀍全部采纳。

王茂元（河阳）驻军万善（河南省沁阳市北）、刘稹（昭义变军）派营门官（牙将）张巨、刘公直等，跟薛茂卿会师，发动攻击，预定九月一日包围万善（河南省沁阳市北）。

八月二十九日，刘公直等先暗中行军，绕道进抵万善（河南省沁阳市北）南五华里，焚烧雍店（沁阳市稍北）。张巨率军继续南下，经过万善（河南省沁阳市北），发现城中守军单薄，打算单独建立夺城大功，遂发动攻击。夜晚将临时，就要攻陷，才派使节报告刘公直等。而义成战区（总部设滑州〔河南省滑县〕）的增援部队，正巧赶到，王茂元被困在万善（河南省沁阳市北）城里，情势危急，打算放弃城池，率军突围逃走。总纠察官（都虞候）孟章拦住马头劝阻，说：“叛军内部并不一致。一半留在雍店（沁阳市稍北），一半在这里攻城，不过是流放的游击部队而已。义成（总部滑州）援军刚到，还没有吃饭，突然听说大帅弃城逃走，势将自行崩溃，求你勉强留下。”王茂元才止步。不久，天已入夜，刘公直等还没有抵达，张巨率军撤退，刚刚登上太行山坡，天落小雨，视线所及，一片灰黑，士卒们突然间惊叫：“中央军追到！”大家四散逃命，人马互相踏践，很多人坠落到悬崖深谷而死。

李瀍认为王茂元、王宰两个战区司令官（节度使）同时驻扎河阳（河南省孟州市），不太恰当。

九月四日，李德裕等建议：“王茂元有行政能力，但不是军事人才，请命王宰兼河阳战区（总部河阳县）特遣兵团攻剿司令（行营攻讨使）。王茂元如果病势痊愈，只命他留守河阳（河南省孟州市），如果病势加重，也不会影响大事。”

九月五日，李瀍命王宰兼河阳特遣兵团攻剿司令（河阳行营攻讨使）。

何弘敬（何重顺，魏博）奏报说：“攻陷肥乡（河北省邯郸市肥乡区）、平恩（河北省曲周县东南），杀伤很多。得到刘稹所发布的文告，竟把中央军当作盗贼，声称：‘遇到即行格杀！’”

九月七日，李瀍告诉各宰相说：“何弘敬（何重顺）已经克服两个县，可以洗清他企图背离中央的嫌疑，既有杀伤，纵然他仍想保持中立，也无法保持。”乃加授何弘敬（何重顺）：摄理国务院左最高执行长（检校左仆射，使相）。

九月二十日，河阳战区（总部设河阳县〔河南省孟州市〕）奏报说：王茂元逝世。李德裕上疏说：“只可命王宰以忠武战区（总部设许州〔河南省许昌市〕）司令官（节度使）身份，率领河阳特遣兵团，不可命他兼任河阳战区司令官（节度使），恐怕他不爱惜河阳战区州县，恣意骚扰。过去，河阳战区司令官（节度使）总是先兼怀州（河南省沁阳市）州长，而由执行官（判官）代理，另把河南府（河南省洛阳市）所属五个县的田赋和捐税，拨给河阳战区（参考七八一年六月二十五日）。现在，我建议：不如就把河阳县（河南省孟州市）和这五个县合组一州，改称孟州，怀州则另设专任州长。等昭义（总部潞州）变乱平息，再把泽州（山西省晋城市）划归河阳战区，则太行山的险要，就不在昭义（总部潞州）战区境内，河阳（总部河阳县）一定成为军事重镇，东都（洛阳）就不会再有忧患。”李瀍采纳。

九月二十二日，命东都洛阳特别市长（河南尹）敬昕，当河阳战区（总部设孟州〔河南省孟州市〕）司令官（节度使），兼怀孟道（首府设孟州）行政长官（观察使）。王宰率河阳特遣兵团讨伐昭义（总部潞州）变军，敬昕只负责供应粮饷。

九月二十四日，命石雄接替李彦佐当晋绛地区各战区特遣兵团司令官（行营节度使），命他从冀氏（山西省安泽县南）出军，夺取潞州（山西省长治市），但须分兵驻扎翼城（山西省翼城县），防备突击。

31 本月（九月），吐蕃王国（首都逻些城〔西藏拉萨市〕）自称宰相的论恐热，驻扎大夏川（发源甘肃省和政县南，注入洮水）；鄯州战区（总部设鄯州〔青海省海东市乐都区〕）司令官（节度使）尚婢婢派将领厖结心（厖，音máng〔茫〕）及莽罗薛吕，率精锐部队五万人进击，前进到河州（甘肃省临夏市）南。莽罗薛吕在险要地方，埋伏四万人，厖结心则在柳树林里，埋伏一万人；然后率一千余骑兵登山，把辱骂论恐热的信件，绑在箭上，射进论恐热辖区。论恐热大怒，率军数万人追击，厖结心假装败退，还不时的假装人困马乏，行动困难，停留喘气，论恐热追击越发急迫，不知不觉已数十华里，伏兵突然出现，截断论恐热的退路，前后夹攻，正巧狂风大起，飞沙走石，涧水河溪，霎时间暴涨横溢，论恐热大败，尸体纵横五十华里，淹死的不知道有多少；论恐热单人匹马逃回。

32 石雄接替李彦佐的明天，就率军越过乌岭（山西省翼城县南），一连击破五个营寨，诛杀及俘虏以千为单位计算。当时，王宰（忠武）驻军万善（河南省沁阳市北）、刘沔（河东）驻军石会（山西省榆社县西），都在犹豫观望，不肯前进。李瀍得到石雄告捷奏章，大为欣喜。

冬季，十月五日，李瀍登金銮宝殿，对各宰相说："石雄真是良将！"李德裕奏报说："前些年潞州（山西省长治市）有个男子弯着腰唱歌：'石雄七千人来到！'刘从谏认为他妖言惑众，斩首。攻下潞州（山西省长治市）的，一定是石雄！"李瀍下诏赏赐石雄绸缎，十分优厚，石雄把所有绸缎都放到营门，自己跟士卒一样，先拿一匹，其余全部分赏给将士，所以士卒高兴为他尽忠效死。

33 最初，刘沔（河东）击破回鹘乌介可汗（十五任大可汗）药罗葛乌希，救出太和公主（参考本年〔八四三〕正月），张仲武（卢龙）眼红，因妒生恨，跟刘沔二人之间，遂生怨恨。李瀍命李回到幽州（北京市）后，想办法从中和解，但张仲武始终不能放开胸怀。中央唯恐他们因私人感情不睦，影响大局。

十月十六日，调刘沔当义成战区（总部设滑州〔河南省滑县〕）司令官（节度使）；命前荆南战区（总部设江陵府〔湖北省江陵县〕）司令官（节度使）李石，当河东战区（总部设太原府〔山西省太原市〕）司令官（节度使）。

党项部落（陕西省北部）攻击盐州（陕西省定边县），中央命前武宁战区（总部设徐州〔江苏省徐州市〕）司令官（节度使）李彦佐，当朔方战区（总部设灵州〔宁夏灵武市〕）司令官（节度使）。

十一月，邠宁战区（总部设邠州〔陕西省彬州市〕）奏报说："受党项部落攻击！"李德裕上疏说："党项部落制造的灾难，越来越加严重，不可以不慎重处理。根据了解：党项部落是一个庞大族群，散布各州（绥州〔陕西省绥德县〕、银州〔陕西省榆林市东南鱼河镇〕、灵州〔宁夏灵武市〕、盐州〔陕西省定边县〕、夏州〔陕西省靖边县北白城则村〕、邠州〔陕西省彬州市〕、宁州〔甘肃省宁县〕、延州〔陕西省延安市〕、麟州〔陕西省神木市〕、胜州〔内蒙古托克托县〕、庆州〔甘肃省庆阳市〕等），在这一州烧杀掳掠后，就逃到另一个州躲避。战区司令官（节度使）贪图他们的骆驼、马匹，不肯逮捕送交法办，所以党项部落的灾难，无法幸免。我屡次上疏建议应该统一管理，陛下认为专门负责处理党项事务的官员，权力太大。我建议这项超越战区的更高层次的官员，请皇子担任，然后选派一位干练清廉的政府官员，当他的副手，总部设在夏州（陕西省靖边县北白城则村），专门办理党项部落有关纠纷诉讼等事项，这样才比较妥帖。"

李瀍遂命兖王李岐（李瀍的儿子）当灵夏六战区（总部设夏州〔陕西省靖边县北白城则村〕）元帅兼党项部落管理总监（安抚党项大使）；命副总监察官（御史中丞）李回当党项部落副管理总监（副使）；国史馆编撰官（史馆修撰）郑亚，当元帅府执行官（元帅判官）；命二人携带诏书前往安抚党项部落及六个重镇的居民（六重镇：盐州〔盐州道，陕西省定边县〕、夏州〔夏绥总部，陕西省靖边县北白城则村〕、灵州〔朔方总部，宁夏灵武市〕、泾州〔泾原总部，甘肃省泾川县〕、邠州〔邠宁总部，陕西省彬州市〕、安北府〔振武总部，内蒙古和林格尔县〕）。

34 安南军管区（总部设安南府〔越南河内市〕）指挥官（经略使）武浑，强迫将士们修筑城墙，激起兵变，焚烧城楼，劫掠公库。武浑逃奔广州（广东省广州市），监军宦官段士则出面安抚变军。

35 忠武战区（总部设许州〔河南省许昌市〕）将领士卒，一向被认为精良骁勇，战区司令官（节度使）王宰的军纪又十分严格，昭义战区（总部潞州）变军，对他心生畏惧。薛茂卿因科斗寨（山西省晋城市南）的功劳，认为一定可以升迁。想不到有人警告刘稹说：“你所要求的，只不过中央政府的任命状罢了，薛茂卿深入中央军阵地，大量格杀士卒，显然已经激怒中央，这就是任命状迟迟没有颁发下来的原因。”因此，对薛茂卿竟没有赏赐。薛茂卿怨怒交集，遂秘密跟王宰私通。

十二月三日，王宰率军攻击天井关（山西省晋城市南，科斗寨北），薛茂卿略微接触，就率军撤退，王宰遂克复天井关。天井关东西营寨听到本关失守，全都退走。王宰遂纵火焚烧大小箕村（晋城市西南）。薛茂卿退守泽州（山西省晋城市），派密使通知王宰继续发动急攻，他当作为内应。王宰心存怀疑，不敢挺进，在约定的时候没有到达，薛茂卿捶胸顿脚，无可奈何，但消息已经泄漏，刘稹引诱薛茂卿到潞州（山西省长治市），遂连同他的家族，全部屠杀，刘稹派作战司令（兵马使）刘公直接替薛茂卿，命安全庆守乌岭（山西省安泽县西）、李佐尧守雕黄岭（山西省长子县西南）、郭僚守石会（山西省榆社县西）、康良佺守武乡（山西省武乡县）。郭僚，是郭谊的侄儿。

十二月十四日，王宰进攻泽州（山西省晋城市），跟刘公直接触，失利，刘公直乘势反攻，收复天井关（晋城市南）。

十二月二十日，王宰进击，大破刘公直军，遂包围陵川（山西省陵川县），攻克。河东战区（总部太原府）奏报克复石会关（山西省榆社县西）。

昭义战区（总部潞州）所辖洺州（河北省邯郸市永年区东南广府镇）州长李恬，是新任河东战区（总部设太原府〔山西省太原市〕）司令官（节度使）李石的堂兄。李石抵达太原（山西省太原市），刘稹派将领贾群携带李恬的家信，晋见李石，说：“刘稹愿意全族归降于你，自己护送刘从谏的灵柩，返回东都（洛阳）安葬。”李石下令囚禁贾群，把该信奏报。李德裕上疏说：“现在，中央军从四面八方集合，就要会师，每天都传捷报，盗贼的声势受挫，所以假装诚心归降，希望减缓军事上的压力，等稍为整顿一下战备，再行冒犯。我建议下诏给李石，命他回答李恬说：‘你的信我不敢贸然奏报，如果刘稹真能诚心悔过，全体家族，都要双臂反绑背后，前往边界，等待处置，则我可以亲自前去受降，护送回到中央。如果只是谎言，企图先行纾解中央军事压力，再等机会请求昭雪，我可不敢用全家百口人命，替别人作保。’同时，请陛下重申前令，命各将领分别进攻，乘昭义（总部潞州）上下离心之际，火速进军讨伐，不过十天半月，他们内部定会发生变化。”李瀍接受。

见习立法官（右拾遗）崔碣上疏，请求接受刘稹归降。李瀍大怒，把他贬出当邓城（湖北省襄阳市汉水北岸）县长。

36 当初，刘沔击破回鹘，留下部队三千人驻守横水栅（山西省大同市西北）。而今，河东（总部太原府）特遣兵团总作战司令（都知兵马使）王逢，驻守榆社（山西省榆社县），上疏请求派军增援。李瀍命河东战区（总部太原府）拨二千人前往。可是，河东战区兵源枯竭，已派不出军队，连看管仓库的杂兵以及工匠，都投入军营出征，李石遂召回横水栅（大同市西北）驻守的这支一千五百人的特遣兵团，命部将杨弁率领，向王逢报到。

十二月二十八日，横水栅特遣兵团返抵太原（山西省太原市）。从前，将士们出征，发给每人绢（生丝粗绸）二匹。刘沔调走时，仓库里所有的东西，全被他带走，搬运一空。李石刚来到差，军需困乏，把自己私人的绢拿出来，每位将士才分到一匹，这时已到年终，士卒们要求等过了正月元旦，再行启程，监军宦官吕义忠不断催逼，军心悲愤，怒不可解，杨弁又深知城中防务空虚，遂利用机会发动兵变。

大中之治

导读

《大中之治》内容包括唐王朝十九任帝李忱在位时以"大中"作为年号的政绩，李忱生在深宫之中，长于妇人之手，应该是个草包才合理，但他却俨然有老祖宗二任帝李世民之风，给中国人民带来短暂的和平，也算是中国人之福。唐王朝自九任帝李隆基（他跟杨广先生一样，用他的奇淫和奇奢，为国家带来空前战乱）以来，随时都会覆亡，幸而有两次回光返照，一次是十四任帝李纯历时十五年的"元和中兴"，一次就是历时十三年的"大中之治"。然而日益堕落的统治阶级（包括皇帝在内）的体质，无法起死回生。希望他们起死回生，因而把唐王朝覆亡的责任，全部算到李忱一个人头上的史学家王夫之之流，正是缺少对历史法则的认识。

"大中之治"是和平的休止符，之后，直到《资治通鉴》结束，满行满纸，都是战争和屠杀。

柏杨　一九九〇·一〇·一五

九世纪

唐王朝

六〇年代

八六〇—八六六年

●生擒浙东变民首领裘甫，送长安斩首●武宁兵变，逐司令官温璋●岭南西道兵变，逐司令官蔡京●大礼帝国陷安南，斩蔡袭●高骈克安南

九世纪

四〇年代

八四四—八四九年

唐王朝

◎ 昭义战区刘稹反抗中央，兵败被杀。

◎ 河东战区兵变，逐李石。

◎ 佛教三武之祸（最后一武）。

◎ 武宁战区兵变，逐李廓。

◎ 教皇利奥四世兴筑罗马城抵抗阿拉伯人入侵。

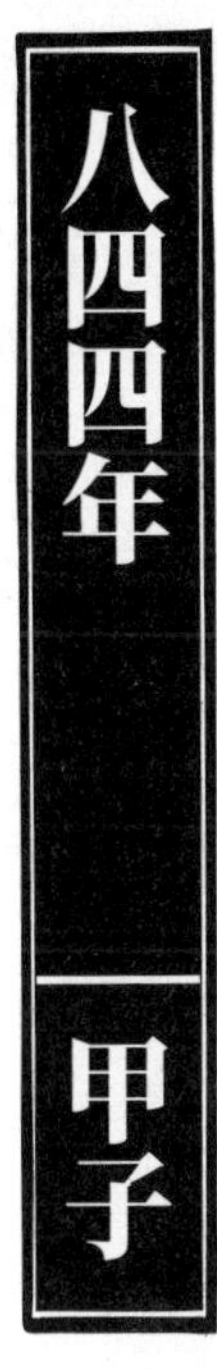

八四四年
甲子

唐　会昌　四年

1 春季，正月一日，唐王朝（首都长安〔陕西省西安市〕）河东战区（总部设太原府〔山西省太原市〕）指挥官（都将）杨弁（音biàn〔便〕）诛杀总作战司令（都头）梁季叶（音xié〔协〕），率领拥护自己的部众，到街市上大肆抢掠。战区司令官（节度使）李石，逃往汾州（山西省汾阳市）避难。杨弁遂占领总部，释放囚禁在监狱里的昭义战区（总部设潞州〔山西省长治市〕）变军使节贾群（参考去年〔八四三〕十二月），命侄儿陪同贾群，一块前往潞州（山西省长治市）晋见变军首领刘稹，约定缔结兄弟之谊，刘稹大喜。石会关（山西省榆社县西）守将杨珍，听到太原兵变消息，再把关城归降刘稹。

正月四日，河东（总部太原府）监军宦官吕义忠派人进京（首都长安）奏报太原兵变，中央大为震动，纷纷议论。有人主张：对两个战区的军事行动，应同时停止。忠武战区（总部设许州〔河南省许昌市〕）司令官（节度使）王宰也上疏说："巡逻部队曾接到刘稹的奏章，我最近也曾派人前去昭义（总部潞州），了解叛贼有意来归。如果允许我招降收容，请赐诏书！"李德裕上疏反驳，说："王宰严重的违犯军令，擅自接受刘稹奏章，事先并没有向中央请示，竟派人进入盗贼巢穴，揣测王宰的心意，似想独占招降的功劳。从前，韩信击破田横（参考前二〇三年十一月）、李靖生擒阿史那咄苾（颉利可汗，参考六三〇年三月），都是利用对方请求投降、疏于戒备的机会，发动奇袭。现在，宁可以使王宰失信，也不可以损害中央威严！建立盖世奇功，就在今天，决不可因太原（山西省太原市）发生小小动乱，而使机会流失。请陛下派贴身宦官（供奉官）前往王宰大营，督促他乘刘稹疏于戒备，发动攻击。刘稹跟所有将领，连同他们的家族，必须都把双臂捆在背后，出来投降，然后才可以接受。同时请陛下派贴身宦官（供奉官）再往晋绛大营，秘密警告特遣兵团司令官（晋绛行营节度使）石雄：'如果王宰接受了刘稹的投降，你就一点功劳都没有了，现在正是成败关键，需要你自己努力，突破困难，夺取胜利，不要失去良机。'"李德裕又以宰相的名义写信给王宰，说："从前，成德（总部恒州）变军首领王承宗，虽然反抗中央，还派老弟王承恭携带奏章，晋见宰相张弘靖，哀哀祈求，又派亲生儿子王知感、王知信前来中央朝见（参考八一八年三月），宪宗（十四任帝李纯）最初还不允许。而今，刘稹不但不自绑双臂，向你投降，也不派他的骨肉至亲，前来中央请求怜悯，而竟把奏章放到大路之上，巡察部队不立即撕毁，实是一项错误。何况，刘稹跟杨弁密通奸谋，叛逆行为如此明显，而大将元帅和高级官员，却包容他的诈欺，是私人恩惠归于臣属，而使拒绝赦免的怨恨，完全由中央担当，在事理上，恐怕不可以如此。从今以后，无论在什么地方发现奏章，就应立即当场焚毁。只有他们双臂绑在背后，前来投降，才可以接纳。”李德裕又上疏说：“太原（山西省太原市）居民从来效忠中央，只因公库空虚，不够赏赐，才惹起事端！一千五百人又能干出什么大事？绝对不可以宽恕放任！何况中央正对昭义（总部潞州）采取军事行动，如果处理不当，深怕影响人心。记得从前西川战区（总部设成都府〔四川省成都市〕）作战司令（兵马使）张朏（音fěi〔匪〕）的部下叛变，战区司令官（节度使）张延赏逃奔汉州（四川省广汉市），后来重回成都（参考七八三年十一月），希望陛下训令李石、吕义忠，应回太原大营，征召附近的军队，讨平叛乱！”唐帝（十八任武宗）李瀍（本年三十一岁。瀍，音chán〔蝉〕）全部听从。

当时，李石已逃到晋州（山西省临汾市），诏书抵达，命他折返太原。

正月七日，李瀍下诏：命河东（总部太原府）作战司令（兵马使）王逢，把河东特遣兵团全部留在榆社（山西省榆社县），另率义武（总部定州）骑兵一千人、宣武（总部汴州）及兖海（总部兖州）步兵三千人，讨伐杨弁。又下诏命成德战区（总部设镇州〔河北省正定县〕）司令官（节度使）王元逵率步骑兵混合兵团五千人，从土门（河北省石家庄市鹿泉区）越过太行山西进，支援王逢。忻州（山西省忻州市）州长李丕上疏说：“杨弁派人前来游说，我已把他诛杀，并切断杨弁向北逃走的道路，请求中央早日出兵讨伐。”

正月十七日，李瀍跟各宰相讨论太原兵变事件，李德裕说：

"河东（总部太原府）武装部队都调出去作战，变军仅只一千余人，各州各战区道，绝对不会有人响应，预计用不了几天，就可以翦除，现在只要下诏命王逢迅速前进，抵达城下，城里必定发生变化。"李瀍说："张仲武（卢龙〔总部幽州〕司令官）看到成德（总部镇州）、魏博（总部魏州）讨伐昭义（总部潞州）变军，都有功劳，心里一定羡慕，让他出军讨伐太原（山西省太原市），你以为如何？"李德裕说："成德（总部镇州）前往太原（山西省太原市），道路最近（航空距离一百八十公里），张仲武（卢龙〔总部幽州〕司令官）去年（八四三）讨伐回鹘时，跟河东（总部太原府）曾经争功（参考去年〔八四三〕十月），恐怕一旦进入河东（总部太原府），可能迁怒士卒，伤害居民。"李瀍才停止。

李瀍派宦官马元实前往太原（山西省太原市）跟变军沟通，并观察他们的实力。杨弁大摆酒席，和他痛饮三天，贿赂他大批金银财宝。

正月二十四日，马元实从太原（山西省太原市）回京师（首都长安），李瀍命他跟各宰相共同讨论，马元实在大家面前，提高嗓门说："如今，中央最好马上发给杨弁任命状，越快越好！"李德裕说："为什么？"马元实说："从太原军营大门，直到柳子列（太原市西南河堤）十五华里之遥，士卒们全穿着长到地面的铠甲，金光耀眼，你有什么办法攻打？"李德裕说："李石就是因为河东（总部太原府）兵源枯竭，才征调横水栅（山西省大同市西北）驻军增援榆社（山西省榆社县），军械库里的铠甲都在特遣兵团大营，杨弁有什么能力集结那么多部众？"马元实说："河东（总部太原府）人民性情残暴强悍，每人都可以拿起武器，都是杨弁招募来的！"李德裕说："招兵买马，必须有金钱绸缎，李石只不过欠军人一匹绢（粗丝厚绸），没有办法补充，才激起兵变。杨弁能从哪里得到？"马元实说不出话。李德裕

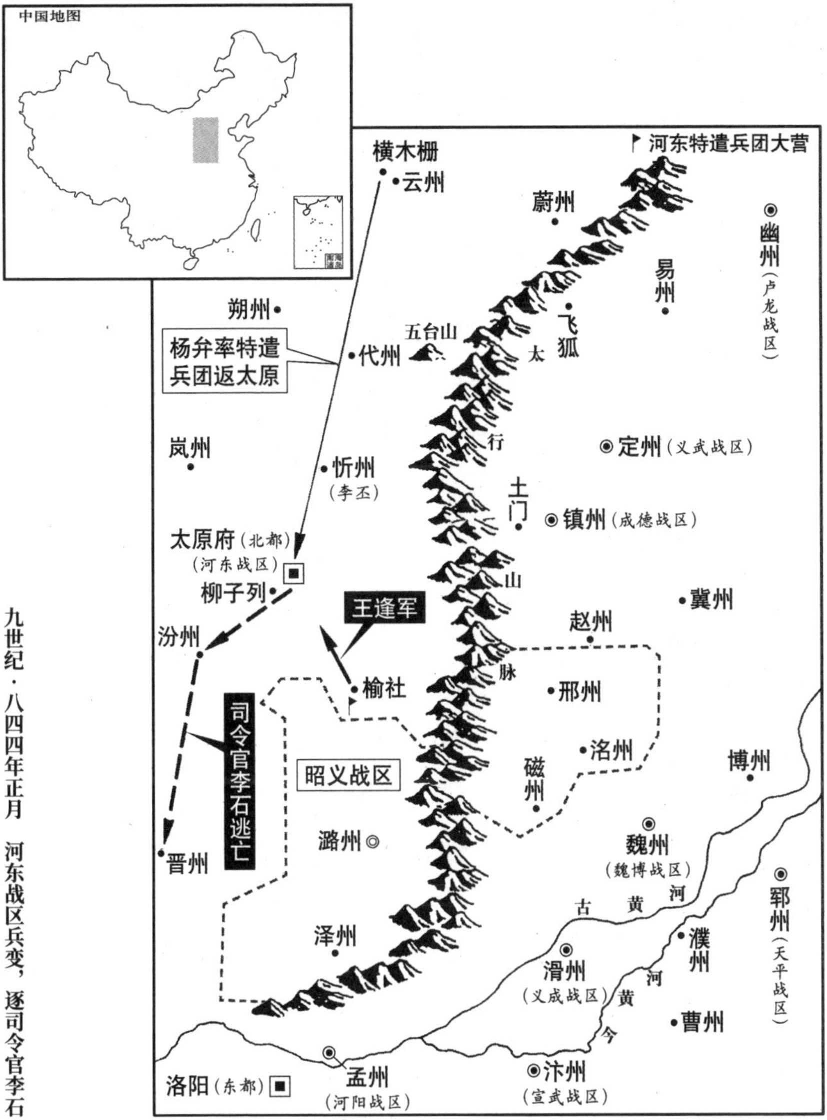

九世纪·八四四年正月　河东战区兵变，逐司令官李石

说：“即令他有十五华里金光耀眼的铠甲，也要诛杀这个匪徒！”遂上疏奏报说：“杨弁不过一个卑贱的小贼，绝不可以宽恕，如果中央的力量不够，宁可舍弃刘稹！”（李德裕因自己是世家，所以对出身卑贱的人，总是轻视，同是叛徒，刘稹已三代富贵，所以李德裕宁愿舍弃。）河东（总部太原府）驻防榆社（山西省榆社县）的特遣兵团，听说中央调派外地军队攻击太原（山西省太原市），深恐城破的时候，妻子家人受到屠灭，于是自告奋勇收复太原（山西省太原市），拥护监军吕义忠，率军北上。

正月二十八日，攻克太原（山西省太原市），生擒杨弁，把变军全部诛杀。

2 二月一日，日蚀。

3 二月二日，河东（总部太原府）监军宦官吕义忠奏报攻克太原。

二月三日，李德裕向李瀍奏报说：“王宰（忠武〔总部许州〕司令官）早就应该攻占泽州（山西省晋城市），却迁延了两个月，没有尺寸进展（王宰攻泽州，参考去年〔八四三〕十二月十四日）。因为王宰跟石雄之间，存有宿怨（王宰的老爹王智兴诬害石雄事，参考八二九年二月）。王宰如果攻占泽州（山西省晋城市），距上党（潞州州政府所在县，山西省长治市）仍有二百华里，而石雄现在距上党才一百五十华里。王宰担心如果攻击泽州（山西省晋城市）牵制昭义（总部潞州）大军，万一石雄乘虚直入上党，就独自立了大功。另有一项忧虑是，先前，王宰生了一个儿子王晏实，王宰的老爹王智兴十分宠爱，就把孙儿当作儿子。王晏实现在当磁州（河北省磁县）州长，被刘稹留作人质（磁州属昭义战区），王宰之所以观望，不敢发动攻击，或许跟这个也有关系。”李瀍命李德裕撰写诏书给王宰，督促他行动，强调说：“我对刘稹这种毛贼，绝对不会宽恕。固然，王晏实是你最亲爱的弟弟，但为了伸张大义，必须克制私情。”

4 二月四日，贬李石当太子少傅（太子三少之二），在东都洛阳（河南省洛阳市）办公。命河中战区（总部设河中府〔山西省永济市〕）司令官（节度使）崔元式当河东战区（总部设河中府〔山西省永济市〕）司令官（节度使）；石雄（晋绛特遣兵团司令官）当河中战区（总部河中府）司令官（节度使）。崔元式，是崔元略的老弟（崔元略是宰相崔铉的老爹，参考八二五年七月）。

5 二月六日，石雄攻克良马（山西省安泽县东北）等三个营寨和一个城堡。

6 二月八日，河东战区（总部太原府）押解杨弁跟他的同党五十四人，抵达京师（首都长安），全部斩于狗脊岭（陕西省西安市西）。

7 二月十九日，李德裕奏报李瀍说：“事情有时候是在受到刺激后，才能发愤完成。陛下命王宰（忠武〔总部许州〕司令官）直向磁州（河北省磁县），而何弘敬（何重顺，魏博〔总部魏州〕司令官）立即出兵（参考去年〔八四三〕八月）；陛下征调外地军队讨伐太原（山西省太原市），而太原的特遣兵团却先下手生擒杨弁。现在，王宰一直不肯前进，必须对他施加他无法对抗的压力，我建议调刘沔（义成〔总部滑州〕司令官）到河阳战区（总部设孟州〔河南省孟州市〕），命他率义成战区（总部滑州）精锐部队二千人，推进到万善（河南省沁阳市北），紧逼王宰大营。如果王宰了解中央这项行动的意义，他一定不敢继续逗留。如果他因此出发，刘沔率大军驻扎南方，也可以增加王宰的声势。”李瀍说：“好极！”

二月二十五日，调义成战区（总部设滑州〔河南省滑县〕）司令官（节度使）刘沔，当河阳战区（总部设孟州〔河南省孟州市〕）司令官（节度使）。

8 河东（总部太原府）特遣兵团总作战司令（河东行营都知兵马使）王逢，攻击昭义（总部潞州）变军将领康良佺，把康良佺击败。康良佺放弃石会关（山西省榆社县西），退守鼓腰岭（榆社县西南）。

9 黠戛斯汗国（瀚海沙漠群）派将军谛德伊斯难珠等，前来唐王朝进贡，声称打算迁都到回鹘汗国故王庭（蒙古国哈拉和林市），请唐王朝也出兵北上，并指定会师日期及地址（此时，黠戛斯王庭仍在原来的西伯利亚萨彦岭北之地）。李瀍用诏书回答，说：“今年（八四四）秋季，可汗攻击回鹘残军及黑车子部落（内蒙古呼伦池南）时，大唐卢龙（总部幽州）、河东（总部太原府）、振武（总部安北府）、天德（总部天德军城）四战区，当出兵切断回鹘所有重要道路，阻止他们逃亡，到时候大唐当对可汗赐加封号，依照对待回鹘可汗的前例办理（唐王朝一直未册封黠戛斯可汗，参考去年〔八四三〕二月）。”

10 唐政府因回鹘汗国瓦解，吐蕃王国（首都逻些城〔西藏拉萨市〕）内乱，开始讨论用什么方法收复河湟地带（甘肃省及青海省东部）四个战区及十八个州的旧有国土（河湟于八世纪五〇年代陷落前，有两战区：河西〔总部设凉州，甘肃省武威市〕、陇右〔总部设鄯州，青海省海东市乐都区〕，陷落后，吐蕃改为四战区，名称不详。十八州：秦州〔甘肃省秦安县西北〕、甘州〔甘肃省张掖市〕、河州〔甘肃省临夏市〕、渭州〔甘肃省陇西县〕、兰州〔甘肃省兰州市〕、鄯州〔青海省海东

九世纪·八四三年九月至八四四年三月

吐蕃王国内战

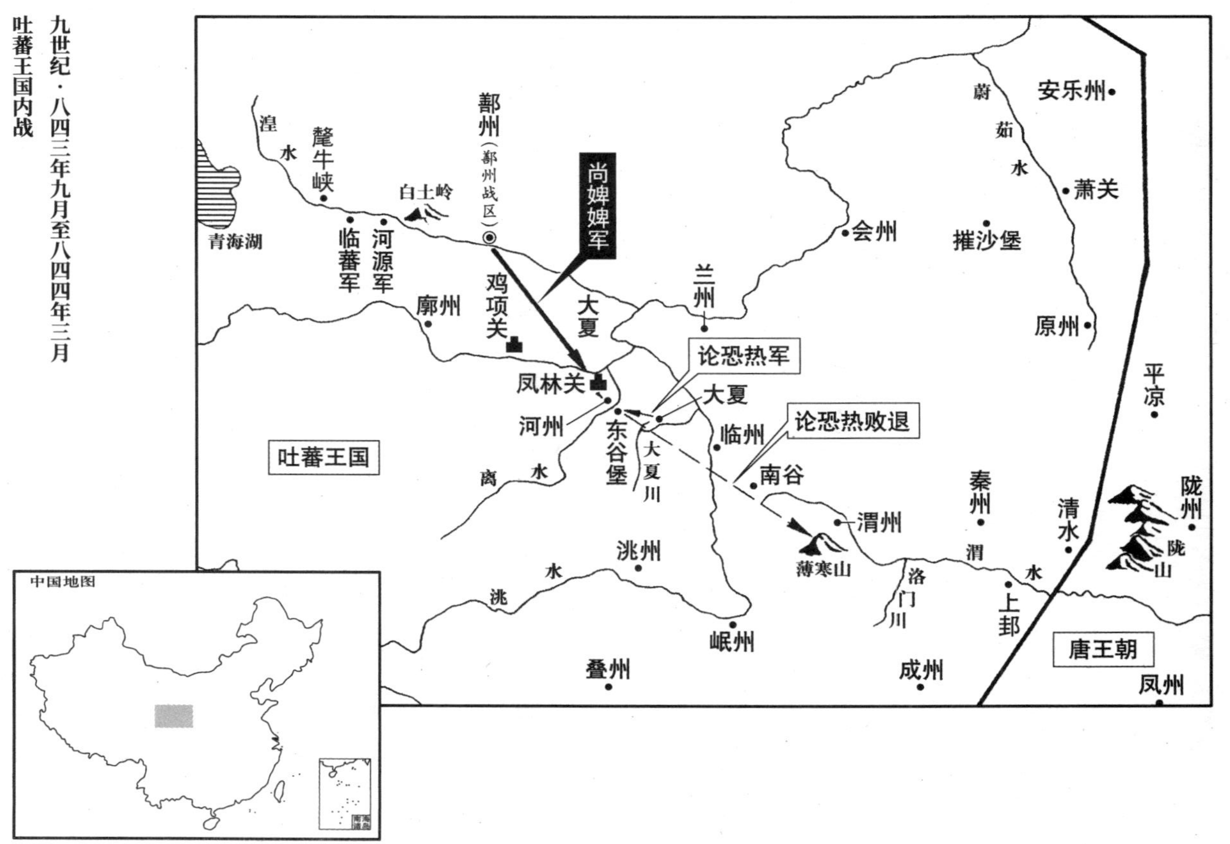

市乐都区〕、武州〔甘肃省陇南市武都区〕、成州〔甘肃省成县〕、洮州〔甘肃省临潭县〕、岷州〔甘肃省岷县〕、临州〔甘肃省临洮县〕、廓州〔青海省化隆县〕、叠州〔甘肃省迭部县〕、宕州〔甘肃省舟曲县〕、肃州〔甘肃省酒泉市〕、凉州〔甘肃省武威市〕、瓜州〔甘肃省瓜州县〕、沙州〔甘肃省敦煌市〕)，于是命御前监督官（给事中）刘濛当沿边巡查特使（巡边使），负责准备武器粮食，深入调查吐蕃王国（首都逻些城〔西藏拉萨市〕）驻军多少和战斗力强弱。又下令命天德警备区（总部天德军城）、振武战区（总部安北府）、河东战区（总部太原府）加强士卒训练，磨利武器，等候秋季黠戛斯汗国（瀚海沙漠群）攻击回鹘残军（瀚海沙漠南）时，对回鹘向南逃奔的溃兵败将，加以截击；凡此一切备战行动，全部交给刘濛，由刘濛会同各战区民兵司令（节度团练使）详细研究，拟定执行方案奏报。刘濛，是刘晏的孙儿（刘晏冤死事，参考七八〇年七月）。

11 李瀍命道教教士赵归真，当“右街道门教授先生”（大概是道教封号）。

12 吐蕃（西藏）自称宰相的论恐热所属将领岌藏丰赞，不能忍受论恐热的凶暴残忍，投降鄯州战区（总部设鄯州〔青海省海东市乐都区〕）司令官（节度使）尚婢婢。论恐热大怒，向尚婢婢发动攻击。尚婢婢分兵五路抵抗，论恐热退守东谷（甘肃省临夏市东南），尚婢婢用木栅把他团团围住，切断水源。论恐热率骑兵一百余人，突围逃走，退守薄寒山（甘肃省陇西县西南），其余部众全投降尚婢婢。

13 夏季，四月，王宰（忠武〔总部许州〕司令官）进攻泽州（山西省晋城市）。

14 李瀍迷信神仙，十分宠信道士赵归真；负责谏诤的官员们屡次抨击。

四月二十三日，李德裕也上疏劝阻说："赵归真，是敬宗（十六任帝李湛）在位时有罪的人，最好不要和他亲近（李瀍亲近赵归真，参考八四一年六月）。"李瀍说："我在宫里无聊，找他谈谈话、解解闷而已。国家大事，我一定征求你们以及'次对官'（第二梯次接见的官员，参考八二三年九月注）的意见，即令有一百个赵归真，也蒙蔽不了我。"李德裕说："卑劣的小人物看到权势在哪里，就向哪里钻，好像夜间飞蛾，扑向灯火。听说，最近十几天来，车马已填满了赵归真的门户，希望陛下特别警惕！"

15 四月二十五日，李瀍命国务院左最高执行长（左仆射）王起，遥兼二级宰相（同平章事，使相），充任山南西道战区（总部设兴元府〔陕西省汉中市〕）司令官（节度使）。王起了解自己是一个文官，而又从来没有当过实质宰相（同平章事），就直接被任命当遥兼宰相（同平章事，使相），从来没有先例，坚决辞让。李瀍说："宰相没有'实质'和'遥兼'的分别，我有什么缺失的时候，你就飞快递上奏章。"

16 李德裕有鉴于州县政府中没有工作可做的闲官太多，上疏建议命国务院文官部考选司司长（吏部郎中）柳仲郢淘汰裁撤。

六月，柳仲郢奏报说："减少州县官员一千二百一十四人。"柳仲郢，是柳公绰的儿子（柳公绰，参考八一五年二月）。

17 跟退休宦官仇士良（参考去年〔八四三〕六月十六日）有宿怨旧仇的若干宦官，检举仇士良家里藏有铠甲、武器多达数千件。有关机关发动突击，果然查获。李瀍下诏削除仇士良的官爵（仇士良原封楚国公爵），家产及家人全部没收，男当奴、女当婢。

18 秋季，七月十日，李瀍跟李德裕讨论，打算命河东（总部太原府）总作战司令（都知兵马使）王逢，率军进驻翼城（山西省翼城县）。李瀍说：“听说王逢执法太过严苛，有没有这回事？”李德裕说：“我也曾问过他这件事，王逢说：‘面对白刃钢刀，执法不严，谁肯前进？’”李瀍说：“话也有道理，但你还是应把他叫来规劝！”李德裕顺势再度强调刘稹（昭义〔总部潞州〕变军首领）绝对不可赦免。李瀍说：“当然是这样！”李德裕说：“从前，李怀光叛变，没有消灭之前，京师（首都长安）蝗灾旱灾交集，谷米价钱每斗一千钱，中央粮仓（太仓）供应皇上跟皇宫的粮食，支持不到一二十天。德宗（十二任帝李适）召集文武百官到金銮宝殿，派宦官马钦绪出来询问大家的意见。监督院最高顾问官（左散骑常侍）李泌，拿一片桐叶，把它搓破，交给马钦绪呈献。德宗（十二任帝李适）召见他问他什么涵义。李泌回答说：‘陛下跟李怀光的君臣名分，就跟这片桐叶一样，已不可能恢复原状！’因此，德宗（十二任帝李适）讨伐的意志坚定（参考七八四年十一月）。后来，削平李怀光，遂用李泌当宰相，单独主持政府数年之久（李泌任相，自七八七年六月至七八九年三月。李德裕以李泌自比）。”李瀍说：“李泌真是奇才！”

19 李瀍听说扬州（江苏省扬州市）酒家女精通“酒令”（饮酒时的一种游戏，由一人担任“令官”，其他饮酒的人都听令行事，如有违失，则受处罚），于是命淮南（总部扬州）监军宦官，遴选十七人送到京师（首都长安）。监军宦官请战区司令官（节度使）杜悰一同遴选，并且更进一步打算扩大到物色良家美女，教她们学习酒令后呈献。杜悰说："是你接到皇上训令，我不敢参与。"监军宦官再三催促，杜悰不理。监军宦官大怒，上疏控告杜悰，李瀍看了后沉默不说话。左右侍从宦官建议应命战区司令官（节度使）参与遴选。李瀍说："命令军事重镇遴选酒女进宫，岂是英明领袖干的事！杜悰不顺从监军宦官行事，保持帝国高官的体统，真是宰相人才，使我惭愧！"立刻下令监军宦官停止遴选。

七月二十三日，擢升杜悰当二级实质宰相（同平章事），兼全国财政及盐铁专卖暨运输总监（兼度支盐铁转运使）。稍后，杜悰进京（首都长安）谢恩，李瀍勉励他说："你不听监军宦官那一套，我知道你有辅佐君王的大志。今天由你当宰相，就好像得到另一个魏徵（魏徵，参考六四三年正月）。"

20 闰七月十一日，命副立法长（中书侍郎）、二级实质宰相（同平章事）李绅，遥兼二级宰相（同平章事，使相），充任淮南战区（总部设扬州〔江苏省扬州市〕）司令官（节度使）。

21 李德裕奏报说："成德（总部镇州）奏事官高迪，秘密陈述两项意见：第一，他指出：'叛军喜爱使用偷兵术，也就是灵活运用兵力，暗中抽调驻防各处的部队，集中力量，向中央军某一个据点，发动猛烈攻击，中央军往往狼狈应战，所以时常失利。过了一两个月，叛军再集中力量攻击另一个地方。中央必须了解这种战术，除非叛军攻击城池堡寨，千万不可跟他们交战，他们最多停留三天，就得解散，各自返防。如果让他们屡次扑空，士气自然低落，然后中央军派出间谍，秘密调查他们从什么地方抽出兵力，乘虚进攻，就不会不传捷报。’第二，‘成德（总部镇州）、魏博（总部魏州）两战区特遣兵团人数虽多，对叛军却不能发生牵制力量，原因何在？在于大营始终没有离开原地，只不过每隔三两个月，派人深入昭义（总部潞州）边境，烧杀抢掠一阵，然后返回。叛军只要坚守城池，任凭城外人民被杀被抢，毫不怜悯。最好是命两特遣兵团大营进入敌境，争城夺地，步步相逼。如果只像现在这种游击战，叛军一点都不放在心上。’请求下诏使各将领了解。”

刘稹最信任的将领之一高文端，归降中央，透露变军占领区缺少粮食，命妇女用手搓碎谷米的外壳，再用石臼捣烂，供应军需（无论稻、麦，连壳捣得再烂，也难以下咽）。李德裕询问他怎样才可以击破变军，高文端说：“中央军如果直攻泽州（山西省晋城市），恐怕死亡惨重，最后还未必攻克。泽州（山西省晋城市）守军大约一万五千人，一大半经常埋伏在四周山谷，准备等中央军攻城筋疲力尽时，从四面八方出动，里外夹击，这种情形下，中央军一定失败。我的建议是，请令忠武（总部许州）特遣兵团渡过乾河（今地不详）后，立刻修筑营寨，用它作为中心，环绕泽州（山西省晋城市）四周，兴建夹城，每天派出大军，保护施工，抵抗变军的外援，变军发现夹城就要衔接，包围就要完成时，一定出动主力决战。等他们战败，然后乘胜攻击，才可以夺取。”李德裕奏请李瀍下诏指示王宰（忠武〔总部许州〕司令官）。

高文端又说：“固镇寨（山西省沁源县西南十五公里）四面全是悬崖绝壁，形势险要，无法攻击，但它的致命伤是寨里没有水源，全城军民，都吃山涧的水，水源在山寨东南约一华里左右。如果命王逢（河东〔总部太原府〕总作战司令）进军逼近，切断水源，用不了三天，叛军非放弃山寨逃走不可，中央军就可以尾追。再前进十五华里到青龙寨（山西省沁源县西），四面也是悬崖绝壁，水源也在山寨外面，可以用同一方法夺取。东面十五华里就到沁州州城（山西省沁源县。沁州属河东战区）。”李德裕奏请下诏指示王逢。

高文端又说：“昭义（总部潞州）总作战官（都头）王钊，率军一万人驻防洺州（河北省邯郸市永年区东南广府镇），刘稹曾屠灭薛茂卿全族，又诛杀邢洺援军作战司令（邢洺救援兵马使）谈朝义三兄弟，王钊惊疑恐惧，心神不安（屠薛茂卿全族事，参考去年〔八四三〕十二月；杀谈朝义事则没有记载）。刘稹派使节召唤他回潞州（山西省长治市），王钊不敢前往，而士卒们喧哗叫闹，跟他采取同一立场，说明王钊绝不会听候刘稹驱使。只因王钊和士卒们的家属，都在潞州（山西省长治市），恐怕如果投降，会被诛杀，所以中央虽然号召，他们却不敢投降。只有一个办法，派人告诉王钊，命他率军倒戈，攻入潞州（山西省长治市）生擒刘稹，在大功告成后，允许他当其他战区司令官，仍有厚重赏赐，或许他可以顺从中央。”李德裕奏请下诏指示何弘敬（何重顺，魏博〔总部魏州〕司令官）派密使告诉王钊。

刘稹年纪还轻，性情懦弱，内营管理官（押牙）王协、侍卫作战司令（宅内兵马使）李士贵当权，专门聚敛财货，仓房金库，都满得要溢出来，可是将士们立功时，却不肯赏赐，因此人人怨恨、军心离散。刘从谏的妻子裴女士，是裴冕后裔孙女（裴冕，参考七六九年十二月），忧虑刘稹难支大局，她的老弟裴问，率军驻防山东（太行山以东三州），打算召唤他回来主持军政。李士贵恐怕裴问回来后剥夺自己的权力，更可能发现自己为非作歹的内幕，于是强调说：“山东（太行山以东）的事，全依靠五舅（裴问在兄弟中排行第五），如果要他回来，是等于放弃三州（山东三州：邢州〔河北省邢台市〕、磁州〔河北省磁县〕、洺州〔河北省邯郸市永年区东南广府镇〕）！”这才停止。

王协推荐王钊当洺州（河北省邯郸市永年区东南广府镇）总作战司令

(洺州都知兵马使)，王钊深得军人拥护，往往不太遵守总部号令，同等官阶的高元武、安玉，宣称王钊已有二心。刘稹召唤王钊回潞州(山西省长治市)，王钊推辞说：“自从到了洺州(河北省邯郸市永年区东南广府镇)，连一点小功都没有，实在惭愧，深感是一件恨事，请求准允我再停留几个月，然后回总部报到。”刘稹同意。

王协建议向商人征收捐税，每一个州派一位将领前去主持。名义上是向商人征税，实际上是调查每家每户的财产，甚至连日常使用的器具都不遗漏，一律折合成绸缎，征收十分之二，而折合时，全用高价评估。人民把不动产卖光，再加上粮食，全部缴纳，仍然不够，人心浮动。

将领刘溪尤其贪婪残暴，前任司令官刘从谏在世时，从来不用他做事。现在，刘溪用大量金银贿赂王协，王协知道邢州(河北省邢台市)富有的商人最多，于是派刘溪前往征收税款。裴问率领的直属部队，称“夜飞兵团”，很多官兵是富商子弟。刘溪到差后，把他们的父兄全部逮捕，要求缴税，将领士卒们向裴问申诉，裴问向刘溪请求宽大处理，刘溪拒绝，并且一派恶言，破口诟骂。裴问大怒，秘密跟部属计划诛杀刘溪，归顺中央，并且征求州长崔嘏的意见，崔嘏赞成。

闰七月二十五日，崔嘏、裴问关闭城门，诛杀城中大将四人，向王元逵(成德〔总部镇州〕司令官)投降。当时，高元武驻守尧山(河北省隆尧县)，听到消息，也向王元逵投降。

之前，昭义(总部潞州)总部特别赏赐给洺州(河北省邯郸市永年区东南广府镇)将领士卒，每人棉布四匹，不久，又有命令规定转作冬季赏赐，那就是说，冬季不再有赏赐。正巧征税将领抵达洺州(河北省邯郸市永年区东南广府镇)，王钊利用军心不满，告诉士卒们说：“候补司令官（留后刘稹）年纪幼小，政令不由自己做主。现在仓库满盈，粮食绸缎足可支持十年，为什么不肯稍为发放一点，慰劳生活艰苦的战士？总部命令，不应该执行。”于是自作主张，打开仓库，发给士卒每人绢（粗丝厚绸）一匹，谷米十二石，全军一片欢呼。王钊下令关闭城门，向何弘敬（何重顺，魏博〔总部魏州〕司令官）投降。安玉在磁州（河北省磁县），听说二州投降，也向何弘敬（何重顺）投降。尧山（河北省隆尧县）总作战司令（尧山都知兵马使）魏元谈等则投降王元逵（成德〔总部镇州〕司令官），王元逵因对尧山作长久攻击不能攻克，老羞成怒，于是把魏元谈等全部诛杀。

八月十一日，成德（总部镇州）、魏博（总部魏州）分别奏报说：邢州（河北省邢台市）、洺州（河北省邯郸市永年区东南广府镇）、磁州（河北省磁县）归降中央，宰相们进宫向皇帝祝贺。李德裕说：“昭义（总部潞州）的根基全在山东（太行山以东），山东三州投降，上党（潞州州政府所在县，山西省长治市）用不了几天就会发生变化。”李瀍说：“郭谊一定砍下刘稹的人头，用来赎自己的罪。”李德裕说：“一切都在英明领袖预料之中。”李瀍说：“现在我们先要做什么事？”李德裕推荐任命御前监督官（给事中）卢弘止当山东三州候补司令官（三州留后）；解释说：“万一成德（总部镇州）、魏博（总部魏州）现在要求合并三州，中央答应也不是，拒绝也不是！”李瀍接受，下诏命山南东道战区（总部设襄州〔湖北省襄阳市〕）兼昭义战区（总部潞州）司令官（节度使）卢钧，乘驿马车前往昭义（总部潞州）到差（卢钧刚上任昭义慰劳安抚特使，参考去年〔八四三〕七月；当是后来再兼任战区司令官）。

潞州（昭义战区总部所在州，山西省长治市）变军听到山东三州归降中央消息，如雷轰顶，大为恐惧。刘稹最宠信的心腹将领郭谊、王协，密谋诛杀刘稹，用他们过去誓死拥护的领袖的鲜血，来拯救自己生命。刘稹的堂兄、侍卫军基地司令（中军使）刘匡周，兼任内营管理官（兼押牙），郭谊担心他从中阻碍，于是报告刘稹说："十三郎（刘匡周在兄弟群中排行十三）一直驻守深宅内院，各将领进见大帅时，不敢放胆直言，深怕十三郎怀疑，受到处罚，正因为如此，才丧失山东（太行山以东）。现在只要十三郎不再进入官邸，将领们才敢开诚布公，有什么说什么。倾听大家的意见，必定可以找到良好的策略。"刘稹召见刘匡周，把这话告诉他，让他声称有病，不再进来。刘匡周悲愤说："我身在官邸，他们才不敢使坏主意，一旦离开，全家必被屠灭！"刘稹坚决要求，刘匡周无可奈何，手指相弹，叹息退出。

郭谊命刘稹的亲信、作战司令（兵马使）董可武，向刘稹献策，说："山东（太行山以东）的背叛，都是五舅（裴问）引起，城里的人谁又敢担保谁不变心？大帅有什么打算？"刘稹说："现在城里武装部队，还有五万人，最好是关闭城门，严守城池。"董可武说："这不是好办法，最好的办法是，大帅不如单人匹马，前往中央朝见，像当年张元益（参考八三八年十一月）一样，至少还可以当一个州长。大帅不妨先命郭谊当候补司令官（留后），等到中央的任命状发下的那天，再从容侍奉太夫人（刘从谏的妻子裴女士）跟大帅全家，运送金银绸缎，回到东都（洛阳），岂不更好！"刘稹说："郭谊怎么肯这样善待？"董可武说："我跟他对天盟下重誓，他绝不会辜负大帅！"于是带郭谊进来，刘稹跟郭谊再秘密约定，然后进内宅报告娘亲（应是伯母），裴女士说："能回中央，当然最好不过，只恐怕为时已晚。我连我弟弟都不敢保证他不背叛，怎么敢保证郭谊？你自己拿定主意！"刘稹遂身穿丧服出来，以娘亲（伯母）的名义，任命郭谊当总作战司令（都知兵马使）。王协已先下令各将领在外厅集合，郭谊叩谢刘稹后，到外厅和各将领见面，刘稹回到内宅整理行装。侍卫作战司令（宅内兵马使）李士贵得到消息，率侍卫亲军数千人，攻击郭谊，郭谊大声对那些士卒喝责说：“你们为什么不自己去拿赏金，竟然打算跟李士贵同死！”士卒们遂退出来，共同击杀李士贵。郭谊把他信任的人安置在重要岗位上，派兵调将一个晚上，局势完全控制。

明天（八月十二日），郭谊派董可武到内宅晋见刘稹，说：“请到前厅讨论公事。”刘稹说：“为什么不现在就说！”董可武说：“恐怕惊动太夫人（裴女士）！”遂引导刘稹步行出内宅大门，前往官邸北院，早已摆下宴席，大家入座饮酒寻乐，一团欢欣。等到酒过三巡，董可武说：“今天的事，是我们想保护太尉（刘悟逝世后赠官太尉）全家，请大帅自己了断，中央一定会怜悯宽恕！”刘稹悲哀的说：“你的话正是我的心愿！”董可武遂上前抓住刘稹的手，崔玄度在后面砍下刘稹的头。于是下令逮捕刘稹的家族，从刘匡周以下，直到怀抱中的婴儿，全部诛杀，没有一个人幸免（刘悟于八二〇年移镇昭义〔总部潞州〕，传刘从谏、刘稹，割据二十五年，三世而灭）。又屠灭刘从谏父子所尊敬厚待的一批知识分子：张谷、陈扬庭、李仲京、郭台、王羽、韩茂章、韩茂实、王渥、贾庠等十二家，连他们的儿子、侄儿、外甥、女婿，毫无遗漏。李仲京，是李训（李仲言）的老哥。郭台，是郭行余的儿子。王羽，是王涯的族孙。韩茂章、韩茂实，是韩约的儿子。王渥，是王璠的儿子。贾庠，是贾餗的儿子。甘露事变（参考八三五年十一月）后，李仲京等逃奔刘从谏，刘从谏对他们安抚供养。郭谊军中袍泽，凡跟他有一点小恩怨的，无不一一报复。郭谊每天都有诛杀，血流街道，和尘土混合，成为血泥。于是把刘稹的人头装到木匣里，派使节携带降表及书信，呈送王宰（忠武〔总部许州〕司令

九世纪·八四三年五月至八四四年八月

中央讨伐昭义战区

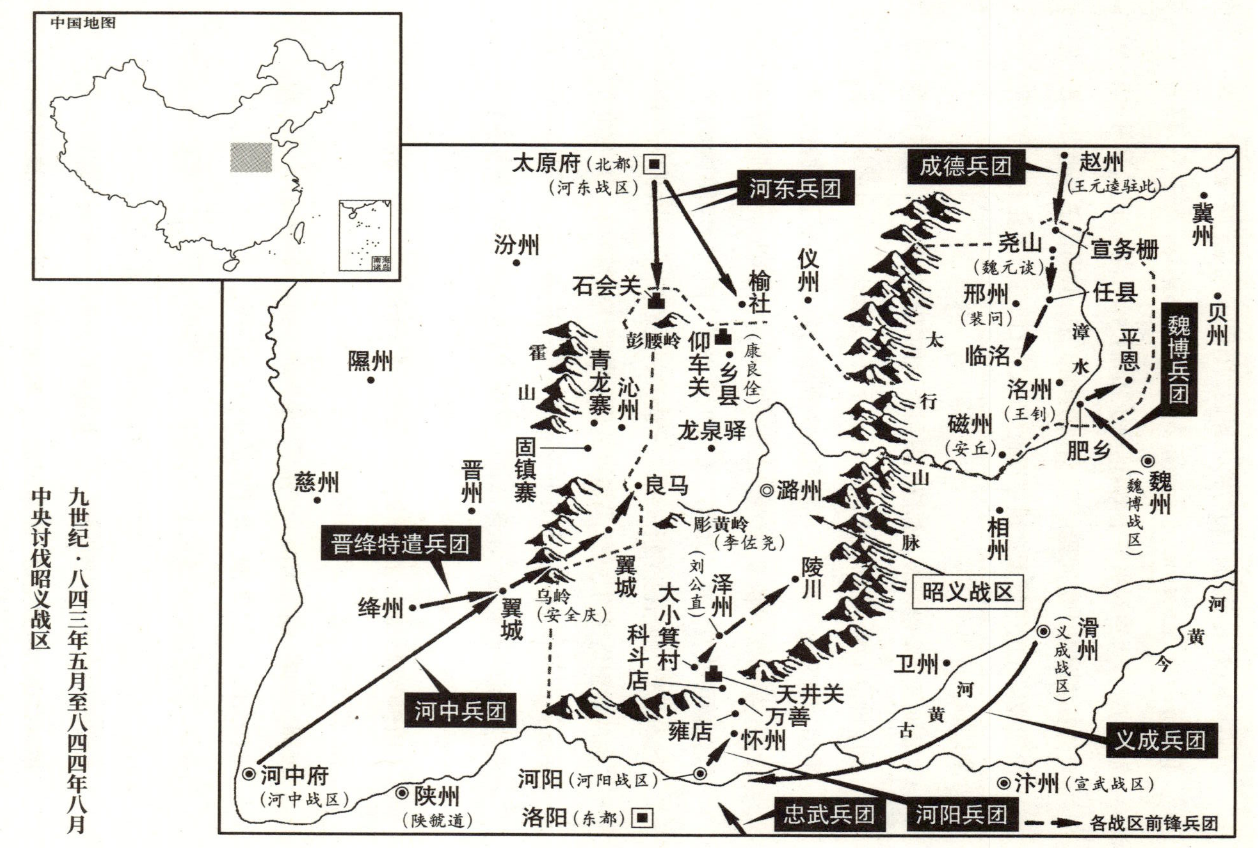

官)。刘稹人头路过泽州(山西省晋城市)时,刘公直全营恸哭,也投降王宰。

八月十五日,王宰上疏奏报。

八月十六日,宰相们进宫向李瀍祝贺。李德裕奏报说:“现在不需要再设置邢洺磁候补司令官(留后)了,只须派卢弘止前往三州,以及成德(总部镇州)、魏博(总部魏州)二战区安抚慰劳。”李瀍说:“应该怎么处置郭谊?”李德裕说:“刘稹只不过一个痴呆小娃,发动兵变,反抗中央,都是郭谊的阴谋,等到气势衰退,孤立无援时,又出卖刘稹,换取自己的荣华富贵,这种人如果不杀,还谈什么惩罚罪恶?最好趁着中央军仍留昭义(总部潞州),把郭谊和他的同党一并铲除。”李瀍说:“我的意思也是这样。”于是下诏命石雄率七千人进入潞州(山西省长治市),用以应验从前的民谣(参考去年〔八四三〕十月)。宰相杜悰因军粮供应不足,认为郭谊等可以赦免,李瀍不悦的瞅着杜悰,不说一句话。李德裕说:“今年(八四四)春季,昭义(总部潞州)变军还没有消灭,河东(总部太原府)又发生骚动,如果不是陛下的决断坚定,两地叛徒怎么可能消灭?政府官员们认为,如果换了文宗(十七任帝李昂),早就赦免!”李瀍说:“你难道没有发现,文宗(十七任帝李昂)跟你的见解不同,怎么能够沟通(李昂开始厌恶李德裕,参考八三四年八月)!”免除卢钧的山南东道战区(总部设襄州〔湖北省襄阳市〕)司令官(节度使)职务,专任昭义战区(总部设潞州〔山西省长治市〕)司令官(节度使)。

八月十八日,刘稹人头送到京师(首都长安)。李瀍下诏说:“昭义战区(总部设潞州〔山西省长治市〕)所辖的五个州(潞州、泽州、邢州、磁州、洺州),一律免除田赋捐税一年,凡军队所经过的州县,免除本年(八四四)秋季田赋捐税。昭义(总部潞州)自从刘从谏以来,强行增加赋税，聚敛钱财，现在全部免除（刘从谏征收马税、营业税，专卖盐、铁，参考去年〔八四三〕四月）。所集结的民众自卫队士卒，一律遣散回家务农。各战区有功将士，依照等级赏赐。” 626

郭谊诛杀刘稹后，每天都盼望中央发下战区司令官（节度使）符节印信。很久没有音讯，自己解释说：“一定是改调别的战区。”于是检查马匹辔鞍，整理行装。忽然听到石雄要来消息，觉得不对劲，开始恐惧，脸色大变。石雄抵达后，郭谊等参见祝贺，钦差宦官张仲清说：“郭谊的任命状明后天才到，其他高级文武官员的任命状现在这里，晚会参拜时前来领取。”（唐王朝地方政府早晚各举行一次集会，将领士卒全体出席。）此时石雄率领的河中（总部河中府）特遣兵团，已环绕球场完成包围。晚会开始，郭谊等抵达，石雄一个个点名引进，于是连同一向桀骜不驯、反抗中央的将领，全部逮捕，押送京师（首都长安）。

中央命魏博战区（总部设魏州〔河北省大名县〕）司令官（节度使）何弘敬（何重顺），遥兼二级宰相（同平章事，使相）。

八月二十七日，诏书下达，命挖出刘从谏的尸体，放到潞州（山西省长治市）街头，任由人民参观三天。然后，石雄把尸体拖到球场，用刀砍成数段，再把骨骼锉碎。

八月二十八日，加授李德裕：太尉（三公之一），封赵国公爵；李德裕坚决辞让，李瀍说：“只恨没有更高的官爵赏你，你如果不应该升官封爵，我一定不会给你。”

最初，李德裕指出：“自从韩全义淮西（总部蔡州）溃散以来（参考八〇〇年五月），中央大军出征，总是失败，原因有三：其一，最高领袖直接指挥作战，所颁布的命令，每天有三四次之多，宰相多不知道内容。其二，除了最高领袖直接指挥作战外，监军宦官各凭自己的意见，也直接指挥作战，真正的军事将领，反而不能发号施令。其三，每支军队都有监军宦官，监军宦官常挑选最骁勇的战士数百人，做自己的卫队；于是真正从事战斗的野战军士卒，都是老弱残兵。监军宦官另有他的军令旗帜，每次会战，都在卫队严密保护下，骑在马上、站在高岗上观战，一看稍稍失利，立刻拔旗先逃，全军遂跟着崩溃！”李德裕乃跟宫廷机要室主任宦官（枢密使）杨钦义、刘行深沟通，由皇帝训令各监军宦官，一律不准干预军政，士卒一千人中，监军宦官可挑选十人充当卫士，部队有功时，他们随惯例接受赏赐。两位机要室主任宦官（枢密使）都同意这种做法，奏报李瀍批准实施。从对付回鹘残军，到昭义（总部潞州）战乱平息，都遵守这项规定。除非宰相联合办公厅（中书）建议下诏，再没有皇帝直接下诏的现象。号令简单明了，将领们才有实施谋略的空间，所以能建一连串功业。

自从讨伐开始，河北三镇（卢龙〔总部幽州〕、成德〔总部镇州〕、魏博〔总部魏州〕）派到中央的使节，抵达京师（首都长安）后，李德裕总是告诉他们说：“河朔（河北平原）军事力量虽然强大，但不能离开中央而独立，必须借中央的官爵威严，才能安定军心。回去报告你的司令官，与其辛辛苦苦发动将领胁迫钦差宦官，要求中央任官封爵，为什么不奋勇杀敌，自己建立丰功伟业，使英明领袖对自己赏赐，让中央主动下达恩典，岂不是最大光荣！而且，我们亲眼看到：卢龙（总部幽州）李载义，效忠中央，讨伐横海（总部沧州）变军（参考八二九年四月），后来被本军驱逐，中央仍然任命他当战区司令官（参考八三一年四月二十一日），后来转任河东（总部太原府），高升宰相（参考八三三年六月）。而杨志诚派他的大将拦截钦差宦官，要求中央任命（参考八三三年三月），后来也被本军驱逐（参考八三四年十月），中央并不赦免他的罪行。

这两个人的祸福，足够你们参考。”李德裕把这段话奏报李瀍，李瀍说：“本来就应该如此明白的告诉他们！”因此，河北三镇不敢心怀二意。

22 九月，李瀍下诏，把泽州（山西省晋城市）划归河阳战区（总部设孟州〔河南省孟州市〕。此乃李德裕的建议，参考去年〔八四三〕九月二十日）。

23 九月七日，新任昭义战区（总部设潞州〔山西省长治市〕）司令官（节度使）卢钧，进入潞州（山西省长治市）。卢钧待人一向宽厚，对士民十分爱护，刘稹割据时，卢钧已兼任昭义（总部潞州）司令官（节度使），山南东道（总部襄州）特遣兵团跟昭义（总部潞州）变军作战，阵地对峙时，就常宣扬卢钧的美德。而今，卢钧到任，进入天井关（山西省晋城市东南），昭义（总部潞州）的散兵游勇向他归降的，卢钧都特别优待，人心和谐，社会秩序完全恢复。

刘稹的部将郭谊、王协、刘公直、安全庆、李道德、李佐尧、刘武德、董可武等，抵达京师（首都长安），全部斩首。

司马光曰 董重质在淮西（总部蔡州），郭谊在昭义（总部潞州）；吴元济、刘稹二人好像演艺人员手里的木偶。董重质、郭谊最初鼓励别人叛乱，最后则卖主求荣，即令处死，仍有余罪。然而，李纯（十四任帝宪宗）用董重质于先（事实上是李愬力保他一命，参考八一七年十二月），李瀍（十八任帝武宗）杀郭谊于后，我愚昧的认为，处理都有错误。为什么？奖赏奸邪，不留公义；诛杀降人，不符诚信。失去公义和诚信，怎么能够立国！从前，刘秀（东汉王朝一任帝）对待王郎、刘盆子，不把他们处死，知道他们除非是力量枯竭，绝不会投降（王郎〔刘子舆〕最后被刘秀军队捕获斩首，参考二四年五月；赤眉汉帝刘盆子则能善终，参考二七年二月）。樊崇、徐宣、王元、牛邯之辈，岂不都是煽动叛乱的人（樊崇、徐宣拥立刘盆子，参考二五年六月；王元建议隗嚣扩张领土，参考二九年十二月；牛邯建议隗嚣抵抗东汉政府，参考三〇年四月）？而刘秀并没有把他们诛杀，只因既然接受他们投降，就不可以再把他们处死。如果已经赦免而又逃亡，继续叛乱，再处死刑，当然合理。像郭谊等这些人，饶他们一死，而流放到边远地方，终生不让他们回来，已经足够。把他们诛杀，就不应该。

24 王羽、贾庠等已被郭谊处死。李德裕再下诏说："逆贼王涯、贾餗等的子孙，已在昭义（总部潞州）诛杀，特此宣告中外皆知！"引起有见识人士的反感（李德裕痛恨他的对手，连对手的子孙都不放过）。刘从谏的妻子裴女士，也命她自杀。李德裕又命昭义（总部潞州）投降过来的将领李丕、高文端、王钊等，上疏检举昭义（总部潞州）将士中刘稹的党羽，全部诛杀，死者众多。战区司令官（节度使）卢钧怀疑其中定有冤枉，杀戮太滥，上疏请求从宽发落。李德裕不准。

昭义（总部潞州）辖区内城镇，曾经有人对成德战区（总部设镇州〔河北省正定县〕）司令官（节度使）王元逵无礼冒犯过，王元逵找到二十余人，全部斩首。昭义（总部潞州）其余部众大为恐惧，再度紧闭城门抵抗。

九月十八日，李德裕等奏报说："盗匪既已削平，城镇都是帝国城镇，怎么可以允许王元逵发动战争！希望派宦官携带颁发给城里将士们的训令，前往安抚慰问。同时下诏命王元逵率军返防，另命卢钧自行派使节前去处理。"李瀍接受。

九月二十五日，李德裕等请求呈献给皇帝尊贵的绰号，说：

“自古以来，帝王建立大功，都要禀告天地神灵。又宣懿太后（李瀍的娘亲韦女士）牌位送进皇家祖庙，陛下并没有亲自前往叩谒。”李瀍一惊说：“祭祀天地神灵及皇家祖庙的大礼，应该立刻施行。至于美名，我不敢当。”李德裕等一连呈递五次奏章，李瀍才允许。

25 李德裕奏报说：“根据卢龙战区（总部设幽州〔北京市〕）奏事官说：情报显示，回鹘流亡政府上下离心，势将消灭，乌介可汗（十五任大可汗）药罗葛乌希打算前往安西（新疆库车市），其他部落因为亲戚很多已归降唐王朝，所以希望前往唐王朝。同时，他们跟室韦部落（内蒙古东北部）感情破裂，无地容身，预料用不了多少日子，就会归降，或者自相残杀，亡国灭种。我建议派有胆识、有见解的宦官，送交张仲武（卢龙〔总部幽州〕司令官）一道诏书，告诉他成德（总部镇州）、魏博（总部魏州）已削平昭义（总部潞州）叛乱，只差回鹘还没有灭绝，张仲武此时仍有‘北方征剿司令’（北面招讨使）官衔（前称东翼招安回鹘特使〔东面招抚回鹘使〕，参考前年〔八四二〕九月），应想到早日立功。”

26 李德裕深恨太子太傅（太子三师之二）东都洛阳留守长官牛僧孺，以及湖州（浙江省湖州市）州长李宗闵，遂奏报李瀍说：“刘从谏盘踞上党（潞州州政府所在县，山西省长治市）十年，八三二年前来中央朝见时，牛僧孺、李宗闵当权执政，不但不把他扣留，反而加授宰相高位（参考八三三年正月），终于养成今天的大患。竭尽全国的人力物力，才把他克制，追根溯源，都是二人的罪行。”李德裕又派人前往潞州（山西省长治市）搜索征求牛僧孺、李宗闵跟刘从谏交结的书信，却找不到，于是命文书员（孔目官）郑庆供称："刘从谏每接到牛僧孺、李宗闵的函件，都于阅读后焚毁。"于是诏书颁下，命郑庆前来京师（首都长安）向总监察署（御史台）投案，接受调查审问。副总监察官（御史中丞）李回，主任监察官（知杂）郑亚，认为郑庆口供确实，可以采信。东都洛阳特别市副市长（河南少尹）吕述，更写信给李德裕，强调说："刘稹失败消息传来的时候，牛僧孺曾经发出一声叹息。"李德裕把吕述的信奏报给李瀍。李瀍大发雷霆，贬牛僧孺当太子太保（太子三师之三）、东都洛阳办公；贬李宗闵当漳州（福建省漳州市）州长。

冬季，十月九日（原文误置于九月），再贬牛僧孺当汀州（福建省长汀县）州长，李宗闵当漳州（福建省漳州市）政务秘书长（长史）。

27 李瀍前往鄠县（陕西省西安市鄠邑区）打猎。

28 十一月，再贬牛僧孺当循州（广东省惠州市）政务秘书长（长史），李宗闵终身流放封州（广东省封开县）。

29 十二月，调忠武战区（总部设许州〔河南省许昌市〕）司令官（节度使）王宰，当河东战区（总部设太原府〔山西省太原市〕）司令官（节度使）。调河中战区（总部设河中府〔山西省永济市〕）司令官（节度使）石雄，当河阳战区（总部设孟州〔河南省孟州市〕）司令官（节度使）。

30 李瀍前往云阳（陕西省泾阳县北云阳镇）打猎。

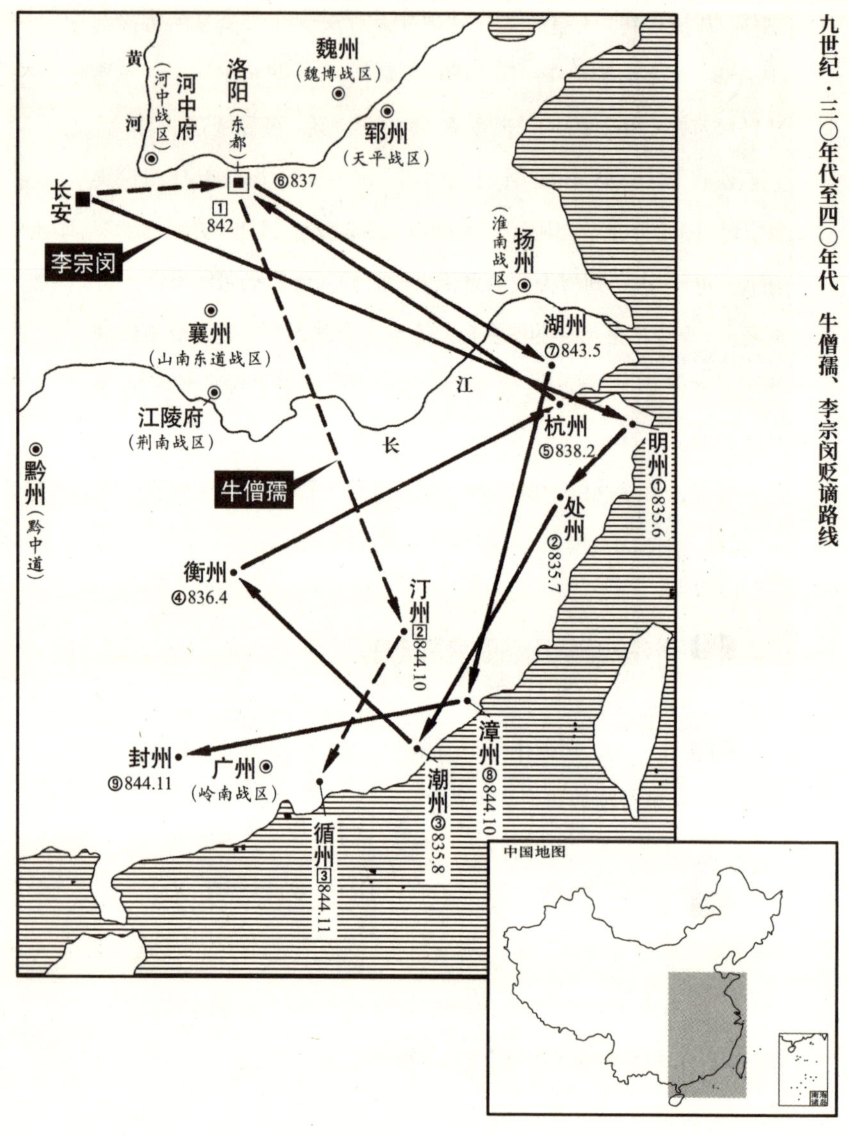

九世纪·三〇年代至四〇年代 牛僧孺、李宗闵贬谪路线

唐　会昌　五年

1 春季，正月一日，唐王朝（首都长安〔陕西省西安市〕）文武百官，向皇帝（十八任武宗）李瀍（本年三十二岁）呈献尊贵绰号：仁圣文武章天成功神德明道大孝皇帝，原文中本来没有“道”字，李瀍命加上去。

正月二日，李瀍前往皇家祖庙（太庙）祭祀。

正月三日，李瀍祭祀昊天上帝，赦免天下。

2 李瀍命在京师（首都长安）南郊兴筑望仙台。

3 正月十二日，义安太后王女士逝世（义安太后，是十五任帝李恒的妻子、十六任帝李湛的娘亲，参考八二四年二月。是现任〔十八〕帝李瀍的庶母，原称宝历太后，因住义安殿，改称义安太后）。

4 命皇家图书院院长（秘书监）卢弘宣，当义武战区（总部设定州〔河北省定州市〕）司令官（节度使）。卢弘宣性情宽厚，但精明干练，没有人敢对他欺骗，处理行政事务，简明扼要，部属和人民都感到十分便利。河北（黄河以北）各战区执法森严，军营中两个人以上在一起谈话，一律斩首（军阀割据，唯恐部属聚谋反叛，所以采取恐怖统治）。卢弘宣到差后，废除这项苛法。中央赏赐粟米三十万斛，而粮仓位于飞狐（河北省涞源县）以西，计算运费开支，远超过粮价（飞狐是蔚州〔河北省蔚县〕属县，飞狐以西，是河东战区〔总部太原府〕辖境）。卢弘宣先派官员前往看守，等待机会。正逢春季天旱，农民歉收，卢弘宣命军民人等随自己的需要前往搬运，约定秋季庄稼收获后偿还，于是粟米全部运回战区境内。当时成德（总部镇州）、魏博（总部魏州）都发生饥荒，只义武（总部定州）安全度过，没有受到伤害。

5 淮南战区（总部设扬州〔江苏省扬州市〕）司令官（节度使）李绅，弹劾江都（扬州州政府所在县，江苏省扬州市）县长吴湘：盗用出差粮票代金（程粮钱）及强娶管区内平民颜悦的女儿，颜家馈赠的嫁妆，事实上是送给吴湘的变相贿赂。所犯罪状，依法应处死刑。吴湘，是吴武陵的侄儿（吴武陵拒吴元济事，参考八一五年十一月）。李德裕一向讨厌吴武陵，人们都认为吴湘冤枉，负责谏诤的官员也请求另派官员重审。李瀍下诏派行政监察官（监察御史）崔元藻、李稠，前往复查，二人回京（首都长安）后奏报说："吴湘盗卖出差粮票代金（程粮钱），确有其事。但颜悦本是衢州（浙江省衢州市）人，曾当过平卢战区（总部设青州〔山东省青州市〕）大营侍卫官（牙推），妻子出身知识分子世家，跟李绅认定的犯罪事实不符。"李德裕认为模棱两可（事情说得如此清楚，怎么能叫"模棱两可"？这是一种"只管抛帽不管头"的酷吏手段）。

二月，贬崔元藻当端州（广东省肇庆市）户籍官（司户）、李稠当汀州（福建省长汀县）户籍官（司户）。不再派人复查，也不移送司法机关重审，就批准李绅奏章，斩吴湘。监督院高级顾问官（谏议大夫）柳仲郢、敬晦（敬，姓），都上疏抗争，李瀍不理。李稠，是晋江（泉州州政府所在县，福建省泉州市）人。敬晦，是敬昕的老弟（敬昕，参考八四〇年八月）。

6 李德裕命柳仲郢当首都长安特别市长（京兆尹）。

柳仲郢跟牛僧孺友善，对这项任命，大感意外，向李德裕道谢说："想不到你对我如此提拔奖励；感恩报德，不敢亚于我对牛僧孺先生！"李德裕不认为柳仲郢对自己冒犯。

7 夏季，四月二十六日，命陕虢道（首府设陕州〔河南省三门峡市〕）行政长官（观察使）李拭，当"册封黠戛斯可汗特使"。

8 五月十六日，李瀍把庶母恭僖皇后（义安太后王女士）安葬在光陵（十五任帝李恒墓园，陕西省蒲城县北尧山）围墙之外。

9 副监督长（门下侍郎）、二级实质宰相（同平章事）杜悰免职，改任国务院右最高执行长（右仆射）；副立法长（中书侍郎）、二级实质宰相（同平章事）崔铉免职，改任国务院财政部长（户部尚书）。

五月十九日，擢升国务院财政部副部长（户部侍郎）李回当副立法长（中书侍郎）、二级实质宰相（同平章事），依旧主持财政部税务司（判户部）事务，跟从前一样（十七任帝李昂时，一度免除宰相兼任财政职务，参考八二九年十月，但不久后已恢复旧状）。

10 国务院教育部祭祀司（祠部）奏报说，统计全国寺庙共四千六百座、道场四万所、和尚及尼姑二十六万五百人。

11 李瀍下诏册封黠戛斯汗国（瀚海沙漠群）可汗：宗英雄武诚明可汗。

12 秋季，七月一日，日蚀。

13 李瀍对佛教和尚尼姑，不从事生产，只会消耗的现象，十分痛恨，打算彻底清除。道教道士赵归真等又排斥佛教，更为火上加油，李瀍遂训令全国，命先拆毁山野荒田中的寺院及修行道场，首都长安、东都洛阳两条街上，只准各留两座寺庙，每座寺庙留和尚三十人。规定各战区总部及各道首府所在州县以及同州（陕西省大荔县）、华州（陕西省渭南市华州区）、商州（陕西省商洛市商州区）、汝州（河南省汝州市），各留一座寺庙。寺庙分三等，上等留和尚二十人，中等留和尚十人、下等留和尚五人。其余的和尚尼姑，以及其他宗教、诸如祆教（拜火教。祆，音xiān〔仙〕）的僧侣，一律还俗（祆教，参考八〇六年十一月）。凡在保留名单之外的寺庙，应立下期限，由所在地方政府拆除，并派监察官（御史）分别前往各地视察督导。寺庙所有的财产田宅，全由政府没收。拆除下来的土木建材，用来修筑政府机关及驿马车站宾馆；铜像及钟磬之类，则熔化铸钱（三武之祸之三）。

14 擢升山南东道战区（总部设襄州〔湖北省襄阳市〕）司令官（节度使）郑肃，当国务院摄理右最高执行长（检校右仆射）、二级实质宰相（同平章事）。

15 李瀍下诏命昭义战区（总部设潞州〔山西省长治市〕）派骑兵五百人、步兵一千五百人，前往振武战区（总部设安北府〔内蒙古和林格尔县〕）协防。战区司令官（节度使）卢钧出城到裴村（长治市西北二公里）给他们饯行。昭义（总部潞州）士卒一向骄傲凶悍，不愿长程跋涉（潞州与安北府航空距离五百公里），于是几杯老酒下肚，挥转军旗，回军潞州（山西省长治市），关闭城门，高声呐喊呼叫，卢钧无法控制，逃奔潞城（山西省长治市潞城区）躲避。监军宦官王惟直亲自出面向变军解释，变军把他围起来痛揍，伤势严重，十天后逝世。李德裕上疏说："我建议下令河东战区（总部设太原府〔山西省太原市〕）司令官（节度使）王宰，派步骑兵一千人进驻石会关（山西省榆社县西），三千人穿过仪州（山西省左权县），进驻武安（河北省武安市），切断变军与邢州（河北省邢台市）、洺州（河北省邯郸市永年区东南广府镇）的联络（前往武安之军队，应是从峻极关〔山西省左权县东南〕穿过太行山）。再命河阳战区（总部设孟州〔河南省孟州市〕）司令官（节度使）石雄，率军进驻泽州（山西省晋城市）；河中战区（总部设河中府〔山西省永济市〕）司令官（节度使）韦恭甫，派步骑兵一千人进驻晋州（山西省临汾市）。四面八方阻截下，盗贼毫无作为。"李瀍全部批准。

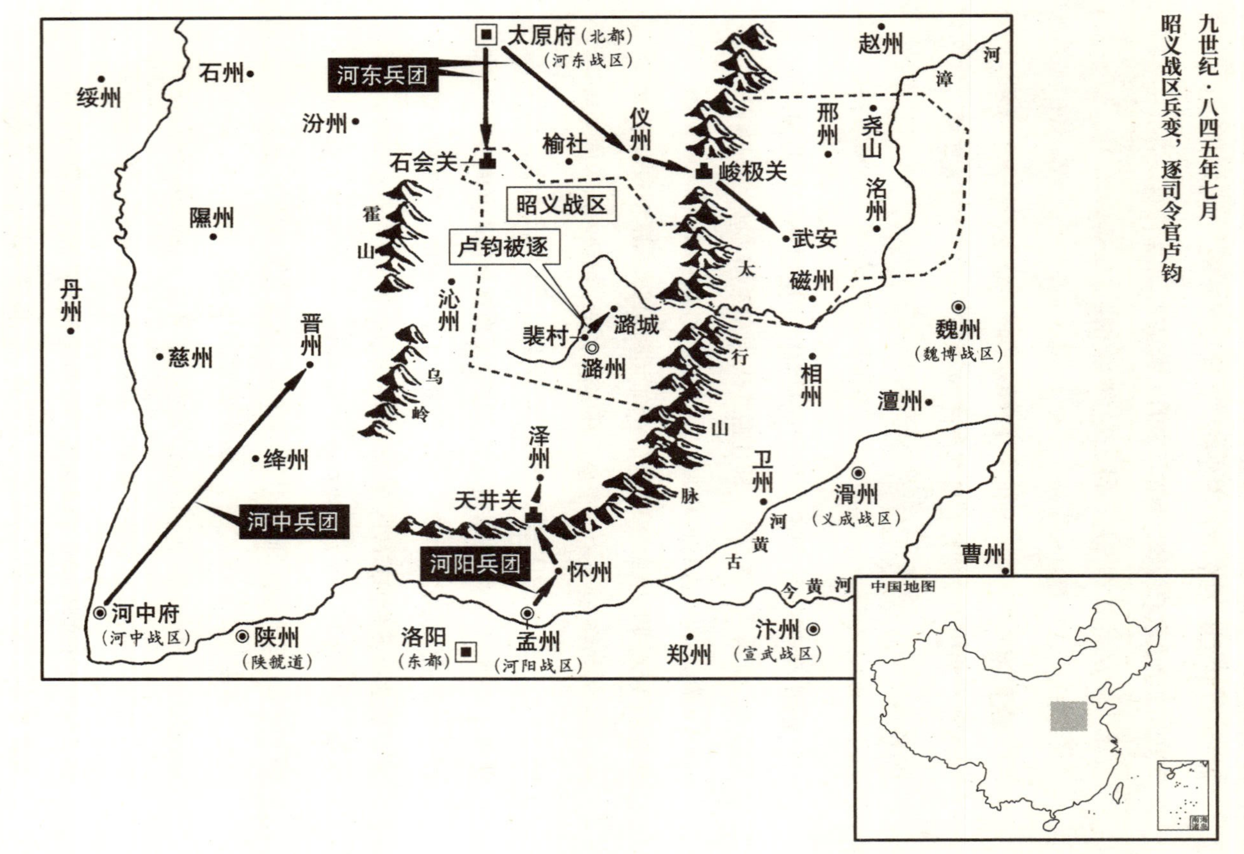

九世纪·八四五年七月
昭义战区兵变，逐司令官卢钧

16 八月，李德裕等奏报说："东都（洛阳，河南省洛阳市）皇家祖庙的二十六个牌位，仍贮藏在太微宫一间小屋子里（七世纪九〇年代，南周王朝成立，一任帝武曌建武姓皇家祖庙。八世纪〇〇年代中叶，唐王朝恢复，六任帝李显把武姓皇家祖庙改来供奉李虎〔一任帝李渊的祖父〕以下历代皇帝的牌位。安禄山攻陷洛阳，把历代皇帝牌位全部扔掉，改作马厩。祭祀部御用作曲官〔协律郎，正八品上〕严郢把它们捡起来收藏。史思明攻陷洛阳时，这些牌位再度失散，史思明失败后，东都留守长官卢正己再把它们搜集回来，但庙已焚毁，只好暂时寄存太微宫〔七四二年，九任帝李隆基把玄元皇帝庙〔李耳庙〕，改称太微宫〕），请准许移用寺庙拆下来的土木建材，重整东都（洛阳）皇家祖庙。"

17 八月七日，李瀍下诏斥责佛教的弊端，正式向全国宣告："已经拆毁寺庙四千六百余座，还俗的和尚尼姑二十六万五百人，还俗的祆教僧侣二千余人，废除修行道场四万余所，没收肥沃农田数千万顷（一百亩为一顷），解放奴婢十五万人。仍留下来的和尚尼姑，改由国务院教育部礼宾司（主客）辅导，不再由祭祀司（祠部）管辖。"文武百官纷纷上疏祝贺。

不久，李瀍又命东都洛阳只准留和尚二十人，各战区道原留二十人的，减少一半，原留十人的，减少为三人，原留五人的，完全不留。

五台山（山西省五台县东北）寺庙和尚很多逃亡幽州（北京市），李德裕召见卢龙战区（总部设幽州〔北京市〕）派到京师（首都长安）的奏事官，告诉他说："马上报告你们司令官（节度使张仲武）：五台山和尚当将领一定不如幽州（北京市）将领，当士卒也一定不如幽州士卒，为什么落一个包庇逃犯的名声，供给别人攻击你们的借口？难道看不见刘从谏这些年来，招降纳叛，集结无数游手好闲的人，对他有什么好处！”张仲武交给居庸关（北京市昌平区西北）守将两把大刀，说：“发现游方和尚入境，把他们立刻斩首！”

国务院教育部礼宾司长（主客郎中）韦博认为：事情不可以太过极端！李德裕大不高兴，外调他当朔方战区（总部设灵州〔宁夏灵武市〕）副司令官（节度副使）。

18 昭义（总部潞州）变军拥护总作战司令（都将）李文矩当战区司令官（节度使），李文矩不接受，变军也不敢对他伤害。后来，李文矩慢慢分析祸福，变军头脑冷静下来，开始后悔，逐渐改变态度，于是派人前往潞城（山西省长治市潞城区），向战区司令官（节度使）卢钧请求宽恕。卢钧遂得以返回上党（潞州州政府所在县，山西省长治市），仍派变军前往振武战区（总部设安北府〔内蒙古和林格尔县〕）。变军整队北上，走了一个驿程（唐王朝制度，一个驿程三十华里，设一驿马车站），卢钧秘密派军追赶。明天，在太平驿（潞州〔山西省长治市〕北六十华里）追及，把变军全部屠杀。奏报中央，请求撤出河东（总部太原府）、河阳（总部孟州）已进入昭义战区（总部潞州）境内的特遣兵团；李瀍接受。

19 九月，李瀍下诏修筑东都洛阳皇家祖庙（太庙）。

20 李德裕建议设立“边防金库”（备边库），命国务院财政部（户部）每年拨付专款钱十二万串、绸缎十二万匹；全国财政及盐铁专卖暨运输总监（度支盐铁）每年也拨付专款钱十二万串、绸缎十二万匹；第二年则减少三分之一。凡地方政府所呈献的劳军金钱和财货，都送“边防金库”，由国务院财政部会计司长（度支郎中）主持。

21 李瀍的小老婆王才人（才人，小老婆群第十一级，正四品），在后宫中最受宠爱。李瀍打算封她当皇后。李德裕因王才人出身贫寒之家，又没有生儿子，恐怕不符合人们的盼望，坚决反对，李瀍才停止。

22 李瀍服用法术师所炼的仙丹妙药，性情更加峻急烦躁，喜怒无常。

冬季，十月，李瀍询问李德裕外面的事情，李德裕回答说："陛下所作的严厉决断，变化难测，政府所有官员，都十分惊慌恐惧。前些时，盗贼叛逆横行残暴，固应该显示严厉，用以服众。而今天下太平，希望陛下对事宽厚。宽厚的意义是：受到处罚的人没有怨恨，奉公守法做善事的人没有惊扰。"

23 李瀍任命衡山（南岳，湖南省衡山县西）道士刘玄静，当银青光禄大夫（文散官五级，从三品），兼宗教研究官（崇玄馆学士），绰号广成先生。为他特别整修宗教管理局（崇玄馆），设置官吏，铸造印信。刘玄静坚决辞让，请求返回衡山，李瀍允许。

24 李德裕当权的日子太久，不能大公无私的处理事情，而只看自己的爱憎，痛恨他的人越来越多。自从杜悰、崔铉被免除宰相（参考本年〔八四五〕五月），宦官和皇帝的左右侍从，都攻击李德裕过分专断蛮横，李瀍对他也很不高兴。御前监督官（给事中）韦弘质上疏，指出宰相权力太大，不应该再兼管全国钱粮（参考本年〔八四五〕五月）。李德裕争辩说："委任官员，分别职责，是领袖的权柄。韦弘质被人利用，挑拨是非，正是所谓'卑贱的部属，企图排斥身负国家重任的高官。’（《左传》前五〇七年：“在下位的人轻视在上位的人，卑贱的部属企图排斥身负国家重任的高官，国家就会发生动摇，人心不安。”）不是他该说的话。”

十二月，韦弘质遂被贬官。而大家对李德裕的愤怒更为强烈。

25 李瀍自秋季以来，尤其到了冬季，觉得有病，但道士坚持认为他正在那里脱胎换骨。李瀍把病情藏在心中，外人只觉得有点奇怪：李瀍最近怎么很少出游打猎（李瀍喜爱进行激烈运动，参考八四一年十一月）？宰相奏报国事，也不敢停留太久。

李瀍下诏取消明年（八四六）元旦朝会。

26 吐蕃王国（首都逻些城〔西藏拉萨市〕）自称宰相的论恐热，再集结各部落军，攻击鄯州战区（总部设鄯州〔青海省海东市乐都区〕）司令官（节度使）尚婢婢，尚婢婢派大将厖结藏，率军五千人抵抗。论恐热大败，在骑兵十余人掩护下逃走。尚婢婢向河湟一带（甘肃省及青海省东部）传递文告，斥责论恐热残忍凶暴的罪状，呼吁说："你们本是大唐人，吐蕃（西藏）既然大乱，全国无主，你们就应联合起来，回归大唐，不要像驯服的小白兔那样，躲在那里受论恐热猎杀！"

追随论恐热的各部落，渐渐脱离。

27 本年（八四五），全国共四百九十五万五千一百五十一户（比八三九年，六年之间，减少四万一千六百零一户，参考该年〔八三九〕十二月）。

28 中央虽然设立管理党项部落机关（参考前年〔八四三〕十一月），但党项部落对汉人仍不断侵扰，攻陷邠州（陕西省彬州市）、宁州（甘肃省宁县）、盐州（陕西省定边县）一带城堡营寨。主力集结叱利寨（陕西省定边县东）。

宰相请求派使节安抚慰问，但李瀍决心讨伐。

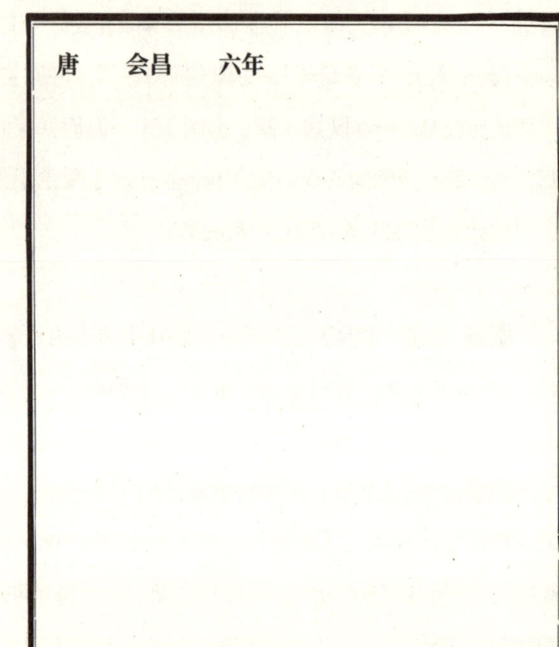

1 春季，二月九日，唐王朝（首都长安〔陕西省西安市〕）中央命夏绥战区（总部设夏州〔陕西省靖边县北白城则村〕）司令官（节度使）米暨（米，姓），当讨伐党项部落（陕西省北部）东北方面军司令（东北道招讨党项使）。

2 唐帝（十八任武宗）李瀍（本年三十三岁）患病，为时已久，不能痊愈，有学问的人忽然想到两汉王朝因供奉火神当保护神，所以把“洛”改为“雒”（东汉王朝一任帝刘秀时，把洛阳改称雒阳，《后汉书》也书“雒阳”，但后世史家都通称“洛阳”）。唐王朝则供奉土神当保护神（参考六一八年五月），瀍字又有两个“土”，而只有一个“水”，“土”定胜“水”，表示王朝的保护神势力太强，压过君王。

三月，李瀍下诏改名李炎（“炎”有两个“火”，而“火”能生“土”，驱逐病魔）。李炎（李瀍）自正月三日起，便没有出席朝会，宰相们请求进宫晋见，遭到拒绝，中央及地方都忧虑恐惧。

最初，十四任帝李纯，接收李锜的小老婆郑女士（李锜叛变，参考八〇七年十月），生下光王李怡。李怡幼时，宫里的人都认为智商不高，八二六年十七任帝李昂登上皇帝宝座后（李昂是李怡的侄儿），李怡就更加隐藏自己，无论和大家在一起或自己独处，从不开口。李昂有时御驾亲临亲王群居的十六宅，总是逗他说话，作为戏谑取闹的材料。而李炎（李瀍）性情豪放，对这位反应迟钝的叔父，更瞧不起。而今，李炎（李瀍）病重，十几天不能出声，当权宦官在宫中秘密决定皇位继承人。

三月二十日，李炎（李瀍）下诏（宦官诏）说：“皇子们的年龄都还太小，必须另行物色贤能和品德都具备的人，现在封光王李怡当皇太叔，改名李忱（音chén〔陈〕。唐王朝李姓皇家似乎多了一根筋〔或少了一根筋〕，既喜欢改别人的名，更喜欢改自己的名。“李瀍”“李炎”，还可胡拉一阵，“李怡”“李忱”有什么不同），所有军国大事，一律交给皇太叔处理。”李忱（李怡）接见文武百官，满脸悲哀之情，对日常事务的裁决，都很合理；人们才发现他有真才实学。

三月二十三日，李炎（李瀍）逝世（年三十三岁），命李德裕当帝国最高摄政（摄冢宰）。

三月二十六日，李忱（李怡。本年三十七岁）登极（十九任宣宗），他一向厌恶李德裕专权，当天，李德裕进呈文武百官联名祝贺奏章，典礼结束后，李忱（李怡）对左右侍从说：“刚才靠近我的那个人，是不是太尉（三公之一）？他每次看我，我浑身毛发都竖起来！”

夏季，四月一日，李忱（李怡）正式处理国事。

3 李忱（李怡）尊称他的娘亲郑女士当皇太后。

4 四月二日，命副监督长（门下侍郎）、二级实质宰相（同平章事）李德裕，遥兼二级宰相（同平章事，使相），充任荆南战区（总部设江陵府〔湖北省江陵县〕）司令官（节度使）。李德裕当权的时间太久（自八四〇年九月迄本年〔八四六〕四月担任宰相，共五年八个月），官高权重，又立下大功，没有人想到他会被突然罢黜，消息传出来，都大为震惊。

四月四日，贬国务院工程部长（工部尚书）兼盐铁专卖暨运输总监（判盐铁转运使）薛元赏，当忠州（重庆市忠县）州长，他的老弟、首都长安特别市副市长（京兆少尹）暂代市长（权知府事）薛元龟，贬作崖州（海南省海口市琼山区）户籍官（司户）；都是李德裕的同党。

5 道士赵归真等数人被判死刑，乱棍打死。绰号罗浮山人的轩辕集被判流刑（罗浮山，今广东省博罗县西北），流放岭南（南岭以南）。

五月五日，赦免天下。首都长安左右两街，原来留有两座寺庙，现在准予另行增加八座寺庙。和尚、尼姑改由宗教事务总监（功德使）管辖，不再隶属国务院教育部礼宾司（主客。《新唐书·百官志》：唐王朝初年，和尚、尼姑、道士、女道士，都隶属藩属事务部〔鸿胪寺〕。六九四年，武曌命和尚、尼姑改隶属国务院教育部祭祀司〔祠部〕。七三六年，道士、女道士改隶属皇族事务部〔宗正寺〕。七四三年，命道士改隶属国务院文官部爵位司〔司封〕。七八八年，宗教事务院〔崇玄馆〕、宗教研究官〔崇玄学士〕取消后，再设京师〔首都长安〕左、右街坊宗教事务大总监〔左右街大功德使〕、东都洛阳宗教事务总监〔东都功德使〕、宗教进修总监〔修功德使〕，管理和尚、尼姑、道士、女道士。八〇七年，命道士及女道士改隶属京师左右街坊宗教事务总监〔左右街功德使〕。八四二年，再命和尚、尼姑隶属国务院教育部礼宾司〔主客。此事应在去年〔八四五〕，参考去年八月〕），至于剃度和尚、尼姑，仍由国务院教育部祭祀司（祠部）发给证书。

6 李忱（李怡）擢升皇家文学研究官（翰林学士）、国务院国防部副部长（兵部侍郎）白敏中，兼二级实质宰相（同平章事）。

7 五月二十一日，封皇子李温当郓王，李渼（音měi〔美〕）当雍王，李泾当雅王，李滋当夔王（夔，音kuí〔奎〕），李沂当庆王。

8 六月，皇家大典礼仪总监（礼仪使）奏报说："请准予把代宗（十一任帝李豫）的牌位再送回皇家祖庙享受香火（八四〇年，十七任帝李昂的牌位送进皇家祖庙，李豫因是李昂之前第六任皇帝，依儒家学派规定，亲情已尽，牌位遂被撤除），而以敬宗（十六任帝李湛）、文宗（十七任帝李昂）、武宗（十八任帝李炎〔李瀍〕）作为一代（他们是三兄弟），在皇家祖庙东厢，增建两个神龛供奉，共九代十一室（唐王朝皇家祭庙有九室，参考七二二年六月；同辈兄弟只算一代，参考七一七年十月）。"李忱（李怡）批准。

9 秋季，七月三日，淮南战区（总部设扬州〔江苏省扬州市〕）司令官（节度使）李绅逝世。

10 回鹘残部乌介可汗（十五任大可汗）药罗葛乌希的部众，渐渐流失，有的投降外国，有的逃亡求生，有的冻饿而死，余下的不到三千人。宰相逸隐啜遂于王庭所在地金山（今地不详），把乌介可汗诛杀；另行拥护他的老弟、公爵药罗葛遏捻继位（十六任大可汗）。

11 八月三日，把前任帝李炎（李瀍）安葬端陵（陕西省富平县西南），绰号至道昭肃孝皇帝，庙号武宗。

最初，李炎（李瀍）病重，望着王才人说："我死了，你怎么办？"王才人说："愿意追随皇上到九泉之下！"李炎（李瀍）遂把一条丝巾交给她。李炎（李瀍）死后，王才人就用这条丝巾悬梁自尽。李忱（李怡）听到消息，深为哀伤，追赠她"贵妃"（小老婆群第一级），安葬端陵（李炎〔李瀍〕墓）柏树围墙之内。

12 李忱（李怡）下诏：命循州（广东省惠州市）军务秘书长（司马）牛僧孺当衡州（湖南省衡阳市）政务秘书长（长史），封州（广东省封开县）流刑犯李宗闵当郴州（湖南省郴州市）军务秘书长（司马），恩州（广东省恩平市）军务秘书长（司马）崔珙当安州（湖北省安陆市）政务秘书长（长史），潮州（广东省潮州市）州长杨嗣复当江州（江西省九江市）州长，昭州（广西平乐县）州长李珏当郴州（湖南省郴州市）州长。

上列牛僧孺等五位宰相，都是前任帝李炎（李瀍）贬谪放逐，现在，同一天内调。但李宗闵还没有来得及离开封州（广东省封开县），即行逝世。

13 九月，命荆南战区（总部设江陵府〔湖北省江陵县〕）司令官（节度使）李德裕当东都洛阳留守长官，免除遥兼二级宰相（同平章事，使相）职务。命副立法长（中书侍郎）、二级实质宰相（同平章事）郑肃，遥兼二级宰相（同平章事，使相），充任荆南（总部江陵府）司令官（节度使）。

14 擢升国务院国防部副部长（兵部侍郎）、全国财政总监（判度支）卢商，当副立法长（中书侍郎）、二级实质宰相（同平章事）。卢商，是卢翰的族孙（卢翰当过宰相，参考七八四年正月十四日）。

15 册封黠戛斯汗国（瀚海沙漠群）可汗的特使李拭，还没有出发（参考去年〔八四五〕四月），而唐帝李炎（李瀍）逝世，有人认为黠戛斯是一个既荒凉又辽远的小国（黠戛斯王庭〔蒙古国哈拉和林市〕到唐王朝首都长安，航空距离一千六百公里），不必重视，而且，回鹘残军还没有完全消灭，不应该立刻和回鹘的敌人建立外交关系。

李忱（李怡）下诏集合文武百官讨论，大家支持这项意见，事情遂被搁置。

16 蛮夷部落攻击安南军管区（首府设安南府〔越南河内市〕），军事指挥官（经略使）裴元裕，率相邻各战区道的军队讨伐。

17 任命立法院最高顾问官（右常侍）李景让当浙西道（首府设润州〔江苏省镇江市〕）行政长官（观察使）。

李景让的娘亲郑女士，性情光明磊落。当初，丈夫早死，家境贫穷，一个年轻寡妇带着三个孤儿，住在东都洛阳，孩子们年纪还小，娘亲亲自教他们读书识字。住家后院，有一道古老的院墙，在一场大雨后倒塌，忽然发现墙下埋有大量金钱，多得足可以装满一艘大船，家奴和婢女大为高兴，飞奔禀告。娘亲前去察看，焚香祭拜说："我曾经听说：'不经过辛苦努力，却获得丰富的报酬，会成为灾难。'上天如果因为我们祖先有太多的善行好事，可怜我们贫穷，作为特别赏赐，我希望赐福给几个孤儿，使他们学问能有成就，这才是祖先的期望，对于这项金钱，绝不敢接受！”立即掩埋，把墙恢复原状。三兄弟李景让、李景温、李景庄，全都进士及第（参加“进士科”考试，及格录取）。李景让官位已相当高时（李景让二十年前就当见习监督官〔左拾遗〕，参考八二四年十二月），头发已经斑白，稍微有点过失，仍免不了受娘亲责打。 650

李景让在浙西道（首府设润州〔江苏省镇江市〕）当行政长官（观察使），有一位左厢内营总管理官（左都押牙）冒犯李景让，李景让把他乱棍打死。军心愤怒，马上就要兵变。这时李景让正在公堂处理事务，娘亲得到消息，急行前去，登上主位，命李景让站在一边，娘亲责备他说：“天子交付你独当一面的重任，国家的法律，你怎么可以欢喜时就减轻，发怒时就加重，冤枉诛杀无罪的人？万一引起这个地方骚动，岂不是辜负中央，使年老娘亲，把羞辱带到地下，教我怎么去见你的老爹！”命左右侍从剥下李景让的上衣，坐在那里，准备鞭打他的脊背；将领及参谋官员都替李景让求情，最后甚至叩头哭泣，很久之后才把李景让释放，军心才归安定。

李景让的老弟李景庄，一直投考“进士科”，没有一次及格，每次落第，娘亲都要鞭打李景让，怪他不肯利用人事关系，但李景让宁可挨打，也不肯向主管官员请托（主管官员，指国务院教育部副部长〔礼部侍郎〕兼最高考试长〔知贡举〕），说："政府选拔人才，应该公平，我怎么敢效法别人去走后门，营私舞弊！"长久下来，宰相警告主管官员说："李景庄今年可不能再不录取，可怜他老哥每年都要挨娘亲的揍！"因此，李景庄才终于进士及第。

18 冬季，十月，祭祀部祭礼科（礼院）奏报说："皇族五年大祭（禘祭）的祭文，在祭祀穆宗（十五任帝李恒，是李忱的老哥）、敬宗（十六任帝李湛）、文宗（十七任帝李昂）、武宗（十八任帝李炎〔李瀍〕，以上是李忱的侄儿）四个牌位时，只自称：'继任皇帝某某致意'。"李忱同意。

19 十月十六日，李忱接受道士刘玄静从衡山（南岳，湖南省衡山县西）颁发下来的"三洞仙法神符"（刘玄静返回衡山，参考去年〔八四五〕十月）。

20 十二月一日，日蚀。

八四七年 丁卯

唐 会昌 七年
大中 元年

1 春季，正月十七日，唐王朝（首都长安〔陕西省西安市〕）皇帝（十九任宣宗）李忱（李怡。本年三十八岁）前往圆形神坛，祭祀天神。赦免天下。改年号大中（之前是会昌七年，之后是大中元年）。

2 二月四日，命卢龙战区（总部设幽州〔北京市〕）司令官（节度使）张仲武，遥兼二级宰相（同平章事，使相），奖励他击破回鹘残军的功劳。

3 二月十七日，李忱因大旱成灾，特别减少饭菜，撤除进餐时的乐队，遣散宫女、释放猎鹰、停止兴建土木工程；又命副立法长（中书侍郎）、二级实质宰相（同平章事）卢商，会同副总监察官（御史中丞）封敖，重新审理京师（首都长安）羁押的囚犯。最高法院院长（大理卿）马植奏报说：“卢商等对囚犯力求宽大，凡被判处死刑的人，一律免除死刑。依照刑法，官员监守自盗，及无故杀人，即令在大赦之日，也不能赦，今天却因重新审理，竟然宽恕；结果，使贪赃枉法的人不再畏惧法律的惩罚，枉死的被害人永远沉冤九泉，哀哀无告；这样做恐怕不能消除旱灾、更不能招来祥和。从前，周部落遇到饥荒，却在击溃商王朝政府后，变成丰收。春秋时代，卫国（河南省淇县）大旱，却在讨伐邢国（河北省邢台市）后，天降大雨（参考一六八年七月）。是以诛杀罪犯、铲除奸邪，正符合天意；昭雪冤枉、解除长期羁押，才是神圣心怀。请求多加考虑，再作决定。”李忱命监督院（门下省）、立法院（中书省）五品以上官员联席商议讨论。

4 最初，李德裕掌握大权，推荐白敏中当皇家文学研究官（翰林学士。参考八四二年九月）。后来，十八任帝李炎（李瀍）逝世，李德裕失去靠山，白敏中利用大家对李德裕深恶痛绝的机会，竭力排挤，命自己的党羽李咸，指控李德裕所犯罪行。李德裕遂自东都洛阳（河南省洛阳市）留守长官，贬作太子少保（太子三少之三），东都洛阳办公。

监督院（门下省）高级顾问官（左谏议大夫）张鹭等上疏说：“陛下因天下大旱，认为可能囚犯有含冤难伸的情形，所以下令重新审理。问题是，现在所宽恕的一些死刑囚犯，犯罪证据确凿，无冤可伸，一定要赦免的话，恐怕凶恶侥幸的暴徒，就会一直盼望国家最好是常常发生水灾旱灾，所以我建议批准马植的奏章。”李忱同意，命依法办理。擢升马植当国务院司法部副部长（刑部侍郎），兼全国盐铁专卖暨运输总监（盐铁转运使）。

马植一向以文学造诣及坚强的政治才干，受当时推崇，但李德裕却瞧他不起（马植考“贤良方正科”及格，录取当官，参考八二八年闰三月）。后来，白敏中当权，凡李德裕所瞧不起的人，都超越正常程序，对他们纷纷擢升。于是，贬卢商当武昌战区（总部设鄂州〔湖北省武汉市〕）司令官（节度使）。擢升国务院司法部长（刑部尚书）、全国财政总监（判度支）崔元式，当副监督长（门下侍郎）；皇家文学研究官（翰林学士）、国务院财政部副部长（户部侍郎）韦琮，当副立法长（中书侍郎）；二人同时兼二级实质宰相（同平章事）。

5 闰三月，李忱训令：“八四五年所废除的寺庙（参考该年〔八四五〕八月），只要有和尚愿重新整建，就交还他们居住，有关单位不可以禁止。”这时候的君王和宰相所做的每一件事，都跟李德裕恰恰相反；所以和尚、尼姑的种种弊端，也恢复旧观。

6 夏季，四月十五日（原文误置于闰三月，据《新唐书》改），积庆太后萧女士逝世（萧女士是十七任帝李昂的娘亲，现任帝李忱的嫂嫂。因住积庆宫，所以称积庆太后）。

7 五月，卢龙战区（总部设幽州〔北京市〕）司令官（节度使）张仲武，大破奚部落（滦河上游）。

8 吐蕃王国（首都逻些城〔西藏拉萨市〕）自称宰相的论恐热，乘唐王朝十八任帝李炎（李瀍）逝世，中央全神贯注举办丧事的时候，煽动各党项部落（陕西省北部）及回鹘残余部众，攻击河西（陕西省北部）。李忱下诏命河东战区（总部设太原府〔山西省太原市〕）司令官（节度使）王宰，率代北（山西省北部）各军迎战。王宰命沙陀部落（山西省北部）酋长朱邪赤心当前锋，从麟州（陕西省神木市）西渡黄河（应是西渡黄河至麟州），前进到盐州（陕西省定边县），跟论恐热会战，把论恐热击退。

9 六月，命藩属事务部长（鸿胪卿）李业，当“册封黠戛斯汗国（瀚海沙漠群）英武诚明可汗特使”。

10 李忱对白敏中说：“当年，我跟随宪宗（李忱的老爹、十四任帝李纯）灵柩到陵墓途中，忽然风雨交加，文武百官跟三宫六院的宫妃，一哄而散，四下逃走躲避，只有皇家坟墓兴建管理总监（山陵使），身材高高的，脸上有很多胡子，手攀着先帝的灵柩不放，他是谁？”白敏中说：“他叫令狐楚（令狐楚是当时宰相，参考八二〇年正月）！”李忱问道：“他有没有儿子？”白敏中说：“长子令狐绪，现在当随州（湖北省随州市）州长。”李忱说：“是不是当宰相的材料？”白敏中说：“令狐绪从小患风湿病，但令狐楚的第二个儿子令狐绹（音táo〔陶〕），曾当过湖州（浙江省湖州市）州长，有才干气度。”李忱立即擢升令狐绹当国务院文官部考核司长（考功郎中）兼皇家诏书撰写官（知制诰）。令狐绹进宫谢恩，李忱询问老爹李纯在位时发生过的事，令狐绹回答条理分明，十分详尽，李忱大为兴奋，遂有擢升他当宰相的念头。

11 秋季，八月三日，命副监督长（门下侍郎）、二级实质宰相（同平章事）李回，遥兼二级宰相（同平章事，使相），充任西川战区（总部设成都府〔四川省成都市〕）司令官（节度使）。

12 把积庆太后萧女士安葬光陵（十五任帝李恒墓，陕西省蒲城县北尧山）旁边，绰号贞献皇后。

13 李忱有很深的手足之情，在十六宅里兴建雍和殿，好多次故地重游，摆设酒席，由皇家歌舞团演奏音乐，大家在一块踢球，尽欢而散。亲王们有病的时候，李忱甚至时常亲自到卧房病床边慰问，遇到病情恶化，掩饰不住脸色忧郁。

14 突厥残余部落抢劫唐政府正在运送的粮食，以及旅行商贩（突厥汗国溃散后，回鹘汗国代之而起，今回鹘汗国也早溃散，突厥残部当更稀少）；振武战区（总部设安北府〔内蒙古和林格尔县〕）司令官（节度使）史宪忠把他们击破。

15 九月五日，命左金吾（卫军第十一军）大将军郑光，当平卢战区（总部设青州〔山东省青州市〕）司令官（节度使）。郑光，是润州（江苏省镇江市）人，皇太后郑女士（李忱的娘亲）的老弟。

16 九月二十三日，前永宁（河南省洛宁县北）县政府防卫员（尉）吴汝纳，向中央提出非常上诉，陈述他的老弟吴湘所犯的并不是死罪，说："李绅跟李德裕互相勾结，欺骗武宗（十八任帝李炎〔李瀍〕），冤杀我的老弟，请求召回江州（江西省九江市）户籍官（司户）崔元藻（当时任行政监察官〔监察御史〕），负责调查此案（参考前年〔八四五〕正月），等候对质。”

九月二十五日，李忱命总监察署（御史台）对吴湘事件，重审奏报。

冬季，十二月十九日，总监察署（御史台），奏报说：“据崔元藻列出的吴湘受冤情形，跟吴汝纳诉状相同。”

十二月二十七日，把太子少保（太子三少之三）、东都洛阳办公的李德裕，再贬潮州（广东省潮州市）军务秘书长（司马）。

吴湘之死，看起来像是党派斗争下的产物，实际上不过是李德裕个人为了泄愤，制造出来的一场冤狱。吴湘受贿部分，依照《唐律·杂律》第一条：“因受赃定罪，一尺笞二十，八匹加一等，十匹徒刑一年，十匹加一等，最高徒刑三年。”《职制》第五十条：“诸监临之官，受所监临财物者，一尺笞四十，一匹加一等，八匹徒一年，八匹加一等；五十匹流二千里。共犯，减五等，罪止杖一百。乞取者，加一等。”明显看出，吴湘罪不至死。强娶民女部分，依《户婚》第三十七条：“诸监临之官，娶所监临女为妾者，杖一百。”也罪不至死。何况岳父大人颜悦先生，曾当过官，岳母也是世家出身，依当时解释，都不是平民，所以此部分根本无罪。

李德裕之所以一定要把吴湘置于死地，主要原因是吴湘的叔父吴武陵种下的祸根。史书记载：吴武陵性情暴躁，行为轻佻，跟若干达官贵人，都发生过冲突。有一次，尚是“举人”（被保荐到京师参加“进士科”考试的知识分子）的吴武陵，晋谒已当了州长的李吉甫，希望得到一点物资帮助，李吉甫态度倨傲，吴武陵大怒，遂把李吉甫的老爹当年落魄时，晋谒宋甄，宋甄架子奇大，李老爹吟诗求情，宋甄才送了点薄礼，打发李老爹一事，写在一篇文章里，再度投递。李吉甫大为惶恐，唯恐这项糗事传播出去，好不容易等到天黑，召见吴武陵，送了一份厚厚的馈赠。后来，李吉甫当宰相，崔郊主持全国最高考试，已内定录取二十七人，李吉甫问："吴武陵考得怎么样？"主管官员揣摩心意，认为宰相关心旧日老友，兴高采烈的回答说："吴武陵已经及第。"正在这时候，钦差宦官驾到，传达皇帝命令，互相揖让就座，崔郊拿出草榜，填上吴武陵名字，呈请宰相过目。李吉甫说："吴武陵是一个粗汉，怎么能允许他上榜？"但已无法更改。

吴武陵向李吉甫"打秋风"不能如愿，竟利用李吉甫的隐私勒索，格调不高，而李吉甫却企图断绝那个时代一个知识分子的唯一生路，作为报复，行为也更属下流。以后互相格斗，虽然史书不载，可能更加激烈。但这只是吴武陵一个人的冒犯，李德裕竟把仇恨延伸到吴武陵的侄儿身上，使人出汗。

李绅有一首著名的诗："锄禾日当午，汗滴禾下土，谁知盘中餐，粒粒皆辛苦！"仁人慈心，跃然纸上。何以到了最后，一旦当了一条摇尾狗，就不惜用别人的性命，来换取自己的官位？观察一个人，切记：只看他做什么，不可只看他说什么和写什么！

17 国务院文官部（吏部）奏报说：八四四年各州县裁减的官员数目内（参考该年六月），增加新官三百八十三人。

唐　大中　二年

1 正月三日，唐王朝（首都长安〔陕西省西安市〕）文武百官呈献皇帝（十九任宣宗）李忱（李怡。本年三十九岁）尊贵绰号：圣敬文思和武光孝皇帝，赦免天下。

2 最初，李德裕当权，有人推荐丁柔立清廉正直，可以出任谏官，李德裕不能接受。李忱登极后，丁柔立当立法院初级立法官（右补阙）。李德裕贬往潮州（广东省潮州市），丁柔立上疏申诉李德裕冤枉。

正月五日，丁柔立被认为是李德裕的党羽，贬作南阳（河南省南阳市）县政府防卫员（尉）。

3 西川战区（总部设成都府〔四川省成都市〕）司令官（节度使）李回、桂州道（首府设桂州〔广西桂林市〕）行政长官（观察使）郑亚，被指控从前不能公平判决吴湘的冤狱。

正月二十四日，李回贬作湖南道（首府设潭州〔湖南省长沙市〕）行政长官（观察使），郑亚贬作循州（广东省惠州市）州长。李绅已死（参考前年〔八四六〕七月），剥夺三项当官的任命状；立法官（中书舍人）崔嘏，被指控撰写贬谪李德裕诏书，潦草搪塞，没有把罪状全部写出。

正月二十八日，崔嘏贬作端州（广东省肇庆市）州长。

4 回鹘汗国（流亡不定）可汗（十六任大可汗）药罗葛遏捻，完全依靠奚部落（滦河上游）酋长（奚王）石舍朗供应；后来，卢龙战区（总部设幽州〔北京市〕）司令官（节度使）张仲武大破奚部落（参考去年〔八四七〕五月），回鹘失去靠山，连粮食都找不到，部众更加流失。现在，留下来的贵族及官员，还不满五百人，只好投靠室韦部落（内蒙古东北部）。曾派遣使节到唐王朝祝贺新年，经过幽州（北京市），张仲武命使节回去后诛杀药罗葛遏捻等。药罗葛遏捻听到消息，大为恐惧，于深夜时分，跟妻子葛禄、儿子药罗葛毒斯公爵等九人，骑马向西逃亡，残余部众追赶，已来不及，互相拥抱大哭。室韦部落遂把回鹘残余部众，分配到七个不同姓的室韦支部安置。三天后，黠戛斯汗国（瀚海沙漠群）派宰相阿播，率各蛮夷部落军七万人前来消灭回鹘，

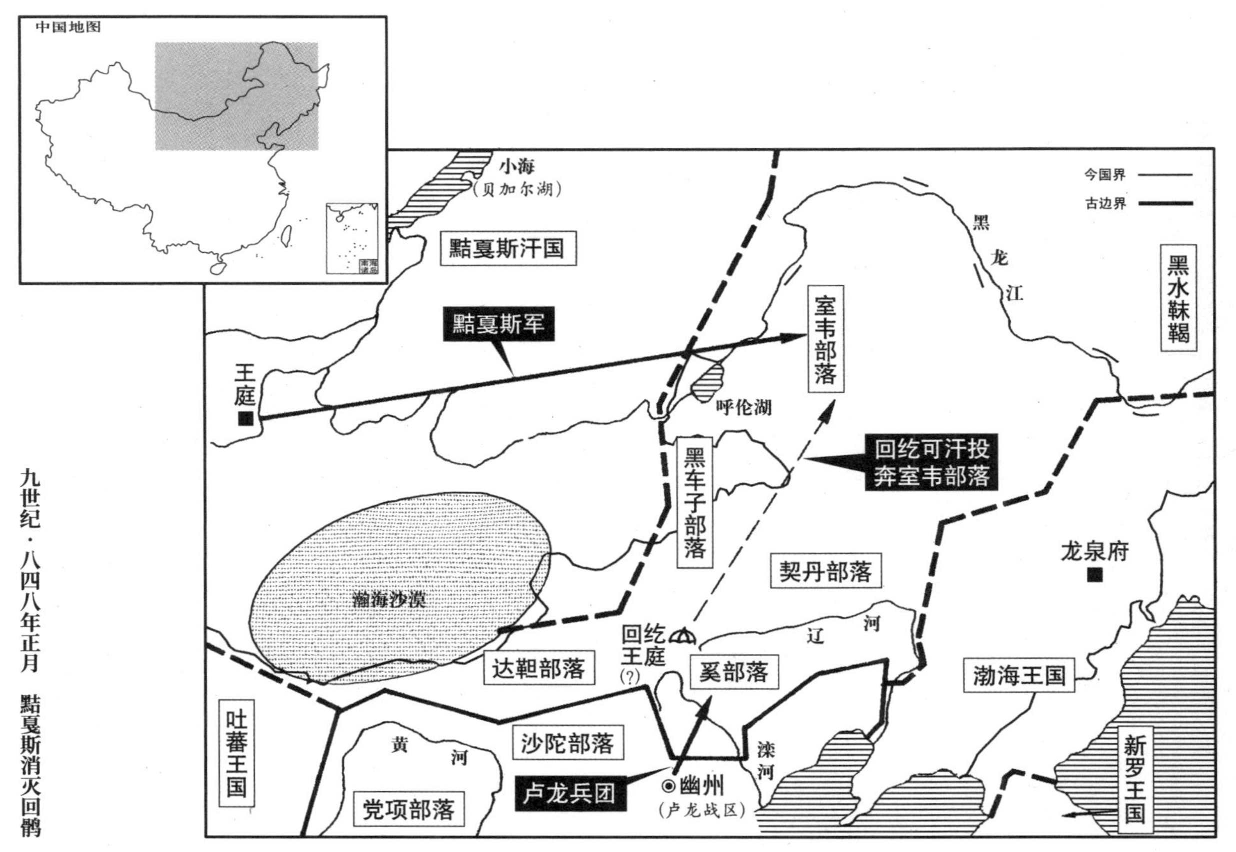

九世纪·八四八年正月　黠戛斯消灭回鹘

大破室韦部落，把回鹘残余部众全部俘虏，押回瀚海沙漠群以北。但仍有漏网之鱼，几个残余篷帐，躲藏在山林里面，靠着劫掠其他部族，维持残生。

回鹘的支派厖勒部落，先前定居安西（新疆库车市。厖勒可能是公爵药罗葛厖，参考八四〇年九月），酋长也自称“可汗”，后来迁到甘州（甘肃省张掖市），重新统合瀚海沙漠以西所有回鹘残余部落，建立小型政府，但人数寥落，力量微弱，偶尔也派使节到唐王朝朝见（回鹘汗国从此退出国际舞台）。

5 二月十日，命诏书撰写官（知制诰）令狐绹当皇家文学研究官（翰林学士）。李忱曾经把二任帝李世民撰写的《金镜》（《资治通鉴》没有记载李世民著作《金镜》，只有张九龄著的《千秋金镜录》，参考七三六年五月），要令狐绹读给自己听，当令狐绹读到“政治混乱，未尝不是任用低能官吏；政治清明，未尝不是任用干练贤才。”李忱叫他停止，说：“追求天下太平，就必须首先记住这两句话。”又把《贞观政要》（吴兢所辑录）写到屏风上，时常严肃的细心阅读。李忱希望知道文武百官的姓名和薪俸，令狐绹说：“六品以下的官，地位低微、数目又多，都由国务院文官部（吏部）拟定待遇。五品以上，才由宰相呈请皇上任命（参考七一〇年十二月），姓名都登记在官籍簿上，称为‘具员’。”李忱命宰相制作《具员御览》五卷呈上，李忱一直把它们放在桌头。

6 李忱封皇子李泽当濮王。

李忱打算在大明宫兴建五王院，容纳一些年纪幼小的皇子；召唤法术士柴岳明，请他查看那块地方风水形势。柴岳明回答说：

“平民之家，经常搬迁，所以有从‘阳宅’进入‘阴宅’，从‘阴宅’进入‘阳宅’的理论。至于‘地支相刑’（寅刑巳、巳刑申、申刑寅、丑刑戌、戌刑未、未刑丑、子刑卯、卯刑子、辰刑辰、午刑午、酉刑酉、亥刑亥），‘五行相克’（金克木，木克土，土克水，水克火，火克金），求福避祸，虽然祖师曾经传授，有这一项学问。但是皇上跟平民不同，深住皇宫正殿，千万神灵，在四周拥护保佑，阴阳书上从来没有讨论过帝王之家。”李忱赞许他这段话，赏赐给他五匹绸缎，送他回去。

7 夏季，五月一日，日蚀。

8 副监督长（门下侍郎）、二级实质宰相（同平章事）崔元式免职，改任国务院财政部长（户部尚书）。命国务院国防部副部长（兵部侍郎）兼全国财政总监（判度支）暨主持财政部税务司（户部）周墀（音chí〔池〕）及国务院司法部副部长（刑部侍郎）、全国盐铁专卖暨运输总监（盐铁转运使）马植，同时当二级实质宰相（同平章事）。

最初，周墀当义成战区（总部设滑州〔河南省滑县〕）司令官（节度使），聘韦澳当执行官（判官）。等当了宰相，问韦澳说：“我力量薄弱，可是责任重大，你有什么指教？”韦澳说：“只希望你没有权！”周墀呆在那里，不知道说什么才好。韦澳说：“奖励和刑罚，应该跟全国人民站在一个立场，千万不要因自己的爱憎喜怒，有所改变。在天下公理之前，自己哪里会有权！”周墀深切同意。韦澳，是韦贯之的儿子（韦贯之，参考八一四年十二月）。

9 五月二十一日，太皇太后郭女士（十四任帝李纯的妻子，现任帝李忱的嫡母），在兴庆宫逝世。

六月，祭祀部祭礼科（礼院）祭礼见习官（检讨官）王皞，贬作句容（江苏省句容市）县长。 664

最初，十四任帝李纯之死（参考八二〇年正月），李忱怀疑郭太后参与那次弑君杀夫阴谋。同时，李忱的娘亲，现在也成了皇太后的郑女士，本是郭太后随身侍候的婢女，郑女士对这位旧主人，有多年累积的怨恨，李忱登极后，对郭太后的态度，十分冷淡。郭太后对此世态炎凉，闷闷不乐。一天，郭太后登勤政楼（勤政务本楼，参考七一四年七月），触景生情，悲愤交集，打算跳楼自尽。李忱得到消息，大为震怒，就在当晚，郭太后身死，外人传言，都认为被李忱谋杀。

李忱因娘亲郑太后的缘故，不允许郭太后跟老爹李纯合葬，主管机关因之建议安葬在景陵（李纯墓，陕西省蒲城县西北金炽山）外园。王皞上疏主张应该合葬、牌位也应该送进皇家祖庙李纯神龛。奏章呈上，李忱再大为震怒。白敏中召唤王皞，质问他为什么这样做，王皞说："郭太后是汾阳王郭子仪的孙女，宪宗（十四任帝李纯）当太子时的正妃，顺宗（十三任帝李诵）时代，她是一位好媳妇。宪宗（十四任帝李纯）逝世那天晚上发生的事情，暧昧难明，并没有确切明显不利的证据。郭太后身为国母，历经五位皇帝（十五任李恒、十六任李湛、十七任李昂、十八任李炎〔李瀍〕、十九任李忱），怎么可以用暧昧难明的事情，废除正嫡和偏庶的名分！"白敏中大发雷霆，而王皞的言词和气势越发严厉。这时，各宰相聚餐的时候已到，周墀站在白敏中门口等候，白敏中派人道歉说："我正被一个书生缠住，请你先走一步！"周墀径自到白敏中房间探听发生什么事，看见王皞正在急切争辩，不禁把手放到前额上，叹息王皞的正直和处境的孤单。明天，王皞受贬官处分。

10 秋季，九月八日，把潮州（广东省潮州市）军务秘书长（司马）李德裕再贬作崖州（海南省海口市琼山区）户籍官（司户）；湖南道（首府设谭州〔湖南省长沙市〕）行政长官（观察使）李回再贬作贺州（广西贺州市）州长。

11 前凤翔战区（总部设凤翔府〔陕西省宝鸡市凤翔区〕）司令官（节度使）石雄，去宰相联合办公厅（中书门下）陈述黑山（内蒙古包头市北）战役（参考八四三年正月）及乌岭（山西省安泽县西）战役（参考八四三年九月）两次的功劳，请求当一个战区司令官（节度使），以便养老。宰相认为石雄是李德裕保荐的人（参考八四二年四月），一口拒绝，说："从前的功劳，政府已经任命你主持过河中（总部河中府）、河阳（总部孟州）、凤翔（总部凤翔府）三个战区，回报已经足够！"只发表他当左龙武（禁军第三军）统军（只领一份薪俸而已）。石雄含恨而死。

12 冬季，十一月十四日，万寿公主嫁皇家生活记录官（起居郎，从六品上）郑颢（音hào〔浩〕）。郑颢，是郑絪的孙儿（郑絪当过李纯的宰相，参考八〇五年十二月），进士科及第后，当皇家图书院校勘官（校书郎，正九品上），兼立法院见习立法官、宫内办公（右拾遗内供奉），以温文儒雅，受人称赞。万寿公主是李忱的爱女，所以特别遴选他当女婿。有关单位请依照传统规定，用白银装潢车辆，李忱说："我一心提倡节约，希望变化国人风俗，这应从我最亲的人做起。"命依照宫外有封号妇女（命妇）待遇，改用白铜。下诏命万寿公主效法平民之家，遵守为人妻、为人媳的礼节。警告她不可以瞧不起丈夫家的人，不可以干涉政治。又亲笔写一信笺说："假如违背我的警告，一定有太平（参考七一三年七月）、安乐（参考七一〇年五月）的灾祸！"郑颢的老弟郑颢（音yǐ〔乙〕），曾害重病，李忱派宦官前去探视，宦官回来，李忱问说："公主在哪里？"宦官说："公主在慈恩寺看戏！"李忱恼怒，叹息说："无怪高门世家都不肯跟我们家结亲，实在有他们的道理！"立即派宦官召唤万寿公主回宫，罚她站在台阶下面，看也不看一眼。万寿公主恐惧，一面哭一面请求宽恕。李忱责备她说："哪有小叔患病，当嫂嫂的不去探望，却自己去看戏的？"送她回夫家。李忱在位期间，皇亲国戚，都小心翼翼，遵礼守法，跟山东（崤山以东）高门世家的子弟一样。

13 十一月二十六日，把皇太后郭女士安葬景陵（十四任帝李纯墓）旁边，追赠绰号懿安皇后（李纯在世时，并没有把郭女士封为皇后〔参考八一三年十二月〕，而是儿子李恒登极后尊为皇太后的；郑女士相同，也是儿子李忱登极后尊为皇太后的，称郭女士为"嫡"，由于郭女士的先天条件，包括她是李纯当太子时的正妃）。

14 贬副立法长（中书侍郎）、二级实质宰相（同平章事）韦琮，当太子宾客（正三品）、东都洛阳办公。

15 十二月，凤翔战区（总部设凤翔府〔陕西省宝鸡市凤翔区〕）司令官（节度使）崔珙奏报说：大破吐蕃军（西藏），攻克清水（甘肃省清水县）。

清水（甘肃省清水县）本来隶属秦州（甘肃省秦安县西北），李忱下诏说："秦州（甘肃省秦安县西北）还没有收复，清水（甘肃省清水县）暂时归凤翔特别市（陕西省宝鸡市凤翔区）管辖。"

16 李忱对老爹、十四任帝李纯在位时官员们的子孙，有一

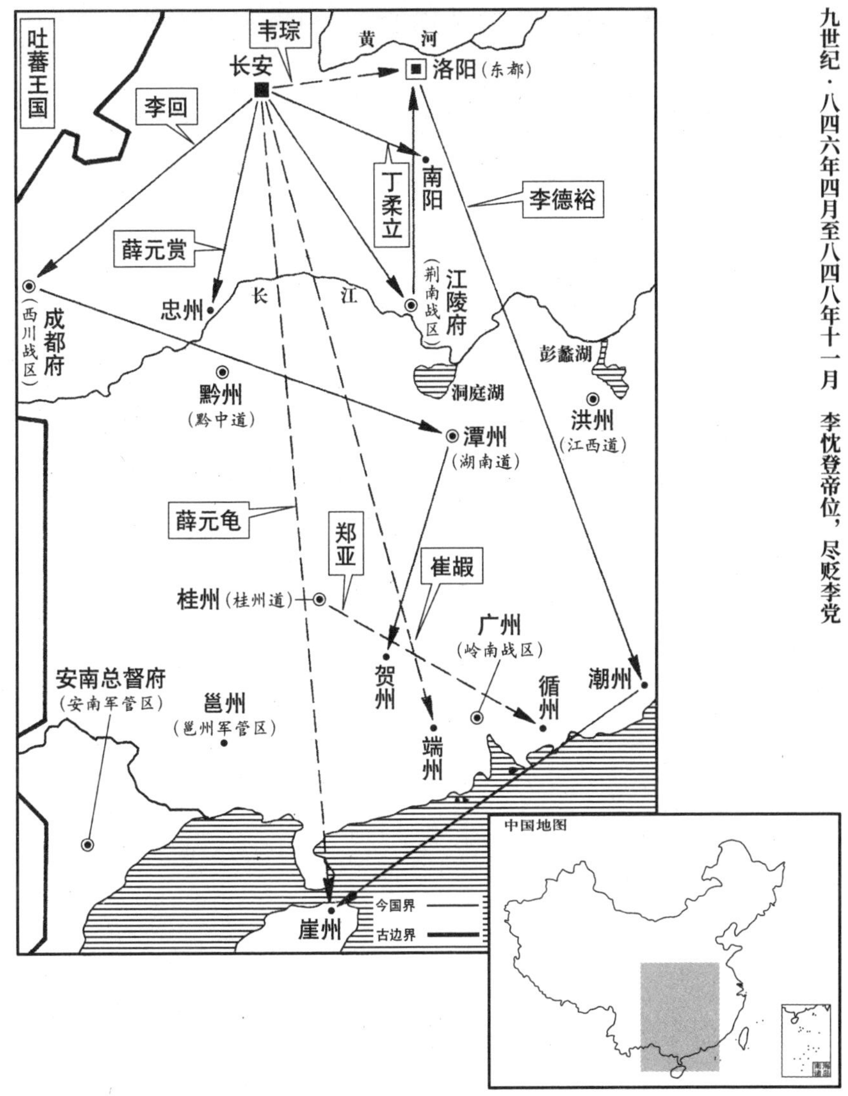

九世纪·八四六年四月至八四八年十一月 李忱登帝位，尽贬李党

种怀旧之情，只要见到，总加以擢升提拔。国务院司法部法务司副司长（刑部员外郎）杜胜，于朝会第二梯次晋见时，李忱问他的家世，杜胜说：“我的老爹杜黄裳，曾第一个请宪宗（十四任帝李纯）监督国政（参考八〇五年四月六日）。”李忱擢升杜胜当御前监督官（给事中）。皇家文学研究官（翰林学士）裴谂，是裴度（参考八一五年六月）的儿子，李忱前往皇家文学研究院（翰林院）视察，当面擢升裴谂当皇家文学研究院院长（承旨）。

17 吐蕃王国（首都逻些城〔西藏拉萨市〕）自称宰相、而实际上是变军首领的论恐热，派将领莽罗急藏率军二万人，向西推进，夺取土地。鄯州战区（总部设鄯州〔青海省海东市乐都区〕）司令官（节度使）尚婢婢派将领拓跋怀光，在南谷（甘肃省渭源县西北）迎战，大破莽罗急藏军，莽罗急藏归降。

八四九年 己巳

唐　大中　三年

1 春季，正月，唐王朝（首都长安〔陕西省西安市〕）皇帝（十九任宣宗）李忱（李怡。本年四十岁），跟宰相们讨论八〇六年至八二〇年，十四任帝李纯在位期间，清廉干练的官员，谁应居第一位，周墀说："我曾经在江西道（首府设洪州〔江西省南昌市〕）当地方官，听人说过从前行政长官（观察使）韦丹的恩德，广施于所属的八个州（八州：洪州〔江西省南昌市〕、江州〔江西省九江市〕、饶州〔江西省鄱阳县〕、信州〔江西省上饶市〕、虔州〔江西省赣州市〕、吉州〔江西省吉安市〕、袁州〔江西省宜春市〕、抚州〔江西省抚州市临川区〕），韦丹死后四十年，老老少少，还怀念歌颂，好像他仍在人间（韦丹，参考八〇五年十二月）。”

正月二十日，李忱命国史馆编撰官（修撰）杜牧，撰写《韦丹遗爱碑》，并擢升韦丹的儿子、现任河阳战区（总部设孟州〔河南省孟州市〕）行政执行官（观察判官）的韦宙，到中央当监察官（御史）。

2 二月，吐蕃（西藏）变军首领论恐热在河州（甘肃省临夏市）扎营，鄯州战区（总部设鄯州〔青海省海东市乐都区〕）司令官（节度使）尚婢婢在河源军（青海省西宁市）扎营。鄯州将领们打算发动攻击。尚婢婢说：“不行！我们不断获得胜利，一定对敌人心存轻视。而他们穷途末路，只有以死相拼，这时候发动攻击，结果一定失败。”各将领不接受。

尚婢婢知道结局是什么，就在黄河桥头筑垒，严阵以待，大军果然失败。尚婢婢收拾残余部众，焚烧桥梁，退回鄯州（青海省海东市乐都区）。

一个大军统帅，明知道发动攻击一定失败，却无法阻止将领们发动攻击，恰恰说明这个统帅没有统御能力，不堪胜任他的工作。史书上对尚婢婢太多赞扬之辞，使人相信他是韩信再生，河州（甘肃省临夏市）之役是一次严格考验，他不过一个平常之辈！

3 吐蕃王国（首都逻些城〔西藏拉萨市〕）所属的秦州（甘肃省秦安县西北）、原州（宁夏固原市）、安乐州（宁夏中宁县东北鸣沙洲）及石门（宁夏固原市西北二十五公里）等七关，归降唐王朝（七关均在原州州境，由北而南，石门关〔固原市西北二十五公里〕、驿藏关〔固原市西〕、制胜关〔宁夏泾源县〕、石峡关〔固原市西北三十五公里〕、木靖关〔固原市西〕、木峡关〔固原市西南〕、六盘关〔宁夏隆德县东北〕)。

李忱任命畜牧部长(太仆卿)陆耽当慰劳特使(宣谕使),命泾原(总部泾州)、朔方(总部灵州)、凤翔(总部凤翔府)、邠宁(总部邠州)、振武(总部安北府)五战区出军支援。

4 河东战区(总部设太原府〔山西省太原市〕)司令官(节度使)王宰,到中央朝见,用大量金银珠宝贿赂当权分子,请求遥兼二级宰相(同平章事,使相)高位,调往宣武战区(总部设汴州〔河南省开封市〕);国务院司法部长(刑部尚书)、二级实质宰相(同平章事)周墀上疏反对,王宰只好仍回原战区。驸马韦让(娶十四任帝李纯的女儿汾阳公主),要求当首都长安特别市长(京兆尹),周墀上疏说:韦让没有担任这项官职的才干和声望,事情遂被搁置。周墀又劝阻李忱不要再开疆拓土(指收复河西〔甘肃省中部西部〕),使李忱觉得受到冒犯。

夏季,四月,贬周墀当东川战区(总部设梓州〔四川省三台县〕)司令官(节度使)。擢升总监察官(御史大夫)崔铉当副立法长(中书侍郎)、二级实质宰相(同平章事);擢升国务院国防部副部长(兵部侍郎)、主管财政部税务司(判户部事)魏扶,兼二级实质宰相(同平章事)。

5 四月九日,卢龙战区(总部设幽州〔北京市〕)奏报说:司令官(节度使)张仲武逝世;军中拥护张仲武的儿子、战区大营管理官(节度押牙)张直方接任。

6 皇家文学研究官(翰林学士)郑颢(音hào〔浩〕)对李忱说:“周

墀因言语正直当宰相，也因言语正直免除宰相！”李忱醒悟。

四月十日，周墀进宫谢恩，李忱命加授周墀：国务院摄理右最高执行长（检校右仆射）。

7 四月十四日，李忱命张直方当卢龙战区（总部设幽州〔北京市〕）候补司令官（留后）。

8 五月，武宁战区（总部设徐州〔江苏省徐州市〕）兵变，驱逐司令官（节度使）李廓。李廓，是李程的儿子（李程，皇族，参考八二四年五月），在职时不处理公务，政治一团混乱。立法院初级立法官（右补阙，从七品上）郑鲁上疏分析战区情势，向皇帝提出警告说：“我恐怕新麦还没有收割，武宁战区（总部徐州）就要发动变乱。请迅速选派优良将领，拯救一方生命。”李忱不了解事态严重，没有反应。现在，果然发生兵变。李忱想起郑鲁的话，擢升他当皇家言行记录官（起居舍人，从六品上）。

李忱调义成战区（总部设滑州〔河南省滑县〕）司令官（节度使）卢弘止当武宁战区（总部徐州）司令官（节度使）。武宁兵团士卒，素来骄傲放纵，其中特别军种“银刀部队”，尤其凶恶横暴，屡次赶走统帅（“银刀”等部队之成立，参考八六二年七月）。卢弘止到差后，总纠察官（都虞候）胡庆方又策划兵变，卢弘止把他诛杀，安抚其余部众，训勉他们追求忠义，总部因此得到安定。

9 六月二十六日，命张直方实任卢龙战区（总部设幽州〔北京市〕）司令官（节度使）。

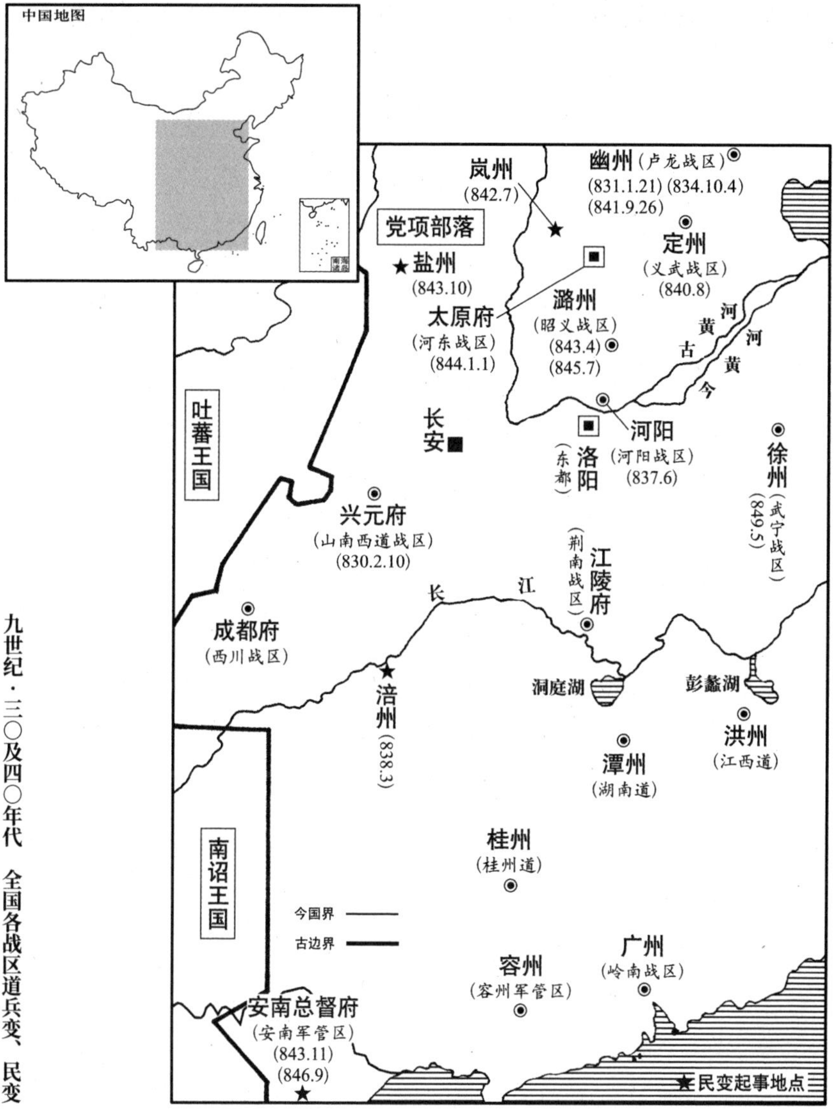

九世纪·三〇及四〇年代 全国各战区道兵变、民变

中国地图
南海诸岛

岚州
(842.7)
幽州(卢龙战区)
(831.1.21) (834.10.4)
(841.9.26)
党项部落
定州
(义武战区)
(840.8)
盐州
(843.10)
潞州
(昭义战区)
(843.4)
(845.7)
太原府
(河东战区)
(844.1.1)
古黄河
今黄河
吐蕃王国
长安
河阳
(河阳战区)
(837.6)
洛阳
(东都)
徐州
(武宁战区)
(849.5)
兴元府
(山南西道战区)
(830.2.10)
江陵府
(荆南战区)
长江
成都府
(西川战区)
涪州
(838.3)
洞庭湖
彭蠡湖
洪州
(江西道)
潭州
(湖南道)
桂州
(桂州道)
南诏王国
今国界
古边界
广州
(岭南战区)
容州
(容州军管区)
安南总督府
(安南军管区)
(843.11)
(846.9)
★民变起事地点

10 泾原战区（总部设泾州〔甘肃省泾川县〕）司令官（节度使）康季荣，收回原州（宁夏固原市）以及石门（固原市西北）、驿藏（固原市西）、木峡（固原市西南）、制胜（宁夏泾源县）、六磐（六盘，宁夏隆德县东北）、石峡（固原市西北）六关。

秋季，七月六日，朔方战区（总部设灵州〔宁夏灵武市〕）司令官（节度使）朱叔明，收回安乐州（宁夏中宁县东北鸣沙洲）。

七月十三日，邠宁战区（总部设邠州〔陕西省彬州市〕）司令官（节度使）张君绪，收回萧关（宁夏同心县）。

七月二十三日，凤翔战区（总部设凤翔府〔陕西省宝鸡市凤翔区〕）司令官（节度使）李玭（音pín〔频〕）收回秦州（甘肃省秦安县西北）。

李忱下诏命邠宁战区（总部设邠州〔陕西省彬州市〕）特遣兵团推进到宁州（甘肃省宁县），支援河西（据《新唐书·方镇表》，本年〔八四九〕邠宁战区总部，自邠州迁到宁州，应在此时）。

八月四日，把安乐州（宁夏中宁县东北鸣沙洲）改称威州。

河陇（甘肃省东部，指唐王朝刚刚收回的秦原威三州）居民代表一千余人，扶老携幼，前往首都长安叩见唐帝李忱。

八月八日，李忱登延喜门（皇城东面有二门，延喜门在北）接见，大家欢呼跳跃，脱下本族衣服，改穿唐王朝冠帽衣裳；围观的京师（首都长安）官民，兴奋得大喊万岁。李忱下诏说："招募农民前往三州七关种田垦荒，五年不收田赋租税，今后京师（首都长安）判处流刑的罪犯，一律发配新收回的十处地方（三州加七关）。邻近的战区（朔方〔总部灵州〕、泾原〔总部泾州〕、邠宁〔总部宁州〕、凤翔〔总部凤翔府〕）所属官兵将士，能在防地耕种的，由政府供给耕牛及种粮。温池（宁夏灵武市东南航空距离七十公里）所属盐池，获得的收入，全部支援边防，交由全国财政总监署（度支）负责。三州七关的边防军士卒，都加倍发给衣服粮食，两年调防一次。沿途设置军警岗哨，建立城寨栅栏。凡是商人旅客，来往经过小贩，以及边防军的家属子弟和他们携带的家信，都应随时放行，各关镇不可刁难。山南（山南西道战区）、剑南（东川战区及西川战区），边境所有被吐蕃（西藏）占领的州县，可以酌斟自己的力量，把它们收回。”

11 冬季，十月，把“边防金库”（备边库，参考八四五年九月），改称“边政金库”（延资库）。

12 西川战区（总部设成都府〔四川省成都市〕）司令官（节度使）杜悰奏报说：收复维州（四川省理县）。

13 闰十一月十七日，宰相们因克复河湟（甘肃省及青海省东部），请求呈献荣耀绰号，李忱说：“宪宗（十四任帝李纯）一直想收回河湟（甘肃省及青海省东部）失地（参考八一〇年十二月），只因中原正在作战，心愿未曾完成，即行逝世，而今总算完成先人的志愿，你们可讨论呈献给顺宗（十三任帝李诵）、宪宗（十四任帝李纯）尊贵绰号，显示他们的丰功伟业。”

14 卢龙战区（总部设幽州〔北京市〕）司令官（节度使）张直方，性情冷酷，行为凶暴残忍，喜爱出游打猎，军心沸腾，眼看就要兵变，张直方得到消息，借口打猎，把家族运出城外，向南逃亡，投奔京师（八四一年十月，张仲武割据卢龙，传子张直方，共二代，历九年而终）。战区军队推举营门官（牙将）周綝当候补司令官（留后）。

张直方抵达京师（首都长安），中央任命他当金吾（卫军第十一、十二军）大将军。

15 十二月二十五日（原文误置于闰十一月，据《旧唐书》改），追赠十三任帝李诵绰号：至德弘道大圣大安孝皇帝，十四任帝李纯绰号：昭文章武大圣至神孝皇帝。皇家祖庙的牌位，重新书写。

16 十二月十日，崖州（海南省海口市琼山区）户籍官（司户）李德裕逝世（年六十三岁）。

我童年的时候，年高德劭的前辈们，常谈到李德裕的故事。当时，李瀍英明神武，采纳臣属意见，意志坚决，李德裕也一身承担抨击责难，回报知遇之恩，言听计从，建立功劳，完成大事，君臣间水乳交融，互相信赖的程度，千年以来，不过偶尔出现。观察李德裕在皇宫里的谈话和在政府中所写的奏章，对敌人的了解，好像就在手掌之上；取得胜利，完全出于自己的精确判断，犹如神射手养由基射箭（养由基事，参考六七八年九月注），没有一箭虚发，实在是天下奇才。至于文学文章，则严安、司马相如只能在旁奔走，而政治军事，萧何、曹参都没有资格跟他同坐一桌酒席。因此而攻击他弄权作威，未免太苛。李德裕最使人议论的是：他不能忘记私仇、不能以德报怨，也不能把是非置之度外，反而把对方集结在自己四周，跟一些街头巷尾的市井小民，在锥尖上和利刃上作殊死斗。终于沦落到身死瘴气弥漫的南方海上，使人伤心。古人有一则寓言，一个人在京师闹市上抢夺黄金，只因他看不到来来往往的人。李德裕虽有大才，但谈到做人为政之道，他并不了解。

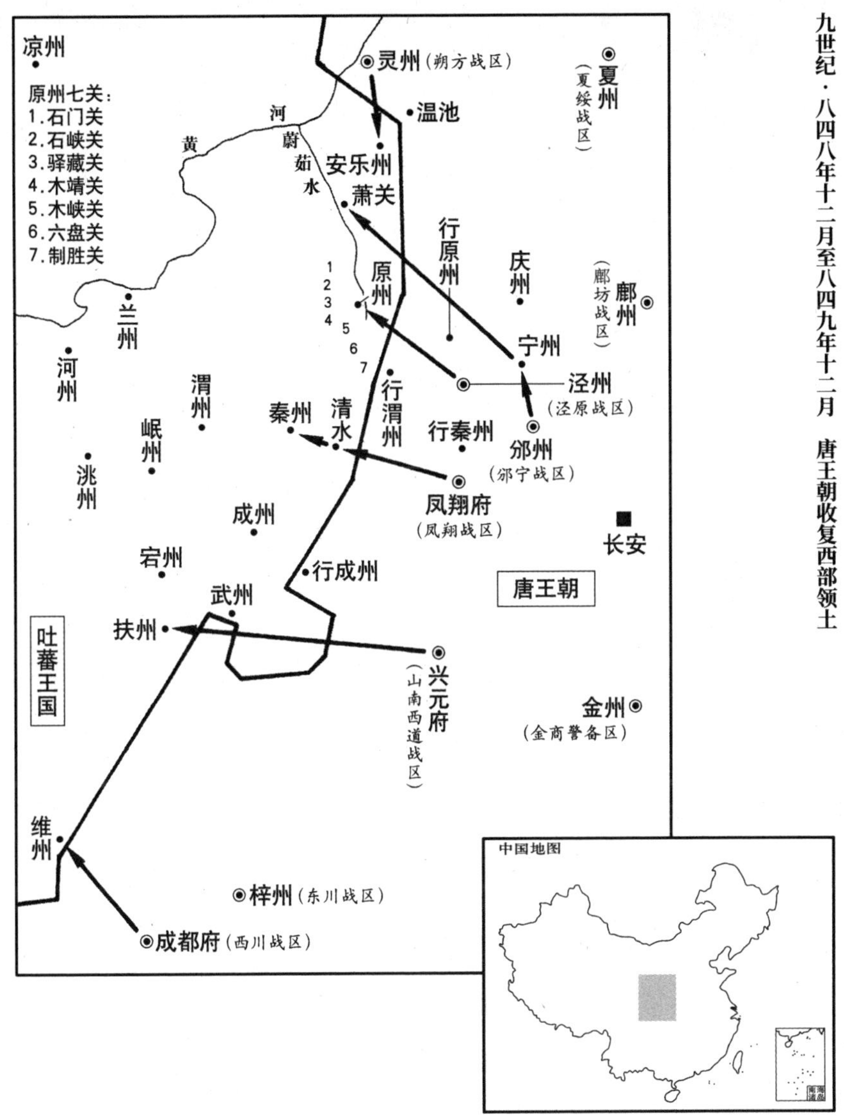

九世纪·八四八年十二月至八四九年十二月　唐王朝收复西部领土

周秦行纪

牛僧孺　著

我于七八五年参加进士科考试，落榜后，遂回宛城、叶县（两城都在河南省南部），经过伊阙（河南省洛阳市南）南道，鸣皋山下，打算投宿大安村民家，可是天已黄昏，还没有到，勉强再走十余华里，有一条平坦小路。这时候，一钩新月从天际升起，忽然闻到一种奇异的香味，更往前走，不知道走了多久，看见一片明亮火光，最初以为定是一座村庄，续往前进，抵达一处大宅，高门巨户，明显是富贵人家。穿黄衣服的大门守卫说："郎君，你从哪里来？"我回答说："我叫牛僧孺，投考进士科落榜回家，本要到大安村民舍，迷路到此，请准我住上一宿。"一位穿青衣的侍女出来问守卫说："门外是什么人？"守卫说："远客！"守卫遂进去禀告，一会出来说："郎君，请进！"我问这是谁家宅院？守卫说："只管进去，不必多问。"穿过十余重门户，到了大殿，殿前珍珠帘悬挂，有红衣（四、五品官服）、紫衣（三品以上官服）等数百人，站在台阶之间。左右吩咐："殿前叩头！"珍珠帘后有女声说："我是西汉王朝文皇帝（五任帝刘恒）的娘亲薄太后，这是寺庙，郎君不应该在此，怎么忽然来到？"我说："我家住在宛城、叶县，打算回家，不料迷路，恐怕被虎狼吞食，请求一席之地。"薄太后命卷起珍珠帘，把座位移到旁边，说："我是西汉王朝一位老太太，郎君是唐王朝著名的知识分子，没有君臣关系，不必拘束。"我遂登上宝殿，看见薄太后身穿女道士衣裳，相貌庄严，年纪不大，安慰我说："旅途是不是辛苦？"命我坐下，大概一顿饭时间，听见大殿后方传来笑声，薄太后说："今夜月白风清，偶尔有两位女郎前来拜访，正好遇到贵客，不可以不作一次聚会。”告诉左右说：“委屈二位娘子，出来跟秀才相见！”过了很久，两位女郎从后殿出来，侍女有数百人；最前面一位，瘦削的腰肢，修长的身材，瓜子面庞，黧黑的头发，没有经过化妆，穿青色衣裳，顶多二十余岁。薄太后说：“这就是高祖皇帝（西汉一任帝刘邦）的戚夫人！”我叩头晋见，戚夫人也叩头还礼。另一位女子，透过疏薄的衣裳，似可看到她柔软的肌肉，面貌安静，态度稳重，艳光四射，衣裳上很多绣花，年龄比薄太后较轻，薄太后介绍说：“这是元皇帝（西汉十一任帝刘奭）的王昭君。”我像拜见戚夫人一样向她拜见。王昭君也答拜。然后各人就座，薄太后对穿紫衣服的高级宦官说：“去迎接杨家潘家来！”过了很久，空中呈现五色彩云，笑声、说话声，从远处逐渐接近。薄太后说：“杨、潘来了！”忽然间，车喧马嘶，绸光缎影，眼花缭乱，还没有看清楚是怎么回事，两位女郎已从空中冉冉而下。我急忙站在一侧，发现前面一位，细腰大眼，美丽绝伦，穿黄色衣裳，头戴镶玉冠帽，年约三十岁左右，薄太后说：“这是唐王朝的杨玉环！”我立即跪下晋见，尽我臣下的礼节，杨玉环说：“我得罪先帝（指她的第二任老丈夫、九任帝李隆基），所以皇家不把我列入小老婆编制之内，你行此大礼，岂不是没有根据，不敢接受。”不作回拜。另一位女郎肌肉丰满，眼睛脉脉含情，皮肤细腻，牙齿小而洁白，宽衣大袖，薄太后说：“她是南齐帝国的贵妃潘玉奴！”我用拜见王妃的礼节拜见。不久，薄太后命摆设酒宴，一会工夫，筵席开始，山珍海味，都不知道名称，我只求吃饱，所以不能每样菜都尝，餐毕再饮酒，酒壶酒杯完全是皇家用具。薄太后对杨玉环说：“为什么不常来看我？”杨玉环说：“三郎（李隆基）常来华清宫，我是随驾侍从，抽不出时间。”薄太后又问潘玉奴说：“你也不来，为了什么？”潘玉奴掩着嘴笑，没有回答，杨玉环看着潘玉奴，说：“玉奴告诉我，萧宝卷（南齐帝国六任帝）粗疏狂暴，从早到晚出去打猎，所以不能时常晋见。”薄太后问我：“唐王朝现在的皇上是谁？”我回答说：“现在的皇上（十二任帝李适）是先皇帝（十一任帝李豫）的长子！”杨玉环失笑说：“原来沈老太婆的儿子当了天子，真是奇怪！”（沈老太婆，即睿贞皇后。沈女士失踪事，参考七六五年七月。）薄太后问说：“是个什么样的领袖？”我回答说：“我地位卑微，还没有到了解君王恩德的程度。”薄太后说：“不要在意，只管说出你的感想。”我说：“民间一致认为神圣英武！”薄太后再三再四点头，就命添酒，增加乐队演奏。乐手都是少女，敬酒数巡，乐声停止，薄太后请戚夫人弹琴。戚夫人把碧玉手镯轻轻向肘部一推，光彩照耀四座，接着弹琴，琴声哀怨。薄太后说：“牛秀才不期而遇，各位娘子也不期来访，如果没有记载，就不能表达我们最大的欢乐。”遂分发给每人纸笔，命各赋诗一首纪念。停了一会，诗都作成。薄太后诗云：“月寝花宫得奉君，至今犹愧管夫人。汉家旧是笙歌处，烟草几经秋复春。”王昭君诗云：“云里穹庐不见春，汉衣虽旧泪痕新。如今最恨毛延寿，爱把丹青错画人。”戚夫人诗云：“自别汉宫休楚舞，不能妆粉恨君王。无金岂得迎商叟，吕氏何曾畏木强。”杨玉环诗云：“金钗坠地别君王，红泪流珠满御床。云雨马嵬分散后，骊宫不复舞霓裳。”潘玉奴诗云：“秋月春风几度归，江山犹是邺宫非。东昏旧作莲花地，空想曾披金缕衣。”（薄太后事，参考前一八〇年九月；戚夫人事，参考前一九四年十二月；王昭君事，参考前三三年正月；潘玉奴事，参考五〇〇年八月；杨玉环事，参考七五六年六月十四日。）再三邀我写作，我无法推辞，遂遵命成诗一首。云：“香风引到大罗天，月地云阶拜洞仙。共道人间惆怅事，不知今夕是何年。”另有一位吹笛吹得非常好的女郎，短短的头发，衣服华丽，面貌姣美妩媚，跟潘玉奴一块前来，薄太后招呼她坐在身边，不时命她吹笛一曲，也常请她饮酒。现在，薄太后看看她，告诉我说："认识不认识？她就是绿珠（参考三〇〇年六月）！潘玉奴收作义妹，所以潘玉奴带她一块前来！"薄太后对她说："绿珠，你怎么能不作诗？"绿珠道歉，也作诗一首，云："此日人非昔日人，笛声空怨赵王伦。红残翠碎花楼下，金谷千年更不春。"大家作诗既毕，酒也饮完。薄太后说："牛秀才远道而来，今晚谁跟他作伴？"戚夫人起身告辞说："如意已经长大，绝不可以，也不适宜。"潘玉奴也告辞说："萧宝卷因为我的缘故，身死国亡，我不可以负他。"绿珠同样推辞说："石崇性情严厉而又嫉妒，今天宁可死，不可以跟别的男人上床。"薄太后说："杨玉环是当今王朝先帝的贵妃，不可谈到这件事。"于是对王昭君说："你最初嫁呼韩邪单于，再嫁复殊累单于，固然是困处异地，不得不如此自苦，但冰天雪地的蛮鬼，有什么能力管你，你千万不要推辞。"王昭君没有回答，把头低下来，含羞带恨。不久，各自返回。我被左右侍女送到王昭君宅院。等到天亮，侍女把我叫起，王昭君流泪送别，忽然外边传话说："薄太后召见！"我遂出来晋见，薄太后说："这里不是郎君久住的地方，最好早早离开，希望不忘昨晚欢娱！"于是再摆筵席，戚夫人、潘玉奴、绿珠，都流泪哭泣。终于告辞，薄太后命红衣（四、五品官服）官员送我前去大安村，走到西边大道，他忽然不见，当时天才大亮。我到大安村询问村里的人，他们告诉说："距这里十余华里，有薄太后庙。"我折回去眺望庙宇，断瓦残垣，一片荒凉，连小路都找不到，已不是刚才所见的景象。我衣服上的香味，十余日仍然不散，竟不知道是怎么回事。

周秦行纪

李德裕 著

口中说什么话，由于心里想什么事。手中写什么文章，由于心里有什么感情。无论是说话或写文章，都是表达一种志向和一种期望。所以从一个人说什么，就可看出他心里想什么；看他的文章，就知道他的意愿。我曾经听说牛僧孺性情怪诞，行为险恶。因他的牛姓应验神秘预言书上记载，所以势非篡夺唐王朝政权不可。记载说："首尾三麟六十年，两角犊子恣狂颠，龙蛇相斗血成川。"（此神秘预言，早在武曌夺权时已流传，参考七三七年四月注。）稍后读牛僧孺所著的《玄怪录》，很多都是谋反的隐语，人们无法解释，或许有少数人通晓其中一句两句，而竟前往投靠。了解他使用司马家族篡夺曹魏帝国的渐进手段，采取田恒吞食齐国的精密方法。牛僧孺从卑微的小职员，最后升迁到宰相，建立的私党，坚固如同大山，没有人可以动摇。有意对抗的，全被诬陷下狱，大家无不闭眼闭口，事实全记载在史官刘轲所写的《牛羊日历》之上（刘轲，十四任帝李纯在位末年时的进士。《牛羊日历》记述牛僧孺、杨虞卿二人的事）。我看到牛僧孺的《周秦行纪》，反复阅读，牛僧孺以平民之身，竟跟帝王的后妃，在幽冥中相遇，目的就在证明他不是人臣，将有意于"狂颠"——篡夺帝座。以至戏谑德宗（十二任帝李适）是"沈老太婆的儿子"，而把代宗（十一任帝李豫）的皇后称作"沈老太婆"，令人骨骼颤抖；他对他的君王，已冒犯侮辱到极点，心怀异志，力求应验神秘预言书，至为明显。我从幼年就服膺臧文仲的话："看到冒犯侮辱他君王的人，就好像猎鹰看到所追逐的鸟雀！"（《左传》前六〇九年）所以把牛僧孺贬到边远地方，为时很久。我第一次当宰相（参考八三三年二月），正准备把牛僧孺诛杀，因力量不够，暂时停止。阅读史书，发现八世纪初期，监察官（御史）周子谅弹劾牛仙客，认为他的牛姓应验神秘预言书（参考七三七年四月）；当时看起来很像，但不合“三鳞六十”之数。自裴度、李逢吉、李程、李绅堂兄等，厌恶牛僧孺如同仇寇，跟我具有共识；我不是因私人恩怨才痛恨牛僧孺，而是完全由于他应验神秘预言书。牛僧孺当山南东道战区（总部设襄州〔湖北省襄阳市〕）司令官（节度使）的时候，复州（湖北省天门市）州长乐坤上疏祝贺武宗（十八任帝李炎〔李瀍〕）监督国政，牛僧孺批答说：“这是一桩不关紧要的事，用不着祝贺。”（复州属山南东道战区）则是仗恃他的姓“牛”，才敢如此，正巧我被征召返京（首都长安），第二次充任宰相，正要揭发这项叛逆阴谋，却一时找不到机会，又遇上昭义战区（总部设潞州〔山西省长治市〕）反抗中央，查获牛僧孺跟刘从谏交结来往书信（指二人信件阅读后全被焚毁，参考八四四年九月），遂把牛僧孺贬逐出京（首都长安）。可叹！当人的臣属，却阴谋叛变，不仅人可以把他诛杀，连鬼都可以把他诛杀。凡是跟牛僧孺感情深厚的人，未尝不是浅薄无赖之辈，互相勾结，希望牛僧孺有朝一日登极称帝，他们好当开国功臣，这正是太相信神秘预言书的缘故。因为有人责备我对牛僧孺的憎恨，出于情绪，所以特别在此说明，希望了解我之所以憎恨的基本原因。可惜还没有来得及把牛姓全族屠杀灭种，就又被罢黜，莫非命中注定：要当君王的人，不会死亡？以致为国家留下祸胎，诚是我的大罪。假如跟我志向相同的人，以后能当宰相，掌握权柄，应该替君王铲除这个祸患。历史演进既已显示法则，牛僧孺的出现绝对不是偶然。即令牛僧孺现在不反，牛僧孺的子孙将来也会反，必须把牛僧孺一家男女老幼，全部依法处死，刑罚才算恰当，国家才能安定。才不必担心二百四十年后篡夺政权，颠覆帝国。噫，我辅佐君王，光明正大、嫉恶如仇的心理，初年就已养成。因而提笔陈述多少年积压下来的愤怒，并在《行纪》之后，留下书迹。

柏杨曰

《周秦行纪》不是牛僧孺的作品，理由十分明显，纵是天下第一驴蛋，也不至在手无寸铁之时，写出使自己全族陷于屠灭、直接冒犯在位皇帝的淫秽文章。当李党于九世纪三〇年代，拿这篇文章作为证据，向十七任帝李昂发动诬陷时，李昂一眼就看出破绽，说："一定有人栽赃，牛僧孺是德宗(十二任帝李适)在位时的进士，怎么敢称德宗(李适)是沈老太婆的儿子？"幸亏李昂明白，否则牛僧孺全族，那时候就成一堆白骨。很多人考证，《周秦行纪》是李德裕同路人韦瓘执笔，李德裕则据此而主张杀尽牛家人丁。自己伪造证据，再自己举发，朱桂称之为"狐埋狐搰"，可谓洞穿心肺。

我们把《周秦行纪》及《周秦行纪论》，全篇抄录，而不零碎引述，就是希望读者对全文有完整印象，以判断是非。官场文化中有一种现象：当政治斗争一旦白热化，一定会升高到"诬以谋反"层面！牛僧孺不过一个谨慎小心，既没有能力，又没有担当的和稀泥型官僚政客而已。李德裕强悍干练，行事有方，自超过牛僧孺百倍，牛僧孺虽一度挡住了李德裕的仕宦之路，但他并不犯死罪，李德裕用尽千方百计，一击不中之后，又要用维州事件陷害，再次一击不中之后，更加抓狂，索性诬陷牛僧孺跟昭义战区（总部潞州）叛军勾结。西汉王朝有“腹诽”之刑，李德裕更发明“叹息”有罪，最后凶性大发，索性警告皇帝说：牛僧孺即令他自己不叛变，他的子孙也要叛变，为了消灭后患，斩草除根，要求对牛僧孺全家作预防性的屠杀，连怀抱中的婴儿都要处死，苍苍者天，这就是所谓的“正人君子”！

秦桧陷害岳飞，家属不过贬谪，李德裕陷害牛僧孺，却连妇女、儿童以及牛僧孺的朋友，都要死在钢刀之下。最冷血的是，李德裕在被放逐到崖州之后，仍写下《行纪论》之文，希望别人代他动手，万计俱穷之后，只好一口咬定二百四十年后，牛姓后裔定会篡夺政权。而二百四十年后的一〇八九年，正是宋王朝七任帝赵煦在位，姓牛的并没有坐上宝座，而且直到二十世纪结束，也没有一个姓牛的朋友当上皇帝，李德裕却企图用一个遥远预期的谋反行为，煽动别人蠢血沸腾！如果当时真的把牛家屠灭，李德裕还可能大肆庆幸消灭灾难于未然！而在昭义战区，并没有搜出牛僧孺书信，李德裕明知如此，却在《周秦行纪论》中斩钉截铁的说搜出书信。李德裕是为复仇而生、为复仇而活，用心之卑鄙恶毒，使人强烈的想唾他的脸！

17 山南西道战区（总部设兴元府〔陕西省汉中市〕）司令官（节度使）郑涯奏报说：已收回扶州（四川省九寨沟县南坪镇）。

九世纪 五〇年代 八五〇—八五九年

唐王朝

- 浙东兵变，逐行政长官李讷。
- 容州兵变，逐指挥官王球。
- 湖南兵变，逐行政长官韩悰。
- 江西兵变，逐行政长官郑宪。
- 宣歙兵变，逐行政长官郑薰。
- 武宁兵变，逐司令官康季荣。
- 十九任帝李忱逝世，宦官立二十任帝李漼。
- 浙东民变，裘甫聚众起兵。
- 南诏王国改称大礼帝国。

- 日本仁明、文德天皇相继逝世，清和天皇继位，年九岁。成为藤原家傀儡。
- 威尼斯商人开始把欧洲人贩卖给阿拉伯帝国各地当奴。
- 阿拉伯镇压亚美尼亚抗暴军，杀三万人。镇压梯弗利斯抗暴军，杀五万人。

唐　大中　四年

1 春季，正月一日，唐王朝（首都长安〔陕西省西安市〕）赦免天下。

2 二月，唐帝（十九任宣宗）李忱（李怡。本年四十一岁），下令把秦州（甘肃省秦安县西北）隶属凤翔战区（原属陇右战区）。

3 夏季，四月二日，贬副立法长（中书侍郎）、二级实质宰相（同平章事）马植当天平战区（总部设郓州〔山东省东平县〕）司令官（节度使）。

李忱得以登上帝位，左神策军总指挥宦官（左军中尉）马元贽有重要贡献，因此，李忱对他的恩待及宠信，也超过其他宦官。马植遂跟马元贽认作同姓同宗，李忱曾赏赐马元贽一条宝玉腰带，马元赍转手送给马植。马植系到腰上进宫朝见，李忱一眼就认出来，马植大为恐惧，脸色苍白，不敢隐瞒。明天，宰相职务遂被免除，逮捕马植的亲信助理董侔，交给总监察署（御史台）调查审问，董侔供出马植跟马元贽结交的全部经过，再把马植贬作常州（江苏省常州市）州长。

4 六月二日，国务院国防部副部长（兵部侍郎）、二级实质宰相（同平章事）魏扶逝世。李忱命国务院财政部长（户部尚书）、全国财政总监（判度支）崔龟从，兼二级实质宰相（同平章事）。

5 秋季，八月，命宰相白敏中兼边政金库监督（判延资库）。

6 卢龙战区（总部设幽州〔北京市〕）司令官（节度使）周綝逝世，各将领上疏请求任命大营管理官（押牙）兼步骑兵总作战司令（马步都知兵马使）张允伸当候补司令官（留后）。

九月二十三日，李忱批准。

7 党项各部落（陕西省北部）在西北边界一带经常制造灾祸，唐政府训令有关各战区出军讨伐，连年征战，不能平息，而遣兵调将，转运粮饷，一直无法停止，立法院初级立法官（右补阙）孔温裕上疏深切劝阻。李忱大怒，贬他当柳州（广西柳州市）军务秘书长（司马）。孔温裕，是孔戣的侄儿（孔戣，参考八一一年闰十二月。戣，音kuí〔魁〕）。

8 吐蕃王国（首都逻些城〔西藏拉萨市〕）自称宰相的论恐热，派佛教和尚将领莽罗蔺真，率军在鸡项关（青海省循化县东）南方建造桥梁，准备攻击驻扎白土岭（青海省西宁市东）的尚婢婢军。尚婢婢派他的将领尚铎罗榻藏，率军据守临蕃军（青海省西宁市西）拒抗，情势不利，尚婢婢再派大将磨离罴子、烛卢巩力等率军据守氂牛峡（青海省湟源县东）阻截。烛卢巩力建议说："我们应该按兵不动，拒守险要，不跟敌人作战，然后派奇兵切断他们的粮食补给线，使他们进攻找不到作战对象，撤退又无法回到大营。少则十天，多则一月，他们的军队一定崩溃。"磨离罴子不接受。烛卢巩力说："我宁可以被长官撤职，也不做败军之将！"遂声称有病，回到鄯州（青海省海东市乐都区）。磨离罴子出兵迎战，大败，战死。尚婢婢粮食缺乏，遂留拓跋怀光守鄯州（青海省海东市乐都区），而自己率部众三千余人，前往水草茂盛的甘州（甘肃省张掖市）西境放牧。论恐热得到尚婢婢放弃鄯州（青海省海东市乐都区）消息，亲自率精锐轻装骑兵五千人追击，一直追到瓜州（甘肃省瓜州县。此处地理可能有误，必非瓜州），听说鄯州（青海省海东市乐都区）仍在拓跋怀光之手，遂对河西（甘肃省中西部及青海省东部）鄯州（青海省海东市乐都区）、廓州（青海省化隆县）等八州（其他六州不详），大肆烧杀抢掠，青年男子全部处死，老人妇女则割掉鼻子或砍下双脚，用长枪把婴儿贯串起来，作为游戏，焚毁所有家宅房屋，五千华里之间，一片赤土，不见人烟（可悲）。

9 冬季，十月二十七日，李忱命皇家文学研究院院长（翰林学士承旨）、国务院国防部副部长（兵部侍郎）令狐绹（音táo［陶］），兼二级实质宰相（同平章事）。

10 十一月二十八日，命皇家文学研究官（翰林学士）刘瑑（音zhuàn［撰］）当京师（首都长安）以西讨伐党项部落特遣兵团宣慰特使（京西招讨党项行营宣慰使)。

11 命卢龙战区(总部设幽州〔北京市〕)候补司令官(留后)张允伸，实任司令官(节度使)。

12 十二月，命凤翔战区(总部设凤翔府〔陕西省宝鸡市凤翔区〕)司令官(节度使)李业、河东战区(总部设太原府〔山西省太原市〕)司令官(节度使)李拭，同时兼任征剿党项部落特遣兵团司令(兼招讨党项使)。

13 国务院文官部副部长(吏部侍郎)孔温业报告当权高级官员，请求调往外地，宰相白敏中对其他宰相说："我们应该自己检讨，孔温业都不肯留在中央！"孔温业，是孔戣的侄儿(孔戣，参考八一一年闰十二月)。

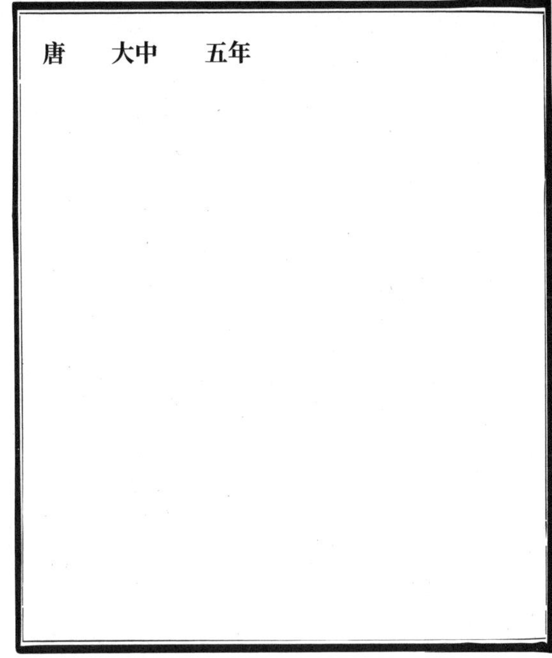

1 春季，二月十九日，唐王朝（首都长安〔陕西省西安市〕）天德军基地（内蒙古乌拉特前旗东北）奏报说：吐蕃王国（首都逻些城〔西藏拉萨市〕）摄理沙州（甘肃省敦煌市）州长张义潮，派使节归降。

张义潮，是沙州（甘肃省敦煌市）平民。此时，吐蕃（西藏）正陷大乱，分崩离析，张义潮暗中结交英雄豪杰，计划脱离吐蕃（西藏），回归唐王朝。一天早上，张义潮率领他的部众，身穿铠甲，结集在州政府门前，高声呐喊，霎时间，华人都起来响应，吐蕃（西藏）守军将领大为惊骇，仓猝逃走，张义潮遂接管州政府，摄理州长职务，派人携带归降奏章，到天德军（内蒙古乌拉特前旗东北）呈递，唐帝（十九任宣宗）李忱（李怡。本年四十二岁）命张义潮当沙州（甘肃省敦煌市）警备区司令（防御使）。

2 李忱命国务院国防部副部长（兵部侍郎）裴休，当全国盐铁专卖暨运输总监（盐铁转运使）。裴休，是裴肃的儿子（裴肃以州长行贿皇帝，获得高官，闻名于世，参考七九六年六月）。自八二七年以来，从江淮（华东地区）运米到京师（首都长安），每年大约四十万斛，经过官员士卒们的偷盗和中饱，又有些粮船中途沉没，能运到渭仓（即永丰仓，陕西省潼关县北）的，不过十分之三四，当初刘晏制定的粮运规章（参考七八〇年七月。迄今七十二年），几乎全部破坏。裴休彻底清查弊端，颁布水运法规十条，于是每年运到渭仓的米高达一百二十万斛。

3 李忱逐渐了解：党项部落（陕西省北部）所以不断聚众起兵，反抗政府，都是官逼民反——边防军将领贪图他们的马、羊，一次又一次的欺骗抢夺，甚至随意杀人，党项哭诉无门，化成愤怒，只有武装起义抗暴。于是任命立法院高级顾问官（右谏议大夫）李福，当夏绥战区（总部设夏州〔陕西省靖边县北白城则村〕）司令官（节度使）。

自此以后，继续遴选文官接替边防军中贪污、凶暴的统帅，在他们告辞前往上任的那天，李忱再当面勉励告诫，党项部落（陕西省北部）的变乱因此终于平定。李福，是李石的老弟（李石，参考八四四年二月）。

4 李忱因南山党项（陕西省长城以南党项部落）和平夏党项（陕西

省长城以北党项部落)，长期反抗政府，无法镇压，开始厌倦这项军事行动。宰相崔铉建议派高级官员前去安抚。

三月，李忱命白敏中当司空(三公之三)，遥兼二级宰相(同平章事，使相)，充任征剿党项各战区道特遣兵团总指战官兼军政总监(招讨党项行营都统、制置等使)等，并兼南北两路补给司令(供军使)，及邠宁战区(总部设宁州〔甘肃省宁县〕)司令官(节度使)。白敏中请求援引裴度前例，遴选中央官员当自己的幕僚(裴度事，参考八一七年七月)，李忱同意。

夏季，四月，命监督院高级顾问官(左谏议大夫)孙景商，当太子宫政务署长(左庶子)，出任邠宁(总部宁州)作战参谋长(行军司马)；皇家诏书撰写官(知制诰)蒋伸，当太子宫事务署长(右庶子)，出任邠宁(总部宁州)副司令官(节度副使)。蒋伸，是蒋系的老弟(蒋系救宋申锡，参考八三一年三月)。

最初，李忱命白敏中给皇女万寿公主物色女婿，白敏中推荐郑颢(音hào〔浩〕)；郑颢已跟当时最高贵的世家之一——卢姓结亲，并且正前往迎娶，已走到郑州(河南省郑州市)。白敏中用“宰相联合办公厅训令”(堂帖)，派人快马加鞭追上，把郑颢召回京师(首都长安)。因此郑颢对白敏中十分痛恨，不断在李忱面前诋毁白敏中。白敏中将要前往宁州(甘肃省宁县)到差，奏报李忱说：“郑颢不愿意娶公主，所以把我恨入骨髓。我身在中央，他对我无可奈何。而今我出任外职，郑颢一定陷害，我不知道死在哪一天！”李忱说：“我早就知道，你说得太晚！”命侍从宦官到宫中拿出一个用柳柽木做的小箱子，交给白敏中，说：“这都是郑颢呈递的告密奏章，我如果听他的，怎么能任用你直到今天！”白敏中回到家里，把这小箱子放到佛像前，焚香叩头。

白敏中驻军宁州（甘肃省宁县）。

四月十日，定远（宁夏平罗县）城守司令（城使）史元，在三交谷（陕西省靖边县境），击破党项部落九千余篷帐。白敏中奏报说："党项的变乱，完全平息。"

四月二十九日，李忱下诏说："平夏党项（陕西省长城以北党项部落），已经平定，南山党项（陕西省长城以南党项部落），听说仍有离开山区的人，因饥寒交迫，继续抢掠，可是平夏（长城以北）又不愿收容他们，使他们走投无路。现在交给夏绥战区（总部设夏州〔陕西省靖边县北白城则村〕）司令官（节度使）李福负责安抚，就在银州（陕西省榆林市东南鱼河镇）、夏州（陕西省靖边县北白城则村）境内，拨出荒田，由他们开垦耕种。如果能革面洗心，归化唐王朝，唐政府当像看待儿子一样看待他们，从前所犯的罪，全部赦免，如果含冤受屈，由他们向地方主管机关控告。如果再侵犯汉人土地，或再逃亡深山丛林，拒绝中央政令，则立即诛杀，毫不宽恕。出征将士有功的，奖赏；死伤的，优厚抚恤。朔方（总部灵州）、夏绥（总部夏州）、邠宁（总部宁州）、鄜坊（总部鄜州）四战区居民，免除田赋租税三年，相邻各战区，酌量免除租税。过去，因为边防军将领贪污残暴，迫使党项反抗，今后自应选择清廉的官员安抚，如果再把他们逼反，当先处罚边防军将领，再出兵讨伐叛逆。"

5 吐蕃王国（首都逻些城〔西藏拉萨市〕）自称宰相的论恐热，残忍暴虐，所属部落多数叛离。鄯州（青海省海东市乐都区）守将拓跋怀光（守鄯州事，参考去年〔八五〇〕九月），又派人游说引诱，论恐热的部众有的逃回自己原来的部落，有的则投降拓跋怀光。论恐热势力衰弱而孤单，于是对他的部众宣告说："我马上就去唐王朝朝见，借兵五十万，讨伐那些不服从的叛徒。然后，把渭州（甘肃省陇西县）定作首都，请求唐王朝封我当吐蕃国王，谁敢不追随！”

五月，论恐热抵达唐朝京师（首都长安），李忱派国务院左秘书长（左丞）李景让，前往论恐热下榻的礼宾院，询问他的意愿。论恐热态度倨傲，神色傲慢，说话荒唐怪诞，要求唐政府设立河渭战区，任命他当战区司令官（节度使）。李忱不同意，登上三殿（麟德殿）召见论恐热，跟平常召见外国使节一样，并没有特殊的优待，慰劳他一番话，送他回国。论恐热大失所望而去，再回旧根据地落门川（即洛门川，甘肃省武山县东南，参考八四二年十二月），集结旧日的部众，打算侵略唐王朝边疆。不料，天降连绵大雨，粮食缺乏，部众逐渐散去，只剩下三百余人，无法立足，于是逃往廓州（青海省化隆县）。

6 六月，李忱封皇子李润当鄂王。

7 进士孙樵上书说：

“试看全国人民，男子耕田，妇女纺织，饭仍不能吃饱，衣仍不能穿暖。而佛教和尚，却安安稳稳的坐在舒适的屋子里，饭菜精致，衣服华丽；平均下来，十户人家，奉养不起一个和尚，武宗（前任帝李瀍）对这种不公平现象，气愤难消，才下诏命十七万名和尚，留发还俗，而全国一百七十万户人家，才得以稍稍喘一口气。可是陛下登极以来，修复早被废除的寺庙，斧砍土石，刀削木竹的声音，到今天都没有停止，而剃发为僧的人，几乎恢复从前的数目（参考八四七年闰三月）。陛下即令不能像武宗（前任帝李瀍）一样，铲除累积多年的弊病，但也不必恢复已被铲除的废物！前些日子，陛下想整修首都长安东门，谏官们劝阻，就立刻停止。现在复建寺庙，难道比修东门还要急迫？从事劳役的工程，难道比修东门还要轻松？希望早日发布诏书：和尚没有回寺的，不准再回寺；寺庙没有修建的，不准再修建，人民或许还可以歇歇负担沉重的双肩。”

秋季，七月，宰相联合办公厅（中书门下）奏报说：“陛下信仰佛教，臣属没有人不跟着奔走膜拜。唯恐一旦财力不足，他们可能会生办法弄钱，扰乱社会秩序，希望命地方政府酌量节俭；剃度和尚，也应命地方政府遴选有品德的善良居民，如果剃度的尽是凶悍粗暴的人，就不是敬佛之道。至于乡村佛舍，请延缓到征剿战事结束后再动工修建。”李忱批准。

8 八月，白敏中奏报说：“南山党项（陕西省长城以南党项部落）也请求归降。”当时因长期军事行动，财政困难，李忱下诏赦免南山党项，命他们恢复正常生活。

9 冬季，十月十七日，宰相联合办公厅（中书门下）奏报说：“现在边疆战乱虽然已经平息，可是各州府的佛教寺庙，还没有全部复建完成，希望命他们完成。凡是面积广大、距离州府较远的县，准许设置一座寺庙，乡村不必再建佛舍。”李忱批准。

10 十月三十日，李忱命国务院财政部副部长（户部侍郎）魏谟，当二级实质宰相（同平章事），仍主持财政部税务司（判户部）。

当时，李忱年龄已高（本年李忱四十二岁），还没有册封太子，文武百官都不敢提出。魏谟进宫叩谢，乘势奏报说：“全国一派升平，只皇家继承人仍没有确立，使正人君子得以对他早日辅佐，我暗中深感忧虑。”一面说一面哭泣流泪。受到当时舆论推崇。

11 蓬州（四川省仪陇县南）、果州（四川省南充市）变民，占据鸡山（四川省营山县境），四出抢劫，范围遍达三川（三川：西川〔四川省中部〕、东川〔四川省东北部〕、汉川〔陕西省南部〕）。

中央政府命果州（四川省南充市）州长王贽弘，当三川特遣兵团总作战司令（三川行营都知兵马使），出军讨伐。

12 李忱下诏说：党项（陕西省北部）变乱已经平息，白敏中的总指战官（都统）职务撤销。另行任命白敏中以司空（三公之三）名义，遥兼二级宰相（同平章事，使相），充任邠宁战区（总部设宁州〔甘肃省宁县〕）司令官（节度使）。

13 沙州（甘肃省敦煌市）警备区司令官（防御使）张义潮出军扫荡从吐蕃王国（首都逻些城〔西藏拉萨市〕）手中夺回的瓜州（甘肃省瓜州县）、伊州（新疆哈密市）、西州（新疆吐鲁番市东）、甘州（甘肃省张掖市）、肃州（甘肃省酒泉市）、兰州（甘肃省兰州市）、鄯州（青海省海东市乐都区）、河州（甘肃省临夏市）、岷州（甘肃省岷县）、廓州（青海省化隆县），总共十州。派他的老哥张义泽，携带十一州（连同沙州）地图及重要档案，前往京师（首都长安）晋见，于是河湟（甘肃省及青海省东部）土地，全数回归唐王朝版图。

唐王朝内乱，河湟万里，于一夜之间，陷于吐蕃（西藏）；吐蕃内乱，河湟万里，也于一夜之间，回归唐王朝。溯自八世纪五〇年代覆没，直到九世纪五〇年代收复，恰恰一百年，张义潮虽是时势造成的英雄，但英雄毕竟是英雄，假如

他割地自保，以当时唐王朝的力量，对他固无可奈何，始终心怀故
国，他给我们的是一个尊严的榜样。

十一月，唐政府设置归义战区，总部设沙州（甘肃省敦煌市），命张义潮当司令官（节度使）兼十一州行政长官（观察使）。又命张义潮的执行官（判官）曹义金，当归义战区秘书长（归义军长史）。

14 改命副立法长（中书侍郎）、二级实质宰相（同平章事）崔龟从，遥兼二级宰相（同平章事，使相），充任宣武战区（总部设汴州〔河南省开封市〕）司令官（节度使）。

15 右羽林（禁军第二军）统军（正三品）张直方，被控出城打猎一连几天不回来进宫值班，贬左骁卫（卫军第五军）将军（从三品）。

八五二年 壬申

唐 大中 六年

1 春季，二月，唐王朝（首都长安〔陕西省西安市〕）三川特遣兵团总作战司令（三川行营都知兵马使）王贽弘，讨伐鸡山（四川省营山县境）变民，全部平定。

当时，山南西道战区（总部设兴元府〔陕西省汉中市〕）司令官（节度使）封敖奏报说："巴南妖贼（指蓬、果二州变民，二州都在川、陕交界大巴山脉以南），言辞凶恶无礼，冒犯皇家。"唐帝（十九任宣宗）李忱（李怡。本年四十三岁）听到，怒火烧得几乎发疯。宰相崔铉说："他们都是陛下的子民，只因饥寒交迫，在高山深谷间，偷盗玩弄陛下的武器而已，根本没有资格劳动中央大军，政府只要派一个使节前去安抚，就可以平息。”李忱遂派首都长安特别市副市长（京兆少尹）刘潼，前去果州（四川省南充市）慰问安抚。刘潼上疏反对征剿，指出：“而今，用太阳月亮般的光明磊落态度，唤醒愚昧迷失的变民群众，使他们放下武器，服从政府，非常容易办到。但最教人忧虑的，是将领们不愿意接受不经过战争的和平，发表议论的人又攻击不能迅速看到成果。”刘潼进入鸡山（四川省营山县境），变民箭上弦、刀出鞘，在严密戒备下接待，刘潼不带侍从，一直走到他们前面，说：“我来传达中央的命令，赦免你们的罪状，使你们重新做人。听说你们的木弓可以射击两百步，现在我离你们才十步，如果真的是谋反叛徒，就发箭射我！”变民都抛下弓箭，向他叩头，请求归降。

刘潼回到果州（四川省南充市）宾馆，而王贽弘会同钦差宦官似先义逸（似先，复姓）率军已抵达鸡山山麓，竟发动突击，把变民全部屠杀。

可怜的鸡山变民——不过一群失去土地、饥寒交迫的农夫农妇而已，他们受刘潼先生感动，跪到地下，叩头投降，等候救济。但等到的却是政府军无情屠杀，使人涕泪滂沱。

2 三月，李忱下诏免除右卫（卫军第二军）大将军（正三品）郑光在鄠县（陕西省西安市鄠邑区）及云阳（陕西省泾阳县北云阳镇）田庄的赋税劳役。宰相联合办公厅（中书门下）上疏抗议说：“赋税劳役是国民应尽的义务，全国一致，陛下屡次发布训令，反对特权，呼吁大家一同遵守法律，而今单独免除郑光一个人的田庄赋税，似乎违背陛下以前的理念。虽然是一件小事，但却严重的破坏帝国体制。”李忱下诏说：“我因为郑光是我的舅父，地位尊贵，打算特别优待，所以下令免除他的赋税，并没有多加考虑。亲戚之间的事，一般人都不肯议论，你们如不是爱护我，怎么肯说出正直的话。凡事都能如此负责，何必担心全国不能治理。有始有终，当跟你们共同遵守。奏请的事，全部照准。”

3 夏季，四月八日，命邠宁战区（总部设宁州〔甘肃省宁县〕）司令官（节度使）白敏中，当西川战区（总部设成都府〔四川省成都市〕）司令官（节度使）。

4 湖南道（首府设潭州〔湖南省长沙市〕）奏报说：民兵副司令（团练副使）冯少端、讨伐衡州（湖南省衡阳市）变民军首领邓裴，完全削平（衡州属湖南道）。

5 党项部落（陕西省北部）再聚众起兵，扰乱边疆。李忱打算遴选邠宁战区（总部设宁州〔甘肃省宁县〕）司令官（节度使），却找不到适当的人选。曾经在轻松的气氛中跟皇家文学研究官（翰林学士）兼立法官（中书舍人）须昌（山东省东平县）人毕諴（音xián〔闲〕）谈论边疆事务，毕諴从古代谈到现代，详细陈述边防策略。李忱大喜说：“我正在物色边防军统帅，想不到廉颇（参考前二七九年）、李牧（参考前二四四年），就在眼前，你替我走一趟！”毕諴高兴的接受命令。李忱为了提高他的官场身价。

秋季，七月七日（原文误置于六月），先命毕诚当国务院司法部副部长（刑部侍郎）。

七月八日，再命毕诚当邠宁战区（总部设宁州〔甘肃省宁县〕）司令官（节度使）。

6 雍王李渼（李忱的儿子）逝世，追赠绰号靖怀太子。

7 河东战区（总部设太原府〔山西省太原市〕）司令官（节度使）李业，放纵官员及汉人攻击劫掠北方蛮夷，北方蛮夷中有投降过来的，官员及汉人也随意诛杀，于是北方边境动乱不安。

闰七月六日，李忱命太子少师（太子三少之一）卢钧接任河东战区司令官，李业在中央有强硬的支持，所以没有人敢对他批评。只宰相魏谟一个人提出弹劾，请求免除李业官位，贬谪远方，李忱不许，只把李业调任义成战区（总部设滑州〔河南省滑县〕）司令官（节度使）。

卢钧奏请任命国务院财政部会计司长（度支郎中）韦宙当战区副司令官（副使）。韦宙走遍边塞，召集所有酋长，向他们分析祸福。并禁止汉人侵犯蛮夷境界抢夺劫掠，违犯的一律处死，蛮夷部落因此得过平安日子。

机要秘书（掌书记）李璋，用棍刑处罚一位营门官（牙职）级的军官。明天，一百余位营门官（牙将）向卢钧申诉。卢钧用棍刑处罚领头请愿的人，把他驱逐到别的战区，其余的也统统加以处罚。宣布说：“沿边战区，竟然会一下子聚集一百余人，提出无理要求，不可以不制裁。”李璋，是李绛的儿子（李绛死于变兵，参考八三〇年二月）。

8 八月一日，命国务院教育部长（礼部尚书）裴休，当二级实质宰相（同平章事）。

9 獠民族部落（贵州省北部）攻击昌州（重庆市荣昌区）、资州（四川省资中县）。

10 冬季，十月，邠宁战区（总部设宁州〔甘肃省宁县〕）司令官（节度使）毕諴奏报说：所招抚的党项部落（陕西省北部），都已投降。

11 左骁卫（卫军第五军）将军张直方，被控屡次因微小的过失，而诛杀家奴婢女，贬作恩州（广东省恩平市）户籍官（司户）。

12 十一月，封十四任帝李纯的儿子李惴（音zhuì〔坠〕）当棣王。

13 十二月，宰相联合办公厅（中书门下）奏报说："剃度和尚如果不谨慎从事，佛法戒律，一定堕坏。建造庙院如果没有限制，国家消耗一定严重。请准许从今以后，各州除了遵照上次诏书（参考八四七年闰二月）允许设置的寺庙数目以外，其他著名风景和有神灵显现的地方的寺庙，也准予重新修复，繁华的县份，也可以设置一座。严厉禁止私自剃度和尚、尼姑。如果政府剃度的和尚、尼姑缺乏，则不妨找人递补，但仍须呈报国务院教育部祭祀司（祠部）发给证明文件——度牒（和尚、尼姑剃度，由国务院教育部祭祀司〔祠部〕管辖，参考八四六年五月）。有些人要云游远方，寻师问经的，必须领取本州州政府的公文。"李忱批准。

八五三年

癸酉

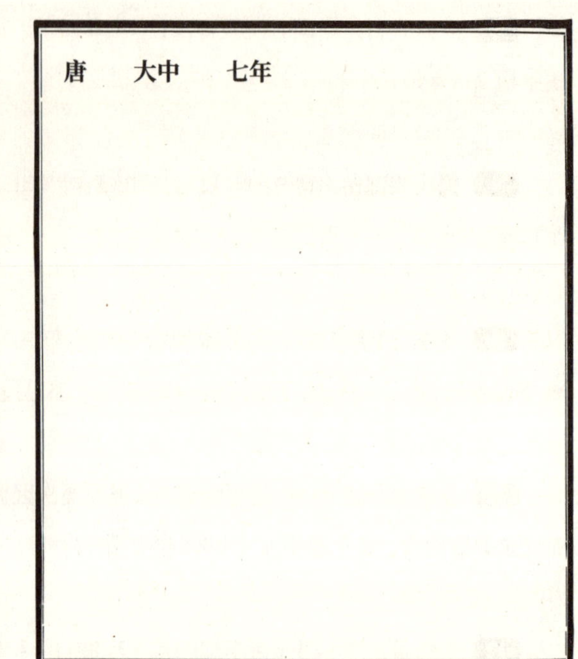
唐　大中　七年

1 春季，正月十七日，唐王朝（首都长安〔陕西省西安市〕）皇帝（十九任宣宗）李忱（李怡。本年四十四岁），前往圆形祭坛祭祀天神，赦免天下。

2 夏季，四月六日，李忱下诏说："自今以后，司法官处罚人犯时，应一律用平常棍棒，打脊背一下，可折合打屁股十下；打屁股一下，可折合打手心五下。司法官执法时，应遵守统一标准（唐王朝刑法以及刑具规格，于二任帝李世民时奠定标准，参考六三七年正月）。”

3 冬季，十二月，监督院初级监督官（左补阙）赵璘，请求取消明年（八五四）元旦朝会，只登宣政殿接受祝贺。李忱询问各宰相的意见，宰相们回答说：“元旦朝会是一项盛大典礼，不可以取消。何况，又逢天下太平。”李忱说：“最近华州（陕西省渭南市华州区）奏报说，有强盗在下邽（陕西省渭南市北）高举火把，公开抢劫；关中（陕西省中部）入冬以来，很少下雪（冬天雪少，麦苗难以成长，冷度不够，病虫害不易绝迹），都使我十分忧虑，怎么能说是天下太平？看起来连宣政殿也不该亲临。”

4 李忱对娘亲郑太后，十分孝顺，不让她住到其他宫殿，而就住在内宫，以便早晚侍奉。舅父郑光，历任平卢（总部设青州〔山东省青州市〕）、河中（总部设河中府〔山西省永济市〕）二战区司令官（节度使）。李忱曾跟他谈论为政之道，郑光回答的话肤浅鄙陋，李忱大不高兴，命他留在京师（首都长安）当右羽林（禁军第二军）统军（正三品），参加早朝。郑太后数次强调郑光贫穷，李忱都重重赏赐金银绸缎，但终不再命他担任治民官职。

5 全国财政总监（度支）奏报说：“自从河湟（甘肃省及青海省东部）收复，每年全国人民缴税总额九百二十五万余串，其中赋税五百五十万余串，酒专卖八十二万余串，盐专卖二百七十八万余串。”

八五四年 甲戌

唐 大中 八年

1 春季，正月一日，日蚀。唐王朝（首都长安〔陕西省西安市〕）元旦朝会取消。

2 唐帝（十九任宣宗）李忱（李怡。本年四十五岁）自从登上皇帝宝座以来，追查谋杀老爹十四任帝（宪宗）李纯的阴谋，逮捕凶手党羽：宦官、皇亲国戚，以及太子宫官员，大量诛杀贬窜。李忱考虑到人心恐慌不安，可能激起大变。

正月十一日，下诏说："本世纪（九）二〇年代之初（十五任帝李恒在位），所有的乱臣贼子，近来搜捕他们的余党，已差不多全部流窜放逐，其余疏远的家族亲戚，一概不再追究。"

3 二月，宰相联合办公厅（中书门下）奏报，初级立法监督官（补阙）、见习立法监督官（拾遗）有很多空缺，请求遴选新人补充。李忱说："谏诤的官员，必须负责称职，人数不一定要有很多，像张道符、牛丛、赵璘几个人，使我每天都能听到一些我所听不到的事，就足够了。"牛丛，是牛僧孺的儿子（牛僧孺，参考八三〇年正月）。

很久之后，牛丛自国务院文官部勋赏司副司长（司勋员外郎），出任睦州（浙江省建德市）州长，进宫谢恩。李忱赏赐给他紫色官服（三品以上高官）。牛丛再谢恩，上前奏报说："我所穿的红色官服（四、五品官），还是向州长借的。"李忱立刻更正说："那么，你就穿红色官服。"李忱十分重视珍惜官服及徽章，有关官员时常携带若干件红色（四、五品官）及紫色（三品以上高官）官服，准备皇帝赏赐之用，可是有时候半年之久，还用不了一件，所以当时人们认为穿红色官服（四、五品官）及紫色官服（三品以上高官）是一种荣耀。

李忱又非常重视皇家文学研究官（翰林学士），凡升迁官职时，李忱一定计算年月经历，认为不可以把官职爵位，私下赏赐给亲近的侍从。

4 秋季，九月四日，李忱命立法院最高顾问官（右散骑常侍）高少逸当陕虢道（首府设陕州〔河南省三门峡市〕）行政长官（观察使）。

一位钦差宦官路过硖石（河南省三门峡市东硖石乡），对驿马车站宾馆供应的饼，竟那么黑，大发雷霆，逮捕宾馆管理员鞭打，直打到脊背流血。高少逸把那个黑饼原封不动的奏报皇帝。钦差宦官回到京师（首都长安），李忱斥责他说："深山之中，这种黑饼，岂是容易吃到！"贬出去看守恭陵（三任帝李治的儿子李弘墓，位于河南省洛阳市偃师区南）。

5 李忱封皇子李洽当怀王，李汭当昭王，李汶当康王。

6 李忱到皇家林园以北打猎，遇见一个砍柴的樵夫，问他哪县人，樵夫说："泾阳（陕西省泾阳县）。"李忱问说："县长是谁？"樵夫说："李行言。"李忱又问："他这个人怎么样？"樵夫说："相当固执，有一次逮捕到几个强盗，神策军派人来要把他们带走，李行言就是不肯，竟把强盗杀掉。"李忱回宫，把李行言的姓名贴到卧室的柱子上。

冬季，十月，擢升李行言当海州（江苏省连云港市）州长。李行言进宫谢恩，李忱赏赐他金鱼袋和紫色官服（三品以上高官），问他说："你知不知道你为什么能穿紫色官服？"李行言说："不知道。"李忱命把卧室柱子上的名条拿给他看。

7 李忱认为：甘露事变（参考八三五年十一月）只李训（李仲言）跟

郑注应该诛杀，其他王涯、贾𫗧等并没有罪，于是下诏昭雪他们的冤枉。

李忱召见皇家文学研究官（翰林学士）韦澳，声称讨论诗的创作和欣赏，然后命左右随从退出，对韦澳说：“最近外面舆论，认为宦官的权势，有什么变化？”韦澳回答说：“陛下强力决断，历代皇上不能相比！”李忱心情沉重的闭着眼睛，摇头说：“完全不对，完全不对！事实上我对他们仍然畏惧，你说应该怎么办？”韦澳回答说：“如果跟政府官员讨论，恐怕三〇年代的灾难（指八三一年宋申锡案及八三五年甘露事变），会在今天再度发生。我的建议是，不如在宦官中物色有才干见识的，跟他们商量。”李忱说：“这是下策，我也曾试验过擢升他们，可是，从黄色官服（九品）到蓝色官服（八品）、到绿色官服（六、七品）、红色官服（四、五品），他们都知道感激皇恩。可是，一旦穿上紫色官服（三品以上高官），就跟当权宦官合流，结成一体。”李忱又曾经跟宰相令狐绹计划把宦官全部屠杀。令狐绹唯恐大屠杀下，会伤害到无辜善良分子，于是秘密奏报说：“只要对有罪的宦官不赦免，对宦官所出的空缺不递补，使他们自然淘汰，最后自会消灭。”宦官们偷看了这份奏章，于是跟官员之间，互相厌恶痛恨，宫廷和政府对立排斥，势同水火。

八五五年 乙亥

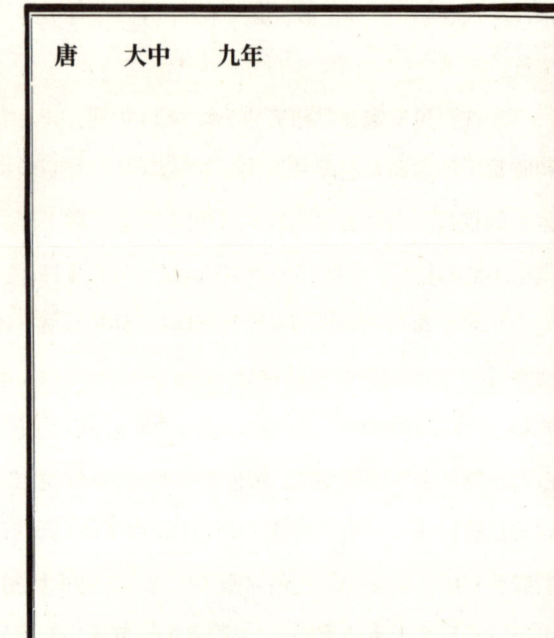

1 春季，正月四日，唐王朝（首都长安〔陕西省西安市〕）成德战区（总部设镇州〔河北省正定县〕）奏报说：司令官（节度使）王元逵逝世（本年四十三岁）。军中拥护他的儿子、副司令官（节度副使）王绍鼎继任。

正月二十三日，中央命王绍鼎当成德战区（总部设镇州〔河北省正定县〕）候补司令官（留后）。

2 二月，擢升醴泉（陕西省礼泉县）县长李君奭，当怀州（河南省沁阳市）州长。

最初，唐帝（十九任宣宗）李忱（李怡。本年四十六岁），有一次在渭水打猎，看见十几位年纪大的地方父老，聚集在一座寺庙里烧香求佛，李忱问什么事，他们说："我们是醴泉（陕西省礼泉县）县民，只因县长李君奭政绩优异，考绩期满，就要离职，我们前去上级机关请求留任（"上级机关"是首都长安特别市政府〔京兆府〕），特别在这里祷告佛祖保佑，成全我们的心愿。"

等到怀州（河南省沁阳市）州长出缺，李忱亲笔擢升李君奭，宰相们都猜测不出原因。李君奭进宫谢恩。李忱告诉他这段事情，特别嘉勉，大家才终于明白。

3 三月，李忱命邠宁战区（总部宁州）司令官（节度使）毕诚，自宁州（甘肃省宁县）返回邠州（陕西省彬州市）。

之前，因河湟（甘肃省及青海省东部）刚刚收复，党项部落的动乱还没有平息，毕诚曾把战区总部北迁至宁州（参考八四九年七月）。而今，南山（陕西省长城以南）、平夏（陕西省长城以北）的社会秩序都已恢复，威州（宁夏中宁县东北鸣沙洲）、盐州（陕西省定边县）、武州（宁夏同心县，原萧关）三军驻防的军队的粮食，供应充足，所以命毕诚返回原来总部。

4 夏季，闰四月，李忱下诏说："州县政府的劳役，有失公平，从今以后，各县政府应调查人民的贫富，作为加重或减轻劳役的标准，登记专册，称'差科簿'，呈报州长审查批准，锁在县政府公堂之上，遇到派遣劳役，就命县长依照该'差科簿'分配。"

5 五月十九日，命王绍鼎当成德战区（总部设镇州〔河北省正定县〕）司令官（节度使）。

6 李忱聪明灵敏，记忆力极强，宫里洒水扫地的奴仆，他都能叫出他们的姓名，而且知道每个人的才干及长处，呼唤指使，从没有差错。有关机关所奏报的全国各监狱管理官及管理员姓名，李忱只要看过一遍，就记在心中。全国财政总监署（度支）奏报“绸缎渍污”，把“渍”误写作“清”。宫廷机要室值班宦官（枢密承旨）孙隐中认为皇帝没有发现，把它添上两笔，改正过来。等到宰相联合办公厅（中书）再次呈阅（奏章的流程是：皇帝于阅读过奏章后，交给宰相联合办公厅〔中书〕签注意见，再连同原奏章呈阅），李忱大为震怒，追查擅自改正的人，加以处罚。

李忱命皇家文学研究官（翰林学士）韦澳，收集各州风土人情，以及山川形势、民生利弊，编成一册，亲自手写呈献，一切在秘密中进行，即令是子弟都不知道，命名为《处分语》。有一天，邓州（河南省邓州市）州长薛弘宗进宫叩见，出来后对韦澳说：“皇上对我们邓州的事，了解的程度使人吃惊。”韦澳询问内容，全是《处分语》中的话。韦澳在皇家文学研究院（翰林），李忱常派宦官吩咐他撰写诏书，有时事情并不恰当，韦澳就说：“这件事必须皇上亲笔指示，才敢遵命。”这样拖延到天亮，再上疏劝阻。李忱多数都会同意。

7 秋季，七月，浙东道（首府设越州〔浙江省绍兴市〕）兵变，驱逐行政长官（观察使）李讷。李讷，是李逊的侄儿（李逊事，参考八一五年十月），性情褊急暴躁，对将领们又傲慢无礼，所以激起祸乱。

8 淮南（总部设扬州〔江苏省扬州市〕）饥馑，居民多半流亡逃生，战区司令官（节度使）杜悰，忙于游玩饮宴，不治理政事。李忱得到报告。

八月十八日（原文误置于七月，据《旧唐书》改），命副监督长（门下侍郎）、二级实质宰相（同平章事）崔铉，遥兼二级宰相（同平章事，使相），充任淮南战区（总部扬州）司令官（节度使）。

八月二十一日，命杜悰当太子太傅（太子三师之二），东都洛阳（河南省洛阳市）办公。

9 九月二十九日，贬李讷当朗州（湖南省常德市）州长，监军宦官王宗景打四十棍，发配恭陵（三任帝李治的儿子李弘墓，河南省洛阳市偃师区南），李忱下诏说：“自今以后，统帅如果违法失职，监军宦官同罪。”命国务院教育部副部长（礼部侍郎）沈询，当浙东道（首府设越州〔浙江省绍兴市〕）行政长官（观察使）。沈询，是沈传师的儿子（沈传师，参考八〇六年四月十三日）。

10 冬季，十一月，命国务院文官部副部长（吏部侍郎）柳仲郢，当国务院国防部副部长（兵部侍郎）、全国盐铁专卖暨运输总监（盐铁转运使）。有位民间医师刘集，跟宫中宦官有来往，李忱命全国盐铁专卖暨运输总监署，补一个盐铁场管理员（场官）的缺。柳仲郢上疏说：“医术精良，应补医官的缺，如果管理盐铁，用什么作为考核他的标准？而且盐铁场管理员（场官）位置低贱，不应该由陛下亲自下令，我不敢接受诏书。”李忱立刻在奏章上批说：“刘集应赏赐他绸缎一百匹，送他回去。”后来，看到柳仲郢，慰劳他说：“你议论刘集的事，十分恰当。”

李忱曾因食欲不振，召唤助理医师（医工）梁新诊脉，服药几天，病情大为好转。梁新遂上疏请求晋升为医官（助理医师〔医工〕属祭祀部〔太常寺〕皇家医院〔太医院〕，品秩流外三品，属于“不入流”），李忱拒绝，但命全国盐铁专卖暨运输总监署（盐铁使），每月给他钱三十串而已。

11 右威卫（卫军第十军）大将军康季荣，前曾出任泾原战区（总部设泾州〔甘肃省泾川县〕）司令官（节度使），擅自开支公款二百万串，事情被发觉，康季荣请求变卖家产偿还。李忱因康季荣有收复河湟（甘肃省及青海省东部）的功劳（参考八四九年六月），批准。御前监督官（给事中）把诏书加封退还，谏官们也纷纷反对。

十二月五日，贬康季荣当夔州（重庆市奉节县）政务秘书长（长史）。

12 江西道（首府设洪州〔江西省南昌市〕）行政长官（观察使）郑祗德（祗，音zhī〔芝〕），因他的儿子郑颢娶公主（李忱的女儿万寿公主），被擢升到高位，坚决请求调任一个清闲差事。

十二月十九日，命郑祗德当太子宾客（正三品），东都洛阳办公。

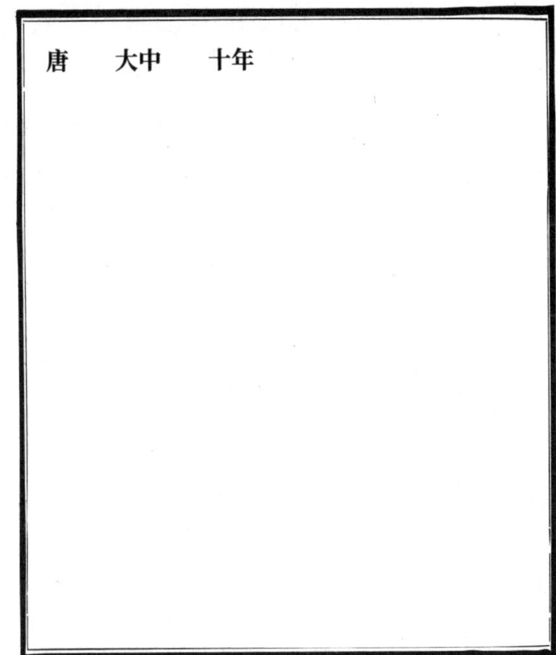

1 春季，正月十三日，唐王朝（首都长安〔陕西省西安市〕）皇帝（十九任宣宗）李忱（李怡。本年四十七岁），命总监察官（御史大夫）郑朗，当国务院工程部长（工部尚书）、二级实质宰相（同平章事）。

2 李忱命宰相裴休毫无拘束的畅谈时事，裴休建议早日指定太子，李忱说：“如果指定太子，我就成了可有可无的闲人！”（胡三省注：“谁说李忱明察，我不相信！”）裴休不敢再说话。

二月十三日，裴休声称有病，提出辞职，李忱不准。 716

3 三月八日，李忱下诏说："回鹘部落对大唐有很大贡献，世代通婚，而自己称'臣'，保护大唐北方，使大唐不再担心烽火狼烟。四〇年代时，回鹘溃散，可汗逃亡，唐政府正巧奸臣当权（指李德裕），遂把他们歼灭。最近，投降的人告诉说：药罗葛厖勒已登极继任可汗，仍住安西（新疆库车市。参考八四八年正月，当时已从安西徙居甘州〔甘肃省张掖市〕，可能唐政府仍未得到此消息）。等到他有一天重回中央御帐（王庭，蒙古国哈拉和林市），当加封号。"

4 李忱认为首都长安特别市（京兆）长久以来，一团混乱，不能治理。

夏季，五月二十四日，命皇家文学研究官（翰林学士）、国务院工程部副部长（工部侍郎）韦澳，当首都长安特别市长（京兆尹）。韦澳为人公平正直，既到差办公，豪门显贵都不敢犯法。李忱的舅父郑光，手下一位庄园管理员，骄傲凶暴，横行乡里，地方官民全都对他畏惧，而一连几年，却不缴田赋，韦澳把该管理员逮捕，戴上脚镣手铐刑具。李忱登延英殿询问韦澳，韦澳把他犯罪的情形，具体奏报，李忱说："你准备怎么处罚？"韦澳说："依法斩首。"李忱说："可是郑光非常喜欢他，怎么办？"韦澳说："陛下从内宫把我调到长安（皇家文学研究院〔翰林院〕设于内宫），就是为了扫除京师（首都长安）累积的弊害，郑光的庄园管理员多少年来制造灾祸，如果竟可以免除重刑，是国家的法律，只会管制贫穷小民！我不敢接受这项指示。"李忱说："你说的完全对，可是郑光纠缠我没有完。不妨狠狠责打那个管理员一顿，只饶他不死，可不可以？"韦澳说："我不敢再不接受，但请陛下准我继续囚禁，直等到把欠款缴清才把他释放。”李忱说：“当然可以，我为了郑光干预你公平执法，深感惭愧。”韦澳回首都长安特别市政府，立即下令把那管理员用棍棒痛打，等到把所欠的谷米数百斛缴齐，才把他送回给郑光。

5 六月七日，命副立法长（中书侍郎）、二级实质宰相（同平章事）裴休，遥兼二级宰相（同平章事，使相），充任宣武战区（总部设汴州〔河南省开封市）司令官（节度使）。

6 农林部长（司农卿）韦廑，渴望出任夏绥战区（总部设夏州〔陕西省靖边县北白城则村〕）司令官（节度使），有一个法术师得到消息，到韦廑家门求见，保证说：“我最精通的是祭祀星辰，祈祷神灵，无论求官求财，没有一件事不使你满意。”韦廑相信，就在夜晚，在院子里设立祭坛，法术师说：“请你把你所想得到的官位，亲笔一一写出！”法术师在拿到那张字条后，霎时翻脸，仰天大号说：“韦廑阴谋叛变，命我祭祀天神！”韦廑全家下跪叩头，哭泣哀告说：“一百口人的性命，求山人恩典！”把家中所有金银珍宝，全部馈赠给法术师。法术师遂一夜之间，成为巨富。可是，平常看惯他清寒装束的巡逻警察，忽然间见他衣帽一新，华丽耀眼，认定他是强盗，于是把他逮捕，追查金钱来源，法术师情急，招供说：“韦廑请我祭祀天神，我打算告发他，他用家产求我！”主管单位奏报皇帝。

秋季，九月，李忱召见韦廑，当面盘问，完全了解受害情形，告诉宰相说：“韦廑是京师（首都长安）城南世家，拥有高贵门第（当时，城南韦杜两大家族，住处分称“韦曲”“杜曲”，参考七一〇年六月二十一日注），被恶人诬陷，不要教狱卒对他凌辱。”立刻把法术师交给首都长安特别市政府(京兆),乱棍打死。韦廑贬永州(湖南省永州市)军务秘书长(司马)。

柏杨曰 肃清贪污、根绝勒索最有效的方法,莫过于追查财富来源,一个人的开支如果超过他的合法收入,多余的钱,一定来自非法。调查开支,比调查银行存款或珠宝房产,要容易得多。一个月薪一千元的家伙,竟购买一只价格十万元的钻戒,或购买一座价格一百万元的房舍,他就必须解释钱从哪里来的。

7 国务院财政部副部长(户部侍郎)、主管税务司(判户部)、驸马(公主之夫)郑颢,千方百计钻营奔走,希望能当宰相。他的老爹郑祗德(祗,音zhī〔芝〕)写信给他说:“听说你主管财政部税务司(判户部),是我的死期已定在今年。又听说你又钻营宰相,是我的死期已定在今天。”郑颢大为畏惧,接连上疏辞让繁重的职务。

冬季,十月十五日,命郑颢当皇家图书院院长(秘书监,从三品)。

8 李忱派使节前往安西(新疆库车市)安抚流亡该地的回鹘部落。使节走到灵武(宁夏灵武市),正遇上回鹘可汗药罗葛厖勒的使节前来进贡。

十一月十二日,册封药罗葛厖勒当嗢禄登里罗汨没密施合俱录毗伽怀建可汗。命军械供应部副部长(卫尉少卿)王端章,当册封特使。

9 国务院文官部长(吏部尚书)李景让上疏说:“穆宗(十五任帝李恒)是陛下的老哥,敬宗(十六任帝李湛)、文宗(十七任帝李昂)、武宗(十八任帝李瀍),都是陛下的侄儿。陛下向老哥叩头还可以,难道向侄儿也叩头？而且这样的话，也使陛下不能祭祀七代祖先，所以四位皇帝的牌位，应迁出皇家祭庙，而迎回代宗（十一任帝李豫）以下的牌位（参考八四六年六月）。”李忱命文武百官讨论，很久都无法作出结论，才算停止。当时的人因此看不起李景让。

柏杨曰

儒家学派的丧礼、葬礼、祭祀，真是博大精深，一辈子都弄不通，它的繁文缛节和违反人性，更是造成社会争端的主要原因，十一世纪的“濮议”，十六世纪的“大礼议”，都使人叹为观止。即以李景让认为叔父不应向侄儿叩头，竟受到当时一些人轻视，奴性之深，应算是儒家文化一大奇观。

10 李忱下令：“在灵感、会善二寺庙中，设立戒坛，各州府和尚、尼姑有缺额时，授权给年长的和尚，遴选候补信徒，给他正式公文，前往两个戒坛剃度，两京（首都长安及东都洛阳）各自推选十位高僧主持剃度法事。发现不能胜任的命他们还俗，可以胜任的发给他们证明书——度牒，送回本州。无论和尚、尼姑，如果没有两寺发给的度牒，各州不准收容。在遴选信徒时，应先从原有的和尚、尼姑中物色，原有和尚、尼姑实在不能胜任时，才准许在世俗人家中物色。”

11 十二月二十三日（原文误置于十一月，据《新唐书》改），命国务院财政部副部长（户部侍郎）、主管税务司（判户部）崔慎由，当国务院工程部长（工部尚书）、二级实质宰相（同平章事）。

李忱每次任命宰相，左右侍从都不知道。前一天，李忱还派宫廷机要室主任宦官（枢密）到皇家文学研究院（学士院），传达皇帝圣旨:“任命国务院国防部副部长(兵部侍郎)、全国财政总监(判度支)萧邺,当二级实质宰相(同平章事)。”宫廷机要室主任宦官(枢密使)王归长、马公儒回来后奏报说:“萧邺的全国财政总监(判度支),应不应免除?”李忱认为王归长等帮助萧邺,立刻亲笔写下崔慎由的名字跟新的职务,交给皇家文学研究院(学士院),并加批:“萧邺不再主管财政部税务司(判户部)。”萧邺,是萧渊明的八世孙(萧渊明,南梁帝国五任帝,参考五五五年五月)。

12 御花园管理宦官(内园使)李敬寔,遇见宰相郑朗,不肯回避,郑朗奏报皇帝,李忱责备李敬寔,李敬寔回答说:“宫内侍候的宦官,依照惯例,从不回避政府官员。”李忱说:“你有皇命在身,就是横穿马路也没有关系。但你私自出去,怎么可以不回避宰相?”命剥去他的官服,发配到皇城政府所在地当差。

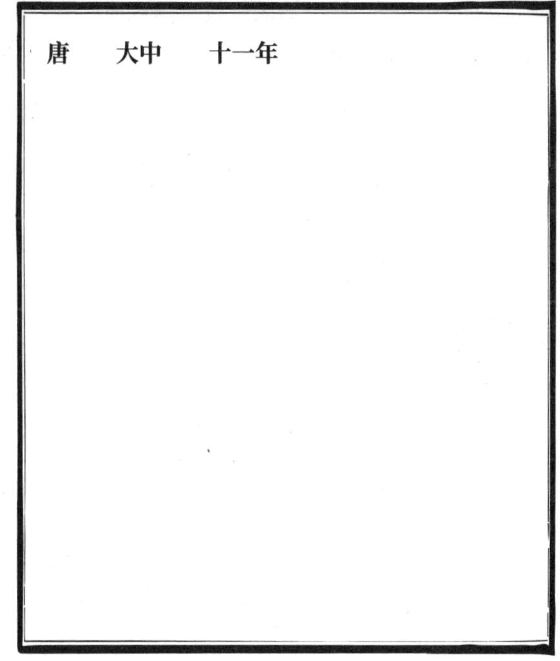

1 春季，正月七日，唐王朝（首都长安〔陕西省西安市〕）皇帝（十九任宣宗）李忱（李怡。本年四十八岁）命副总监察官（御史中丞）兼国务院右秘书长（兼尚书右丞）夏侯孜，当国务院财政部副部长（户部侍郎）、主管税务司（判户部事）。

先前，主管税务司（判户部）出缺，首都长安特别市长（京兆尹）韦澳奏报事情时，李忱打算命韦澳递补。韦澳辞让说："我这些年来，心情体力，都过度消耗，难以负担繁重的工作，曾屡次请陛下赐给一个小一点的战区，陛下一直没有允许。"李忱大不高兴。韦澳回家，他的外甥柳玭抱怨他，韦澳说："皇上不跟宰相们商议，而私下给我官职，别人一定认为是我用不正当手段，我怎么证明不是！而且，你可知道政治风气越来越败坏的原因？正由于像我们这样的知识分子，贪名求位！”

正月十七日，李忱命韦澳当河阳战区（总部设孟州〔河南省孟州市〕）司令官（节度使）。柳玭，是柳仲郢的儿子（柳仲郢，参考八四五年二月）。

2 李忱打算前往华清宫（陕西省西安市临潼区西），谏官们恳切劝阻，李忱也就停止。

李忱非常喜爱听取反对意见，凡是谏官们对时局的批评，监督院（门下）官员们对诏书的封驳，只要有道理，李忱多数都不坚持自己的意见，屈意接受。看到高级官员的奏章时，必定焚香洗手，很严肃的阅读。

3 二月十三日，命副监督长（门下侍郎）、二级实质宰相（同平章事）魏谟，遥兼二级宰相（同平章事，使相），充任西川战区（总部设成都府〔四川省成都市〕）司令官（节度使）。

魏谟当宰相，每次在皇帝面前讨论国事，别的宰相总是婉转规劝，只魏谟直率说出，没有任何避讳，李忱经常叹息说：“魏谟有他祖先（魏徵）的风骨，我从内心对他敬重。”但是最后，仍因为太刚强正直，受另一位宰相令狐绹猜忌，被排斥出京（首都长安）。

4 岭南（南岭以南）溪洞蛮（广东西部及广西苗族部落）不断反抗政府，劫掠民间。

夏季，四月五日，李忱命右千牛（卫军第十六军）大将军宋涯，当安南军管区（首府设安南府〔越南河内市〕）暨邕州军管区（首府设邕州〔广西南宁市〕）慰劳特使（宣慰使）。

五月九日，命宋涯当安南军管区（首府设安南府〔越南河内市〕）军事指挥官（经略使）。容州军管区（首府设容州〔广西容县〕）兵变，驱逐军事指挥官（经略使）王球。

六月二十七日，命宋涯再兼容州军管区（首府设容州〔广西容县〕）军事指挥官（经略使）。

5 六月二十八日，李忱封皇子李灌当卫王，李滩当广王。

6 秋季，七月五日，擢升国务院国防部副部长（兵部侍郎）、全国财政总监（判度支）萧邺，当二级实质宰相（同平章事），仍兼全国财政总监（判度支）。

7 皇家歌舞团（教坊）演员祝汉贞，幽默风趣，反应敏捷，李忱曾经随意指一件东西，命他吟诗，他顺口而出，描写生动，声韵精密，好像早就做好备用似的。因此，深受皇帝宠爱，超过其他演员。有一天，在李忱面前，拍手说笑，话题不断涉及政治，李忱板起面孔警告他说：“我养活你们，只是为了娱乐，怎么可以过问政府的事！”从此跟他疏远。不巧，祝汉贞的儿子因贪赃枉法，被棍刑处死，李忱遂把祝汉贞流放到天德军（内蒙古乌拉特前旗东北）。

音乐师罗程，很会弹琵琶，前任帝（十八任武宗）李瀍在位时，他就受到宠爱。李忱一向精通音乐演奏，对他尤其照顾。罗程遂仗恃皇恩，凶暴蛮横，一言不合就下手杀人，被捕囚禁首都长安特别市监狱（京兆狱）。其他音乐师打算为他说情，趁着李忱到后苑听音乐的机会，特地替罗程虚设一个座位，把琵琶放到上面，大家集合大庭，向李忱下跪叩头，哭泣出声。李忱问他们缘故，大家回答说：

“罗程辜负陛下，应死万次，可是我们惋惜他的绝世手艺，不能再在陛下设宴游乐时，侍候左右！”李忱说：“你们惋惜的是罗程的技艺，我所珍惜的是高祖（一任帝李渊）、太宗（二任帝李世民）的国法！”竟把罗程乱棍打死。

8 八月，成德战区（总部设镇州〔河北省正定县〕）司令官（节度使）王绍鼎逝世。王绍鼎沉湎酒色，荒淫无度，最喜爱在楼上向人发箭射击，战区官员酝酿把他赶走，正巧，王绍鼎一病而死，军中拥护他的老弟、副司令官（节度副使）王绍懿继位。

八月十四日，中央命王绍懿当成德战区（总部设镇州〔河北省正定县〕）候补司令官（留后）。

9 九月二十七日，命太子太师（太子三师之一）卢钧，遥兼二级宰相（同平章事，使相），充任山南西道战区（总部设兴元府〔陕西省汉中市〕）司令官（节度使）。

10 冬季，十月五日，擢升秦成（总部设秦州〔甘肃省秦安县西北〕）警备区司令（防御使）李承勋，当泾原战区（总部设泾州〔甘肃省泾川县〕）司令官（节度使）。李承勋，是李光弼的孙儿（李光弼，参考七四七年十月）。

先前，吐蕃王国（首都逻些城〔西藏拉萨市〕）酋长尚延心，率河州（甘肃省临夏市）、渭州（甘肃省陇西县）二州吐蕃部落投降，唐政府任命他当右武卫（卫军第四军）将军（河州是张义潮收复的十一州之一，参考八五一年十月；或之后又被吐蕃夺回）。李承勋发现吐蕃部落的羊马成群，十分繁盛，顿生毒念，于是，把他们诱进凤林关（甘肃省临夏市西北），安置在秦州（甘肃省秦安县西北）以西。李承勋跟他的部将们，秘密计划逮捕尚延心，诬告他叛变，然后劫掠他的全部财产，再把所有部众驱逐到荒远的边疆。尚延心得到情报，就在出席李承勋的一次宴会上，告诉李承勋说：“河州（甘肃省临夏市）、渭州（甘肃省陇西县），地广人稀，再加上饥馑和瘟疫，汉人多数内迁到三川（平凉川〔甘肃省平凉市境〕、蔚茹川〔清水河流域，宁夏南部〕、落门川〔甘肃省武山县东南〕），而吐蕃部落，也远远的逃到叠州（甘肃省迭部县）、宕州（甘肃省舟曲县）以西，二千华里路间，看不到人烟。我打算前往京师（首都长安）晋见天子，请准我率全体部众，分别迁入内地，当一个真正的唐朝人，使西方疆界永远平安，再看不到战马扬起尘土，这项功劳，不会小于张义潮。”李承勋打算自己建立这桩勋业，犹豫不决，没有立即允许。尚延心继续说：“我如果前去中央，部落迁到内地，秦州（甘肃省秦安县西北）就成了无人地带，再没有什么可以依靠的了。”李承勋跟各将领你看我，我看你，说不出话。明天，各将领报告李承勋说：“大帅你首先推行武装垦荒耕田，设置警备区，手握百万雄兵，全部都由全国财政总监署（度支）供应。将领们没有经过战争的辛苦，却收获武装屯垦的利益。如果接受尚延心的建议，西方边疆平安无事，中央一定会撤销警备区司令部（使府），并减少边防军。最后更可能把秦州（甘肃省秦安县西北）划归凤翔战区（总部设凤翔府〔陕西省宝鸡市凤翔区〕），我们就完全绝望。”李承勋同意，遂立刻上疏，建议任命尚延心当河州（甘肃省临夏市）、渭州（甘肃省陇西县），总游击司令（都游弈使），命他统率原部众，仍住原地。

11 副立法长（中书侍郎）、二级实质宰相（同平章事）郑朗，因病辞职。

十月八日，命郑朗当太子太师（太子三师之一）。

12 李忱到了晚年，喜好神仙，派宦官到罗浮山（广东省博罗县西北）迎接道士轩辕集（距流放轩辕集十一年，参考八四六年四月）。

13 册封回鹘汗国可汗的特使王端章（参考去年〔八五六〕十一月），因道路被黑车子部落（内蒙古呼伦池南）阻断，不能抵达，中途折回。

十月二十七日，贬王端章当贺州（广西贺州市）军务秘书长（司马。此时回鹘可汗在安西〔新疆库车市〕，道路不可能被黑车子部落阻断，王端章大概在谎言拆穿后被贬）。

14 十一月八日，命成德战区（总部设镇州〔河北省正定县〕）候补司令官（留后）王绍懿，实任司令官（节度使）。

15 十二月，免除宰相萧邺兼任的全国财政总监（判度支）。

八五八年 戊寅

唐　大中　十二年

1 春季，正月，唐王朝（首都长安〔陕西省西安市〕）皇帝（十九任宣宗）李忱（李怡。本年四十九岁），命康王李汶的师傅、东都洛阳（河南省洛阳市）办公的王式，当安南总督（总督府设越南河内市），兼军事指挥官（经略使）。

王式有才干谋略，抵达交趾（指安南府所在城，越南河内市）后，用艻木构筑围墙，可支持数十年（艻，音tiáo〔条〕。艻木可能是越南特产，今名什么，无法查考），在艻木城外挖掘很深的护城壕，用城里的水把城壕注满，壕外种植竹子，敌人不能通过（竹名“艻竹”，长满芒刺），并遴选勇士，训练成一支精锐部队。不久，南诏王国（首都苴咩城〔云南省大理市〕）远征军大量涌到，距交趾（安南府，越南河内市）只半日行程。王式神色安闲，派使节乘驿车前往询问及慰劳，切中南诏要害，南诏遂在夜晚撤退，派使节向王式道歉说：“我们只是追捕獠部落叛徒，不是发动攻击。”

安南总作战官（都校）罗行恭，在总督府时间已久，专权横行，直属精锐部队就有二千人，而总督直接指挥的部队，却全是老弱残兵，才数百人。王式到差后，鞭打他的脊背，贬窜边荒。

2 最初，国务院财政部副部长（户部侍郎）、全国财政总监（判度支）刘瑑（音zhuàn〔撰〕），当皇家文学研究官（翰林学士）时，李忱就对他很是器重。现在当河东战区（总部设太原府〔山西省太原市〕）司令官（节度使），李忱亲写诏书，命他回京（首都长安），刘瑑在动身时奏报他出发日期，大家才知道他已内调。

正月二十五日，命刘瑑当二级实质宰相（同平章事）。刘瑑，是刘仁轨的五世孙（刘仁轨事，参考六七二年十二月）。

刘瑑跟另一宰相崔慎由，在皇帝面前讨论国事，崔慎由说：“只有一心一意，整理文武百官的门第家世，区别他们的品流等级，才能报答皇上的恩典于万一。”刘瑑说：“从前，王衍崇尚浮华，随意划分别人的品流等级，以致中原化成废墟（王衍喜爱批评别人，参考二九七年九月）。而今，天下太平，官员们应该依照自己的官职责任，完成应做的工作，使文武百官都尽到他们的能力，如果竟然把门第家世、品流等级当作优先，我就不知道哪一天帝国才能治理！”崔慎由张口结舌，无法答对。

3 道士轩辕集抵达首都长安（参考去年〔八五七〕十月），李忱召唤他进宫，问说："长生法术，能不能学？"轩辕集说："帝王们弃绝私欲，尊崇道德，自然会承受大福，用不着到别的地方去求长生！"逗留几个月，再三请求返回罗浮山（广东省博罗县西北）。李忱只好再把他送回。

4 二月一日，免除文武官员祭祀光陵（十五任帝李恒墓，位陕西省蒲城县北尧山）及忌日（逝世那一天）叩拜上香，把守陵宫女遣散到其他皇帝陵墓（李忱深信老爹〔十四任宪宗李纯〕之死，是老哥〔十五任穆宗李恒〕指使宦官陈弘志下的毒手，所以有此严厉措施。皇帝死后，凡是没有儿女的小老婆、宫女，一律送到坟墓陵园，好像皇帝仍然活着，每天准备盥洗用具，铺床叠被。这真是一幕绝望惨剧，青春少女，直到老病死尽，中国史书之多，冠于全球，可是守墓的小老婆和宫女的生活，却没有留下片言只字）。

5 二月五日，贬副立法长（中书侍郎）、二级实质宰相（同平章事）崔慎由，当东川战区（总部设梓州〔四川省三台县〕）司令官（节度使）。

李忱打算登丹凤楼宣布大赦，宰相令狐绹质疑说："登楼大赦，费用太大，又必须有一个名义！而且，国家不应该一赦再赦！"（在我们想象中，登楼大赦不花一文，十分钟便可了事，但专制帝王有专制帝王的架势，唐王朝制度，登楼大赦时，禁军及卫军将领士卒，都有金钱赏赐。）李忱不高兴说："教我用什么名义？"崔慎由说："陛下还没有指定太子，全国人民都在注意，如果举行册封太子典礼，即令到南郊圆形神坛祭祀天神都可以，何况登楼大赦！"当时，李忱正服用法术师的长生不老药，心神烦躁，口腔干渴，可是外面的人还不知道，李忱怀疑猜忌，已陷于歇斯底里状态，听到这项建议，低头不再说话。十天后，崔慎由被免除宰相职务。

6 渤海王国（首都上京龙泉府〔黑龙江省宁安市西南东京城镇〕）国王（十一任）大彝震逝世。

二月二十日，唐政府册封他的老弟大虔晃继位（十二任）。

7 夏季，四月，李忱命京师（首都长安）西城纠察司令（右街使）、驸马（公主之夫）刘异，当邠宁战区（总部设邠州〔陕西省彬州市〕）司令官（节度使）。刘异，娶安平公主，是李忱的妹妹。

8 四月九日，岭南战区（总部设广州〔广东省广州市〕）指挥官（都将）王令寰，发动兵变，囚禁战区司令官（节度使）杨发。杨发，是苏州（江苏省苏州市）人。

9 四月十七日，李忱命国务院国防部副部长（兵部侍郎）、全国盐铁专卖暨运输总监（盐铁转运使）夏侯孜（夏侯，复姓），兼二级实质宰相（同平章事）。

10 五月六日，国务院工程部长（工部尚书）、二级实质宰相（同平章事）刘瑑逝世（年六十三岁）。刘瑑病重的时候，仍亲自撰写奏章，讨论帝国大事，李忱对他的逝世，十分惋惜。

11 李忱命右金吾（卫军第十二军）大将军李燧，当岭南战区（总部设广州〔广东省广州市〕）司令官（节度使），已派宦官把符节赐给他，御前监督官（给事中）萧仿把诏书加封退回。李忱正在听音乐演奏，时间仓猝，已来不及再派宦官，就命参加演奏的乐师急追，直追到李燧家门口，才算追上致送符节的宦官，把他叫回。萧仿，是萧俛的堂弟（萧俛，参考八二〇年闰正月）。

五月二十一日，命泾原战区（总部设泾州〔甘肃省泾川县〕）司令官（节度使）李承勋，当岭南战区（总部设广州〔广东省广州市〕）司令官（节度使），征调邻近战区军队，讨伐变军首领王令寰，把战乱平息。

12 当天（五月二十一日），湖南道（首府设潭州〔湖南省长沙市〕）兵变，指挥官（都将）石载顺等，驱逐行政长官（观察使）韩悰，诛杀大营总管理官（都押牙）王桂直。韩悰做人傲慢，对将士们不以礼相待，所以灾祸临到他头上。

13 六月六日，江西道（首府设洪州〔江西省南昌市〕）兵变，指挥官（都将）毛鹤驱逐行政长官（观察使）郑宪。

14 最初，安南总督（总督府设越南河内市）李涿（音zhuō〔捉〕），贪赃枉法，性情凶暴，用等于抢劫的价钱，强行购买当地的牛马，一头牛只付给食盐一斗；又擅自诛杀当地部落酋长杜存诚。各部落怨恨愤怒之余，引导南诏王国（首都苴咩城〔云南省大理市〕）侵入沿边各地，烧杀劫掠。

峰州（越南永安市〔河内市西北〕）林西原（永安市西），原驻有冬防军六千人（南方炎热，冬季瘴气才息，敌人便于此时侵扰，唐王朝因之设冬防军因应）。林西原旁边有七绾洞蛮（越南西北部土著），酋长李由独，时常跟唐政府配合，防守境界，并且缴纳田赋捐税。可是，有一个自称了解峰州（越南永安市）的人，向李涿建议撤销冬防军，边防安全，全部交给李由独负责。李由独势单力孤，没有办法生存。南诏王国拓东战区（总部设善阐府〔云南省昆明市〕）司令官（节度使），写信给李由独，引诱他背弃唐朝，又把甥女嫁给李由独的儿子，任命李由独的儿子当拓东战区（总部设善阐府〔云南省昆明市〕）大营管理官（押牙）。李由独遂率领他的部众，归降南诏。从此之后，安南（越南河内市）才有南诏侵略的灾祸。

本月（六），南诏攻击安南。

15 秋季，七月七日，宣歙道（首府设宣州〔安徽省宣城市宣州区〕）指挥官（都将）康全泰发动兵变，驱逐行政长官（观察使）郑薰。郑薰逃奔扬州（淮南战区总部，江苏省扬州市）。

16 七月八日，立法院初级立法官（右补阙）宫内办公（内供奉）的张潜上疏说："战区司令官、道政府行政长官新旧任移交的时候，例行都要奏报仓库中结存数量，数量越多，考绩越好，中央也据此颁发奖赏鼓励。我私自思虑，地方政府的收入和开支，大致平衡，假如不是赋税征收过重，或者克扣将士们的军饷，或者减少官员士卒们的衣服粮食，哪里来的盈余？最近，南方各军事重镇，屡次爆发抗争，原因在此。一旦兵变，仓库积蓄的财货，全被劫掠，横扫一空，中央派出大军讨伐，开支的费用，远超过他们呈献盈余的百倍以上，追根寻底，中央有什么利益可图？我祈求从此之后，训令各地方政府首长，在不增加田赋捐税，不减少粮食赏赐，而只单独克制游乐欢宴，节省日常浪费情况之下，仍然能有盈余的，才加以奖励。"李忱嘉许他的意见，完全采纳。

17 容州军管区（首府设容州〔广西容县〕）总纠察官（都虞候）来正

(来，姓) 叛变，军事指挥官 (经略使) 宋涯把他逮捕，斩首。

最初，忠武战区 (总部设许州〔河南省许昌市〕) 精锐部队，都用黄巾包头，号称“黄头军”。岭南战区 (总部设广州〔广东省广州市〕) 司令官 (节度使) 李承勋，率黄头军一百人，平定岭南 (总部广州)；宋涯命他的部下采用这种装束，也平定容州 (广西容县)。

安南军管区 (首府设安南府〔越南河内市〕) 有一群好战分子，屡次制造混乱，听到这个故事，惊骇说：“黄头军已经渡海对我们发动袭击！”于是聚集在一起，利用夜晚，包围交趾城 (指安南府所在城，越南河内市)，擂动战鼓，大声呐喊说：“愿意护送总督 (都护) 北返，我们需要这个城池抵抗黄头军！”安南总督王式正在吃饭，有人劝他出城躲避，王式说：“我只要移动一步，人心就会崩溃！”慢慢把饭吃完，穿上铠甲，率左右官员登上城楼，竖起大将旗帜，坐下来斥责那些好战分子，大家回身逃走。明天，王式把他们全部逮捕诛杀。有一位叫杜守澄的人，自南齐帝国及南梁帝国以来，他的家族就领导部众，占据那一带山洞，政府无法控制 (自五世纪到九世纪，土豪势力长达四百年之久)。王式用离间计挑拨他们内部不和，杜守澄逃亡、逝世 (杜守澄是杜存诚的儿子)。安南军管区 (首府安南府) 饥馑战乱，一次接连一次，六年以来，对中央没有进过贡或缴过租税，而对军队也从没有犒赏。而今，王式才开始向中央进贡及缴纳租税，慰劳将士。占城王国 (即环王国，首都占城〔越南茶荞城〕) 及真腊王国 (柬埔寨)，都再度派使节跟唐王朝来往。

18 淮南战区 (总部设扬州〔江苏省扬州市〕) 司令官 (节度使) 崔铉奏报说：“已出动军队，讨伐宣歙道 (首府设宣州〔安徽省宣城市宣州区〕) 变军。”

八月六日，中央命崔铉兼宣歙道行政长官（观察使）。

八月十一日，中央命宋州（河南省商丘市）州长温璋，当宣歙道民兵司令（团练使）。温璋，是温造的儿子（温造，参考八三〇年二月十五日）。

19 河南（黄河以南）、河北（黄河以北）、淮南（淮河以南）大水成灾。徐州（江苏省徐州市）、泗州（江苏省盱眙县淮河北岸）平地水深五丈，淹没及冲走数万人家。

20 冬季，十月，建州（福建省建瓯市）州长于延陵，进宫辞行上任。李忱说："建州（福建省建瓯市）距京师（首都长安）多远？"于延陵说："八千华里。"（两地航空距离一千二百公里。）李忱说："你到那里做好事或做坏事，我都会知道，不要认为它地处辽远！这个台阶前面，直通万里，你是不是了解？"于延陵紧张过度，手足失措，李忱安慰他几句话，让他出去。于延陵到差后，终于因能力不足，不能称职，贬作复州（湖北省天门市）军务秘书长（司马）。

宰相令狐绹推荐李远当杭州（浙江省杭州市）州长，李忱说："我记得李远一句诗：'长日惟消一局棋'，怎么能治理人民？"令狐绹说："诗人夸张，喜爱表现他的高雅，未必事实如此。"李忱说："不妨教他试一试！"

李忱曾训令全国，凡是新任州长，不可以在外地直接上任，必须先到京师（首都长安）晋见，由皇帝当面考察他的才干，有没有能力担任这项工作，然后任命（唐王朝中叶以后，各州州长多由所属战区司令官〔节度使〕或道政府行政长官〔观察使〕推荐，再由中央任命；至于割据军阀，所属各州州长，更全由自己任命。参考八一九年三月）。令狐绹曾把他的一位当州长的老友，调任邻州州长，命他不必先来京师（首都长安），而直接到差。李忱忽然看见他上任后例行呈递的谢恩奏章，询问令狐绹是怎么回事，令狐绹说：“因为两地相距太近，省得欢送欢迎的繁文缛节。”李忱说：“只因很多州长都不是适当的人选，只会给人民制造灾害，所以打算一个一个面见，询问察考他的行政经验，了解他的高低优劣，或予升迁，或予罢黜。诏书既已颁布，却被废弃到一旁，不去执行，宰相可真算是有权！”当时气候已冷，令狐绹浑身出汗，湿透厚厚的皮衣。

李忱每次出席朝会，对待文武百官好像接待宾客，即令是左右亲近侍从，也未尝看到他露出疲倦脸色。宰相奏事时（唐王朝时延英殿朝会，宰相都有座位），旁边不站一个人，态度威严，使人不敢抬头面对。奏事完毕后，李忱会忽然和颜悦色宣布说：“我们可以谈谈家常闲话！”盘问一下街头巷尾一些零星小事，或谈一些宫里的宴会，无所不包。大约一刻钟左右，再严肃说：“你们要好好做事，我常害怕你们对不起我，以后不能再见！”这才起身回宫。令狐绹告诉别人说：“我当宰相十年（自八五〇年十月迄今，只有九年），手握帝国最高权柄，最是承受皇上的恩宠。然而每次延英殿奏事，总是汗湿衣裳！”

21 最初，山南东道战区（总部设襄州〔湖北省襄阳市〕）司令官（节度使）徐商，因境域辽阔险要，一向到处都有盗贼，于是特别遴选精兵数百人，另组特别攻击队，施以严格训练，称“捕盗将”。后来，湖南道（首府设潭州〔湖南省长沙市〕）兵变（参考本年〔八五八〕五月），中央命徐商讨伐。徐商派“捕盗将”二百人前往，一举击斩变军首领石载顺。

22 淮南战区（总部设扬州〔江苏省扬州市〕）司令官（节度使）崔铉奏

报说：克复宣州（宣歙道首府，安徽省宣城市宣州区），斩变军首领康全泰跟他的党羽四百余人。

23 李忱因宫廷膳食部长（光禄勋）韦宙的老爹韦丹，在江西道（首府设洪州〔江西省南昌市〕）有很好的德政，迄今仍受人民怀念（参考八四九年正月），所以命韦宙当江西道（首府洪州）行政长官（观察使），征调邻近各战区道的军队，讨伐变军首领毛鹤。

24 崔铉因宣州（安徽省宣城市宣州区）兵变已经平定，辞让宣歙道（首府宣州）行政长官（观察使）职务。

十一月二十一日，中央命温璋当宣歙道（首府宣州）行政长官（观察使）。

25 国务院国防部副部长（兵部侍郎）、主持国务院财政部税务司（判户部）蒋伸，曾在一个安闲气氛中，告诉李忱说："最近很容易谋到一个官位，人人都想侥幸。"李忱吃惊说："这样的话，天下就要大乱。”蒋伸说：“大乱倒还没有，但侥幸的人太多，要大乱并不困难。”李忱一再叹息。蒋伸三次起身告退，李忱三次留他，说：“以后就不能再跟你单独面对了。”蒋伸没有注意到话中含义（宰相们要一起进殿奏事，第二梯次官〔次对官〕才单独晋见）。

十二月二十七日，命蒋伸兼二级实质宰相（同平章事）。

26 韦宙奏报：攻克洪州（江西道首府，江西省南昌市），斩变军首领毛鹤和他的同党五百余人。

韦宙经襄州（湖北省襄阳市）南下时，山南东道战区（总部设襄州〔湖北省襄阳市〕）司令官（节度使）徐商，派作战司令（都将）韩季友，率“捕盗将”前往助战。韦宙抵达江州（江西省九江市），韩季友请求准许他率领部众，从陆路小道，在夜色掩护下，发动奇袭。等到天亮，抵达洪州（江西省南昌市）城下，变军还不知道，当天就把变军击灭。

韦宙奏请留“捕盗将”二百人驻守江西（首府洪州），命韩季友当总纠察官（都虞候）。

八五九年 己卯

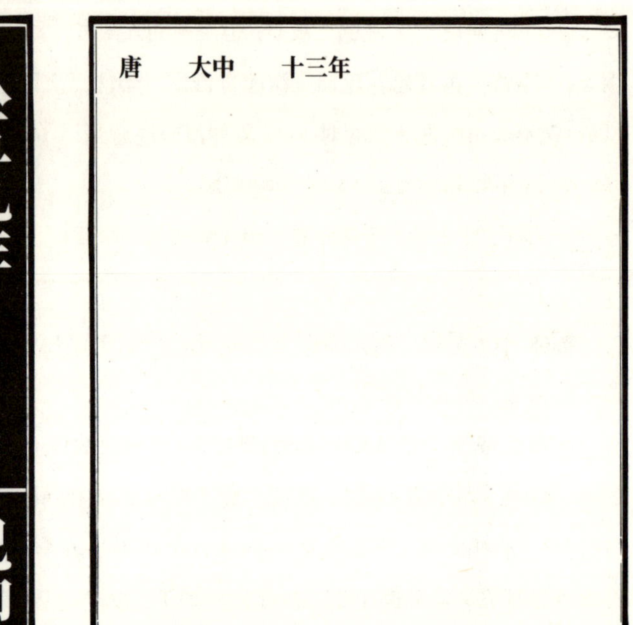

唐　大中　十三年

1 春季，正月一日，唐王朝（首都长安〔陕西省西安市〕）赦免天下。

2 三月，从河东战区（总部设太原府〔山西省太原市〕）分出云州（山西省大同市）、蔚州（河北省蔚县）、朔州（山西省朔州市），另组大同警备区（总部设云州〔山西省大同市〕）。

3 夏季，四月五日，唐帝（十九任宣宗）李忱（李怡。本年五十岁）命皇家图书院校勘官（校书郎）于琮，当监督院见习监督官（左拾遗）、宫内办公（内供奉）。

最初，李忱打算把永福公主嫁给于琮，但不久之后，忽然不再提及，宰相们请问什么缘故，李忱说：“我最近和这个女儿在一块吃饭，一句话不顺耳，她当着我的面，连汤匙和筷子都摔到地上。性情这么暴躁，怎么可以当知识分子的妻子！”于是另命于琮娶广德公主。两位公主，都是李忱的女儿。于琮，是于敖的儿子（于敖，参考八二四年二月）。

4 武宁战区（总部设徐州〔江苏省徐州市〕）司令官（节度使）康季荣，不知道安抚士卒，被士卒鼓噪逐走。李忱因左金吾（卫军第十一军）大将军田牟曾经镇守过徐州（江苏省徐州市），以能力干才闻名于世，于是命田牟再当武宁战区（总部徐州）司令官（节度使），那一带才归安定。

贬康季荣到岭南（康季荣已因贪污贬夔州，参考八五五年十二月，此处又记载贬岭南，不知何故）。

5 六月九日，封十四任帝李纯的儿子李惕当彭王（李惕，是现任帝李忱的老弟）。

6 最初，李忱的长子郓王李温，得不到老爹的宠爱，住在十六宅，而其他儿子都跟着老爹住在内宫。夔王李滋，是第三子，李忱对他最是喜爱，打算封他当太子，但因他不是长子，所以一直拖下来，没有明确指定太子。

李忱吞服医师李玄伯、道士虞紫芝、隐士王乐的药，背上长出大疮。

秋季，八月，李忱的大疮溃烂，日夜睡在寝殿，宰相以及政府官员，都不能见面。

柏杨曰

唐王朝有很多皇帝，包括英明盖世的李世民，都死于道教的长生不老仙丹，他们用自杀方法，去追寻健康和长寿！吞食毒药，好像吞食糖果。奇怪的是，前人的失败，对后人竟然毫无影响，谁要是告诉他真相，反对他吞食毒药，他可能把这个救命恩人，恨入骨髓。连野兽都不会犯的错误——豺狼一旦发现猎人的饵是有毒的，它绝不会再吃，还要阻止小狼吃。只唐王朝的皇帝老爷，屡犯不改而且代代相传，越犯越勇。

从四世纪晋王朝开始到九世纪唐王朝末叶，是道教外丹术盛行时期，他们用铅、汞之类重金属和硫、砷之类的化学元素，当作仙丹，而完全不管它们都含剧毒，像铅，即令吸收一点点，也会在体内凝聚，引起慢性中毒，轻则改变一个人的性情，重则瘫痪不起，神经错乱。而汞中毒更为惨烈，首先是口腔麻痹，四肢麻痹，接着是中枢神经损害，肌肉抽搐痉挛，失去平衡。硫、砷更能迅速致命。以这些为主的道教仙丹，连道教自己的高士，都不敢下肚。孙道胤已经炼出“仙丹”，可是自己不肯下肚。名震天下的陶弘景（参考五三六年三月），还严加斥责说：“世界上哪有白昼升天的仙人！”不过，晋王朝的知识分子和唐王朝的皇帝，却深信不疑。皇帝紧闭深宫，临死时是什么模样，外人不知，史书更语焉不详。但我们却可引述两段文字记载，代作说明：一是韩愈撰写的《李于墓志铭》，记载李于在吞服仙丹后：“往往下血，经四年而毙命。”一是国务院工程部长（工部尚书）归登，自述吐血十年的惨景：“有如烧红的铁棍，从头顶直插，像火炭一样强行而下，火焰焚烧七窍，狂痛如割，哀号大哭，乞求一死。”我们可以想象唐王朝那些尊贵的皇帝老爷，在宫中受的是何等酷刑！世间的事，往往如此，有一百个理由绝对不可做的事，只要有一个理由动心，就会全力以赴！那个理由不过是可告人或不可告人的一点私欲而已，能不毛骨悚然？

李忱把夔王李滋秘密托付给宫廷机要室主任宦官（枢密使）王归长、马公儒和宫廷事务南院总监（宣徽南院使）王居方，命他们拥护他登极，三位宦官以及右神策军总指挥宦官（右军中尉）王茂玄，都是李忱平常特别栽培厚待的人，只左神策军总指挥宦官（左军中尉）王宗实，跟他们不站在一边，三人互相商议，把王宗实外放到淮南战区（总部设扬州〔江苏省扬州市〕）担任监军。王宗实在宣化门外接到诏书，准备从银台门出宫，左神策军基地副司令（副使）亓元实（亓，姓。音qí〔奇〕）警告他说："皇上患病，已一个月有余，你只能隔着房门问候平安，今天突然调差，谁知道是真是假？为什么不去面见皇上之后再走？"王宗实大梦初醒，于是，再进内宫，而各门已经依照惯例，增加守卫人员，严密戒备。亓元实掩护、带领着王宗实，一直奔向皇帝卧室，而李忱已经逝世（年五十岁），尸体也被搬动，头向东方安置妥当，内宫男女正环绕在四周哭泣。王宗实大声喝责王归长等假传圣旨，王归长等都跪在地下，捧住他的双脚，乞求饶命。王宗实遂派宫廷事务北院总监（宣徽北院使）齐元简，前往十六宅迎接郓王李温。

八月九日，王宗实用李忱的名义，下诏封郓王李温当太子，暂时主管帝国军政事务，并改名李漼（音cuǐ〔璀〕）。逮捕王归长、马公儒、王居方，全部诛杀。

八月十日，宣布李忱的遗诏，命令狐绹当帝国最高摄政（摄冢宰）。

李忱性情聪敏，明察秋毫，又沉默寡言，判断中肯，执行国法，大公无私，接受臣属的劝告，自然得如同流水，非常看重官位，珍惜赏赐，虔敬谨慎，俭省节约，爱惜人民的物力财力，所以在位时的施政，直到十世纪初期唐王朝灭亡（九〇七年），人民对他仍十分赞美，称之为“小太宗（二任帝李世民）”。

李忱是唐王朝最好的君主之一，《旧唐书》称他：“使权豪敛迹，奸臣畏法，宦官收敛，刑政不滥，贤能致用，十余年间，颂声载路。”但因他排斥李德裕之故，李党把他批评得一钱不值，甚至认为唐王朝之亡，亡于李忱，暴露出李党本质的凶恶。

任何一个王朝，代代相传，帝王品质一定一蟹不如一蟹，再高的聪明才智，跳不出他的环境，东方式的宫廷生活，更只能使人堕落，不能使人长进。李忱幸亏早年并不如意，对帝国才有这样的贡献，使唐王朝的灭亡，不致提早来临。他的儿子李漼、孙子李俨（儇），才是摧毁帝国的杀手，李忱的“大中之治”，虽不过是一种回光返照，然而，即令是回光返照，也带给中国人十三年的和平，从此之后，直到《资治通鉴》结束后的十世纪的七〇年代，一百二十年间，每年都充满血腥屠杀，使人越发怀念这十数年的幸福岁月。

八月十三日，李漼登极（二十任懿宗。本年二十七岁）。

八月二十日，李漼尊祖母、皇太后郑女士当太皇太后，命王宗实当骠骑上将军（武散官第一级，从一品）。斩李玄伯、虞紫芝、王乐。

7 九月，李漼追尊娘亲晁昭容（昭容，小老婆群第六级）绰号元昭皇太后。

8 加授魏博战区（总部设魏州〔河北省大名县〕）司令官（节度使）何弘敬（何重顺），兼最高立法长（兼中书令，使相）。命卢龙战区（总部设幽州〔北京市〕）司令官（节度使）张允伸，遥兼二级宰相（同平章事，使相）。

9 冬季，十月九日，赦免天下。

10 十一月七日，贬副监督长（门下侍郎）、二级实质宰相（同平章事）萧邺，遥兼二级宰相（同平章事，使相），充任荆南战区（总部设江陵府〔湖北省江陵县〕）司令官（节度使）。

11 十二月三日，命皇家文学研究院院长（翰林学士承旨）、国务院国防部副部长（兵部侍郎）杜审权，兼二级实质宰相（同平章事）。

杜审权，是杜元颖的侄儿（杜元颖被贬事，参考八二九年十二月）。

12 浙东道（首府设越州〔浙江省绍兴市〕）变民首领裘甫，攻陷象山（浙江省象山县），政府军不断挫败，明州（浙江省宁波市）城门白天都得关闭。裘甫变民军进逼剡县（浙江省嵊州市。剡，音shàn〔善〕。嵊，音shèng〔胜〕），拥有武装群众一百人，浙东道（浙江省东部）骚动，行政长官（观察使）郑祗德（祗，音zhī〔芝〕）派副征剿司令（游击副使）刘勍（音qíng〔晴〕）、副将领范居植，率士卒三百人，会合台州（浙江省临海市）民兵，共同进击。

13 司空（三公之三）、副监督长（门下侍郎）、二级实质宰相（同平章事）令狐绹，当权日子太久（令狐绹自八五〇年十月当宰相，迄今九年零三个月），嫉妒比自己有才干的人，无论中央及地方，对他都畏惧痛恨，他的儿子令狐滈（音hào〔浩〕）依仗老爹权势，大肆收受贿赂。李忱既

九世纪·五〇年代 全国各战区道兵变、民变

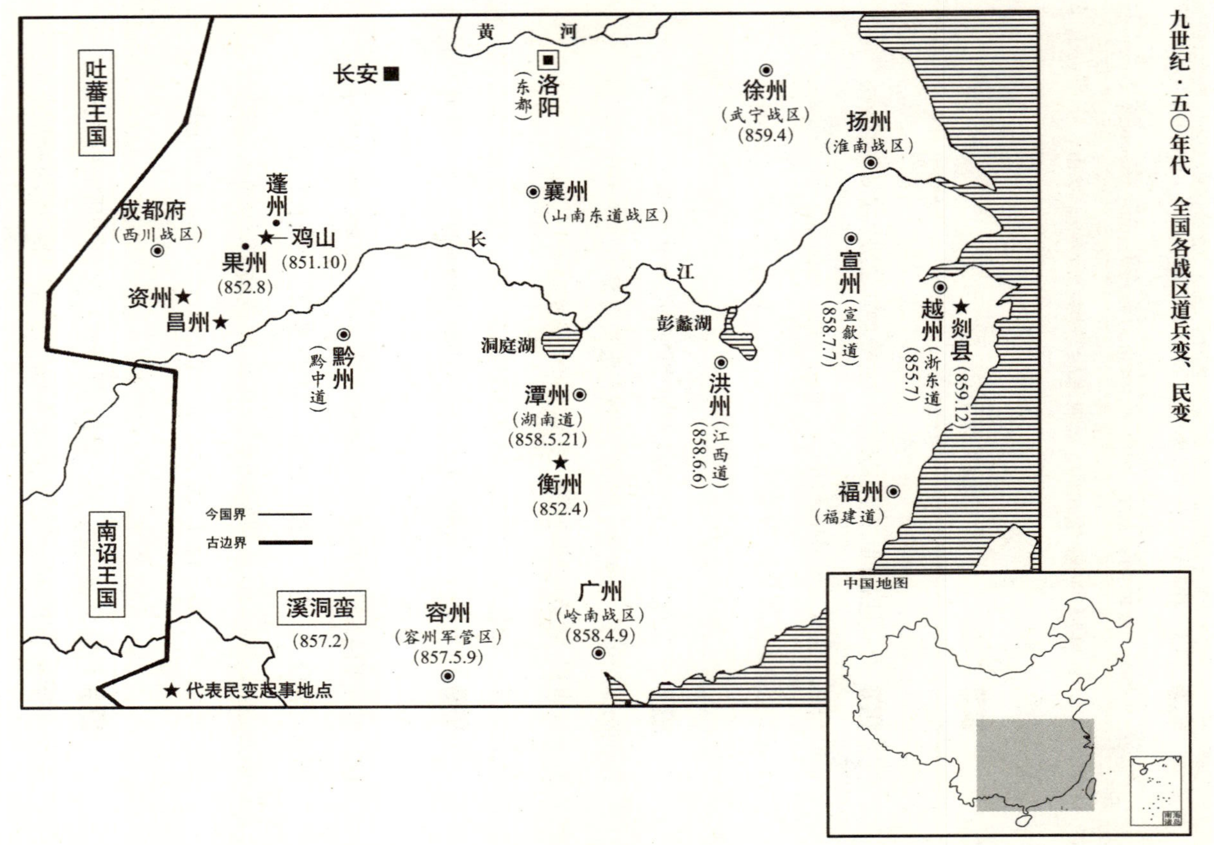

死，各方面对他的种种不法，提出攻击。

十二月十六日，李漼贬令狐绹遥兼二级宰相（同平章事，使相），充当河中战区（总部设河中府〔山西省永济市〕）司令官（节度使）。命前荆南战区（总部设江陵府〔湖北省江陵县〕）司令官（节度使）、遥兼二级宰相（同平章事，使相）白敏中，暂任司徒（守司徒，三公之二），兼副监督长（兼门下侍郎）、二级实质宰相（同平章事）。

14 最初，韦皋在西川战区（总部设成都府〔四川省成都市〕）司令官（节度使）任内（七八五年至八〇五年），开凿青溪公路（穿过青溪关〔四川省石棉县东南〕），成为跟南方各部族交通要道，使他们能经过巴蜀（四川省），到中央进贡。又为取悦及安抚各部族，特别遴选他们的子弟，集合成都（四川省成都市），教他们读书，学业完成后回去，再派其他子弟继来求学。这样长达五十年，留过学的各部族子弟，几乎可以用一千人作单位计算，供应他们生活费用的战区总部，感到是一项负担，十分厌烦。同时，各部族之所谓“进贡”，主要的是贪图唐王朝赏赐，所以使节团的人数也越来越多。杜悰当西川战区（总部设成都府〔四川省成都市〕）司令官（节度使）时（参考八四九年十月），上疏请求减少供应的数目，十九任帝李忱批准。南诏王国（首都苴咩城〔云南省大理市〕）国王丰祐（七任王）大怒，他所派的冬季祝贺使节，把《祝贺冬季奏章》，交给嶲州（四川省冕宁县南泸沽镇），即行返国。同时，召回他们的留学生，公文上措辞傲慢。自此不再进贡，并开始扰乱边境。

正巧李忱逝世，唐王朝派宦官报告丧事，而南诏国王（七任）丰祐，也同时逝世，太子酋龙嗣位，大怒说：“我们也有丧事，中央不派人祭悼，所用诏书，仍写给先王！”遂把钦差宦官安置到城外宾馆，接待十分冷淡。钦差宦官回来，全部奏报。李漼认为酋龙并没有派人前来报告丧事，而酋龙名字中有一个字，接近九任帝李隆基名字中一个字（“龙”“隆”同音），于是，决定不再派人前往册封（《资治通鉴》和《新唐书·南蛮传》所记载大礼一任帝的名字，都是“酋龙”，但根据后世有关南诏的史书，如元王朝李京所辑《云南志略》、明王朝杨慎著《滇载记》、阮元声著《南诏野史》，所记载的名字却是“世隆”。按：唐王朝境内有龙州〔四川省平武县东南〕，政府所用年号有龙纪〔八八九年〕，禁军有“左右龙武军”，可知“龙”字并非唐政府的避讳字。但“世”“隆”二字，却是二任帝李世民和九任帝李隆基二人名字中同样的字，而非同音字。从以后唐政府一再要求酋龙改名避讳的情况来看，似乎其真姓名应是“世隆”，只是唐政府史官擅自把名字更改，《资治通鉴》遂以“酋龙”记载。而元明王朝以后，所著有关南诏之史书，其资料多直接从已覆亡的大理帝国〔九三七至一二五三〕政府档案引出，故使真实版本重现）。酋龙遂自称皇帝，改国号称大礼帝国，年号建极；派军攻陷播州（贵州省遵义市）。

九世纪 六〇年代

八六〇—八六六年

唐王朝

- 生擒浙东变民首领裘甫，送长安斩首。
- 武宁兵变，逐司令官温璋。
- 岭南西道兵变，逐司令官蔡京。
- 大礼帝国陷安南，斩蔡袭。
- 高骈克安南。

- 欧洲北部瓦伦吉安部落酋长罗瑞克，在聂伯河建立政府，俄国自此出现。
- 阿拉伯帝国哈里发阿尔·穆斯法，不堪突厥禁卫军压制，逃亡巴格达，仍遇害。

唐　大中　十四年
　　咸通　元年
（天平国裘甫罗平元年）

1 春季，正月四日，唐王朝（首都长安〔陕西省西安市〕）浙东兵团（首府设越州〔浙江省绍兴市〕）跟变民军首领裘甫，在桐柏观（浙江省天台县西北二十五公里桐柏山寺庙）会战，副将领范居植战死，副征剿司令（讨击副使）刘勍仅逃出一命。

正月十四日，裘甫率领部众一千余人，攻陷剡县（浙江省嵊州市），大开仓库，招兵买马，多达数千人。首府所在地越州（浙江省绍兴市）人心恐慌。

当时，浙东（首府设越州〔浙江省绍兴市〕）、浙西（首府设润州〔江苏省镇江市〕）两道，和平日子过得太久，人民不知道什么是战争；铠甲武器，不是腐烂，就是钝锈，不能使用，现有士卒不满三百人。浙东道（首府越州）行政长官（观察使）郑祗德急招募新兵增援，承办军官接受贿赂，招募来的全是不能作战的老弱。郑祗德派初级将领（子将）沈君纵、副将领（副将）张公署、望海（浙江省宁波市东北镇海区）防守司令（镇将）李珪，率新兵五百人，袭击裘甫。

二月十日，跟裘甫在剡西（浙江省嵊州市西）会战，变民军在三溪的南方（浙江省嵊州市之南，有三溪会合北流）设下埋伏，而把主力布置在三溪之北，然后堵住三溪的上游，使下游水浅，人马可以蹚水而过。会战开始，变民军伪装战败逃走，政府军追击，蹚水过溪，走到一半，变民军突然挖开上游堵塞，大水澎湃冲下，政府军溃败，三位将领全死，所有新兵也几乎全死。

于是山上海上和其他地区的变民以及无赖亡命之徒，从四面八方向浙东道（首府越州）集结，多到三万人，分为三十二队，年轻将领中谋略推刘晊（音wàng〔旺〕），勇敢推刘庆、刘从简。较远的变民部队，都送来文件，呈献金银财宝，请求隶属旗下。裘甫自称全国总作战司令（天下都知兵马使），改年号罗平，铸印称天平国。大肆聚积粮食，高价招揽技术工匠，制造武器，声威远远传到中原（黄河中下游）。

2 二月十五日，把前任帝（十九任）李忱（李怡），安葬贞陵（陕西省三原县北），绰号圣武献文孝皇帝，庙号宣宗。

3 二月二十五日，白敏中抵达京师（首都长安）朝见，不小心从台阶失足坠下，腰部受伤，被软轿抬回私宅。

4 浙东道（首府设越州〔浙江省绍兴市〕）行政长官（观察使）郑祗德，750
上疏奏报情况危急，要求支援，一面向邻近各战区道求救。浙西道（首府设润州〔江苏省镇江市〕）派营门官（牙将）凌茂贞率四百人，宣歙道（首府设宣州〔安徽省宣城市宣州区〕）派营门官（牙将）白琮率三百人，分别前往。郑祗德先派他们驻防外城郭门以及东小江（曹娥江），不久又把他们调回保护首府。郑祗德对这些来自外道的特遣兵团，所作供应，超过全国财政总监署（度支）正常供应的十三倍，可是两道士卒，仍认为不够。当两道准备出击，请浙东道（首府设越州〔浙江省绍兴市〕）将士当向导时，浙东将士有的声称有病在身，有的伪装从马背摔下受伤；即令肯当向导，也要先谈妥升迁的官职阶级，即令如此，争执到最后，两道仍然不能出击。变民军斥候部队挺进到平水东小江（曹娥江支流），越州（浙江省绍兴市）城中绅士及庶民都准备好小船，身裹粮食，从初夜坐到天明，打算各自逃生。

中央知道郑祗德是一个懦夫，胆小如鼠，决定遴选一位武官代替。国务院国防部副部长（兵部侍郎）夏侯孜说：“浙东一带（浙江省东部），山高水远，荒凉偏僻，跟外界隔绝，可以凭谋略夺取，不可以仗恃武力硬碰硬攻打。西班文官群中（金銮殿上朝见，皇帝面向南方而坐，文官站西侧，武官站东侧），没有一个人能谈这个问题。前任安南总督（驻越南河内市）王式，虽然出身文官家庭（王式，参考八二八年闰三月），但在安南时，威风震慑汉人和蛮夷，声名传播远近，可以任命。”各宰相都同意，遂命王式当浙东道（首府设越州〔浙江省绍兴市〕）行政长官（观察使），征召郑祗德回中央当太子宾客（正三品）。

三月一日，王式进宫朝见，唐帝（二十任懿宗）李漼（李温。本年二十八岁）询问讨伐策略，王式回答说：“只要有军队，一定可以破贼！”这时，旁边的宦官插嘴说：“动员军队，费用太大。”王式说：

"我就是为国家珍惜物力，节省费用，才要求大量调派军队。因为，士卒够多，破贼容易，费用自然节省；士卒太少，破贼困难，迁延岁月的结果，盗匪的力量一天比一天扩张，江淮（华东地区）各地的地痞流氓，势将蜂起响应。中央及皇家用度，全靠江淮（华东地区），一旦路途阻断，则上自皇家祭庙（太庙），下到禁卫十军（沿用旧称十军），都会失去供应，那时候的费用，恐怕会大到计算不完。"李漼回头吩咐宦官说："应该交给他充足的军队。"下诏命忠武战区（总部设许州〔河南省许昌市〕）、义成战区（总部设滑州〔河南省滑县〕）、淮南战区（总部设扬州〔江苏省扬州市〕）分别派军向王式报到。

裘甫分一部分兵力劫掠衢州（浙江省衢州市）、婺州（浙江省金华市）。婺州（浙江省金华市）大营管理官（押牙）房郅、额外大营管理官（散将）楼曾，及衢州（浙江省衢州市）带兵官（十将）方景深，率军抵抗，变民军不能进城。于是分出兵力劫掠明州（浙江省宁波市），明州（浙江省宁波市）居民商议说："盗匪如果进城，妻子儿女都会被剁成肉酱，身外之物的金银珍宝，难道还能保有？"乃自动出钱，招募勇士，磨利刀枪，竖立栅栏，挖深护城壕沟，切断桥梁，准备固守。变民军又分出兵力劫掠台州（浙江省临海市），击破唐兴（浙江省天台县）。

三月十九日，裘甫亲自率一万余人，劫掠上虞（浙江省绍兴市上虞区东南），纵火焚烧房屋。

三月二十三日，变民军攻陷余姚（浙江省余姚市），诛杀县政府主任秘书（丞）及防卫员（尉）；东方也击破慈溪（浙江省宁波市西北慈城镇）、攻陷奉化（浙江省宁波市奉化区），前锋抵达宁海（浙江省宁海县），诛杀县长，进城据守。再分兵包围象山（浙江省象山县）。变民军所经过的地方，俘虏青年壮汉，而把一些老弱围起来踏践屠杀。

王式的人事命令经中央发布后，浙东（首府越州）人心稍为安定。

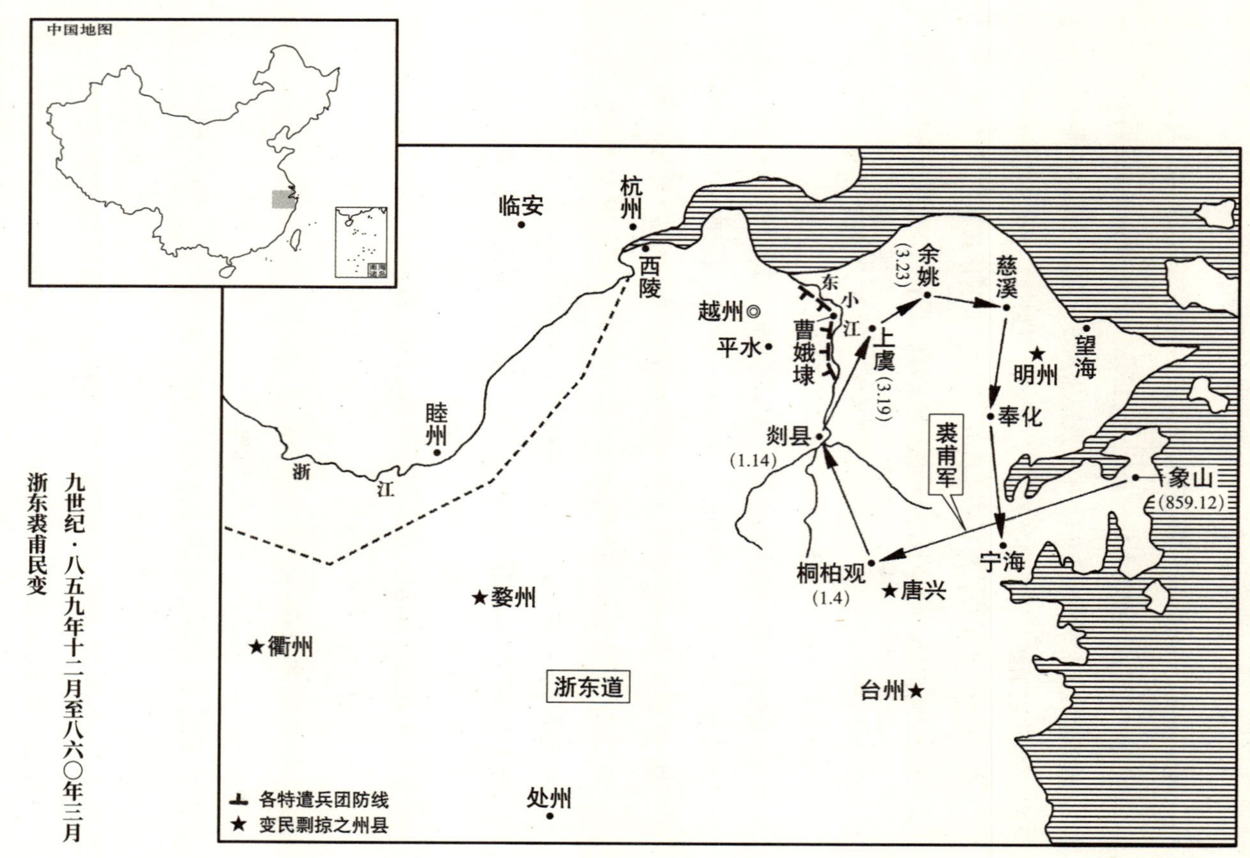

九世纪·八五九年十二月至八六〇年三月
浙东裘甫民变

裘甫正跟他的党徒饮酒，听到消息，心情沉重。刘睢叹息说：“有这么多的部众，而大计还不决定，真是可惜。中央派王式来，听说他这个人智勇双全，难以抵挡，用不了四十天，就会到达。大帅应该立即率军攻下越州（浙东道首府，浙江省绍兴市），凭仗坚固的城池，夺取丰富的粮仓金库，派军五千人防守西陵（浙江省杭州市滨江区西北西兴街道），沿着浙江（钱塘江）修筑营垒，阻止王式东来。集结船舰，有机会就长驱直入，攻取浙西（首府润州），北渡长江，劫掠扬州（淮南战区总部，江苏省扬州市），夺取钱财货物，充实自己的力量，然后回军，修筑石头城（江苏省南京市西北）作为根据地，宣歙道（首府宣州）、江西道（首府洪州）一定有英雄豪杰起兵响应。然后派刘从简率一万人乘海船南下，袭取福州（福建省福州市）、建州（福建省建瓯市）。这样的话，帝国最富有、缴纳赋税最多的地区，就全部归属我们，唯一担心的只有害怕子孙守不住罢了，而我们这一生却可以无忧无虑。”裘甫说：“大家都醉了，明天再讨论。”刘睢因裘甫不能采取他的战略，大怒，伪装喝醉告退。有一位进士出身的王辂（音lù〔路〕）也在变民军中，变民军用宾客之礼相待。王辂向裘甫建议说：“刘副司令（刘睢）的战略，是孙权模式（参考二〇〇年十月，鲁肃对孙权语），当时天下大乱，有可乘之机，所以才得以占领江东（太湖流域）。而今，天下太平无事，这种模式不容易成功。不如裹挟部众，据守险要。先行自保，陆上耕田，海上捕鱼，情势紧急则逃到沿海群岛（指舟山群岛），才是万无一失的计谋。”裘甫畏惧王式，犹豫猜疑，不敢决定。

夏季，四月，王式抵达柿口（今地不详），义成（总部滑州）特遣兵团军纪败坏，王式打算把他们的司令斩首，很久之后才免罪释放。从此，大军经过的地方，号令严明，对人民秋毫无犯。抵达西陵（浙江省杭州市滨江区西北西兴街道），裘甫派使节请求投降，王式说：“这种情形显示他根本没有投降的诚心，不过来看看我在干什么？而且使我们骄傲自大，不加防备！”遂告诉使节说：“裘甫双手绑在背后前来，当可免除他的死刑！”

四月十五日，王式进入越州（浙江省绍兴市），交接典礼后，为他的前任郑祗德摆设筵席，说：“我主持军政大事，不允许自己饮酒，请监军宦官跟各位宾客，尽情一醉。”欢宴到夜晚，王式命燃起灯火，说：“我在这里，盗贼怎么敢来妨碍我们取乐！”

四月十六日，王式在越州（浙江省绍兴市）城外远郊，给郑祗德饯行，尽欢而回。开始重申军令，于是，说供应不足的不再开口，声称有病的人一下子起床，事先预约官职的也归于沉默。

变民军别动部队司令（别帅）洪师简、许会能，率部众向政府投降，王式说：“你投降是对了，但你必须戴罪立功，表示跟盗贼并不一样。”命洪师简等率他们的部众，充当前锋，跟变民军作战，建立功劳，王式遂向中央推荐他们当官。

先前，变民军间谍进入越州（浙江省绍兴市），指挥部军吏就把他们窝藏起来，招待饮食，文武官员也往往跟变民军暗中勾结，希望一旦城池陷落时，不杀他们跟他们的妻子儿女；有的甚至故意引进一些假投降的变民军，进城探听虚实。城里的任何动静，包括政府的隐密计谋或关起门来所说的话，一举一动，变民军全都知道。王式经过暗中调查，一切了如指掌，遂把变民军间谍一网打尽，斩首；平常特别横暴狡猾的将领及低级官吏，也一律处刑；城门加强防范，没有通行证的不准出城，也不准进城；高度的警觉，变民军才再得不到政府的消息。

王式命各县打开米仓，赈济穷苦人民，有人警告说：“盗贼还没有消灭，军粮需要正急，不可以散到民间。”王式说：“这就不是你所知道的了。”

政府军缺少骑兵，王式说：“最近被安置在江淮（华东地区）的吐蕃、回鹘人，习惯冒险犯难，精于骑射，可以重用！”调查户籍名簿，挑选骁勇雄健战士一百余人。这些流亡异乡的异族，因长久在外，地方政府，对他们又往往虐待，他们贫困饥饿，难以维生。王式既给他们美酒犒赏，又救济他们的父母妻子，大家都感激入骨，哭泣叩头，大声欢呼，愿为帝国一死，王式把他们全部训练成骑兵部队，使骑兵司令石宗本率领，凡浙东道各州县的蛮夷青年，都用这种方法集结成军。又上疏皇帝，由皇帝批准拨付给他龙陂（河南省正阳县东）牧场战马二百匹，于是，骑兵的素质及配备，十分充实。

有人建议设立烽火台收集变民军远近多寡的情报，王式只是笑笑，不作回答；却遴选老弱士卒，命他们骑上强壮的马，只派少数人出去担任斥候，侦察敌情；大家对这些异乎寻常的怪诞措施，十分惊异，但不敢多问。

王式检阅本道现有士卒及民众自卫队（土团），集结四千人，使他们引导各战区道特遣兵团，分别出击。州城（越州，浙江省绍兴市）没有正规军守卫，就再动员民众自卫队一千人填充空缺。命宣歙（首府宣州）将领白琮、浙西（首府润州）将领凌茂贞，各率本道特遣兵团，及北方来的将领韩宗政等，率领民众自卫队，共计一千人，由石宗本率骑兵部队当前锋，自上虞（浙江省绍兴市上虞区东南）直向奉化（浙江省宁波市奉化区），解除象山（浙江省象山县）包围，称“东路军”。又命义成（总部滑州）将领白宗建、忠武（总部许州）将领游君楚、淮南（总部扬州）将领万璘，各率本战区特遣兵团，跟台州（浙江省临海市）、唐兴（浙江省天台县）民兵会合，称“南路军”。王式下令说：“不要强行夺取险要，不要焚烧房屋，不要为了增加杀敌数目而杀人。对于被胁迫当盗匪的人，要悬赏鼓励他们投降。盗匪的金银财宝，只要取得，就归你们所有，政府不问。所有俘虏，都是越州（浙江省绍兴市）州民，把他们释放。”

四月二十三日，南路军攻克沃州寨（浙江省新昌县东南）。

四月二十四日，南路军再攻克新昌寨（浙江省新昌县），击破变民军将领毛应天，继续前进，攻克唐兴（浙江省天台县）。

5 白敏中连上三次奏章，辞让宰相，李漼不准。立法院初级立法官（右补阙）王谱上疏说：“陛下开始治理国家，正需要宰相在左右尽心辅佐，不能一日缺少。白敏中自从正月受伤卧床，到今天已经四个月，陛下虽曾跟他面对坐谈，但时间没有超过三刻。国家大事，陛下是不是跟他讨论过？我希望批准白敏中辞职，另行寻访道德声望之士，帮助陛下。”

四月二十九日，李漼把王谱贬作阳翟（河南省禹州市）县长。王谱，是王珪的六世孙（王珪，参考六三九年正月）。

五月一日，御前监督官（给事中）郑公舆把贬王谱的诏书加封退回，李漼交给宰相讨论，宰相因为王谱冒犯白敏中，不敢不同意这项贬谪。

6 五月二日，浙东（首府越州）东路军在宁海（浙江省宁海县）击破变民军将领孙马骑。

五月九日，南路军在唐兴（浙江省天台县）南谷（天台县境），大破变民军将领刘晊，斩将领毛应天。

先前，王式因正规军太少，上疏请求征调忠武战区（总部许州）、义成战区（总部滑州）、昭义战区（总部潞州）部队，李漼下诏批准。现在，三战区特遣兵团前后抵达越州（浙江省绍兴市），王式命忠武（总部许州）将领张茵率军三百人驻防唐兴（浙江省天台县），切断变民军南下要道；义成（总部滑州）将领高罗锐率军三百人，加上台州（浙江省临海市）民众自卫队，直向宁海（浙江省宁海县），进攻变民军的主要根据地；昭义（总部潞州）将领跌跌戣率军四百人（跌跌，回鹘可汗姓，音xié dié〔协碟〕，戣，音kuí〔魁〕），增援东路军，切断变民军进入明州（浙江省宁波市）要道。

五月十一日，南路军在海游镇（浙江省三门县）大破变民军，变民军退入甬溪洞（浙江省天台县东）。

五月十九日，政府军封锁甬溪洞口，变民军出战，败回。

五月二十日，义成（总部滑州）将领高罗锐袭击变民军别动部队将领刘平天大营，击破。从此，政府军发动十九次攻势，变民军连连战败。刘晔告诉裘甫说："当初如果采纳我的建议，进入越州（浙江省绍兴市），怎么会有今天的困境！"王辂等进士在变民军中，受到尊重，都穿绿色官服（六、七品以上），刘晔把他们全都斩首，说："破坏我大战略的，就是你们这群'青虫'！"

高罗锐攻克宁海（浙江省宁海县），收容逃荒难民七千余人。王式说："盗匪走投无路，又饥饿缺粮，一定逃向大海，如果逃到大海，恐怕不是几年几月就可消灭。"命高罗锐迅速封锁海口；又命望海（浙江省宁波市东北镇海区）防守司令（镇将）云思益、浙西（首府润州）将领王克容，率海军沿海巡查搜捕。云思益等在宁海（浙江省宁海县）东方，和变民军将领刘从简猝然相遇，变民军想不到政府军舰队会突然出现，大为震惊，立刻抛弃船舶，逃向山谷。政府军俘虏舰船十七艘，全部烧毁。王式说："盗匪已无处可逃，只剩下唯一的一条路——穿过黄罕岭（浙江省嵊州市东四明山一峰）进入剡县（浙江省嵊州市）。只恨黄罕岭上没有军队防守。但是，即令如此，盗匪最后也难逃生擒。”裘甫自失去宁海，率部众退驻南陈馆（浙江省宁海县西南三十公里），这时还有一万余人。

五月二十二日，东路军在上畯村（宁海县西北二十公里）击破变民军将领孙马骑；变民军将领王皋大为畏惧，向政府投降。

7 五月二十三日，立法院见习立法官（右拾遗）、宫内办公（内供奉）薛调，上疏说：“自从讨伐战争以来，田赋捐税，政府任意征收，而各地盗匪，事实上一半是逃避沉重赋税的农民，固然应把他们翦除诛杀，但追根溯源，也实在可悯可悲。希望下诏给州县，除了正规赋税外，不准再增加征收，命地方政府首长严格纠察。”李漼批准。

8 袁王李绅逝世（李绅，是十三任帝李诵的儿子）。

9 五月二十九日，浙东（首府越州）东路军，在南陈馆（浙江省宁海县西南三十公里）大破变民军首领裘甫，斩数千人，变民军把绸缎布匹丢弃，塞满路面，企图延缓政府军追击的速度。昭义（总部潞州）将领跌跌戣下令给他的士卒说：“敢看一眼的，斩首！”政府军没有一个敢拣。变民军果然从黄罕岭（浙江省嵊州市东四明山一峰）逃走。

六月五日，变民军再进入剡县（浙江省嵊州市）。政府各军忽然不知道裘甫去向，大为烦恼。义成（总部滑州）将领张茵在唐兴（浙江省天台县）俘虏很多变民军，打算教他们吃点苦头，变民军说：“他们已进入剡县（浙江省嵊州市），如果放我们一马，愿意当政府军的前导！”张茵接受，急行军前进，于裘甫进入剡县（浙江省嵊州市）的次日，也抵达城下，在城东南扎营。指挥部听到裘甫再入剡县（浙江省嵊州市），又大为恐慌，王式说：“盗匪只是来投案而已！”命东、南两路军在剡县（浙江省嵊州市）会师。

六月十二日，两军在剡县（浙江省嵊州市）城下完成包围。变民军固守，政府军发动攻击，不能攻克，各将领讨论阻塞水道，使全城干渴，变民军得到消息，出城攻击。三天中，凡八十三次会战，变民军虽然失败，政府军也疲惫不堪。最后，变民军请求投降，政府军各将领报告王式，王式说：“盗匪只不过为了喘一口气，你们要严密戒备，大功就要告成。”变民军果然再度出击，又会战三次。

六月二十一日，夜晚，裘甫、刘暀、刘庆，率一百余人，出城投降，跟政府军各将领遥遥招呼谈话，离开城墙数十步，政府军急行前进，切断退回的道路，遂把他们俘虏。

六月二十三日，裘甫等被送到越州（浙江省绍兴市），王式下令把刘暀、刘庆等二十余人腰斩，给裘甫戴上刑具，解往京师（首都长安）。（《玉泉子见闻录》：“王式讨伐裘甫。剡县〔浙江省嵊州市〕坚固，士卒善战，不可能立即攻破。王式乃接受投降，允许保荐裘甫当金吾〔卫军第十一、十二军〕将军，裘甫同意，部将刘暀单独反对。最后，将到越州〔浙江省绍兴市〕，护送卫士把裘甫的手用枷铐起，并用绳索拴住脖子。裘甫说：‘我既然投降，何必这样？’卫士说：‘这是法律规定！到越州就拿掉，恭喜你，只管坦荡前行，包管有命！’抵达越州，王式登上南城楼等待，宣告说：‘裘甫，你有什么罪？罪都在刘暀之流身上。’命腰斩刘暀等，刘暀回头对裘甫说：‘你真的要当金吾将军吗！’把裘甫押解到长安，斩首。最初，裘甫进入剡县〔浙江省嵊州市〕，虽然连战连败，但如果坚守剡县〔浙江省嵊州市〕，一年之内，未必可以平定。玉泉子说：‘古人说过：杀降不祥！李广所以不能封到侯爵，有它的内在原因〔李广公报私仇，参考前一二八年三月“柏杨曰”〕。王式后来也没有人听见他大富大贵，怎么可以毫不慎重！’”）

剡县（浙江省嵊州市）仍由变民军将领刘从简固守，政府军既生擒裘甫，不再戒备，刘从简率勇士五百人突围逃走，政府军追到大兰山（浙江省余姚市南四十公里），刘从简入山自保。

秋季，七月九日，政府军攻克大兰山（余姚市南四十公里）。台州（浙江省临海市）州长李师望，引诱变民军互相出卖、砍杀、逮捕、为自己赎罪，投降的有数百人，并得到刘从简的人头呈献。

各将领回到越州（浙江省绍兴市），王式大摆筵席。各将领们问说："我们生长在军旅之中，一直南征北战，今年终于追随大帅，击破盗贼。然而仍有很多不明了的地方。请问：你刚到时，军粮正缺，你却命各县拿存粮出来救济灾民，为什么？"王式说："这很容易理解，盗匪把粮食聚集在一起，用来引诱饥民。我们如果早一天发给粮食，他们就不会去当强盗。而且，各县没有军队，盗匪来到，还不是都落到盗匪之手。"将领们又问说："不设烽火台，为什么？"王式说："设烽火台的主要目的，是催促救兵，我们所有的武装部队，全都出征，烽火传来，派什么人救援？徒使人民惊骇溃散而已。"将领们又问说："派老弱胆小鬼去当斥候，而不肯多拨人马，为什么？"王式说："勇敢的士卒都在战场，而且遇到敌人，可能不自量力，挺身而斗，不幸死亡，盗匪行踪我们就无法知道。"将领们说："我们的思虑赶不上你。"

胡三省曰

自八世纪五〇年代以来，浙东（浙江省东部）变民起事，共有两次，第一次是袁晁（参考七六二年八月），第二次是裘甫。裘甫制造的灾祸，不比袁晁更大。袁晁起事，张伯仪把他平定，《资治通鉴》记载，寥寥几句而已。王式平定裘甫，《资治通鉴》叙述，比张伯仪平定袁晁，要详细得多。只因唐王朝中叶之后，家家有私史。王式，出身书香门第，立功之后，记述很难不夸

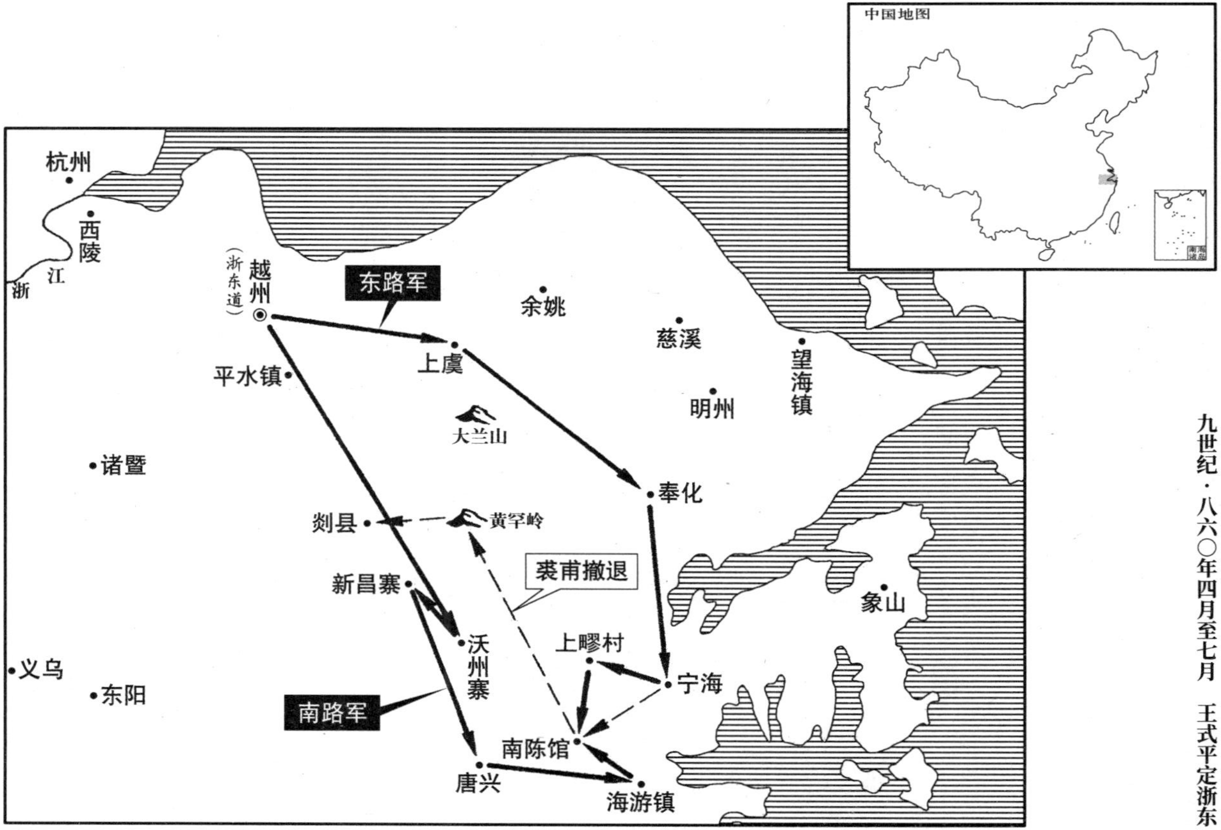

九世纪·八六〇年四月至七月　王式平定浙东

大其词。《资治通鉴》依照原文照抄，觉不出烦琐。《容斋随笔》指出：《资治通鉴》叙述讨伐裘甫事件，采用《平剡录》，也是有鉴于此（《平剡录》，王式幕僚郑言著）。《通鉴考异》三十卷，校订唐王朝事迹的，占一大半，都是由于唐王朝私史之多的缘故。

10 李漼封十四任帝李纯（李漼的祖父）的儿子李忛（音miǎn〔免〕）当信王。

11 八月，裘甫解到京师（首都长安），在东市（属万年县，长安东半城）斩首（没有一个官员想到，应问一下裘甫：为什么聚众起兵，反抗政府）。中央加授王式：立法院摄理最高顾问官（检校右散骑常侍），各将领依照战功分别奖赏。

先前，李漼对浙东（首府越州）战乱，深感忧虑，夏侯孜说："王式的才干，足足有余，用不多久，就可传来捷报。"夏侯孜写信给王式说："你要专心讨伐裘甫，军中需要的补给品，中央会全力支持。"所以王式所有奏报请求，无不批准，因此得以建立大功。

12 卫王李灌逝世（李灌，是李漼的老弟）。

13 九月，白敏中第五次上疏辞职。

九月四日，命白敏中当司徒（三公之二）、最高立法长（中书令）。

14 九月二十六日，立法院见习立法官（右拾遗）句容（江苏省句容市）人刘邺上疏说：“李德裕父子，前后担任宰相（李德裕的老爹李吉甫当十四任帝李纯的宰相，李德裕当十七任帝李昂及十八任帝李瀍的宰相），对帝国都有贡献，自从被贬窜边远蛮荒（参考八四九年十二月），亲人死亡将尽，家产也破散一空，请陛下赐给哀怜，追赠一个官位。”

冬季，十月十一日，李漼下诏恢复李德裕的太子少保（太子三少之三）、卫国公爵官爵，追赠：国务院左最高执行长（左仆射）。

15 十月二十三日，贬副监督长（门下侍郎）、二级实质宰相（同平章事）夏侯孜，遥兼二级宰相（同平章事，使相），充任西川战区（总部设成都府〔四川省成都市〕）司令官（节度使）。擢升国务院财政部副部长（户部侍郎）、全国财政总监（判度支）毕諴，当国务院教育部长（礼部尚书）、二级实质宰相（同平章事）。

16 安南总督（驻越南河内市）李鄠（音hù〔户〕），攻克播州（贵州省遵义市。大礼〔云南省〕夺取播州事，参考去年〔八五九〕十二月）。

17 十一月二日，李漼前往圆形祭坛祭祀天神，赦免天下，改年号咸通（之前是大中十四年，之后是咸通元年）。

18 十二月三日，安南军管区（首府设安南府〔越南河内市〕）土著，乘李鄠派军北伐，后方空虚，引导大礼帝国（首都苴咩城〔云南省大理市〕）军队三万余人，奇袭交趾（指安南府所在城），攻陷。安南总督李鄠及监军宦官，逃奔武州（可能是武安州〔越南海防市〕）。

唐　咸通　二年

1 春季，正月，唐王朝（首都长安〔陕西省西安市〕）皇帝（二十任懿宗）李漼（李温，本年二十九岁），下诏命邕州军管区（首府设邕州，〔广西南宁市〕）及附近相邻各战区各道，出兵援救安南（越南河内市），阻止大礼帝国（首都苴咩城〔云南省大理市〕）进攻。

2 二月，命最高立法长（中书令）白敏中，遥兼最高立法长（兼中书令，使相），充任凤翔战区（总部设凤翔府〔陕西省宝鸡市凤翔区〕）司令官

(节度使);命国务院左最高执行长(左仆射)、全国财政总监(判度支)杜悰,兼任副监督长(兼门下侍郎)、二级实质宰相(同平章事)。

有一天,宫廷机要室两位主任宦官(枢密使)前来宰相联合办公厅(中书门下),宫廷事务总监(宣徽使)杨公庆,也紧跟着进门,杨公庆走到杜悰面前,向他行礼,单独传达皇帝吩咐,其他三位宰相(毕諴、杜审权、蒋伸)立即起身去西厢回避。杨公庆取出斜封密旨,交给杜悰,杜悰拆开来看,原来是前任帝(十九任宣宗)李忱病重时,臣属请求郓王李温(即李漼)监督国政的奏章。杨公庆告诉杜悰说:"对当时没有署名的宰相,应该用惩治叛乱条例,严厉处罚。"杜悰反复阅读几遍,停了很久,说:"圣主登极,全国欢腾,今天这份奏章,不是一个臣属应该看到的文件。"重新封妥,交给杨公庆,说:"领袖如果打算处罚宰相,应该在延英殿上,当面颁下训令,公开谴责。"杨公庆回宫后,杜悰再跟两位宫廷机要室主任宦官(枢密使)对面落坐,说:"宫内宫外的臣属,本是一样,宰相和宫廷机要室主任宦官(枢密使),共同参与国家大计。现在,皇上刚刚登极,对帝国情形,还不太熟悉,需要内外臣属合力辅佐,互相补益,应该把仁爱放在第一位,把刑杀放在最后,怎么可以同意先对宰相开刀?如果皇上杀得手滑,那么,神策军总指挥宦官(中尉),以及宫廷机要室主任宦官(枢密使),虽然权重位高,难道一点也不为自己担心!我受六位皇上的恩宠(十四任帝李纯、十五任帝李恒、十六任帝李湛、十七任帝李昂、十八任帝李瀍〔李炎〕、十九任帝李忱),希望把领袖辅佐成为像伊祁放勋(尧帝)、姚重华(舜帝)那样的圣君,不愿意领袖用自己的喜爱憎恨,作为执法的标准。"两位宫廷机要室主任宦官(枢密使)互相观望、默不作声,慢慢的回答说:"我们会把你的话报告领袖,如果没有敦厚的品德,想不到这么深远!"惭愧与惊恐交集,仓猝告退回宫。

三位宰相这才进来再见杜悰，略为表示希望告诉他们皇帝有什么旨意，杜悰不回答。三位宰相大为恐惧，向杜悰乞求只希望保存家族，杜悰说：“不要往坏的地方想！”以后就再听不到什么消息，李漼也没有进一步指示。等到李漼登延英殿朝会时，一脸喜悦。

胡三省曰

杜悰这件事，我认为是《资治通鉴》照抄杜悰《家传》，叙述难免不言过其实。洪迈《随笔》说：李漼登极的时候，宰相四人：令狐绹、萧邺、夏侯孜、蒋伸，现在（八六一年），只蒋伸仍在相位，其他三人都已免职。毕諴及杜审权是李漼自己任命的，可证明根本没有发生这种事，完全出于《家传》伪造。司马光把《资治通鉴》唐王朝部分交给范祖禹，取舍都十分谨慎，竟采用此项资料，更使人相信，撰写历史，确实不易。

当时，知识分子对宦官十分忌恨，只要跟宦官沾一点边，大家对他就同声唾弃。建州（福建省建瓯市）进士叶京，曾经参加宣武战区（总部设汴州〔河南省开封市〕）军中宴会，跟监军宦官见过一面。不久，叶京考试及格——进士及第，在京师（首都长安）跟同年朋友（同榜）出去游玩，路上恰巧碰上那位监军宦官，马背上互相拱拱手打一个招呼，想不到竟引起舆论的猛烈攻击，终身被轻视，没有人推荐他出任官职。宦官和知识分子之互相仇视，这就是一例（不分青红皂白的褊狭性，一定激起反弹，“把清流投入浊流”，祸种于此，可哀）。

3 福王李绾（十三任帝李诵的儿子。绾，音wǎn〔晚〕）逝世。

4 夏季，六月十日，命盐州（陕西省定边县）警备区司令（防御使）

王宽，当安南军管区（首府设安南府〔越南河内市〕）军事指挥官（经略使）。

当时，安南总督（都护）李鄠（音hù〔户〕）自武州（可能是武安州）集结土著民兵，攻击大礼帝国（首都苴咩城〔云南省大理市〕）占领军，克复安南，中央责备他不能尽忠职守，失陷国土，把李鄠贬作儋州（海南省儋州市）户籍官（司户）。李鄠初到安南时，诛杀酋长杜守澄（参考八五八年七月，当时记载系被王式所杀，不知道何年记载出错），杜姓家族和同党遂引诱各路部族，攻陷交趾（安南府所在城。事实上安南府所在县是宋平，宋平才是今河内市，而交趾在今河内市西北，不知什么原因，交趾宋平混而为一，大概传统历史不重视地图，地名遂可以轻松的跳来跳去）。中央因杜家班强大，只求姑且安抚，希望利用他们的力量保国安民，于是追赠杜守澄的老爹杜存诚中央官衔：金吾（卫军第十一、十二军）将军（参考八五八年六月），再宣布李鄠诬杀杜守澄的罪状，把李鄠终身贬窜崖州（海南省海口市琼山区）。

5 秋季，七月，大礼帝国（首都苴咩城〔云南省大理市〕）攻陷邕州（广西南宁市），占领。

先前，岭南战区（总部设广州〔广东省广州市〕）、桂州道（首府设桂州〔广西桂林市〕）、容州军管区（首府设容州〔广西容县〕）共同集结武装部众三千人，增援邕州（广西南宁市）协防，每逢三年轮调一次。邕州军管区（首府设邕州〔广西南宁市〕）军事指挥官（经略使）段文楚，向中央建议，请三个管区把派遣军所有的衣服粮食等费用，都交给邕州（广西南宁市），由邕州自己招兵买马，组织自卫武力，中央批准，但只招募到五百余人。后来，段文楚调往中央当金吾（卫军第十一、十二军）将军，继任的军事指挥官（经略使）李蒙，贪图三个管区供应的衣服粮食经费财物，竟把边防军全部撤销，只留下这批新兵防守左江、右江（都是邕江上游支流，流经广西西南部），比起旧日实力，减少十分之七八，所以大

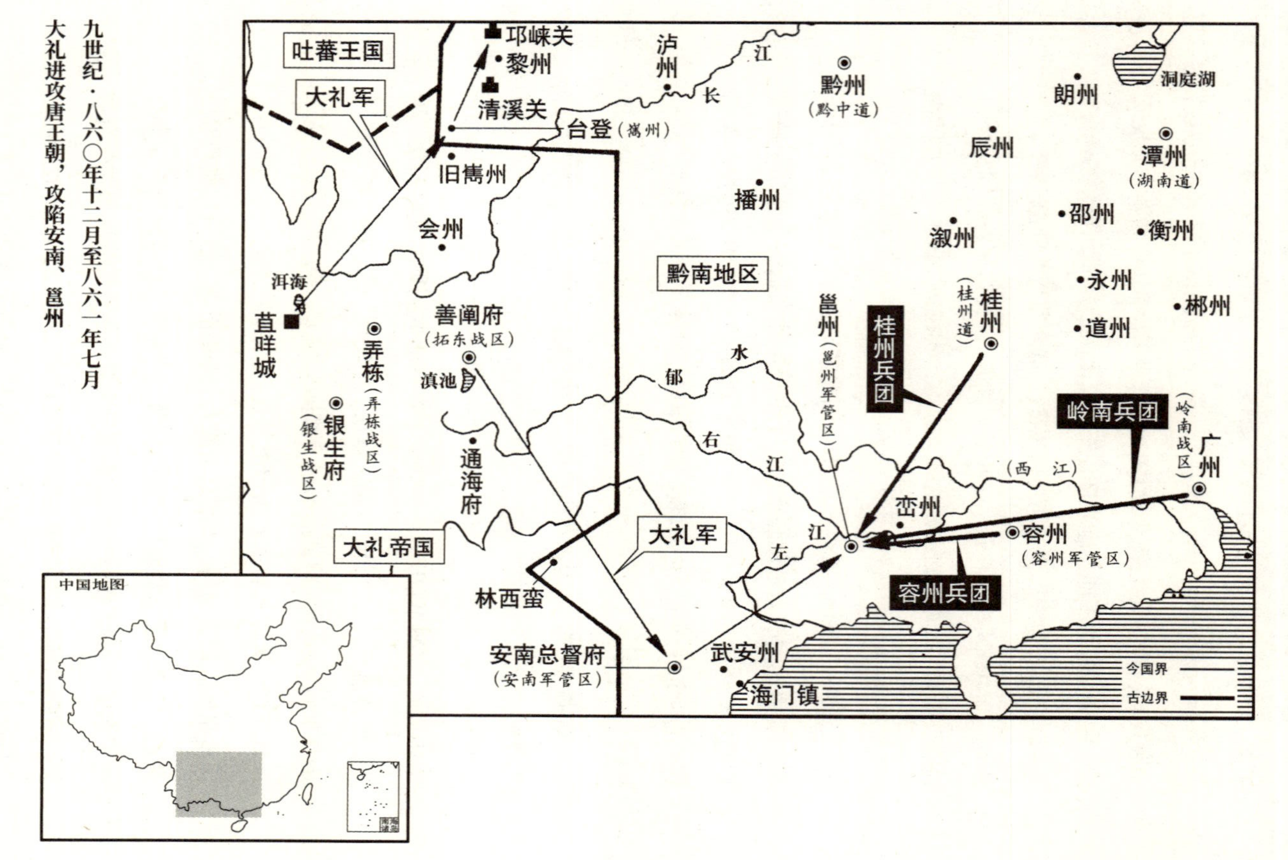

九世纪·八六〇年十二月至八六一年七月
大礼进攻唐王朝，攻陷安南、邕州

礼帝国一旦发动攻击，就如入无人之境。当时，李蒙已经逝世，新任军事指挥官（经略使）李弘源到差才十天，没有军队可以抵抗，城遂陷落。李弘源跟监军宦官逃到峦州（广西横州市西峦城镇），约二十余日，大礼兵团撤退，李弘源才回邕州（广西南宁市），中央贬他当建州（福建省建瓯市）户籍官（司户）。段文楚这时当宫廷总管（殿中监，从三品）。中央命他再回任邕州军管区（首府设邕州〔广西南宁市〕）军事指挥官（经略使）。段文楚到差后，发现城池内外居民，幸而仍活着的不到十分之一。段文楚，是段秀实的孙儿（段秀实死于攻击朱泚，参考七八三年十月）。

6 杜悰上疏说："南诏（大礼帝国）接受中华文化七十年（南诏三任王异牟寻归顺唐王朝，参考七九四年六月），巴蜀地区（四川省）一直平安无事，各地蛮夷部落，也都顺服（传统文化人写起文章，如数来宝，轻松一笔，抹杀万事。七九四年以来，巴蜀灾难够多，八二九年大渡河震天哭声，岂是"群蛮率服"）。现在，西川战区（总部设成都府〔四川省成都市〕）部队及军粮，十分单薄，不可以轻率的跟南诏（大礼帝国）绝交对抗，应该派遣使节，前去祭悼他们的国丧（七任王丰祐的丧礼），告诉首相（清平官）等说：只因新任国王酋龙，冒犯了唐朝皇帝的名字（参考前年〔八五九〕十二月），所以没有册封，一旦酋龙把名字更改，上疏叩谢恩典，大唐自会派钦差大臣前去册封，希望保持两国友谊。"李漼同意。命国务院左主任秘书（左司郎中）孟穆当祭悼特使。可是，孟穆还没有出发，大礼帝国又攻击嶲州（四川省冕宁县南泸沽镇）、邛崃关（四川省汉源县北），孟穆遂中止。

7 冬季，十月，命总监察官（御史大夫）郑涯，当山南东道战区（总部设襄州〔湖北省襄阳市〕）司令官（节度使）。

十一月，命郑涯遥兼二级宰相（同平章事，使相）。

八六二年 壬午

1 春季，正月一日，唐王朝（首都长安〔陕西省西安市〕）文武百官呈献皇帝（二十任懿宗）李漼（李温。本年三十岁）尊贵绰号：睿文明圣孝德皇帝。李漼赦免天下。

2 命副立法长（中书侍郎）、二级实质宰相（同平章事）蒋伸，遥兼二级宰相（同平章事，使相），充任河中战区（总部设河中府〔山西省永济市〕）司令官（节度使）。

3 二月，棣王李惴逝世（李惴，是十四任帝李纯的儿子）。

4 大礼帝国（首都苴咩城〔云南省大理市〕）再度攻击安南军管区（首府设安南府〔越南河内市〕），军事指挥官（经略使）王宽不断向中央求救，中央派前湖南道（首府设潭州〔湖南省长沙市〕）行政长官（观察使）蔡袭，接替王宽的职位，同时动员忠武（总部许州）、义成（总部滑州）、武宁（总部徐州）、宣武（总部汴州）、荆南（总部江陵府）、山南东道（总部襄州）、湖南（首府潭州）、鄂岳（首府鄂州）八战区道共三万人，交给蔡袭指挥，声势浩大，大礼军（云南省）即行撤退。

邕州军管区（首府设邕州〔广西南宁市〕）军事指挥官（经略使）段文楚，被指责变更传统制度，贬作威卫（卫军第九、十军）将军，东都洛阳（河南省洛阳市）办公。

5 太子宫政务署长（左庶子）蔡京，性情贪婪暴虐，而又诡计百出，宰相认为他是一位干练的官员，上疏推荐他处理岭南（南岭以南）事务。

三月，蔡京视察完毕回京（首都长安），奏报此行任务，李漼大为高兴，命蔡京暂代畜牧部长（权知太仆卿），充任江陵（湖北省江陵县）、襄州（湖北省襄阳市）以南慰劳安抚特使。

6 夏季，四月一日，李漼训令京师（首都长安）东西两街四个寺庙（慈恩寺、荐福寺、西明寺、庄严寺），设置戒坛，剃度二十一天。李漼信奉佛教入迷，没有时间处理国家大事，曾经在咸泰殿建立戒坛，称“皇宫内寺”，剃度宫女，使她们在里面修道。东西两街和尚、尼姑，也都进宫参与。李漼又在宫中设置讲台，亲唱佛歌，亲写佛经；又很多次前往各寺，赏赐布施，毫无限度。国务院文官部副部长（吏部侍郎）萧仿上疏劝阻，指出：“玄祖（李耳）的道理，最重要的是慈爱和节俭（唐王朝追尊李耳为玄元皇帝，参考六六六年二月）；孔丘的教育，以仁爱正义为第一优先。典范流传百代，再无法增添。佛的意思是：放弃王位，出家成仙，割舍最难割舍的爱，取得万神消灭后世上特有的荣耀，这都不是帝王所应追求的目标。盼望陛下经常登临延英殿，接见宰相等高级辅佐官员，深入探讨人民的痛苦，虔敬的祭祀祖先。应该了解：荒唐的赏赐和滥用的刑罚，一定会招来灾难。而克制残暴，排除杀戮，一定会招来幸福。请陛下撤除跟和尚、尼姑讲解佛经的筵席，亲自处理国家政事。”李漼虽然对他嘉奖，但不能接受。

7 岭南（南岭以南）旧时分成五个管区：广州管区（广东省广州市）、桂州管区（广西桂林市）、邕州管区（广西南宁市）、容州管区（广西容县）、安南管区（越南河内市），都隶属岭南战区（总部设广州〔广东省广州市〕）司令官（节度使。参考七四二年正月）。现在，蔡京上疏建议把岭南分为两个战区，中央批准。

五月，李漼训令广州（广东省广州市）作岭南东道战区总部所在、邕州（广西南宁市）作岭南西道战区总部所在。把桂州道（首府桂州）所属的龚州（广西平南县）、象州（广西象州县），容州军管区（首府容州）所属的藤州（广西藤县）、岩州（广西来宾市），划归岭南西道战区。不久，中央命原岭南战区司令官（节度使）韦宙，当岭南东道战区司令官（节度

九世纪·八六二年五月 岭南五府划分东西道

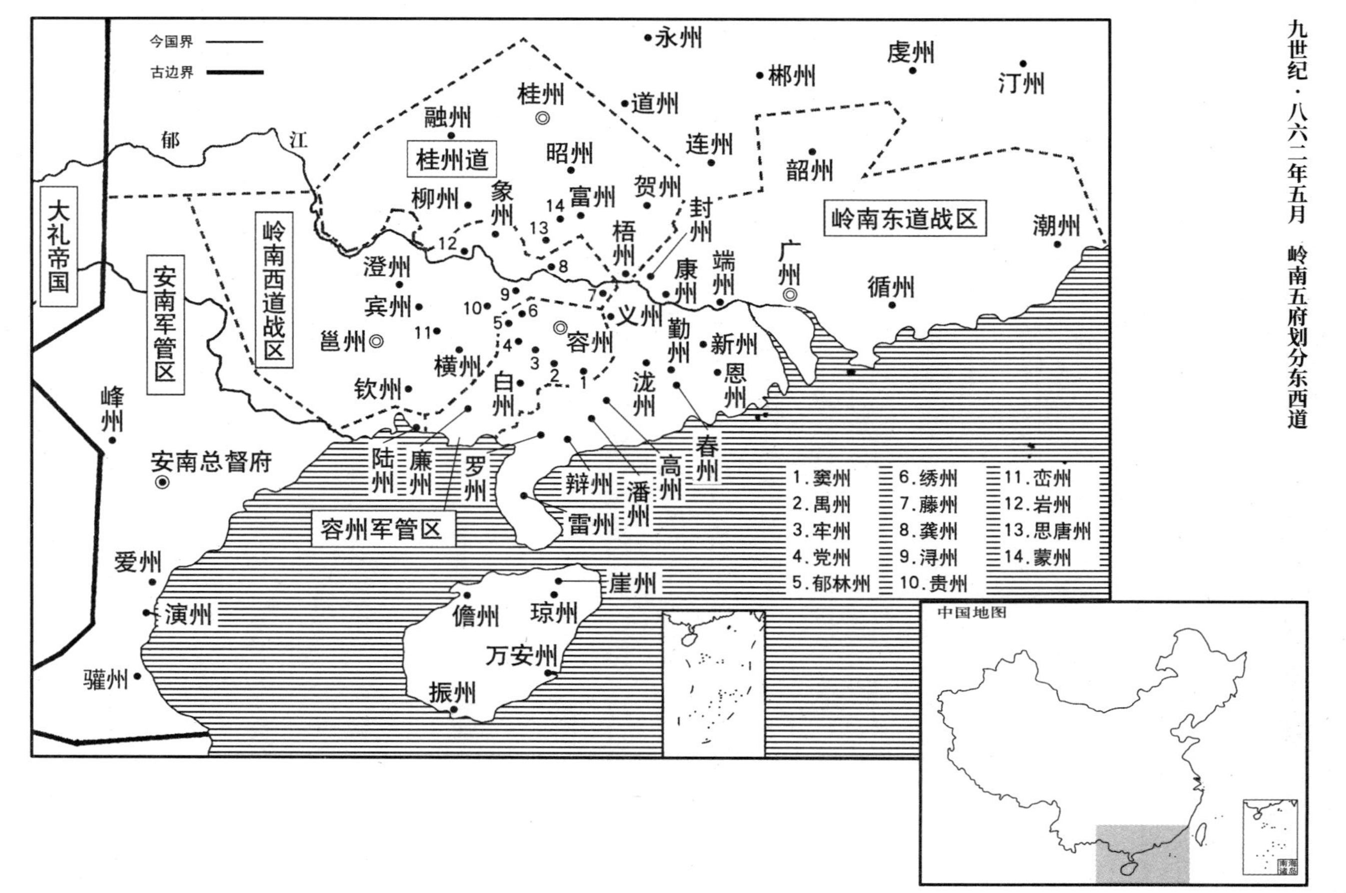

使)，蔡京当岭南西道战区司令官(节度使)。

8 安南总督(驻越南河内市)蔡袭，率八战区道特遣兵团严守边疆，蔡京心怀猜忌，怕他立下大功，威胁自己的地位，于是再上疏说："南方蛮夷(指大礼帝国)已远远逃走，边境平安无事，再不用担心。武夫们为了贪图功劳，妄自扩大边防部队，无缘无故浪费从千里外运来的军粮。只因为蛮荒边区，路途遥远，中央很难核查考验，使他们得以完成奸谋。我请求撤销八战区道特遣兵团，各回本籍。"中央批准。蔡袭屡次上疏警告："南蛮(大礼帝国)长期以来，一直在南方虎视眈眈，我们不可以没有戒备，我建议至少应留下五千人！"中央不理。蔡袭看出大礼军定会再来，安南军管区(首府安南府)士卒及粮食，两者都缺，谋略及实力，都无所施展。于是撰写《十必死书》，分析形势，呈递宰相联合办公厅(中书)，但宰相们相信蔡京批评蔡袭的话，而对蔡袭的建议，完全不能接受。

9 秋季，七月，武宁战区(总部设徐州〔江苏省徐州市〕)兵变，驱逐司令官(节度使)温璋。

最初，王智兴取得徐州(参考八二二年三月)，召募勇敢凶悍的士卒二千人，分别称"银刀""雕旗""门枪""挟马"等七军，常率三百余人作自己的卫队，手持钢刀，坐在公堂两旁帐幕下面，每月轮调一次。继任的战区司令官(节度使)多数是文职出身，于是，这批特选的卫队官兵，逐渐骄傲蛮横，只要有一点小不如意，一个人大声一叫，其他的人一齐响应，战区司令官(节度使)听到声音立刻就从后门逃走。前任战区司令官(节度使)田牟(参考八五九年四月)甚至跟他们混杂坐在一起饮酒取乐，或握住手臂、或拍着肩膀、或手拿木板唱歌，犒劳赏赐的费用，每天都要用“万”为单位计算，遇到大风暴雨、寒来暑往的节日，更要增加馈赠，但仍不能使他们满意，时时都会喧哗闹事，不断提出新的要求。田牟逝世，温璋接替，骄兵悍将听说温璋性情严厉，心里恐惧。温璋唯恐激起反弹，也特别开诚布公、用心安抚，但骄兵悍将始终猜忌，温璋赏赐的酒肉，都不沾口。于是，有一天，大家终于哗变，把温璋赶走。中央知道温璋没有犯错。

七月八日，命温璋当邠宁战区（总部设邠州〔陕西省彬州市〕）司令官（节度使），调浙东道（首府设越州〔浙江省绍兴市〕）行政长官（观察使）王式，当武宁战区（总部设徐州〔江苏省徐州市〕）司令官（节度使）。

10 擢升前遥兼二级宰相（同平章事，使相）、西川战区（总部设成都府〔四川省成都市〕）司令官（节度使）夏侯孜，当国务院左最高执行长（左仆射）、二级实质宰相（同平章事）。

11 王式讨伐变民首领裘甫（参考前年〔八六〇〕三月）时，所属忠武（总部许州）、义成（总部滑州）两战区特遣兵团，仍留在浙东（首府越州）。李漼下诏命王式率这两支军队前往武宁战区（总部徐州）接任，骄兵悍将听到消息，大为畏惧。

八月，王式抵达大彭馆（江苏省徐州市东南），骄兵悍将才出来迎接晋见。王式正式办公三天，摆下筵席，给两支军队饯行，送他们各回本战区，每人都身穿铠甲，手拿武器，欢宴之际，王式突然下令，命他们把骄兵悍将团团围住，全部屠杀，“银刀军”指挥官（都将）邵泽等，共数千人，尽都丧生。

八月二十八日，李濯训令说：徐州（江苏省徐州市）本隶属平卢战区（总部设郓州〔山东省东平县〕），李洧回归中央时，才设徐海沂道（参考七八二年三月十三日）。后来，张建封因拥有重名，受到宠任，才成立战区，更增加濠州（安徽省凤阳县东北临淮关镇）、泗州（江苏省盱眙县淮河北岸）两州（两州皆自淮南战区割出，参考七八八年十一月）。当时用来北控平卢（总部郓州）、南制淮西（总部蔡州）。然而两地叛乱消除后，这个新成立的武宁战区（总部徐州），竟成为叛乱的主流（武宁战区自成立后，仅《资治通鉴》记载，便有以下几项变乱：王智兴逐崔群，参考八二二年三月；之后，军队吓跑李听，参考八三二年三月；高瑀不能控制，参考八三三年正月；接着三位司令官被逐：李廓，参考八四九年五月；康季荣，参考八五九年四月；温璋，参考八六二年七月）。自今天起，撤销武宁战区（总部徐州），另在徐州（江苏省徐州市）设民兵司令（团练使），划入兖海战区（总部设兖州〔山东省济宁市兖州区〕）；把濠州（安徽省凤阳县东北临淮关镇）交还淮南战区（总部扬州），更在宿州（安徽省宿州市）设民兵司令官暨行政长官（都团练观察使）；只留将士三千人驻防徐州（江苏省徐州市），其他将士则分别派往兖海战区（总部兖州）及宿泗道（首府宿州）。调王式当武宁战区司令官（武宁既已撤销，此处又命王式当武宁司令官，当是办理结束事宜），兼徐泗濠宿地区军政总监（制置使）。王式会同监军宦官杨玄质分配并督促将士启程之后，率忠武（总部许州）、义成（总部滑州）两军，前往汴州（宣武战区总部，河南省开封市）命他们各回本战区，王式则亲到京师（首都长安）。“银刀”等七军逃亡官兵，准予一个月内自首，不再追究。

12 岭南西道战区（总部设邕州〔广西南宁市〕）司令官（节度使）蔡京刻薄凶暴，刑罚惨酷，甚至设炮烙苦刑——使被告抱住烧红的铁柱，境内一片怨恨；最后，爆发兵变，把他驱逐出境。蔡京投奔藤州（广西藤县），假传圣旨，刻制一颗“讨伐司令”印信，招募乡村青年及征调地方自卫武力，进攻邕州（广西南宁市），新兵本是乌合之众，没有经过训练，所以，每战必败，终于溃散，蔡京遂再投奔桂州（桂州道首府，广西桂林市）。桂州人对被割去龚（广西平南县）、象（广西象州县）二州，仍怀愤怒，拒绝他入境。蔡京没有地方可以容身，李漼贬他当崖州（海南省海口市琼山区）户籍官（司户），蔡京不肯到差，悄悄北返，走到零陵（永州州政府所在县，湖南省永州市），李漼下诏命他自杀，另派桂州道（首府设桂州〔广西桂林市〕）行政长官（观察使）郑愚，当岭南西道战区（总部设邕州〔广西南宁市〕）司令官（节度使）。

13 冬季，十月一日，封皇子李佾（音yì〔意〕）当魏王，李侹（音tǐng〔挺〕）当凉王，李佶（音jí〔及〕）当蜀王。

14 十一月，封十三任帝李诵的儿子（李漼的叔祖）李緝当蕲王、十四任帝李纯的儿子（李漼的叔父）李愦当荣王。

15 大礼帝国（首都苴咩城〔云南省大理市〕）远征军五万人，大举攻击安南（越南河内市），总督（都护）蔡袭紧急向中央请求救援，李漼令令荆南战区（总部设江陵府〔湖北省江陵县〕）、湖南道（首府设潭州〔湖南省长沙市〕），各出军二千人，加上桂州道（首府设桂州〔广西桂林市〕）志愿军（义征子弟）三千人，增援邕州（广西南宁市），由岭南西道战区（总部邕州）司令官（节度使）郑愚指挥。

岭南东道战区（总部设广州〔广东省广州市〕）司令官（节度使）韦宙上疏警告说：“蛮夷（大礼军）势将攻击邕州（广西南宁市），如果不能保护根本，而竟想远解安南（越南河内市）之围，恐怕蛮夷（大礼军）会乘虚切断后路，断绝粮食补给。”李漼训令蔡袭撤出安南（越南河内市），退守海门（越南海防市）；郑愚沿边严密戒备。

十二月，蔡袭再请增援，李漼训令山南东道战区（总部设襄州〔湖北省襄阳市〕），派射击部队一千人前往，但大礼军（云南省）已包围交趾（指安南府所在城），蔡袭登城固守，救兵无法入城（蔡袭也无法撤退到海门〔海防市〕）。

16 翼王李绰逝世（绰，音chǎn〔产〕，是十三任帝李诵的儿子）。

17 本年（八六二），一个新兴的“嗢末族群”（嗢，音wà〔袜〕），向唐王朝进贡。“嗢末”，吐蕃（西藏）语中的奴仆之意。吐蕃传统，每次武装部队出发作战，家庭富有的官员，多数携带私人奴仆。一个官员，往往有一家人或十几人追随，所以吐蕃部众十分庞大。后来，论恐热叛乱（参考八四二年十二月），官员大批死亡，大多数奴仆都没有主人，遂互相依靠，集结成群，散布在甘州（甘肃省张掖市）、肃州（甘肃省酒泉市）、瓜州（甘肃省瓜州县）、沙州（甘肃省敦煌市）、河州（甘肃省临夏市）、渭州（甘肃省陇西县）、岷州（甘肃省岷县）、廓州（青海省化隆县）、宕州（甘肃省舟曲县）、叠州（甘肃省迭部县）一带，吐蕃王国（首都逻些城〔西藏拉萨市〕）没落的贵族，反而投靠归附，受他们保护。

九世纪·八六二年　吐蕃嗢末族群分布

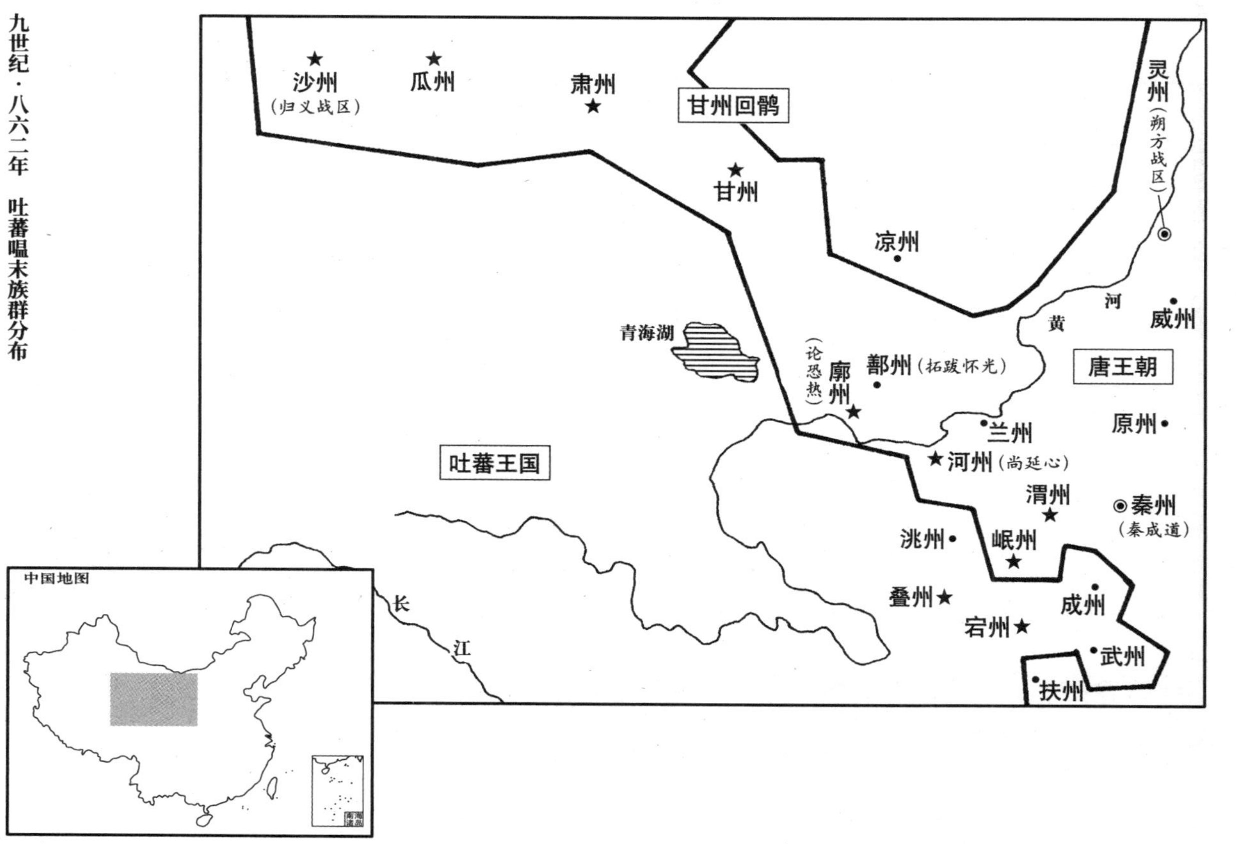

1 春季，正月七日，唐王朝（首都长安〔陕西省西安市〕）皇帝（二十任懿宗）李漼（李温。本年三十一岁），前往圆形祭坛祭祀天神，赦免天下。

2 当天（正月七日），大礼帝国（首都苴咩城〔云南省大理市〕）远征军攻陷安南总督蔡袭固守的交趾城（越南河内市），蔡袭左右侍从官员全部战死，蔡袭徒步，边战边走，身上被射中十箭，但仍勉强支持，奔向监军宦官的座舰，可是监军宦官的座舰已离岸而去，蔡袭遂淹死海中。（胡三省注："蔡袭果然死了，他的《十必死书》仍在，却没有一个官员为他伸冤。然而，从此以后，中央政府急剧败坏，地方政府主管只要有片言只字，中央立刻大为震动，唯恐不能使他满意，宰相反而跟他们结交，依仗地方势力。"）蔡袭的幕僚樊绰携带总督印信，游泳过江（名不详）逃走。荆南（总部江陵府）、江西（首府洪州)、鄂岳(首府鄂州)、山南东道(总部襄州)特遣兵团官兵四百余人,突围逃到交趾城(越南河内市)东方海岸,荆南特遣兵团总纠察官(都虞候)元惟德等告诉大家说:"我们没有船,一旦被赶到水边,一定死亡,与其淹死,不如反攻交趾(越南河内市),跟蛮夷(大礼军)决斗,用一个人换两个人,我们就赚了一个。"遂转过头来向西挺进,进东罗门(交趾城东门),大礼军(云南省)想不到敌军反击,毫无戒备,元惟德等挥军诛杀大礼士卒二千余人。夜晚,大礼将领杨思缙从子城(第二道城)出兵增援,元惟德等全部战死。

大礼帝国一连两次攻陷交趾(越南河内市),屠杀以及俘虏合计将近十五万人。现在,留下军队二万人,命杨思缙驻守,附近山谷洞穴的夷族部落及獠族部落,不论远近,都向大礼军(云南省)投降。

李漼下诏,命各战区派往安南(越南河内市)的特遣兵团,全部后撤,分别驻防岭南西道战区(总部设邕州〔广西南宁市〕)各要塞。

3 李漼游戏宴会,丝毫没有节制,见习监督官(左拾遗)刘蜕上疏说:"凉州(甘肃省武威市)应不应修筑城池(凉州在本年〔八六三〕三月才收复),反复讨论,没有定案;邕州(广西南宁市)受南蛮(大礼帝国)侵占,军队以及武器,正在中途。一个月来,并不是天下无事。陛下不向远近表示你的忧虑,怎么能要求部下竭尽死力!希望陛下稍加节制,等到远方人心安定,再大肆游戏欢乐不晚。"李漼不理。

4 二月一日,李漼一一祭拜十六陵(献陵〔一任帝李渊墓,陕西省富平县南〕、昭陵〔二任帝李世民墓,陕西省礼泉县东北九嵕山〕、乾陵〔三任帝李治墓,陕西省乾县西北〕、定陵〔六任帝李显墓,陕西省富平县西北龙泉山〕、桥陵〔八任帝李旦墓,陕西省蒲城县西北〕、泰陵〔九任帝李隆基墓,陕西省蒲城县东北金粟山〕、建陵〔十任帝李亨墓，陕西省礼泉县北武将山〕、元陵〔十一任帝李豫墓，陕西省富平县西北檀山〕、崇陵〔十二任帝李适墓，陕西省泾阳县北〕、丰陵〔十三任帝李诵墓，陕西省富平县东北瓮金山〕、景陵〔十四任帝李纯墓，陕西省蒲城县西北金炽山〕、光陵〔十五任帝李恒墓，陕西省蒲城县北尧山〕、庄陵〔十六任帝李湛墓，陕西省富平县西〕、章陵〔十七任帝李昂墓，陕西省富平县西北天乳山〕、端陵〔十八任帝李瀍墓，陕西省富平县西南〕、贞陵〔十九任帝李忱墓，陕西省三原县西北〕）。

5 在秦州（甘肃省秦安县西北）设天雄军基地，管辖成州（甘肃省成县）、河州（甘肃省临夏市）、渭州（甘肃省陇西县），命前左金吾（卫军第十一军）将军（从三品）王晏实当天雄道行政长官（观察使。王晏实名义上是王智兴的儿子，事实上是王智兴的孙儿，参考八四四年三月）。

6 三月，归义战区（总部设沙州〔甘肃省敦煌市〕）司令官（节度使）张义潮奏报说：亲自率领中外混合兵团七千人，攻克凉州（甘肃省武威市）。

7 大礼帝国军攻击左江、右江（邕江上游支流），逼近邕州（广西南宁市）。岭南西道战区（总部设邕州〔广西南宁市〕）司令官（节度使）郑愚，大为恐惧，上疏承认他自己是文官出身，没有军事才能，请派武官接替。中央遂命义武战区（总部设定州〔河北省定州市〕）司令官（节度使）康承训前来京师（首都长安）朝见，打算命他接替郑愚，特准他在义武兵团中遴选将领数人、勇士数百人，作为护卫，一同到差（康承训是康日知的孙儿；康日知，参考七八二年正月）。

8 副立法长（中书侍郎）、二级实质宰相（同平章事）毕諴，因为其他宰相全都自私自利、贪赃枉法，不愿同流合污，遂宣称有病，辞职（当时另二位宰相是：杜审权、杜悰）。

夏季，四月，免除毕諴宰相职务，改任国务院国防部长（兵部尚书）。

9 四月十八日，变民突入徐州（江苏省徐州市），诛杀政府官员；州长曹庆把他们逮捕平息（徐州属兖海战区〔总部兖州〕）。

10 康承训抵达京师（首都长安），被任命当岭南西道战区（总部设邕州〔广西南宁市〕）司令官（节度使），中央训令荆南战区（总部江陵府）、山南东道战区（总部襄阳）、江西道（首府洪州）、鄂岳道（首府鄂州）四战区道，共派特遣兵团一万人，跟康承训一同南下。

11 五月六日，命皇家文学研究院院长（翰林学士承旨）、国务院国防部副部长（兵部侍郎）杨收，当二级实质宰相（同平章事）。杨收，是杨发的老弟（杨发，参考八五八年四月九日），因为跟左神策军总指挥宦官（左军中尉）杨玄价，认作同宗一家，互相结交，才得以当上宰相。

12 五月十三日，撤销容州军管区（首府设容州〔广西容县〕），各州改隶岭南西道战区（总部设邕州〔广西南宁市〕），再把龚（广西平南县）、象（广西象州县）二州，划归桂州道（二州改隶岭南西道，参考去年〔八六二〕五月）。

13 五月二十六日，命副监督长（门下侍郎）、二级实质宰相（同平章事）杜审权，遥兼二级宰相（同平章事，使相），充当镇海战区（总部设润州〔江苏省镇江市〕）司令官（节度使）。

14 六月，撤销安南总督府，恢复设置交州，州政府迁到海门镇（越南海防市），命右监门（卫军第十四军）将军宋戎当交州州长，康承训兼安南军管区及各战区道特遣兵团司令官（自设安南总督府之后，便取代了原交州州政府，参考六八七年七月注；如今恢复交州）。

15 闰六月，贬副监督长（门下侍郎）、二级实质宰相（同平章事）杜悰，遥兼二级宰相（同平章事，使相），充任凤翔战区（总部设凤翔府〔陕西省宝鸡市凤翔区〕）司令官（节度使）；擢升国务院国防部副部长（兵部侍郎）、全国财政总监（判度支）河南（东都洛阳所在县）人曹确，当二级实质宰相（同平章事）。

16 秋季，七月一日，日蚀。

17 恢复安南总督，在交州州政府所在新址海门镇（越南海防市）设总督府（都护府），命宋戎当军事指挥官（经略使），征调山东（崤山以东）各战区道特遣兵团一万人驻防。

当时各战区道支援安南（交州，越南海防市）援军，集结岭南（南岭以南）。江西（首府洪州）、湖南（首府潭州）运输军粮，都要逆水行舟，从湘江进灵渠（连接漓江与湘江之间的人工运河），再进漓水（桂江上游），费用庞大，万般艰苦，各特遣兵团总是缺粮。润州（江苏省镇江市）人陈磻石（磻，音pán〔盘〕）上疏建议：“建造可以装载一千斛以上粮食的运输船，从福建道（首府设福州〔福建省福州市〕）启航，经过台湾海峡、南海，用不了一个月，就可运到广州（岭南东道战区总部，广东省广州市）。”中央接受，军中粮食供应才开始充足。

然而，主管官员却用“双方同意”的名义雇用工人，往往强行

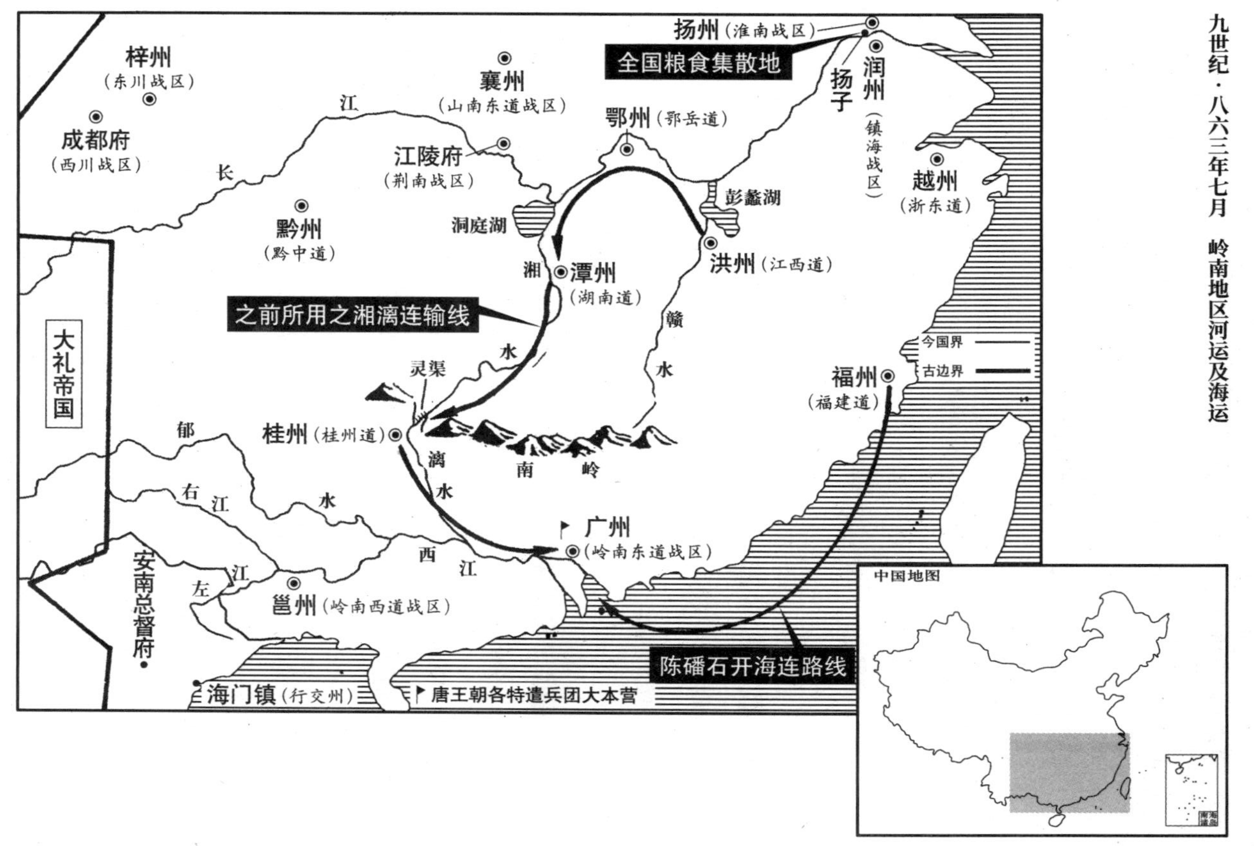

九世纪·八六三年七月　岭南地区河运及海运

夺取商人的船舶，把船上的货物卸下堆到岸上。而巨舟进入大海后，不幸遇到风浪，船舶沉没，员工淹死，有关单位不但没有抚恤安慰，反而扣押海运官员及船上幸而没有淹死的员工，要他们赔偿托运的军粮，人民深为怨恨痛苦。

18 八月，岭南东道战区（总部设广州〔广东省广州市〕）司令官（节度使）韦宙再上疏警告说："南诏（大礼帝国）势将攻击邕州（广西南宁市），请派军严守容州（广西容县）、藤州（广西藤县）。"

19 夔王李滋逝世（李滋，是李漼的老弟。按：根据《新唐书·李滋传》记载，此李滋便是三十四年之后，被军阀韩建所诛杀的通王李滋〔参考八九七年八月〕，前后矛盾，未知哪里出错）。

20 李漼命宫廷礼宾室主任宦官（阁门使）吴德应等，当驿马车交通视察官（馆驿使）。监察官（御史）上疏反对说："依照惯例，监察官（御史）负责巡查驿马车交通业务，不应该忽然间交给宦官代替。"李漼批示说："训令已发，不可更改。"见习监督官（左拾遗）刘蜕上疏反驳说："从前芈侣（楚王国六任王庄王）灭亡陈国（河南省周口市淮阳区），改作一县，接受申叔时一句话，立刻恢复陈国独立（《左传》前五九八年：楚王国国王〔六任王庄王〕芈侣，攻入陈国（河南省周口市淮阳区），诛杀去年〔前五九九〕弑君的夏徵舒，趁势把陈国改作陈县，收入楚王国版图。芈侣责备外交官申叔时说："夏徵舒谋杀他的国君，我出兵讨伐，把他处死，各封国和各城各县，都来向我祝贺，只你一句话也不说，什么意思？"申叔时说："夏徵舒谋杀他的国君，当然是大罪，讨伐诛杀，是大王的正义，可是别人也要问：'牵着牛去踏践别人，的农田，因而把他的牛夺走。牵牛踏践农田的人，固然有罪，但把他的牛没收，处罚太重！'各封国国君出征时，相信是'讨伐罪犯’，而今，却把一个封国，改作楚王国的一县，证明大王只是贪图陈国的财富，用正义号召各封国，却暴露贪图财富的野心，恐怕不可以。”芈侣说：“好极，我从来没有听人这么说过，恢复原状行不行？”申叔时说：“我们都是小人物，不敢提什么意见，大王这样做，正是所谓的从别人怀里把东西拿走，然后再还给他。”于是芈侣命陈国恢复独立主权）。太宗（唐王朝二任帝李世民）征调士卒修建乾元殿，听到张玄素规劝，立刻停止（参考六三〇年六月二十二日）。自古以来，英明领袖最可贵的，就是从善如流，怎么可以借口命令已经发布，就不能更改？而且命令由陛下发出，由陛下收回，有什么不行！”李漼不理。

21 黠戛斯汗国（瀚海沙漠群）派官员合伊难支，上疏唐王朝皇帝，请求发给他们儒家经典书籍，并请求允许他们每年派人前来唐王朝领取历书；又声称准备讨伐残余星散的回鹘部落，夺取安西（新疆库车市）以东土地（应指甘州〔甘肃省张掖市〕，回鹘，参考八四八年正月），全部呈献中国。李漼不同意。

22 冬季，十月十五日，命长安（首都长安西半城）县政府防卫员（尉）、皇家编译院校对官（集贤院校理）令狐滈（音hào〔浩〕）当监督院见习监督官（左拾遗）。

十月十六日，见习监督官（左拾遗）刘蜕上疏说：“令狐滈教育子女，没有家法；身为平民，却掌握宰相大权。”皇家生活记录官（起居郎）张云也上疏说：“令狐滈的老爹令狐绹，任命李涿当安南总督（参考八五八年六月），以至南蛮（大礼帝国）直到今天还成为南方灾难，都因为令狐滈接受贿赂（参考八五九年十二月），使老爹蒙受恶名。”

十一月八日，张云再上疏说：“令狐滈的老爹令狐绹当权的时候，令狐滈的绰号是‘平民宰相’。”令狐滈也上疏辞让，于是改当太子宫总管府纠察官（詹事府司直，正七品上）。

23 十一月辛巳日（十一月庚寅朔，没有辛巳），撤销宿泗道（首府设宿州〔安徽省宿州市〕），再在徐州（江苏省徐州市）设立道政府，把濠州（安徽省凤阳县东北临淮关镇）、泗州（江苏省盱眙县淮河北岸）划入辖区（遂成为徐泗濠宿道，辖区恢复武宁战区编制时领域〔参考去年〔八六二〕八月〕）。

24 十二月，大礼帝国（首都苴咩城〔云南省大理市〕）攻击西川战区（总部设成都府〔四川省成都市〕）。

25 昭义战区（总部设潞州〔山西省长治市〕）司令官（节度使）沈询的家奴归秦，跟沈询的婢女通奸，沈询打算诛杀归秦，没有成功。

十二月二十七日，归秦结交营门官（牙将），发动攻击，攻陷官邸，诛杀沈询。

唐　咸通　五年

1 春季，正月，唐王朝（首都长安〔陕西省西安市〕）皇帝（二十任懿宗）李漼（李温。本年三十二岁），命首都长安特别市长（京兆尹）李蠙（音pín〔频〕），当昭义战区（总部设潞州〔山西省长治市〕）司令官（节度使）。剖出归秦的心肝，祭祀沈询。

2 淮南战区（总部设扬州〔江苏省扬州市〕）司令官（节度使）令狐绹，替他的儿子令狐滈伸冤，李漼遂贬张云当兴元特别市（陕西省汉中市）

副市长（兴元少尹），贬刘蜕当华阴（陕西省华阴市）县长。李漼诏书上说："虽然忠心正直值得嘉许，但疏忽轻率的责任，仍然难逃。"

3 正月十九日，西川战区（总部设成都府〔四川省成都市〕）奏报说：大礼帝国（首都苴咩城〔云南省大理市〕）进攻嶲州（四川省冕宁县南泸沽镇），州长喻士珍把他们击破，俘虏一千余人。李漼下诏调右神策军五千人及各战区道特遣兵团前往协防。忠武（总部许州）特遣兵团大将颜庆复，请求修筑新安（四川省越西县北）、遏戎（今地不详）两座城池。李漼批准。

4 命容州军管区（首府设容州〔广西容县〕）军事指挥官（经略使）张茵，兼主持交州（海门镇，越南海防市）事宜，增加海门镇边防军足额二万五千人，训令张茵收复安南（越南河内市）。

5 二月十二日，命国务院司法部长（刑部尚书）、盐铁专卖暨运输总监（盐铁转运使）李福，遥兼二级宰相（同平章事，使相），任西川战区（总部设成都府〔四川省成都市〕）司令官（节度使）。

6 二月二十七日，前西川战区（总部设成都府〔四川省成都市〕）司令官（节度使）萧邺，贬当山南西道（首府设兴元府〔陕西省汉中市〕）行政长官（观察使）。

7 三月十一日，彗星出现娄星（二十八宿之一）之旁，流光长达三尺。

三月十三日，天文台长（司天监，正三品）奏报说："依照《星经》考察，这颗彗星名含誉星，是一颗吉祥之星！"（《星经》，有两版本：《甘氏星经》，战国时代齐王国人甘公著；《石氏星经》，魏王国人石申夫著。二书都是世界上最早的星表。）李漼大喜，天文台长请求：“宣告中外，记载在史册之上。”李漼批准。（自然科学家拍起马屁来，也很凶猛，因有科学根据的缘故，就更使人舒服！）

8 岭南西道战区（总部设邕州〔广西南宁市〕）司令官（节度使）康承训抵达邕州（广西南宁市）到差，而大礼帝国（首都苴咩城〔云南省大理市〕）远征军的力量更加强大，李漼下诏动员忠武战区（许州）、义成战区（滑州）、平卢战区（青州）、宣武战区（汴州）、兖海战区（兖州）、天平战区（郓州）、宣歙道（宣州）、镇海战区（润州）八战区道分别派特遣兵团，交由康承训指挥。康承训戒备松懈，没有派出斥候。大礼（云南省）远征军率附近各蛮夷部落群，集结约有六万人，进攻邕州（广西南宁市），将要入境，康承训才派六战区道特遣兵团共一万人迎战，用獠人当向导，而獠人把特遣兵团引入埋伏。大礼军（云南省）抵达时，特遣兵团又没有戒备，于是五战区道特遣兵团八千人，全部阵亡及被俘虏，只天平（郓州）特遣兵团迟一天到达，幸免于难。康承训得到消息，惊惶恐怖，不知道做什么才好。副司令官（节度副使）李行素急率士卒挖掘壕沟，竖立栅栏。刚刚完毕，大礼军已完成包围，停留四天，制造攻城武器。有些将领计划乘夜出击，分道刀斫大礼军营，康承训不准。天平（郓州）特遣兵团一位低级军官竭力争取，康承训才同意，于是低级军官率敢死队三百人，夜晚，从城上缒下，落地后即行散开，纵火焚烧大礼围城军大营，格杀五百余人。大礼军惊骇，勉强停了一天，即行撤退。康承训才派军数千人追击，格杀还不满三百人，而且都是居住山洞被胁迫随从的獠部落人民。康承训派快马飞奏告捷文书，称：“大破蛮夷盗贼！”大唐内外一起向唐帝李漼祝贺。

9 夏季，四月，命国务院国防部副部长（兵部侍郎）、主持财政部税务司事务（判户部）萧寘，当二级实质宰相（同平章事）。萧寘，是萧复的孙儿（萧复两次当宰相，参考七八三年十月）。

10 中央加授康承训中央官衔：国务院摄理右最高执行长（检校右仆射，使相），酬庸他击破大礼军（云南省）的功劳。但凡被赏赐的人，都是康承训的子弟和亲近，真正出击烧营的官兵，连一级也没有升。因此，军心愤怒，怨恨声、咒骂声，充满道路。

11 五月，李漼训令："徐州（江苏省徐州市）风土人情，一向强悍，战士精锐，所向无敌，最近只因把战区（武宁战区）撤销（参考前年〔八六二〕八月），很多人纷纷逃走，或自行躲藏。现在，命徐泗道民兵司令（团练使）招募战士三千人，前往邕州（广西南宁市）协防，等岭外（南岭以南）战事平息，即派军接替，遣送他们返回。"

12 秋季，七月，西川战区（总部设成都府〔四川省成都市〕）奏报说：两林部落（四川省喜德县东）酋长，突击大礼帝国（云南省），把大礼军击败，诛杀及俘虏很多。

保塞城（四川省冕宁县）城守司令（使）杜守连不愿受大礼帝国（云南省）管辖，率领部众到黎州（四川省汉源县）向唐政府投降。

13 岭南东道战区（总部设广州〔广东省广州市〕）司令官（节度使）韦宙，对康承训所作所为，十分清楚，写信报告宰相。而康承训也心虚胆怯，怀疑恐惧，不断上疏声称有病，请求辞职。中央遂调康承训当右武卫（卫军第四军）大将军（正三品），在东都洛阳（河南省洛阳市）办公；命容州军管区（首府设容州〔广西容县〕）军事指挥官（经略使）张茵当岭南西道战区（总部设邕州〔广西南宁市〕）司令官（节度使），另在容州管区划出四州（哪四州不详）成立军管区，另设军事指挥官（经略使）。

当时，大礼帝国（首都苴咩城〔云南省大理市〕）知道邕州（广西南宁市）民穷财尽，一贫如洗，已劫掠不到任何东西，所以不再对邕州（广西省南宁市）攻击，而张茵也一直不敢南下收复安南（越南河内市）。宰相夏侯孜推荐骁卫（卫军第五、六军）将军高骈，代替张茵。李漼同意，命高骈当安南总督（都护）兼本军管区军事指挥征剿司令（经略招讨使），张茵所统的各路大军，完全移交给高骈。高骈，是高崇文的孙儿（高崇文平定刘辟，参考八〇六年十月），世代在禁卫军服役。高骈喜爱读书及谈古论今，左、右神策军总指挥宦官（中尉），都对他称赞有加，累积资历，升迁到右神策军总纠察官（都虞候）。党项部落反抗中央时（参考八五一年二月），高骈率禁军一万人，驻防长武（陕西省长武县西北），屡次立功，被擢升当秦州（甘肃省秦安县西北）警备区司令（防御使），而又立功，所以交给他收复安南（越南河内市）的任务。

14 冬季，十一月，贬副监督长（门下侍郎）、二级实质宰相（同平章事）夏侯孜，遥兼二级宰相（同平章事，使相），充任河东战区（总部设太原府〔山西省太原市〕）司令官（节度使）。

15 十一月十九日，擢升皇家文学研究院院长（翰林学士承旨）、国务院国防部副部长（兵部侍郎）路岩，兼二级实质宰相（同平章事）。本年（八六四），路岩三十六岁。

八六五年 乙酉

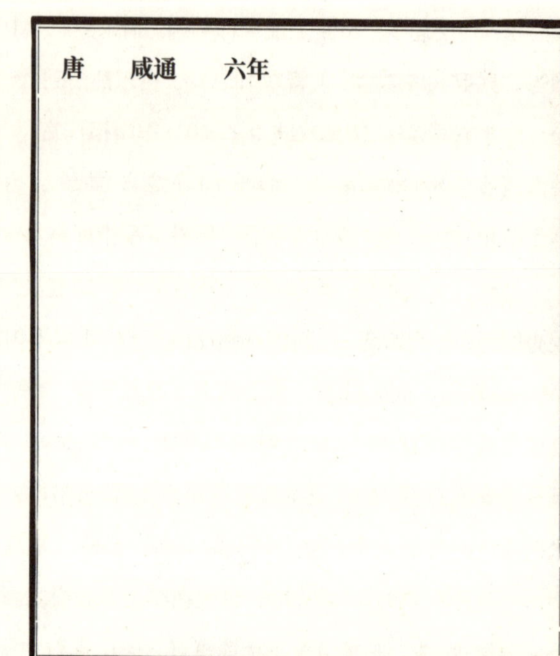

唐　咸通　六年

1 春季，二月六日（原文误置于正月），唐王朝（首都长安〔陕西省西安市〕）皇帝（二十任懿宗）李漼（李温。本年三十三岁），命把祖母懿安皇后郭女士的牌位，放到祖父十四任帝李纯牌位的旁边，共享子孙们的香火祭祀（郭女士暴死事，参考八四八年五月二十一日）。此时，王皞再当祭祀部祭礼科祭礼见习官（礼院检讨官），重提他从前所提过的这项建议（参考八四八年六月），中央终于批准。

2 由地方政府主动向皇帝呈献阉割过的男孩，俗称“私白”，以闽中地区（福建省）最多，所以唐王朝宦官，多数是闽中（福建省）人。福建道（首府设福州〔福建省福州市〕）行政长官（观察使）杜宣猷，每年寒食节日（清明节前一日或二日）都要派官员分别前去宦官祖坟祭奠，宦官们对他十分感激。

二月九日，李漼调杜宣猷当宣歙道（首府设宣州〔安徽省宣城市宣州区〕）行政长官（观察使），时人给杜宣猷起一个绰号：“宦官祖坟看守户”（敕使墓户）。

3 三月，副立法长（中书侍郎）、二级实质宰相（同平章事）萧寘逝世。

4 夏季，四月，擢升前东川战区（总部设梓州〔四川省三台县〕）司令官（节度使）高璩（音qú〔渠〕），当国务院国防部副部长（兵部侍郎）、二级实质宰相（同平章事）。高璩，是高元裕的儿子（高元裕事，参考八三五年八月）。

5 宰相杨收建议：“南方蛮夷（指大礼帝国）侵犯边境，一连多年，都不停止。两河（黄河南北）各战区道特遣兵团，增援岭南（南岭以南），受瘴气毒害，已死十之六七（可悲），不如在江西道（首府设洪州〔江西省南昌市〕）储存军粮，招募强弓射击部队三万人，支援岭南西道战区（总部设邕州〔广西南宁市〕）的军事行动，距离较近，路途便利，并依照惯例，加重权力，设立战区。”李漼批准。

五月二十一日，在洪州（江西省南昌市）设镇南战区（以江西道升格）。

6 巂州（四川省冕宁县南泸沽镇）州长喻士珍，贪婪狡猾，经常掳掠两林蛮（四川省喜德县东），贩卖当奴。

大礼军（云南省）再度进攻嶲州（四川省冕宁县南泸沽镇），城里两林蛮大开城门欢迎；城里的边防军全被屠杀，喻士珍投降。

7 五月二十三日，命桂州道（首府设桂州〔广西桂林市〕）行政长官（观察使）严譔，当镇南战区（总部设洪州〔江西省南昌市〕）司令官（节度使）。严譔，是严震的堂孙（严震事，参考七八四年二月）。

8 六月，宰相高璩逝世。

9 擢升总监察官（御史大夫）徐商当国务院国防部副部长（兵部侍郎）、二级实质宰相（同平章事）。

10 秋季，七月，封皇子李侃当郢王、李俨当普王。

11 安南总督（侨设海门镇〔越南海防市〕）高骈在海门镇（海防市）训练军队，不能立刻发动攻击，监军宦官李维周对高骈十分不满，打算把他赶走，所以不断催促他行动。最后高骈率五千人先行渡河（不知道什么河）西上，约定李维周率军继进接应。高骈出动后，李维周控制留下来的部众，不发一兵一卒支援。

九月，高骈到达南定（越南河内市东），峰州蛮（越南永安市土著）将近五万人，正在收割田里的农作物，高骈突击，大破这些土著农民，抢夺他们的粮食，作为军粮。

12 冬季，十二月五日，李漼的祖母、太皇太后郑女士逝世。

九世纪·八六二年十一月至八六五年五月

大礼再攻唐王朝，东陷安南、北陷嶲州

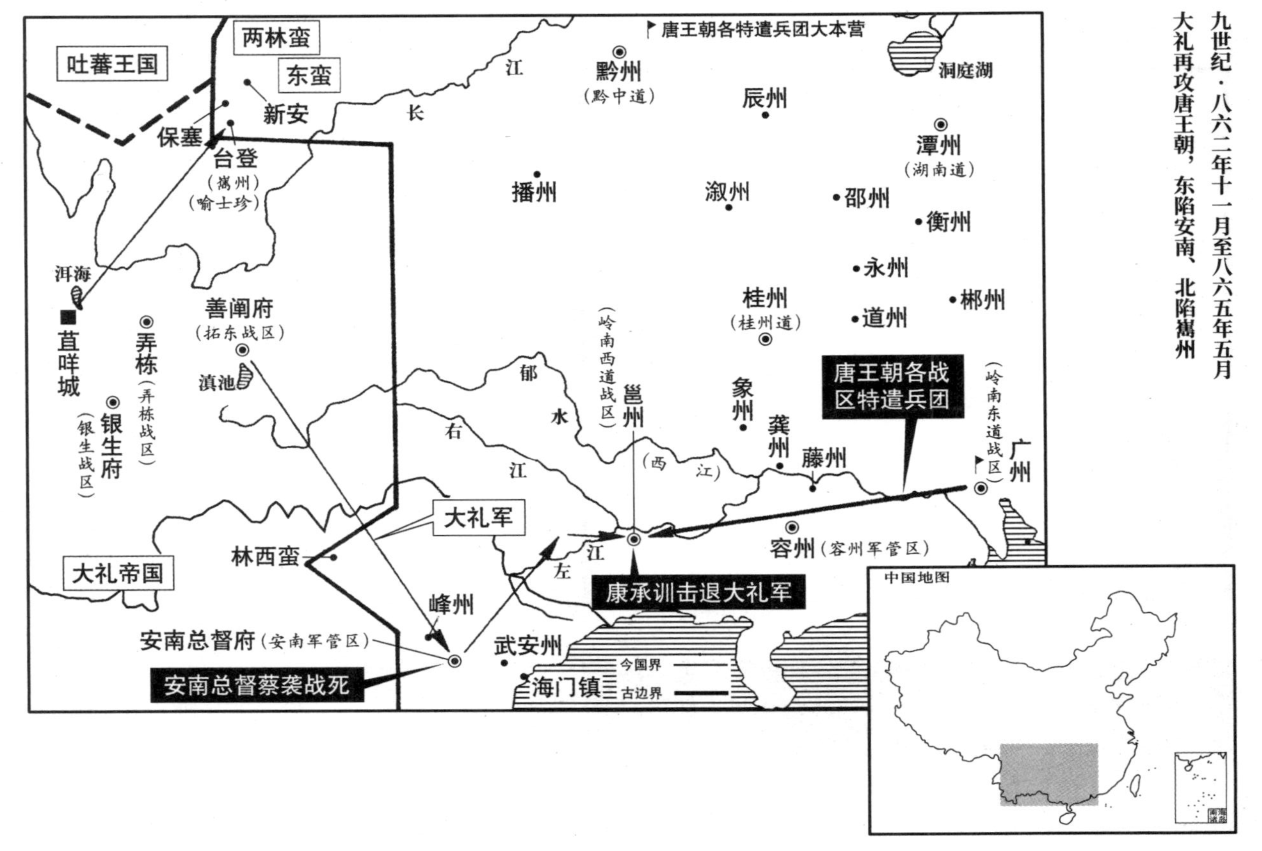

八六六年

丙戌

1 春季，二月，唐王朝（首都长安〔陕西省西安市〕）归义战区（总部设沙州〔甘肃省敦煌市〕）司令官（节度使）张义潮，奏报说：“北庭（新疆吉木萨尔县）回鹘部落酋长固俊，一连从吐蕃王国（首都逻些城〔西藏拉萨市〕）手中夺回西州（新疆吐鲁番市东）、轮台（新疆乌鲁木齐市）、庭州（北庭，新疆吉木萨尔县）、清镇（新疆沙湾市东）等城池（西州是张义潮收复的河湟十一州之一，

参考八五一年十月；或之后吐蕃夺回）。”

2 吐蕃王国变军首领论恐热，驻军廓州（青海省化隆县），号召邻居各部落团结，打算攻击唐王朝边界，各部落拒绝。论恐热四面都是深仇大恨的敌人，所以天下虽大，无处可以容身。仇人把他众叛亲离的情形报告吐蕃鄯州（青海省海东市乐都区）守将拓跋怀光（参考八五〇年九月），拓跋怀光对他发动攻击，再把他击破。

3 三月二日，命河东战区（总部设太原府〔山西省太原市〕）司令官（节度使）刘潼当西川战区（总部设成都府〔四川省成都市〕）司令官（节度使）。

最初，大礼帝国（首都苴咩城〔云南省大理市〕）军队包围巂州（四川省冕宁县南泸沽镇），东蛮（四川省越西县西北）浪稽部落尽力协助大礼，但是想不到大礼攻陷巂州（四川省冕宁县南泸沽镇），竟大肆屠城（参考去年〔八六五〕五月），卑笼部落痛恨大礼军（云南省）谋害住在城里的父兄，遂引导唐王朝忠武（总部许州）特遣兵团袭击浪稽部落，把浪稽部落消灭。大礼帝国因此更恨唐帝国。

大礼帝国（首都苴咩城〔云南省大理市〕）派首相（清平官）董成等前往成都（四川省成都市），战区司令官（节度使）李福大摆架势、威风凛凛的出面接见。依照过去惯例，南诏王国（大礼帝国前身）使节晋见唐朝战区司令官（节度使）时，都在大庭中跪拜叩头，现在，董成等提出质疑，说：“我们国王顺天应人，已登极称帝，我跟唐朝战区司令官（节度使）应该用平等礼节相见！”来往传话，从早晨直到中午，不能决定，唐王朝将领从没有听说过世界上还有国家可以跟唐王朝平等的，大为愤怒，李福遂派人逮捕董成，给予一顿拷打，戴上脚镣手铐等刑具，囚禁监狱。

刘潼到差后，把董成释放，上疏请求送他回国。唐帝（二十任懿宗）李漼（李温。本年三十四岁）下诏命董成等前往京师（首都长安），在便殿接见，厚厚赏赐，慰劳安抚，才送他回国。

4 成德战区（总部设镇州〔河北省正定县〕）司令官（节度使）王绍懿逝世。王绍懿在职十年，性情宽厚，行事简单，军民都称便利。患病在床后，把老哥王绍鼎的儿子、总作战司令（都知兵马使）王景崇叫到面前，告诉他说："我老哥因你年纪还小，所以把军政大权都交给我（参考八五七年八月），而今，你已长成（本年王景崇二十岁），我再把军政大权归还给你。努力去做，对上效忠中央，对下跟相邻战区和睦相处，不要使我老哥的勋业堕毁，就是你的功劳。"说罢，逝世。

5 闰三月，吐蕃部落攻击邠宁战区（总部设邠州〔陕西省彬州市〕），司令官（节度使）薛弘宗把他们击退。

6 夏季，四月七日，贬前西川战区（总部设成都府〔四川省成都市〕）司令官（节度使）李福，当蕲王府师傅（王傅，从三品。蕲王李缉，是十三任帝李诵的儿子）。

7 五月，把太皇太后郑女士（李漼的祖母）安葬景陵（十四任帝李纯墓，陕西省蒲城县西北金炽山）的一旁，牌位另立庙宇祭祀（李纯元配懿安皇后郭女士，牌位已进皇家祖庙，郑女士只好以小老婆身份另行供奉，不能再放入皇家祖庙）。

8 六月，魏博战区（总部设魏州〔河北省大名县〕）司令官（节度使）何弘敬（何重顺）逝世，军中拥护他的儿子、左参谋长（左司马）何全皞当候补司令官（留后）。

9 命王景崇当成德战区（总部设镇州〔河北省正定县〕）候补司令官（留后）。

10 大礼帝国皇帝（一任帝）酋龙，派善阐战区（前拓东战区，总部设善阐府〔云南省昆明市〕）司令官（节度使）杨缉思，增援安南战区（总部设安南府〔越南河内市〕）司令官（节度使）段酋迁，协助防守交趾（安南府所在城）；命范昵些当安南（越南河内市）总指战官（都统）、赵诺眉当扶邪（罗伏州，越南海万市）总指战官（都统）。恰巧，监营宦官（监阵敕使）韦仲宰，率七千人抵达峰州（河内市西北永安市）增援，遂跟高骈军会合，高骈军力增强，向大礼军发动攻击，屡次都把大礼军击破，捷报传到海门（行交州，越南海防市），监军宦官李维周却把它压下来，以致数月之间，高骈下落如石沉大海，没有一点消息。李漼大为奇怪，派宦官询问李维周，李维周奏报说："高骈驻扎峰州（越南永安市），玩弄敌寇，不肯前进！"李漼大怒，派右武卫（卫军第四军）将军王晏权代替高骈当安南总督，命高骈回京（首都长安），打算加重贬谪。王晏权，是王智兴的侄儿（有误。参考八四四年三月三日）。

本月（六），高骈在交趾（越南河内市）城外，大破大礼军，格杀及俘虏很多，遂包围交趾城。

11 秋季，七月，命何全皞当魏博战区（总部设魏州〔河北省大名县〕）候补司令官（留后）。

12 冬季，十月十三日，贬副监督长（门下侍郎）、二级实质宰相（同平章事）杨收，当宣歙道（首府设宣州〔安徽省宣城市宣州区〕）行政长官（观察使）。

杨收挥霍无度，性情奢侈，生活靡烂，守门的人和家中奴仆，都仗势作奸犯科，贪赃枉法。左神策军总指挥宦官（左军中尉）杨玄价的兄弟们，接受地方官员的贿赂，屡次提出要求，杨收有时候不能完全接受，杨玄价大怒，认为杨收背叛自己，所以把他贬出京师（首都长安）。

13 吐蕃王国（首都逻些城〔西藏拉萨市〕）鄯州（青海省海东市乐都区）守将拓跋怀光，派骑兵五百人，奇袭廓州（青海省化隆县），生擒论恐热，先砍断他的两脚，再件件桩桩斥责他的罪行，然后把他斩首，将人头送往唐王朝首都长安（陕西省西安市）。论恐热的部众东逃秦州（甘肃省秦安县西北），河渭地区（总部设河州〔甘肃省临夏市〕）总游击司令（都游弈使）尚延心拦腰截击，大破余众，上疏建议把他们统统发配岭南（南岭以南）安置（尚延心事，参考八五七年十月）。吐蕃王国从此没落，退出国际舞台。吐蕃国王（四十三任）乞离胡和他的臣属（参考八四二年十二月），唐王朝再不知他们的消息。

14 高骈围攻交趾（越南河内市）十余日，大礼守军困苦绝望，城池早晚都要陷落。就在这时候，接到新任总督王晏权的通知说：他已跟李维周会师，同率大军从海门（越南海防市）出发。高骈就把军队交给督战宦官（监阵敕使）韦仲宰，自己率亲信侍卫一百余人北返。

先前，韦仲宰派小宦官王惠赞、高骈派初级军官曾衮，到京

九世纪·四〇年代至六〇年代
唐王朝疆域扩张

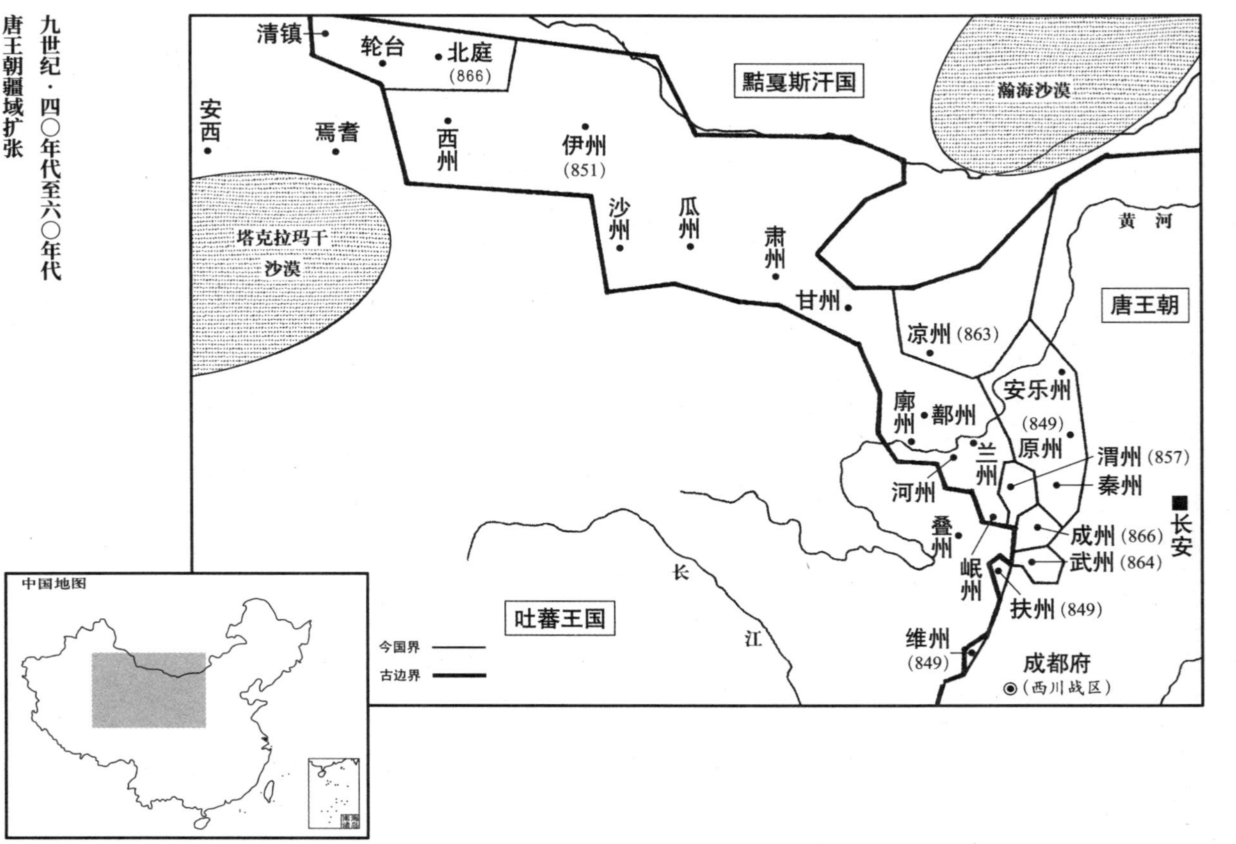

九世纪·八六五年七月至八六六年十月
高骈收复安南

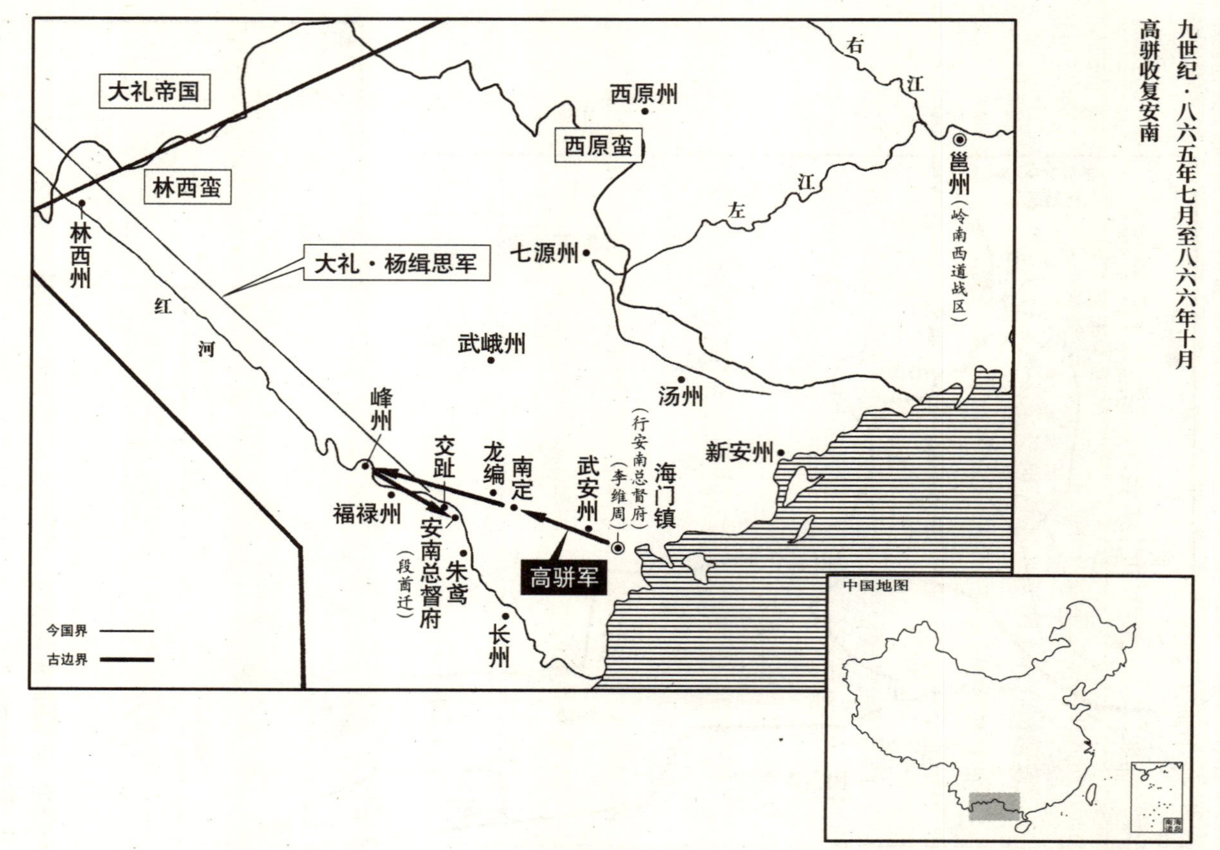

师（首都长安）奏报交趾大捷，抵达海边，看到大军旌旗蔽天，从东方涌来。二人向巡逻小艇探听消息，回答说："新总督和督战宦官！"两人商量说："李维周一定会把奏章夺走，把我们留下。"于是躲藏到一个小岛上。等李维周过去，一直飞奔京师（首都长安）告捷。李漼看到奏章，大喜，加授高骈中央官衔：国务院摄理工程部长（检校工部尚书），恢复原官原职，仍镇守安南（海门镇，越南海防市）。高骈走到海门（越南海防市），接到留任诏书，即行回去。

王晏权昏庸懦弱，一举一动都向李维周请示。而李维周凶恶贪婪，将领也不听他的指挥，遂解除交趾（越南河内市）包围，以致大礼军（云南省）逃走大半。高骈回来后，再督促官兵恢复包围，猛烈攻城，终于攻克（沦陷六年，至今收复。参考八六〇年十二月）。诛杀段酋迁跟大礼军向导、当地部落酋长朱道古，格杀三万余人，大礼残兵败将狼狈逃走。高骈又击破亲大礼的本地土著所住的两个山洞部落，诛杀他们的酋长，本地土著归降唐王朝的有一万七千人。

15 十一月十一日，赦免天下。唐政府训令安南（首府安南府）、岭南西道（总部邕州）、西川（总部成都府）：各保自己的疆域，不可再攻击大礼帝国（首都苴咩城〔云南省大理市〕）；命西川战区（总部设成都府〔四川省成都市〕）司令官（节度使）刘潼跟大礼接触，表明唐政府意愿，如果大礼愿跟唐王朝恢复友谊，唐王朝不再重提往事。

16 把安南军管区升格为静海战区（总部设安南府〔越南河内市〕），命高骈当司令官（节度使）。自李涿激怒安南各部落蛮夷，给安南带来灾难，将近十年（八五八年六月迄今），直到今天，才归平息。

高骈修筑安南（越南河内市）城池，周围三千步，建造房屋四十余万间。

17 十二月，黠戛斯汗国（瀚海沙漠群）派将军乙支连几，来中国唐王朝朝贡，上疏声称，已准备妥当车马，用以迎接唐政府所派册封可汗的钦差大臣，并请求颁发唐王朝明年（八六七）日历。

18 擢升成德战区（总部设镇州〔河北省正定县〕）候补司令官（留后）王景崇实任司令官（节度使）。

19 李漼喜爱听音乐、玩游戏和吃喝饮酒，金銮宝殿前的皇家歌舞团女郎，将近五百人，宫中宴会，每月不少于十几次，山珍海味，无一不备。李漼听演奏、看表演，从不知道疲倦，每次赏赐，动不动就是一千串。像曲江（首都长安东南角）、昆明（大明宫内）、灞浐（渭水支流）、北苑（宫城以北）、南宫（兴庆宫）、昭应（陕西省西安市临潼区，华清宫）、咸阳（陕西省咸阳市）等地，李漼只要想去，站起来就走，不等安排布置。有关单位经常处于紧急状态，准备音乐、饮食、锦帐帘幕。各亲王都站在马前待命，随时陪同圣驾出发，李漼每到一个地方，内外各机关官员随驾扈从的至少有十余万人，费用记不胜记。

七世纪至九世纪　唐王朝关中十八陵

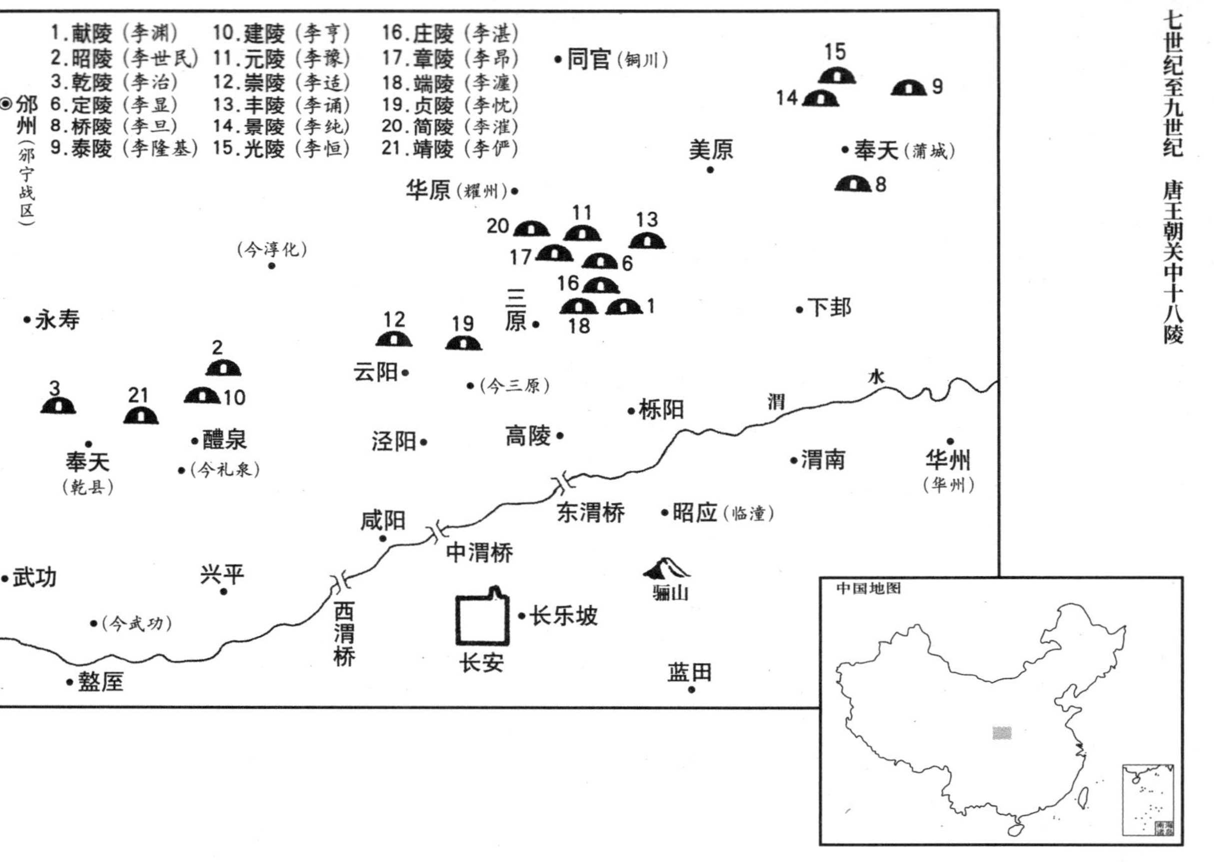

七世纪至九世纪　唐王朝关中十八陵

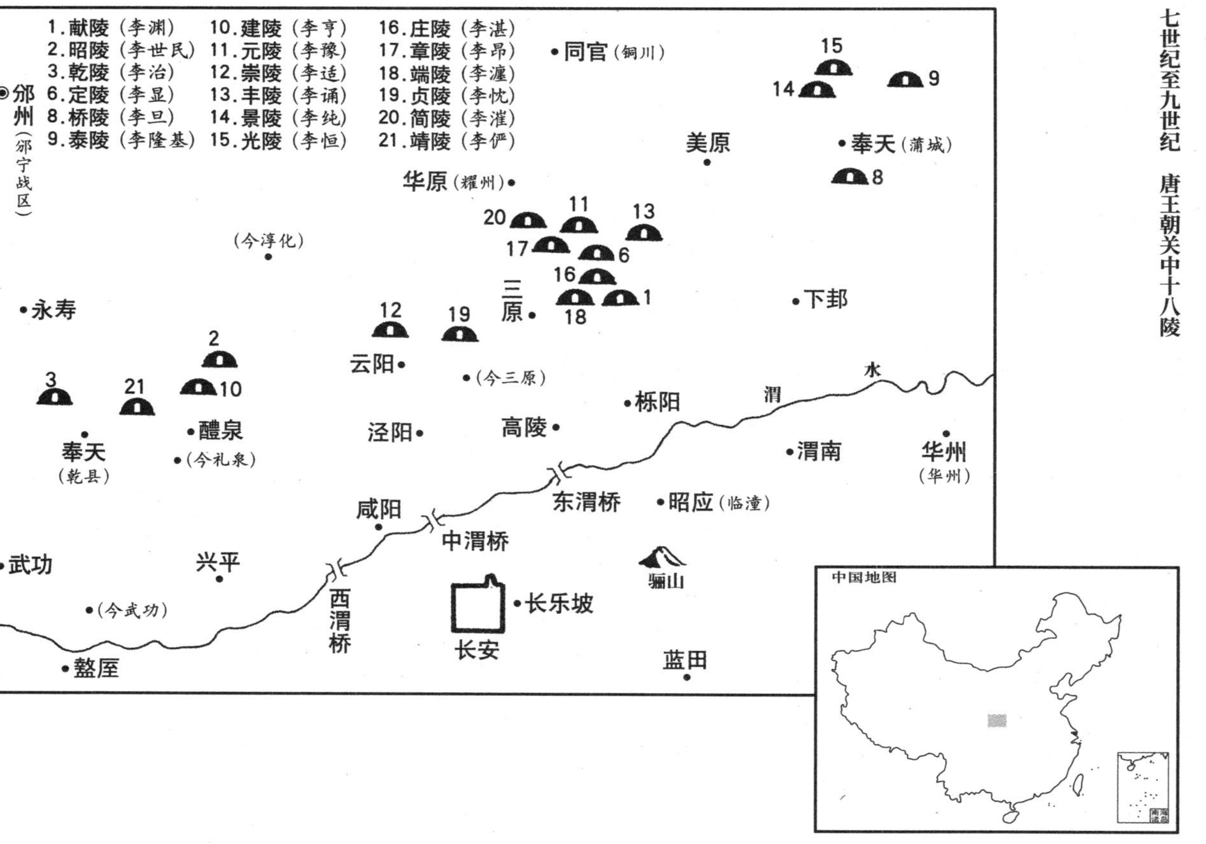